A LITERATURA BRASILEIRA

atravês dos textos

Do Autor

Obras Escolhidas de Machado de Assis, 9 vols., S. Paulo, Cultrix, 1960-1961. (Organização, introdução geral, cotejo e texto, prefácios e notas)

A Literatura Portuguesa, S. Paulo, Cultrix, 1960; 37ª ed., 2010.

Romantismo-Realismo e Modernismo, vols. II e III da *Presença da Literatura Portuguesa*, S. Paulo, Difusão Européia do Livro, 1961; 2ª ed., vol. III, 1967, vol. V, 1971; 4ª ed., vol. III, 1974, 6ª ed., vol. V, 2002.

Camões, Lírica, S. Paulo, Cultrix, 1963; 14ª ed., 2001. (Seleção, prefácio e notas)

A Criação Literária, S. Paulo, Melhoramentos, 1967; 13ª ed., *Poesia*, S. Paulo, Cultrix, 2008; 18ª ed., *Prosa-I*, S. Paulo, Cultrix, 2008; 21ª ed. *Prosa-II*, S. Paulo, Cultrix, 2007; 20ª ed.

Pequeno Dicionário de Literatura Brasileira, S. Paulo, Cultrix, 1967; 7ª ed., 2008. (Co-organização, codireção e colaboração)

A Literatura Portuguesa Através dos Textos, S. Paulo, Cultrix, 1968; 33ª ed., 2011.

A Literatura Brasileira Através dos Textos, S. Paulo, Cultrix, 1971; 28ª ed., 2011.

A Análise Literária, S. Paulo, Cultrix, 1969; 17ª ed., 2008.

Dicionário de Termos Literários, S. Paulo, Cultrix, 1974; 15ª ed., 2011.

O Conto Português, S. Paulo, Cultrix/EDUSP, 1975; 6ª ed., 2005. (Seleção, introdução e notas)

Literatura: Mundo e Forma, S. Paulo, Cultrix/EDUSP, 1ª ed., 1982.

História da Literatura Brasileira, 5 vols., S. Paulo, Cultrix/EDUSP, 1983-1989; 3 vols., S. Paulo, Cultrix, 2001, vol. I — *Das Origens ao Romantismo*, 3ª ed., 2008; vol. II — *Realismo, Simbolismo*, 2ª ed., 2004; vol. III — *Modernismo*; 2ª ed., 2004.

O Guardador de Rebanhos e Outros Poemas, de Fernando Pessoa, S. Paulo, Cultrix/EDUSP, 1988, 8ª ed., 2006. (Seleção e introdução)

O Banqueiro Anarquista e outras Prosas, de Fernando Pessoa, S. Paulo, Cultrix/EDUSP, 1988, 2ª ed. revista 2008. (Seleção e introdução)

Fernando Pessoa: O Espelho e a Esfinge, S. Paulo, Cultrix/EDUSP, 1988; 3ª ed., 2009.

A Literatura Portuguesa em Perspectiva, 4 vols., S. Paulo, Atlas, 1992-1994. (Organização e direção)

As Estéticas Literárias em Portugal. vol. I — *Séculos XIV a XVIII*, Lisboa, Caminho, 1997; vol. II — *Séculos XVIII e XIX*, 2000.

Machado de Assis: Ficção e Utopia, S. Paulo, Cultrix, 1ª ed., 2001.

Contos de Machado de Assis, 1968; 6ª ed., 2009. (organização, introdução, revisão de textos e notas).

Massaud Moisés

A LITERATURA BRASILEIRA

através dos textos

28ª Edição

EDITORA CULTRIX
São Paulo

A Literatura Brasileira Através dos Textos.

1ª edição, 1971.

Dados Internacionais de Catalogação na Publicação (CIP)
(Câmara Brasileira do Livro, SP, Brasil)

Moisés, Massaud
    A literatura brasileira através dos textos / Massaud Moisés. -- São Paulo : Cultrix, 2007.

26ª reimpr. da 1ª edição de 1971.
ISBN 978-85-316-0229-0

1. Literatura brasileira - História e crítica I. Título.

07-2310   CDD-869-909

Índices para catálogo sistemático:

1. Literatura brasileira : história e crítica   869.909

O primeiro número à esquerda indica a edição, ou reedição, desta obra. A primeira dezena à direita indica o ano em que esta edição, ou reedição foi publicada.

Edição	Ano
28-29-30-31-32-33-34-35	11-12-13-14-15-16-17-18

Direitos resrvados
EDITORA PENSAMENTO-CULTRIX LTDA.
Rua Dr. Mário Vicente, 368 – 04270-000 – São Paulo, SP
Fone: 2066-9000 – Fax: 2066-9008
E-mail: pensamento@cultrix.com.br
http://www.pensamento-cultrix.com.br
Foi feito o depósito legal.

Para meus irmãos
Adélia
Alfredo
Helena
Jorge
Júlia
Zoraide

SUMÁRIO

PREFÁCIO

*A presente antologia da Literatura Brasileira obedece ao mesmo critério que presidiu à elaboração d*A Literatura Portuguesa *através dos textos, com a diferença de que a obra anterior funcionava como crestomatia de um panorama das letras portuguesas que seu autor vem publicando e atualizando desde 1960. Sendo assim, trata-se de obra autônoma, com princípio, meio e fim, e características próprias. Os textos foram organizados em ordem histórica, conforme as sete épocas em que se pode desmembrar o evolver da Literatura Brasileira. E cada época, gênero ou autor abre com uma informação, que visa situar os fragmentos do ponto de vista cronológico, e orientar o consulente em sua leitura. Cada excerto é precedido de uma "notícia" histórico-crítica, anotado sempre que necessário, e comentado do ângulo crítico. No tocante aó comentário, importa dizer que não tive propósito de esgotar a análise dos problemas suscitados pelos trechos escolhidos; limito-me a registrar alguns pontos de referência e interpretação, deixando ao professor e ao estudante a tarefa de completá-los e ampliá-los, com o exame do texto e a consulta da eventual indicação bibliográfica inserta no comentário. Este, por isso mesmo, incide tanto sobre aspectos gerais (por exemplo, o pertencer a dada estética literária), como sobre aspectos particulares.*

Como se tratasse de exemplificar *uma literatura, dentro das fronteiras de um volume só e de porte normal, não me restava outro meio senão utilizar um critério duplo: convocar os textos* melhores, *isto é, julgados qualitativamente de primeira plana, segundo opinião do compilador e/ou do consenso geral, e os textos* representativos, *que oferecem uma idéia das várias mutações sofridas pela Literatura Brasileira no curso de sua história, ainda que o seu valor, enquanto testemunho literário, deixasse a desejar. Por outro lado, o critério não podia ser aplicado rigidamente, pois resultaria em desconhecer as variações históricas havidas e as perspectivas correspondentes. Desse modo, certos poetas dos primórdios de nossa história literária ganharam lugar na antologia, enquanto outros, dos fins do século XIX e princípios do XX, foram excluídos: é que, se idêntico para as duas épocas o critério de escolha, determinados nomes seiscentistas e setecentistas cederiam o passo a confrades mais modernos, o que comportaria uma visão da Literatura Brasileira diversa da que se pretende alcançar no momento. Se a coletânea se baseasse numa seleção valorativa dos textos, em vez de Bento Teixeira punha-se, por exemplo, Marcelo Gama ou Severiano de Resende. Visto desejar-se uma idéia orgânica da evolução histórica da Literatura Brasileira,* através dos textos, *pareceu-me que tal procedimento não cabia. Pela mesma razão, atribuiu-se especial ênfase aos escritores modernos: a Literatura Brasileira contemporânea, além de interessar de perto ao leitor brasileiro e alienígena, apresenta uma diversidade e uma riqueza que justificam plenamente o elenco de nomes enfeixados. Ainda assim, poder-se-iam acrescentar vários outros, mas fazê-lo redundaria em desequilíbrio no conjunto da obra.*

M.M.

NOTA

Além de inteiramente revisto, o texto da presente edição enriqueceu-se com o acréscimo de novos fragmentos, seja dos autores anteriormente selecionados, seja de outros agora incorporados à antologia, pertencentes à modernidade.

M.M.

ORIGENS E FORMAÇÃO

Preliminares

A história da Literatura Brasileira inicia-se em 1500, com a *Carta,* de Pêro Vaz de Caminha. E entre 1500 e 1601, quando Bento Teixeira publica seu poemeto épico, *Prosopopéia,* transcorre a época de formação e origens. Ao longo dessa centúria, observa-se a permanência de padrões literários medievais, de mistura com os valores renascentistas que enformavam os colonizadores da terra recém-descoberta. No conjunto, a atividade literária de nosso Quinhentismo serve aos fins da Companhia de Jesus, e por isso ignora, salvo incidentalmente, propósitos de arte desinteressada: prevalece, regra geral, a intenção doutrinária ou pedagógica sobre a estética propriamente dita. De onde, os dois capítulos fundamentais da produção literária nessa quadra — a literatura jesuítica e a literatura de informação da terra — se interpenetrarem de tal modo que acabam adquirindo fisionomia comum, orientada para o conhecimento do solo e do homem "brasílicos", e para a educação do gentio ignaro e do colono analfabeto.

PÊRO VAZ DE CAMINHA

Pouco se sabe de sua vida. Natural do Porto, de família burguesa, exerceu funções de Mestre da Balança na cidade natal, conforme documento régio de 8 de março de 1476. Escrivão da frota de Pedro Álvares Cabral, dirigiu a D. Manuel, no dia 1º de maio de 1500, a *Carta de Achamento* do Brasil. Orçaria pelos cinqüenta anos, pois já tinha netos. Faleceu a 16 de dezembro do mesmo ano em combate na Índia.

Carta

A missiva de Pêro Vaz de Caminha ficou inédita até 1817, quando Manuel Aires do Casal a inseriu na *Corografia Brasílica,* dada à estampa no Rio de Janeiro. Sua existência, porém, já havia sido acusada em 19 de janeiro de 1773, por José de Seabra da Silva, Guarda-mor da Torre do Tombo. Texto corrido, composto numa ordem que pressupõe começo, meio e fim, ocupa vinte e sete folhas. Dele se extraíram os seguintes trechos:

Os cabelos seus são corredios. E andavam tosquiados, de tosquia alta, mais que de sobre-pente, de boa grandura e rapados até por cima das orelhas. E um deles trazia por baixo da solapa, de fonte a fonte para detrás, uma espécie de cabeleira de penas de ave amarelas, que seria do comprimento de um coto, mui basta e mui cerrada, que lhe cobria o toutiço e as orelhas. E andava pegada aos cabelos, pena e pena, com uma confeição branda como cera (mas não o era), de maneira que a

15

cabeleira ficava mui redonda e mui basta, e mui igual, e não fazia míngua mais lavagem para a levantar.

O Capitão, quando eles vieram, estava sentado em uma cadeira, bem vestido, com um colar de ouro mui grande ao pescoço, e aos pés uma alçatifa por estrado. Sancho de Tovar, Simão de Miranda, Nicolau Coelho, Aires Correa, e nós outros que aqui na nau com ele vamos, sentados no chão, pela alcatifa. Acenderam-se tochas. Entraram. Mas não fizeram sinal de cortesia, nem de falar ao Capitão nem a ninguém. Porém um deles pôs olho no colar do Capitão, e começou de acenar com a mão para a terra e depois para o colar, como que nos dizendo que ali havia ouro. Também olhou para um castiçal de prata e assim mesmo acenava para a terra e novamente para o castiçal, como se lá também houvesse prata.

Mostraram-lhes um papagaio pardo que o capitão traz consigo; tomaram-no logo na mão e acenaram para a terra, como quem diz que os havia ali. Mostraram-lhes um carneiro: não fizeram caso. Mostraram-lhes uma galinha; quase tiveram medo dela: não lhe queriam pôr a mão; e depois a tomaram como que espantados.

Deram-lhes ali de comer: pão e peixe cozido, confeitos, fartéis, mel e figos passados. Não quiseram comer quase nada daquilo; e, se alguma coisa provavam, logo a lançavam fora. Trouxeram-lhes vinho numa taça; mal lhe puseram a boca; não gostaram nada, nem quiseram mais. Trouxeram-lhes água em uma albarrada. Não beberam. Mal a tomaram na boca, que lavaram, e logo a lançaram fora.

Viu um deles umas contas de rosário, brancas; acenou que lhas dessem, folgou muito com elas, e lançou-as ao pescoço. Depois tirou-as e enrolou-as no braço e acenava para a terra e de novo para as contas e para o colar do Capitão, como dizendo que dariam ouro por aquilo.

Isto tomávamos nós assim por assim o desejarmos. Mas se ele queria dizer que levaria as contas e mais o colar, isto não o queríamos nós entender, porque não lho havíamos de dar. E depois tornou as contas a quem lhas dera.

Então estiraram-se de costas na alcatifa, a dormir, sem buscarem maneira de encobrir suas vergonhas, as quais não eram fanadas, e as cabeleiras delas estavam bem rapadas e feitas. O Capitão lhes mandou pôr por baixo das cabeças seus coxins; e o da cabeleira esforçava-se por a não quebrar. E lançaram-lhes um manto por cima; e eles consentiram, quedaram-se e dormiram.

. . . .

E hoje, que é sexta-feira, primeiro dia de maio, pela manhã, saímos em terra, com nossa bandeira; e fomos desembarcar acima do rio contra o sul, onde nos pareceu que seria melhor chantar a Cruz, para melhor ser vista. Ali assinalou o Capitão o lugar, onde fizessem a cova para a chantar.

Enquanto a ficaram fazendo, ele com todos nós outros fomos pela Cruz abaixo do rio, onde ela estava. Dali a trouxemos com esses religiosos e sacerdotes diante cantando, em maneira de procissão.

Eram já aí alguns deles, obra de setenta ou oitenta; e, quando nos viram assim vir, alguns se foram meter debaixo dela, para nos ajudar. Passamos o rio, ao longo da praia e fomo-la pôr onde havia de ficar, que será do rio obra de dois tiros de besta. Andando-se ali nisto, vieram bem cento e cinqüenta ou mais.

Chantada a Cruz, com as armas e a divisa de Vossa Alteza, que primeiramente lhe pregaram, armaram altar ao pé dela. Ali disse missa o Padre Frei Henrique, a qual foi cantada e oficiada por esses já ditos. Ali estiveram conosco a ela obra de cinqüenta ou sessenta deles, assentados todos de joelhos, assim como nós.

E quando veio ao Evangelho, que nos erguemos todos em pé, com as mãos levantadas, eles se levantaram conosco e alçaram as mãos, ficando assim, até ser acabado; e então tornaram-se a assentar como nós. E quando levantaram a Deus, que nos pusemos de joelhos, eles se puseram assim todos, como nós estávamos com as mãos levantadas, e em tal maneira sossegados, que, certifico a Vossa Alteza, nos fez muita devoção.

Estiveram assim conosco até acabada a comunhão, depois da qual comungaram esses religiosos e sacerdotes e o Capitão com alguns de nós outros.

Alguns deles, por o Sol ser grande, quando estávamos comungando, levantaram-se, e outros estiveram e ficaram. Um deles, homem de cinqüenta ou cinqüenta e cinco anos, continuou ali com aqueles que ficaram. Esse, estando nós assim ajuntava estes, que ali ficaram, e ainda chamava outros. E andando assim entre eles falando, lhes acenou com o dedo para o altar e depois apontou o dedo para o céu, como se lhes dissesse alguma coisa de bem; e nós assim o tomamos.

. . . .

E, segundo o que a mim e a todos pareceu, esta gente não lhes falece outra coisa para ser toda cristã, senão entender-nos, porque assim tomavam aquilo que nos viam fazer, como nós mesmos, por onde nos pareceu a todos que nenhuma idolatria, nem adoração têm. E bem creio que, se Vossa Alteza aqui mandar quem entre eles mais devagar ande, que todos serão tornados ao desejo de Vossa Alteza. E por isso, se alguém vier, não deixe logo de vir clérigo para os batizar, porque já então terão mais conhecimentos de nossa fé, pelos dois degredados, que aqui entre eles ficam, os quais hoje também comungaram ambos.

. . . .

Esta terra, Senhor, me parece que da ponta que mais contra o sul vimos até outra ponta que contra o norte vem, de que nós deste porto houvemos vista, será tamanha que haverá nela bem vinte ou vinte e cinco léguas por costa. Tem, ao longo do mar, nalgumas partes, grandes barreiras, delas vermelhas, delas brancas, e a terra por cima toda chã e muito cheia de grandes arvoredos. De ponta a ponta, é tudo praia-palma, muito chã e muito formosa.

Pelo sertão nos pareceu, vista do mar, muito grande, porque, a estender olhos, não podíamos ver senão terra com arvoredos, que nos parecia muito longa.

Nela, até agora, não pudemos saber que haja ouro, nem prata, nem coisa alguma de metal ou ferro; nem lho vimos. Porém a terra em si é de muito bons ares, assim frios e temperados, como os de Entre-Doiro e Minho, porque neste tempo de agora os achávamos como os de lá.

Águas são muitas; infindas. E em tal maneira é graciosa que, querendo-a aproveitar, dar-se-á nela tudo, por bem das águas que tem.*

(*A Carta de Pêro Vaz de Caminha*, com um estudo de Jaime Cortesão, Rio de Janeiro, Livros de Portugal [1943], pp. 205-207, 235-237, 238, 239-240.)

É sabido que Pêro Vaz de Caminha escreveu a *Carta* em cumprimento de um dever imposto pelo cargo de escrivão da frota de Pedro Álvares Cabral: noticiar a D. Manuel o *achamento* da terra nova no Atlântico sul. O principal intuito, por conseguinte, resumia-se em ser fiel à verdade observada, para que o relato desse conta exata da gente e da terra descobertas. E tal imperativo realizou-o cabalmente, a ponto de transformar a *Carta* numa espécie de diário de viagem, com toda a pormenorização que lhe é peculiar. Nada lhe escapa à retina aguçada no mister de informar e comentar, desde o modo como os indígenas se apresentaram ao Capitão da armada, até à descrição do solo. Fazia, assim, obra simultânea de escrivão de bordo e de historiador. Percebe-se, contudo, que não se limitou a um reconto frio ou impessoal; ao contrário, certa veemência percorre-lhe as palavras, como se o entusiasmo provocado pelas novidades contempladas lhe transformasse o estilo e, por isso mesmo, a maneira de ver o mundo. Dir-se-ia que o literato que nele existia, latente ou não, vem à tona, mercê do deslumbramento perante a visão edênica oferecida pela terra desconhecida. Daí a descrição, fluentemente literária, do gentio e uma narração de igual teor, centrada na entrevista que o aborígine concede aos navegantes. O próprio ritmo sincopado da frase ("Acenderam-se tochas. Entraram." Etc.) trai um escritor atento ao fenômeno literário. Parece que o cronista não resiste à tentação de inocular no registro oficial sua agitação íntima em face do espetáculo insólito que presencia. E tal vibração acusa um ficcionista, ainda que primitivo e um tanto ingênuo. A vivacidade resultante, a indiscriminação dos pormenores a fixar (como o relativo ao modo desabusado de os silvícolas se deitarem na presença dos portugueses), a

---

* *Sobre-pente* = por alto, de leve; *grandura* = grandeza; *solapa* = seria "a parte do cabelo que caía sobre a testa e sobre a parte restante do crânio rapada que lhe ficava por debaixo. Esta maneira de cortar o cabelo era usada no século XV, tanto por seculares, como religiosos" (Jaime Cortesão, *in Carta de Pêro Vaz de Caminha*, ed. cit., p. 228); *coto* = "do cotovelo à mão aproximadamente dois palmos" (*idem, ibidem*, p. 289); *toutiço* = nuca, a própria cabeça; *confeição de cera* = "*almécega*, ou seja a resina da *pistácia lentisco*". "Como essa goma era branda e a cabeleira de penas muito basta e unida, podia facilmente levantar-se, ou separar-se dos cabelos, sem lavagem" (*idem, ibidem*, pp. 289-290); *alcatifa* = tapete; *fartéis* = o fartel, farte ou fartem é um "bolo de açúcar e amêndoas envolvido em farinha de trigo" (Morais, *Grande Dicionário da Língua Portuguesa*, 10ª ed., 12 vols., Lisboa Confluência [1949-1958], vol. V, p. 73); *albarrada* = "vaso de metal, por via de regra, prata, com uma só asa e tampa, muito característico" (Jaime Cortesão, *op. cit.*, p. 291); *vergonhas não fanadas* = não tinham sofrido circuncisão; *coxim* = almofada grande que serve de assento; *chantar* = plantar, fincar; *dois tiros de besta* = cada tiro de besta ("arma de atirar setas, virotes, pelouros", segundo Morais, *op. cit.*, vol. II, p. 469) "devia orçar por 140 a 150 metros" (Jaime Cortesão, *op. cit.*, p. 325); *praia-palma* = talvez signifique "toda a praia, como a palma, muito chã e muito formosa" (Jaime Cortesão, *op. cit.*, p. 332).

"paixão" pelo indígena, que prenunciava, involuntariamente, o "bom selvagem" de Rousseau, o elogio da terra, que inaugurava o mito ufanista, ainda hoje vivo — constituem outros aspectos dignos de nota neste documento que fundava, extasiadamente, nossa literatura.

A Literatura Jesuítica

Aqui chegados em 1549, na frota de Tomé de Sousa, os jesuítas instalaram colégios da Companhia no Rio de Janeiro, Bahia e Pará, semelhantes ao Colégio das Artes, existente na Metrópole. A par de sua ação catequética, mas tendo em vista idênticos objetivos, desenvolveram um ensino e uma atividade literária, de cunho medievalizante. A despeito de suas limitações, os sacerdotes de Loyola foram os primeiros a propiciar o surgimento de um clima cultural entre nós. De sua produção, apenas a poesia e o teatro ostentam nítidas facetas estéticas; as mais das vezes, constituem documentos paraliterários pertencentes à Historiografia, à Sociografia, à Etnografia, Lingüística, etc. Vários nomes compõem este capítulo, como Fernão Cardim, João de Aspilcueta Navarro, Leonardo Nunes, Manuel da Nóbrega e José de Anchieta, mas apenas os dois últimos se destacam, literariamente falando.

JOSÉ DE ANCHIETA

Nasceu a 19 de março de 1534, em Tenerife, no Arquipélago das Canárias. Passando a Coimbra, após os primeiros estudos, forma-se em Filosofia e ingressa na Companhia de Jesus, com 17 anos. Em 1555, acompanha a missão jesuítica que vem ao Brasil com o segundo governador-geral, Duarte da Costa. A despeito da pouca saúde, entrega-se a um intenso labor missionário e pedagógico. Colabora na fundação do colégio de Piratininga (25/1/1554). Em 1578, torna-se Provincial da Ordem. De sua constante atividade literária, vê publicada a *Arte de Gramática da Língua Mais Usada na Costa do Brasil* (1595), e falece dois anos mais tarde, no Espírito Santo. Praticamente inédito em vida, Anchieta deixou vasta obra, que sofreu toda sorte de vicissitudes: suas *Poesias* somente foram reunidas numa edição completa e uniforme em 1954, por ocasião do IV Centenário de São Paulo; seu longo poema elegíaco, em Latim, *De Beata Virgine Dei Matre Maria*, foi dado à estampa em 1663 e traduzido para o vernáculo em 1940; seu poema em louvor de Mem de Sá foi considerado perdido e hoje se sabe que conheceu letra de fôrma, em 1563, sob o título de *Excelentissimo Singularisque Fideiac Pietatis Viro Mendo de Saa, Australis seu Brasillicae Indiae Praesidi Praestantissimo*; sua prosa, sob o título de *Cartas, Informações, Fragmentos Históricos e Sermões de...*, foi editada em 1933.

> *Do Santíssimo Sacramento*
>
> Ó que pão, ó que comida,
> ó que divino manjar
> se nos dá no santo altar
> cada dia!
>
> Filho da Virgem Maria,
> que Deus-Padre cá mandou
> e por nós na cruz passou
> crua morte,

e para que nos conforte
se deixou no sacramento
para dar-nos, com aumento,
    sua graça,

esta divina fogaça
é manjar de lutadores,
galardão de vencedores
    esforçados,

deleite de namorados,
que, co gosto deste pão,
deixam a deleitação
    transitória.

Quem quiser haver vitória
do falso contentamento,
goste deste sacramento
    divinal.

Este dá vida imortal,
este mata toda fome,
porque nele Deus e homem
    se contêm.

É fonte de todo bem,
da qual quem bem se embebeda
não tenha medo da queda
    do pecado.

Ó que divino bocado,
que tem todos os sabores!
Vinde, pobres pecadores,
    a comer!

Não tendes de que temer,
senão de vossos pecados.
Se forem bem confessados,
    isso basta,

qu'este manjar tudo gasta,
porque é fogo gastador,
que com seu divino ardor
    tudo abrasa.

É pão dos filhos de casa,
com que sempre se sustentam

e virtudes acrescentam
de contino.

Todo al é desatino,
se não comer tal vianda
com que a alma sempre anda
satisfeita.

Este manjar aproveita
para vícios arrancar
e virtudes arraigar
nas entranhas.

Suas graças são tamanhas
que não se podem contar,
mas bem se podem gostar
de quem ama.

Sua graça se derrama
nos devotos corações
os enche de bênçoes
copiosas.

Ó entranhas piedosas
de vosso divino amor!
Ó meu Deus e meu Senhor
humanado!

Quem vos fez tão namorado
de quem tanto vos ofende?
Quem vos ata? Quem vos prende
com tais nós?

Por caber dentro de nós
vos fazeis tão pequenino,
sem o vosso ser divino
se mudar!

Para vosso amor plantar
dentro em nosso coração,
achaste tal invenção
de manjar,

em o qual nosso padar
acha gostos diferentes,
debaixo dos acidentes
escondidos.

Uns são todos incendidos
do fogo do vosso amor;
outros, cheios de temor
    filial;

outros, co celestial
lume deste sacramento,
alcançam conhecimento
    de quem são;

outros sentem compaixão
de seu Deus, que tantas dores,
por nos dar estes sabores,
    quis sofrer,

e desejam de morrer
por amor de seu amado,
vivendo sem ter cuidado
    desta vida.

Quem viu nunca tal comida,
que é sumo e todo bem?
Ai de nós! Que nos detém?
    Que buscamos?

Como não nos enfrascamos
nos deleites deste pão,
com que nosso coração
    tem fartura?

Se buscamos formosura,
nele está toda metida;
se queremos achar vida,
    esta é.

Aqui se refina a fé,
pois debaixo do que vemos,
estar Deus e homem cremos,
    sem mudança.

Acrescenta-se a esperança,
pois na terra nos é dado
quanto nos céus guardado
    nos está.

A caridade, que lá
há de ser perfeiçoada,

deste pão é confirmada
em pureza.

Dele nasce a fortaleza,
ele dá perseverança,
pão de bem-aventurança,
pão de glória,

deixado para memória
da morte do Redentor,
testemunho de seu amor
verdadeiro.

O' mansíssimo cordeiro,
o' menino de Belém,
o' Iesu, todo meu bem,
meu amor,

meu esposo, meu senhor,
meu amigo, meu irmão,
centro de meu coração,
Deus e pai!

Pois com entranhas de mãe
quereis de mim ser comido,
roubai todo meu sentido
para vós!

Prendei-me com fortes nós,
Iesu, filho de Deus vivo,
pois que sou vosso cativo,
que comprastes

co sangue que derramastes,
com a vida, que perdestes,
com a morte, que quisestes
padecer!

Morra eu, por que viver
vós possais dentro de mi.
Ganhai-me, pois me perdi
em amar-me.

Pois que para incorporar-me
e mudar-me em vós de todo,
com um tão divino modo
me mudais,

quando na minh'alma entrais
e dela fazeis sacrário
de vós mesmo, e relicário
    que vos guarda,

enquanto a presença tarda
do vosso divino rosto,
o sab'roso e doce gosto
    deste pão

seja minha refeição
e todo meu apetite,
seja gracioso convite
    de minha alma,

ar fresco de minha calma,
fogo de minha frieza
fonte viva de limpeza,
    doce beijo

mitigador do desejo
com que a vós suspiro e gemo,
esperança do que temo
    de perder.

Pois não vivo sem comer,
coma-vos, em vós vivendo,
viva a vós, a vós comendo
    doce amor!

Comendo de tal penhor,
nele tenha minha parte
e depois de vós me farte
    com vos ver!

             Amém.

    A Santa Inês

        I

Cordeirinha linda,
como folga o povo
porque vossa vinda
lhe dá lume novo!

Cordeirinha santa,
de Iesu querida,
vossa santa vinda
o diabo espanta.

Por isso vos canta,
com prazer, o povo,
porque vossa vinda
lhe dá lume novo.

Nossa culpa escura
fugirá depressa,
pois vossa cabeça
vem com luz tão pura.

Vossa formosura
honra é do povo,
porque vossa vinda
lhe dá lume novo.

Virginal cabeça
pela fé cortada,
com vossa chegada,
já ninguém pereça.

Vinde mui depressa
ajudar o povo,
pois com vossa vinda
lhe dais lume novo.

Vós sois, cordeirinha,
de Iesu formoso,
mas o vosso esposo
já vos fez rainha.

Também padeirinha
sois de nosso povo,
pois, com vossa vinda,
lhe dais lume novo.

II

Não é d'Alentejo
este vosso trigo,
mas Jesus amigo
é vosso desejo.

Morro porque vejo
que este nosso povo
não anda faminto
desse trigo novo.

Santa padeirinha,
morta com cutelo,
sem nenhum farelo
é vossa farinha.

Ela é mezinha
com que sara o povo,
que, com vossa vinda,
terá trigo novo.

O pão que amassastes
dentro em vosso peito,
é o amor perfeito
com que a Deus amastes.

Deste vos fartastes,
deste dais ao povo,
porque deixe o velho
polo trigo novo.

Não se vende em praça
este pão de vida,
porque é comida
que se dá de graça.

O' preciosa massa!
O' que pão tão novo
que, com vossa vinda,
quer Deus dar ao povo!

O' que doce bolo,
que se chama graça!
Quem sem ele passa
é mui grande tolo.

Homem sem miolo,
qualquer deste povo,
que não é faminto
deste pão tão novo!

III

Cantam:

Entrai ad altare Dei,
virgem mártir mui formosa,
pois que sois tão digna esposa
de Iesu, que é sumo rei.

Debaixo do sacramento,
em forma de pão de trigo,
vos espera, como amigo,
com grande contentamento,
Ali tendes vosso assento.

Entrai ad altare Dei,
virgem mártir mui formosa,
pois que sois tão digna esposa
de Iesu, que é sumo rei.

Naquele lugar estreito
cabereis bem com Jesus,
pois ele, com sua cruz,
vos coube dentro no peito,
o' virgem de grão respeito.

Entrai ad altare Dei,
virgem mártir mui formosa,
pois que sois tão digna esposa
de Iesu, que é sumo rei.*

(*Poesias*, São Paulo, Comissão do IV Centenário da Cidade de São Paulo, 1954, pp. 366-372, 381-384.)

Conquanto os dois poemas selecionados não possam oferecer toda a gama da lírica anchietana, exemplificam-lhe à perfeição as características fundamentais. Percebemos claramente que se trata de poesia religiosa, mercê das intenções catequéticas e pedagógicas de seu autor. Mas não é só isso: nota-se uma emoção profunda cruzar as estrofes, oriunda do autêntico sentimento de fé experimentado pelo poeta. E tal congraçamento entre a funcionalidade ensinante das composições e a veracidade do conteúdo constitui evidente marca dessa poesia e

---

* *todo al* = tudo o mais; "mais bem se podem gostar / de quem ama" = "bem podem ser apreciadas por aquele que ama" (Maria de Lourdes de Paula Martins, *Poesias* de José de Anchieta, ed. cit., p. *368); vianda* = alimento; *padar* = paladar.

atestado de sua qualidade estética. O fato é tanto mais digno de nota quanto mais se observa que os dois poemas empregam o verso redondilho, maior em "Do Santíssimo Sacramento", e menor, em "A Santa Inês". Quer dizer: o poeta-missionário lança mão de metros populares, com o fito de atingir mais facilmente os fiéis por meio da mnemônica: a memória, fixando os versos de ritmo cantante, cooperaria eficientemente para a obra de edificação. Tal apelo à música de extração popular não significa ausência de busca ou de pesquisa vocabular e métrica. Ao contrário, nota-se o feliz encontro entre a forma coloquial e a consciência artesanal. Por outro lado, a musicalidade de ritmos espontâneos permite supor um contacto demorado com o romanceiro ibérico, resultante da ascendência étnica do poeta, ou, ao menos, com a obra de Gil Vicente. A possível influência se manifesta ainda no tom dramático emprestado por Anchieta às composições. Tem-se a impressão de que as escreveu para a declamação ou mesmo a representação: quem sabe, dividiria seus educandos em solistas e coro, num jogo alternante que a dualidade métrica no interior de cada estrofe "Do Santíssimo Sacramento", e que a deslocação gráfica das estrofes e a referência ao canto no outro poema, sugerem nitidamente. Tudo isso apenas colabora para a grandeza (relativa, é certo) da poesia de Anchieta. Faltaria frisar que a essência doutrinária revela um homem primitivo, apegado ainda à Idade Média: os poemas respiram uma fé inabalável, intocada pelos ventos críticos da Renascença. Não obstante, semelham prenunciar o Barroco (V. as últimas estrofes da segunda parte de "A Santa Inês"): como esse movimento retomou os valores medievais, em confronto com os clássicos, é possível que Anchieta tivesse insensivelmente apreendido os novos padrões culturais, naquilo em que se coadunavam com o espírito medievo. Em suma, colocando-se na fronteira entre a Idade Média e a época barroca, inaugurava a história de nossa poesia, sobretudo na vertente religiosa e na indianista (que não aparece, contudo, nos poemas transcritos).

MANUEL DA NÓBREGA

Nasceu em Portugal, a 18 de outubro de 1517. Formado em Cânones (Coimbra, 1541), em 1544 entra para a Companhia de Jesus. Cinco anos depois, vem para o Brasil, juntamente com Tomé de Sousa, primeiro governador-geral, chefiando a missão incumbida de instalar a Ordem na terra nova. Seu primeiro Superior e Provincial, colaborou na fundação de Salvador e do Rio de Janeiro, e fundou S. Paulo em 25 de Janeiro de 1554, ajudado por José de Anchieta. Faleceu a 18 de outubro de 1570. Escreveu: *Cartas do Brasil* (publicadas em conjunto em 1886) e *Diálogo sobre a Conversão do Gentio* (composto entre 1556 e 1558, e publicado em 1880).

Diálogo Sobre a Conversão do Gentio

Os interlocutores são: Gonçalo Álvares, que exerceria as funções de curador de índios, e Mateus Nogueira, ferreiro da Companhia de Jesus. O diálogo, expediente vulgar no século XVI, gravita ao redor do tema expresso no título: o da conversão do índio às práticas cristãs. A seguir transcreve-se um de seus momentos:

Mateus Nogueira

Já que tanto apertais comigo, e me pareceis desejoso de saber a verdade deste negócio — creio que vos tenho esgotado — dir-vos-ei o que muitas vezes martelando naquele ferro duro estou cuidando e o que ouvi a meus Padres por muitas vezes. Parece que nos podia Cristo, [que] nos está ouvindo, dizer: Ó estultos e tardios de coração para crer! Estou eu imaginando todas as almas dos homens serem umas e todas de um metal, feitas à imagem e semelhança de Deus, e todas capazes da glória e criadas para ela; e tanto vale diante de Deus por natureza a alma do Papa, como a alma do vosso escravo Papaná.

Gonçalo Álvares

Estes têm alma como nós?

Mateus Nogueira

Isso está claro, pois a alma tem três potências, entendimento, vontade, que todos têm. Eu cuidei que vós éreis mestre já em Israel, e vós não sabeis isso! Bem parece que as teologias, que me dizíeis arriba, eram postiças do P. Brás Lourenço, e não vossas. Quero-vos dar um desengano, meu Irmão Gonçalo Álvares: que tão ruim entendimento tendes vós para entender o que vos queria dizer, como este gentio para entender as coisas de nossa fé.

Gonçalo Álvares

Tendes muita razão, e não é muito, porque eu ando na água aos peixes-bois e trato no mato com brasil. Não é muito ser frio! E vós andais sempre no fogo, razão é que vos aquenteis. Mas não deixeis de prosseguir adiante, pois uma das obras de misericórdia é ensinar aos ignorantes.

. . . .

Gonçalo Álvares

Pois como tiveram estes pior criação, que os outros, e como não lhes deu a natureza a mesma polícia que deu aos outros?

Mateus Nogueira

Isso podem-vos dizer chãmente, falando a verdade, que lhes veio por maldição de seus avós, porque estes cremos serem descendentes de Cam, filho de Noé, que descobriu as vergonhas de seu pai bêbado, e em maldição, e por isso, ficaram nus e têm outras mais misérias. Os outros gentios, por serem descendentes de Sem e Jafete, era razão, pois eram filhos de bênção, terem mais alguma vantagem. E porém toda esta maneira de gente, uma e outra, naquilo em que se criam tem uma mesma alma e um entendimento. E prova-se pela Escritura, porque logo os primeiros dois Irmãos do mundo, um seguiu uns costumes e outro outros. Isac e Ismael ambos foram Irmãos, mas Isac foi mais político que o Ismael, que andou nos matos. Um homem tem dois filhos de igual entendimento, um criado na aldeia e outro na cidade; o da aldeia empregou seu entendimento em fazer um arado e outras coisas da aldeia, o da cidade em ser cortesão e político: certo está, que ainda que tenha diversa criação, ambos têm um entendimento natural exercitado segundo sua criação. E o que dizeis das ciências, que acharam os filósofos que denota haver entendimento grande, isso não foi geral benefício de todos os humanos dado pela natureza, mas foi especial graça dada por Deus, não a todos os romanos nem a todos os gentios, senão a um ou a dois, ou a poucos, para proveito e formosura de todo o universo. Mas que estes, por não ter essa polícia, fiquem de menos entendimento para receberem a fé, que os outros que a têm, me não provareis vós nem todas as razões acima ditas; antes, provo quanto esta polícia aproveita por uma parte, tanto dana por outra, e quanto a simplicidade destes estorva por uma parte ajuda por outra veja Deus isso e julgue-o. Julgue-o também quem ouvir a experiência dês-que começou a Igreja, e ver que mais se perdeu por sobejos e soberbos entendimentos que não por simplicidade e pouco saber. Mais fácil é de converter um ignorante que um malicioso e soberbo. A principal guerra, que teve a Igreja, foram sobejos entenderes: daqui vieram os hereges e os que mais duros e contumazes ficaram; daqui manou a pertinácia dos judeus que, nem com serem convencidos por suas próprias Escrituras, nunca se quiseram render à fé; daqui veio a dizer S. Paulo: Nós pregamos a Jesus Cristo crucificado, aos judeus escândalo e às gentes estultícia. Dizei-me, meu Irmão, qual será mais fácil de fazer? Fazer crer a um destes, tão fáceis a crer, que nosso Deus morreu, ou a um judeu, que esperava o Messias poderoso e Senhor de todo o mundo?*

> (*Diálogo sobre a Conversão do Gentio*, Lisboa, IV Centenário da Fundação de São Paulo, 1954, pp. 88-89, 93-95.)

Movido por evidentes intuitos pedagógicos, o diálogo certamente se dirigia aos estudantes dos colégios jesuíticos ou/e aos colonos que tratavam com os indígenas. Daí o estilo em que está vazado: a naturalidade coloquial cede aos períodos bem construídos, ou, pelo menos, procura fundir-se com a melhor sintaxe, já nessa altura forcejando por escapar da moldura latina. Basta esse conluio entre a oralidade própria dos interlocutores e a linguagem vigiada para assinalar o caráter literário do texto. Na verdade, percebe-se que o escritor visa não

---

* *Ó estultos e tardios de coração para crer!* = Lucas, 24, 25; *Papaná* = "Parece que habitavam o Sul da Capitania do Espírito Santo e teriam comunicação, pelo Rio Paraíba, com o interior da Capitania de São Vicente" (Serafim Leite, *Diálogo sobre a Conversão do Gentio* (ed. cit., p. 88, nota); *Eu cuidei que vós éreis mestre já em Israel* = João, 3, 10; *Pe. Brás Lourenço* = Jesuíta (1525-1605), alcançou ser Superior no Espírito Santo e em Porto Seguro, além de Reitor do Colégio do Rio de Janeiro (Serafim Leite, *op. cit.*, p. 89, nota); *trato no mato com brasil* = "comprar, agenciar, cortar *pau-brasil*" (*idem, ibidem*, p. 89, nota); *polícia* = civilização; *porque estes cremos serem descendentes de Cam* — Gênese, 9, 18-27; *dois primeiros Irmãos do mundo* = Abel e Caim; *Isac e Ismael* = filhos de Abrão; *Nós pregamos a Jesus Cristo crucificado, aos judeus escândalo e às gentes estultícia* = I Epístola aos Coríntios, 1, 23.

apenas difundir sua doutrina acerca do assunto em causa, mas também revesti-la com elegância e precisão. Desse ângulo, o ponto alto da fala situa-se na derradeira explanação de Mateus Nogueira ("Isso podem-vos dizer chãmente"...). Note-se que, apesar da veemência e do recorte erudito da frase, o diálogo jamais descamba para o retórico. E por momentos as personagens chegam a utilizar metáforas que, sobre acusarem o Barroco em gestação, atestam o gosto literário da escrita, como a exploração do quente e do frio na fala de Gonçalo Álvares. Do prisma doutrinário, observa-se que Manuel da Nóbrega propugna por ideais ecumênicos, ao admitir, logo à entrada do diálogo, igualdade entre o Papa e o índio papaná, no tocante à alma. Antes fruto de saber da experiência que dos livros, tal concepção, todavia, vem acompanhada de pensamentos de fé baseados nas Escrituras: esse consórcio entre a verdade observada, mais plausível na boca de um ferreiro, e a verdade dogmática, implícita no diálogo e na mente do escritor, constitui outro aspecto digno de atenção. Tudo isso, afora preludiar o Pe. Antônio Vieira e, portanto, o próprio Barroco, confere ao *Diálogo* o privilégio de ter sido a primeira obra literária em prosa surgida entre nós.

BARROCO

Preliminares

A época do Barroco inicia-se em 1601, quando Bento Teixeira publica seu poemeto épico, *Prosopopéia*, e termina em 1768, com a publicação das *Obras Poéticas*, de Cláudio Manuel da Costa, que encetam o movimento arcádico. Durante a vigência da estética barroca, importada diretamente da Espanha, nessa altura dominando Portugal, e dos poetas portugueses do século XVI, cultivam-se a poesia, a historiografia, a literatura doutrinária ou de informação da terra e a oratória.

A POESIA

Em sua evolução histórica, a poesia barroca atravessou três momentos, cada qual com suas peculiaridades: 1) ocupando, grosseiramente, a primeira metade do século XVII, caracteriza-se pela influência de Camões e de escritores castelhanos; representa-o Bento Teixeira; 2) correspondente à segunda metade do século XVII, assinala o desabrochar de uma poesia já de índole brasileira, sem embargo de permanecer a influência camoniana e espanhola; surge o grupo baiano, representado por Gregório de Matos, Eusébio de Matos, Domingos Barbosa, Bernardo Vieira Ravasco e Grasson Tinoco; 3) caracteriza-se pelo exagero do Barroco e o aparecimento das academias literárias (a partir de 1724, com a Academia dos Esquecidos); pertencem a esse período Manuel Botelho de Oliveira, Frei Manoel de Santa Maria Itaparica e outros.

BENTO TEIXEIRA

Nasceu no Porto, por volta de 1561 e faleceu em Lisboa, em fins de 1600. Cristão-novo, veio cedo para o Brasil e aqui estudou até se formar pelo Colégio da Bahia. Professor de primeiras letras, praticou também a advocacia. Assassinou a mulher, em 1594, por questões de honra; fugindo à prisão, refugiou-se no Convento dos Beneditinos, em Olinda. Preso, é levado a Lisboa, onde abjurou o judaísmo e faleceu, sem ver a *Prosopopéia* publicada, em 1601.

Prosopopéia

Poemeto épico, com 94 estâncias em oitava-rima e decassílabos heróicos, conforme ensinava Camões n*Os Lusíadas*, gira em torno de Jorge de Albuquerque Coelho, donatário da Capitania de Pernambuco, e de seu irmão, Duarte. O intuito do poeta, declarado logo nos primeiros versos (transcritos a seguir), era enaltecer os feitos guerreiros dos heróis, em terras "brasílicas" e africanas (batalha de Alcácer-Quibir). O narrador é Proteu. Os fragmentos que se vão ler correspondem às estâncias iniciais e à descrição do Recife de Pernambuco:

I

Cantem poetas o poder romano,
Submetendo nações ao jugo duro,
O Mantuano pinte o Rei Troiano,
Descendo à confusão do Reino escuro;
Que eu canto um Albuquerque soberano,
Da fé, da cara Pátria firme muro,
Cujo valor, e ser, que o Céu lhe inspira,
Pode estancar a lácia e grega lira.

II

As délficas irmãs chamar não quero,
Que tal invocação é vão estudo;
Aquele chamo só, de quem espero
A vida que se espera em fim de tudo.
Ele fará meu verso tão sincero,
Quanto fora sem ele tosco, e rudo,
Que per razão negar não deve o menos,
Quem deu o mais, a míseros terrenos.

III

E vós, sublime Jorge, em quem se esmalta,
A estirpe d'Albuquerques excelente,
E cujo eco da fama corre, e salta,
Do Carro Glacial à Zona ardente,
Suspendei por agora a mente alta,
Dos casos vários da olindesa gente,
E vereis vosso irmão e vós, supremo,
No valor, abater Quirino e Remo.

IV

Vereis um sinil ânimo arriscado
A transes, e conflitos temerosos,
E seu raro valor executado
Em corpos luteranos vigorosos.
Vereis seu estandarte derribado
Aos católicos pés vitoriosos,
Vereis enfim o garbo, e alto brio,
Do famoso Albuquerque vosso tio.

V

Mas enquanto Tália não se atreve,
No mar do valor vosso, abrir entrada,

Aspirai com favor a barca leve
De minha musa inculta e mal limada.
Invocar vossa graça, mais se deve,
Que toda a dos Antigos celebrada,
Porque ela me fará que participe
Doutro licor melhor que o de Aganipe.

VI

O marchetado carro do seu Febo
Celebre o Sulmonês, com falsa pompa,
E a ruína cantando do mancebo,
Com importuna voz, os ares rompa.
Que, posto que do seu licor não bebo,
À fama espero dar tão viva trompa,
Que a grandeza de vossos feitos cante,
Com som, que Ar, Fogo, Mar, e Terra, espante.

. . . .

XVII

Pera a parte do Sul, onde a pequena
Ursa se vê de guardas rodeada,
Onde o Céu luminoso, mais serena
Tem sua influição, e temperada.
Junto da nova Lusitânia ordena,
A natureza, mãe bem atentada,
Um porto tão quieto, e tão seguro,
Que pera as curvas naus serve de muro.

XVIII

É este porto tal, por estar posta
Ũa cinta de pedra, inculta e viva,
Ao longo da soberba e larga costa,
Onde quebra Netuno a fúria esquiva.
Entre a praia e pedra descomposta,
O estanhado elemento se deriva
Com tanta mansidão, que ũa fateixa
Basta ter à fatal Argos aneixa.

XIX

Em o meio desta obra alpestre, e dura,
Ũa boca rompeu o Mar inchado,
Que na língua dos bárbaros escura,

Paranambuco de todos é chamado.
De Para'ná, que é Mar; Puca, rotura,
Feita com fúria desse Mar salgado,
Que sem no derivar cometer míngua,
Cova do Mar se chama em nossa língua.

XX

Pera entrada da barra, à parte esquerda,
está ũa lajem grande, e espaçosa,
Que de Piratas fora total perda,
Se ũa torre tivera suntuosa.
Mas quem por seus serviços bons não herda,
Desgosta de fazer cousa lustrosa,
Que a condição do Rei que não é franco,
O vassalo faz ser nas obras manco.

XXI

Sendo os Deuses à lajem já chegados,
Estando o vento em calma, o Mar quieto,
Depois de estarem todos sossegados,
Por mandado do Rei, e per decreto,
Proteu no Céu, cos olhos enlevados,
Como que investigava alto secreto.
Com voz entoada, e bom meneio,
Ao profundo silêncio larga o freio.*

(*Prosopopéia*, Rio de Janeiro, I. N. L., 1972,
pp. 19-33.)

_____

* I. *Cantem poetas o poder romano, / Submetendo nações ao jugo duro* = O poeta refere-se
àqueles que exaltaram o poderio bélico de Roma em seus poemas, como Virgílio, na *Eneida*, e
Lucano, na *Farsália*; *O Mantuano pintor o Rei Troiano, / Descendo à confusão do Reino escuro*
= Virgílio, nascido em Mântua, descreve na *Eneida* (livro VI) a descida de Enéias ao Inferno; *Céu*
= Deus; vv. 7 e 8 = o valor do herói do poema supera o daqueles cantados pelos poetas gregos e
latinos (*lácia*, de *Latium*, região da península itálica remotamente povoada pelos latinos); II. *délficas irmãs* = musas inspiradoras, assim chamadas porque se encontravam em Delfos, cidade grega
em que Apolo mantinha seu oráculo; III. *esmalta* = ilustra; vv. 3 e 4 = a fama de Albuquerque
corria os dois hemisférios; vv. 5 e 6 = o poeta solicita que seu herói desvie a mente dos problemas
de sua capitania; *vosso irmão* = Duarte; vv. 7 e 8 = Bento Teixeira considera os dois irmãos
superiores a Quirino e Remo, fundadores de Roma; IV. *sinil ânimo* = Jerônimo de Albuquerque,
tio de Jorge, que lutou contra os luteranos no Rio Grande do Norte; V. *Tália* = uma das nereidas,
ninfas do mar; vv. 3 e 4 = inspirai meu pobre talento; *Aganipe* = fonte existente no monte Hélicon,
cujas águas tinham o condão de inspirar os poetas; VI. *Febo* = Sol; *Sulmonês* = Ovídio, natural
de Sulmona, na Itália; *E a ruína cantando do mancebo* = Fáeton, filho do Sol, dirigiu-lhe certa
vez o carro de modo tão desastroso que se acercou demasiado da terra, abrasando-a, e depois dela

Como a imensa maioria de poetas épicos e epicizantes em vernáculo, Bento Teixeira seguia à risca as lições camonianas, pelo que se vê no emprego da oitava-rima e do decassílabo heróico, e na estrutura que adotou para seu poemeto: a estrofe I contém a *proposição* ("Que eu canto um Albuquerque soberano / Da fé, da cara Pátria firme muro"); a estrofe II encerra a *invocação*: o vate rejeita a inspiração que lhe podem proporcionar as Musas ("As délficas irmãs chamar não quero") em favor de Deus ("Aquele chamo só, de quem espero"...); as estrofes III e IV contêm o *oferecimento*, ao próprio herói da composição. Para quem guarda memória clara das primeiras estâncias d*Os Lusíadas*, a estrofe V lembra aquela em que Camões inicia a *narração*: "Já no largo oceano navegavam, / As inquietas ondas apartando" (canto I, est. 19). Entretanto, a narração propriamente dita começa na estrofe 7 da *Prosopopéia*, segundo indicação do texto. De qualquer forma, o cotejo entre as duas obras revela de pronto que Bento Teixeira se alinhava com os imitadores de Camões. Poeta menor, como se nota facilmente, porventura crente de que a mera utilização da carpintaria épica fosse capaz de emprestar grandeza ao poema: fatal ingenuidade, que a carência de um talento genuíno e de um motivo poético à altura de suas aspirações, mais agravou. Semelhante ausência de altitude e timbre se observa nas estâncias em que descreve o Recife de Pernambuco (XVII-XXI): predomina o mau gosto (como os dois versos finais da est. XX), que, além de evidenciar um versejador medíocre, pressagia os jogos gongóricos. Em meio à penúria literária que caracteriza nosso primeiro século, decerto a *Prosopopéia* ganha relevo e não pode passar despercebida, e por questões de precedência histórica, deve ser lembrada. No entanto, se o intuito desta coletânea fosse apresentar apenas o *melhor* de nossa literatura, obviamente não teria cabida o poemeto de Bento Teixeira.

GREGÓRIO DE MATOS

Gregório de Matos Guerra nasceu em Salvador (Bahia), a 7 de abril de 1633. Filho de português e baiana, freqüentou o Colégio da Companhia de Jesus. Seguindo para a Metrópole, doutora-se em Direito (1661) e ingressa na magistratura, carreira que interrompe para voltar ao Brasil. Mas em 1680 está novamente em Portugal, onde se casa. Nessa altura, já teria feito conhecer seu talento de repentista e zombeteiro. No ano seguinte, retorna à Bahia, casa-se, pela segunda vez, passa a advogar e toma hábitos menores. Levando vida boêmia, e dando vazão ao temperamento satírico, acaba por acender a malquerença em derredor, até que se vê obrigado a exilar-se em Angola. Regressa em 1695 para o Recife, onde falece um ano depois. Exclusivamente poeta, Gregório de Matos apenas teria publicado em vida um que outro poema. Por isso, a totalidade de sua obra se manteve inédita até os nossos dias, quando

---

se afastou tanto que a gelou; *que do seu licor não bebo* = não sigo as lições do Sulmonês; XVII. *pequena / Ursa* = Ursa Menor, constelação boreal; XVIII. *fateixa* = âncora; *Argos* = pode ser a constelação austral, que também recebe o nome de Navio, e a nau em que os argonautas saíram em busca do velocino de ouro; *aneixa* = anexa; vv. 7 e 8 = talvez o poeta pretenda dizer o seguinte: a mansidão da água é tal que bastava uma âncora para ter ali mesmo a nau Argos, ou a mansidão da água é tal que a constelação Argos nela se espelha como se estivesse próxima; o adjetivo "fatal", que antecede Argos, pode significar os perigos que os argonautas viveriam em sua viagem e/ou os perigos que espreitavam os navegantes que se aventuravam na direção da constelação austral; XIX. *míngua* = falha.

Afrânio Peixoto a reuniu em 6 volumes publicados no Rio de Janeiro, pela Academia Brasileira de Letras, entre 1923 e 1933, sob o título de *Obras*. Em 1969, James Amado reeditou o espólio do poeta em sete volumes (Salvador, Ed. Janaína), utilizando códices existentes no Rio de Janeiro.

Sacra

I

A Jesus Cristo Nosso Senhor

Pequei, Senhor; mas não porque hei pecado,
Da vossa alta clemência me despido:
Porque, quanto mais tenho delinqüido,
Vos tenho a perdoar mais empenhado.

Se basta a vos irar tanto pecado,
A abrandar-vos sobeja um só gemido:
Que a mesma culpa, que vos há ofendido,
Vos tem para o perdão lisonjeado.

Se uma ovelha perdida, e já cobrada
Glória tal e prazer tão repentino
Vos deu, como afirmais na sacra história:

Eu sou, Senhor, ovelha desgarrada;
Cobrai-a; e não queirais, pastor divino,
Perder na vossa ovelha a vossa glória.

II

A Jesus Cristo crucificado, estando o poeta para morrer

Meu Deus, que estais pendente em um madeiro,
Em cuja fé protesto de viver;
Em cuja santa lei hei de morrer,
Amoroso, constante, firme e inteiro:

Neste transe, por ser o derradeiro,
Pois vejo a minha vida anoitecer,
É, meu Jesus, a hora de se ver
A brandura de um pai, manso cordeiro.

Mui grande é vosso amor, e o meu delito:
Porém, pode ter fim todo o pecar;
Mas não o vosso amor, que é infinito.

Esta razão me obriga a confiar
Que por mais que pequei, neste conflito,
Espero em vosso amor de me salvar.

III

Buscando a Cristo

A vós correndo vou, braços sagrados,
Nessa cruz sacrossanta descobertos;
Que, para receber-me, estais abertos,
E, por não castigar-me, estais cravados.

A vós, divinos olhos, eclipsados,
De tanto sangue e lágrimas cobertos,
Pois, para perdoar-me, estais despertos,
E, por não condenar-me, estais fechados.

A vós, pregados pés, por não deixar-me.
A vós, sangue vertido para ungir-me,
A vós, cabeça baixa, p'ra chamar-me.

A vós, lado patente, quero unir-me,
A vós, cravos preciosos, quero atar-me,
Para ficar unido, atado e firme.

VI

Ao mesmo assunto

Ofendi-vos, meu Deus, é bem verdade;
É verdade, Senhor, que hei delinqüido;
Delinqüido vos tenho, e ofendido
Ofendido vos tem minha maldade.

Maldade encaminhada a uma vaidade;
Vaidade, que todo me há vencido;
Vencido quero ver-me, e arrependido;
Arrependido em tanta enormidade.

Arrependido estou de coração,
De coração vos busco, dai-me abraços,
Abraços, que me rendam vossa luz.

Luz, que clara me mostra a salvação,
A salvação pretendo em tais abraços,
Misericórdia, amor, Jesus, Jesus!

XIX

Achando-se um braço perdido do menino Deus de N.
Senhora das Maravilhas, que desacataram infiéis na Sé
da Bahia

O todo sem a parte não é todo;
A parte sem o todo não é parte;
Mas se a parte o faz todo, sendo parte,
Não se diga que é parte, sendo todo.

Em todo o Sacramento está Deus todo,
E todo assiste inteiro em qualquer parte,
E feito em partes todo em toda a parte,
Em qualquer parte sempre fica todo.

O braço de Jesus não seja parte,
Pois que feito Jesus em partes todo,
O todo fica estando em sua parte.

Não se sabendo parte deste todo,
Um braço, que lhe acharam, sendo parte,
Nos diz as partes todas deste todo.

Lírica

I

A Dona Ângela, uma das três filhas de Vasco de Sousa
de Paredes, e sua mulher Dona Vitória, de tão rara
formosura, que D. João de Alencastro, quando foi deste
governo para Lisboa, levou consigo um retrato seu

Não vira em minha vida a formosura,
Ouvia falar nela cada dia,
E ouvida, me incitava e me movia
A querer ver tão bela arquitetura:

Ontem a vi, por minha desventura
Na cara, no bom ar, na galhardia
De uma mulher, que em Anjo se mentia,
De um Sol que se trajava em criatura.

Matem-me, disse eu, vendo abrasar-me
Se esta a causa não é, que encarecer-me
Sabia o mundo, e tanto exagerar-me!

Olhos meus, disse então, por defender-me,
Se a beleza hei de ver para matar-me,
Antes, olhos, cegueis, do que eu perder-me.

II

À mesma D. Ângela

Anjo no nome, Angélica na cara!
Isso é ser flor, e anjo juntamente:
Ser angélica flor e anjo florente,
Em quem, senão em vós, se uniformara:

Quem vira uma tal flor, que a não cortara,
Do verde pé, da rama florescente;
E quem um anjo vira tão luzente,
Que por seu Deus o não idolatrara?

Se pois como anjo sois dos meus altares,
Fôreis o meu Custódio e a minha guarda,
Livrara eu de diabólicos azares.

Mas vejo que, por bela e por galharda,
Posto que os Anjos nunca dão pesares,
Sois anjo, que me tenta e não me guarda.

IV

Retrata o autor a D. Ângela

Debuxo singular, bela pintura,
Adonde a Arte hoje imita a Natureza,
A quem emprestou cores a Beleza,
A quem infundiu alma a Formosura.

Esfera breve, aonde porventura,
O Amor, com assombro e com fineza,
Reduz incompreensível gentileza,
E em pouca sombra, muita luz apura.

Que encanto é este tal, que equivocada
Deixa toda atenção mais advertida
Nessa cópia à Beleza consagrada?

Pois, ou bem sem engano, ou bem fingida,
No rigor da verdade, estás pintada,
No rigor da aparência, estás com vida.

XVII

A Maria de Povos, sua futura Esposa

Discreta e formosíssima Maria,
Enquanto estamos vendo a qualquer hora,

Em tuas faces a rosada Aurora,
Em teus olhos e boca, o Sol e o dia:

Enquanto, com gentil descortesia,
O ar, que fresco Adônis te enamora,
Te espalha a rica trança voadora,
Da madeixa que mais primor te envia:

Goza, goza da flor da mocidade,
Que o tempo troca, a toda a ligeireza,
E imprime a cada flor uma pisada.

Oh não aguardes que a madura idade
Te converta essa flor, essa beleza,
Em terra, em cinza, em pó, em sombra, em nada.

XXXVII

Aos mesmos sentimentos

Corrente, que do peito destilada,
Sois por dous belos olhos despedida;
E por carmim correndo dividida,
Deixais o ser, levais a cor mudada.

Não sei, quando caís precipitada,
Às flores que regais tão parecida,
Se sois neve por rosas derretida,
Ou se rosa por neve desfolhada.

Essa enchente gentil de prata fina,
Que de rubi por conchas se dilata,
Faz trocar tão diversa e peregrina:

Que no objeto, que mostra, ou que retrata,
Mesclando a cor purpúrea à cristalina,
Não sei quando é rubi, ou quando é prata.

CI

À instabilidade das cousas do Mundo

Nasce o Sol, e não dura mais que um dia,
Depois da luz se segue a noite escura,
Em tristes sombras morre a formosura,
Em contínuas tristezas a alegria.

Porém, se acaba o Sol, por que nascia?
Se formosa a luz é, por que não dura?

Como a beleza assim se transfigura?
Como o gosto, da pena assim se fia?

Mas no Sol, e na luz, falta a firmeza;
Na formosura, não se dê constância:
E na alegria, sinta-se tristeza.

Comece o mundo enfim pela ignorância,
Pois tem qualquer dos bens por natureza,
A firmeza somente na inconstância.

Satírica

Aos Vícios

Eu sou aquele que os passados anos
Cantei na minha lira maldizente
Torpezas do Brasil, vícios e enganos.

E bem que os descantei bastantemente,
Canto segunda vez na mesma lira
O mesmo assunto em plectro diferente.

Já sinto que me inflama e que me inspira
Tália, que anjo é da minha guarda
Dês que Apolo mandou que me assistira.

Arda Baiona, e todo o mundo arda,
Que a quem de profissão falta à verdade
Nunca a dominga das verdades tarda.

Nenhum tempo excetua a cristandade
Ao pobre pegureiro do Parnaso
Para falar em sua liberdade.

A narração há de igualar ao caso,
E se talvez ao caso não iguala,
Não tenho por poeta o que é Pegaso.

De que pode servir calar quem cala?
Nunca se há de falar o que se sente?!
Sempre se há de sentir o que se fala.

Qual homem pode haver tão paciente,
Que, vendo o triste estado da Bahia,
Não chore, não suspire e não lamente?

Isto faz a discreta fantasia:
Discorre em um e outro desconcerto,
Condena o roubo, increpa a hipocrisia.

O néscio, o ignorante, o inexperto,
Que não elege o bom, nem mau reprova,
Por tudo passa deslumbrado e incerto.

E quando vê talvez na doce trova
Louvado o bem, e o mal vituperado,
A tudo faz focinho, e nada aprova.

Diz logo prudentaço e repousado:
— Fulano é um satírico, é um louco,
De língua má, de coração danado.

Néscio, se disso entendes nada ou pouco,
Como mofas com riso e algazarras
Musas, que estimo ter, quando as invoco.

Se souberas falar, também falaras
Também satirizaras, se souberas,
E se foras poeta, poetizaras.

A ignorância dos homens destas eras
Sisudos faz ser uns, outros prudentes,
Que a mudez canoniza bestas-feras.

Há bons, por não poder ser insolentes,
Outros há comedidos de medrosos,
Não mordem outros não — por não ter dentes.

Quantos há que os telhados têm vidrosos,
E deixam de atirar sua pedrada,
De sua mesma telha receosos?

Uma só natureza nos foi dada;
Não criou Deus os naturais diversos;
Um só Adão criou, e esse de nada.

Todos somos ruins, todos perversos,
Só nos distingue o vício e a virtude,
De que uns são comensais, outros adversos.

Quem maior a tiver do que eu ter pude,
Esse só me censure, esse me note,
Calem-se os mais, chitom, e haja saúde.

I

À cidade da Bahia

Triste Bahia! ó quão dessemelhante
Estás e estou do nosso antigo estado,

Pobre te vejo a ti, tu a mim empenhado,
Rica te vi eu já, tu a mim abundante.

A ti trocou-te a máquina mercante,
Que em tua larga barra tem entrado,
A mim foi-me trocando e tem trocado
Tanto negócio e tanto negociante.

Deste em dar tanto açúcar excelente
Pelas drogas inúteis, que abelhuda
Simples aceitas do sagaz Brichote.

Oh, se quisera Deus, que, de repente,
Um dia amanheceras tão sisuda
Que fora de algodão o teu capote!

IV

Aos Caramurus da Bahia

Um calção de pindoba, a meia zorra,
Camisa de urucu, mantéu de arara,
Em lugar de cotó, arco e taquara,
Penacho de guarás, em vez de gorra.

Furado o beiço, sem temer que morra
O pai, que lho envasou cuma titara,
Sendo a Mãe que a pedra lhe aplicara
Por reprimir-lhe o sangue, que não corra.

Alarve sem razão, bruto sem fé,
Sem mais leis que as do gosto, quando erra,
De Paiaiá tornou-se em Abaité.

Não sei como acabou, nem em que guerra:
Só sei que deste Adão de Massapé,
Procedem os fidalgos desta terra.

XIV

Descreve o que era naquele tempo a cidade da Bahia

A cada canto um grande conselheiro,
Que nos quer governar cabana e vinha;
Não sabem governar sua cozinha,
E podem governar o mundo inteiro.

Em cada porta um bem freqüente olheiro
Que a vida do vizinho e da vizinha,

Pesquisa, escuta, espreita e esquadrinha,
Para o levar à praça e ao terreiro.

Muitos mulatos desavergonhados,
Trazendo pelos pés aos homens nobres,
Posta nas palmas toda a picardia.

Estupendas usuras nos mercados,
Todos os que não furtam, muito pobres:
Eis aqui a cidade da Bahia.

XXVII

A procissão de cinza em Pernambuco

Um negro magro, em sufulié justo,
Dous azorragues, de um juá pendentes;
Barbado o Peres, mais dois penitentes,
Seis crianças com asas sem mais custo.

De vermelho o mulato mais robusto,
Três fradinhos meninos inocentes,
Dez ou doze brichotes muito agentes,
Vinte ou trinta canelos de ombro onusto.

Sem débita reverência seis andores,
Um pendão de algodão tinto em tijuco,
Em fileira dez pares de menores.

Atrás um negro, um cego, um mameluco,
Três lotes de rapazes gritadores:
É a procissão de cinza em Pernambuco.*

(*Antologia dos Poetas Brasileiros da Fase Colonial*, por Sérgio Buarque de Holanda, Rio de Janeiro, INL, 1953, vol. I, pp. 64, 65, 66, 67-68, 69-70, 72-73, 76, 79, 80, 81, 104, 120-124; *Obras Completas* de Gregório de Matos, São Paulo, Cultura, 1943, vol. I, pp. 5, 6, 7-8, 14-15, 75, 76, 77, 83, 93, 157; vol. II, pp. 7-8, 9, 10, 16, 23.)

---

* *Lírica*, soneto IV: *Esfera breve* = o poeta pretende dizer que D. Ângela reproduz em si ("esfera breve") a beleza do Cosmos (Esfera); soneto XVIII: *fresco Adônis* = ar; Adônis, figura mitológica de peregrina beleza, era nume da vegetação; *Satírica*, "Aos Vícios": *Tália* = musa da comédia e da sátira, apaixonada por Apolo, deus da Beleza, da luz, da poesia, da música, dos oráculos, e que presidia o coro das musas; *Baiona* = cidade marítima da Galiza; *pegureiro do Parnaso* = poeta menor; Parnaso era o monte em que Apolo e as musas se reuniam; *Pégaso* (Pegaso no poema, para rimar com "caso") = cavalo alado que, nascido do sangue da Medusa, golpeou a

Como se vê, Gregório de Matos cultivou a poesia sacra, lírica e satírica. Também escreveu poemas graciosos e pornográficos. Essa diversidade de caminhos percorridos pela inspiração do vate baiano se explica acima de tudo pela riqueza plástica de seu talento literário e, ao fim, pela estética barroca, que lhe serviu de pano de fundo. Na verdade, ocorreu uma excepcional identificação entre o temperamento artístico de Gregório de Matos e a moda literária imperante no tempo, a tal ponto que ele se lhe tornou uma espécie de personificação ou protótipo. É que o Barroco, diligenciando conciliar os extremos constituídos pelos valores medievais e os padrões renascentistas, apresenta uma mescla de pagão e de místico, de materialismo e de espiritualismo, de claro e de escuro, etc. Daí a poesia sacra do Boca de Inferno, como era chamado, ser tão "sincera" quanto os poemas líricos ou os satíricos, pois formavam pólos que a sensibilidade do escritor, profundamente afinada com o estilo barroco, tencionava fundir numa síntese considerada perfeita. Por isso, as peças escolhidas valem como exemplares acabados de Barroco, quer nos recursos expressivos empregados, quer na substância poética implícita. Note-se, a título de amostra mais evidente, o soneto sacro XIX, todo ele composto de um jogo de antíteses ao redor da noção de parte e todo, que fazia as delícias dos barrocos, sobretudo na facção conceptista, voltada para a exploração dos infinitos rumos do pensamento racional. O gosto pelo paradoxo igualmente se exibe nas demais composições da série, com as variações que a fantasia do poeta inventava. Registre-se, outrossim, no soneto lírico XVII, o tema do *carpe diem*, proveniente dos clássicos greco-latinos, mas que encontrou no universo barroco morada ideal, graças à consciência aguda que tinham do efêmero da existência e ao horror pela morte. Observe-se que, em consonância com o princípio da imitação em voga no século XVII, o soneto gregoriano aproveita uma composição de Gôngora, inclusive traduzindo-lhe o derradeiro verso (Helmut Hatzfeld, *Estudios sobre el Barroco*, Madrid, Gredos [1964], p. 114), e a conhecida Ode XVII de Ronsard ("Mignonne, allons voir si la rose"). Nessa mesma ordem de imitação (que não significa cópia nem plágio, mas busca da inspiração onde estiver, sem prejuízo da originalidade), situa-se o poema lírico CI, montado sobre a idéia da "firmeza na inconstância", que é uma das traves mestras da poesia camoniana. Ainda em conseqüência do espírito barroco que impregna a poesia de Gregório de Matos, assinala-se o pessimismo existencial, vinculado ao trauma do "pecado original", no poema "Aos Vícios". Excetuando a poesia satírica, circunstancial e imediatista por natureza, as outras facetas do estro gregoriano ostentam europeidade na metaforização ("rosada Aurora") ou no emprego da mitologia clássica ("fresco Adônis"), resultante dos próprios postulados barrocos. No entanto, escusa de muito esforço para se perceber, em qualquer das configurações do mundo poético de Gregório de Matos, como decorrência do ar meio jovial ou de intimidade que as perpassa, uma dicção poética brasileira: a austeridade do tema parece ocultar um caráter

---

terra com o casco fazendo brotar a fonte Hipocrene, inspiradora dos poetas; soneto I: *máquina mercante* = navio mercante; soneto IV: *pindoba* = palmeira, coqueiro; *zorra* = palavra de acepção meio misteriosa, pode significar, mais plausivelmente, que a meia está caída, ou, mais complexamente, um tipo grande de pião: "Há a piorra, o pião, a meia *zorra* e a *zorra*, que chega a pesar meio quilo" (Tomás de Figueiredo, *Nó Cego*, p. 152, *apud* Morais, *Grande Dicionário da Língua Portuguesa*, 12 vols, Lisboa, Confluência [1949-1959], vol. 11. p. 901); *urucu* = fruto de cuja polpa se pode extrair tinta vermelha; *coté* = espada curta; *titara* = vareta; *paiaiá* = pajé; *abaité* = homem feio, repulsivo, medonho; soneto XXVII: *sufulié* = certo tecido de algodão; *juá* = fruto do juazeiro; *onusto* = sobrecarregado; *tijuco* = lama.

irreverente e pachola, com marca registrada inconfundível. Se não brasileiro, baiano. De qualquer modo, está-se perante nosso primeiro grande poeta, e dos maiores da Literatura Brasileira.

Textos para Análise

Moralidade Sobre o Dia de Quarta-Feira de Cinza

Que és terra, oh homem, e em terra hás de tornar-te,
hoje te avisa Deus por sua Igreja:
de pó te faz o espelho, em que se veja
a vil matéria de que quis formar-te.

Lembra-te Deus que és pó, para humilhar-te;
e como teu baixel sempre fraqueja
nos mares da vaidade, onde peleja,
te põe à vista a terra onde salvar-te.

Alerta, alerta, pois o vento berra;
e se sopra a vaidade, e incha o pano,
na proa a terra tens, amaina, ferra.

Todo o lenho mortal, baixel humano,
se busca a salvação, tome hoje terra;
que a terra de hoje é porto soberano.

A Ponderação do Dia do Juízo Final, e Universal

O alegre do dia entristecido;
o silêncio da noite perturbado;
o resplendor do Sol todo eclipsado;
e o luzente da Lua desmentido:

Rompa todo o criado em um gemido:
Que é de ti, mundo? adonde tens parado?
Se tudo neste instante está acabado,
tanto importa o não ser, como o haver sido!

Soa a trombeta da maior altura,
a que a vivos e mortos traz aviso,
da desventura de uns, doutros ventura.

Acaba o mundo, porque é já preciso:
Erga-se o morto, deixe a sepultura;
porque é chegado o Dia de Juízo!

Pintura Para o Que Se Quiser Fazer
Fidalgo na Cidade da Bahia

Bote a sua casaca de veludo,
e seja capitão sequer dois dias:
Converse à porta de *Domingos Dias*,
que pega fidalguia mais que tudo.

Seja um magano, um pícaro, abelhudo:
Vá a palácio; e após das cortesias,
perca quanto ganhar nas mercancias;
e em que perca o alheio, esteja mudo.

Ande sempre na caça e montaria:
Dê nova locução, novo epíteto;
e diga-o sem propósito à porfia:

Que em dizendo *facção, pertexto, afecto,*
será no entendimento da Bahia
mui fidalgo, mui rico, e mui discreto.

Aos Afetos, e Lágrimas Derramadas na
Ausência da Dama a Quem Queria Bem

Ardor em firme coração nascido;
pranto por belos olhos derramado;
incêndio em mares de água disfarçado;
rio de neve em fogo convertido:

Tu, que em um peito abrasas escondido;
tu, que em um rosto corres desatado:
quando fogo, em cristais aprisionado;
quando cristal, em chamas derretido:

Se és fogo, como passas brandamente?
Se és neve, como queimas com porfia?
Mas ai, que andou amor em ti prudente!

Pois, para temperar a tirania,
como quis que aqui fosse a neve ardente,
permitiu parecesse a chama fria.

Saudosamente Sentido na Ausência da Dama
a Quem o Autor Muito Amava

Entre (oh Floralva) assombros repetidos
é tal a pena com que vivo ausente,
que palavras a voz me não consente,
e só para sentir me dá sentidos.

Nos prantos e nos ais enternecidos,
dizer não pode o peito o mal que sente;
pois vai confusa a queixa na corrente,
e mal articulada nos gemidos.

Se para o meu tormento conheceres
não bastar o sutil discurso vosso,
Amor me não permite outros poderes.

Vede nos prantos e ais o meu destroço,
e entendei vós o mal como quiseres,
que eu só sei explicá-lo como posso.

Lamenta Ver-se no Tal Degredo em Terra tão Remota, Ausente da sua Casa

Em o horror desta muda soledade,
onde voando os ares à porfia,
apenas solta a luz a aurora fria,
quando a prende da noite a escuridade:

Ah cruel apreensão de uma saudade,
de uma falsa esperança fantasia,
que faz que de um momento passe ao dia,
e que de um dia passe à eternidade!

São da dor os espaços sem medida;
e a medida das horas tão pequena,
que não sei como a dor é tão crescida!

Mas é troca cruel que o fado ordena,
por que a pena me cresça para a vida,
por que a vida me falte para a pena.

(*Antologia dos Poetas da Fase Colonial*, vol.
I, pp. 68-69, 70-71, 73-74 e 105-107; *Obras
Completas* de Gregório de Matos, vol. I, pp. 8,
13-14, 92 e 94-95; vol. II, p. 12.)

MANUEL BOTELHO DE OLIVEIRA

Nasceu em Salvador (Bahia), em 1636. Foi contemporâneo de Gregório de Matos no curso de Direito em Coimbra, e durante esse período também se dedicou ao estudo do Latim, do Espanhol e do Italiano. Regressando à Bahia, abraçou a advocacia e a política. E graças ao empréstimo de dinheiro, tornou-se capitão de distritos em Jacobina. Em 1705, publicou em Lisboa seu livro, *Música do Parnaso*, que reunia produção poética e teatral (duas comédias, *Hay amigo para amigo* e *Amor, Engaños y Celos*). Faleceu em Salvador, a 5 de janeiro de 1711, deixando *Lyra Sacra*, que Heitor Martins publicou em 1971 (leitura paleográfica).

Música do Parnaso

É o seguinte o título todo da obra: *Música do Parnaso, dividida em quatro coros de rimas, portuguesas, castelhanas, italianas e latinas, com seu descante cômico reduzido em duas comédias.* Das "rimas portuguesas", que englobam 42 sonetos, 23 madrigais, 12 décimas, 3 redondilhas, 14 romances, 1 panegírico, 1 poema em oitavas, 6 canções e uma silva, selecionaram-se as seguintes peças:

Sol e Anarda

Soneto IV

O sol ostenta a graça luminosa,
Anarda por luzida se pondera;
O sol é brilhador na quarta esfera,
Brilha Anarda na esfera de fermosa.

Fomenta o sol a chama calorosa,
Anarda ao peito viva chama altera,
O jasmim, cravo e rosa ao sol se esmera,
Cria Anarda o jasmim, o cravo e rosa.

O sol à sombra dá belos desmaios,
Com os olhos de Anarda a sombra é clara,
Pinta maios o sol, Anarda maios.

Mas (desiguais só nisto) se repara
O sol liberal sempre de seus raios,
Anarda de seus raios sempre avara.

Vendo a Anarda depõe o sentimento

Soneto VII

A serpe, que adornando várias cores,
Com passos mais oblíquos, que serenos,
Entre belos jardins, prados amenos,
É maio errante de torcidas flores;

Se quer matar da sede os desfavores,
Os cristais bebe coa peçonha menos,
Porque não morra cos mortais venenos,
Se acaso gosta dos vitais licores.

Assim também meu coração queixoso,
Na sede ardente do feliz cuidado
Bebe cos olhos teu cristal fermoso;

Pois para não morrer no gosto amado,
Depõe logo o tormento venenoso,
Se acaso gosta o cristalino agrado.

Ponderação do rosto e olhos de Anarda

Soneto X

Quando vejo de Anarda o rosto amado,
Vejo ao céu e ao jardim ser parecido;
Porque no assombro do primor luzido
Tem o sol em seus olhos duplicado.

Nas faces considero equivocado
De açucenas e rosas o vestido;
Porque se vê nas faces reduzido
Todo o império de Flora venerado.

Nos olhos e nas faces mais galharda
Ao céu prefere quando inflama os raios,
E prefere ao jardim, se as flores guarda:

Enfim dando ao jardim e ao céu desmaios,
O céu ostenta um sol, dous sóis Anarda,
Um maio o jardim logra; ela dous maios.

Rosa e Anarda

Soneto XX

Rosa da fermosura, Anarda bela
Igualmente se ostenta como a rosa;
Anarda mais que as flores é fermosa,
Mais fermosa que as flores brilha aquela.

A rosa com espinhos se desvela,
Arma-se Anarda espinhos de impiedosa;
Na fronte Anarda tem púrpura airosa,
A rosa é dos jardins purpúrea estrela.

Brota o carmim da rosa doce alento,
Respira olor de Anarda o carmim breve,
Ambas dos olhos são contentamento:

Mas esta diferença Anarda teve:
Que a rosa deve ao sol seu luzimento,
O sol seu luzimento a Anarda deve.

Anarda ameaçando-lhe a morte

Redondilhas

Ameaças o morrer:
Como morte podes dar,
Se estou morto de um penar,
Se estou morto de um querer?

Mas é tal essa fereza,
Que quer dar um fino amor
Uma morte com rigor,
Outra morte coa beleza.

E com razão prevenida
Quis duplicar esta sorte,
Que a pena daquele é morte,
Que a glória daquela é vida.

Da morte já me contento,
Se por nojo de mal tanto
Derrames um belo pranto,
Formes um doce lamento.

Tornarás meu peito ativo
Com tão divino conforto,
Se ao rigor da Parca morto,
Por glória do pranto vivo.

De teu rigor aplaudidas
Serão piedosas grandezas;
Porque te armes mais ferezas,
Porque te entregue mais vidas.

Quando teu desdém se alista,
Impedes o golpe atroz;
Pois quando matas coa voz,
Alentas então coa vista.

Confunde pois a nociva
Impiedade, que te exorta,
A um tempo ũa vida morta,
A um tempo ũa morte viva.

De teu rigor os abrolhos
Se rompem da vida os laços,
Hei de morrer em teus braços!
Hei de enterrar-me em teus olhos.*

(*Música do Parnaso*, pref. e org. do texto por
Antenor Nascentes, Rio de Janeiro, I. N. L.,
1953, vol. II, pp. 13-14, 16, 18, 25-26, 46-47.)

Decerto em razão de ser menos talentoso que Gregório de Matos, Manuel Botelho de Oliveira levou às últimas conseqüências os modismos estilísticos peculiares ao Barroco. Profusamente metafóricas, suas composições lírico-amorosas transcritas documentam um versejador mais interessado na exuberância gongórica das imagens do que na agudeza conceptista dos raciocínios. Daí que se constitua num exemplo acabado de Cultismo entre nós. Tem-se a impressão, por isso, que Anarda, a bem-amada ideal, funciona apenas como estímulo inicial para o desencadeamento do processo poemático, que importava acima de tudo. Aliás, nas preliminares à obra, o próprio Manuel Botelho de Oliveira o confessa, ao enunciar seu conceito de Poesia: "a Poesia não é mais que um canto poético, ligando-se as vozes com certas medidas para consonância do metro". Retórica poética, ludo verbal, exercício métrico, os poemas selecionados, iguais a tantos outros da *Música do Parnaso*, caracterizam-se, gongoricamente, pela ostentação imagética, via de regra conectada à Natureza, como se pode ver na freqüência com que Anarda é comparada às flores e ao sol, e é entrevista em meio a jardins. Note-se que o poeta se concentra nos olhos, rosto e boca de Anarda, pois a mais não lhe permitia o código estético (e ético) em moda no Barroco. E visto que utilizava a Natureza como arsenal metafórico, fatalmente caía num círculo vicioso: a limitação do campo visual conduzia-o inevitavelmente a redundâncias expressivas, de que acreditava escapar pela variação no sentido das palavras (como "cristal", que denota "água" e "brancura"), ou pelas inversões sintáticas. A poesia, divisada como veículo de "encarecimento" artificioso da amada, transforma-se em prestidigitação vocabular. Não se entenda, porém, que tudo em Manuel Botelho de Oliveira segue nesse compasso: afora outros sonetos seus que não foram escolhidos, as redondilhas encerram uma gravidade que traduz a orientação do astrolábio poético rumo do Conceptismo. O tema, abstrato e complexo, é glosado com o luxo dialético usual no tempo: a antítese entre as duas espécies de morte ("Se estou morto de um penar, / Se estou morto de um querer?") norteia o poema através de manobras sutis que vão culminar na identidade proposta pelos versos finais ("Hei de morrer em teus braços! / Hei de enterrar-me em teus olhos."), assim desmanchando a aparente dicotomia do começo. Por outro lado, note-se a

---

* Soneto IV: *quarta esfera* = Ao ver de Ptolomeu, o Sol ocupava a 4ª esfera, das sete que comporiam o Universo; *Com os olhos de Anarda a sombra é clara* = os olhos de Anarda desfazem as sombras, iluminam; soneto VII: vv. 5 a 8 = entenda-se = a serpente ("serpe") bebe a água ("cristais", "vitais licores"), mas não o veneno que carrega nos dentes; *porque* = para que; *cristal fermoso* = o rosto luminoso, branco, da amada; soneto X: *Flora* = deusa das flores e dos trigos; *prefere* = supera; *dous sóis* = os olhos; soneto XX: *brota* = produz; *doce alento* = perfume; *carmim breve* = boca; redondilhas: *daquele* = rigor; *daquela* = beleza; *nojo* = sofrimento; *Parca* = divindade mitológica que presidia o destino dos homens; *porque* = para que; *se alista* = é recrutado; é chamado a intervir.

presença da morte, que constitui, como sabemos, típica obsessão barroca. Versejador exímio, Manuel Botelho de Oliveira exemplifica flagrantemente os abusos a que chegou a voga do Barroco em nosso Seiscentismo.

INFORMAÇÃO DA TERRA

Vinculada à historiografia da expansão portuguesa, encetada por Azurara com sua *Crônica da Conquista da Guiné* e *Crônica da Tomada de Ceuta*, a literatura de informação da terra praticamente começou com a *Carta*, de Pêro Vaz de Caminha. Ao longo do século XVI, vários nomes de informantes podem ser alinhados, como Fernão Cardim, Pêro de Magalhães de Gândavo, Gabriel Soares de Sousa e Pêro Lopes de Sousa. Na época do Barroco, registram-se três escritores nesse capítulo: Ambrósio Fernandes Brandão, Diogo de Campos Moreno e André João Antonil, dos quais apenas o primeiro foi escolhido para integrar a presente antologia. As mais das vezes, essa literatura se caracteriza por um acentuado sentimento de ufania, resultante da impressão de paraíso e de eldorado que o Brasil-Colônia oferecia.

AMBRÓSIO FERNANDES BRANDÃO

De biografia ainda obscura (ignora-se quando e onde nasceu e morreu), provavelmente cristão-novo português, teria vindo para o Brasil em 1583 e aqui permanecido até 1618, de início como arrecadador dos dízimos do açúcar em Pernambuco, e mais tarde como senhor de engenho na Paraíba. É considerado o autor dos *Diálogos das Grandezas do Brasil*.

Diálogos das Grandezas do Brasil

Obra doutrinária e de informação da terra, manteve-se anônima até 1848, quando se lhe publicou uma fração; a seguir, entre 1883 e 1887, é dada a conhecer na íntegra, na *Revista do Instituto Arqueológico Pernambucano*, e mais adiante (1900), no *Diário Oficial*, do Rio de Janeiro, graças ao empenho de Capistrano de Abreu, a quem se deve ainda sua publicação em livro, trinta anos depois. A obra consta de seis diálogos, travados entre Brandônio (criptônimo do autor) e Alviano (criptônimo de Nuno Álvares, colega do outro na arrecadação de dízimos), em torno dos seguintes assuntos, todos subordinados à idéia inscrita no título da obra: descrição das capitanias; descobrimento e povoação da terra, seu clima e salubridade; sua riqueza, fertilidade e abundância; produtos da terra; alimentação; fauna e flora; costumes das gentes, portugueses e indígenas. Os dois fragmentos que se transcrevem a seguir, pertencem ao primeiro e ao terceiro diálogo, respectivamente:

Alviano

Não imagino eu isso assim nesse modo: mas antes tenho por sem dúvida que o lançarem-se no Brasil seus moradores a fazer açúcares é por não acharem a terra capaz de mais benefícios: porque eu a tenho pela mais ruim do mundo, aonde seus habitantes passam a vida em contínua moléstia, sem terem quietação, e sobretudo faltos de mantimentos regalados, que em outras partes costuma haver.

Brandônio

Certamente que tenho paixão de vos ver tão desarrazoado nessa opinião; e porque não fiqueis com ela, nem com um erro tão crasso, quero-vos mostrar o contrário do que imaginais. E para o poder fazer como convém, é necessário que me digais se o ser o Brasil ruim terra é por defeito da mesma ou de seus moradores?

Alviano

Que culpa se pode atribuir aos moradores pela maldade da terra, pois está claro não poderem eles suprir sua falta nem fazerem abundante a sua esterilidade.

Brandônio

Por maneira que me dizeis que à terra se deve atribuir esse nome que lhe quereis dar de ruim?

Alviano

Assim o digo.

Brandônio

Pois assim vos enganais: porque a terra é disposta para se haver de fazer nela todas as agriculturas do mundo pela sua muita fertilidade, excelente clima, bons céus, disposição do seu temperamento, salutíferos ares, e outros mil atributos que se lhe ajuntam.

Alviano

Quando os tivera, creio eu que em tanto tempo, quanto há que é povoada de gente portuguesa, já tiveram descobertos esses segredos, que até agora não acharam pelos não haver.

Brandônio

Já me há de ser forçado fazer-vos retratar dessa erronia em que estais. Não vedes vós que o Brasil produz tanta quantidade de carnes domésticas e selváticas, que abunda de tantas aves mansas, que se criam em casa, de toda sorte, e outras infinitas, que se acham pelos campos; tão grande abundância de pescado excelentíssimo, e de diferentes castas e nomes; tantos mariscos e cangrejos que se colhem e tomam à custa de pouco trabalho; tanto leite que se tira dos gados; tanto mel que se acha nas árvores agrestes; ovos sem conta, frutas maravilhosas, cultivadas com pouco trabalho, e outras sem nenhum que os campos e matos dão liberalmente; tantos legumes de diversas castas, tanto mantimento de mandioca e arroz, com outras infinidades de cousas salutíferas e de muito nutrimento pera a natureza humana, que ainda espero de vo-las relatar mais em particular. Pois à terra que abunda de todas estas cousas como se lhe pode atribuir falta delas? Porque certamente que não vejo eu nenhuma província ou reino, dos que há na Europa, Ásia ou África, que seja tão abundante de todas elas, pois sabemos bem que, se têm umas lhes faltam outras; e assim errais sumamente na opinião que tendes.

Alviano

Pois de que nasce haver tanta carestia de todas essas cousas, se me dizeis que abunda de todas elas?

Brandônio

É culpa, negligência e pouca indústria de seus moradores, porque deveis de saber que este estado do Brasil todo, em geral, se forma de cinco condições de gente, a saber: marítima, que trata de suas navegações, e vem aos portos das capitanias deste Estado com suas naus e caravelas, carregadas de fazendas que trazem por seu frete, onde descarregam e adubam suas naus, e as tornam a carregar, fazendo outra vez viagem com carga de açúcares, pau do Brasil e algodões para o Reino, e de gente desta condição se acha, em qualquer tempo do ano, muita pelos portos das capitanias. A segunda condição de gente são mercadores, que trazem do Reino as suas mercadorias a vender a esta terra, e comutar por açúcares, do que tiram muito proveito; e daqui nasce haver muita gente desta calidade nela com suas lójias de mercadorias abertas, tendo correspondência com outros mercadores do Reino, que lhas mandam, como o intento destes é fazerem-se somente ricos pela mercancia, não tratam do aumento da terra, antes pretendem de a esfolarem tudo quanto podem. A terceira condição de gente são oficiais mecânicos de que há muitos no Brasil de todas as artes, os quais procuram exercitar, fazendo seu proveito nelas, sem se alembrarem por nenhum modo do bem comum. A quarta condição de gente é de homens que servem a outros por soldada que lhes dão, ocupando-se em encaixamento de açúcares, feitorizar canaviais de engenhos e criarem gados, com nome de vaqueiros, servirem de carreiros e acompanhar seus amos; e de semelhante gente há muita por todo este Estado, que não tem nenhum cuidado do bem geral.

A quinta condição é daqueles que tratam da lavoura, e estes tais se dividem ainda em duas espécies: uma dos que são mais ricos, têm engenhos com título de senhores deles, nome que lhes concede Sua Majestade em suas cartas e provisões, e os demais têm partidas de canas; outra, cujas forças não abrangem a tanto, se ocupam em lavrar mantimentos de legumes. E todos, assim uns como outros, fazem suas lavouras e granjearias com escravos de Guiné, que pera esse efeito compram por subido preço; e como o do que vivem é somente do que granjeiam com os tais escravos, não lhes sofre o ânimo ocupar a nenhum deles em cousa que não seja tocante à lavoura, que professam de maneira que têm por muito tempo perdido o que gastam em plantar uma árvore, que lhes haja de dar fruto em dous ou três anos, por lhes parecer que é muita a demora: porque se ajunta a isto o cuidar cada um deles que logo em breve tempo se hão de embarcar para o Reino, e que lá hão de ir morrer, e não basta a desenganá-los desta opinião mil dificuldades que, a olhos imprevistos, lhes impedem podê-la fazer. Por maneira que este pressuposto que têm todos em geral de se haverem de ir pera o Reino, com a cobiça de fazerem mais quatro pães de açúcar, quatro covas de mantimento, não há homem em todo este Estado que procure nem se disponha a plantar árvores frutíferas, nem fazer as benfeitorias acerca das plantas, que se fazem em Portugal, e pelo conseguinte se não dispõem a fazerem criações de gado e outras; e se algum o faz, é em muito pequena quantidade, e tão pouca que a gasta toda consigo mesmo e com a sua família. E daqui nasce haver carestia e falta destas cousas, e o não vermos no Brasil quintas, pomares e jardins, tanques de água, grandes edifícios, como na nossa Espanha, não porque a terra deixe de ser disposta para estas cousas; donde concluo que a falta é de seus moradores, que não querem usar delas.

. . . .

Alviano

Tão sentido estou do que me contastes haver-vos sucedido, que não quero ouvir falar mais em âmbar; e assim nos passemos a tratar da quarta condição da riqueza do Brasil, pela ordem que as levais enfiadas.

Brandônio

Todavia, antes de começar a tratar o que me perguntais, vos hei de contar uma graça ou história que sucedeu, há poucos dias, neste Estado sobre o achar do âmbar. Certo homem ia pescar pera a parte da capitania do Rio Grande, em uma enseada que ali faz a costa e querendo se meter em uma jangada pera o efeito, lhe faltava uma pedra de que pudesse fazer fateixa, e lançando os olhos pela praia viu uma, que ao seu parecer, teve por acomodada pera isso, e, tomando-a, atou nela o cabo, e se meteu na jangada pera ir fazer sua pescaria; e estando já na parte que queria, porque o vento fazia desgarrar a jangada do porto, lançou a sua fateixa ao mar, a qual, como se fora de cortiça, andava sobre água; e, vendo que lhe não aproveitava a diligência que tinha feito com aquela fateixa, pois nadava, tornou pera terra ao tempo que chegava à praia um seu amigo, também pera haver de pescar com outra jangada, e dando-lhe conta do que lhe havia sucedido com aquela pedra que nadava, o outro, que devia ser mais trêfego, lhe disse que não tomasse por isso pena, porquanto ele se achava indisposto, e não determinava de pescar, que ali tinha a sua fateixa de que se podia servir. Aceitou-lhe o outro oferecimento, e com ela se foi à sua pescaria, deixando a pedra nadadora nas mãos do que novamente chegara, que logo conheceu ser âmbar, e tomando às costas se recolheu e fez-se invisível com ela, aproveitando-se de sua valia, porque pesava quase uma arroba.*

(*Diálogos das Grandezas do Brasil*, Rio de Janeiro, Dois Mundos Editora, 1943, pp. 44-47,
163-164.)

---

* *Granjearias* = cultura das terras; *fateixa* = âncora.

Os dois fragmentos dos *Diálogos das Grandezas do Brasil* fornecem uma idéia cristalina do pensamento que norteava Ambrósio Fernandes Brandão. Sob o criptograma em que se encobriu e a seu companheiro de fisco, latejam as duas posições de espírito que deviam vigorar naqueles recuados tempos: Alviano representa o imigrante desgostoso com a terra, atribuindo-lhe todos os males, a ponto de a ter "pela mais ruim do mundo"; Brandônio, por seu turno, encarna o português deslumbrado com o solo virgem e ubérrimo que pisava, mas descrente de seus habitantes. No confronto das duas opiniões, percebe-se que a mais vigorosa é a do segundo, ou porque traduzisse a do próprio escritor, ou porque exprimisse a corrente de idéias dominante na primeira metade do século XVII. Seja como for, o ponto defendido por Brandônio parece vitorioso, não apenas pelos termos do próprio texto, como também pelo fato de suas ponderações estarem hoje arroladas entre as mais aceitas por aqueles que se interessam pelo início de nossa história. Na verdade, ao acusar a mentalidade predatória e exploradora dos primeiros colonizadores, pintava um retrato verídico, cuja flagrância e atualidade continuam a ferir-nos: parte considerável de nosso destino histórico foi determinado pelo tipo de comportamento que nossos antepassados adotaram em face da terra e sua gente. Daí que a obra de Ambrósio Fernandes Brandão constitua um documento e um testemunho: corroboração da existência dum lastimável estado de coisas, e sua denúncia, erguida com indobrável franqueza e lucidez. Decerto por isso, o escritor elegeu o diálogo como instrumento de expressão, talhado numa linguagem caracterizada pelo rigor lógico, que a prosa do século XVII buscou sistematizar e aperfeiçoar. Parece que os interlocutores, notadamente Brandônio, arquitetam suas falas como uma peça oratória clássica, desde o exórdio (logo à entrada do primeiro excerto) até à peroração ("donde concluo que a falta é de seus moradores, que não querem usar delas"). Por outro lado, as histórias que Brandônio embrecha em seu arrazoado (como se vê no fragmento do terceiro diálogo) denotam um ficcionista reprimido ou que ainda não havia tomado consciência de sua condição, e ao mesmo tempo chamam a atenção para a mescla de reportagem e fantasia que predominava na prosa seiscentista em geral.

HISTORIOGRAFIA

Sujeita às mesmas limitações ideológicas e metodológicas que sufocavam a historiografia na Metrópole, nossa atividade nesse terreno, durante o século XVII, reduziu-se a uma descrição da terra e a uma narração de seus principais acontecimentos, em que a imaginação e o uso arbitrário de fontes mediam forças com um sentimento ufanista e grandiloqüente. Representam-na, nesse período, Frei Vicente do Salvador, Frei Manuel Calado, Diogo Lopes de Santiago e outros, dos quais o primeiro se destaca. No século XVIII, sem prejuízo de permanecerem vestígios do procedimento anterior, a produção historiográfica se beneficiou da onda de cientificismo que invadia então a cultura européia. Além de Sebastião da Rocha Pita, o mais importante de todos, citam-se: José Mirales, Frei Antônio de Santa Maria Jaboatão, Pedro Taques de Almeida Pais Leme, Frei Gaspar da Madre de Deus e outros.

FREI VICENTE DO SALVADOR

Chamava-se Vicente Rodrigues Palha antes de abraçar o sacerdócio. Nasceu em Matoim (Bahia), em 1564, e faleceu em seu estado natal, entre 1636 e 1639. Depois dos estudos de Teologia e Cânones, ingressou na Ordem de São Francisco. Além da *História da Custódia do Brasil*, cujos originais desapareceram, deixou uma *História do Brasil*.

Terminada em 1627, abrange acontecimentos havidos desde 1500, e ficou inédita até 1889, quando veio a lume no volume XIII dos *Anais da Biblioteca Nacional do Rio de Janeiro*. A obra está dividida em cinco livros, dispostos em ordem cronológica, desde o modo como se deu o descobrimento do Brasil "até a vinda do governador Diogo Luís de Oliveira", já no tempo de Frei Vicente do Salvador. Do livro inicial, selecionou-se o capítulo seguinte, intitulado "Do Nome do Brasil":

O dia que o capitão-mor Pedro Álvares Cabral levantou a cruz, que no capítulo atrás dissemos, era a 3 de maio, quando se celebra a invenção da santa cruz em que Cristo Nosso Redentor morreu por nós, e por esta causa pôs nome à terra que havia descoberta de Santa Cruz e por este nome foi conhecida muitos anos. Porém, como o demônio com o sinal da cruz perdeu todo o domínio que tinha sobre os homens, receando perder também o muito que tinha em os desta terra, trabalhou que se esquecesse o primeiro nome e lhe ficasse o de Brasil, por causa de um pau assim chamado de cor abrasada e vermelha com que tingem panos, do qual há muito, nesta terra, como que importava mais o nome de um pau com que tingem panos que o daquele divino pau, que deu tinta e virtude a todos os sacramentos da Igreja, e sobre que ela foi edificada e ficou tão firme e bem fundada como sabemos. E porventura por isso, ainda que ao nome de Brasil ajuntaram o de estado e lhe chamam estado do Brasil, ficou ele tão pouco estável que, com não haver hoje cem anos, quando isto escrevo, que se começou a povoar, já se hão despovoados alguns lugares e, sendo a terra tão grande e fértil como ao diante veremos, nem por isso vai em aumento, antes em diminuição.

Disto dão alguns a culpa aos reis de Portugal, outros aos povoadores: aos reis pelo pouco caso que hão feito deste tão grande estado, que nem o título quiseram dele, pois, intitulando-se senhores de Guiné, por uma caravelinha que lá vai e vem, como disse o rei do Congo, do Brasil não se quiseram intitular; nem depois da morte de el-rei D. João Terceiro, que o mandou povoar e soube estimá-lo, houve outro que dele curasse, senão para colher as suas rendas e direitos. E deste mesmo modo se hão os povoadores, os quais, por mais arraigados que na terra estejam e mais ricos que sejam, tudo pretendem levar a Portugal, e, se as fazendas e bens que possuem souberam falar, também lhe houveram de ensinar a dizer como aos papagaios, aos quais a primeira coisa que ensinam é: Papagaio real pera Portugal, porque tudo querem para lá. E isto não têm só os que de lá vieram, mas ainda os que cá nasceram, que uns e outros usam da terra, não como senhores, mas como usufrutuários, só para a desfrutarem e a deixarem destruída.

Donde nasce também que nem um homem nesta terra é república, nem zela ou trata do bem comum, senão cada um do bem particular. Não notei eu isto tanto quanto o vi notar a um bispo de Tucuman da ordem de São Domingos, que por algumas destas terras passou pera a corte. Era grande canonista, homem de bom entendimento e prudência e assi ia muito rico. Notava as coisas e via que mandava comprar um frangão, quatro ovos e um peixe pera comer e nada lhe traziam, porque não se achava na praça nem no açougue e, se mandava pedir as ditas coisas e outras muitas às casas particulares, lhas mandavam. Então disse o bispo: verdadeiramente que nesta terra andam as coisas trocadas, porque toda ela não é república, sendo-o cada casa.

E assi é que, estando as casas dos ricos (ainda que seja à custa alheia, pois muitos devem quanto têm) providas de todo o necessário, porque têm escravos, pescadores e caçadores que lhes trazem a carne e o peixe, pipas de vinho e de azeite que compram por junto, nas vilas muitas vezes se não acha isso de venda. Pois o que é fontes, pontes, caminhos e outras coisas públicas é uma piedade, porque, atendo-se uns aos outros, nenhum as faz, ainda que bebam água suja e se molhem ao passar dos rios ou se orvalhem pelos caminhos, e tudo isto vem de não tratarem do que há cá de ficar, senão do que hão de levar para o reino.

Estas são as razões por que alguns com muita dizem que não permanece o Brasil nem vai em crescimento; e a estas se pode ajuntar a que atrás tocamos de lhe haverem chamado estado do Brasil, tirando-lhe o de Santa Cruz, com que pudera ser estado e ter estabilidade e firmeza.

(*História do Brasil*, 4ª ed., São Paulo, Melhoramentos [1965], pp. 58-59.)

Posto que selecionado por diferentes razões, este capítulo da *História do Brasil* ratifica plenamente o conteúdo doutrinário dos *Diálogos das Grandezas do Brasil*: para o historiador, embora "sendo a terra tão grande e fértil (...) nem por isso vai em aumento, antes em diminuição". Por quê? "Disto dão alguns a culpa aos reis de Portugal, outros aos povoadores." Ambos os testemunhos, de Ambrósio Fernandes Brandão e Frei Vicente do Salvador, parecem induzir à certeza de que na primeira metade do século XVII outra não era a opinião corrente, no âmbito da gente letrada, acerca dos males que infestavam o País. Nessa mesma ordem de idéias, o franciscano alude ainda aos critérios de aparência então dominantes (e que permaneceriam arraigados nos séculos posteriores), e à falta absoluta de higiene, fruto da má instrução ou da ânsia de lucro, como se vê no penúltimo parágrafo. Ao denunciar o estado da Nação em seu tempo, Frei Vicente do Salvador fazia concomitantemente obra de informante e historiador: suas observações, colhidas ao vivo ou de outiva, abrigam livremente os "exemplos" ilustrativos, pelo que se nota na história do bispo de Tucuman. É que o cuidado na fidelidade informativa andava de mãos dadas com as funções de cronista ou de repórter; num congraçamento em que a fantasia literária se insinua a olhos vistos. Em parte por causa de tal consórcio, mas sobretudo por causa de sua condição, o sacerdote assume uma visão parcial: o modo como explora os nomes por que a terra vinha sendo conhecida (Brasil, Santa Cruz), revela um espírito guiado pela mais estrita ortodoxia religiosa. Todavia, retrata igualmente um talento e uma inteligência aguda, na medida em que a interpretação dos vocábulos lhe faculta exibir dotes de escritor, como se percebe na manipulação do trocadilho (Brasil-brasa-Inferno; Santa Cruz-estado-estabilidade), o qual, embora composto a sério, aponta um prosador para quem as galas da "agudeza" barroca não eram de todo estranhas.

SEBASTIÃO DA ROCHA PITA

Nasceu em Salvador (Bahia), a 3 de maio de 1660. Após os estudos no Colégio da Bahia, estudou Direito em Coimbra. Coronel de ordenanças e fazendeiro, pertenceu à Academia Brasílica dos Esquecidos (1724), na qualidade de historiador e poeta. Faleceu em Cachoeira, no estado natal, a 2 de novembro de 1738, deixando uma *História da América Portuguesa*, um *Tratado Político*, inédito até 1972, e poemas gongóricos.

História da América Portuguesa

Sob o título completo de *História da América Portuguesa, desde o ano de mil e quinhentos, do seu descobrimento, até o de mil e setecentos e vinte e quatro*, publicou-se em Lisboa, em 1730. A obra divide-se em dez livros, repartidos em tópicos encimados por rubricas explicativas do conteúdo. Pertencem ao primeiro e ao segundo livro, parágrafos 1, 2, 9, 13 e 5, respectivamente, os fragmentos seguintes:

1. *Introdução* — Do Novo Mundo, tantos séculos escondido, e de tantos sábios caluniado, onde não chegaram Hanon com as suas navegações, Hércules Líbico com as suas colunas, nem Hércules Tebano com as suas empresas, é a melhor porção o Brasil; vastíssima região, felicíssimo terreno, em cuja superfície tudo são frutos, em cujo centro tudo são tesouros, em cujas montanhas, e costas tudo são aromas; tributando os seus campos o mais útil alimento, as suas minas o mais fino ouro, os seus troncos o mais suave bálsamo, e os seus mares o âmbar mais seleto: admirável país, a todas as luzes rico, onde prodigamente profusa a natureza, se desentranha nas férteis produções, que em opulência da monarquia, e benefício do mundo apura a arte, brotando as suas canas espremido néctar, e dando as suas frutas sazonada ambrosia, de que foram mentida sombra o licor, e vianda, que aos seus falsos deuses atribuiu a culta gentilidade.

2. Em nenhuma outra região se mostra o céu mais sereno, nem madruga mais bela a aurora: o sol em nenhum outro hemisfério tem os raios tão dourados, nem os reflexos noturnos tão brilhantes: as estrelas são as mais benignas, e se mostram sempre alegres: os horizontes, ou nasça o sol, ou se sepulte, estão sempre claros: as águas, ou se tomem nas fontes pelos campos, ou dentro das povoações nos aquedutos, são as mais puras: é enfim o Brasil terreal paraíso descoberto, onde têm nascimento, e curso os maiores rios; domina salutífero clima; influem benignos astros, e respiram auras suavíssimas, que o fazem fértil, e povoado de inumeráveis habitadores, posto que por ficar debaixo da tórrida zona, o desacreditassem, e dessem por inabitável Aristóteles, Plínio, e Cícero, e com gentios os padres da Igreja Santo Agostinho, e Beda, que a terem experiência deste feliz orbe, seria famoso assunto das suas elevadas penas, aonde a minha receia voar, posto que o amor da Pátria me dê as asas, e a sua grandeza me dilate a esfera.

9. Com inventos notáveis saiu a natureza na composição do Brasil; já em altas continuadas serranias, já em sucessivos dilatados vales; as maiores porções dele fez fertilíssimas, algumas inúteis; umas de arvoredos nuas, expôs às luzes do sol, outras cobertas de espessas matas, ocultou aos seus raios; umas criou com disposições, em que as influências dos astros acham qualidades proporcionadas à composição dos mistos, outras deixou menos capazes do benefício das estrelas. Formou dilatadíssimos campos; uns partidos brandamente por arroios pequenos, outros utilmente tiranizados por caudalosos rios. Fez portentosas lagoas, umas doces, e outras salgadas, navegáveis de embarcações, e abundantes de peixes; estupendas grutas, ásperos domicílios

de feras; densos bosques, confusas congregações de caças, sendo também deste gênero abundantíssimo este terreno; no qual a natureza por várias partes depositou os
seus maiores tesouros de finos metais, e pedras preciosas, e deixou em todo ele o
retrato mais vivo, e o mais constante testemunho daquela estupenda e agradável
variedade, que a faz mais bela.

13. A*s suas portentosas campanhas, e vales* — Toda a maior porção do seu
terreno se dilata em grandíssimas campanhas rasas, tão estendidas, que caminhan-
do-se muitas léguas sucessivas, sempre parece que vão terminar nos horizontes. Vales
tão desmedidos, que em larguíssimos diâmetros, é menos difícil abrir-lhes os centros
que compreender-lhes as distâncias no comprimento, e largura das suas planícies.
Neste dilatadíssimo teatro, em que a natureza com tantas, e tão várias cenas representa
a maior extensão da sua grandeza, e apura todos os alentos dos seus primores, regando
com portentosos rios amplíssimas províncias, e posto que lhes não possamos seguir
as correntes, é preciso lhes declaremos os nomes, primeiro aos quais célebres, e
depois a outros também famosos, quando a eles for chegando a história.

5. O céu, que o cobre, é o mais alegre; os astros, que o alumiam, os mais claros;
o clima, que lhe assiste, o mais benévolo; os ares, que o refrescam, os mais puros;
as fontes, que o fecundam, as mais cristalinas; os prados, que o florescem, os mais
amenos; as plantas aprazíveis, as árvores frondosas, os frutos saborosos, as estações
temperadas. Deixe a memória o Tempe de Tessália, os Pênsis de Babilônia, e os
Jardins das Hespérides, porque este terreno em continuada primavera é o vergel do
mundo; e se os antigos os alcançaram, com razão podiam pôr nele o terreal paraíso,
o Letes, e os Campos Elísios, que das suas inclinações lisonjeados, ou reverentes,
às suas pátrias fantasiaram em outros lugares.*

(*História da América Portuguesa*, 3ª ed., Bahia,
Progresso, 1950, pp. 23, 26, 27-28, 60.)

---

* *Hanon* = general e navegante cartaginês, que viveu em data incerta, antes de Cristo, e
costeou o norte e o noroeste da África; *Hércules* = figura mitológica de força descomunal, separou
os montes Calpe e Abila, abrindo o estreito de Gibraltar, em memória do qual se erigiram as
colunas que levam seu nome; a referência a dois Hércules atendia à idéia segundo a qual teria
havido mais de um herói com o mesmo nome; *culta gentilidade* = gregos; *Aristóteles* = filósofo
grego, que viveu entre 384 e 322 a.C.; *Plínio* = Plínio, o Velho, escritor romano, que viveu entre
23 ou 24 e 79 da era cristã, compôs uma *História Natural* em 37 livros; *Cícero* = orador romano,
que viveu entre 106 e 43 a.C.; *Santo Agostinho* = viveu entre 354 a 430, autor das *Confissões*;
Beda = religioso inglês, viveu entre 672 e 735, autor de *De Temporum Ratione* e *Historia Eccle-
siastica Gentis Anglorum*; *Tempe de Tessália* = Tessália, vale da Grécia cercado de montanhas,
tinha acesso ao mar apenas pelo desfiladeiro de Tempe; *Pênsis de Babilônia* = jardins suspensos
da Babilônia; *Jardins das Hespérides* = mitológico jardim luxuriante, situado na Mauritânia (norte
da África) e nas Ilhas Canárias; *Letes* = rio do Inferno cujas águas provocavam o esquecimento;
Campos Elísios = lugar lendário onde gozariam de suma felicidade todos que o habitassem.

Basta uma leitura superficial desses fragmentos para se perceber que Sebastião da Rocha Pita leva a extremo a mundividência de Frei Vicente do Salvador. Para ele, todas as riquezas e belezas da terra são incomensuráveis e inigualáveis, num encômio exagerado que o recurso abundante ao superlativo denuncia e caracteriza. Inferência direta de tal visão amplificadora: o Brasil se lhe afigura um paraíso terrenal. Na arquitetura do discurso apologético do historiador, concorrem vetores culturais que se originam no século XVI, encarnados no mito do eldorado, e outros que o Barroco determinou. Com efeito, o derrame verbal de Sebastião da Rocha Pita, tirado à retórica mais esfusiante (viva ainda hoje, diga-se de passagem), resulta da perduração dum estado de ânimo vigente já nas primeiras décadas de nossa história, e do apoio magnificador emprestado pela estética barroca. Desse modo, o escritor se distingue como uma espécie de representante chapado da prosa gongórica entre nós, condição essa que permite situá-lo facilmente nos quadros literários: a incontinência vocabular compromete-o de forma decisiva, mas o transporte lírico que o sustenta assinala um estilista porventura inconformado com a linguagem um tanto embotada que a historiografia seiscentista (exceção feita de Frei Luís de Sousa) empregava. Seja como for, o ufanismo altissonante de Sebastião da Rocha Pita insere-se numa linha de força que, iniciada na altura do descobrimento do País, permanece até os nossos dias, com suas virtudes e defeitos.

ORATÓRIA

Pragmática por natureza e em razão da conjuntura histórica da Colônia, a oratória barroca é predominantemente sacra e destinada à edificação dos reinóis e brasileiros segundo os princípios cristãos. Antônio de Sá, Eusébio de Matos e, sobretudo, Antônio Vieira contam-se entre os muitos cultores da parenética nos séculos XVII e XVIII. A oratória profana, além de minguada, restringe-se a panegíricos de ocasião, ou orações acadêmicas, proferidas nas várias agremiações existentes após a Academia dos Esquecidos, reunida na Bahia, em 1724-1725.

PADRE ANTÔNIO VIEIRA

Nasceu em Lisboa, a 6 de fevereiro de 1608. Aos seis anos, vem para o Brasil, e mais tarde ingressa no colégio jesuítico da Bahia. Ordenando-se em 1634, logo alcança renome de pregador eloqüente e culto. Com o movimento português de restauração da independência (deflagrado a 1º de dezembro de 1640), viaja para Portugal a fim de protestar lealdade ao novo monarca, D. João IV, junto a quem passa a gozar de grande prestígio e respeito, de que resulta ser nomeado para várias embaixadas diplomáticas no estrangeiro. Em 1652, transferindo-se para o Maranhão, dedica-se à catequese e conversão dos indígenas. Nove anos após, regressa a Lisboa e é preso por suas idéias sebastianistas. Confinam-no durante oito anos numa casa jesuítica e cassam-lhe o direito de pregar. Liberto, segue para Roma a pleitear revisão do processo, e torna-se orador oficial do salão literário da Rainha Cristina da Suécia. Depois de alguns anos em Lisboa, defendendo a causa dos judeus perante a Inquisição, retorna ao Brasil (1681) e entrega-se à faina de redigir e polir seus sermões e outras obras. Morreu em Salvador, a 18 de julho de 1697. Escreveu: *Sermões* (15 vols. 1679-1690, 1710-1718), *História do Futuro* (1718), *Esperanças de Portugal* (1856-1857), *Clavis Prophetarum* (inédita e perdida) e quinhentas cartas.

Sermão pelo Bom Sucesso das Armas de Portugal
Contra as de Holanda

"Pregado na igreja de N. S. da Ajuda, da cidade da Bahia, com o Santíssimo Sacramento exposto, sendo este o último de quinze dias, nos quais em todas as igrejas da mesma cidade se tinham feito sucessivamente as mesmas depreciações, no ano de 1640", gira em torno do seguinte tema: *Exurge! Quare obdormis, Domine? Exurge et ne repellas in finem. Quare faciem tuam avertis? Oblivisceris inopiae nostrae et tribulationis nostrae? Exurge, Domine, adjuva nos et redime nos propter nomen tuum.* (Desperta! Por que dormes, Senhor? Desperta, não nos rejeites para sempre. Por que escondes a tua face, e te esqueces da nossa miséria e da nossa opressão? Levanta-te para socorrer-nos, e resgata-nos por amor da tua benignidade. — *Salmo*, XLIV, 23-24, 26.) O trecho que se transcreve a seguir, corresponde ao núcleo do sermão:

III

Considerai, Deus meu — e perdoai-me se falo inconsideradamente — considerai a quem tirais as terras do Brasil e a quem as dais. Tirais estas terras aos portugueses, a quem no princípio as destes; e bastava dizer a quem as destes, para perigar o crédito de vosso nome, que não podem dar nome de liberal mercês com arrependimento. Para que nos disse S. Paulo, que vós, Senhor, "quando dais, não vos arrependeis": *Sine pœnitentia enim sunt dona Dei?* Mas deixado isto à parte: tirais estas terras àqueles mesmos portugueses a quem escolhestes entre todas as nações do Mundo para conquistadores da vossa Fé, e a quem destes por armas como insígnia e divisa singular vossas próprias chagas. E será bem, Supremo e Governador do Universo, que às sagradas quinas de Portugal e às armas e chagas de Cristo, sucedam as heréticas listas de Holanda, rebeldes a seu rei e a Deus? Será bem que estas se vejam tremular ao vento vitoriosas, e aquelas abatidas, arrastadas e ignominiosamente rendidas? *Et quid facies magno nomini tuo?* E que fareis (como dizia Josué) ou que será feito de vosso glorioso nome em casos de tanta afronta?

Tirais também o Brasil aos portugueses, que assim estas terras vastíssimas, como as remotíssimas do Oriente, as conquistaram à custa de tantas vidas e tanto sangue, mais por dilatar vosso nome e vossa Fé (que esse era o zelo daqueles cristianíssimos reis), que por amplificar e estender seu império. Assim fostes servido que entrássemos nestes novos mundos, tão honrada e tão gloriosamente, e assim permitis que saiamos agora (quem tal imaginaria de vossa bondade!), com tanta afronta e ignomínia! Oh! como receio que não falte quem diga o que diziam os egípcios: *Callide eduxit eos, ut interficeret et deleret e terra*: Que a larga mão com que nos destes tantos domínios e reinos não foram mercê de vossa liberalidade, senão cautela e dissimulação de vossa ira, para aqui fora e longe de nossa Pátria nos matardes, nos destruirdes, nos acabardes de todo. Se esta havia de ser a paga e o fruto de nossos trabalhos, para que foi o trabalhar, para que foi o servir, para que foi o derramar tanto e tão ilustre sangue nestas conquistas? Para que abrimos os mares nunca dantes navegados? Para que descobrimos as regiões e os climas não conhecidos? Para que contrastamos os ventos e as tempestades com tanto arrojo, que apenas há baixio no Oceano, que não esteja infamado com miserabilíssimos naufrágios de portugueses? E depois de tantos perigos, depois de tantas desgraças, depois de tantas e tão lastimosas mortes, ou nas praias desertas sem sepultura, ou sepultados nas entranhas dos alarves, das feras, dos peixes, que as terras que assim ganhamos, as hajamos de perder assim! Oh! quanto melhor nos fora nunca conseguir, nem intentar tais empresas!

Mais santo que nós era Josué, menos apurada tinha a paciência, e contudo, em ocasião semelhante, não falou (falando convosco) por diferente linguagem. Depois de os filhos de Israel passarem às terras ultramarinas do Jordão, como nós a estas, avançou parte do exército a dar assalto à cidade de Hai, a qual nos ecos do nome já parece que trazia o prognóstico do infeliz sucesso que os israelitas nela tiveram; porque foram rotos e desbaratados, posto que com menos mortos e feridos, do que nós por cá costumamos. E que fazia Josué à vista desta desgraça? — Rasga as vestiduras imperiais, lança-se por terra, começa a clamar ao Céu: *Heu! Domine Deus, quid voluisti traducere populum istum Jordanem fluvium, ut traderes nos in manus Amorrhœi?* "Deus meu e Senhor meu, que é isto? Para que nos mandastes passar o Jordão e nos metestes de posse destas terras, se aqui nos haveis de entregar nas mãos dos Amorreus e perder-nos?" *Utinam mansissemus trans Jordanem!*: "Oh! nunca nós passáramos tal rio!"

Assim se queixava Josué a Deus, e assim nos podemos nós queixar, e com muito maior razão que ele. Se este havia de ser o fim de nossas navegações, se estas fortunas nos esperavam nas terras conquistadas: *Utinam mansissemus trans Jordanem!* prouvera a vossa Divina Majestade que nunca saíramos de Portugal, nem fiáramos nossas vidas às ondas e aos ventos, nem conhecêramos ou puséramos os pés em terras estranhas! Ganhá-las para as não lograr, desgraça foi e não ventura; possuí-las para as perder, castigo foi de vossa ira, Senhor, e não mercê, nem favor de vossa liberalidade. Se determináveis dar estas mesmas terras aos piratas de Holanda, porque lhas não destes enquanto eram agrestes e incultas, senão agora? Tantos serviços vos tem feito esta gente pervertida e apóstata, que nos mandastes primeiro cá por seus aposentadores, para lhe lavrarmos as terras, para lhe edificarmos as cidades, e depois de cultivadas e enriquecidas lhas entregardes? Assim se hão-de lograr os Hereges e inimigos da Fé, dos trabalhos portugueses e dos suores católicos? *En queis consevimus agros?* "Eis aqui para quem trabalhamos há tantos anos!"

Mas pois vós, Senhor, o quereis e ordenais assim, fazei o que fordes servido. Entregai aos Holandeses o Brasil, entregai-lhe as Índias, entregai-lhe as Espanhas (que não são menos perigosas as conseqüências do Brasil perdido), entregai-lhe quanto temos e possuímos (como já lhe entregastes tanta parte), ponde em suas mãos o Mundo; e a nós, aos portugueses e espanhóis, deixai-nos, repudiai-nos, desfazei-nos, acabai-nos. Mas só digo e lembro a Vossa Majestade, Senhor, que estes mesmos que agora desfavoreceis e lançais de vós, pode ser que os queirais algum dia, e que os não tenhais.

Não me atrevera a falar assim, se não tirara as palavras da boca de Job, que como tão lastimado, não é muito entre muitas vezes nesta tragédia. Queixava-se o exemplo da paciência a Deus (que nos quer Deus sofridos, mas não insensíveis), queixava-se do tesão de suas penas, demandando e altercando, porque se lhe não havia de remitir e afrouxar um pouco o rigor delas; e como a todas as réplicas e instâncias o Senhor se mostrasse inexorável, quando já não teve mais que dizer, concluiu assim: *Ecce nunc in pulvere dormiam, et si mane me quæsieris, non subsistam*. Já que não quereis, Senhor, resistir ou moderar o tormento, já que não quereis senão continuar o rigor e chegar com ele ao cabo, seja muito embora, matai-me, consumi-me, enterrai-me: *Ecce nunc in pulvere dormiam*; mas só vos digo e vos lembro uma cousa: que "se me buscardes amanhã, que me não haveis de achar": *Et si mane me quæsieris, non subsistam*. Tereis aos Sabeus, tereis aos Caldeus, que sejam o roubo e o açoute de vossa casa; mas não achareis a um Job que a sirva, não achareis a um Job, que ainda com suas chagas a não desautorize. O mesmo digo eu, Senhor, que não é muito rompa nos mesmos afetos, que se vê no mesmo estado. Abrasai, destruí, consumi-nos a todos; mas pode ser que algum dia queirais Espanhóis e Portugueses, e que os não acheis. Holanda vos dará apostólicos conquistadores, que levem pelo Mundo os estandartes da cruz; Holanda vos dará os pregadores evangélicos, que semeiem nas terras dos Bárbaros a doutrina católica e a reguem com o próprio sangue; Holanda defenderá a verdade de vossos Sacramentos e a autoridade da Igreja Romana; Holanda edificará templos, Holanda levantará altares, Holanda consagrará sacerdotes e oferecerá o sacrifício de vosso Santíssimo Corpo; Holanda, enfim, vos servirá e venerará tão religiosamente, como em Amsterdão, Meldeburgo e Flisinga e em todas as outras colônias daquele frio e alagado inferno se está fazendo todos os dias.*

(*Obras Escolhidas*, pref. e notas de Antônio Sérgio e Hernâni Cidade, Lisboa, Sá da Costa, 1954, vol. X, pp. 57-62.)

Português de nascimento, brasileiro por adoção, o Pe. Vieira dividiu entre as duas pátrias o lugar e o sentido de sua parenética, e num caso e noutro alcançou ser dos pontos mais altos da cultura em vernáculo no século XVII, em parelha com Gregório de Matos, provavelmente a voz mais sonora do tempo, nos dois lados do Atlântico. No tocante ao Brasil, sua oratória se caracterizou por um senso de participação direta nos acontecimentos que lhe valeu não poucas contrariedades perante a Inquisição: desassombrado, esclarecido como um homem do

---

* *Sine pœnitentia enim sunt dona Dei?* = Por que os dons e a vocação de Deus são irrevogáveis? (*Epístola aos Romanos*, XI, 29); *Et quid facies magno nomini tuo?* = E então que farás ao teu grande nome? (*Josué*, VII, 9); *Callide eduxit eos, ut interficeret et deleret e terra.* = Com maus intentos os tirou, para matá-los nos montes, e para consumi-los da face da terra. (*Êxodo*, XXXII, 12); *alarves* = beduínos; *Heu! Domine Deus, quid voluisti traducere populum istum Jordanem fluvium, ut traderes nos in manus Amorrhoei?* = Ah! Senhor Deus, por que fizeste passar a este povo o Jordão, para nos entregares nas mãos dos amorreus, para nos fazerem perecer? (*Josué*, VII, 7); *Utinam mansissemus trans Jordanem!* = Oxalá nos contentáramos com ficar além do Jordão! (*ibidem*); *En queis consevimus agros?* = Vieira modificou um verso de Virgílio: *His nos consevimus agros!* = Eis para quem semeamos os campos! (*Bucólicas*, I, 72); *Ecce nunc in pulvere dormiam, et si mane me quæsieris, non subsistam.* = Pois agora me deitarei no pó; e, se me buscas, já não serei. (*Jó*, VII, 21.) (Tradução dos textos bíblicos de João Ferreira de Almeida.)

"século das luzes" e não das trevas barrocas, pôs sua pena e sua eloqüência a serviço de causas que julgou, lucidamente, mais urgentes que a simples catequese, e conheceu o dissabor de ser perseguido, em virtude de má compreensão ou ódio invejoso, por aqueles mesmos que deveriam descortinar em sua coragem moral o timbre de uma ordem religiosa pelo menos coerente. Dentre as questões relacionadas com o Brasil que mais vivamente discutiu se situam a dos escravos, a dos índios e a que motivou o "Sermão pelo Bom Sucesso das Armas de Portugal contra as de Holanda". Considerado pelo Pe. Raynal o discurso "mais veemente e extraordinário que se tem ouvido em púlpito cristão", nele não se sabe que mais admirar, se a força do raciocínio, raiando por vezes na santa indignação; se a forma dialógica, que torna Deus interlocutor, num à-vontade que somente não extrapola das fronteiras do decoro eclesiástico porque fruto da conjuntura embaraçosa em que se encontrava a Bahia, e portanto o Brasil, à mercê dos flamengos; se a sagacidade quase maquiavélica com que, dirigindo-se a Deus como responsável pela perda do solo, na verdade buscava insuflar no ânimo dos ouvintes a resistência armada contra o invasor sem fé; se o estilo de sempre, límpido, escorreito, ático, mas sem quebra do tom de superior oralidade que, sendo inerente ao sermão falado, também era índice de vitalidade literária. De notar, como instantes máximos da piedosa imprecação, o parágrafo encetado por "Tirais também o Brasil aos portugueses...", onde, na esteira de Camões, a idéia da Fé se funde à do Império, justificando a conquista da terra e, a um só tempo, sua defesa contra "as heréticas listas de Holanda". O momento psicológico, em que se jogava o destino de uma nação, de um império e da própria Igreja na América, Vieira explorou-o com um oportunismo que deixa transparecer, além do sacerdote consciente, batalhador pela justiça social, o político atento ao contexto histórico e que apenas intervinha nos acontecimentos propícios à sua causa e à sua maneira de ser. Nem que, para isso, corresse o risco de heterodoxia, como no parágrafo final, vazado com a ironia de quem, imbuído da certeza teológica e pragmática do sermão, dialoga com Deus mano a mano.

Texto para Análise

IV

Bem vejo que me podeis dizer, Senhor, que a propagação de vossa Fé e as obras de vossa glória não dependem de nós, nem de ninguém, e que sois poderoso, quando faltem homens, para fazer das pedras filhos de Abraão. Mas também a vossa sabedoria e a experiência de todos os séculos nos tem ensinado, que depois de Adão não criastes homens de novo, que vos servis dos que tendes neste Mundo, e que nunca admitis os menos bons, senão em falta dos melhores. Assim o fizestes na parábola do banquete. Mandastes chamar os convidados que tínheis escolhido, e porque eles se escusaram e não quiseram vir, então admitistes os cegos e mancos, e os introduzistes em seu lugar: *Cæcos et claudos introduc huc*. E se esta é, Deus meu, a regular disposição de vossa providência divina, como a vemos agora tão trocada em nós e tão diferente conosco? Quais foram estes convidados e quais são estes cegos e mancos? Os convidados fomos nós, a quem primeiro chamastes para estas terras, e nelas nos pusestes a mesa, tão franca e abundante, como de vossa grandeza se podia esperar. Os cegos e mancos são os Luteranos e Calvinistas, cegos sem fé e mancos sem obras, na reprovação das quais consiste o principal erro da sua heresia. Pois se nós, que fomos os convidados, não nos escusamos nem duvidamos de vir, antes rompemos por muitos inconvenientes em que pudéramos duvidar; se viemos e nos assentamos à mesa, como nos excluís agora e lançais fora dela e introduzis violentamente os cegos e mancos, e dais os nossos lugares aos hereges? Quando em tudo o mais foram eles tão bons como nós, ou nós tão maus como eles, porque nos há-de valer pelo menos o privilégio e prerrogativa da Fé? Em tudo parece, Senhor, que trocais os estilos de vossa providência e mudais as leis de vossa justiça conosco.

Aquelas dez virgens do vosso Evangelho todas se renderam ao sono, todas adormeceram, todas foram iguais no mesmo descuido: *Dormitaverunt omnes et dormierunt.* E contudo a cinco delas passou-lhes o esposo por este defeito, e só porque conservaram as alâmpadas acesas, mereceram entrar às bodas, de que as outras foram excluídas. Se assim é, Senhor meu, se assim o julgastes então (que vós sois aquele Esposo Divino), porque não nos vale a nós também conservar as alâmpadas da Fé acesas, que no Herege estão tão apagadas e tão mortas? É possível que haveis de abrir as portas a quem traz as alâmpadas apagadas, e as haveis de fechar a quem as tem acesas? Reparai, Senhor, que não é autoridade do vosso divino tribunal que saiam dele no mesmo caso duas sentenças tão encontradas. Se às que deixaram apagar as alâmpadas se disse: *Nescio vos;* se para elas se fecharam as portas: *Clausa est janua;* quem merece ouvir de vossa boca um *Nescio vos* tremendo, senão o Herege, que vos não conhece? E a quem deveis dar com a porta nos olhos, senão ao Herege, que os têm tão cegos? Mas eu vejo que nem esta cegueira, nem este desconhecimento, tão merecedores de vosso rigor, lhes retarda o progresso de suas fortunas, antes a passo largo se vêm chegando a nós suas armas vitoriosas, e cedo nos baterão às portas desta vossa cidade...

Desta vossa cidade — disse; mas não sei se o nome do *Salvador*, com que a honrastes, a salvará e defenderá, como já outra vez não defendeu; nem sei se estas nossas deprecações, posto que tão repetidas e continuadas, acharão acesso a vosso conspecto divino, pois há tantos anos que está bradando ao Céu a nossa justa dor, sem a vossa clemência dar ouvidos a nossos clamores.

Se acaso for assim (o que vós não permitais), e está determinado em vosso secreto juízo que entrem os hereges na Baía, o que só vos represento humildemente e muito deveras, é que antes da execução da sentença repareis bem, Senhor, no que vos pode suceder depois, e que o consulteis com vosso coração, enquanto é tempo; porque melhor será arrepender agora, que quando o mal passado não tenha remédio. Bem estais na intenção e alusão com que digo isto, e na razão, fundada em vós mesmo, que tenho para o dizer. Também antes do dilúvio estáveis vós mui colérico e irado contra os homens, e por mais que Noé orava em todos aqueles cem anos, nunca houve remédio para que se aplacasse vossa ira. Romperam-se enfim as cataratas do céu, cresceu o mar até os cumes dos montes, alagou-se o Mundo todo; já estará satisfeita vossa justiça. Senão quando, ao terceiro dia, começaram a boiar os corpos mortos, e a surgir e a aparecer em multidão infinita aquelas figuras pálidas, e então se representou sobre as ondas a mais triste e funesta tragédia que nunca viram os anjos, que homem que a vissem não os havia. Vistes vós também (como se o vísseis de novo) aquele lastimosíssimo espetáculo, e posto que não chorastes, porque ainda não tínheis olhos capazes de lágrimas, enterneceram-se porém as entranhas de vossa Divindade, «com tão intrínseca dor»: *Tactus dolore cordis intrinsecus* que, do modo que em vós cabe arrependimento, vos arrependestes do que tínheis feito ao Mundo; e foi tão inteira a vossa contrição, que não só tivestes pesar do passado, senão propósito firme de nunca mais o fazer: *Nequaquam ultra maledicam terræ proper homines.*

Este sois, Senhor, este sois; e pois sois este, não vos tomeis com vosso coração. Para que é fazer agora valentias contra ele, se o seu sentimento e o vosso as há-de pagar depois? Já que as execuções de vossa justiça custam arrependimentos à vossa bondade, vede o que fazeis antes que o façais, não vos aconteça outra. E para que o vejais com cores humanas, que já vos não são estranhas, dai-me licença que eu vos represente primeiro ao vivo as lástimas e misérias deste futuro dilúvio, e se esta representação vos não enternecer e tiverdes entranhas para o ver sem grande dor, executai-o embora.

Finjamos pois (o que até fingido e imaginado faz horror) finjamos que vem a Baía e o resto do Brasil a mãos dos Holandeses; que é o que há-de suceder em tal caso? — Entrarão por esta cidade com fúria de vencedores e de hereges; não perdoarão a estado, a sexo nem a idade; com os fios dos mesmos alfanjes medirão a todos; chorarão as mulheres, vendo que se não guarda decoro à sua modéstia; chorarão os velhos, vendo que se não guarda respeito a suas cãs; chorarão os nobres, vendo que se não guarda cortesia à sua qualidade; chorarão os religiosos e veneráveis sacerdotes, vendo que até as coroas sagradas os não defendem; chorarão finalmente todos, e entre todos mais lastimosamente os inocentes, porque nem a esses perdoará (como em outras ocasiões não perdoou), a desumanidade herética. Sei eu, Senhor, que só por amor dos inocentes, dissestes vós alguma hora, que não era bem castigar a Nínive. Mas não sei que tempos, nem que desgraça é esta nossa, que até a mesma inocência vos não abranda. Pois também a vós, Senhor, vos há-de alcançar parte do castigo (que é o que mais sente a piedade cristã), também a vós há-de chegar.

Entrarão os hereges nesta igreja e nas outras; arrebatarão essa custodia, em que agora estais adorado dos anjos; tomarão os cálices e vasos sagrados, e aplicá-los-ão a suas nefandas embriagueses; derribarão dos altares os vultos e estátuas dos santos, deformá-las-ão a cutiladas, e metê-las-ão no fogo; e não perdoarão as mãos furiosas e sacrílegas, nem às imagens tremendas de Cristo crucificado, nem às da Virgem Maria.*

(Ibidem, pp. 62-67.)

---

* *Cæcos et claudos introduc huc* = Traze para aqui os cegos e os coxos (*S. Lucas*, XIV, 21); *Dormitaverunt omnes et dormierunt* = Todas foram tomadas de sono e adormeceram; (*S. Mateus*, XXV, 5); *Nescio vos* = Não vos conheço; *Clausa est janua* = Está fechada a porta (*S. Mateus*, XX, 10); *Tactus dolore cordis intrinsecus* = E isso lhe pesou no coração (*Gênesis*, VI, 6); *Nequaquam ultra maledicam terrae propter homines* = Não tornarei a amaldiçoar a terra por causa do homem (*Ibidem*, VIII, 21).

ARCADISMO

Preliminares

A época do Arcadismo tem início em 1768, com o aparecimento das *Obras* de Cláudio Manuel da Costa, e desenvolve-se até 1836, ocasião em que Gonçalves de Magalhães publica os *Suspiros Poéticos e Saudades,* dando começo à revolução romântica. Movimento eminentemente poético, de repúdio às demasias perpetradas pelo Barroco, arregimentou pela primeira vez em nossa história literária um grupo de escritores mais ou menos coeso em seus desígnios e com um relativo sentido corporativo: Tomás Antônio Gonzaga, Cláudio Manuel da Costa, Silva Alvarenga, Alvarenga Peixoto, Basílio da Gama, Frei José de Santa Rita Durão.

TOMÁS ANTÔNIO GONZAGA

Nasceu no Porto, a 11 de agosto de 1744. Com oito anos, é trazido ao Brasil e matriculado no Colégio da Bahia. De volta a Portugal, forma-se em Direito (Coimbra). Depois de tentar a carreira universitária, abraça a magistratura. Em 1782, está em Vila Rica (Minas Gerais) como ouvidor. Apaixona-se por Maria Dorotéia Joaquina de Seixas, que imortalizaria com o pseudônimo de Marília. Implicado na conjuração mineira (1789), é preso e levado para a Ilha das Cobras. Em 1792, condenado ao exílio, segue para Moçambique, onde refaz sua vida casando-se com Juliana de Sousa Mascarenhas, jovem rica e analfabeta. Prestigiado e abastado, falece em 1810. Sua obra divide-se em poética (*Liras,* duas partes, 1792 e 1799; *Cartas Chilenas,* 1845, edição incompleta; 1863, edição completa) e em prosa (*Tratado de Direito Natural,* 1942). Os poemas que se vão ler, pertencem às *Liras:*

25

Não sei, Marília, que tenho,
depois que vi o teu rosto,
pois quanto não é Marília
já não posso ver com gosto.
Noutra idade me alegrava,
até quando conversava
com o mais rude vaqueiro:
hoje, ó bela, me aborrece
inda o trato lisonjeiro
do mais discreto pastor.

Que efeitos são os que sinto?
Serão efeitos de amor?

Saio da minha cabana
sem reparar no que faço;
busco o sítio aonde moras,
suspendo defronte o passo.
Fito os olhos na janela;
aonde, Marília bela,
tu chegas ao fim do dia;
se alguém passa e te saúda,
bem que seja cortesia,
se acende na face a cor.
Que efeitos são os que sinto?
Serão efeitos de amor?

Se estou, Marília, contigo,
não tenho um leve cuidado;
nem me lembra se são horas
de levar à fonte o gado.
Se vivo de ti distante,
ao minuto, ao breve instante
finge um dia o meu desgosto;
jamais, pastora, te vejo
que em teu semblante composto
não veja graça maior.
Que efeitos são os que sinto?
Serão efeitos de amor?

Ando já com o juízo,
Marília, tão perturbado,
que no mesmo aberto sulco
meto de novo o arado.
Aqui no centeio pego,
noutra parte em vão o sego;
se alguém comigo conversa,
ou não respondo, ou respondo
noutra coisa tão diversa,
que nexo não tem menor.
Que efeitos são os que sinto?
Serão efeitos de amor?

Se geme o bufo agoureiro,
só Marília me desvela,
enche-se o peito de mágoa,

e não sei a causa dela.
Mal durmo, Marília, sonho
que fero leão medonho
te devora nos meus braços:
gela-se o sangue nas veias,
e solto do sono os laços
à força da imensa dor.
        Ah! que os efeitos, que sinto,
        só são efeitos de amor!

28

Acaso são estes
os sítios formosos,
aonde passava
os anos gostosos?
São estes os prados,
aonde brincava,
enquanto pastava,
o manso rebanho
que Alceu me deixou?

        São estes os sítios?
        São estes; mas eu
        o mesmo não sou.
        Marília, tu chamas?
        Espera, que eu vou.

Daquele penhasco
um rio caía;
ao som do sussurro
que vezes dormia!
Agora não cobrem
espumas nevadas
as pedras quebradas:
parece que o rio
o curso voltou.

        São estes os sítios?
        São estes; mas eu
        o mesmo não sou.
        Marília, tu chamas?
        Espera, que eu vou.

Meus versos, alegre,
aqui repetia;
o eco as palavras

três vezes dizia.
Se chamo por ele,
já não me responde;
parece se esconde,
cansado de dar-me
os ais que lhe dou.

São estes os sítios?
São estes; mas eu
o mesmo não sou.
Marília, tu chamas?
Espera, que eu vou.

Aqui um regato
corria sereno
por margens cobertas
de flores e feno;
à esquerda se erguia
um bosque fechado,
e o tempo apressado,
que nada respeita,
já tudo mudou.

São estes os sítios?
São estes; mas eu
o mesmo não sou.
Marília, tu chamas?
Espera, que eu vou.

Mas como discorro?
Acaso podia
já tudo mudar-se
no espaço de um dia?
Existem as fontes
e os freixos copados;
dão flores os prados,
e corre a cascata,
que nunca secou.

São estes os sítios?
São estes; mas eu
o mesmo não sou.
Marília, tu chamas?
Espera, que eu vou.

Minha alma, que tinha
liberta a vontade,

agora já sente
amor e saudade.
Os sítios formosos,
que já me agradaram,
ah! não se mudaram;
mudaram-se os olhos,
de triste que estou.

São estes os sítios?
São estes; mas eu
o mesmo não sou.
Marília, tu chamas?
Espera, que eu vou.

31

Vou retratar a Marília,
a Marília, meus amores;
porém como? se eu não vejo
quem me empreste as finas cores:
dar-mas a terra não pode;
não, que a sua cor mimosa
vence o lírio, vence a rosa,
o jasmim e as outras flores.

Ah! socorre, Amor, socorre
ao mais grato empenho meu!
Voa sobre os astros, voa,
traz-me as tintas do céu.

Mas não se esmoreça logo;
busquemos um pouco mais;
nos mares talvez se encontrem
cores, que sejam iguais.
Porém, não, que em paralelo
da minha ninfa adorada
pérolas não valem nada,
não valem nada os corais.

Ah! socorre, Amor, socorre
ao mais grato empenho meu!
Voa sobre os astros, voa,
traze-me as tintas do céu.

Só no céu achar-se podem
tais belezas como aquelas
que Marília tem nos olhos,

e que tem nas faces belas;
mas às faces graciosas,
aos negros olhos, que matam,
não imitam, não retratam
nem auroras nem estrelas.

Ah! socorre, Amor, socorre
ao mais grato empenho meu!
Voa sobre os astros, voa,
traze-me as tintas do céu.

Entremos, Amor, entremos,
entremos na mesma esfera;
venha Palas, venha Juno,
venha a deusa de Citera.
Porém, não, que se Marília
no certame antigo entrasse
bem que a Páris não peitasse,
a todas as três vencera.

Vai-te, Amor, em vão socorres
ao mais grato empenho meu:
para formar-lhe o retrato
não bastam tintas do céu.

58

Eu, Marília, não sou algum vaqueiro,
que viva de guardar alheio gado,
de tosco trato, de expressões grosseiro,
dos frios gelos e dos sóis queimado.
Tenho próprio casal e nele assisto;
dá-me vinho, legume, fruta, azeite;
das brancas ovelhinhas tiro o leite,
e mais as finas lãs, de que me visto.
Graças, Marília bela,
graças à minha estrela!

Eu vi o meu semblante numa fonte:
dos anos inda não está cortado;
os pastores que habitam este monte
respeitam o poder do meu cajado.
Com tal destreza toco a sanfoninha,
que inveja até me tem o próprio Alceste:
ao som dela concerto a voz celeste
nem canto letra, que não seja minha.

Graças, Marília bela,
graças à minha estrela!

Mas tendo tantos dotes da ventura,
só apreço lhes dou, gentil pastora,
depois que o teu afeto me segura
que queres do que tenho ser senhora.
É bom, minha Marília, é bom ser dono
de um rebanho, que cubra monte e prado;
porém, gentil pastora, o teu agrado
vale mais que um rebanho e mais que um trono.
Graças, Marília bela,
graças à minha estrela!

Os teus olhos espalham luz divina,
a quem a luz do sol em vão se atreve;
papoila ou rosa delicada e fina
te cobre as faces, que são cor da neve.
Os teus cabelos são uns fios d'ouro;
teu lindo corpo bálsamo vapora.
Ah! não, não fez o céu, gentil pastora,
para glória de amor igual tesouro!
Graças, Marília bela,
graças à minha estrela!

Leve-me a sementeira muito embora
o rio, sobre os campos levantado;
acabe, acabe a peste matadora,
sem deixar uma rês, o nédio gado.
Já destes bens, Marília, não preciso
nem me cega a paixão, que o mundo arrasta;
para viver feliz, Marília, basta
que os olhos movas, e me dês um riso.
Graças, Marília bela,
graças à minha estrela!

Irás a divertir-te na floresta,
sustentada, Marília, no meu braço;
aqui descansarei a quente sesta,
dormindo um leve sono em teu regaço;
enquanto a luta jogam os pastores,
e emparelhados correm nas campinas,
toucarei teus cabelos de boninas,
nos troncos gravarei os teus louvores.
Graças, Marília bela,
graças à minha estrela!

Depois que nos ferir a mão da morte,
ou seja neste monte, ou noutra serra,
nossos corpos terão, terão a sorte
de consumir os dous a mesma terra.
Na campa, rodeada de ciprestes,
lerão estas palavras os pastores:
"Quem quiser ser feliz nos seus amores,
siga os exemplos que nos deram estes."
      Graças, Marília bela,
      graças à minha estrela!

59

Tu não verás, Marília, cem cativos
tirarem o cascalho e a rica terra,
ou dos cercos dos rios caudalosos,
      ou da minada serra.

Não verás separar ao hábil negro
do pesado esmeril a grossa areia,
e já brilharem os granetes de oiro
      no fundo da bateia.

Não verás derrubar os virgens matos,
queimar as capoeiras inda novas,
servir de adubo à terra a fértil cinza,
      lançar os grãos nas covas.

Não verás enrolar negros pacotes
das secas folhas do cheiroso fumo;
nem espremer entre as dentadas rodas
      da doce cana o sumo.

Verás em cima da espaçosa mesa
altos volumes de enredados feitos;
ver-me-ás folhear os grandes livros,
      e decidir os pleitos.

Enquanto resolver os meus consultos,
tu me farás gostosa companhia,
lendo os fastos da sábia, mestra História,
      e os cantos da poesia.

Lerás em alta voz, a imagem bela;
eu, vendo que lhe dás o justo apreço,
gostoso tornarei a ler de novo
      o cansado processo.

Se encontrares louvada uma beleza,
Marília, não lhe invejes a ventura,
que tens quem leve à mais remota idade
    a tua formosura.

63

Esprema a vil calúnia muito embora,
entre as mãos denegridas e insolentes,
    os venenos das plantas
    e das bravas serpentes;

Chovam raios e raios, no meu rosto
não hás de ver, Marília, o medo escrito,
    o medo perturbado,
    que infunde o vil delito.

Podem muito, conheço, podem muito,
as fúrias infernais, que Pluto move;
    mas pode mais que todas
    um dedo só de Jove.

Este deus converteu em flor mimosa,
a quem seu nome deram, a Narciso;
    fez de muitos os astros,
    qu'inda no céu diviso.

Ele pode livrar-me das injúrias
do néscio, do atrevido, ingrato povo;
    em nova flor mudar-me,
    mudar-me em astro novo.

Porém se os justos céus, por fins ocultos,
em tão Tirano mal me não socorrem,
    verás então que os sábios,
    bem como vivem, morrem.

Eu tenho um coração maior que o mundo,
tu, formosa, Marília, bem o sabes:
    um coração, e basta,
    onde tu mesma cabes.

94

        A minha amada
        é mais formosa
        que branco lírio,
        dobrada rosa,

que o cinamomo,
quando matiza
coa folha a flor.
Vênus não chega
ao meu amor.

Vasta campina,
de trigo cheia,
quando na sesta
co vento ondeia,
ao seu cabelo,
quando flutua,
não é igual.
Tem a cor negra,
mas quanto val!

Os astros, que andam
na esfera pura,
quando cintilam
na noite escura,
não são, humanos,
tão lindos como
seus olhos são,
que ao sol excedem
na luz que dão.

Às brancas faces
ah! não se atreve
jasmim de Itália,
nem inda a neve,
quando a desata
o sol brilhante
com seu calor.
São neve, e causam
no peito ardor.

Na breve boca
vejo enlaçadas
as finas per'las
com as granadas;
a par dos beiços,
rubins da Índia
têm preço vil.
Neles se agarram
amores mil.

Se não lhe desse,
compadecido,
tanto socorro
o deus Cupido;
se não vivera
uma esperança
no peito seu,
já morto estava
o bom Dirceu.

Vê quanto pode
teu belo rosto,
e de gozá-lo
o vivo gosto!
que, submergido
em um tormento
quase infernal,
porqu'inda espero,
resisto ao mal.*

(*Obras Completas*, ed. crít. de Rodrigues Lapa,
São Paulo, Ed. Nacional, 1942, pp. 3-5, 13-16,
17-19, 50-52, 77-78, 123-125, 156-157.)

É sabido que o Arcadismo pregava a ressurreição do ideal clássico, uma vez que o Barroco o desrespeitara com seu luxo de arabescos e o desequilíbrio das estruturas. Para tanto, remontam aos poetas gregos e latinos da Antiguidade e revalorizam os escritores portugueses do Quinhentismo, sobretudo Camões. Insensivelmente, porém, deixaram-se contagiar pelos ares iluministas que sopravam da Europa, de envolta com o elogio do sentimento e da Natureza, estabelecendo uma dualidade que anuncia o despontar de algo novo: o Romantismo. Dos representantes do nosso movimento arcádico, Tomás Antônio Gonzaga é aquele que

---

* lira 28: *Alceu* = parece referir-se a Alvarenga Peixoto, que, "tendo alguns bens em Vila Rica, incumbiria Gonzaga de velar por eles" (Rodrigues Lapa, *Obras Completas de Tomás Antônio Gonzaga*, ed. cit., pp. 13-14, rodapé); lira 31: *Palas* = Minerva, deusa da sabedoria e da guerra; *Juno* — esposa de Júpiter; *deusa de Citera* = Vênus; *Páris* = herói troiano, filho de Príamo e Hécuba, notável por sua beleza; lira 58: *casal* = conjunto de pequenas propriedades rurais; *Alceste* = provável pseudônimo arcádico de Cláudio Manuel da Costa; lira 63: *Pluto* = Plutão, rei do Inferno. "Gonzaga alude às perseguições que lhe moviam os ricaços da capitania, os quais se vingavam agora da intransigência e má vontade do antigo ouvidor de Vila Rica" (Rodrigues Lapa, *op: cit.,* p. 78, rodapé); *Jove* = Júpiter, pai dos deuses; *Narciso* = apaixonado pela própria imagem refletida nas águas, acabou por precipitar-se nelas e ser convertido por Vênus na flor que leva seu nome; lira 94: *Dirceu* = pseudônimo arcádico de Tomás Antônio Gonzaga; *granadas* = romãs; os dentes de Marília ("finas per'las") são comparados a grãos de romã.

melhor exprimiu essa ambivalência, e, portanto, mais se aproximou da moda surgida então nas literaturas anglo-germânicas. As liras transcritas dizem bem dessa oscilação entre um paradigma situado na remota Arcádia e o novel estilo de cultura, simultâneo de uma profunda metamorfose social e histórica; todavia, sua intuição penderá mais para os "modernos" padrões. Com efeito, ao retratar a bem-amada, o poeta assume a reserva que a tradição preceituava, limitando-se discretamente à zona do rosto (liras 25, 31 e 94), mas, mesmo assim, rompe o círculo diplomático, exigido pelo rigor clássico, ao buscar na Natureza as cores para pintá-la e ao dar-se conta de que a beleza da amada, além de superar a de Palas, Juno e Vênus (isto é, os modelos antigos da perfeição física), não encontra símile em parte alguma. Ora, nesse contraste já se insinua o novo figurino literário, muito embora a Natureza permaneça como um ideal clássico naquilo que toca ao estatuto pastoril. Em suma: Natureza não-brasileira, como aliás a atmosfera geral dos poemas, remetida a um espaço convencional que, em realidade, o próprio caráter lírico determinava: exceção feita da lira 59, que constitui curioso documento da mineração, tudo o mais obedece a preceitos de convenção, incluindo o fatalismo da lira 58 ("Graças à minha estrela!"). Contudo, o sentimento amoroso se espraia livremente, na direção do Romantismo: nota-se que o poeta infringe os princípios clássicos de contenção e manifesta a emoção que o habita, dum modo tal que seus versos acabam adquirindo foros de crônica amorosa. Em conseqüência, vemos instalar-se o ciúme nos arraiais literários (lira 25), o coloquialismo (lira 58), o elogio da vida burguesa (lira 59), culminando no verso que encerra uma eloqüente e feliz súmula do espírito romântico: "Eu tenho um coração maior que o mundo" (lira 63). Na verdade, Tomás Antônio Gonzaga colocou pela primeira vez o problema da "sinceridade" em poesia, e tão conscientemente o fez que veio a tornar-se uma espécie de mestre de alguns românticos, como Garrett, Gonçalves Dias, Maciel Monteiro, Castro Alves.

Texto para Análise

27

Marília, teus olhos
são réus e culpados
que sofra e que beije
os ferros pesados
de injusto senhor.
    Marília, escuta
    um triste pastor.

Mal vi o teu rosto,
o sangue gelou-se,
a língua prendeu-se,
tremi e mudou-se
das faces a cor.
    Marília, escuta
    um triste pastor.

A vista furtiva,
o riso imperfeito
fizeram a chaga,
que abriste no peito,
mais funda e maior.
      Marília, escuta
      um triste pastor.

Dispus-me a servir-te;
levava o teu gado
à fonte mais clara,
à vargem e prado
de relva melhor.
      Marília, escuta
      um triste pastor.

Se vinha da herdade,
trazia nos ninhos
as aves nascidas,
abrindo os biquinhos
de fome ou temor.
      Marília, escuta
      um triste pastor.

Se alguém te louvava,
de gosto me enchia;
mas sempre o ciúme
no rosto acendia
um vivo calor.
      Marília, escuta
      um triste pastor.

Se estavas alegre,
Dirceu se alegrava;
se estavas sentida,
Dirceu suspirava
à força da dor.
      Marília, escuta
      um triste pastor.

Falando com Laura,
Marília dizia;
sorria-se aquela;
e eu conhecia
o erro de amor.
      Marília, escuta
      um triste pastor.

Movida, Marília,
de tanta ternura,
nos braços me deste
da tua fé pura
um doce penhor.
    Marília, escuta
    um triste pastor.

Tu mesma disseste
que tudo podia
mudar de figura,
mas nunca seria
teu peito traidor.
    Marília, escuta
    um triste pastor.

Tu já te mudaste;
e a olaia frondosa,
aonde escreveste
a jura horrorosa,
tem todo o vigor.
    Marília, escuta
    um triste pastor.

Mas eu te desculpo,
que o fado tirano
te obriga a deixar-me,
pois busca o meu dano
da sorte que for.
    Marília, escuta
    um triste pastor.

(*Ibidem*, pp. 10-13)

CLÁUDIO MANUEL DA COSTA

Nasceu a 5 de junho de 1729, em Mariana (Minas Gerais). No Rio de Janeiro, freqüenta o Colégio dos Jesuítas. Em 1749, segue para Coimbra, a estudar Direito. Nesse tempo, publica o *Munúsculo Métrico* (1751), *Epicédio* (1753), *Labirinto de Amor* (1753) e *Números Harmônicos* (1753), todos de caráter barroco. De regresso à Pátria, radica-se em Vila Rica e entrega-se a afazeres de advogado. Entre 1762 e 1765, exerce as funções de Secretário do Governo da Capitania. Em 1768, publica em Coimbra suas *Obras*, ponto alto de sua carreira poética, e preconiza a fundação de uma "academia" em Vila Rica, a "Colônia Ultramarina", à semelhança da Arcádia Romana. Envolvido na Inconfidência Mineira, é preso. Imerso em profunda depressão, suicida-se, a 4 de julho de 1789. Deixou ainda o poemeto épico *Vila Rica*, publicado em 1839, o drama musicado *O Parnaso Obsequioso*, publicado em 1931, e poemas esparsos. Em 1903, seu espólio literário foi reunido sob o título de *Obras Poéticas*, de que se extraíram os seguintes sonetos:

VII

Onde estou? Este sítio desconheço:
Quem fez tão diferente aquele prado?
Tudo outra natureza tem tomado;
E em contemplá-lo tímido esmoreço.

Uma fonte aqui houve; eu não me esqueço
De estar a ela um dia reclinado:
Ali em vale um monte está mudado:
Quanto pode dos anos o progresso!

Árvores aqui vi tão florescentes,
Que faziam perpétua a primavera:
Nem troncos vejo agora decadentes.

Eu me engano: a região esta não era:
Mas que venho a estranhar, se estão presentes
Meus males, com que tudo degenera!

VIII

Este é o rio, a montanha é esta,
Estes os troncos, estes os rochedos;
São estes inda os mesmos arvoredos;
Esta é a mesma rústica floresta.

Tudo cheio de horror se manifesta,
Rio, montanha, troncos, e penedos;
Que de amor nos suavíssimos enredos
Foi cena alegre, e urna é já funesta.

Oh quão lembrado estou de haver subido
Aquele monte, e as vezes, que baixando
Deixei do pranto o vale umedecido!

Tudo me está a memória retratando;
Que da mesma saudade o infame ruído
Vem as mortas espécies despertando.

XIII

Nise? Nise? onde estás? Aonde espera
Achar-te uma alma, que por ti suspira;
Se quanto a vista se dilata, e gira,
Tanto mais de encontrar-te desespera!

Ah se ao menos teu nome ouvir pudera
Entre esta aura suave, que respira!
Nise, cuido, que diz; mas é mentira.
Nise, cuidei que ouvia; e tal não era.

Grutas, troncos, penhascos da espessura,
Se o meu bem, se a minha alma em vós se esconde,
Mostrai, mostrai-me a sua formosura.

Nem ao menos o eco me responde!
Ah como é certa a minha desventura!
Nise? Nise? onde estás? aonde? aonde?

XXIV

Sonha em torrentes d'água, o que abrasado
Na sede ardente está; sonha em riqueza
Aquele, que no horror de uma pobreza
Anda sempre infeliz, sempre vexado:

Assim na agitação de meu cuidado
De um contínuo delírio esta alma presa,
Quando é tudo rigor, tudo aspereza,
Me finjo no prazer de um doce estado.

Ao despertar a louca fantasia
Do enfermo, do mendigo, se descobre
Do torpe engano seu a imagem fria;

Que importa pois, que a idéia alívios cobre,
Se apesar desta ingrata aleivosia,
Quanto mais rico estou, estou mais pobre.

XXVIII

Faz a imaginação de um bem amado,
Que nele se transforme o peito amante;
Daqui vem, que a minha alma delirante
Se não distingue já do meu cuidado.

Nesta doce loucura arrebatado
Anarda cuido ver bem que distante;
Mas ao passo, que a busco, neste instante
Me vejo no meu mal desenganado.

Pois se Anarda em mim vive, e eu nela vivo,
E por força da idéia me converto
Na bela causa de meu fogo ativo;

Como nas tristes lágrimas, que verto,
Ao querer contrastar seu gênio esquivo,
Tão longe dela estou, e estou tão perto.

XXXII

Se os poucos dias, que vivi contente,
Foram bastantes para o meu cuidado,
Que pode vir a um pobre desgraçado,
Que a idéia de seu mal não acrescente!

Aquele mesmo bem, que me consente,
Talvez propício, meu tirano fado,
Esse mesmo me diz, que o meu estado
Se há de mudar em outro diferente.

Leve pois a fortuna os seus favores;
Eu os desprezo já; porque é loucura
Comprar a tanto preço as minhas dores:

Se quer, que me não queixe, a sorte escura,
Ou saiba ser mais firme nos rigores,
Ou saiba ser constante na brandura.

XXXVII

Continuamente estou imaginando,
Se esta vida, que logro, tão pesada,
Há de ser sempre aflita, e magoada,
Se com o tempo enfim se há de ir mudando:

Em golfos de esperança flutuando
Mil vezes busco a praia desejada;
E a tormenta outra vez não esperada
Ao pélago infeliz me vai levando.

Tenho já o meu mal tão descoberto,
Que eu mesmo busco a minha desventura;
Pois não pode ser mais seu desconcerto.

Que me pode fazer a sorte dura,
Se para não sentir seu golpe incerto,
Tudo o que foi paixão, é já loucura!

XLV

A cada instante, Amor, a cada instante
No duvidoso mar de meu cuidado
Sinto de novo um mal, e desmaiado
Entrego aos ventos a esperança errante.

Por entre a sombra fúnebre, e distante
Rompe o vulto do alívio mal formado;
Ora mais claramente debuxado,
Ora mais frágil, ora mais constante.

Corre o desejo ao vê-lo descoberto;
Logo aos olhos mais longe se afigura,
O que se imaginava muito perto.

Faz-se parcial da dita a desventura;
Porque nem permanece o dano certo,
Nem a glória tampouco está segura.

L

Memórias do presente, e do passado
Fazem guerra cruel dentro em meu peito;
E bem que ao sofrimento ando já feito,
Mais que nunca desperta hoje o cuidado.

Que diferente, que diverso estado
É este, em que somente o triste efeito
Da pena, a que meu mal me tem sujeito,
Me acompanha entre aflito, e magoado!

Tristes lembranças! e que em vão componho
A memória da vossa sombra escura!
Que néscio em vós a ponderar me ponho!

Ide-vos; que em tão mísera loucura
Todo o passado bem tenho por sonho;
Só é certa a presente desventura.

LXIII

Já me enfado de ouvir este alarido,
Com que se engana o mundo em seu cuidado;
Quero ver entre as peles, e o cajado,
Se melhora a fortuna de partido.

Canse embora a lisonja ao que ferido
Da enganosa esperança anda magoado;
Que eu tenho de acolher-me sempre ao lado
Do velho desengano apercebido.

Aquele adore as roupas de alto preço,
Um siga a ostentação, outro a vaidade;
Todos se enganam com igual excesso.

Não chamo a isto já felicidade:
Ao campo me recolho, e reconheço,
Que não há maior bem, que a soledade.

LXXI

Eu cantei, não o nego, eu algum dia
Cantei do injusto Amor o vencimento;
Sem saber, que o veneno mais violento
Nas doces expressões falso encobria.

Que Amor era benigno, eu persuadia
A qualquer coração de Amor isento;
Inda agora de Amor cantara atento,
Se lhe não conhecera a aleivosia.

Ninguém de Amor se fie: agora canto
Somente os seus enganos; porque sinto
Que me tem destinado estrago tanto.

De seu favor hoje as quimeras pinto:
Amor de uma alma é pesaroso encanto;
Amor de um coração é labirinto.

LXXXI

Junto desta corrente contemplando
Na triste falta estou de um bem, que adoro;
Aqui entre estas lágrimas, que choro,
Vou a minha saudade alimentando.

Do fundo para ouvir-me vem chegando
Das claras hamadríades o coro;
E desta fonte ao murmurar sonoro,
Parece, que o meu mal estão chorando.

Mas que peito há de haver tão desabrido,
Que fuja à minha dor! que serra, ou monte
Deixará de abalar-se a meu gemido!

Igual caso não temo, que se conte;
Se até deste penhasco endurecido
O meu pranto brotar fez uma fonte.

(*Obras Poéticas*, 2 vols., Rio de Janeiro, Garnier, 1903, vol. I, pp. 106, 109, 114, 116, 118, 121, 125, 127, 134, 138, 143.)

Contrariamente a Tomás Antônio Gonzaga, Cláudio Manuel da Costa representa uma das feições assumidas pela poesia arcádica brasileira: a neoclássica. Com efeito, parece que os germes perturbadores do Iluminismo não encontraram pousada em sua mente, ao menos naquele setor que exprimiu com os meios literários. Estes, assinalam um poeta voltado integralmente para um mundo e um estilo de cultura identificados com os greco-latinos e os clássicos portugueses. Aos primeiros, aparenta-se pelo culto da simplicidade e da solidão (soneto LXIII), da paisagem bucólica habitada por hamadríades (soneto LXXXI). Aos quinhentistas portugueses, sobretudo Camões, se aproxima pelos demais componentes de sua mundividência, incluindo a circunstância de haver escolhido o soneto como sua fôrma predileta. Decerto por coincidência, sua poesia prolonga uma atmosfera lírica e moral que descortinamos na poesia camoniana, evidente no emprego constante da antítese, do paradoxo e do racionalismo, sustentando poemas de estrutura discursiva. Tais expedientes servem a uma poesia em que o tema do amor divide o terreno com a auto-reflexão, gerando algumas das equações camonianas típicas: sempre o confronto do ser e do não-ser, do estar e do não-estar, a consciência magoada do bem perdido, impresso para sempre na memória (sonetos VII, VIII, XIII), a constância na mudança e no mal (soneto XXXII), o desconcerto (soneto XXXVIII), em suma, a existência de uma perpétua "guerra cruel dentro em [seu] peito" (soneto L). Embora patente a semelhança temática entre o poeta português e o mineiro, nem por isso devemos confundir as coisas: Cláudio Manuel da Costa não é um poeta da envergadura de Camões, como atesta o simples fato de seguir-lhe as pegadas; no entanto, a emulação longe está de torná-lo um lírico menor; pode-se até dizer que foi um dos discípulos de Camões que mais se sobressaíram pela originalidade e o vigor da dicção. Originalidade proveniente de sua obra retratar um drama autêntico, em que a nota de sincera e profunda emoção ultrapassa a mera assimilação do esquema de soneto ensinado por Camões. E vigor que promana de sua cultura clássica e moderna e de um talento real para a poesia: tudo isso, bem ponderado, lhe confere um lugar de honra junto de Tomás Antônio Gonzaga, e acima dos demais poetas brasileiros do tempo.

Textos para Análise

XXVI

Não vês, Nise, este vento desabrido,
Que arranca os duros troncos? Não vês esta,
Que vem cobrindo o céu, sombra funesta,
Entre o horror de um relâmpago incendido.

Não vês a cada instante o ar partido
Dessas linhas de fogo? Tudo cresta,
Tudo consome, tudo arrasa, e infesta
O raio a cada instante despedido.

Ah! não temas o estrago, que ameaça
A tormenta fatal; que o céu destina
Vejas mais feia, mais cruel desgraça:

Rasga o meu peito, já que és tão ferina;
Verás a tempestade, que em mim passa;
Conhecerás então, o que é ruína.

XXXIV

Que feliz fora o mundo, se perdida
A lembrança de amor, de amor a glória,
Igualmente dos gostos a memória
Ficasse para sempre consumida!

Mas a pena mais triste, e mais crescida
É ver que em nenhum tempo é transitória
Esta de amor fantástica vitória,
Que sempre na lembrança é repetida.

Amantes, os que ardeis nesse cuidado,
Fugi de amor ao venenoso intento,
Que lá para o depois vos tem guardado.

Não vos engane o infiel contentamento;
Que esse presente bem, quando passado,
Sobrará para idéia do tormento.

LVII

Bela imagem, emprego idolatrado,
Que sempre na memória repetido,
Estás, doce ocasião de meu gemido,
Assegurando a fé de meu cuidado.

Tem-te a minha saudade retratado;
Não para dar alívio a meu sentido;
Antes cuido; que a mágoa do perdido
Quer aumentar co'a pena de lembrado.

Não julgues, que me alento com trazer-te
Sempre viva na idéia; que a vingança
De minha sorte todo o bem perverte.

Que alívio em te lembrar minha alma alcança,
Se do mesmo tormento de não ver-te,
Se forma o desafogo da lembrança?

LXIV

Que tarde nasce o Sol, que vagaroso!
Parece, que se cansa, de que a um triste
Haja de aparecer: quanto resiste
A seu raio este sítio tenebroso!

Não pode ser, que o giro luminoso
Tanto tempo detenha: se persiste
Acaso o meu delírio! se me assiste
Ainda aquele humor tão venenoso!

Aquela porta ali se está cerrando;
Dela sai um pastor: outro assobia,
E o gado para o monte vai chamando.

Ora não há mais louca fantasia!
Mas quem anda, como eu, assim penando,
Não sabe quando é noite, ou quando é dia.

(*Ibidem*, pp. 115, 119, 131, 134.)

SILVA ALVARENGA

Manuel Inácio da Silva Alvarenga nasceu em Vila Rica, em 1749. Após o curso secundário no Rio de Janeiro, segue para Coimbra em 1771, a fim de estudar Direito. Ao longo do curso, escreve e publica, sob o patrocínio do Marquês de Pombal, *o Desertor das Letras*, poema herói-cômico de enaltecimento à reforma universitária pombalina. Formado em 1776, regressa ao Brasil. No Rio de Janeiro, ensina Retórica e Poética, ao mesmo tempo que prossegue elaborando poesia. Em 1786, torna-se um dos fundadores e membros da Sociedade Literária do Rio de Janeiro. Em 1794, é preso por suspeição de liberalismo; permanece recluso até 1797, quando D. Maria I lhe concede indulto. Dois anos mais tarde, estampa em Lisboa seu livro *Glaura, poemas eróticos*. Viveu até 1º de novembro de 1814, do magistério e da advocacia. Seu pseudônimo arcádico era Alcindo Palmireno. Suas *Obras Poéticas*, enfeixando os volumes anteriores e composições esparsas, foram coligidas em dois tomos por Joaquim Norberto de Sousa e Silva, no Rio de Janeiro, em 1864. Afonso Arinos de Melo Franco reeditou *Glaura* em 1943, no Rio de Janeiro; a esta edição pertencem os seguintes rondós e madrigais:

Anacreonte

Rondó I

De teu canto a graça pura,
E a ternura não consigo;
Pois comigo a doce lira
Mal respira os sons de Amor.

Quando as cordas lhe mudaste,
Ó feliz Anacreonte,
Da meônia viva fonte
Esgotaste o claro humor.

O ruído lisonjeiro
Dessas águas não escuto,
Onde geme dado a Pluto
O grosseiro habitador.

De teu canto a graça pura
E a ternura não consigo;
Pois comigo a doce lira
Mal respira os sons de Amor.

Neste bosque desgraçado
Mora o Ódio, e vil se nutre
Magra Inveja, negro Abutre
Esfaimado e tragador.

Não excita meus afetos
Gnido, Pafos, nem Citera:
Vejo a Serpe, ouço a Pantera...
Oh! que objetos de terror.

De teu canto a graça pura
E a ternura não consigo;
Pois comigo a doce lira
Mal respira os sons de Amor.

Cruel seta passadora
Me consome pouco a pouco,
E no peito frio e rouco
A alma chora, e cresce a dor.

Surda morte nestes ares
Enlutada, e triste vejo,
E se entrega o meu desejo
Dos pesares ao rigor.

De teu canto a graça pura
E a ternura não consigo;
Pois comigo a doce lira
Mal respira os sons de Amor.

Dos Heróis te despediste,
Por quem Musa eterna soa;
Mas de flores na coroa
Inda existe o teu louvor.

De agradar-te sou contente:
Sacro Loiro não me inflama:
Da Mangueira a nova rama
Orne a frente do Pastor.

De teu canto a graça pura
E a ternura não consigo;
Pois comigo a doce lira
Mal respira os sons de Amor.

O Amante Infeliz

Rondó X

Glaura! Glaura! não respondes?
E te escondes nestas brenhas?
Dou às penhas meu lamento;
Ó tormento sem igual!

Ao Amor cruel e esquivo
Entreguei minha esperança,
Que me pinta na lembrança
Mais ativo o fero mal.

Não verás em peito amante
Coração de mais ternura;
Nem que guarde fé mais pura,
Mais constante e mais leal.

Glaura! Glaura! não respondes?
E te escondes nestas brenhas?
Dou às penhas meu lamento;
Ó tormento sem igual!

Se não vens, porque te chamo;
Aqui deixo junto ao Rio
Estas pérolas num fio,
Este ramo de coral.

Entre a murta que se enlaça
Com as flores mais mimosas,
Acharás purpúreas rosas
Numa taça de cristal.

Glaura! Glaura! não respondes?
E te escondes nestas brenhas?
Dou às penhas meu lamento;
Ó tormento sem igual!

Vejo turvo o claro dia;
Sombra feia me acompanha;
Não encontro na montanha
A alegria natural.

Tanto a mágoa me importuna,
Que o viver já me aborrece;
Para o triste, que padece,
É fortuna o ser mortal.

Glaura! Glaura! não respondes?
E te escondes nestas brenhas?
Dou às penhas meu lamento;
Ó tormento sem igual!

Onde estou? troveja... o raio...
Foge a luz... os arvoredos
Abalados os rochedos...
Já desmaio... ó dor fatal.

Ninfa ingrata, esta vitória
Alcançaram teus retiros;
Leva os últimos suspiros
Por memória triunfal.

Glaura! Glaura! não respondes?
E te escondes nestas brenhas?
Dou às penhas meu lamento;
Ó tormento sem igual!

Madrigais

III

Voai, suspiros tristes;
Dizei à bela Glaura o que eu padeço,
Dizei o que em mim vistes,
Que choro, que me abraso, que esmoreço.
Levai em roxas flores convertidos
Lagrimosos gemidos que me ouvistes:
Voai, suspiros tristes;
Levai minha saudade;
E, se amor ou piedade vos mereço,
Dizei à bela Glaura o que eu padeço.

XIII

Cruel melancolia,
Companheira infeliz da desventura,
Se aborreces a luz do claro dia,
E te alegras no horror da noite escura,
Minha dor te procura,
Pavorosa apalpando a escuridade.
A lúgubre saudade
Te espera: ah! não receies a alegria,
Cruel melancolia,
Cruel, ingrata e dura,
Companheira infeliz da desventura.

XV

No ramo da mangueira venturosa
Triste emblema de amor gravei um dia,
E às Dríades saudoso oferecia
Os brandos lírios e a purpúrea rosa.
Então Glaura mimosa
Chega do verde tronco ao doce abrigo...

Encontra-se comigo...
Perturbada suspira, e cobre o rosto
Entre esperança e gosto;
Deixo lírios e rosas... deixo tudo;
Mas ela foge (ó Céus!) e eu fico mudo.

LVII

Ó águas dos meus olhos desgraçados,
Parai que não se abranda o meu tormento:
De que serve o lamento
Se Glaura já não vive? Ai, duros Fados!
Ai, míseros cuidados!
Que vos prometem minhas mágoas? *águas,*
Águas!... responde a gruta,
E a ninfa que me escuta nestes prados!
Ó águas de meus olhos desgraçados,
Correi, correi; que na saudosa lida
Bem pouco há de durar tão triste vida.*

(*Glaura*, ed. por Afonso Arinos de Melo Franco, Rio de Janeiro, I.N.L., 1943, pp. 7-10, 40-
43, 218, 223, 224, 245.)

Silva Alvarenga representa, no Arcadismo brasileiro, a revivescência dos moldes clássicos greco-latinos, como evidencia o poema que introduz seu livro principal (rondó I), dedicado a Anacreonte, e que encerra uma verdadeira profissão de fé literária: adotando o poeta grego por mestre, definia meridianamente sua diretriz lírica, de tal modo que as restantes características de seu estro poético provêm dessa opção ou identificação. Assim, não estranha a presença da mitologia clássica (rondó I e madrigal XV) e da Natureza bucólica (rondó X), denunciando a concepção hieratizante do mundo própria dos Antigos. E o amor (ou melhor, o Amor) a Glaura constitui o tema central, ainda na esteira de Anacreonte: a crônica afetiva que os versos cristalizam, transcorre em dois tempos, antes da e após a morte da bem-amada do poeta, e sob o signo exclusivo da infelicidade. Para exprimi-la, o vate lança mão de técnicas que o distinguem de seus contemporâneos, como a alegoria (rondó I) e o gesto teatral, quase melodramático, que o incitam a divisar a Serpe e a Pantera, "objetos de terror", em lugar de Gnido, Pafos e Citera (rondó I), a confessar que chora, que se abrasa e esmorece (madrigal III), e a prodigalizar reticências dramáticas em meio a uma natureza de convenção ("Onde estou? troveja... o raio...", etc., rondó X). Em tais desbordamentos do "eu", percebem-se

---

* *Anacreonte* = poeta lírico grego (c. 570 a. C. — c. 490 a. C.), que cantava os prazeres da mesa e do amor; *Meônia viva fonte* = fonte da poesia, porquanto se acreditava que Homero houvesse nascido na Meônia (ou Lídia); *Pluto* = Plutão, rei do Inferno; *Gnido, Pafos* e *Citera* = cidades da Ásia Menor, da ilha de Chipre e de Cerigo, respectivamente, em que se erigiram templos votados ao culto de Vênus; *dríades* = divindades dos bosques e protetoras das árvores.

nítidos os movimentos de uma sensibilidade na direção do Romantismo: efetivamente, em Silva Alvarenga já se notam, a par de um neoclassicismo paradigmático, aspectos pré-românticos, como o assinalado gosto pelo terrorífico e o teatral. Todavia, é no concernente ao amor que se manifesta o prenúncio da idade nova: os madrigais XIII e LVII, com acentuar a tristeza que habita o lírico mineiro ("Cruel melancolia", "Ó águas de meus olhos desgraçados, / Correi, correi"), traduzem uma psicologia que esteve à beira de tornar-se romântica, ou seja, de libertar-se das coerções decretadas pelo código neoclássico. De qualquer modo, Silva Alvarenga exemplifica bem a dicotomia dos árcades, voltados conscientemente para trás, na idealização do paraíso helênico, e insensivelmente para frente, a incorporar avançadas formulações de vida e de arte.

ALVARENGA PEIXOTO

Inácio José de Alvarenga Peixoto nasceu no Rio de Janeiro, em 1743 ou 1744. Após os estudos secundários no Colégio dos Jesuítas do Rio de Janeiro, ou em Braga, em 1760 matricula-se no curso de Direito da Universidade de Coimbra. Formado em 3 de fevereiro de 1767, ingressa na magistratura. Em 1776, de volta à Pátria, está no Rio das Mortes (Minas Gerais), como ouvidor. Conhece Bárbara Heliodora, com quem se casa em 1781, e abandona a magistratura pela mineração e a lavoura. Implicado na Conjuração Mineira, é preso e conduzido para a Ilha das Cobras, e de lá, em exílio, para Angola, onde falece a 27 de agosto de 1792. Esparsa e parcamente publicados em vida, os poemas de Alvarenga Peixoto foram reunidos em 1865, no Rio de Janeiro, por Joaquim Norberto de Sousa e Silva; reeditados em 1956, em São Paulo, por Domingos Carvalho da Silva, e em 1960, sob o título de *Vida e Obra de Alvarenga Peixoto*, no Rio de Janeiro, por Rodrigues Lapa. Do que hoje se considera o espólio do poeta inconfidente, selecionaram-se as seguintes composições:

Soneto

Eu vi a linda Jônia e, namorado
fiz logo eterno voto de querê-la;
mas vi depois a Nise, e é tão bela,
que merece igualmente o meu cuidado.

A qual escolherei, se neste estado
Eu não sei distinguir esta daquela?
Se Nise agora vir aqui, morro por ela;
se Jônia vir aqui, vivo abrasado.

Mas, ah! que esta me despreza, amante,
pois sabe que estou preso em outros braços
e aquela me não quer, por inconstante.

Vem, Cupido, soltar-me destes laços:
ou faz destes dois um só semblante,
ou divide o meu peito em dois pedaços!

Soneto

Não cedas, coração, pois nesta empresa
o brio só domina; o cego mando
do ingrato Amor seguir não deves, quando
já não podes amar sem vil baixeza.

Rompa-se o forte laço, que é fraqueza
ceder a amor, o brio deslustrando;
vença-te o brio, pelo amor cortando,
que é honra, que é valor, que é fortaleza.

Foge de ver Altéia; mas, se a vires,
por que não venhas outra vez a amá-la,
apaga o fogo, assim que o pressentires;

E se inda assim o teu valor se abala,
não lho mostres no rosto, ah, não suspires!
Calado geme, sofre, morre, estala!

* * *

Bárbara bela,
do Norte estrela,
que o meu destino
sabes guiar,
de ti ausente,
triste, somente
as horas passo
a suspirar.
    Isto é castigo
    que Amor me dá.

Por entre as penhas
de incultas brenhas
cansa-me a vista
de te buscar;
porém não vejo
mais que o desejo,
sem esperança
de te encontrar.
    Isto é castigo
    que Amor me dá.

Eu bem queria
a noite e o dia
sempre contigo
poder passar;
mas orgulhosa
sorte invejosa
desta fortuna
me quer privar.
    Isto é castigo
    que Amor me dá

Tu, entre os braços,
ternos abraços
da filha amada
podes gozar.
Priva-me a estrela
de ti e dela,
busca dois modos
de me matar.
    Isto é castigo
    que Amor me dá.

Soneto

Amada filha, é já chegado o dia,
em que a luz da razão, qual tocha acesa
vem conduzir a simples natureza,
é hoje que o teu mundo principia.

A mão que te gerou teus passos guia,
despreza ofertas de uma vã beleza,
e sacrifica as honras e a riqueza
às santas leis do filho de Maria.

Estampa na tua alma a caridade,
que amar a Deus, amar aos semelhantes,
são eternos preceitos da verdade.

Tudo o mais são idéias delirantes;
procura ser feliz na eternidade,
que o mundo são brevíssimos instantes.

(M. Rodrigues Lapa, *Vida e Obra de Alva-renga Peixoto*, Rio de Janeiro, I.N.L., 1960, pp. 9, 10, 30-31, 39.)

Pelo reduzido volume e pela irregularidade da obra, Alvarenga Peixoto é o menos importante dos nossos poetas arcádicos. Deixou poemas de feliz contextura, como o "Canto Genetlíaco" e alguns sonetos, que revelam intuição e sensibilidade lírica, mas sem alcançar o nível dos contemporâneos. Os aspectos meritórios e os insatisfatórios de sua poesia resultam de uma tendência absorvente para o biografismo, não aquele atento à vida interior, senão à exterior. E nesta, mesclaram-se os temas lírico-amorosos e os relacionados com as experiências de inconfidente e a condição de pai. Assim, nos sonetos vemos um lirismo amoroso de recorte discursivo, sujeito ao magistério camoniano ("Eu vi a linda Jônia e, namorado"; "Não cedas coração, pois nessa empresa"), ou o pendor moralizante, de índole cristã (em que pese ao ateísmo do poeta) ("Amada filha, é já chegado o dia"); e na "Bárbara bela", a melopéia a serviço da confissão amorosa e moral. Em meio a esse confidencialismo expresso em poemas de imediato efeito, percebe-se a cosmovisão burguesa do poeta e o relativo afeiçoamento ao formalismo arcádico (descurou de queimar muito incenso nas aras da mitologia clássica). Malgrado tais aspectos assinalarem um espírito em trânsito para o Romantismo, a ausência de mais íntima e robusta pulsação lírica condenou-lhe os versos a uma compostura nem sempre amiga da melhor poesia.

JOSÉ BASÍLIO DA GAMA

Nasceu a 8 de abril de 1741, em São José do Rio das Mortes (atualmente Tiradentes), Minas Gerais. Estudou no Colégio dos Jesuítas do Rio de Janeiro. Em 1759, expulsos os jesuítas, segue para Roma, onde seus mestres fazem que seja aceito na Arcádia Romana (fundada em 1690), sob o criptônimo de Termindo Sipílio. Depois de breve estada no Rio de Janeiro, ruma para Lisboa, onde é preso por suspeição de jesuitismo, e condenado ao degredo. Salva-o na emergência um *Epitalâmio* à filha do Marquês de Pombal: este, sensibilizado pela veemência do poeta, não só o perdoa como resolve protegê-lo, publicando-lhe *O Uraguai* (1769) e passando-lhe carta de fidalguia (1771). Com a queda de seu mecenas, consegue manter-se prestigiado, agora junto a D. Maria I. E é cercado de privilégios que falece a 31 de julho de 1795. Além das duas obras mencionadas, deu à estampa *A Declamação Trágica* (1772), *Os Campos Elísios* (1776), *Lenitivo da Saudade* (1791) e *Quitúbia* (1791). As *Obras Poéticas de José Basílio da Gama*, reunindo tudo quanto escreveu, foram editadas em 1902, no Rio de Janeiro, precedidas de um estudo de José Veríssimo. Para representar o poeta nesta antologia, escolheram-se fragmentos da obra pela qual é mais conhecido:

O Uraguai

Poemeto épico, em cinco cantos, estrofação livre, decassílabos brancos, gira em torno da guerra que portugueses e espanhóis moveram contra indígenas e jesuítas em Sete Povos de Missões do Uraguai, em 1759. O herói, Gomes Freire de Andrade, divide as honras com Cacambo, herói indígena. Travada a luta, Cacambo incendeia o acampamento. Morrem Cepé e Cacambo. Aplacadas as chamas, o Padre Balda planeja dar Lindóia em casamento a seu filho Baldeta, mas a índia, para fugir ao opróbrio, suicida-se. Os jesuítas abandonam o aldeamento a ateiam-lhe fogo. Termina a guerra. Os trechos que se vão ler, pertencem ao Canto I e IV, respectivamente:

Fumam ainda nas desertas praias
Lagos de sangue tépidos, e impuros,
Em que ondeiam cadáveres despidos,

Pasto de corvos. Dura inda nos vales
O rouco som da irada artilharia.
Musa, honremos o Herói, que o povo rude
Subjugou do Uraguai, e no seu sangue
Dos decretos reais lavou a afronta.
Ai tantas custas, ambição de império!
E Vós, por quem o Maranhão pendura
Rotas cadeias, e grilhões pesados,
Herói, e Irmão de heróis, saudosa, e triste,
Se ao longe a vossa América vos lembra,
Protegei os meus versos. Possa entanto
Acostumar ao vôo as novas asas,
Em que um dia vos leve. Desta sorte
Medrosa deixa o ninho a vez primeira
Águia, que depois foge à humilde terra.
E vai ver de mais perto no ar vazio
O espaço azul, onde não chega o raio.
. . . .
                                    Não faltava,
Para se dar princípio à estranha festa,
Mais que Lindóia. Há muito lhe preparam
Todas de brancas penas revestidas
Festões de flores as gentis donzelas.
Cansados de esperar, ao seu retiro
Vão muitos impacientes a buscá-la.
Estes de crespa Tanajura aprendem
Que entrara no jardim triste, e chorosa,
Sem consentir que alguém a acompanhasse.
Um frio susto corre pelas veias
De Caitutu, que deixa os seus no campo;
E a irmã por entre as sombras do arvoredo
Busca coa vista, e teme de encontrá-la.
Entram enfim na mais remota, e interna
Parte de antigo bosque, escuro, e negro,
Onde ao pé de uma lapa cavernosa
Cobre uma rouca fonte, que murmura,
Curva latada de jasmins, e rosas.
Este lugar delicioso, e triste,
Cansada de viver, tinha escolhido
Para morrer a mísera Lindóia.
Lá reclinada, como que dormia,
Na branda relva, e nas mimosas flores,

Tinha a face na mão, e a mão no tronco
De um fúnebre cipreste, que espalhava
Melancólica sombra. Mais de perto
Descobrem que se enrola no seu corpo
Verde serpente, e lhe passeia, e cinge
Pescoço, e braços, e lhe lambe o seio.
Fogem de a ver assim sobressaltados,
E param cheios de temor ao longe;
E nem se atrevem a chamá-la, e temem
Que desperte assustada, e irrite o monstro,
E fuja, e apresse no fugir a morte.
Porém o destro Caitutu, que treme
Do perigo da irmã, sem mais demora
Dobrou as pontas do arco, e quis três vezes
Soltar o tiro, e vacilou três vezes
Entre a ira, e o temor. Enfim sacode
O arco, e faz voar a aguda seta,
Que toca o peito de Lindóia, e fere
A serpente na testa, e a boca, e os dentes
Deixou cravados no vizinho tronco.
Açouta o campo coa ligeira cauda
O irado monstro, e em tortuosos giros
Se enrosca no cipreste, e verte envolto
Em negro sangue e lívido veneno.
Leva nos braços a infeliz Lindóia
O desgraçado irmão, que ao despertá-la
Conhece, com que dor! no frio rosto
Os sinais do veneno, e vê ferido
Pelo dente sutil o brando peito.
Os olhos, em que Amor reinava, um dia,
Cheios de morte; e muda aquela língua,
Que ao surdo vento, e aos ecos tantas vezes
Contou a larga história de seus males.
Nos olhos Caitutu não sofre o pranto,
E rompe em profundíssimos suspiros,
Lendo na testa da fronteira gruta
De sua mão já trêmula gravado
O alheio crime, e a voluntária morte,
E por todas as partes repetido
O suspirado nome de Cacambo.
Inda conserva o pálido semblante

Um não sei que de magoado, e triste,
Que os corações mais duros enternece.
Tanto era bela no seu rosto a morte!*

(*O Uraguai*, ed. anotada por Afrânio Peixoto,
Rodolfo Garcia e Osvaldo Braga, Rio de Janeiro, Publs. da Academia Brasileira de Letras,
1941, pp. 1-3, 77-81.)

Basílio da Gama colocou-se numa posição francamente anticamoniana ao elaborar seu poemeto épico. Pelo primeiro fragmento, correspondente aos versos iniciais, percebe-se o quanto aspirava inovar ou, ao menos, repelir a tradição: começando pelo fim ("Fumam ainda nas desertas praias", etc.), invoca uma Musa incerta (Calíope?), solicita proteção de Francisco Xavier de Mendonça Furtado, irmão do Marquês de Pombal, e entra logo na ação, apanhando-a desde o princípio ("e ao grande Andrade / Avisa que tem prontos os socorros", vv. 24-25, etc.); o metro utilizado é o decassílabo sem rima e cada canto equivale a uma estrofe: tudo contrário a *Os Lusíadas*. Todavia, o fruto não fez jus ao empenho, pois que os versos parecem talhados a golpe de escopro, dotados de uma rigidez que trai a precariedade do tema e/ou a pobreza do talento. Assim, do poemeto se salva um que outro segmento mais bem logrado,

---

* *E Vós* = "O Ilustríssimo, e Excelentíssimo Senhor Francisco Xavier de Mendonça Furtado foi governador, e capitão general das Capitanias do Grão-Pará, e Maranhão; e fez ao norte do Brasil o que o Conde de Bobadela fez da parte do sul: encontrou nos jesuítas a mesma resistência, e venceu-a da mesma sorte" (José Basílio da Gama); *Rotas cadeias* = "Os índios lhe devem inteiramente a sua liberdade. Os jesuítas nunca declamaram contra o cativeiro destes miseráveis racionais, senão porque pretendiam ser só eles os seus senhores. Ultimamente foram, nos nossos dias, nobilitados, e admitidos aos cargos da república. Este procedimento honra a humanidade" (*idem*); "Para que se lance tal objurgatória, é preciso que se desconheça por completo a história do Brasil. Desde o primeiro século a ação dos jesuítas foi sempre pela liberdade dos índios, motivo de tantas medidas que o governo da Metrópole houve por bem tomar, e que acarretaram aos que as insuflaram penosos gravames por parte dos potentados da colônia" (Rodolfo Garcia); *irmão de heróis* = "Em uma só família achou o Rei três irmãos dignos de repartirem entre si todo o peso do governo. Com quanto maior glória nossa podem os estranhos dizer da corte de Lisboa, o que já se disse de Roma, ao vê-lo nas mãos dos três famosos Horácios, Corneille, *Horace: / Et son illustre ardeur d'oser plus que les autres / D'une seule maison brave toutes les nôtres. / Ce choix pouvait combler trois familles de gloire.*" (José Basílio da Gama); "Francisco Xavier de Mendonça Furtado era irmão de Sebastião José de Carvalho e Melo, Conde de Oeiras em 1759, Marquês de Pombal em 1770, e de Paulo de Carvalho e Mendonça, inquisidor-mor, a quem foi concedida dignidade cardinalícia, que somente lhe não aproveitou por ter falecido antes da imposição do barrete" (Rodolfo Garcia); *festa* = festa do projetado casamento entre Lindóia e Baldeta; *crespa* = enrugada; *no jardim* = "Os índios viviam na maior miséria, e apenas tinham a cousas necessárias absolutamente para a vida. Os padres porém viviam todos na abundância, e tinham jardins deliciosos, onde recolhiam os espíritos cansados de trabalhar na vinha do Senhor" (José Basílio da Gama); "Conf. *Reposta Apologética*, páginas 197-200. — Refuta-se com argumentos ponderosos o que o poeta afirma da miséria dos índios e da abundância dos padres nas aldeias" (Rodolfo Garcia); quanto à *Reposta* (*sic*) *Apologética ao poema intitulado O Uraguai*, trata-se de obra raríssima, aparecida em Lugano, em 1786; *testa* = frente; *alheio crime* = a morte de Cacambo.

e o episódio da morte de Lindóia, que se relata no segundo excerto transcrito. A explicação talvez resida ainda no fato de que a doutrina arcádica antagonizava a poesia épica quando punha ênfase numa cosmovisão pastorícia, bucólica e ideal. Desse modo, ao libertar-se das prescrições determinadas pela épica, Basílio da Gama podia criar segundo os cânones líricos da Arcádia e, portanto, alcançar resultados mais satisfatórios: é o caso do suicídio de Lindóia, ponto máximo d*O Uraguai* e das páginas antológicas de nossa poesia setecentista. A cena, transcorrida em pleno bosque, cenário corriqueiro na literatura do tempo, guarda "um não sei que de magoado, e triste" que de pronto se comunica ao leitor; dir-se-ia exalar uma "verdade" primitiva, a despeito do halo teatral que a emoldura. Basílio da Gama manuseia os instrumentos arcádicos específicos, mas dum modo tão feliz que vemos, como raras vezes no poemeto, os versos fluírem naturalmente, gerando a sensação exata que pretendem transmitir: expressão e expresso se identificam, dando nascimento a poesia de primeira água. Note-se, no episódio, a subjacente apologia do "bom selvagem", própria da época, e o idealismo em relação à Mulher, que remonta a Petrarca e mesmo à lírica trovadoresca. A novidade, porém, demora na espiritualização da heroína indígena, espécie de antepassado de Iracema: uma vez mais, era o Romantismo a anunciar-se, com toda a reforma de valores que carregava no bojo.

FREI JOSÉ DE SANTA RITA DURÃO

Nasceu em Cata Preta, Minas Gerais, 1722. Com tenra idade, foi mandado para Portugal, onde realizou estudos de Teologia e Filosofia, e tomou hábito, aos dezesseis anos. Envolvido na polêmica contra os jesuítas, refugiou-se na Espanha, e mais tarde na França e Itália. Regressando em 1777, com a ascensão de D. Maria I ao trono, foi-lhe indicada a regência de Teologia, em Coimbra. Nesse tempo já traria em mãos o *Caramuru,* poema épico que deu a público em 1781, sem maior ressonância. Faleceu em Lisboa, a 24 de janeiro de 1784. Consta que a insignificante repercussão da obra desgostou-o a ponto de levá-lo a inutilizar composições líricas ainda inéditas. O mais que deixou, prosa em Latim e Espanhol, e uma *Descrição da Função do Imperador de Eiras,* encerra importância secundária.

Caramuru

Tendo como subtítulo "Poema Épico do Descobrimento da Bahia", o *Caramuru,* publicado pela primeira vez em Lisboa (1781), gravita em torno de Diogo Álvares Correia e sua lendária existência entre os índios. Naufragando no litoral da Bahia, um tiro de espingarda lhe confere, na imaginação dos aborígines, características sobrenaturais. Dão-lhe o apelido por que é conhecido — Caramuru — e destinam-lhe Paraguaçu como esposa. Porque cristão, resolve conduzi-la à França, para batizá-la e recebê-la em matrimônio, perante os reis Henrique II e Catarina de Médicis, a quem fornece notícia geral do Brasil. O elogio da terra é corroborado pela visão que tem Paraguaçu do seu futuro histórico, pontilhado de uma extraordinária empresa colonizadora e de lutas contra o estrangeiro cobiçoso. Do poema, selecionaram-se dois trechos, correspondentes à introdução e à morte de Moema (Canto I, est. I-VIII e Canto VI, est. XXXVI-XLIV, respectivamente):

I

De um varão em mil casos agitado,
Que as praias discorrendo do Ocidente
Descobriu o recôncavo afamado
Da capital brasílica potente;
Do Filho do Trovão denominado,
Que o peito domar soube à fera gente,
O valor cantarei na adversa sorte,
Pois só conheço herói quem nela é forte.

II

Santo Esplendor, que do Grão Padre manas
Ao seio intacto de uma Virgem bela;
Se da enchente de luzes soberanas
Tudo dispensas pela Mãe donzela;
Rompendo as sombras de ilusões humanas,
Tudo do grão caso a pura luz revela;
Faze que em ti comece e em ti conclua
Esta grande obra, que por fim foi tua.

III

E vós, Príncipe excelso, do céu dado
Para base imortal do luso trono;
Vós, que do áureo Brasil no principado
Da real sucessão sois alto abono:
Enquanto o império tendes descansado
Sobre o seio da paz com doce sono,
Não queirais dedignar-vos no meu metro
De pôr os olhos, e admiti-lo ao cetro.

IV

Nele vereis nações desconhecidas,
Que em meio dos sertões a fé não doma,
E que puderam ser-vos convertidas
Maior império, que houve em Grécia, ou Roma:
Gentes vereis, e terras escondidas,
Onde, se um raio da verdade assoma,
Amansando-as, tereis na turba imensa
Outro reino maior que a Europa extensa.

V

Devora-se a infeliz mísera gente,
E sempre reduzida a menos terra,
Virá toda a extinguir-se infelizmente,
Sendo em campo menor maior a guerra.
Olhai, Senhor, com reflexão clemente,
Para tantos mortais, que a brenha encerra,
E que, livrando desse abismo fundo,
Vireis a ser monarca de outro mundo.

VI

Príncipe, do Brasil futuro dono,
À mãe da Pátria, que administra o mando,
Ponde, excelso Senhor, aos pés do trono
As desgraças do povo miserando:
Para tanta esperança é o justo abono
Vosso título, e nome, que invocando,
Chamará, como a outro o egípcio povo,
D. José, salvador de um mundo novo.

VII

Nem podereis temer, que ao santo intento
Não se nutram heróis no luso povo,
Que o antigo Portugal vos apresento
No Brasil renascido, como em novo.
Vereis do domador do índico assento
Nas guerras do Brasil alto renovo,
E que os seguem nas bélicas idéias
Os Vieiras, Barretos, e os Correias.

VIII

Dai, portanto, Senhor, potente impulso,
Com que possa entoar sonoro o metro
Da brasílica gente o invicto pulso,
Que aumenta tanto império ao vosso cetro;
E, enquanto o povo do Brasil convulso
Em nova lira canto, em novo plectro,
Fazei que fidelíssimo se veja
O vosso trono em propagar-se a Igreja.

XXXVI

É fama então que a multidão formosa
Das damas, que Diogo pretendiam,
Vendo avançar-se a nau na via undosa,
E que a esperança de o alcançar perdiam:
Entre as ondas com ânsia furiosa
Nadando o esposo pelo mar seguiam,
E nem tanta água que flutua vaga
O ardor que o peito tem, banhando apaga.

XXXVII

Copiosa multidão da nau francesa
Corre a ver o espetáculo assombrada;
E ignorando a ocasião da estranha empresa,
Pasma da turba feminil, que nada:
Uma, que às mais precede em gentileza,
Não vinha menos bela, do que irada:
Era Moema, que de inveja geme,
E já vizinha à nau se apega ao leme.

XXXVIII

"Bárbaro (a bela diz), tigre, e não homem...
Porém o tigre por cruel que brame,
Acha forças amor, que enfim o domem;
Só a ti não domou, por mais que eu te ame:
Fúrias, raios, coriscos, que o ar consomem,
Como não consumis aquele infame?
Mas pagar tanto amor com tédio, e asco...
Ah! que o corisco és tu... raio... penhasco.

XXXIX

Bem puderas, cruel, ter sido esquivo,
Quando eu a fé rendia ao teu engano;
Nem me ofenderas a escutar-me altivo,
Que é favor, dado a tempo, um desengano;
Porém deixando o coração cativo
Com fazer-te a meus rogos sempre humano,
Fugiste-me, traidor, e desta sorte
Paga meu fino amor tão crua morte?

XL

Tão dura ingratidão menos sentira,
E esse fado cruel doce me fora,
Se a meu despeito triunfar não vira
Essa indigna, essa infame, essa traidora:
Por serva, por escrava te seguira,
Se não temera de chamar Senhora
A vil Paraguaçu, que sem que o creia,
Sobre ser-me inferior, é néscia, e feia.

XLI

Enfim, tens coração de ver-me aflita,
Flutuar moribunda entre estas ondas;
Nem o passado amor teu peito incita
A um ai somente, com que aos meus respondas:
Bárbaro, se esta fé teu peito irrita,
(Disse, vendo-o fugir), ah não te escondas;
Dispara sobre mim teu cruel raio..."
E indo a dizer o mais, cai num desmaio.

XLII

Perde o lume dos olhos, pasma e treme,
Pálida a cor, o aspecto moribundo,
Com mão já sem vigor, soltando o leme,
Entre as salsas escumas desce ao fundo:
Mas na onda do mar, que irado freme,
Tornando a aparecer desde o profundo:
"Ah! Diogo cruel!" disse com mágoa,
E sem mais vista ser, sorveu-se n'água.

XLIII

Choraram da Bahia as ninfas belas,
Que nadando a Moema acompanhavam;
E vendo que sem dor navegam delas,
À branca praia com furor tornavam:
Nem pode o claro herói sem pena vê-las,
Com tantas provas, que de amor lhe davam;
Nem mais lhe lembra o nome de Moema,
Sem que ou amante a chore, ou grato gema.

XLIV

Voava entanto a nau na azul corrente,
Impelida de um zéfiro sereno,

E do brilhante mar o espaço ingente
Um campo parecia igual, e ameno:
Encrespava-se a onda docemente,
Qual aura leve, quando move o feno;
E como o prado ameno rir costuma,
Imitava as boninas com a escuma.

(*Caramuru*, Lisboa, Régia Oficina Tipográfica,
1781, pp. 9-11, 179-181.)

Ao contrário de Basílio da Gama, Santa Rita Durão, atribuindo ao *Caramuru* uma estrutura idêntica à d*Os Lusíadas*, pôs-se a favor do magistério camoniano: o poema ramifica-se em dez cantos, em oitava-rima e decassílabos heróicos, e divide-se em três secções principais (a *introdução*, que ocupa as estâncias do primeiro fragmento transcrito, formada por uma *proposição*, estância I, uma *invocação* a Deus, estância II, e um *ofertório* a D. José I, estâncias III-VIII; a *narração*, desenrolada entre o canto I, estância IX e canto X, estância XLVIII; e o *epílogo*, nas oitavas restantes). Tal imitação, coerente com o neoclassicismo em voga no século XVIII, apenas merece reparo naquilo em que traduz uma atitude servil: Santa Rita Durão amparava-se em Camões por sentir-se falto de espírito criador, da originalidade que sugeria, no interior dos quadros coevos, imitar sem copiar. E é na seqüência desse epigonismo voluntário que o poeta remonta a uma lenda do século XVI, convicto de que "os sucessos do Brasil não mereciam menos um poema que os da Índia", como declara no prefácio da obra. Tema e molde quinhentistas, que patenteiam uma visão ufanista da realidade brasileira, semelhante à dos primeiros prosadores, tudo nimbado de preconceitos, que acusam um escritor sufocado nas talas de suas crenças religiosas ou de seu parco engenho literário. Salva-se a cena antológica da morte de Moema, em que é visível a reminiscência do episódio de Inês de Castro: apesar da solenidade afetada e aristocrática com que o poeta classifica as indígenas ("damas") ou com que Moema impreca o esquivo lusitano (estâncias XXXVIII-XLI), os decassílabos armam-se com fluência e o *tonus* lírico atinge convincente sinceridade. Malgrado persistir o influxo camoniano, nessa passagem Santa Rita Durão revela uma emoção pelo silvícola que pressagia, tanto quanto a morte de Lindóia n*O Uraguai*, o indianismo consciente de nossos românticos.

ROMANTISMO

Preliminares

A ideologia romântica, argamassada ao longo do século XVIII e primeira metade do século XIX, introduziu-se em 1836, graças ao livro *Suspiros Poéticos e Saudades*, de Gonçalves de Magalhães, e à revista *Niterói*, fundada e publicada pelo mesmo, Porto Alegre e Torres Homem; e perdurou até 1881, quando o surgimento d*O Mulato*, de Aluísio Azevedo, deu início à reforma realista e naturalista em nossas letras. Durante quatro decênios, imperaram o "eu", a anarquia, o liberalismo, o sentimentalismo, o nacionalismo, através da poesia, do romance, do teatro e do jornalismo (que fazia sua aparição nessa época). Três os momentos percorridos pela metamorfose romântica: 1) correspondente ao período de implantação e definição do novo credo cultural; representam-no, afora os nomes citados, Gonçalves Dias, na poesia, Joaquim Manuel de Macedo e José de Alencar, na prosa, e Martins Pena, no teatro; 2) em que se instala a moda byroniana em poesia, com Casimiro de Abreu, Junqueira Freire, Álvares de Azevedo, Fagundes Varela, e em que aparecem os ficcionistas Bernardo Guimarães e Manuel Antônio de Almeida; e 3) equivalente às últimas décadas da época, em que se presencia a gestação do Realismo e, portanto, o desmoronar do Romantismo, com Castro Alves, na poesia, e Visconde de Taunay, na prosa.

GONÇALVES DE MAGALHÃES

Domingos José Gonçalves de Magalhães nasceu no Rio de Janeiro, a 13 de agosto de 1811. Formado em Medicina (1832), segue para a França, onde publica, em 1836, *Suspiros Poéticos e Saudades* e a revista *Niterói*, juntamente com Porto Alegre e Torres Homem. Regressando à Pátria no ano seguinte, colabora na campanha em prol do teatro brasileiro e, mercê de suas qualificações, é chamado para o magistério (professor de Filosofia no Colégio Pedro II) e a política (deputado pelo Rio Grande do Sul). Em 1856 e 1857, trava polêmica com Alencar a propósito d*A Confederação dos Tamoios*, poema épico que acabara de publicar. Cercado de prestígio (recebeu o título de Visconde de Araguaia, em 1874), faleceu a 10 de julho de 1882, em Roma, onde era Ministro Plenipotenciário. Escreveu, além das obras mencionadas, o seguinte: *Poesias* (1832), *Urânia* (1862), *Cânticos Fúnebres* (1864), em poesia; *Antônio José ou O Poeta e a Inquisição* (1839), *Olgiato* (1841), em teatro; *Fatos do Espírito Humano* (1858), *A Alma e o Cérebro* (1876), *Comentários e Pensamentos* (1880), prosa doutrinária. Do volume com que inaugurou o gosto romântico em nossas letras, extraiu-se o poema que melhor lhe representa o temperamento lírico:

117

Napoleão em Waterloo

Tout n'a manqué que quand tout avait réussi.
Napoleão em S. Helena (Memorial).

Eis aqui o lugar onde eclipsou-se
O Meteoro fatal à régias frontes!
E nessa hora em que a glória se obumbrava,
Além o Sol em trevas se envolvia!
Rubro estava o horizonte, e a terra rubra!
Dous astros ao ocaso caminhavam;
Tocado ao seu zênite haviam ambos;
Ambos iguais no brilho; ambos na queda
Tão grandes como em horas de triunfo!

Waterloo!... Waterloo!... Lição sublime
Este nome revela à Humanidade!
Um Oceano de pó, de fogo, e fumo
Aqui varreu o exército invencível,
Como a explosão outrora do Vesúcio
Até seus tetos inundou Pompéia.

O pastor que apascenta seu rebanho;
O corvo que sangüíneo pasto busca,
Sobre o leão de granito esvoaçando;
O eco da floresta, e o peregrino
Que indagador visita estes lugares:
Waterloo!... Waterloo!... dizendo, passam.

Aqui morreram de Marengo os bravos!
Entretanto esse Herói de mil batalhas,
Que o destino dos Reis nas mãos continha;
Esse Herói, que coa ponta de seu gládio
No mapa das Nações traçava as raias,
Entre seus Marechais, ordens ditava!
O hálito inflamado de seu peito
Sufocava as falanges inimigas,
E a coragem nas suas acendia.

Sim, aqui stava o Gênio das vitórias,
Medindo o campo com seus olhos de águia!
O infernal retintim do embate de armas,
Os trovões dos canhões que ribombavam,
O sibilo das balas que gemiam.
O horror, a confusão, gritos, suspiros,
Eram como uma orquestra a seus ouvidos!
Nada o turbava! — Abóbadas de balas,

Pelo inimigo aos centos disparadas,
A seus pés se curvavam respeitosas,
Quais submissos leões; e nem ousando
Tocá-lo, ao seu ginete os pés lambiam.

Oh! por que não venceu? — Fácil lhe fora!
Foi destino, ou traição? — Águia sublime
que devassava o céu com vôo altivo
Desde as margens do Sena até ao Nilo,
Assombrando as Nações coas largas asas,
Por que se nivelou aqui cos homens?

Oh! por que não venceu? — O Anjo da glória
O hino da vitória ouviu três vezes;
E três vezes bradou: — É cedo ainda!
A espada lhe gemia na bainha,
E inquieto relinchava o audaz ginete,
Que soía escutar o horror da guerra,
E o fumo respirar de mil bombardas.
Na pugna os esquadrões se encarniçavam;
Roncavam pelos ares os pelouros;
Mil vermelhos fuzis se emaranhavam;
Encruzadas espadas, e as baionetas,
E as lanças faiscavam retinindo.
Ele só impassível como a rocha,
Ou de ferro fundido estátua eqüestre,
Que invisível poder mágico anima,
Via seus batalhões cair feridos,
Como muros de bronze, por cem raios;
E no céu seu destino decifrava.

Pela última vez coa espada em punho,
Rutilante na pugna se arremessa;
Seu braço é tempestade, a espada é raio!...
Mas invencível mão lhe toca o peito!
É a mão do Senhor! barreira ingente;
Basta, guerreiro! Tua glória é minha;
Tua força em mim está. Tens completado
Tua augusta missão. — És homem; — pára.
Eram poucos, é certo; mas que importa?
Que importa que Grouchy, surdo às trombetas,
Surdo aos trovões da guerra que bradavam:
Grouchy, Grouchy, a nós, eia, ligeiro;
O teu Imperador aqui te aguarda.
Ah! não deixes teus bravos companheiros
Contra a enchente lutar, que mal vencida

Uma após outra em turbilhões se eleva,
Como vagas do Oceano encapelado,
Que furibundas se alçam, lutam, batem
Contra o penedo, e como em pó recuam,
E de novo no pleito se arremessam.

Eram poucos, é certo; e contra os poucos
Armadas as Nações aqui pugnavam!
Mas esses poucos vencedores foram
Em Iena, em Montmirail, em Austerlitz.
Ante eles o Tabor, e os Alpes curvos
Viram passar as águias vencedoras!
E o Reno, e o Manzanar, e o Adige, e o Eufrates
Embalde à sua marcha se opuseram.

Eram os poucos que jamais vencidos
Os dias seus contavam por batalhas,
E de cãs se cobriram nos combates;
O sol do Egito ardente assoberbaram,
A peste em Jafa, a sede nos desertos,
A fome, e os gelos dos Moscóvios campos;
Poucos que se não rendem; — mas que morrem!

Oh! que para vencer bastantes eram!
A terra em vão contra eles pleiteara,
Se Deus, que os via, não dissesse: Basta.

Dia fatal, de opróbrio aos vencedores!
Vergonha eterna à geração que insulta
O Leão que magnânimo se entrega.

Ei-lo sentado em cima do rochedo,
Ouvindo o eco fúnebre das ondas,
Que murmuram seu cântico de morte:
Braços cruzados sobre o largo peito,
Qual náufrago escapado da tormenta,
Que as vagas sobre o escolho rejeitaram;
Ou qual marmórea estátua sobre um túmulo.
Que grande idéia ocupa, e turbilhona
Naquela alma tão grande como o mundo?

Ele vê esses Reis, que levantara
Da linha de seus bravos, o traírem.
Ao longe mil pigmeus rivais divisa,
Que mutilam sua obra gigantesca;
Como do Macedônio outrora o Império
Entre si repartiram vis escravos.

Então um riso de ira, e de despeito
Lhe salpica o semblante de piedade.

O grito ainda inocente de seu filho
Soa em seu coração, e de seus olhos
A lágrima primeira se desliza.
E de tantas coroas que ajuntara
Para dotar seu filho, só lhe resta
Esse Nome, que o mundo inteiro sabe!

Ah! tudo ele perdeu! a esposa, o filho,
A pátria, o mundo, e seus fiéis soldados.
Mas firme era sua alma como o mármor,
Onde o raio batia, e recuava!

Jamais, jamais mortal subiu tão alto!
Ele foi o primeiro sobre a terra.
Só, ele brilha sobranceiro a tudo,
Como sobre a coluna de Vendôme
Sua estátua de bronze ao céu se eleva.
Acima dele Deus, — Deus tão-somente!

Da Liberdade foi o mensageiro.
Sua espada, cometa dos tiranos,
Foi o sol, que guiou a Humanidade.
Nós um bem lhe devemos, que gozamos;
E a geração futura agradecida:
NAPOLEÃO, dirá, cheia de assombro.*

(*Suspiros Poéticos e Saudades*, ed. anotada por
Sousa da Silveira, Rio de Janeiro, Ministério
da Educação, 1939, pp. 263-271.)

A obra poética de Gonçalves de Magalhães exibe maior significado histórico-literário que estético: embora tivesse o mérito de instaurar a moda romântica em nossas letras, carecia de originalidade e altitude. Verdadeiramente, o Visconde de Araguaia era pouco visitado pela "inspiração", que a poesia coetânea reclamava de seus aficionados. Culto, viajado, soube assimilar o novo estilo de arte e defendê-lo com juvenil entusiasmo, mas não possuía os dotes correspondentes de sensibilidade. Homem de formação setecentista, preferiu a ordem clássica à aventura proposta pelo código romântico, e ao preconizar a segunda, mal dissimulava os

---

* *poucos* = os ingleses e prussianos contavam o dobro de soldados de Napoleão; *Grouchy* = Emmanuel Grouchy (1766-1847), cujas tropas, não chegando a tempo para socorrer Napoleão, teriam causado a derrota em Waterloo; *rochedo* = Ilha de Santa Helena, onde Napoleão ficou aprisionado; *despeito* = desdém; *coluna de Vendôme* = na praça de Vendôme, em Paris, ergue-se, desde 1806, uma coluna em homenagem ao Corso.

andaimes de seu edifício lírico: o revestimento "moderno" escondia um temperamento conservador ou equívoco. É o que se observa incontestavelmente em sua obra-prima, "Napoleão em Waterloo". Pondo de parte esse aspecto da questão, divisemos os pormenores que fazem do poema uma das peças introdutórias do Romantismo entre nós: o assunto escolhido, Napoleão, casa bem com o liberalismo em voga no tempo; o tom, declamatório e altissonante, pródigo em exclamações, interrogações e reticências, adapta-se com perfeição ao tema; e certa emoção, resultante do transbordamento do "eu" do poeta no rumo de seu modelo, e que ainda hoje pode comunicar-se ao leitor menos requintado, perpassa o poema. Tais características, ainda que insuficientes para enobrecer o autor da composição, fizeram dele um mestre dos nossos românticos: conquanto poeta medíocre, alcançou sugerir aos pósteros um que outro caminho de bom lirismo.

GONÇALVES DIAS

Antônio Gonçalves Dias nasceu a 10 de agosto de 1823, nos arredores de Caxias, no Maranhão. Filho natural de português e mestiça, com a morte do pai, que entretanto se casara regularmente, é enviado pela madrasta a estudar Direito em Coimbra (1838). Durante o curso, escreve seus primeiros versos e participa do grupo de poetas medievistas que se reunia em torno d*O Trovador*. Formado em 1844, regressa ao Maranhão, e conhece Ana Amélia Ferreira do Vale, que lhe inspiraria mais tarde o poema "Ainda uma vez — adeus!". Em 1846, muda-se para o Rio de Janeiro, onde se dedica ao magistério (professor de Latim e História do Brasil no Colégio Pedro II), ao jornalismo (redator da revista *Guanabara*) e à elaboração de sua obra poética, teatral e etnográfica e historiográfica, a última das quais relacionada com as várias missões que lhe são destinadas, aqui e no estrangeiro. Faleceu ao regressar de uma viagem à Europa, no naufrágio do "Ville de Boulogne", já próximo do Maranhão, a 3 de novembro de 1864. Escreveu: *Primeiros Cantos* (1846), *Leonor de Mendonça*, teatro (1847), *Segundos Cantos e Sextilhas de Frei Antão* (1848), *Últimos Cantos* (1851), *Os Timbiras (1857), Dicionário da Língua Tupi* (1858), *Obras Póstumas*, 6 vols., organizadas por Antônio Henriques Leal (1868-1869). Primeiro poeta autenticamente brasileiro, na sensibilidade e na temática, e das mais altas vozes de nosso lirismo, dele foram selecionadas três composições, amostra expressiva de suas duas "maneiras" fundamentais, a lírico-amorosa e a indianista:

Ainda Uma Vez — Adeus!

I

Enfim te vejo! — enfim posso,
Curvado a teus pés, dizer-te,
Que não cessei de querer-te,
Pesar de quanto sofri.
Muito penei! Cruas ânsias,
Dos teus olhos afastado,
Houveram-me acabrunhado
A não lembrar-me de ti!

II

Dum mundo a outro impelido,
Derramei os meus lamentos
Nas surdas asas dos ventos,
Do mar na crespa cerviz!
Baldão, ludíbrio da sorte
Em terra estranha, entre gente,
Que alheios males não sente,
nem se condói do infeliz!

III

Louco, aflito, a saciar-me
D'agravar minha ferida,
Tomou-me tédio da vida,
Passos da morte senti;
Mas quase no passo extremo,
No último arcar da esp'rança,
Tu me vieste à lembrança:
Quis viver mais e vivi!

IV

Vivi; pois Deus me guardava
Para este lugar e hora!
Depois de tanto, senhora,
Ver-te e falar-te outra vez;
Rever-me em teu rosto amigo,
Pensar em quanto hei perdido,
E este pranto dolorido
Deixar correr a teus pés.

V

Mas que tens? Não me conheces?
De mim afastas teu rosto?
Pois tanto pôde o desgosto
Transformar o rosto meu?
Sei a aflição quanto pode,
Sei quanto ela desfigura,
E eu não vivi na ventura...
Olha-me bem, que sou eu!

VI

Nenhuma voz me diriges!...
Julgas-te acaso ofendida?

Deste-me amor, e a vida
Que ma darias — bem sei;
Mas lembrem-te aqueles feros
Corações, que se meteram
Entre nós; e se venceram,
Mal sabes quanto lutei!

VII

Oh! se lutei!... mas devera
Expor-te em pública praça,
Como um alvo à populaça,
Um alvo aos dictérios seus!
Devera, podia acaso
Tal sacrifício aceitar-te
Para no cabo pagar-te,
Meus dias unindo aos teus?

VIII

Devera, sim; mas pensava,
Que de mim t'esquecerias,
Que, sem mim, alegres dias
T'esperavam; e em favor
De minhas preces, contava
Que o bom Deus me aceitaria
O meu quinhão de alegria
Pelo teu quinhão de dor!

IX

Que me enganei, ora o vejo;
Nadam-te os olhos em pranto,
Arfa-te o peito, e no entanto
Nem me podes encarar;
Erro foi, mas não foi crime,
Não te esqueci, eu to juro:
Sacrifiquei meu futuro,
Vida e glória por te amar!

X

Tudo, tudo; e na miséria
Dum martírio prolongado,
Lento, cruel, disfarçado,
Que eu nem a ti confiei;
"Ela é feliz (me dizia)
"Seu descanso é obra minha."

Negou-me a sorte mesquinha...
Perdoa, que me enganei!

XI

Tantos encantos me tinham,
Tanta ilusão me afagava
De noite, quando acordava,
De dia em sonhos talvez!
Tudo isso agora onde pára?
Onde a ilusão dos meus sonhos?
Tantos projetos risonhos,
Tudo esse engano desfez!

XII

Enganei-me!... — Horrendo caos
Nessas palavras se encerra,
Quando do engano, quem erra,
Não pode voltar atrás!
Amarga irrisão! reflete:
Quando eu gozar-te pudera,
Mártir quis ser, cuidei qu'era...
E um louco fui, nada mais!

XIII

Louco, julguei adornar-me
Com palmas d'alta virtude!
Que tinha eu bronco e rude
Co que se chama ideal?
O meu eras tu, não outro;
Stava em deixar minha vida
Correr por ti conduzida,
Pura, na ausência do mal.

XIV

Pensar eu que o teu destino
Ligado ao meu, outro fora,
Pensar que te vejo agora,
Por culpa minha, infeliz;
Pensar que a tua ventura
Deus *ab eterno* a fizera,
No meu caminho a pusera...
E eu! eu fui que a não quis!

XV

És doutro agora, e pr'a sempre!
Eu a mísero desterro
Volto, chorando o meu erro,
Quase descrendo dos céus!
Dói-te de mim, pois me encontras
Em tanta miséria posto,
Que a expressão deste desgosto
Será um crime ante Deus!

XVI

Dói-te de mim, que t'imploro
Perdão, a teus pés curvado;
Perdão!... de não ter ousado
Viver contente e feliz!
Perdão de minha miséria,
Da dor que me rala o peito,
E se do mal que te hei feito,
Também do mal que me fiz!

XVII

Adeus qu'eu parto, senhora;
Negou-me o fado inimigo
Passar a vida contigo,
Ter sepultura entre os meus;
Negou-me nesta hora extrema,
Por extrema despedida,
Ouvir-te a voz comovida
Soluçar um breve Adeus!

XVIII

Lerás porém algum dia
Meus versos d'alma arrancados,
D'amargo pranto banhados,
Com sangue escritos; — e então
Confio que te comovas,
Que a minha dor te apiade
Que chores, não de saudade,
Nem de amor, — de compaixão.

Se Se Morre de Amor!

*Meere und Berge und Horizonte zwischen den
Liebenden — aber die Seelen versetzen sich
aus dem staubigen Kerker und treffen sich im
Paradiese der Liebe.*

Schiller, *Die Räuber*

Se se morre de amor! — Não, não se morre,
Quando é fascinação que nos surpreende
De ruidoso sarau entre os festejos;
Quando luzes, calor, orquestra e flores
Assomos de prazer nos raiam n'alma,
Que embelezada e solta em tal ambiente
No que ouve, e no que vê prazer alcança!

Simpáticas feições, cintura breve,
Graciosa postura, porte airoso,
Uma fita, uma flor entre os cabelos,
Um quê mal definido, acaso podem
Num engano d'amor arrebatar-nos.
Mas isso amor não é; isso é delírio,
Devaneio, ilusão, que se esvaece
Ao som final da orquestra, ao derradeiro
Clarão, que as luzes no morrer despedem:
Se outro nome lhe dão, se amor o chamam,
D'amor igual ninguém sucumbe à perda.
Amor é vida; é ter constantemente
Alma, sentidos, coração — abertos
Ao grande, ao belo; é ser capaz d'extremos,
D'altas virtudes, té capaz de crimes!
Compr'ender o infinito, a imensidade,
E a natureza e Deus; gostar dos campos,
D'aves, flores, murmúrios solitários;
Buscar tristeza, a soledade, o ermo,
E ter o coração em riso e festa;
E à branda festa, ao riso da nossa alma
Fontes de pranto intercalar sem custo;
Conhecer o prazer e a desventura
No mesmo tempo, e ser no mesmo ponto
O ditoso, o misérrimo dos entes;
Isso é amor, e desse amor se morre!

Amar, e não saber, não ter coragem
Para dizer que amor que em nós sentimos;

Temer qu'olhos profanos nos devassem
O templo, onde a melhor porção da vida
Se concentra; onde avaros recatamos
Essa fonte de amor, esses tesouros
Inesgotáveis, d'ilusões floridas;
Sentir, sem que se veja, a quem se adora,
Compr'ender, sem lhe ouvir, seus pensamentos,
Segui-la, sem poder fitar seus olhos,
Amá-la, sem ousar dizer que amamos,
E, temendo roçar os seus vestidos,
Arder por afogá-la em mil abraços:
Isso é amor, e desse amor se morre!

Se tal paixão porém enfim transborda,
Se tem na terra o galardão devido
Em recíproco afeto; e unidas, uma,
Dois seres, duas vidas se procuram,
Entendem-se, confundem-se e penetram
Juntas — em puro céu d'êxtases puros:
Se logo a mão do fado as torna estranhas,
Se os duplica e separa, quando unidos
A mesma vida circulava em ambos;
Que será do que fica, e do que longe
Serve às borrascas de ludíbrio e escárnio?
Pode o raio num píncaro caindo,
Torná-lo dois, e o mar correr entre ambos;
Pode rachar o tronco levantado
E dois cimos depois verem-se erguidos,
Sinais mostrando da aliança antiga;
Dois corações porém, que juntos batem,
Que juntos vivem, — se os separam, morrem;
Ou se entre o próprio estrago inda vegetam,
Se aparência de vida, em mal, conservam,
Ânsias cruas resumem do proscrito,
Que busca achar no berço a sepultura!

Esse, que sobrevive à própria ruína,
Ao seu viver do coração, — às gratas
Ilusões, quando em leito solitário,
Entre as sombras da noite, em larga insônia,
Devaneando, a futurar venturas,
Mostra-se e brinca a apetecida imagem;
Esse, que à dor tamanha não sucumbe,
Inveja a quem na sepultura encontra
Dos males seus o desejado termo!

O Canto do Piaga

I

Ó Guerreiros da Taba sagrada,
Ó Guerreiros da Tribo Tupi,
Falam Deuses nos cantos do Piaga,
Ó Guerreiros, meus cantos ouvi.

Esta noite — era a lua já morta —
Anhangá me vedava sonhar;
Eis na horrível caverna, que habito,
Rouca voz começou-me a chamar.

Abro os olhos, inquieto, medroso,
Manitôs! que prodígios que vi!
Arde o pau de resina fumosa,
Não fui eu, não fui eu, que o acendi!

Eis rebenta a meus pés um fantasma,
Um fantasma d'imensa extensão;
Liso crânio repousa a meu lado.
Feia cobra se enrosca no chão.

O meu sangue gelou-se nas veias,
Todo inteiro — ossos, carnes — tremi,
Frio horror me coou pelos membros,
Frio vento no rosto senti.

Era feio, medonho, tremendo,
Ó Guerreiros, o espectro que eu vi.
Falam Deuses nos cantos do Piaga,
Ó Guerreiros, meus cantos ouvi!

II

Por que dormes, ó Piaga divino?
Começou-me a Visão a falar,
Por que dormes? O sacro instrumento
De per si já começa a vibrar.

Tu não viste nos céus um negrume
Toda a face do sol ofuscar;
Não ouviste a coruja, de dia,
Seus estrídulos torva soltar?

Tu não viste dos bosques a coma
Sem aragem — vergar-se e gemer,
Nem a lua de fogo entre nuvens,
Qual em vestes de sangue, nascer?

E tu dormes, ó Piaga divino!
E Anhangá te proíbe sonhar!
E tu dormes, ó Piaga, e não sabes,
E não podes augúrios cantar?!

Ouve o anúncio do horrendo fantasma,
Ouve os sons do fiel Maracá;
Manitôs já fugiram da Taba!
Ó desgraça! ó ruína! ó Tupá!

III

Pelas ondas do mar sem limites
Basta selva, sem folhas, i vem;
Hartos troncos, robustos, gigantes;
Vossas matas tais monstros contêm.

Traz embira dos cimos pendente
— Brenha espessa de vário cipó —
Dessas brenhas contêm vossas matas,
Tais e quais, mas com folhas; é só!

Negro monstro os sustenta por baixo,
Brancas asas abrindo ao tufão,
Como um bando de cândidas garças,
Que nos ares pairando — lá vão.

Oh! quem foi das entranhas das águas,
O marinho arcabouço arrancar?
Nossas terras demanda, fareja...
Esse monstro... — o que vem cá buscar?

Não sabeis o que o monstro procura?
Não sabeis a que vem, o que quer?
Vem matar vossos bravos guerreiros,
Vem roubar-vos a filha, a mulher!

Vem trazer-vos crueza, impiedade —
Dons cruéis do cruel Anhangá;
Vem quebrar-vos a maça valente,
Profanar Manitôs, Maracá.

Vem trazer-vos algemas pesadas,
Com que a tribo Tupi vai gemer;
Hão de os velhos servirem de escravos
Mesmo o Piaga inda escravo há de ser!

Fugireis procurando um asilo,
Triste asilo por ínvio sertão;

Anhangá de prazer há de rir-se.
Vendo os vossos quão poucos serão.

Vossos Deuses, ó Piaga, conjura,
Susta as iras do fero Anhangá.
Manitôs já fugiram da Taba,
Ó desgraça! ó ruína! ó Tupá!

Marabá

Eu vivo sozinha, ninguém me procura!
    Acaso feitura
    Não sou de Tupá!
Se algum dentre os homens de mim não se esconde:
    — "Tu és", me responde,
    "Tu és Marabá!"

— Meus olhos são garços, são cor das safiras,
— Têm luz das estrelas, têm meigo brilhar;
— Imitam as nuvens de um céu anilado,
— As cores imitam das vagas do mar!

Se algum dos guerreiros não foge a meus passos:
    "Teus olhos são garços",
Responde anojado, "mas és Marabá:
"Quero antes uns olhos bem pretos, luzentes,
    "Uns olhos fulgentes,
"Bem pretos, retintos, não cor d'anajá!"

— É alvo meu rosto da alvura dos lírios,
— Da cor das areias batidas do mar;
— As aves mais brancas, as conchas mais puras
— Não têm mais alvura, não têm mais brilhar. —

Se ainda me escuta meus agros delírios:
    — "És alva de lírios",
Sorrindo responde, "mas és Marabá:
"Quero antes um rosto de jambo corado,
    "Um rosto crestado
"Do sol do deserto, não flor de cajá."

— Meu colo de leve se encurva engraçado,
— Como hástea pendente do cáctus em flor;
— Mimosa, indolente, resvalo no prado,
— Como um soluçado suspiro de amor! —

"Eu amo a estatura flexível, ligeira,
    Qual duma palmeira",

Então me respondem; "tu és Marabá:
"Quero antes o colo da ema orgulhosa,
     Que pisa vaidosa,
"Que as flóreas campinas governa, onde está."

— Meus loiros cabelos em ondas se anelam,
— O oiro mais puro não tem seu fulgor;
— As brisas nos bosques de os ver se enamoram,
— De os ver tão formosos como um beija-flor!

Mas eles respondem: "Teus longos cabelos,
     "São loiros, são belos,
"Mas são anelados; tu és Marabá:
"Quero antes cabelos, bem lisos, corridos,
     "Cabelos compridos,
"Não cor d'oiro fino, nem cor d'anajá."

_____

E as doces palavras que eu tinha cá dentro
     A quem nas direi?
O ramo d'acácia na fronte de um homem
     Jamais cingirei:

Jamais um guerreiro da minha arazóia
     Me desprenderá:
Eu vivo sozinha, chorando mesquinha,
     Que sou Marabá!

(*Poesia Completa e Prosa Escolhida*, Rio de Janeiro, Aguilar, 1959, pp. 268-273, 277-279, 106-108, 371-372.)

Afora a dualidade temática e a certeza de que divisamos agora um excepcional poeta lírico, valia a pena considerar as duas forças que lhe movem a imaginação. De um lado, temos a sedução do passado, resultante do estágio coimbrão do poeta e de a literatura brasileira ainda permanecer naqueles tempos estreitamente presa aos modelos portugueses. Assim, seu conceito de amor, expresso em "Se se morre de amor!", em que o sentimento se confunde com a própria existência ("amor é vida"), como que assinala o regresso a uma concepção trovadoresca do ofício poético, através do qual o amador se confessava submisso e servil à dama pretendida. Após o artificialismo da estética arcádica, repunha-se a "sinceridade" medieval. Inspirado nos medievistas portugueses, Gonçalves Dias reinstala o "serviço amoroso" como nenhum outro de seu tempo, fruto duma rara adequação entre a atitude literária e uma sensibilidade apurada, que experiências infelizes mais acentuaram. O lirismo em feminino, que se observa em "Ainda uma vez — adeus!" e em "Marabá", provém de igual fonte: amor-melancolia, amor-desespero, amor-desilusão, que testemunha flagrantemente o quanto o poeta encarnou o próprio espírito do Romantismo nascente, caracterizado pela passividade nos domínios do sentimento. Dessa forma, o medievalismo cavaleiresco encontrava sua razão de ser na emotividade de um poeta mestiço e tropical. O outro vetor que lhe orientava a fantasia continha uma adaptação aos tempos novos e uma tomada de consciência do solo natal: contraface da tendência anterior, manifesta uma visão épica do mundo, traduzida no indianismo heróico ("O Canto do Piaga") e num patriotismo e brasilidade que lhe está visceralmente conectado ("Quero antes uns olhos bem pretos, luzentes", etc.; "quero antes um rosto de jambo corado", etc., de "Marabá"). Pelo primeiro aspecto, Gonçalves Dias tornou-se mestre de muitos poetas posteriores, graças à elaboração de autênticas obras-primas de lirismo-amoroso, como "Ainda uma vez — adeus!"; e pelo outro, atualizou a temática indígena, conferindo-lhe a grandeza que desconhecia antes e que jamais atingiu depois, decerto porque lhe inoculou alta dose de confissão. Acrescente-se, por fim, uma consciência artesanal, patente no acabamento da forma e na diversidade dos recursos métricos, peculiar ao poeta superior. Por tudo isso, continua a ser lido e apreciado. Merecidamente.

Textos para Análise

O Canto do Guerreiro

I

Aqui na floresta
Dos ventos batida,
Façanhas de bravos
Não geram escravos,
Que estimem a vida
Sem guerra e lidar.
— Ouvi-me, Guerreiros.
— Ouvi meu cantar.

II

Valente na guerra
Quem há, como eu sou?
Quem vibra o tacape
Com mais valentia?
Quem golpes daria
Fatais, como eu dou?
— Guerreiros, ouvi-me;
— Quem há, como eu sou?

III

Quem guia nos ares
A frecha imprumada,
Ferindo uma presa,
Com tanta certeza,
Na altura arrojada
Onde eu a mandar?
— Guerreiros, ouvi-me,
— Ouvi meu cantar.

IV

Quem tantos imigos
Em guerras preou?
Quem canta seus feitos
Com mais energia?
Quem golpes daria
Fatais, como eu dou?
— Guerreiros, ouvi-me:
— Quem há, como eu sou?

V

Na caça ou na lide,
Quem há que me afronte?!
A onça raivosa
Meus passos conhece,
O imigo estremece,
E a ave medrosa
Se esconde no céu.
— Quem há mais valente,
— Mais destro do que eu?

VI

Se as matas estrujo
Com os sons do Boré,
Mil arcos se encurvam,
Mil setas lá voam,
Mil gritos reboam.
Mil homens de pé
Eis surgem, respondem
Aos sons do Boré!
— Quem é mais valente,
— Mais forte quem é?

VII

Lá vão pelas matas:
Não fazem ruído:
O vento gemendo
E as matas tremendo
E o triste carpido
Duma ave a cantar.
São eles — guerreiros,
Que faço avançar.

VIII

E o Piaga se ruge
No seu Maracá.
A morte lá paira
Nos ares frechados,
Os campos juncados
De mortos são já:
Mil homens viveram,
Mil homens são lá.

IX

E então se de novo
Eu toco o Boré;
Qual fonte que salta
De rocha empinada,
Que vai marulhosa,
Fremente e queixosa,
Que a raiva apagada
De todo não é,
Tal eles se escoam
Aos sons do Boré.
— Guerreiros, dizei-me,
— Tão forte quem é?

Não me Deixes!

Debruçada nas águas dum regato
    A flor dizia em vão
A corrente, onde bela se mirava...
    "Ai, não me deixes, não!

"Comigo fica ou leva-me contigo
    "Dos mares à amplidão,
"Límpido ou turvo, te amarei constante
    "Mas não me deixes, não!"

E a corrente passava; novas águas
    Após as outras vão;
E a flor sempre a dizer curva na fonte:
    "Ai, não me deixes, não!"

E das águas que fogem incessantes
    À eterna sucessão
Dizia sempre a flor, e sempre embalde:
    "Ai, não me deixes, não!"

Por fim desfalecida e a cor murchada,
　　Quase a lamber o chão,
Buscava inda a corrente por dizer-lhe
　　Que a não deixasse, não.

A corrente impiedosa a flor enleia,
　　Leva-a do seu torrão;
A afundar-se dizia a pobrezinha:
　　"Não me deixaste, não!"

Olhos Verdes

Eles verdes são:
E têm por usança
Na cor esperança
E nas obras não.
　　　　　Cam., *Rim.*

São uns olhos verdes, verdes,
Uns olhos de verde-mar,
Quando o tempo vai bonança;
Uns olhos cor de esperança.
Uns olhos por que morri:
　　Que ai de mi!
Nem já sei qual fiquei sendo
　　Depois que os vi!

Como duas esmeraldas,
Iguais na forma e na cor.
Têm luz mais branda e mais forte,
Diz uma — vida, outra — morte;
Uma — loucura, outra — amor.
　　Mas ai de mi!
Nem já sei qual fiquei sendo
　　Depois que os vi!

São verdes da cor do prado,
Exprimem qualquer paixão,
Tão facilmente se inflamam,
Tão meigamente derramam
Fogo e luz do coração;
　　Mas ai de mi!
Nem já sei qual fiquei sendo
　　Depois que os vi!

São uns olhos verdes, verdes,
Que podem também brilhar;
Não são de um verde embaçado,
Mas verdes da cor do prado,
Mas verdes da cor do mar.
        Mas ai de mi!
Nem já sei qual fiquei sendo
        Depois que os vi!

Como se lê num espelho,
Pude ler nos olhos seus!
Os olhos mostram a alma,
Que as ondas postas em calma
Também refletem os céus;
        Mas ai de mi!
Nem já sei qual fiquei sendo
        Depois que os vi!

Dizei vós, ó meus amigos,
Se vos perguntam por mi,
Que eu vivo só da lembrança
De uns olhos cor de esperança,
De uns olhos verdes que vi!
        Que ai de mi!
Nem já sei qual fiquei sendo
        Depois que os vi!

Dizei vós: Triste do bardo!
Deixou-se de amor finar!
Viu uns olhos verdes, verdes,
Uns olhos da cor do mar:
Eram verdes sem esp'rança.
Davam amor sem amar!
Dizei-o vós, meus amigos,
        Que ai de mi!
Não pertenço mais à vida
        Depois que os vi!

(*Ibidem*, pp. 104-106, 265 e 386-388.)

JOAQUIM MANUEL DE MACEDO

Nasceu a 24 de junho de 1820, em São João do Itaboraí, Estado do Rio de Janeiro. Formado pela Faculdade de Medicina do Rio de Janeiro em 1844, nesse mesmo ano publicou o romance *A Moreninha*, que logo lhe trouxe prestígio e lhe decidiu o rumo a seguir: pouco vocacionado para a atividade médica, entrega-se ao jornalismo, à política (deputado em várias legislaturas), ao magistério (professor de História e Geografia no Colégio Pedro II) e às letras.

No últimos anos, como visse empalidecer a auréola que lhe adornava o nome, porventura em conseqüência de uma moléstia nervosa que o acometeu, entra a escrever obras de caráter didático, no geral abaixo do nível das anteriores. Faleceu no Rio de Janeiro, a 11 de abril de 1882. Além dA Moreninha, compôs romances (O Moço Loiro, 1845; Dois Amores, 1848; Rosa, 1849; Vicentina, 1853; O Forasteiro, 1855; Romances da Semana; 1861; O Culto do Dever, 1865; As Vítimas Algozes, 1869; O Rio do Quarto, 1869; As Mulheres de Mantilha, 1870-1871; A Namoradeira, 1870), peças de teatro (O Cego, 1845; O Primo da Califórnia, 1858; Luxo e Vaidade, 1860; Lusbela, 1863; Cincinato Quebra-Louça, 1873), poesia (A Nebulosa, 1857), biografia (Ano Biográfico Brasileiro, 1876), crônicas (Um Passeio pela Cidade do Rio de Janeiro, 1862-1863; Memórias da Rua do Ouvidor, 1878), viagens (A Carteira do Meu Tio, 1855; Memórias do Sobrinho do Meu Tio, 1867-1868).

A Moreninha

Publicado em 1844, A Moreninha tornou-se o introdutor da ficção romântica em nossa literatura, e deu margem a uma série de obras congêneres que acabaram sugerindo a outros ficcionistas (como Alencar e Machado de Assis) um processo romanesco apenas superado pelo Realismo. O entrecho resume-se no seguinte: um grupo de estudantes de Medicina, formado de Augusto, Leopoldo, Fabrício e Felipe, resolve passar um fim de semana na ilha de..., onde mora o último deles. Como Augusto se dizia capaz de resistir a qualquer compromisso amoroso duradouro, Felipe aposta com ele que, se "tiver amado a uma só mulher durante quinze dias ou mais, será obrigado a escrever um romance em que tal acontecimento confesse". Na ilha, a pouco e pouco Augusto se deixa prender pelos encantos de Carolina, a Moreninha, irmã de Felipe. Mas o moço tem juramento feito a uma menina que conhecera aos treze anos. Posto o conflito, o amor a Carolina vence: entretanto, como a jovem era a mesma a quem jurara eterna fidelidade, o impasse resolve-se favoravelmente. O fragmento que se vai ler, corresponde ao capítulo XVI, intitulado "O Sarau":

Um sarau é o bocado mais delicioso que temos, de telhado abaixo. Em um sarau todo o mundo tem que fazer. O diplomata ajusta, com o copo de champanha na mão, os mais intrincados negócios; todos murmuram e não há quem deixe de ser murmurado. O velho lembra-se dos minuetes e das cantigas do seu tempo, e o moço goza todos os regalos da sua época; as moças são no sarau como as estrelas no céu; estão no seu elemento; aqui uma, cantando suave cavatina, eleva-se vaidosa nas asas dos aplausos, por entre os quais surde, às vezes, um bravíssimo inopinado, que solta de lá da sala do jogo o parceiro que acaba de ganhar sua partida no ecarté, mesmo na ocasião em que a moça se espicha completamente, desafinando um sustenido; daí a pouco vão outras, pelos braços de seus pares, se deslizando pela sala e marchando em seu passeio, mais a compasso que qualquer de nossos batalhões da guarda nacional, ao mesmo tempo que conversam sempre sobre objetos inocentes, que movem olhaduras e risadinhas apreciáveis. Outras criticam de uma gorducha vovó, que ensaca nos bolsos meia bandeja de doces que veio para o chá, e que ela leva aos pequenos que, diz, lhe ficaram em casa. Ali vê-se um ataviado dândi que dirige mil finezas a uma senhora idosa, tendo os olhos pregados na sinhá, que senta-se ao lado. Finalmente, no sarau não é essencial ter cabeça nem boca, porque, para alguns é regra, durante ele, pensar pelos pés e falar pelos olhos.

E o mais é que nós estamos num sarau. Inúmeros batéis conduziram da corte para a ilha de... senhoras e senhores, recomendáveis por caráter e qualidade; alegre, numerosa e escolhida sociedade enche a casa, que brilha e mostra em toda a parte borbulhar o prazer e o bom gosto.

Entre todas essas elegantes e agradáveis moças, que com aturado empenho se esforçam por ver qual delas vence em graças, encantos e donaires, certo que sobrepuja a travessa Moreninha, princesa daquela festa.

Hábil menina é ela! Nunca seu amor-próprio produziu com tanto estudo seu toucador e, contudo, dir-se-ia que o gênio da simplicidade a penteara e vestira. Enquanto as outras moças haviam esgotado a paciência de seus cabeleireiros, posto em tributo toda a habilidade das modistas da Rua do Ouvidor e coberto seus colos com as mais ricas e preciosas jóias, D. Carolina dividiu seus cabelos em duas tranças, que deixou cair pelas costas; não quis ornar o pescoço com seu adereço de brilhantes nem com seu lindo colar de esmeraldas; vestiu um finíssimo, mas simples vestido de garça, que até pecava contra a moda reinante, por não ser sobejamente comprido. Vindo assim aparecer na sala, arrebatou todas as vistas e atenções.

Porém, se um atento observador a estudasse, descobriria que ela adrede se mostrava assim, para ostentar as longas e ondeadas madeixas negras, em belo contraste com a alvura de seu vestido branco, e para mostrar, todo nu, elevado colo de alabastro, que tanto a aformoseia, e que seu pecado contra a moda reinante não era senão um meio sutil de que se aproveitara para deixar ver o pezinho mais bem feito e mais pequeno que se pode imaginar.

Sobre ela estão conversando agora mesmo Fabrício e Leopoldo. Terminam sem dúvida a sua prática; não importa. Vamos ouvi-los.

— Está na verdade encantadora!... repetiu pela quarta vez aquele.

— Danças com ela? perguntou Leopoldo.

— Não, já estava engajada para doze quadrilhas.

— Oh! lá vai ter com ela o nosso Augusto. Vamos apreciá-lo.

Os dois estudantes aproximaram-se de Augusto, que acabava de rogar à linda Moreninha a mercê da terceira quadrilha.

— Leva de tábua, disse Fabrício ao ouvido de Leopoldo... é a mesma que eu lhe havia pedido.

Mas a jovenzinha pensou um momento antes de responder ao pretendente; olhou para Fabrício e com particular mover de lábios pareceu mostrar-se descontente; depois riu-se e respondeu a Augusto:

— Com muito prazer.

— Mas, minha senhora, disse Fabrício, vermelho de despeito e aturdido com um beliscão que lhe dera Leopoldo; há cinco minutos já estava engajada até à duodécima.

— É verdade, tornou D. Carolina; e agora só acabo de ratificar um promessa: o Sr. Augusto poderá dizer se ontem pediu-me ou não a terceira contradança.

— Juro... balbuciou Augusto.

— Basta! acudiu Fabrício interrompendo-o; é inútil qualquer juramento de homem, depois das palavras de uma senhora.

Fabrício e Leopoldo retiraram-se; D. Carolina, que tinha iludido o primeiro, vendo brilhar o prazer na face de Augusto, e temendo que daquela ocorrência tirasse este alguma explicação lisonjeira demais, quis aplicar um corretivo e, erguendo-se, tomou o braço de Augusto. Aproveitando o passeio, disse:

— Agradeço-lhe a condescendência com que ia tomar parte na minha mentira... foi necessário que eu praticasse assim; quero antes dançar com qualquer, do que com aquele seu amigo.

— Ofendeu-lhe, minha senhora?

— Certo que não, mas... diz-me coisas que não quero saber.

— Então... que diz ele?...

— Fala tantas vezes em amor...

— Meu Deus! é um crime que eu tenho estado bem perto de cometer!

— Pois bem, foi esta a única razão.

— Mas eu temo perder a minha contradança... alguns momentos mais e serei réu como Fabrício.

— A culpa será de seus lábios.

— Antes dos seus olhos, minha senhora.

— Cuidado, Sr. Augusto! lembre-se da contradança!

— Pois será preciso dizer que a detesto?...

— Basta não dizer que me ama.

— É não dizer o que sinto e eu... não sei mentir.

— Ainda há pouco ia jurar falso...

— Nas palavras de um anjo ou de uma...

— Acabe.

— Tentaçãozinha.

— Perdeu a terceira contradança.

— Misericórdia! eu não falei em amor!...

Neste momento a orquestra assinalou o começo de sarau. É preciso antecipar que nós não vamos dar ao trabalho de descrever este; é um sarau como todos os outros, basta dizer o seguinte:

Os velhos lembraram-se do passado, os moços aproveitaram o presente, ninguém cuidou do futuro. Os solteiros fizeram para lembrar-se do casamento, os casados trabalharam por esquecer-se dele. Os homens jogaram, falaram em política e reqües-taram as moças; as senhoras ouviram finezas, trataram de modas e criticaram desa-piedadamente umas das outras. As filhas deram carreirinhas ao som da música, as mães, já idosas, receberam cumprimentos por amor daquelas e as avós, por não terem que fazer nem que ouvir, levaram todo o tempo a endireitar as toucas e a comer doces. Tudo esteve debaixo dessas regras gerais, só resta dar conta das seguintes particularidades:

D. Carolina sempre dançou a terceira contradança com Augusto, mas, para isso, foi preciso que a Sra. D. Ana empenhasse todo o seu valimento; a tirana princesinha da festa esteve realmente desapiedada; não quis passear com o estudante.

A interessante D. Violante fez o diabo a quatro: tomou doze sorvetes, comeu pão-de-ló, como nenhuma, tocou em todos os doces, obrigou alguns moços a tomá-la por par e até dançou uma valsa de corrupio.

Augusto apaixonou-se por seis senhoras com quem dançou: o rapaz é incorrigível. E assim tudo mais.

Agora são quatro horas da manhã; o sarau está terminado, os convidados vão retirando-se e nós, entrando no *toilette*, vamos ouvir quatro belas conhecidas nossas, que conversam com ardor e fogo.

— É possível?!... exclamou D. Quinquina dirigindo-se à sua mana; pois é verdade que esse Sr. Augusto lhe fez uma declaração de amor?...

— Como quer que lhe diga, maninha?... Asseverou que meus olhos pretos davam à sua alma mais luz do que a seus olhos todos os candelabros da sala nesta noite, e mesmo do que o Sol, nos dias mais brilhantes... palavras dele.

— Que insolente... tornou D. Quinquina; ele mesmo, que me jurou ser a mais bela a seus olhos e a mais cara a seu coração, porque meus cabelos eram fios de ouro e a cor de minhas faces o rubor de um belo amanhecer?... palavras dele.

— Que atrevido!... bradou D. Clementina; o próprio que afirmou ser-lhe impossível viver sem alentar-se com a esperança de possuir-me, porque eu sabia ferir corações com minhas vistas e curar profundas mágoas com meus sorrisos!... palavras dele.

— Oh! que moço abominável!... disse, por sua vez, D. Gabriela; e ousou dizer-me que me amava com tão subida paixão que, se fora por mim amado, e pudesse desejar e pedir algum extremo, não me pediria como a outras, para beijar-me a face, porque das virgens do céu somente se beijam os pés, e de joelhos!... palavras dele.

— Mas isto é um insulto feito a todas nós!

— Como se estará ele rindo!...

— Qual! se ele está apaixonado.

— Apaixonado?... E por quem?...

— Por nós quatro... talvez por outras mais... ele pensa assim.

— Que maldito brasileiro com alma de mouro!...

— E havemos de ficar assim?...

— Não, acudiu D. Joaninha, vamos ter com ele, e desmascaremo-lo.

— Isto é nada para quem não tem vergonha!...

— Pois troquemos os papéis: finjamos que estávamos tratadas para desafiar-lhe os requebros, e... ridicularizemo-lo como for possível.

— Sim... obriguemo-lo a dizer qual de nós é a mais bonita. Cada uma lhe pedirá um anel de seus cabelos... uma prenda... uma lembrança... ponhamo-lo doido.

— Muito bem pensado! vamos!

— Deus nos livre!... à vista de tanta gente!

— Então, quando e aonde?

— Uma idéia!... seja a zombaria completa: escreva-se uma carta anônima, convidando-o para estar ao romper do dia na gruta.

— Bravo! então escreva...

— Eu não, escreva você...

— Deus me defenda!... escreva, D. Gabriela, que tem boa letra.

— Então, nenhuma escreve.

— Pois tiremos por sorte.

A idéia foi recebida com aprovação e a sorte destinou por secretária D. Clementina que, tirando de seu álbum um lápis e uma tira de papel, escreveu sem hesitar:

"Senhor — Uma jovem que vos ama e que de vós escutou palavras de ternura, tem um segredo a confiar-vos. Ao raiar da aurora a encontrareis no banco de relva da gruta; sede circunspecto e vereis a quem, por meia hora ainda, quer ser apenas — *Uma incógnita.*"

— Bem, disse D. Quinquina, eu me encarrego de fazer-lhe receber a carta. Saiamos.

As quatro moças iam sair, quando um suspiro as suspendeu; mais alguém estava no *toilette*. D. Joaninha, medrosa de que uma testemunha tivesse presenciado a cena que se acabava de passar, voltou-se para o fundo do gabinete e o susto para logo se lhe dissipou.

— Vejam como ela dorme!... disse.

Com efeito, recostada em uma cadeira de braços, D. Carolina estava profundamente adormecida.

A Moreninha se mostrava, na verdade, encantadora no mole descuido de seu dormir: à mercê de um doce resfolegar, os desejos se agitavam entre seus seios; seu pezinho bem à mostra, suas tranças dobradas no colo, seus lábios entrabertos e como por costume amoldados àquele sorrir cheio de malícia e de encanto que já lhe conhecemos e, finalmente, suas pálpebras cerradas e coroadas por bastos e negros supercílios, a tornavam mais feiticeira que nunca.

D. Clementina não pôde resistir a tantas graças, correu para ela... dois rostos angélicos se aproximaram... quatro lábios cor-de-rosa se tocaram e este toque fez acordar D. Carolina.

Um beijo tinha despertado um anjo, se é que o anjo realmente dormia.

(*A Moreninha*, São Paulo, Cultrix, 1968, pp. 127-134.)

O capítulo que se acabou de ler exemplifica à perfeição as facetas capitais d*A Moreninha*, bem como de toda a ficção de Joaquim Manuel de Macedo e do próprio Romantismo nalgumas das formas que adquiriu entre nós. Observe-se, em primeiro lugar, que o trecho reflete uma visão otimista e complacente da realidade social; uma brisa de amenidade atravessa-o de ponta a ponta, como se pessoas e objetos estivessem mergulhados numa atmosfera ideal, convencionalmente adstrita à classe dos refinados e cultos. Ao mesmo tempo, percebe-se um forte senso de realidade no modo como o ficcionista apreende as personagens e o cenário à sua volta. Daí que, em segundo lugar, possamos entender que *A Moreninha* se desenvolve em dois planos: um, mais saliente, consiste na intriga sentimental e no próprio retrato da heroína, assim como das demais personagens (Carolina é morena, romanticamente brasileira, adolescente, casadoura, etc.); o outro, não menos importante do prisma crítico, diz respeito aos pormenores da sociedade do tempo que o romancista alcançou surpreender. Pelo primeiro, a obra conteria alguns dos valores imperantes no século passado, como o culto da sentimentalidade, da afetação no trato mundano, da pureza virginal da donzela sonhadora, do casamento enquanto meta de todo jovem, etc.; e traduziria a configuração sentimental de Macedo. Pelo segundo, o romance conteria um flagrante documento da sociedade coeva, pelo menos da burguesia, então pontificando na escala social (observe-se a descrição do sarau, sobretudo no tocante às pessoas: "Os velhos lembraram-se do passado, os moços aproveitaram-se do presente", etc.); e revelaria o flanco romântico-realista de Macedo. Para prevenir mal-entendidos, é preciso considerar o realismo macediano sinônimo de observação do real concreto. Como o romancista o transforma, ou deforma, pela imaginação, acionado por uma concepção romântica do mundo, segue-se que não há contra-senso algum em falar de realismo romântico. E nem por isso o ficcionista deixa de trair uma que outra reminiscência clássica (ao afirmar que "os desejos se agitavam entre seus seios", só falta substituir "desejos" por "Cupido" para a imagem ficar completa), o que se explica pela interpenetração das estéticas e pelo fato de o prosador estar iniciando, com mão de mestre, nossa ficção romântica.

JOSÉ DE ALENCAR

José Martiniano de Alencar nasceu em Mecejana, Estado do Ceará, a 1º de maio de 1829. Em 1840, está no Rio de Janeiro, a fazer estudos elementares e secundários. Três anos mais tarde, muda-se para São Paulo, a fim de cursar a Faculdade de Direito. Formando-se em 1850, regressa ao Rio de Janeiro, para dedicar-se à advocacia e ao jornalismo, atividade em que a polêmica acerca do poema *A Confederação dos Tamoios*, de Gonçalves de Magalhães, lhe granjeia rápido renome, que a publicação d*O Guarani* (1857) logo confirma. Em 1860, elege-se deputado, mas continua a colaborar na imprensa e a escrever romance e teatro. Desentendendo-se com D. Pedro II, por causa da pasta da Justiça, que acreditava lhe fosse destinada, recolhe-se à vida particular e a seus livros. Faleceu a 12 de dezembro de 1877. Escreveu romances: *O Guarani* (1857), *Cinco Minutos* (1860), *As Minas de Prata* (1862), *Lucíola* (1862), *Iracema* (1865), *O Gaúcho* (1870), *A Pata da Gazela* (1870), *O Tronco do Ipê* (1871), *Sonhos d'Ouro* (1872), *Til* (1872), *Ubirajara* (1874), *Senhora* (1875), *O Sertanejo* (1875), etc.; teatro: *A Noite de São João* (1857), *O Rio de Janeiro — Verso e Reverso* (1857), *O Demônio Familiar* (1858), *As Asas de um Anjo* (1860), *Mãe* (1862), *O Jesuíta* (1875), etc.; crônica, ensaio, biografia, doutrina política.

O Guarani

Publicado inicialmente em folhetins do "Diário do Rio de Janeiro" (1857) e no mesmo ano em volume, *O Guarani* contém o seguinte entrecho: D. Antônio de Mariz instalara, nos fins do século XVI, uma fazenda às margens do Paquequer, tributário do Paraíba, onde vivia com sua família. Em conflito com os aimorés por causa da acidental morte de uma indígena, o velho fidalgo defende-se com a ajuda de um guerreiro da tribo goitacá, Peri, que serve humildemente aos desígnios de Cecília, e defende-a, bem como ao resto do clã, de mil perigos. Até que se declara a última batalha, e a casa-grande é levada pelos ares por D. Antônio de Mariz, enquanto o selvagem escapa conduzindo Cecília à salvação. O capítulo que se vai ler, intitula-se "A Prece", VII da primeira parte do romance:

A tarde ia morrendo.

O Sol declinava no horizonte e deitava-se sobre as grandes florestas, que iluminava com os seus últimos raios.

A luz frouxa e suave do ocaso, deslizando pela verde alcatifa, enrolava-se como ondas de ouro e de púrpura sobre a folhagem das árvores.

Os espinheiros silvestres desatavam as flores alvas e delicadas; e o ouricuri abria as suas palmas mais novas, para receber no seu cálice o orvalho da noite. Os animais retardados procuravam a pousada, enquanto a juriti, chamando a companheira, soltava os arrulhos doces e saudosos com que se despede do dia.

Um concerto de notas graves saudava o pôr-do-sol e confundia-se com o rumor da cascata, que parecia quebrar a aspereza de sua queda e ceder à doce influência da tarde.

Era a Ave-Maria.

Como é solene e grave no meio das nossas matas a hora misteriosa do crepúsculo, em que a natureza se ajoelha aos pés do Criador para murmurar a prece da noite!

Essas grandes sombras das árvores que se estendem pela planície; essas gradações infinitas da luz pelas quebradas da montanha; esses raios perdidos, que esvazando-se pelo rendado da folhagem, vão brincar um momento sobre a areia; tudo respira uma poesia imensa que enche a alma.

O urutau no fundo da mata solta as suas notas graves e sonoras, que, reboando pelas longas crastas de verdura, vão ecoar ao longe como o toque lento e pausado do *angelus*.

A brisa, roçando as grimpas da floresta, traz um débil sussurro, que parece o último eco dos rumores do dia, ou o derradeiro suspiro da tarde que morre.

Todas as pessoas reunidas na esplanada sentiam mais ou menos a impressão poderosa desta hora solene, e cediam involuntariamente a esse sentimento vago, que não é bem tristeza, mas respeito misturado de um certo temor.

De repente, os sons melancólicos de um clarim prolongaram-se pelo ar quebrando o concerto da tarde; era um dos aventureiros que tocava a Ave-Maria.

Todos se descobriram.

D. Antônio de Mariz, adiantando-se até à beira da esplanada para o lado do ocaso, tirou o chapéu e ajoelhou.

Ao redor dele vieram agrupar-se sua mulher, as duas moças, Álvaro e D. Diogo; os aventureiros, formando um grande arco de círculo, ajoelharam-se a alguns passos de distância.

O Sol com o seu último reflexo esclarecia a barba e os cabelos brancos do velho fidalgo, e realçava a beleza daquele busto de antigo cavalheiro.

Era uma cena ao mesmo tempo simples e majestosa a que apresentava essa prece meio cristã, meio selvagem; em todos aqueles rostos, iluminados pelos raios do ocaso, respirava um santo respeito.

Loredano foi o único que conservou o seu sorriso desdenhoso, e seguia com o mesmo olhar torvo os menores movimentos de Álvaro, ajoelhado perto de Cecília e embebido em contemplá-la, como se ela fosse a divindade a quem dirigia a sua prece.

Durante o momento em que o rei da luz, suspenso no horizonte, lançava ainda um olhar sobre a terra, todos se concentravam em um fundo recolhimento e diziam uma oração muda, que apenas agitava imperceptivelmente os lábios.

Por fim o Sol escondeu-se; Aires Gomes estendeu o mosquete sobre o precipício, e um tiro saudou o acaso.

Era noite.

Todos se ergueram; os aventureiros cortejaram e foram-se retirando a pouco e pouco.

Cecília ofereceu a fronte ao beijo de seu pai e de sua mãe, e fez um graciosa mesura a seu irmão e a Álvaro.

Isabel tocou com os lábio a mão de seu tio, e curvou-se em face de D. Lauriana para receber uma bênção lançada com a dignidade e altivez de um abade.

Depois, a família chegando-se para junto da porta, dispôs-se a passar um desses curtos serões que outrora precediam à simples mas suculenta ceia.

Álvaro, em atenção a ser o seu primeiro dia de chegada, fora emprazado pelo velho fidalgo para tomar parte nessa colação da família, o que havia recebido como um favor imenso.

O que explicava esse apreço e grande valor dado por ele a um tão simples convite era o regime caseiro que D. Lauriana havia estabelecido na sua habitação.

Os aventureiros e seus chefes viviam num lado da casa inteiramente separados da família; durante o dia corriam os matos e ocupavam-se com a caça ou com diversos trabalhos de cordoagem e marcenaria.

Era unicamente na hora da prece que se reuniam um momento na esplanada, onde, quando o tempo estava bom, as damas vinham também fazer a sua oração da tarde.

Quanto à família, esta conservava-se sempre retirada no interior da casa durante a semana. O domingo era consagrado ao repouso, à distração e à alegria; então dava-se às vezes um acontecimento extraordinário como um passeio, uma caçada, ou uma volta em canoa pelo rio.

Já se vê pois a razão por que Álvaro tinha tantos desejos, como dizia o italiano, de chegar ao *Paquequer* em um sábado, e antes das seis horas; o moço sonhava com a ventura desses curtos instantes de contemplação e com a liberdade do domingo, que lhe oferecia talvez ocasião de arriscar uma palavra.

Formado o grupo da família, a conversa travou-se entre D. Antônio de Mariz, Álvaro e D. Lauriana; Diogo ficara um pouco retirado; as moças, tímidas, escutavam, e quase nunca se animavam a dizer uma palavra sem que se dirigissem diretamente a elas, o que rara vez sucedia.

Álvaro, desejoso de ouvir a voz doce e argentina de Cecília, da qual ele tinha saudade pelo muito tempo que não a escutava, procurou um pretexto que a chamasse à conversa.

— Esquecia-me contar-vos, Sr. D. Antônio, disse ele aproveitando-se de uma pausa, um dos incidentes da nossa viagem.

— Qual? Vejamos, respondeu o fidalgo.

— A coisa de quatro léguas daqui encontramos Peri.

— Inda bem! disse Cecília: há dois dias que não sabemos notícias dele.

— Nada mais simples, replicou o fidalgo; ele corre todo este sertão.

— Sim! tornou Álvaro, mas o modo por que o encontramos é que não vos parecerá tão simples.

— O que fazia então?

— Brincava com uma onça como vós com o vosso veadinho, D. Cecília.

— Meu Deus! exclamou a moça soltando um grito.

— Que tens, menina? perguntou D. Lauriana.

— É que ele deve estar morto a esta hora, minha mãe.

— Não se perde grande coisa, respondeu a senhora.

— Mas eu serei a causa de sua morte!

— Como assim, minha filha? disse D. Antônio.

— Vede vós, meu pai, respondeu Cecília enxugando as lágrimas que lhe saltavam dos olhos; conversava quinta-feira com Isabel, que tem grande medo de onças, e brincando, disse-lhe que desejava ver uma viva!...

— E Peri a foi buscar para satisfazer o teu desejo, replicou o fidalgo rindo. Não há que admirar. Outras tem ele feito.

— Porém, meu pai, isso é coisa que se faça! A onça deve tê-lo morto.

— Não vos assusteis, D. Cecília; ele saberá defender-se.

— E vós, Sr. Álvaro, por que não o ajudastes a defender-se? disse a moça sentida.

— Oh! se vísseis a raiva com que ficou por querermos atirar sobre o animal!

E o moço contou parte da cena passada na floresta.

— Não há dúvida, disse D. Antônio de Mariz, na sua cega dedicação por Cecília, quis fazer-lhe a vontade com risco de vida. É para mim uma das coisas mais admiráveis que tenho visto nesta terra, o caráter desse índio. Desde o primeiro dia que aqui entrou, salvando minha filha, a sua vida tem sido um só ato de abnegação e heroísmo. Crede-me, Álvaro, é um cavalheiro português no corpo de um selvagem!

A conversa continuou; mas Cecília tinha ficado triste, e não tomou mais parte nela.

D. Lauriana retirou-se para dar as suas ordens; o velho fidalgo e o moço conversaram até oito horas, em que o toque de uma campa no terreiro da casa veio anunciar a ceia.

Enquanto os outros subiam os degraus da porta e entravam na habitação, Álvaro achou ocasião de trocar algumas palavras com Cecília.

— Não me perguntais pelo que me ordenastes, D. Cecília? disse ele a meia voz.

— Ah! sim! trouxestes todas as coisas que vos pedi?

— Todas e mais... disse o moço balbuciando.

— E mais o quê? perguntou Cecília.

— E mais uma coisa que não pedistes.

— Esta não quero! respondeu a moça com um ligeiro enfado.

— Nem por vos pertencer já? replicou ele timidamente.

— Não entendo. É uma coisa que já me pertence, dizeis?

— Sim; porque é uma lembrança vossa.

— Nesse caso guardai-a, Sr. Álvaro, disse ela sorrindo, e guardai-a bem.

E fugindo, foi ter com seu pai, que chegava à varanda, e em presença dele recebeu de Álvaro um pequeno cofre, que o moço fez conduzir, e que continha as suas encomendas. Estas consistiam em jóias, sedas, espiguilhas de linho, fitas, gala-cês, holandas, e um lindo par de pistolas primorosamente embutidas.

Vendo essas armas, a moça soltou um suspiro abafado e murmurou consigo:

— Meu pobre Peri! Talvez já não sirvam nem para te defenderes.

A ceia foi longa e pausada, como costumava ser naqueles tempos em que a refeição era uma ocupação séria, e a mesa um altar que se respeitava.

Durante a colação, Álvaro esteve descontente pela recusa que a moça fizera do modesto presente que ele havia acariciado com tanto amor e tanta esperança.

Logo que seu pai ergueu-se, Cecília recolheu ao seu quarto, e ajoelhando diante do crucifixo, fez a sua oração. Depois, erguendo-se, foi levantar um canto da cortina da janela e olhar a cabana que se erguia na ponta do rochedo, e que estava deserta e solitária.

Sentia apertar-se o coração com a idéia de que, por um gracejo, tivesse sido a causa da morte desse amigo dedicado que lhe salvara a vida, e arriscava todos os dias a sua, somente para fazê-la sorrir.

Tudo nesta recâmara lhe falava dele: suas aves, seus dois amiguinhos que dormiam, um no seu ninho e outro sobre o tapete, as penas que serviam de ornato ao aposento, as peles dos animais que seus pés roçavam, o perfume suave do benjoim que ela respirava; tudo tinha vindo do índio que, como um poeta ou um artista, parecia criar em torno dela um pequeno templo dos primores da natureza brasileira.

Ficou assim a olhar pela janela muito tempo; nessa ocasião nem se lembrava de Álvaro, o jovem cavalheiro elegante, tão delicado, tão tímido, que corava diante dela, como ela diante dele.

De repente a moça estremeceu.

Tinha visto à luz das estrelas um vulto que ela reconheceu pela alvura de sua túnica de algodão, e pelas formas esbeltas e flexíveis; quando o vulto entrou na cabana, não lhe restou a menor dúvida.

Era Peri.

Sentiu-se aliviada de um grande peso; e pôde então entregar-se ao prazer de examinar um por um, com toda a atenção, os lindos objetos que recebera, e que lhe causavam um vivo prazer.

Nisto gastou seguramente meia hora; depois deitou-se, e como já não tinha inquietação nem tristeza, adormeceu sorrindo à imagem de Álvaro e pensando na mágoa que lhe fizera, recusando o seu mimo.*

(*O Guarani*, São Paulo, Cultrix, 1968, pp. 88-93.)

Como se sabe, José de Alencar cultivou o romance histórico, o regionalista, o de costumes e o indianista. Na presente antologia, apenas se registram os dois últimos tipos, sendo que *O Guarani* se inscreve entre os de temática indígena. Entretanto, percebe-se no fragmento selecionado que as demais variações ficcionais comparecem na obra, proporcionalmente à sua

---

* *aventureiros* = homens assalariados para serviços de paz e guerra.

relevância: o caráter histórico do romance evidencia-se desde o fato de focalizar personagens dos albores de nossa história, e nos seguidos indícios de reconstituição temporal que nos fornece o prosador ("Depois, a família chegando-se para junto da porta", etc.; "A ceia foi longa e pausada", etc.). O flanco regionalista, menos saliente, mostra-se na circunstância de a fabulação transcorrer numa fazenda. E, por fim, o aspecto costumbrista patenteia-se no cuidado que o escritor põe na transcrição dos pormenores sociais. A tais ingredientes, por si só caracterizadores de romance romântico, somam-se outros que ajudam a situar a obra nos quadros estéticos da época: a descrição da natureza, pintada com o idealismo de quem mais imaginava a beleza paisagística que a observava, segue uma linha melódica que se diria poética, configurando algo como prosa lírica. E as personagens que se agitam diante desse cenário parecem igualmente idealizadas: note-se, de modo especial, a figura de Cecília, heroína adolescente, como era vezo em nosso Romantismo, em parte por influência portuguesa (Garrett, Herculano) e francesa (Bernardin de Saint-Pierre, Chateaubriand, Vitor Hugo). Nessa mesma orientação coloca-se a apologia do "bom selvagem" de Rousseau na pessoa de Peri: típico mito romântico, no caso o aborígine identificava-se com os padrões morais medievos, porquanto "é um cavalheiro português no corpo de um selvagem!". Essa fusão anacrônica entre os primeiro habitantes do solo e a Idade Média decorre de Alencar, como outros contemporâneos brasileiros, sentirem necessidade de conceber uma espécie de idade histórica equivalente à européia para completar o painel de sua cosmovisão romântica. Registre-se, por último, o dom superior de narrar que possuía Alencar: pode sua visão do Universo soar-nos falsa por excessivamente generosa, pode seu modo de ver os homens falhar por estereotipado, mas ninguém negará a fluência com que os sucessos do enredo se encadeiam, traduzindo uma invulgar mestria na arte de narrar e de envolver o leitor.

Senhora

Publicado pela primeira vez em 1875, *Senhora* gira ao redor do seguinte argumento: Aurélia Camargo, filha de uma pobre costureira, namorara Fernando Seixas, mas este desfizera a ligação movido pela vontade de realizar um casamento com moça rica (Adelaide Amaral). Passado algum tempo, a jovem, então órfã, recebe vultosa herança do avô e ascende socialmente, guiada pelo desejo de vingar-se da afronta. Sabendo que seu antigo namorado, ainda solteiro, andava em dificuldades financeiras, resolve comprá-lo para marido. Firmado o contrato, o protagonista suporta durante meses os remoques de Aurélia, até que um dia consegue erguer o dinheiro que a moça empregara na "compra", e assim obtém a liberdade. A heroína, vencida pelo sentimento que nela não morrera, e pela regeneração do moço, ao receber a quantia dá-lhe a chave da alcova, e o casamento se consuma. Escolheu-se para representar o romance o primeiro capítulo da primeira parte, intitulada "O Preço":

Há anos raiou no céu fluminense uma nova estrela.

Desde o momento de sua ascensão ninguém lhe disputou o cetro; foi proclamada a rainha dos salões.

Tornou-se a deusa dos bailes; a musa dos poetas e o ídolo dos noivos em disponibilidade.

Era rica e formosa.

Duas opulências, que se realçam como a flor em vaso de alabastro; dois esplendores que se refletem, como o raio de sol no prisma do diamante.

Quem não se recorda de Aurélia Camargo, que atravessou o firmamento da Corte como brilhante meteoro, e apagou-se de repente no meio do deslumbramento que produzira o seu fulgor?

Tinha ela dezoito anos quando apareceu a primeira vez na sociedade. Não a conheciam; e logo buscaram todos com avidez informações acerca da grande novidade do dia.

Dizia-se muita coisa que não repetirei agora, pois a seu tempo saberemos a verdade, sem os comentos malévolos de que usam vesti-la os noveleiros.

Aurélia era órfã; tinha em sua companhia uma velha parenta, viúva, D. Firmina Mascarenhas, que sempre a acompanhava na sociedade.

Mas essa parenta não passava de mãe de encomenda, para condescender com os escrúpulos da sociedade brasileira, que naquele tempo não tinha admitido ainda certa emancipação feminina.

Guardando com a viúva as deferências devidas à idade, a moça não declinava um instante do firme propósito de governar sua casa e dirigir suas ações como entendesse.

Constava também que Aurélia tinha um tutor; mas essa entidade desconhecida, a julgar pelo caráter da pupila, não devia exercer maior influência em sua vontade, do que a velha parenta.

A convicção geral era que o futuro da moça dependia exclusivamente de suas inclinações ou de seu capricho; e por isso todas as adorações se iam prostrar aos próprios pés do ídolo.

Assaltada por uma turba de pretendentes que a disputavam como o prêmio da vitória, Aurélia, com sagacidade admirável em sua idade, avaliou da situação difícil em que se achava, e dos perigos que a ameaçavam.

Daí provinha talvez a expressão cheia de desdém e um certo ar provocador, que erriçavam a sua beleza aliás tão correta e cinzelada para a meiga e serena expansão d'alma.

Se o lindo semblante não se impregnasse constantemente, ainda nos momentos de cisma e distração, dessa tinta de sarcasmo, ninguém veria nela a verdadeira fisionomia de Aurélia, e sim a máscara de alguma profunda decepção.

Como acreditar que a natureza houvesse traçado as linhas tão puras e límpidas daquele perfil para quebrar-lhes a harmonia com o riso de uma pungente ironia?

Os olhos grandes e rasgados, Deus não os aveludaria com a mais inefável ternura, se os destinasse para vibrar chispas de escárnio.

Para que a perfeição estatuária do talhe de sílfide, se em vez de arfar ao suave influxo do amor, ele devia ser agitado pelos assomos do desprezo?

Na sala, cercada de adoradores, no meio das esplêndidas reverberações de sua beleza, Aurélia bem longe de inebriar-se da adoração produzida por sua formosura, e do culto que lhe rendiam, ao contrário parecia unicamente possuída de indignação por essa turba vil e abjeta.

Não era um triunfo que ela julgasse digno de si, a torpe humilhação dessa gente ante sua riqueza. Era um desafio, que lançava ao mundo; orgulhosa de esmagá-lo sob a planta, como a um réptil venenoso.

E o mundo é assim feito; que foi o fulgor satânico da beleza dessa mulher, a sua maior sedução. Na acerba veemência da alma revolta, pressentiam-se abismos de paixão; e entrevia-se que procelas de volúpia havia de ter o amor da virgem bacante.

Se o sinistro vislumbre se apagasse de súbito, deixando a formosa estátua na penumbra suave da candura e inocência, o anjo casto e puro que havia naquela, como há em todas as moças, talvez passasse despercebido pelo turbilhão.

As revoltas mais impetuosas de Aurélia eram justamente contra a riqueza que lhe servia de trono, e sem a qual nunca por certo, apesar de suas prendas, receberia como rainha desdenhosa, a vassalagem que lhe rendiam.

Por isso mesmo considerava ela o ouro um vil metal que rebaixava os homens; e no íntimo sentia-se profundamente humilhada pensando que para toda essa gente que a cercava, ela, a sua pessoa, não merecia uma só das bajulações que tributavam a cada um de seus mil contos de réis.

Nunca da pena de algum Chatterton desconhecido saíram mais cruciantes após-trofes contra o dinheiro, do que vibrava muitas vezes o lábio perfumado dessa fei-ticeira menina, no seio de sua opulência.

Um traço basta para desenhá-la sob esta face.

Convencida de que todos os seus inúmeros apaixonados, sem exceção de um, a pretendiam unicamente pela riqueza, Aurélia reagia contra essa afronta aplicando a esses indivíduos o mesmo estalão.

Assim costumava ela indicar o merecimento relativo de cada um dos pretenden-tes, dando-lhes certo valor monetário. Em linguagem financeira, Aurélia cotava os seus adoradores pelo preço que razoavelmente poderiam obter no mercado matrimo-nial.

Um noite, no Cassino, a Lísia Soares, que fazia-se íntima com ela, e desejava ardentemente vê-la casada, dirigiu-lhe um gracejo acerca do Alfredo Moreira, rapaz elegante que chegara recentemente da Europa.

— É um moço muito distinto, respondeu Aurélia sorrindo; vale bem como noivo cem contos de réis; mas eu tenho dinheiro para pagar um marido de maior preço, Lísia; não me contento com esse.

Riam-se todos destes ditos de Aurélia, e os lançavam à conta de gracinhas de moça espirituosa; porém a maior parte das senhoras, sobretudo aquelas que tinham filhas moças, não cansavam de criticar desses modos desenvoltos, impróprios de meninas bem educadas.

Os adoradores de Aurélia sabiam, pois ela não fazia mistério, do preço de sua cotação no rol da moça; e longe de se agastarem com a franqueza, divertiam-se com o jogo que muitas vezes resultava do ágio de suas ações naquela empresa nupcial.

Dava-se isto quando qualquer dos apaixonados tinha a felicidade de fazer alguma coisa a contento da moça e satisfazer-lhe as fantasias; porque nesse caso ela eleva-va-lhe a cotação, assim como abaixava a daquele que a contrariava ou incorria em seu desagrado.

Muito devia a cobiça embrutecer esses homens, ou cegá-los a paixão, para não verem o frio escárnio com que Aurélia os ludibriava nestes brincos ridículos, que eles tomavam por garridices de menina, e não eram senão ímpetos de uma irritação íntima e talvez mórbida.

A verdade é que todos porfiavam, às vezes colhidos por desânimo passageiro, mas logo restaurados por uma esperança obstinada, nenhum se resolvia a abandonar o campo; e muito menos o Alfredo Moreira que parecia figurar na cabeça do rol.

Não acompanharei Aurélia em sua efêmera passagem pelos salões da Corte, onde viu, jungido a seu carro de triunfo, tudo que a nossa sociedade tinha de mais elevado e brilhante.

Proponho-me unicamente a referir o drama íntimo e estranho que decidiu do destino dessa mulher singular.*

(Senhora, São Paulo, Cultrix, 1968, pp. 23-26.)

O excerto que se acabou de ler pertence a um romance de costumes, ou em que Alencar desenhou um dos "perfis de mulher" que pontilham sua obra de ficção. Conquanto não se possa afirmar que neste tipo de prosa estejam compendiados todos os outros que o escritor cearense cultivou, divisa-se a presença da ficção histórica, a partir do fato de o romance iniciar-se num tom de quem conta um "caso" desde o começo mais remoto: "Há anos raiou no céu fluminense uma nova estrela." O tempo da narração, sendo o passado, auxilia a compor essa atmosfera de reconstituição histórica de uma psicologia *sui generis* de mulher e daqueles que lhe marcaram o destino. Na verdade, o ar de quem está conscientemente desencavando da crônica verídica um relato digno de atenção, manifesta-se expressamente nos dois parágrafos derradeiros: "Não acompanharei Aurélia em sua efêmera passagem pelos salões da Corte", etc. Sobre esse panorama reminiscente projeta-se a evolução de um drama amoroso tão romântico quanto o que serve de mola a *O Guarani*. Observe-se que Aurélia é tão adolescente quanto Cecília, com a diferença de movimentar-se no perímetro urbano e de as páginas transcritas a surpreenderem numa fase conturbada de sua existência, em que o conflito íntimo parece emprestar-lhe feições adultas. Examinando-as, porém, percebe-se a reação estudada e adaptada às circunstâncias de uma jovem no fundo sonhadora e idealista. Por outro lado, o ficcionista não esconde que lhe conhece todos os rebates da alma, como se lhe visse o "eu profundo" estampado no "eu social", e ao enfatizar-lhe a beleza física mais ou menos esquematizada, trai um intuito nacionalista: "lindo semblante", "olhos grandes e rasgados". Note-se, ainda, outro condimento romântico, a presença do dinheiro, assinalando a identificação entre o Romantismo e a classe burguesa, cuja elevação na pirâmide social se operou no século XIX, colocando em lugar dos valores de sangue os valores de posse: "As revoltas mais impetuosas de Aurélia eram justamente contra a riqueza", etc. Observe-se que o fragmento transcrito pertence à primeira parte do romance, intitulada "O Preço", e que nele se plasma o característico litígio romântico entre o dinheiro e o sentimento: Aurélia prefere o segundo ao primeiro, como típica romântica adolescente que é, mas vale-se daquele para obter esse, o que continua a circunscrevê-la ao mesmo âmbito moral, e assim o dinheiro acaba impondo o valor que o espírito burguês lhe atribuía. O próprio fato de o romance passar em desfile, como o trecho deixa transparecer, um grupo de moços caça-dotes já o diz nitidamente.

---

* *Chatterton* = Thomas Chatterton (1752-1770), poeta inglês, de feição medievalizante; suicidou-se.

Para exprimir as várias gamas das trocas sociais na Corte sofisticada do tempo, Alencar utiliza uma prosa de cronista, em que o poético cede vez ao descritivo, mas onde perduram indelevelmente os ingredientes que o tornam o primeiro grande estilista na ordem histórica de nossas letras.

Texto para Análise

Resgate

I

Havia baile em São Clemente.

Aurélia ali estava como sempre, deslumbrante de formosura, de espírito e de luxo. Seu trajo era um primor de elegância; suas jóias valiam um tesouro, mas ninguém apercebia-se disso. O que se via e admirava era ela, sua beleza, que enchia a sala, como um esplendor.

O baile em vez de fatigá-la, ao contrário a expandia. Semelhante às flores tropicais, filhas do sol, que ostentam o brilhante matiz nas horas mais ardentes do dia, era justamente nesse pélago de luz e paixões, que Aurélia revelava toda a opulência de sua beleza.

Seixas a contemplava de parte.

As outras moças, de meia-noite em diante, começavam a fanar-se; o cansaço desbotava-lhes a cor, ou afogueava-lhes o rosto. O talhe denunciava o excesso da fadiga na languidez das inflexões ou na rispidez do gesto.

Aurélia, ao contrário, à medida que se adiantava a noite, desferia de si mais seduções, e parecia entrar na plenitude de sua graça. A correção artística de seu trajo ia desaparecendo no bulício do baile. Como o primeiro esboço que surge afinal do cinzel impetuoso do artista, ao fogo da inspiração, sua estátua recebia da admiração da turba os últimos toques.

Quanto em torno se revolvia o turbilhão, ela conservava sua inalterável serenidade. O colo arfava-lhe mansamente, ao influxo das brandas emoções; o sorriso coalhava-se em enlevos nos lábios entreabertos, por onde escapava-se a respiração calma. Desprendia-se de seus olhos, de toda sua pessoa, uma efusão celeste que era como a sua irradiação. Quando completou-se esta assunção de sua beleza, o baile estava a terminar.

Aurélia fez um gesto ao marido, e envolvendo-se na manta de caxemira que ele apresentara-lhe, trançou o braço no seu. No meio das adorações que a perseguiam, retirou-se orgulhosamente reclinada ao peito desse homem, tão invejado, que ela arrastava após si como um troféu.

O carro estava à porta. Ela sentou-se rebatendo os amplos folhos da saia para dar lugar ao marido.

— Que linda noite! exclamou recostando a cabeça nas almofadas para engolfar os olhos no azul do céu marchetado de estrelas.

Com esse movimento sua espádua tocou no ombro de Seixas e os cachos de cabelos castanhos, agitados pelo movimento do carro, afagaram a face do mancebo desprendendo perfumes de inebriar. De momento a momento, a claridade do gás entrava pela portinhola do carro, em frente ao lampião, e debuxava o mavioso semblante de Aurélia e seu colo, que a manta escorregando, tinha descoberto.

Na posição em que estava, olhando por cima da espádua da moça, ele via na sombra transparente, quando o decote do vestido sublevava-se com o movimento da respiração, as linhas harmoniosas desse colo soberbo que apojavam-se em contornos voluptuosos.

— Como brilha aquela estrela! disse a moça.

— Qual? perguntou Seixas inclinando-se para olhar.

— Ali, por cima do muro, não vê?

Seixas só via a ela. Acenou com a cabeça que não.

Aurélia distraidamente travou da mão do marido, e apontou-lhe a direção da estrela.

— É verdade! respondeu Fernando que vira uma estrela qualquer.

Retirando a mão Aurélia descansou-a no joelho, não advertindo sem dúvida que ainda tinha presa a do marido.

— Não sei que tem o luzir das estrelas!... murmurou a moça. É uma coisa que notei desde menina. Sempre que fico assim a olhar para elas e a beber os seus raios sinto uma vertigem, que me dá sono. Quem sabe se a luz que elas cintilam, não embriaga? Parece-me que bebi um cálice de champanhe, mas feito do sumo daqueles cachos dourados que lá estão no céu.

Estas palavras, o olhar de Aurélia dirigiu-as ao marido envoltas em um sorriso feiticeiro.

— Então foi de ambrosia, que é a bebida dos deuses, tornou Fernando correspondendo ao gracejo.

— Mas, fora de graça! Que sono me fez! Será cansaço?

— Talvez! Dançou tanto!

— Pois reparou?

— Que queria que eu fizesse?

Aurélia esperou um momento para não interromper o marido; vendo que este calava-se, conchegou-se com o gracioso movimento dos passarinhos quando se arrufam para dormir.

— Não posso mais! Estou tonta!

Derreou-se então pelas almofadas; a pouco e pouco, descaindo-lhe ao balanço do carro o corpo lânguido de sono, sua cabeça foi repousar no braço do marido; e seu hálito perfumado banhava as faces de Seixas, que sentia a doce impressão daquele talhe sedutor. Era como se respirasse e haurisse a sua beleza.

(*Ibidem*, pp. 213-215.)

MARTINS PENA

Luís Carlos Martins Pena nasceu no Rio de Janeiro, a 5 de novembro de 1815. Órfão em tenra idade (dez anos), faz estudos de Comércio, entre 1832 e 1834, época em que teria escrito sua primeira peça, *O Juiz de Paz na Roça*; dedica-se ainda ao estudo de línguas estrangeiras e às artes plásticas. Ingressa no funcionalismo, ao mesmo tempo que escreve peças de teatro e folhetins anônimos, sob o título de "Semana Lírica", para o *Jornal do Comércio* (1846-1847). Já conhecido o aplauso do público, embarca em 1847 para Londres, na qualidade de funcionário da Embaixada. Pouco depois, cai enfermo (tuberculoso) e no regresso à Pátria, de passagem por Lisboa, falece, a 7 de dezembro de 1848. Introdutor e mestre do teatro de costumes entre nós, deixou as seguintes comédias: *O Juiz de Paz na Roça* (escrita por volta de 1833, representada em 4/10/1838 e publicada em 1842), *Um Sertanejo na Corte* (escrita provavelmente entre 1833 e 1837), *A Família e a Festa da Roça* (escrita em 1837, repr. em 1/9/1840 e publ. em 1842), *Os Dous ou O Inglês Maquinista* (escrita provavelmente em 1842, repr. em 28/1/1845 e publ. em 1871), *O Judas em Sábado de Aleluia* (escrita em 1844, repr. em 17/9/1844 e publ. em 1846), *Os Irmãos das Almas* (escrita em 1844, repr. em 19/11/1844 e publ. em 1846), *O Diletante* (escrita em 1844, repr. em 25/2/1845 e publ. em 1846), *Os Três Médicos* (escrita em 1844, e repr. em 3/6/1845), *O Namorador ou A Noite de São João* (escrita em 1844 e repr. em 13/3/1845), *O Noviço* (escrita em 1845, repr. em 10/8/1845 e publ. em 1853), *O Cigano* (escrita em 1845, repr. em 15/7/1845), *O Caixeiro da Taverna* (escrita em 1845, repr. em 18/11/1845 e publ. em 1847), *As Casadas Solteiras* (escrita em 1845 e repr. em 18/11/1845), *Os Meirinhos* (escrita em 1845 e repr. em 14/2/1846), *Quem casa, quer casa* (escrita em 1845, repr. em 5/12/1845 e publ. em 1847), *Os Ciúmes de um Pedestre ou O Terrível Capitão do Mato* (escrita em 1845 e repr. em 5/7/1846), *As Desgraças de uma Criança* (escrita em 1845 e repr. em 10/5/1846), *O Usurário* (escrita em 1846), *Um Segredo de Estado* (escrita provavelmente em 1846 e repr. em 29/7/1846), *O Jogo de Prendas* (não foi repr. nem publ.), *A Barriga de Meu Tio* (escrita em 1846 e repr. em 17/12/1846) e mais uma comédia sem título (escrita provavelmente em 1837); dramas: *Fernando ou o Cinto Acusador* (escrito provavelmente em 1847); *D. João de Lira ou O Repto* (escrito em 1838), *D. Leonor Teles* (escrito em 1839), *Itaminda ou O Guerreiro de Tupã* (provavelmente escrito antes de 1839), *Vitiza ou O Nero de Espanha* (escrito em 1840/41, repr. em 21/9/1841), e um drama sem título (provavelmente escrito em 1847). Em 1956, reuniram-se todas as peças do comediógrafo, numa edição crítica preparada por Darci Damasceno, com a colaboração de Maria Filgueiras, 2 vols., Rio de Janeiro, I.N.L., sob o título de *Teatro de Martins Pena*.

O Juiz de Paz na Roça

Peça de estréia de Martins Pena, gravita ao redor do seguinte entrecho: José e Aninha namoram às escondidas dos pais dela, Maria Rosa e Manuel João. Com a visita do Juiz de Paz e o atendimento das petições (cenas transcritas), Manuel João é recrutado para o serviço militar. O Juiz dá igual destino a José e incumbe Manuel João de guardá-lo em sua casa para que não escape do dever. Na calada da noite, José e Aninha fogem e perante o vigário recebem-se em matrimônio, assim realizando um velho desejo e afastando a sombra do recrutamento. Tudo termina em festa.

CENA IX

Sala em casa do Juiz de Paz. Mesa no meio com papéis; cadeiras.
Entra o Juiz de Paz vestido de calça branca, rodaque de riscado, chinelas verdes e sem gravata.

JUIZ — Vamo-nos preparando para dar audiência. (*Arranja os papéis.*) O escrivão já tarda; sem dúvida está na venda do Manuel do Coqueiro... O último recruta que se fez já vai-me fazendo peso. Nada, não gosto de presos em casa. Podem fugir, e depois dizem que o juiz recebeu algum presente. (*Batem à porta.*) Quem é? Pode entrar. (*Entra um preto com um cacho de bananas e uma carta, que entrega ao Juiz. Juiz, lendo a carta:*) "Ilmo. Sr. — Muito me alegro de dizer a V.Sa. que a minha ao fazer desta é boa, e que a mesma desejo para V. Sa. pelos circunlóquios com que lhe venero." (*Deixando de ler:*) Circunlóquios... Que nome em breve! O que quererá ele dizer? Continuemos. (*Lendo:*) "Tomo a liberdade de mandar a V. Sa. um cacho de bananas-maçãs para V. Sa. comer com a sua boca e dar também a comer à Sra. Juíza e aos Srs. Juizinhos. V. Sa. há de reparar na insignificância do presente; porém, Ilmo. Sr., as reformas da Constituição permitem a cada um fazer o que quiser, e mesmo fazer presentes; ora, mandando assim as ditas reformas, V. Sa. fará o favor de aceitar as ditas bananas, que diz minha irmã Teresa Ova serem muito boas. No mais, receba as ordens de quem é seu venerador e tem a honra de ser — Manuel André de Sapiruruca." — Bom, tenho bananas para a sobremesa. Ó pai, leva estas bananas para dentro e entrega à senhora. Toma lá um vintém para teu tabaco. (*Sai o negro.*) O certo é que é bom ser juiz de paz cá pela roça. De vez em quando temos nossos presentes de galinhas, bananas, ovos, etc., etc. (*Batem à porta.*) Quem é?

ESCRIVÃO, *dentro* — Sou eu.

JUIZ — Ah, é o escrivão. Pode entrar.

CENA X

ESCRIVÃO — Já intimei Manuel João para levar o preso à cidade.

JUIZ — Bom. Agora vamos nós preparar a audiência. (*Assentam-se ambos à mesa e o Juiz toca a campainha.*) Os senhores que estão lá fora no terreiro podem entrar. (*Entram todos os lavradores vestidos como roceiros; uns de jaqueta de chita, chapéu de palha, calças brancas de ganga, de tamancos, descalços; outros calçam os sapatos e meias quando entram, etc. Tomás traz um leitão debaixo do braço.*) Está aberta a audiência. Os seus requerimentos?

CENA XI

INÁCIO JOSÉ, FRANCISCO ANTÔNIO, MANUEL ANDRÉ E SAMPAIO entregam seus requerimentos.

JUIZ — Sr. Escrivão, faça o favor de ler.

ESCRIVÃO, *lendo* — Diz Inácio José, natural desta freguesia e casado com Josefa Joaquina, sua mulher na face da Igreja, que precisa que Vossa Senhoria mande a Gregório degradado para fora da terra, pois teve o atrevimento de dar um embigada em sua mulher, na encruzilhada do Pau-Grande, que quase a fez abortar, da qual embigada fez cair a dita sua mulher de pernas para o ar. Portanto pede a Vossa Senhoria mande o dito Gregório degradado para Angola. E. R. M.

JUIZ — É verdade, Sr. Gregório, que o senhor deu uma embigada na senhora?

GREGÓRIO — É mentira, Sr. Juiz de paz, eu não dou embigada em bruxas.

155

JOSEFA JOAQUINA — Bruxa é a marafona de tua mulher, malcriado! Já não se lembra que me deu uma embigada, e que me deixou uma marca roxa na barriga? Se o senhor quer ver, posso mostrar.

JUIZ — Nada, nada, não é preciso; eu o creio.

JOSEFA JOAQUINA — Sr. Juiz, não é a primeira embigada que este homem me dá; eu é que não tenho querido contar a meu marido.

JUIZ — Está bom, senhora, sossegue. Sr. Inácio José, deixe-se destas asneiras, dar embigadas não é crime classificado no Código. Sr. Gregório, faça o favor de não dar mais embigadas na senhora; quando não, arrumo-lhe com as leis às costas e meto-o na cadeia. Queiram-se retirar.

INÁCIO JOSÉ, *para Gregório* — Lá fora me pagarás.

JUIZ — Estão conciliados. (*Inácio José, Gregório e Josefa Joaquina saem.*) Sr. Escrivão, leia outro requerimento.

ESCRIVÃO, *lendo* — "O abaixo-assinado vem dar os parabéns a V. Sa. por ter entrado com saúde no novo ano financeiro. Eu, Ilmo. Sr. Juiz de paz, sou senhor de um sítio que está na beira do rio, aonde dá muito boas bananas e laranjas, e como vem de encaixe, peço a V. Sa. o favor de aceitar um cestinho das mesmas que eu mandarei hoje à tarde. Mas, como ia dizendo, o dito sítio foi comprado com o dinheiro que minha mulher ganhou nas costuras e outras cousas mais; e, vai senão quando, um meu vizinho, homem da raça do Judas, diz que metade do sítio é dele. E então, que lhe parece, Sr. Juiz, não é desaforo? Mas, como ia dizendo, peço a V. Sa. para vir assistir à marcação do sítio. Manuel André. E. R. M."

JUIZ — Não posso deferir por estar muito atravancado com um roçado; portanto, requeira ao suplente, que é meu compadre Pantaleão.

MANUEL ANDRÉ — Mas, Sr. Juiz, ele também está ocupado com uma plantação.

JUIZ — Você replica? Olhe que o mando para a cadeia.

MANUEL ANDRÉ — Vossa Senhoria não pode prender-me à toa; a Constituição não manda.

JUIZ — A Constituição!... Está bem!... Eu, o Juiz de paz, hei por bem derrogar a Constituição! Sr. Escrivão, tome termo que a Constituição está derrogada, e mande-me prender este homem.

MANUEL ANDRÉ — Isso é uma injustiça!

JUIZ — Ainda fala? suspendo-lhe as garantias...

MANUEL ANDRÉ — É desaforo...

JUIZ, *levantando-se* — Brejeiro!... (*Manuel André corre*; *O Juiz vai atrás.*) Pega... Pega... Lá se foi... Que o leve o diabo. (*Assenta-se.*) Vamos às outras partes.

ESCRIVÃO, *lendo* — Diz João de Sampaio que, sendo ele "senhor absoluto de um leitão que teve a porca mais velha da casa, aconteceu que o dito acima referido leitão furasse a cerca do Sr. Tomás pela parte de trás, e com a sem-cerimônia que tem todo o porco, fossasse a horta do mesmo senhor. Vou a respeito de dizer, Sr. Juiz, que o leitão carece agora advertir, não tem culpa, porque nunca vi um porco pensar como um cão, que é outra qualidade de alimária e que pensa às vezes como um homem. Para V. Sa. não pensar que minto, lhe conto uma história: a minha cadela Tróia, aquela mesma que escapou de morder a V. Sa. naquela noite, depois que lhe dei uma tunda nunca mais comeu na cuia com os pequenos. Mas vou a respeito de dizer que o Sr. Tomás não tem razão em querer ficar com o leitão só porque comeu três ou quatro cabeças de nabo. Assim, peço a V. Sa. que mande entregar-me o leitão. E. R. M."

JUIZ — É verdade, Sr. Tomás, o que o Sr. Sampaio diz?

TOMÁS — É verdade que o leitão era dele, porém agora é meu.

SAMPAIO — Mas se era meu, e o senhor nem mo comprou, nem eu lho dei, como pode ser seu?

TOMÁS — É meu, tenho dito.

SAMPAIO — Pois não é, não senhor. (*Agarram ambos no leitão e puxam, cada um para sua banda.*)

JUIZ, *levantando-se* — Larguem o pobre animal, não o matem!

TOMÁS — Deixe-me, senhor!

JUIZ — Sr. Escrivão, chame o merinho. (*Os dous apartaram-se.*) Espere, Sr. Escrivão, não é preciso. (*Assenta-se*). Meus senhores, só vejo um modo de conciliar esta contenda, que é darem os senhores este leitão de presente a alguma pessoa. Não digo com isso que mo dêem.

TOMÁS — Lembra Vossa Senhoria bem. Peço licença a Vossa Senhoria para lhe oferecer.

JUIZ — Muito obrigado. É o senhor um homem de bem, que não gosta de demandas. E que diz o Sr. Sampaio?

SAMPAIO — Vou a respeito de dizer que se Vossa Senhoria aceita, fico contente.

JUIZ — Muito obrigado, muito obrigado! Faça o favor de deixar ver. Ó homem, está gordo, tem toucinho de quatro dedos! Com efeito! Ora, Sr. Tomás, eu que gosto tanto de porco com ervilha!

TOMÁS — Se Vossa Senhoria quer, posso mandar algumas.

JUIZ — Faz-me muito favor. Tome o leitão e bote no chiqueiro quando passar. Sabe aonde é?

TOMÁS, *tomando o leitão* — Sim senhor.

JUIZ — Podem se retirar, estão conciliados.

SAMPAIO — Tenho ainda um requerimento que fazer.

JUIZ — Então, qual é?

SAMPAIO — Desejava que Vossa Senhorita mandasse citar a Assembléia Provincial.

JUIZ — Ó homem! Citar a Assembléia Provincial? E para quê?

SAMPAIO — Pra mandar fazer cercado de espinhos em todas as hortas.

JUIZ — Isto é impossível! A Assembléia Provincial não pode ocupar-se com estas insignificâncias.

TOMÁS — Insignificância, bem! Mas os votos que Vossa Senhoria pediu-me para aqueles sujeitos não era insignificância. Então me prometeu mundos e fundos.

JUIZ — Está bom, veremos o que poderei fazer. Queiram-se retirar. Estão conciliados; tenho mais que fazer. (*Saem os dous.*) Sr, Escrivão, faça o favor de... (*Levanta-se apressado e, chegando à porta, grita para fora:*) Ó Sr. Tomás! Não se esqueça de deixar o leitão no chiqueiro!

TOMÁS, *ao longe* — Sim senhor.

JUIZ, *assentando-se* — Era muito capaz de se esquecer. Sr. Escrivão, leia o outro requerimento.

ESCRIVÃO, *lendo* — Diz Francisco Antônio, natural de Portugal, porém brasileiro, que tendo ele casado com Rosa de Jesus, trouxe esta por dote uma égua. "Ora, acontecendo ter a égua de minha mulher um filho, o meu vizinho José da Silva diz que é dele, só porque o dito filho da égua de minha mulher saiu malhado como o seu cavalo. Ora, como os filhos pertencem às mães, e a prova disto é que a minha escrava Maria tem um filho que é meu, peço a V. Sa. mande o dito meu vizinho entregar-me o filho da égua que é de minha mulher."

JUIZ — É verdade que o senhor tem o filho da égua preso?

JOSÉ DA SILVA — É verdade; porém o filho me pertence, pois é meu, que é do cavalo.

JUIZ — Terá a bondade de entregar o filho a seu dono, pois é aqui da mulher do senhor.

JOSÉ DA SILVA — Mas, Sr. Juiz...

JUIZ — Nem mais nem menos; entregue o filho, senão, cadeia.

JOSÉ DA SILVA — Eu vou queixar-me ao Presidente.

JUIZ — Pois vá, eu tomarei a apelação.

JOSÉ DA SILVA — E eu embargo.

JUIZ — Embargue ou não embargue, embargue com trezentos mil diabos, que eu não concederei revista no auto do processo!

JOSÉ DA SILVA — Eu lhe mostrarei, deixe estar.

JUIZ — Sr. Escrivão, não dê anistia a este rebelde, e mande-o agarrar para soldado.

JOSÉ DA SILVA, *com humildade* — Vossa Senhoria não se arrenegue! Eu entregarei o pequira.

JUIZ — Pois bem, retirem-se; estão conciliados. (*Saem os dous.*) Não há mais ninguém? Bom, está fechada a sessão. Hoje cansaram-me!

MANUEL JOÃO, *dentro* — Dá licença?

JUIZ — Quem é? Pode entrar.

MANUEL JOÃO, *entrando* — Um criado de Vossa Senhoria.

JUIZ — Oh, é o senhor? Queira ter a bondade de esperar um pouco, enquanto vou buscar o preso. (*Abre uma porta do lado.*) Queira sair para fora.

(*Teatro de Martins Pena*, Rio de Janeiro, 1956, vol. I, pp. 34-38.)

Nem por ser obra da adolescência (Martins Pena tê-la-ia redigido aos dezoito anos), *O Juiz de Paz na Roça* revela menos o superior talento cênico de seu autor. Na verdade, o dramaturgo inicia sua carreira num ponto tão alto que jamais ultrapassou: efetivamente, as outras peças confirmam uma sensibilidade privilegiada para o teatro, mas não acusam evolução. Martins Pena começou maduro, sem os titubeios do estreante e do jovem. É o que se nota claramente nas cenas selecionadas: o cômico transmite-se logo ao leitor ou espectador, graças à linguagem coloquial, colhida ao vivo, que capta o risível onde se encontra. Comédia de costumes, deixa transparecer um intuito satírico levado a efeito com sorrisos, de quem não pretende ensinar e, sim, divertir. Para atingir seu objetivo, o dramaturgo lança mão fartamente do *nonsense*, do absurdo, como se observa nas várias petições ao Juiz, em que o ridículo se casa com o grotesco, numa farândola de disparates em que não se sabe o que mais admirar, se o tom de farsa, representado pela ignorância do pobre magistrado, se a pantomima, representada pelos requerentes e seus pedidos. Desse modo, desfilam diante de nós absurdos de toda monta, desde os de ordem privada, exalando um odor à Bosch (como a história da "embigada"), até os de ordem política (quando o Juiz manda "derrogar a Constituição", ou Sampaio pede à Assembléia Provincial "pra mandar fazer cercado de espinhos em todas as hortas"). Cômico que permanece vivo para o leitor de hoje, ainda quando voltado para um humor mais refinado: a hilaridade das cenas surpreende-o desguarnecido, e a intenção do escritor se cumpre totalmente. Bem por isso, Martins Pena tem sido considerado a maior figura do teatro nacional no século XIX, e uma das mais importantes de toda a nossa dramaturgia.

ÁLVARES DE AZEVEDO

Manuel Antônio Álvares de Azevedo nasceu em São Paulo, a 12 de setembro de 1831. Dois anos mais tarde, a família transfere-se para o Rio de Janeiro, onde o menino realiza seus estudos primários e secundários, com notável brilho. Em 1848, retorna a São Paulo, matricula-se no curso jurídico e trava amizade com Bernardo Guimarães, Aureliano Lessa e outros, que então já constituíam a "Sociedade Epicuréia", fundada em 1845 e destinada a repetir aqui a existência boêmia de Byron. Não obstante, dedica-se afincadamente aos livros de Direito. Nas férias entre o 4° e o 5° ano, passadas no Rio de Janeiro, submete-se a uma operação de tumor. Acometido de tuberculose, vem a falecer a 25 de abril de 1852. Suas *Obras*, em dois volumes, foram publicadas em 1853-1855: o primeiro volume continha a "Lira dos Vinte Anos", onde se encontra o melhor que criou; o segundo, enfeixava "Pedro Ivo", "Macário", "A Noite na Taverna", etc. Na segunda edição, em três volumes (1862), acrescentou-se o "Poema do Frade". Em 1886, estampou-se "O Conde Lopo", depois incorporado à sua *opera omnia*, várias vezes dada a lume.

Itália

Ao Meu Amigo o Conde De Fé
Veder Napoli e poi morir.

I

Lá na terra da vida e dos amores
Eu podia viver inda um momento;
Adormecer ao sol da primavera
Sobre o colo das virgens de Sorrento!

Eu podia viver — e porventura
Nos luares do amor amar a vida;
Dilatar-se minh'alma como o seio
Do pálido Romeu na despedida!

Eu podia na sombra dos amores
Tremer num beijo o coração sedento:
Nos seios da donzela delirante
Eu podia viver inda um momento!

Ó Anjo de meu Deus! se nos meus sonhos
Não mentia o reflexo da ventura,
E se Deus me fadou nesta existência
Um instante de enlevo e de ternura,

Lá entre os laranjais, entre os loureiros,
Lá onde a noite seu aroma espalha
Nas longas praias onde o mar suspira,
Minha alma exalarei no céu da Itália!

Ver a Itália e morrer!... Entre meus sonhos
Eu vejo-a de volúpia adormecida:
Nas tardes vaporentas se perfuma
E dorme à noite na ilusão da vida!

E, se eu devo expirar nos meus amores,
Nuns olhos de mulher amor bebendo,
Seja aos pés da morena Italiana,
Ouvindo-a suspirar, inda morrendo.

Lá na terra da vida e dos amores
Eu podia viver inda um momento,
Adormecer ao sol da primavera
Sobre o colo das virgens de Sorrento!

II

A Itália! sempre a Itália delirante!
E os ardentes saraus, e as noites belas!
A Itália do prazer, do amor insano,
Do sonho fervoroso das donzelas!

E a gôndola sombria resvalando
Cheia de amor, de cânticos, de flores,
E a vaga que suspira à meia-noite
Embalando o mistério dos amores!

Ama-te o sol, ó terra de harmonia,
Do Levante na brisa te perfumas:
Nas praias de ventura e primavera
Vai o mar estender seu véu d'escumas!

Vai a lua sedenta e vagabunda
O teu berço banhar na luz saudosa,

As tuas noites estrelar de sonhos
E beijar-te na fronte vaporosa!

Pátria do meu amor! terra das glórias
Que o gênio consagrou, que sonha o povo,
Agora que murcharam teus loureiros
Fora doce em teu seio amar de novo:

Amar tuas montanhas e as torrentes
E esse mar onde bóia alcion dormindo,
Onde as ilhas se azulam no ocidente,
Como nuvens à tarde se esvaindo;

Aonde à noite o pescador moreno
Pela baía no batel se escoa,
E murmurando, nas canções de Armida,
Treme aos fogos errantes da canoa;

Onde amou Rafael, onde sonhava
No seio ardente da mulher divina,
E talvez desmaiou no teu perfume
E suspirou com ele a Fornarina!

E juntos, ao luar, num beijo errante
Desfolhavam os sonhos da ventura,
E bebiam na lua e no silêncio
Os eflúvios de tua formosura!

Ó Anjo do meu Deus, se nos meus sonhos
A promessa do amor me não mentia,
Concede um pouco ao infeliz poeta
Uma hora da ilusão que o embebia!

Concede ao sonhador, que tão-somente
Entre delírios palpitou d'enleio,
Numa hora de paixão e de harmonia
Dessa Itália do amor morrer no seio!

Oh! na terra da vida e dos amores
Eu podia sonhar inda um momento,
Nos seios da donzela delirante
Apertar o meu peito macilento!

Soneto

Pálida à luz da lâmpada sombria,
Sobre o leito de flores reclinada,
Como a lua por noite embalsamada,
Entre as nuvens do amor ela dormia!

Era a virgem do mar, na escuma fria
Pela maré das águas embalada!
Era um anjo entre nuvens d'alvorada
Que em sonhos se banhava e se esquecia!

Era mais bela! o seio palpitando...
Negros olhos as pálpebras abrindo...
Formas nuas no leito resvalando...

Não te rias de mim, meu anjo lindo!
Por ti — as noites eu velei chorando,
Por ti — nos sonhos morrerei sorrindo!

Lembrança de Morrer

No more! o never more!
Shelley

Quando em meu peito rebentar-se a fibra
Que o espírito enlaça à dor vivente,
Não derramem por mim nem uma lágrima
    Em pálpebra demente.

E nem desfolhem na matéria impura
A flor do vale que adormece ao vento:
Não quero que uma nota de alegria
Se cale por meu triste passamento.

Eu deixo a vida como deixa o tédio
Do deserto, o poento caminheiro
— Como as horas de um longo pesadelo
Que se desfaz ao dobre de um sineiro;

Como o desterro de minh'alma errante,
Onde fogo insensato a consumia:
Só levo uma saudade — é desses tempos
Que amorosa ilusão embelecia.

Só levo uma saudade — é dessas sombras
Que eu sentia velar nas noites minhas...
De ti, ó minha mãe, pobre coitada
Que por minha tristeza te definhas!

De meu pai... de meus únicos amigos,
Poucos — bem poucos — e que não zombavam
Quando, em noites de febre endoudecido,
Minhas pálidas crenças duvidavam.

Se uma lágrima as pálpebras me inunda,
Se um suspiro nos seios treme ainda
É pela virgem que sonhei... que nunca
Aos lábios me encostou a face linda!

Só tu à mocidade sonhadora
Do pálido poeta deste flores...
Se viveu, foi por ti! e de esperança
De na vida gozar de teus amores.

Beijarei a verdade santa e nua,
Verei cristalizar-se o sonho amigo...
Ó minha virgem dos errantes sonhos,
Filha do céu, eu vou amar contigo!

Descansem o meu leito solitário
Na floresta dos homens esquecida,
À sombra de uma cruz, e escrevam nela:
— Foi poeta — sonhou — e amou na vida. —

Sombras do vale, noites da montanha
Que minha alma cantou e amava tanto,
Protegei o meu corpo abandonado,
E no silêncio derramai-lhe canto!

Mas quando preludia ave d'aurora
E quando à meia-noite o céu repousa,
Arvoredos do bosque, abri os ramos...
Deixai a lua pratear-me a lousa!

Soneto

Já da morte o palor me cobre o rosto,
Nos lábios meus o alento desfalece,
Surda agonia o coração fenece,
E devora meu ser mortal desgosto!

Do leito embalde no macio encosto
Tento o sono reter!... já esmorece
O corpo exausto que o repouso esquece...
Eis o estado em que a mágoa me tem posto!

O adeus, o teu adeus, minha saudade,
Fazem que insano do viver me prive
E tenha os olhos meus na escuridade.

Dá-me a esperança com que o ser mantive!
Volve ao amante os olhos por piedade,
Olhos por quem viveu quem já não vive!

Se Eu Morresse Amanhã!

Se eu morresse amanhã, viria ao menos
Fechar meus olhos minha triste irmã;
Minha mãe de saudades morreria
Se eu morresse amanhã!

Quanta glória pressinto em meu futuro!
Que aurora de porvir e que manhã!
Eu perdera chorando essas coroas
Se eu morresse amanhã!

Que sol! que céu azul! que doce n'alva
Acorda a natureza mais louçã!
Não me batera tanto amor no peito
Se eu morresse amanhã!

Mas essa dor da vida que devora
A ânsia de glória, o dolorido afã...
A dor no peito emudecera ao menos
Se eu morresse amanhã!

(*Poesias Completas*, São Paulo, Saraiva, 1957,
pp. 73-76, 90, 146-148, 258, 345.)

Protótipo do byroniano em nossa literatura, Álvares de Azevedo vazou essa tendência mais no teatro ("Macário") e no conto ("A Noite na Taverna") que na poesia. Esta, corre por duas trilhas: a do humor meio negro, encontrável na segunda parte da "Lira dos Vinte Anos", e que não se documenta na presente seleção de textos, e a do idealismo um tanto quanto livresco, patente nas composições escolhidas. Posto que menos atuante, o ensinamento de Byron persiste nessa faceta, de mistura com o influxo de Heine, Musset e Lamartine, sem contar a do Ultra-Romantismo português. Comprova-o desde logo a tônica do exotismo que se imprime no poema "Itália": em vez de lamentar a saudade da Pátria, como fizera Gonçalves Dias, e outros posteriormente, Álvares de Azevedo invoca o solo italiano, porque berço "do prazer, do amor insano, / Do sonho fervoroso das donzelas!". Está-lhe vinculada, por decorrência ou causa, a postura cerebrina perante a realidade, evidente no satisfazer-se o poeta com experiências que pertencem mais à imaginação que ao reino da percepção sensorial. O próprio erotismo do soneto "Pálida à luz da lâmpada sombria", por exemplo, parece antes forjado, transposto de leituras ou desejado, que vivência real: o poeta deleita-se no sonho de uma "virgem do mar" (da mesma forma que em "Lembrança de Morrer"; "Se um suspiro nos seios treme ainda / É pela virgem que sonhei... que nunca / Aos lábios me encostou a face linda!"; "Ó minha virgem dos errantes sonhos, / Filha do céu, eu vou amar contigo!"), enquanto revela uma dúbia inclinação pela mãe e a irmã (*ibidem* e "Se eu morresse amanhã"). Nessa mesma ordem de idéias enfileira-se o tema da morte, contido em todos os poemas transcritos: premonição literária, fruto da fantasia desgarrada, converteu-se em realidade mercê da fusão entre vida e arte operada durante a hegemonia do byronismo. Em suma: poeta "maldito", cultivando as flores do tédio, no mesmo clima rarefeito de Baudelaire, ainda indeciso entre o satanismo e o angelismo, em que o fulgor do gênio parecia madrugar, aliava uma superior e ardente "inspiração" a uma flagrante mestria formal, que acusam uma sensibilidade privilegiada a procurar descoser as talas de nossa herança lusíada e discernir um rumo próprio e brasileiro, numa fluência expressiva de base sensual, que chega a parecer, erroneamente, desleixo ou ignorância.

JUNQUEIRA FREIRE

Luís José Junqueira Freire nasceu em Salvador, Bahia, a 31 de dezembro de 1832. De frágil constituição, após estudos irregulares das primeiras letras, matricula-se no Liceu Provincial, de onde sai para ingressar na Ordem Beneditina (1851). Professando em março do ano seguinte, adota o nome de Frei Luís de Santa Escolástica Junqueira Freire. Em 1854, abandona o hábito e recolhe-se à casa paterna, entregue à elaboração de sua obra. Falece a 24 de junho de 1855. Escreveu *Inspirações do Claustro* (1855) e *Elementos de Retórica Nacional* (1869). *Contradições Poéticas* integrou o 2º volume das *Obras Poéticas*, publicadas em data incerta, no Rio de Janeiro, pela Garnier. Restam ainda vários manuscritos, que contêm poesia, teatro e prosa.

À PROFISSÃO

de Frei João das Mercês Ramos

Entretanto o céu se levanta sereno e
pomposo como para um dia de festa.

Carlos Lacretelle

Eu também antevi dourados dias
    Nesse dia fatal:
Eu também, como tu, sonhei contente
    Uma ventura igual.

Eu também ideei a linda imagem
    Da placidez da vida:
Eu também desejei o claustro estéril,
    Como feliz guarida.

Eu também me prostrei ao pé das aras
    Com júbilo indizível:
Eu também declarei com forte acento
    O juramento horrível.

Eu também afirmei que era bem fácil
    Esse voto imortal:
Eu também prometi cumprir as juras
    Desse dia fatal.

Mas eu não tive os dias de ventura
    Dos sonhos que sonhei:
Mas eu não tive o plácido sossego
    Que tanto procurei.

Tive mais tarde a reação rebelde
        Do sentimento interno.
Tive o tormento dos cruéis remorsos
        Que me parece eterno.

Tive as paixões que a solidão formava
        Crescendo-me no peito.
Tive, em lugar das rosas que esperava,
        Espinhos no meu peito.

Tive a calúnia tétrica vestida
        Por mãos a Deus sagradas.
Tive a calúnia — que mais livre abrange
        Oh Deus! vossas moradas!

Iludimo-nos todos! — Concebemos
        Um paraíso eterno:
E quando nele sôfregos tocamos,
        Achamos um inferno!

Virgem formosa entre visão fantástica
        Que tão real parece!
Mas quando a mão chega a tocá-la quase,
        Lá vai, lá se esvaece!

Sonho da infância que nos traz aos lábios
        Um riso mais que doce:
Mas uma voz, um som... — some-se o sonho,
        Como se nunca fosse.

Tu, filho da esperança! — tu juraste
        O que também juramos.
Tu acreditas, inocente! — ainda
        O quanto acreditamos!

Oh! que não sofra as dores que nos ferem
        Teu jovem coração!
Que o futuro que esperas não se torne
        Terrível ilusão!

Que sobre nós — os filhos da desgraça —
        Levantes um troféu:
E que não aches, — como nós achamos —
        Inferno em vez de céu!

Louco
(Hora de Delírio)

Não, não é louco. O espírito somente
É que quebrou-lhe um elo da matéria.
Pensa melhor que vós, pensa mais livre,
Aproxima-se mais à essência etérea.

Achou pequeno o cérebro que o tinha:
Suas idéias não cabiam nele;
Seu corpo é que lutou contra sua alma,
E nessa luta foi vencido aquele.

Foi uma repulsão de dous contrários:
Foi um duelo, na verdade, insano:
Foi um choque de agentes poderosos:
Foi o divino a combater co humano.

Agora está mais livre. Algum atilho
Soltou-se-lhe do nó da inteligência:
Quebrou-se o anel dessa prisão de carne
Entrou agora em sua própria essência.

Agora é mais espírito que corpo:
Agora é mais um ente lá de cima;
É mais, é mais que um homem vão de barro:
É um anjo de Deus, que Deus anima.

Agora, sim, — o espírito mais livre
Pode subir às regiões supernas:
Pode, ao descer, anunciar aos homens
As palavras de Deus, também eternas.

E vós, almas terrenas, que a matéria
Ou sufocou ou reduziu a pouco,
Não lhe entendeis, por isso, as frases santas,
E zombando o chamais portanto: — um louco!

Não, não é louco. O espírito somente
É que quebrou-lhe um elo da matéria.
Pensa melhor que vós, pensa mais livre,
Aproxima-se mais à essência etérea.

Desejo
(Hora de Delírio)

Se além dos mundos esse inferno existe,
    Essa pátria de horrores,
Onde habitam os tétricos tormentos,
    As inefáveis dores;

Se ali se sente o que jamais na vida
    O desespero inspira:
Se o suplício maior, que a mente finge,
    A mente ali respira;

Se é de compacta, de infinita brasa
    O solo que se pisa:
Se é fogo, e fumo e súlfur, e terrores
    Tudo que ali se visa;

Se ali se goza um gênero inaudito
    De sensações terríveis;
Se ali se encontra esse real de dores
    Na vida não possíveis;

Se é verdade esse quadro, imaginam
    As seitas dos cristãos;
Se esses demônios, anjos maus, ou fúrias,
    Não são uns erros vãos;

Eu — que tenho provado neste mundo
    As sensações possíveis;
Que tenho ido da afecção mais terna
    Às penas mais incríveis;

Eu — que tenho pisado o colo altivo
    De vária e muita dor;
Que tenho sempre das batalhas dela
    Surgido vencedor;

Eu — que tenho arrostado imensas mortes,
    E que pareço eterno;
Eu quero de uma vez morrer p'ra sempre.
    Entrar por fim no inferno!

Eu quero ver se encontro ali no abismo
    Um tormento invencível:
— Desses que achá-los na existência toda
    Jamais será possível!

Eu quero ver se encontro alguns suplícios,
    Que o coração me domem;
Quero-lhe ouvir esta palavra incógnita:
    — Chora por fim, — que és homem!

Que, de arrostar as dores desta vida,
    Quase pareço eterno!
Estou cansado de vencer o mundo,
    Quero vencer o inferno!

Morte
(Hora de Delírio)

Pensamento gentil de paz eterna,
Amiga morte, vem. Tu és o termo
De dous fantasmas que a existência formam,
— Dessa alma vã e desse corpo enfermo.

Pensamento gentil de paz eterna,
Amiga morte, vem. Tu és o nada,
Tu és a ausência das noções da vida.
Do prazer que nos custa a dor passada.

Pensamento gentil de paz eterna,
Amiga morte, vem. Tu és apenas
A visão mais real das que nos cercam,
Que nos extingues as visões terrenas.

    Nunca temi sua destra,
    Não sou o vulgo profano:
    Nunca pensei que teu braço
    Brande um punhal sobr'humano.

    Nunca julguei-te em meus sonhos
    Um esqueleto mirrado:
    Nunca dei-te, p'ra voares,
    Terrível ginete alado.

    Nunca te dei uma foice
    Dura, fina e recurvada;
    Nunca chamei-te inimiga,
    Ímpia, cruel, ou culpada.

Amei-te sempre: — e pertencer-te quero
Para sempre também, amiga morte.
Quero o chão, quero a terra, — esse elemento
Que não se sente dos vaivéns da sorte.

Para tua hecatombe de um segundo
Não falta alguém? — Preenche-a comigo.
Leva-me à região da paz horrenda.
Leva-me ao nada, leva-me contigo.

Miríades de vermes lá me esperam
Para nascer de meu fermento ainda.
Para nutrir-se de meu suco impuro,
Talvez me espera uma plantinha linda.

Vermes que sobre podridões refervem,
Plantinha que a raiz meus ossos ferra,
Em vós minha alma e sentimento e corpo
Irão em partes agregar-se à terra.

E depois nada mais. Já não há tempo,
Nem vida, nem sentir, nem dor, nem gosto.
Agora o nada, — esse real tão belo
Só nas terrenas vísceras deposto.

Facho que a morte ao lumiar apaga,
Foi essa alma fatal que nos aterra.
Consciência, razão, que nos afligem,
Deram em nada ao baquear em terra.

Única idéia mais real dos homens,
Morte feliz, — eu quero-te comigo.
Leva-me à região da paz horrenda,
Leva-me ao nada, leva-me contigo.

> Também desta vida à campa
> Não transporto uma saudade.
> Cerro meus olhos contente
> Sem um ai de ansiedade.
>
> E como autômato infante
> Que inda não sabe sentir,
> Ao pé da morte querida
> Hei de insensato sorrir.
>
> Por minha face sinistra
> Meu pranto não correrá.
> Em meus olhos moribundos
> Terrores ninguém lerá.
>
> Não achei na terra amores
> Que merecessem os meus.
> Não tenho um ente no mundo
> A quem diga o meu — adeus.

Não posso da vida à campa
Transportar uma saudade.
Cerro meus olhos contente
Sem um ai de ansiedade.

Por isso, ó morte, eu amo-te, e não temo:
Por isso, ó morte, eu quero-te comigo.
Leva-me à região da paz horrenda,
Leva-me ao nada, leva-me contigo.

(Grandes Poetas Românticos do Brasil, São
Paulo, Lep [1949], pp. 765-766, 793-794,
797-798.)

Posto que situado cronologicamente logo no começo do Romantismo, Junqueira Freire foi o que levou mais fundo a sondagem na intimidade paradoxal do "eu". Para atingir seu desiderato, libertou a fantasia por três caminhos, a poesia de meditação filosófica e religiosa, a poesia lírico-amorosa e a poesia social, de cunho nativista e antilusitano, dos quais apenas o primeiro se documenta na presente antologia, visto constituir a tônica fundamental de sua cosmovisão. Com efeito, prenunciando Baudelaire em certos aspectos, e Antero noutros, a poesia freiriana consiste numa espécie de autobiografia ética, em que a crise religiosa e a angústia de infinito ocupam lugar primacial. Seu desejo confesso, — compreender a dúvida existencial que o atormentava e encontrar um porto seguro na crença religiosa ou filosófica, — defrontava-se com obstáculos intransponíveis, que o arrastavam a uma desesperança irada ("Iludimo-nos todos", etc., de "À Profissão de Frei João das Mercês Ramos"), trânsito breve para o delírio e uma loucura lúcida ("Horas de Delírio"), como se a alienação lhe acenasse com uma compensadora via de escape ("Pensa melhor que vós, pensa mais livre", etc., de "Louco"). Daí para o pressentimento de que a morte constituía a última alternativa de paz, foi um nada ("Amei-te sempre: — e pertencer-te quero / Para sempre também, amiga morte", de "Morte"). Todavia, a morte irrompe na tela sensível do poeta despida das alegorias com que a vestia a imaginação romântica: entendida em sua crueza física, gera imagens de realismo concreto, em que pela primeira vez desponta em nossas letras a poesia da decomposição, na linha baudelairiana e de Augusto dos Anjos ("Miríades de vermes lá me esperam", etc., de "Morte"). Resta observar que os versos de Junqueira Freire desconhecem a fluência que vimos em Gonçalves Dias, resultante do influxo constrangedor de poetas portugueses ainda contagiados de Classicismo (como Bocage e Herculano) e de o ex-sacerdote pretender exprimir em vernáculo uma inquietação nova, atravessada por um esforço, ao mesmo tempo clássico e "moderno", no sentido de pensar, de racionalizar, o tumulto emocional que o visitava. Se a dureza do metro lhe diminui o fulgor, o afã de colocar a sensação sob a égide do pensamento que beira a insanidade mental, distingue-o entre todos os poetas do nosso movimento romântico.

CASIMIRO DE ABREU

Casimiro José Marques de Abreu nasceu na Barra de São João, Estado do Rio, a 4 de janeiro de 1839. Filho natural de um comerciante português, após estudos secundários em Nova Friburgo (1849-1852), encaminha-se para o comércio, a contragosto. No ano seguinte, com idêntico propósito, segue para Lisboa, onde adoece e inicia sua produção literária (além de vários poemas, escreve e encena a peça *Camões e o Jau*). Regressando ao Rio em 1857, divide seu tempo entre a atividade comercial e a literária. Em 1859, publica as *Primaveras*, mas logo depois se manifesta a tuberculose que o vitimaria a 18 de outubro de 1860. Afora o livro de poesia e da peça teatral, deixou duas narrativas, *Carolina* e *Camila*.

Meus Oito Anos

Oh! souvenirs! printemps! aurores!
V. Hugo

Oh! que saudades que tenho
Da aurora da minha vida,
Da minha infância querida
Que os anos não trazem mais!
Que amor, que sonhos, que flores,
Naquelas tardes fagueiras
À sombra das bananeiras,
Debaixo dos laranjais!

Como são belos os dias
Do despontar da existência!
— Respira a alma inocência
Como perfumes a flor;
O mar é — lago sereno,
O céu — um manto azulado,
O mundo — um sonho dourado,
A vida — um hino d'amor!

Que auroras, que sol, que vida,
Que noites de melodia
Naquela doce alegria,
Naquele ingênuo folgar!
O céu bordado d'estrelas,
A terra de aromas cheia,
As ondas beijando a areia
E a lua beijando o mar!

Oh! dias da minha infância!
Oh! meu céu de primavera!
Que doce a vida não era
Nessa risonha manhã!
Em vez das mágoas de agora,
Eu tinha nessas delícias
De minha mãe as carícias
E beijos de minha irmã!

Livre filho das montanhas,
Eu ia bem satisfeito,

Da camisa aberto o peito,
— Pés descalços, braços nus —
Correndo pelas campinas
À roda das cachoeiras,
Atrás das asas ligeiras
Das borboletas azuis!

Naqueles tempos ditosos
Ia colher as pitangas,
Trepava a tirar as mangas,
Brincava à beira do mar;
Rezava às Ave-Marias,
Achava o céu sempre lindo,
Adormecia sorrindo
E despertava a cantar!

. . . .
Oh! que saudades que tenho
Da aurora da minha vida,
Da minha infância querida
Que os anos não trazem mais!
— Que amor, que sonhos, que flores,
Naquelas tardes fagueiras
À sombra das bananeiras,
Debaixo dos laranjais!

Amor e Medo

I

Quando eu te fujo e me desvio cauto
Da luz de fogo que te cerca, oh! bela,
Contigo dizes, suspirando amores:
"— Meu Deus! que gelo, que frieza aquela!"

Como te enganas! meu amor é chama
Que se alimenta no voraz segredo,
E se te fujo é que te adoro louco...
És bela — eu moço; tens amor — eu medo!...

Tenho medo de mim, de ti, de tudo,
Da luz, da sombra, do silêncio ou vozes,
Das folhas secas, do chorar das fontes,
Das horas longas a correr velozes.

O véu da noite me atormenta em dores,
A luz da aurora me intumesce os seios,
E ao vento fresco do cair das tardes
Eu me estremeço de cruéis receios.

É que esse vento que na várzea — ao longe,
Do colmo o fumo caprichoso ondeia,
Soprando um dia tornaria incêndio
A chama viva que teu riso ateia!

Ai! se abrasado crepitasse o cedro,
Cedendo ao raio que a tormenta envia,
Diz: — que seria da plantinha humilde
Que à sombra dele tão feliz crescia?

A labareda que se enrosca ao tronco
Torrara a planta qual queimara o galho,
E a pobre nunca reviver pudera
Chovesse embora paternal orvalho!

II

Ai! se eu te visse no calor da sesta,
A mão tremente no calor das tuas,
Amarrotado o teu vestido branco,
Soltos cabelos nas espáduas nuas!...

Ai! se eu te visse, Madalena pura,
Sobre o veludo reclinada a meio,
Olhos cerrados na volúpia doce,
Os braços frouxos — palpitante o seio!...

Ai! se eu te visse em languidez sublime,
Na face as rosas virginais do pejo,
Trêmula a fala a protestar baixinho...
Vermelha a boca, soluçando um beijo!...

Diz: — que seria da pureza d'anjo,
Das vestes alvas, do candor das asas?
— Tu te queimaras, a pisar descalça,
— Criança louca, — sobre um chão de brasas!

No fogo vivo eu me abrasara inteiro!
Ébrio e sedento na fugaz vertigem
Vil, machucara com meu dedo impuro
As pobres flores da grinalda virgem!

Vampiro infame, eu sorveria em beijos
Toda a inocência que teu lábio encerra,
E tu serias no lascivo abraço
Anjo enlodado nos pauis da terra.

Depois... desperta no febril delírio,
— Olhos pisados — como um vão lamento,
Tu perguntaras: — qu'é da minha c'roa?...
Eu te diria: — desfolhou-a o vento!...

Oh! não me chames coração de gelo!
Bem vês: traí-me no fatal segredo.
Se de ti fujo é que te adoro e muito,
És bela — eu moço; tens amor, eu — medo!...

Minh'alma é Triste

> *Mon coeur est plein — je veux pleurer!*
> Lamartine

I

Minh'alma é triste como a rola aflita
Que o bosque acorda desde o albor da aurora,
E em doce arrulo que o soluço imita
O morto esposo gemedora chora.

E, como a rola que perdeu o esposo,
Minh'alma chora as ilusões perdidas,
E no seu livro de fanado gozo
Relê as folhas que já foram lidas.

E como notas de chorosa endeixa
Seu pobre canto com a dor desmaia,
E seus gemidos são iguais à queixa
Que a vaga solta quando beija a praia.

Quando a criança que banhada em prantos
Procura o brinco que levou-lhe o rio,
Minh'alma quer ressuscitar nos cantos
Um só dos lírios que murchou o estio.

Dizem que há gozos nas mundanas galas,
Mas eu não sei em que o prazer consiste.
— Ou só no campo, ou no rumor das salas,
Não sei porque — mas minh'alma é triste!

II

Minh'alma é triste como a voz do sino
Carpindo o morto sobre a laje fria;
E doce e grave qual no templo um hino,
Ou como a prece ao desmaiar do dia.

Se passa um bote com as velas soltas,
Minh'alma o segue n'amplidão dos mares;
E longas horas acompanha as voltas
Das andorinhas recortando os ares.

Às vezes, louca, num cismar perdida,
Minh'alma triste vai vagando à toa,
Bem como a folha que do sul batida
Bóia nas águas de gentil lagoa!

E como a rola que em sentida queixa
O bosque acorda desde o albor da aurora,
Minh'alma em notas de chorosa endeixa
Lamenta os sonhos que já tive outrora.

Dizem que há gozos no correr dos anos!...
Só eu não sei em que o prazer consiste.
— Pobre ludíbrio de cruéis enganos,
Perdi os risos — a minh'alma é triste!

III

Minh'alma é triste como a flor que morre
Pendida à beira do riacho ingrato;
Nem beijos dá-lhe a viração que corre,
Nem doce canto o sabiá do mato!

E como a flor que solitária pende
Sem ter carícias no voar da brisa,
Minh'alma murcha, mas ninguém entende
Que a pobrezinha só de amor precisa!

Amei outrora com amor bem santo
Os negros olhos de gentil donzela,
Mas dessa fronte de sublime encanto
Outro tirou a virginal capela.

Oh! quantas vezes a prendi nos braços!
Que o diga e fale o laranjal florido!
Se mão de ferro espedaçou dois laços
Ambos choramos mas num só gemido!

Dizem que há gozos no viver d'amores,
Só eu não sei em que o prazer consiste!
— Eu vejo o mundo na estação das flores...
Tudo sorri — mas a minh'alma é triste!

IV

Minh'alma é triste como o grito agudo
Das arapongas no sertão deserto;
E como o nauta sobre o mar sanhudo,
Longe da praia que julgou tão perto!

A mocidade no sonhar florida
Em mim foi beijo de lasciva virgem:
— Pulava o sangue e me fervia a vida,
Ardendo a fronte em bacanal vertigem.

De tanto fogo tinha a mente cheia!...
No afã da glória me atirei com ânsia...
E, perto ou longe, quis beijar a s'reia
Que em doce canto me atraiu na infância.

Ai! loucos sonhos de mancebo ardente!
Esp'ranças altas... Ei-las já tão rasas!...
— Pombo selvagem, quis voar contente...
Feriu-me a bala no bater das asas!

Dizem que há gozos no correr da vida...
Só eu não sei em que o prazer consiste!
— No amor, na glória, na mundana lida,
Foram-se as flores — a minh'alma é triste!

(*As Primaveras*, fac-símile da edição original,
Rio de Janeiro, Imprensa Nacional, INL, 1952,
pp. 33-36, 151-154 187-191.)

Casimiro de Abreu pertence à geração dos poetas que morreram prematuramente, na casa dos vinte anos, como Álvares de Azevedo e outros, acometidos do "mal" byroniano. Sua poesia, reflexo autobiográfico dos transes, imaginários e verídicos, que lhe agitaram a curta existência, centra-se em dois temas fundamentais, a saudade e o lirismo-amoroso, que as composições selecionadas exemplificam à perfeição. O tema da saudade, que fora introduzido por Gonçalves Dias, ganha na pena de Casimiro de Abreu acentos novos, determinados por sua adolescência e uma sensibilidade feminóide, cedo afeiçoada à Literatura. Graças a tal fundo de juvenilidade e timidez, sua poesia saudosista guarda um não sei quê de infantil, evidente em "Meus Oito Anos", e nos poemas em que a nostalgia da Pátria, dos amigos ou da cidade natal, substitui o "espaço" psicológico da primeira idade. O moço lírico transborda de sentimento, mas percebe-se que o estro não amadureceu, ou porque um único fio condutor lhe norteia a sensibilidade, ou/e porque faltou submeter as erupções da emotividade ao crivo do pensamento. Semelhante contorno apresenta a poesia lírico-amorosa, onde se observa o estadear do "fingimento" romântico, oscilante entre a confissão de impulsos eróticos subterrâneos e o temor hipócrita de romper as barreiras em que se comprazia o bardo adolescente ("Amor e Medo"). No movimento pendular, vê-se que acaba manifestando "tal ou qual preferência do sonho sobre a realidade" (Mário de Andrade, *Aspectos da Literatura Brasileira*, São Paulo, Martins, s. d., p. 212). A melancolia que atravessa os dois primeiros poemas, sustentando a nota depressiva que os caracteriza, atinge o ápice em "Minh'alma é Triste": o transporte lírico reveste metáforas fáceis, que de imediato comunicam ao leitor o sofrimento moral que encerram. Poeta nato, Casimiro de Abreu soube exprimir com tal fluência e naturalidade as crises próprias da quadra juvenil, que ainda hoje seus lamentos encontram eco em muitos leitores. Embora dotado de autêntico sopro lírico, manteve-se aquém dos principais poetas que se reúnem na presente antologia.

FAGUNDES VARELA

Luís Nicolau Fagundes Varela nasceu na fazenda Santa Rita, município de Rio Claro, Estado do Rio, a 17 de agosto de 1841. Filho de um juiz de Direito, passou a infância em vários lugares (Catalão, em Goiás, Angra dos Reis, Petrópolis e Niterói). Aos 18 anos, vem para São Paulo e ingressa na Faculdade de Direito, mas prefere a vida boêmia aos estudos. Casa-se em 1862, e no ano seguinte nasce-lhe um filho; lastimavelmente, porém, Emiliano morre pouco depois, inspirando-lhe o "Cântico do Calvário". Em 1865, vai estudar no Recife; todavia, a morte da esposa, que deixara em casa de seus pais, faz que retorne a São Paulo, e ao curso jurídico. Desalentado, fugindo aos livros, contrai novo casamento e segue para a fazenda Santa Rita e de lá para Niterói, sempre a buscar no álcool lenitivo para seus males. Falece a 18 de fevereiro de 1875. Predominantemente poeta, legou as seguintes obras: *Noturnas* (1861), *O Estandarte Auriverde* (1863), *Vozes da América* (1864), *Cantos e Fantasias* (1865), *Cantos Meridionais* (1869), *Cantos do Ermo e da Cidade* (1869), *Anchieta ou O Evangelho nas Selvas* (1875), *Cantos Religiosos* (1878) e *Diário de Lázaro* (1880).

Cântico do Calvário

À Memória de Meu Filho
Morto a 11 de Dezembro
de 1863.

Eras na vida a pomba predileta
Que sobre um mar de angústias conduzia
O ramo da esperança. — Eras a estrela
Que entre as névoas do inverno cintilava
Apontando o caminho ao pegureiro.
Eras a messe de um dourado estio.
Eras o idílio de um amor sublime.
Eras a glória, — a inspiração, — a pátria,
O porvir de teu pai! — Ah! no entanto,
Pomba, — varou-te a flecha do destino!
Astro, — engoliu-te o temporal do norte!
Teto, caíste! — Crença, já não vives!

Correi, correi, oh! lágrimas saudosas,
Legado acerbo da ventura extinta,
Dúbios archotes que a tremer clareiam
A lousa fria de um sonhar que é morto!
Correi! Um dia vos verei mais belas

Que os diamantes de Ofir e de Golgonda
Fulgurar na coroa de martírios
Que me circunda a fronte cismadora!
São mortos para mim da noite os fachos,
Mas Deus vos faz brilhar, lágrimas santas,
E à vossa luz caminharei nos ermos!
Estrelas do sofrer, — gotas de mágoa,
Brando orvalho do céu! — Sede benditas!
Oh! filho de minh'alma! Última rosa
Que neste solo ingrato vicejava!
Minha esperança amargamente doce!
Quando as garças vierem do ocidente
Buscando um novo clima onde pousarem,
Não mais te embalarei sobre os joelhos,
Nem de teus olhos no cerúleo brilho
Acharei um consolo a meus tormentos!
Não mais invocarei a musa errante
Nesses retiros onde cada folha
Era um polido espelho de esmeralda
Que refletia os fugitivos quadros
Dos suspirados tempos que se foram!
Não mais perdido em vaporosas cismas
Escutarei ao pôr-do-sol, nas serras,
Vibrar a trompa sonorosa e leda
Do caçador que aos lares se recolhe!

Não mais! A areia tem corrido, e o livro
De minha infanda história está completo!
Pouco tenho de andar! Um passo ainda
E o fruto de meus dias, negro, podre,
Do galho eivado rolará por terra!
Ainda um treno, e o vendaval sem freio
Ao soprar quebrará a última fibra
Da lira infausta que nas mãos sustento!
Tornei-me o eco das tristezas todas
Que entre os homens achei! O lago escuro
Onde ao clarão dos fogos da tormenta
Miram-se as larvas fúnebres do estrago!
Por toda a parte em que arrastei meu manto
Deixei um traço fundo de agonias!...

Oh! quantas horas não gastei, sentado
Sobre as costas bravias do Oceano,
Esperando que a vida se esvaísse
Como um floco de espuma, ou como o friso

Que deixa n'água o lenho do barqueiro!
Quantos momentos de loucura e febre
Não consumi perdido nos desertos,
Escutando os rumores das florestas,
E procurando nessas vozes torvas
Distinguir o meu cântico de morte!
Quantas noites de angústias e delírios
Não velei, entre as sombras espreitando
A passagem veloz do gênio horrendo
Que o mundo abate ao galopar infrene
Do selvagem corcel?... E tudo embalde!
A vida parecia ardente e douda
Agarrar-se a meu ser!... E tu tão jovem,
Tão puro ainda, ainda n'alvorada,
Ave banhada em mares de esperança,
Rosa em botão, crisálida entre luzes,
Foste o escolhido na tremenda ceifa!
Ah! quando a vez primeira em meus cabelos
Senti bater teu hálito suave;
Quando em meus braços te cerrei, ouvindo
Pulsar-te o coração divino ainda;
Quando fitei teus olhos sossegados,
Abismos de inocência e de candura,
E baixo e a medo murmurei: meu filho!
Meu filho! frase imensa, inexplicável,
Grata como o chorar de Madalena
Aos pés do Redentor... ah! pelas fibras
Senti rugir o vento incendiado
Desse amor infinito que eterniza
O consórcio dos orbes que se enredam
Dos mistérios do ser na teia augusta!
Que prende o céu à terra e a terra aos anjos!
Que se expande em torrentes inefáveis
Do seio imaculado de Maria!
Cegou-me tanta luz! Errei, fui homem!
E de meu erro a punição cruenta
Na mesma glória que elevou-me aos astros,
Chorando aos pés da cruz, hoje padeço!

O som da orquestra, o retumbar dos bronzes,
A voz mentida de rafeiros bardos,
Torpe alegria que circunda os berços
Quando a opulência doura-lhes as bordas,
Não te saudaram ao sorrir primeiro,
Clícia mimosa rebentada à sombra!

Mas ah! se pompas, esplendor faltaram-te,
Tiveste mais que os príncipes da terra!
Templos, altares de afeição sem termos!
Mundos de sentimento e de magia!
Cantos ditados pelo próprio Deus!
Oh! quántos reis que a humanidade aviltam,
E o gênio esmagam dos soberbos tronos,
Trocariam a púrpura romana
Por um verso, uma nota, um som apenas
Dos fecundos poemas que inspiraste!

Que belos sonhos! que ilusões benditas!
Do cantor infeliz lançaste à vida,
Arco-íris de amor! Luz da aliança,
Calma e fulgente em meio da tormenta!
Do exílio escuro a cítara chorosa
Surgiu de novo e às virações errantes
Lançou dilúvios de harmonias! — O gozo
Ao pranto sucedeu. As férreas horas
Em desejos alados se mudaram.
Noites fugiam, madrugadas vinham,
Mas sepultado num prazer profundo
Não te deixava o berço descuidoso,
Nem de teu rosto meu olhar tirava,
Nem de outros sonhos que dos teus vivia!

Como eras lindo! Nas rosadas faces
tinhas ainda o tépido vestígio
Dos beijos divinais, — nos olhos langues
Brilhava o brando raio que acendera
A bênção do Senhor quando o deixaste!
Sobre o teu corpo a chusma dos anjinhos,
Filhos do éter e da luz, voavam,
Riam-se alegres, das caçoilas níveas
Celeste aroma te vertendo ao corpo!
E eu dizia comigo: — teu destino
Será mais belo que o cantar das fadas
Que dançam no arrebol, — mais triunfante
Que o sol nascente derribando ao nada
Muralhas de negrume!... Irás tão alto
Como o pássaro-rei do Novo Mundo!

Ai! doudo sonho!... Uma estação passou-se,
E tantas glórias, tão risonhos planos
Desfizeram-se em pó! O gênio escuro
Abrasou com seu facho ensangüentado

Meus soberbos castelos. A desgraça
Sentou-se em meu solar, e a soberana
Dos sinistros impérios de além-mundo
Com seu dedo real selou-te a fronte!
Inda te vejo pelas noites minhas,
Em meus dias sem luz vejo-te ainda,
Creio-te vivo, e morte te pranteio!...

Ouço o tanger monótono dos sinos,
E cada vibração contar parece
As ilusões que murcham-se contigo!
Escuto em meio de confusas vozes,
Cheias de frases pueris, estultas,
O linho mortuário que retalham
Para envolver teu corpo! Vejo esparsas
Saudades e perpétuas, — sinto o aroma
Do incenso das igrejas, — ouço os cantos
Dos ministros de Deus que me repetem
Que não és mais da terra!... E choro embalde.

Mas não! Tu dormes no infinito seio
Do Criador dos seres! Tu me falas
Na voz dos ventos, no chorar das aves,
Talvez das ondas no respiro flébil!
Tu me contemplas lá do céu, quem sabe,
No vulto solitário de uma estrela,
E são teus raios que meu estro aquecem!
Pois bem! Mostra-me as voltas do caminho!
Brilha e fulgura no azulado manto,
Mas não te arrojes, lágrima da noite,
Nas ondas nebulosas do ocidente!
Brilha e fulgura! Quando a morte fria
Sobre mim sacudir o pó das asas,
Escada de Jacó serão teus raios
Por onde asinha subirá minh'alma.

A Flor do Maracujá

Pelas rosas, pelos lírios,
Pelas abelhas, sinhá,
Pelas notas mais chorosas
Do canto do sabiá,
Pelo cálice de angústias
Da flor do maracujá!

Pelos jasmim, pelo goivo,
Pelo agreste manacá,
Pelas gotas de sereno
Nas folhas do gravatá,
Pela coroa de espinhos
Da flor do maracujá!

Pelas tranças da mãe-d'água
Que junto da fonte está,
Pelos colibris que brincam
Nas alvas plumas do ubá,
Pelos cravos desenhados
Na flor do maracujá.

Pelas azuis borboletas
Que descem do Panamá,
Pelos tesouros ocultos
Nas minas do Sincorá.
Pelas chagas roxeadas
Da flor do maracujá!

Pelo mar, pelo deserto,
Pelas montanhas, sinhá!
Pelas florestas imensas
Que falam de Jeová!
Pela lança ensangüentada
Da flor do maracujá!

Por tudo o que o céu revela!
Por tudo o que a terra dá
Eu te juro que minh'alma
De tua alma escrava está!...
Guarda contigo este emblema
Da flor do maracujá!

Não se enojem teus ouvidos
De tantas rimas em — a —
Mas ouve meus juramentos,
Meus cantos ouve, sinhá!
Te peço pelos mistérios
Da flor do maracujá!

(*Poesias Completas*, São Paulo, Saraiva, 1956, pp. 293-300, 395-396.)

Conquanto deva muito aos poetas que o precederam, Fagundes Varela representa uma voz de autonomia e inconformação nos quadros de nosso Romantismo, por vezes elevada a ponto de raiar na genialidade, e baixa a ponto de tombar na mediocridade. Os poemas selecionados documentam os instantes de ascensão, embora uma que outra solução expressiva denuncie a queda na pressão lírica. Por outro lado, retratam apenas dois aspectos da mundividência de Varela: é que, "sertanista, bucólico, lírico, paisagista, épico, místico, descritivo, humorista, tudo ele foi, um pouco de cada vez" (Edgard Cavalheiro, Introdução às *Poesias Completas*, ed. cit., p. 21). O "Cântico do Calvário" testemunha o místico, o elegíaco, e "A Flor do Maracujá", o naturista e o lírico-amoroso, decerto as duas configurações principais do perfil estético de Varela. Ao contrário de Álvares de Azevedo, percebe-se a emersão torrencial de estados d'alma sinceros e verdadeiros, como se a poesia constituísse o mecanismo apropriado à confissão e extravasamento. Dir-se-ia ausente a "literatura" em favor duma naturalidade que só é artística por feliz coincidência: sem artificialismo, o poeta deixa transbordar a mágoa que o atormenta, no primeiro poema, e o canto otimista e campestre que se ergue no outro. A impressão é que o lirismo jorra aderido ao ato de sentir, e como Varela fosse um sensitivo a sofrer em alta e contínua tensão todas as experiências, cada transe sombrio ou cor-de-rosa de sua vida acabou assumindo tonalidade pura ou extrema. Assim, a dor de perder um filho motiva um poema que é das expressões máximas de nossa poesia religiosa, graças à fusão do desespero com uma forma de comovida eloqüência: vale notar que a temperatura das estrofes acompanha de perto a do sentimento que revolve o poeta, como se, pela verbalização, o tormento fosse diminuindo gradativamente, numa progressão que culmina no apaziguamento final (V. quatro versos finais). Não há dúvida que a angústia persiste após o cântico, mas o "momento" do poema registra as fases internas que cruza o poeta: a grandeza da obra resulta igualmente dessa rara concordância entre a palavra e a sensação. "A Flor do Maracujá" apresenta a faceta rósea, sem prejuízo da espontaneidade, que prevalece com idêntica força, se bem que apontando um aspecto menos característico de Fagundes Varela. Nenhum poeta romântico brasileiro teve existência tão desgraçada, e nenhum outro de seu tempo ainda espera o juízo que merece: "inspirado", espécie de Baudelaire aflito e ingênuo, situa-se no mesmo nível de nossos grandes românticos, Gonçalves Dias, Álvares de Azevedo e Castro Alves.

MANUEL ANTÔNIO DE ALMEIDA

Nasceu no Rio de Janeiro, a 17 de novembro de 1831, de uma família de portugueses. Após os preparatórios no Colégio São Pedro de Alcântara, e um curso de Desenho na Escola de Belas Artes, em 1848 ingressa na Faculdade de Medicina, onde se forma em 1855. Já nos tempos de estudante, inicia sua colaboração em jornal, notadamente o "Correio Mercantil", onde publica, em 1852/3, as *Memórias de um Sargento de Milícias*. Em 1858, entra para a Tipografia Nacional, e passa no ano seguinte para o cargo de 2º oficial da Secretaria dos Negócios da Fazenda, sem jamais abandonar a atividade jornalística. Faleceu a 28 de novembro de 1861, no naufrágio do vapor "Hermes", próximo de Macaé. Deixou ainda um drama lírico, *Dois Amores*, imitado do italiano de Piave, com música da Condessa Rafaela de Rozwadowska (1861), sua tese de doutoramento (1855) e traduções de Luís Friedel, Charles Ribeyrolles, além de esparsos no "Correio Mercantil".

Memórias de um Sargento de Milícias

Apareceu primeiramente em folhetins anônimos da "Pacotilha", suplemento político-literário do "Correio Mercantil", entre 27 de junho de 1852 e 31 de julho de 1853, assinados por "Um Brasileiro". Em livro, surgiu em dois volumes, em 1854 e 1855. O enredo gira em torno de Leonardo, filho de Leonardo Pataca e de Maria da Hortaliça, e suas numerosas aventuras picarescas no Rio de Janeiro dos inícios do século XIX. Enjeitado pela mãe e pelo pai, Leonardo é criado e amparado pelo padrinho e depois pela madrinha, mas cedo revela um temperamento folgazão e traquinas. Já homem, dá-se de amores a Luisinha, mas a jovem casa com José Manuel quando vê nosso herói engraçado com Vidinha. Posto entre as grades pelo Major Vidigal, dali sai como praça. Pouco tempo depois, volta à prisão; com a intervenção da madrinha e de Maria, ganha novamente a liberdade e a promoção a sargento de milícias. Nesse ínterim, morre José Manuel, e ele se casa com Luisinha. O capítulo que se vai ler, é o primeiro, intitulado "Origem, Nascimento e Batizado":

Era no tempo do rei.

Uma das quatro esquinas que formam as Ruas do Ouvidor e da Quitanda, cortando-se mutuamente, chamava-se nesse tempo — *O canto dos meirinhos* —; e bem lhe assentava o nome, porque era aí o lugar de encontro favorito de todos os indivíduos dessa classe (que gozava então de não pequena consideração). Os meirinhos de hoje não são mais do que a sombra caricata dos meirinhos do tempo do rei; esses eram gente temível e temida, respeitável e respeitada; formavam um dos extremos da formidável cadeia judiciária que envolvia todo o Rio de Janeiro no tempo em que a demanda era entre nós um elemento de vida: o extremo oposto eram os desembargadores. Ora, os extremos se tocam, e estes, tocando-se, fechavam o círculo dentro do qual se passavam os terríveis combates das citações, provarás, razões principais e finais, e todos esses trejeitos judiciais que se chamavam o *processo*.

Daí sua influência moral.

Mas tinha ainda outra influência, que é justamente a que falta aos de hoje; era a influência que derivava de suas condições físicas. Os meirinhos de hojes são homens como quaisquer outros; nada têm de imponentes, nem no seu semblante nem no seu trajar, confundem-se com qualquer procurador, escrevente de cartório ou contínuo de repartição. Os meirinhos desse belo tempo não, não se confundiam com ninguém; eram originais, eram tipos, nos seus semblantes transluzia um certo ar de majestade forense, seus olhares calculados e sagazes significavam chicana. Trajavam sisuda casaca preta, calção e meias da mesma cor, sapato afivelado, ao lado esquerdo aristocrático espadim, e na ilharga direita penduravam um círculo branco, cuja significação ignoramos, e coroavam tudo isto por um grave chapéu armado. Colocado sob a importância vantajosa destas condições, o meirinho usava e abusava de sua posição. Era terrível quando, ao voltar uma esquina ou ao sair de manhã de sua casa, o cidadão esbarrava com uma daquelas solenes figuras que, desdobrando junto dele uma folha de papel, começava a lê-la em tom confidencial! Por mais que se fizesse não havia remédio em tais circunstâncias senão deixar escapar dos lábios o terrível — *Dou-me por citado.* — Ninguém sabe que significação fatalíssima e cruel tinham estas poucas palavras! eram uma sentença de peregrinação eterna que se pronunciava contra si mesmo; queriam dizer que se começava uma longa e afadigosa viagem, cujo termo bem distante era a Caixa da Relação, e durante a qual se tinha de pagar importe de passagem em um sem-número de pontos; o advogado, o procurador, o inquiridor, o escrivão, o juiz, inexoráveis Carontes, estavam à porta de mão estendida, e ninguém passava sem que lhes tivesse deixado, não um óbulo, porém todo o conteúdo de suas algibeiras, e até a última parcela de sua paciência.

Mas voltemos à esquina. Quem passasse por aí em qualquer dia útil dessa abençoada época veria sentado em assentos baixos, então usados, de couro, e que se denominavam — cadeiras de campanha — um grupo mais ou menos numeroso dessa nobre gente conversando pacificamente em tudo que era lícito conversar: na vida dos fidalgos, nas notícias do Reino e nas astúcias policiais do Vidigal. Entre os termos que formavam essa equação meirinhal pregada na esquina havia uma quantidade constante, era o Leonardo-Pataca. Chamavam assim a uma rotunda e gordíssima personagem de cabelos brancos e carão avermelhado, que era o decano da corporação, o mais antigo dos meirinhos que viviam nesse tempo. A velhice tinha-o tornado moleirão e pachorrento; com sua vagareza atrasava o negócio das partes; não o procuravam; e por isso jamais saía da esquina; passava ali os dias sentado na sua cadeira, com as pernas estendidas e o queixo apoiado sobre um grossa bengala, que depois dos cinqüenta era a sua infalível companhia. Do hábito que tinha de queixar-se a todo o instante que de só pagassem por sua citação a módica quantia de 320 réis, lhe viera o apelido que juntavam ao seu nome.

Sua história tem pouca cousa de notável. Fora Leonardo algibebe em Lisboa, sua pátria; aborrecera-se porém do negócio e viera ao Brasil. Aqui chegando, não se sabe por proteção de quem, alcançou o emprego de que o vemos empossado, e que exercia, como dissemos, desde tempos remotos. Mas viera com ele no mesmo navio, não sei fazer o quê, uma certa Maria da Hortaliça, quitandeira das praças de Lisboa, saloia rechonchuda e bonitona. O Leonardo, fazendo-se-lhe justiça, não era nesse tempo de sua mocidade mal apessoado, e sobretudo era maganão. Ao sair do Tejo, estando a Maria encostada à borda do navio, o Leonardo fingiu que passava distraído por junto dela, e com o ferrado sapatão assentou-lhe uma valente pisadela no pé direito. A Maria, como se já esperasse por aquilo, sorriu-se como envergonhada do gracejo, e deu-lhe também em ar de disfarce um tremendo beliscão nas costas da mão esquerda. Era isto uma declaração em forma, segundo os usos da terra: levaram o resto do dia de namoro cerrado; ao anoitecer passou-se a mesma cena de pisadela e beliscão, com a diferença de serem desta vez um pouco mais fortes; e no dia seguinte estavam os dous amantes tão extremosos e familiares, que pareciam sê-lo de muitos anos.

Quando saltaram em terra começou a Maria a sentir certos enojos: foram os dous morar juntos: e daí a um mês manifestaram-se claramente os efeitos da pisadela e do beliscão; sete meses depois teve a Maria um filho, formidável menino de quase três palmos de comprido, gordo e vermelho, cabeludo, esperneador e chorão; o qual, logo depois que nasceu, mamou duas horas seguidas sem largar o peito. E este nascimento é certamente de tudo o que temos dito o que mais nos interessa, porque o menino de quem falamos é o herói desta história.

Chegou o dia de batizar-se o rapaz: foi madrinha a parteira; sobre o padrinho houve suas dúvidas: o Leonardo queria que fosse o Sr. Juiz; porém teve de ceder a instâncias da Maria e da comadre, que queriam que fosse o barbeiro de defronte, que afinal foi adotado. Já se sabe que houve nesse dia função: os convidados do dono da casa, que eram todos dalém-mar, cantavam ao desafio, segundo seus costumes; os convidados da comadre, que eram todos da terra, dançavam o fado. O compadre trouxe a rabeca, que é, como se sabe, o instrumento favorito da gente do ofício. A princípio o Leonardo quis que a festa tivesse ares aristocráticos, e propôs-se que se dançasse o minuete da corte. Foi aceita a idéia, ainda que houvesse dificuldade em encontrarem-se pares. Afinal levantaram-se uma gorda e baixa matrona, mulher de um convidado; uma companheira desta, cuja figura era a mais completa antítese da sua; um colega do Leonardo, miudinho, pequenino, e com fumaças de gaiato, e o Sacristão da Sé, sujeito alto, magro e com pretensões de elegante. O compadre foi quem tocou o minuete na rabeca; e o afilhadinho, deitado no colo da Maria, acompanhava cada arcada com um guincho e um esperneio. Isto fez com que o compadre perdesse muitas vezes o compasso, e fosse obrigado a recomeçar outras tantas.

Depois do minuete foi desaparecendo a cerimônia, e a brincadeira *aferventou*, como se dizia naquele tempo. Chegaram uns rapazes de viola e machete: o Leonardo, instado pelas senhoras, decidiu-se a romper a parte lírica do divertimento. Sentou-se num tamborete, em um lugar isolado da sala, e tomou uma viola. Fazia um belo efeito cômico vê-lo em trajes do ofício, de casaca, calção e espadim, acompanhando com um monótono zunzum nas cordas do instrumento o garganteado de uma modinha pátria. Foi nas saudades da terra natal que ele achou inspiração para o seu canto, e isto era natural a um bom português, que o era ele. A modinha era assim:

> Quando estava em minha terra,
> Acompanhado ou sozinho,
> Cantava de noite e de dia
> Ao pé dum copo de vinho!

Foi executada com atenção e aplaudida com entusiasmo; somente quem não pareceu dar-lhe todo o apreço foi o pequeno, que obsequiou o pai como obsequiara ao padrinho, marcando-lhe o compasso a guinchos e esperneios. À Maria avermelharam-se os olhos, e suspirou.

O canto do Leonardo foi o derradeiro toque de rebate para esquentar-se a brincadeira, foi o adeus às cerimônias. Tudo daí em diante foi burburinho, que depressa passou à gritaria, e ainda mais depressa à algazarra, e não foi ainda mais adiante porque de vez em quando viam-se passar através das rótulas da porta e janelas umas certas figuras que denunciavam que o Vidigal andava perto.

A festa acabou tarde; a madrinha foi a última que saiu, deitando a bênção ao afilhado e pondo-lhe no cinteiro um raminho de arruda.*

(*Memórias de um Sargento de Milícias*, Rio de Janeiro, INL, 1969, pp. 107-111.)

---

* *Carontes* = Caronte, divindade mitológica que transportava a alma dos mortos para o outro lado do lago Aqueronte, e em paga recebia deles um óbolo que traziam debaixo da língua.

A novela de Manuel Antônio de Almeida ocupa um lugar especial no cenário de nossa ficção romântica, graças à sua originalidade, aparentemente fruto de geração espontânea, e que não deixou continuadores. É o que nos permite vislumbrar o capítulo introdutório, cujos ingredientes mais importantes destoam de tudo quanto oferece a prosa coeva. Note-se que a ação transcorre nos tempos do rei, D. João VI: sabemos que durante o fastígio romântico, a ficção histórica foi amplamente cultivada; entretanto, o distanciamento cronológico das *Memórias de um Sargento de Milícias* é de poucos anos, o que autoriza a classificá-las antes de novela de memórias que novela histórica. Donde o argumento, que o escritor ouviu de um colega do "Correio Mercantil", ostentar características de documento de uma fase histórica do Rio de Janeiro, porventura ainda vigente na altura em que a narrativa foi elaborada. Desse teor documental nasce o realismo que perpassa o capítulo transcrito, bem como toda a obra: um realismo instintivo, quase de reportagem social, a que faltam apenas as arquitraves científicas para se transformar no Realismo ortodoxo da segunda metade do século XIX. Para melhor discerni-lo, diríamos que tal senso de realidade remontaria à novela picaresca, de extração ibérica, mas sem nenhuma influência direta conhecida. De qualquer forma, percebe-se que seu realismo (o nascimento de Leonardo deve-se a "uma valente pisadela" e a "um tremendo beliscão"; a festa culmina em gritaria e algazarra) deve ligar-se a um substrato étnico que desponta num Bocage, num Gregório de Matos, num Gil Vicente, na cantiga de escárnio e maldizer, ou seja, o reverso da proverbial sentimentalidade lusíada, que leva ao desbocamento ou à disponibilidade irreverente que produz o humor malicioso ou o riso desatado. Observe-se, por fim, a linguagem de uma fluência e agilidade que nem por ser de origem jornalística lhe tira os méritos e deixou de exercer influxo sobre alguns pósteros (como Machado de Assis): revestimento adequado de uma história descontraída e "macunaímica", colaborou decisivamente para que ela se tornasse, sem favor, um dos pontos mais altos de nossa ficção de todos os tempos.

Texto para Análise

Capítulo VII

REMÉDIO AOS MALES

O pobre rapaz saíra, como dissemos, pela porta fora, e caminhando apressadamente olhava de vez em quando para trás, pois julgava ver ainda enristado contra si o espadim com que o pai o ameaçara, que parecia com ele querer acabar a obra que com um pontapé começara. Andou a bom andar por largo tempo, e foi dar consigo lá para as bandas dos Cajueiros: cansado, ofegante, sentou-se sobre umas pedras, e quem o visse com ar tristonho e pensativo julgaria talvez que ele cismava na sua posição e no caminho que havia tomar. Pois enganava-se redondamente quem tal julgasse: pensava em coisa muito mais agradável; pensava em Luisinha. Pensando nela não podia, é verdade, abster-se de ver surgir diante dos olhos o terrível José Manoel; e isto explicava certos movimentos de impaciência que de vez em quando se lhe podiam observar. Tinha gasto largo tempo nesta meditação, quando foi repentinamente acordado por umas poucas de gargalhadas partidas detrás de umas moitas vizinhas. Estremeceu da cabeça aos pés; pareceu-lhe que lhe tinham lido os pensamentos que lhe passavam pela mente e que se riam dele. Voltou-se, nada viu; guiado por um rumor que ouvia, começou a procurar, e sem grande trabalho viu, atrás de umas moitas um pouco altas, uns poucos de rapazes e raparigas, que, assentados em uma esteira entre os restos de um jantar, debruçavam-se curiosos sobre dous parceiros que, com um baralho de cartas amarrotado e sujo, desencabeçavam uma intrincada partida de bisca! As gargalhadas que ouvira há pouco tinham sido a conseqüência de um capote que um deles acabava de levar. À vista daqueles restos de um jantar, que, se não parecia ter sido abundante, fez-lhe lembrar que saíra de casa na ocasião de pôr-se a mesa, deu-lhe então o estômago umas formidáveis badaladas. Tentou entretanto voltar, porque não se queria meter em festa alheia, quando, levantando um dos jogadores a cabeça, conheceu nele um seu antigo camarada, o menino que fora sacristão da Sé. Ainda que apesar disso se quisesse retirar, já era tarde, porque com o movimento que fizera, o jogador, dando com ele, o havia também conhecido.

— Olá, Leonardo! por que carga d'água vieste parar a estas alturas? Pensei que te tinha já o diabo lambido os ossos, pois depois daquele maldito dia em que nos vimos em pancas por causa do mestre-de-cerimônias, nunca mais te pus a vista em cima.

Leonardo chegou-se ao rancho, e trocados os comprimentos com o seu antigo camarada foi convidado a servir-se de alguma cousa do que ainda havia. Quis fazer cerimônia, mas não estava em circunstâncias disso: uma das moças serviu-o, e enquanto continuava a bisca, comeu ele a barrete fora.

— Escorropicha essa garrafa que aí resta, disse-lhe o amigo, e vê se o vinho tem o mesmo gosto daquele que em outro tempo escorropichávamos juntos das galhetas da Sé, com desespero de meu pai e furor do mestre-de-cerimônias.

Quando Leonardo acabou de comer, acabaram também os dous parceiros de jogar; chamou então o amigo à parte, e perguntou-lhe:

— Então que gente é esta com que te achas aqui de súcia?

— É minha gente.

— Tua gente?

— Sim, pois não vês aquela moça morena que ali está?

— Sim, e então?

— Ora!...

— Pois tu casaste?

— Não... mas que tem isso?

— Ah!... estás de moça!

— E tu?

— Eu... ora nem te digo... morreu meu padrinho.

— Sim, ouvi dizer.

— Fui para casa de meu pai... e de repente, hoje mesmo, brigo lá com a *cuja* dele; ele corre de espada atrás de mim, e eu safo-me. Parei ali adiante, e as gargalhadas que vocês aqui davam...

— Sei do resto... E agora tu não tens para onde ir?

— Homem, eu ia ver...

— Ver o quê?

— Ver por aí...

— Por aí, por onde?

— Nem mesmo eu sei...

E desataram os dous a rir. Quando temos apenas 18 a 20 anos sobre os ombros, o que é um peso ainda muito leve, desprezamos o passado, rimo-nos do presente, e entregamo-nos descuidados a essa confiança cega no dia de manhã, que é o melhor apanágio da mocidade.

— Sabes que mais? continuou o amigo do Leonardo, vem conosco, e não te hás de arrepender.

— Mas com vocês, para onde?

— Para onde? Sem dúvida algum partido melhor tens a escolher? queres fazer cerimônias?

Começava a cair a noite.

— Vamos levantar a súcia, minha gente, disse um dos convivas.

— Sim, vamos.

— Nada, inda não: Vidinha vai cantar uma modinha.

— Sim, sim, uma modinha primeiro; aquela: "Se os meus suspiros pudessem."

— Não, essa não, cante antes aquela: "Quando as glórias que eu gozei."

— Vamos lá, decidam, respondeu uma voz de moça aflautada e lânguida.

Vidinha era uma mulatinha de 18 a 20 anos, de altura regular, ombros largos, peito alteado, cintura fina e pés pequeninos; tinha os olhos muito pretos e muito vivos, os lábios grossos e úmidos, os dentes alvíssimos, a fala era um pouco descansada, doce e afinada.

Cada frase que proferia era interrompida com uma risada prolongada e sonora, e com um certo caído de cabeça para trás, talvez gracioso se não tivesse muito de afetado.

Assentou-se finalmente que ela cantaria a modinha: "Se os meus suspiros pudessem."

Tomou Vidinha uma viola, e cantou acompanhando-se em uma toada insípida hoje, porém de grande aceitação naquele tempo, o seguinte:

> Se os meus suspiros pudessem
> Aos teus ouvidos chegar,
> Verias que uma paixão
> Tem poder de assassinar.
> Não são de zelos
> Os meus queixumes,
> Nem de ciúme
> Abrasador;
> São das saudades
> Que me atormentam
> Na dura ausência
> De meu amor.

O Leonardo, que talvez hereditariamente tinha queda para aquelas cousas, ouviu boquiaberto a modinha, e tal impressão lhe causou, que depois disso nunca mais tirou os olhos de cima da cantora. A modinha foi aplaudida como cumpria. Levantaram-se então, arrumaram tudo o que tinham levado em cestos, e puseram-se a caminho, acompanhando o Leonardo o farrancho.*

(Ibidem, pp. 237-241.)

BERNARDO GUIMARÃES

Bernardo Joaquim da Silva Guimarães nasceu em Ouro Preto, Minas Gerais, a 15 de agosto de 1825. Aos quatro anos, translada-se com sua família para Uberaba, onde aprende as primeiras letras. Em Campo Belo e Ouro Preto, realiza o curso secundário, findo o qual, vem para São Paulo e matricula-se na Faculdade de Direito (1847). Convive com Álvares de Azevedo e Aureliano Lessa, com os quais participa da "Sociedade Epicuréia", que pretendia reeditar em São Paulo a boêmia byroniana. Formado, segue para Catalão (Goiás), como juiz municipal. Em 1867, regressa a Ouro Preto, casa-se e passa a dedicar-se ao ensino de Retórica, Poética, Latim e Francês. E lá falece a 10 de março de 1884. Cultivou a poesia (*Cantos da Solidão*, 1852; *Poesias*, 1865, que inclui o livro anterior e *Inspirações da Tarde, Poesias Diversas, Evocações, A Baía de Botafogo*; *Novas Poesias*, 1876; *Folhas de Outono*, 1883) e a ficção (*O Ermitão de Muquém*, 1864; *Lendas e Romances*, 1871; *O Seminarista*, 1872; *História e Tradições da Província de Minas Gerais* (1872); *O Garimpeiro*, 1872; *O Índio Afonso*, 1873; *A Escrava Isaura*, 1875; *Maurício ou Os Paulistas em São João d'El Rei*, 1877; *A Ilha Maldita e O Pão de Ouro*, 1879; *Rosaura, a Enjeitada*, 1883). De suas obras, a mais conhecida e lida é

A Escrava Isaura

Publicada pela primeira vez em 1875, gira em torno do seguinte entrecho: em Campos, Estado do Rio, numa fazenda à margem do Paraíba, vive como escrava a bela e sedutora Isaura. A mãe de seu patrão (Leôncio) criara-a como filha, dando-lhe educação refinada de moça branca. Mas, passando a propriedade para as mãos de Leôncio, seus tormentos principiam: embora casado com Malvina, que nutria pela mestiça a mesma estima que lhe dedicara a sogra, entra a assediar a moça. Descobrindo-lhe os intentos, a esposa o abandona e regressa à Corte, deixando Isaura em situação ainda mais penosa. Até que, um dia, a escrava foge com seu pai (Miguel), ex-feitor da fazenda, para Recife, onde conhece Álvaro, rico e de ideais republicanos, que dela se enamora. Todavia, Leôncio vai-lhes no encalço e traz de volta a fugitiva. Passados dois meses, Álvaro irrompe na fazenda para libertar Isaura e casar com ela; havia comprado todos os bens de Leôncio. Este, em desespero, se mata. O excerto que se vai ler constitui o primeiro capítulo da obra:

Era nos primeiros anos do reinado do Sr. D. Pedro II.

No fértil e opulento município de Campos de Goitacases, à margem do Paraíba, a pouca distância da vila de Campos, havia uma linda e magnífica fazenda.

Era um edifício de harmoniosas proporções, vasto e luxuoso, situado em aprazível vargedo ao sopé de elevadas colinas cobertas de mata em parte devastada pelo machado do lavrador. Longe em derredor a natureza ostentava-se ainda em toda a

---

* *levar capote* = não fazer ponto algum (no jogo).

sua primitiva e selvática rudeza; mas por perto, em torno da deliciosa vivenda, a mão do homem tinha convertido a bronca selva, que cobria o solo, em jardins e pomares deleitosos, em gramais e pingues pastagens, sombreadas aqui e acolá por gameleiras gigantescas, perobas, cedros e copaíbas, que atestavam o vigor da antiga floresta. Quase não se via aí muro, cerca nem valado; jardim, horta, pomar, pastagens, e plantios circunvizinhos eram divididos por viçosas e verdejantes sebes de bambus, piteiras, espinheiros e gravatás, que davam ao todo o aspecto do mais aprazível e delicioso vergel.

A casa apresentava a frente às colinas. Entrava-se nela por um lindo alpendre todo enredado de flores trepadeiras, ao qual subia-se por uma escada de cantaria de seis a sete degraus. Os fundos eram ocupados por outros edifícios acessórios, senzalas, pátios, currais e celeiros, por trás dos quais se estendia o jardim, a horta, e um imenso pomar, que ia perder-se na barranca do grande rio.

Era por uma linda e calmosa tarde de outubro. O sol não era ainda posto, e parecia boiar no horizonte suspenso sobre rolos de espuma de cores cambiantes orlados de fêveras de ouro. A viração saturada de balsâmicos eflúvios se espreguiçava ao longo das ribanceiras acordando apenas frouxos rumores pela copa dos arvoredos, e fazendo farfalhar de leve o tope dos coqueiros, que miravam-se garbosos nas lúcidas e tranqüilas águas da ribeira.

Corria um belo tempo; a vegetação reanimada por moderadas chuvas ostentava-se fresca, viçosa e luxuriante; a água do rio ainda não turvada pelas grandes enchentes, rolando com majestosa lentidão, refletia em toda a pureza os esplêndidos coloridos do horizonte, e o nítido verdor das selvosas ribanceiras. As aves, dando repouso às asas fatigadas do contínuo voejar pelos pomares, prados e balsedos vizinhos, começavam a preludiar seus cantos vespertinos.

O clarão do sol poente por tal sorte abraseava as vidraças do edifício, que esse parecia estar sendo devorado pelas chamas de um incêndio interior. Entretanto, quer no interior, quer em derredor, reinava fundo silêncio, e perfeita tranqüilidade. Bois truculentos, e nédias novilhas deitadas pelo gramal, ruminavam tranqüilamente à sombra de altos troncos. As aves domésticas grazinavam em torno da casa, balavam as ovelhas, e mugiam algumas vacas, que vinham por si mesmas procurando os currais; mas não se ouvia, nem se divisava voz nem figura humana. Parecia que ali não se achava morador algum. Somente as vidraças arregaçadas de um grande salão da frente e os batentes da porta da entrada, abertos de par em par, denunciavam que nem todos os habitantes daquela suntuosa propriedade se achavam ausentes.

A favor desse quase silêncio harmonioso da natureza ouvia-se distintamente o arpejo de um piano casando-se a uma voz de mulher, voz melodiosa, suave, apaixonada, e do timbre o mais puro e fresco, que se pode imaginar.

Posto que um tanto abafado, o canto tinha uma vibração sonora, ampla e volumosa, que revelava excelente e vigorosa organização vocal. O tom velado e melancólico da cantiga parecia gemido sufocado de uma alma solitária e sofredora.

Era essa a única voz que quebrava o silêncio da vasta e tranqüila vivenda. Por fora tudo parecia escutá-la em místico e profundo recolhimento.

As coplas, que cantava, diziam assim:

Desd'o berço respirando
Os ares da escravidão,
Como semente lançada
Em terra de maldição,
A vida passo chorando
Minha triste condição.

Os meus braços estão presos,
A ninguém posso abraçar,
Nem meus lábios, nem meus olhos
Não podem de amor falar;
Deu-me Deus um coração
Somente para penar.

Ao ar livre das campinas
Seu perfume exala a flor;
Canta a aura em liberdade
Do bosque o alado cantor;
Só para a pobre cativa
Não há canções, nem amor.

Cala-te, pobre cativa;
Teus queixumes crimes são;
E uma afronta esse canto,
Que exprime tua aflição.
A vida não te pertence,
Não é teu teu coração.

As notas sentidas e maviosas daquele cantar escapando pelas janelas abertas e ecoando ao longe em derredor, dão vontade de conhecer a sereia, que tão lindamente canta. Se não é sereia, somente um anjo pode cantar assim.

Subamos os degraus, que conduzem ao alpendre, todo engrinaldado de viçosos festões e lindas flores, que serve de vestíbulo ao edifício. Entremos sem cerimônia. Logo à direita do corredor encontramos aberta uma larga porta, que dá entrada à sala de recepção, vasta e luxuosamente mobiliada. Acha-se ali sozinha e sentada ao piano uma bela e nobre figura de moça. As linhas de perfil desenham-se distintamente entre o ébano da caixa do piano, e as bastas madeixas ainda mais negras do que ele. São tão puras e suaves essas linhas, que fascinam os olhos, enlevam a mente, e paralisam toda análise. A tez é como o marfim do teclado, alva que não deslumbra, embaçada por uma nuança delicada, que não sabereis dizer se é leve palidez ou cor-de-rosa desmaiada. O colo donoso e do mais puro lavor sustenta com graça inefável o busto maravilhoso. Os cabelos soltos e fortemente ondulados se despenham caracolando pelos ombros em espessos e luzidios rolos, e como franjas negras es-condiam quase completamente o dorso da cadeira, que se achava recostada. Na fronte calma e lisa como mármore polido, a luz do ocaso esbatia um róseo e suave reflexo; di-la-íeis misteriosa lâmpada de alabastro guardando no seio diáfano o fogo celeste da inspiração. Tinha a face voltada para as janelas, e o olhar vago pairava-lhe pelo espaço.

Os encantos da gentil cantora eram ainda realçados pela singeleza, e diremos quase pobreza do modesto trajar. Um vestido de chita ordinária azul-clara desenhava-lhe perfeitamente com encantadora simplicidade o porte esbelto e a cintura delicada, e desdobrando-se-lhe em roda em amplas ondulações parecia uma nuvem, do seio da qual se erguia a cantora como Vênus nascendo da espuma do mar, ou como um anjo surgindo dentre brumas vaporosas. Uma pequena cruz de azeviche presa ao pescoço por uma fita preta constituía o seu único ornamento.

Apenas terminado o canto, a moça ficou um momento a cismar com os dedos sobre a teclado como escutando os derradeiros ecos da sua canção.

Entretanto abre-se sutilmente a cortina de cassa de uma das portas interiores, e uma nova personagem penetra no salão. Era também uma formosa dama ainda no viço da mocidade, bonita, bem feita e elegante. A riqueza e o primoroso esmero do trajar, o porte altivo e senhoril, certo balanceio afetado e langoroso dos movimentos davam-lhe esse ar pretensioso, que acompanha toda moça bonita e rica, ainda mesmo quando está sozinha. Mas com todo esse luxo e donaire de grande senhora nem por isso sua grande beleza deixava de ficar algum tanto eclipsada em presença das formas puras e corretas, da nobre singeleza, e dos tão naturais e modestos ademanes da cantora. Todavia Malvina era linda, encantadora mesmo, e posto que vaidosa de sua formosura e alta posição, transluzia-lhe nos grandes e meigos olhos azuis toda a nativa bondade de seu coração.

Malvina aproximou-se de manso e sem ser pressentida para junto da cantora, colocando-se por detrás dela esperou que terminasse a última copla.

— Isaura!... disse ela pousando de leve a delicada mãozinha sobre o ombro da cantora.

— Ah! é a senhora?! — respondeu Isaura voltando-se sobressaltada. — Não sabia que estava aí me escutando.

— Pois que tem isso?... continua a cantar;... tens a voz tão bonita!... mas eu antes quisera, que cantasses outra cousa; por que é que você gosta tanto dessa cantiga tão triste, que você aprendeu não sei onde?...

— Gosto dela, porque acho-a bonita e porque... ah! não devo falar...

— Fala, Isaura. Já não te disse, que nada me deves esconder, e nada recear de mim?...

— Porque me faz lembrar de minha mãe, que eu não conheci, coitada!... Mas se a senhora não gosta dessa cantiga, não a cantarei mais.

— Não gosto que a cantes, não, Isaura. Hão de pensar que és maltratada, que és uma escrava infeliz, vítima de senhores bárbaros e cruéis. Entretanto passas aqui uma vida, que faria inveja a muita gente livre. Gozas da estima de teus senhores. Deram-te uma educação, como não tiveram muitas ricas e ilustres damas, que eu conheço. És formosa, e tens uma cor linda, que ninguém dirá que gira em tuas veias uma só gota de sangue africano. Bem sabes, quanto minha boa sogra antes de expirar te recomendava a mim e a meu marido. Hei de respeitar sempre as recomendações daquela santa mulher, e tu bem vês, sou mais tua amiga, do que tua senhora. Oh!

não; não cabe em tua boca essa cantiga lastimosa, que tanto gostas de cantar — Não quero, — continuou em tom de branda repreensão, — não quero que a cantes mais, ouviste, Isaura?... se não, fecho-te o meu piano.

— Mas, senhora, apesar de tudo isso, que sou eu mais do que uma simples escrava? Essa educação, que me deram, e essa beleza, que tanto me gabam, de que me servem?... são trastes de luxo colocados na senzala do africano. A senzala nem por isso deixa de ser o que é: uma senzala.

— Queixas-te da tua sorte, Isaura?...

— Eu não, senhora; não tenho motivo;... o que quero dizer com isto é que, apesar de todos esses dotes e vantagens, que me atribuem, sei conhecer o meu lugar.

— Anda lá; já sei o que te amofina; a tua cantiga bem o diz. Bonita como és, não podes deixar de ter algum namorado.

— Eu, senhora!... por quem é, não pense nisso.

— Tu mesma; pois que tem isso?... não te vexes; pois é alguma cousa do outro mundo? Vamos já, confessa; tens um amante, e é por isso, que lamentas não teres nascido livre para poder amar aquele que te agradou, e a quem caíste em graça, não é assim?...

— Perdoe-me, sinhá Malvina; — replicou a escrava com um cândido sorriso. — Está muito enganada; estou tão longe de pensar nisso!

— Qual longe!... não me enganas, minha rapariguinha!... tu amas, e és mui linda e bem prendada para te inclinares a um escravo; só se fosse um escravo, como tu és, o que duvido que haja no mundo. Uma menina como tu, bem pode conquistar o amor de algum guapo mocetão, e eis aí a causa da choradeira de tua canção. Mas não te aflijas, minha Isaura; eu te protesto, que amanhã mesmo terás a tua liberdade; deixa Leôncio chegar; é uma vergonha, que uma rapariga como tu se veja ainda na condição de escrava.

— Deixe-se disso, senhora; eu não penso em amores e muito menos em liberdade; às vezes fico triste à toa, sem motivo nenhum...

— Não importa. Sou eu quem quero que sejas livre, e hás de sê-lo.

Neste ponto a conversação foi cortada por um tropel de cavaleiros, que chegaram e apeavam-se à porta da fazenda.

Malvina e Isaura correram à janela a ver quem eram.

(A Escrava Isaura, São Paulo, Melhoramentos, s. d., pp. 7-13.)

Publicada quando a metamorfose realista caminhava a largos passos, *A Escrava Isaura* destaca-se no panorama do nosso Romantismo por uma série de aspectos, a começar do tema: a escravidão. Com efeito, o romance de Bernardo Guimarães representa um libelo em favor da abolição da escravatura, à semelhança do que ocorria, por exemplo, na poesia dum Castro Alves. Entretanto, ao invés de configurar-se como um libelo polêmico, escolheu o rumo da idealização, mais concernente com a época em que a história se passa ("primeiros anos do reinado do Sr. D. Pedro II") e, porventura, com o espírito do prosador. Evidencia-o, de modo flagrante, a personalidade de Isaura: sua angústia de cativa extravasa em coplas literariamente bem compostas, ainda que de estrutura popular (o verso redondilho). Mais do que isso, chama a atenção o fato de a moça ostentar suma beleza ("A tez é como o marfim do teclado, alva que não deslumbra", etc.), superior à da figura feminina com quem se emparelha, Malvina. Dessa forma, o retrato da escravidão mostra-se deformado, já que Isaura estava longe de ser espécime típico. Por outro lado, a denúncia também se atenua pelo liberalismo com que Isaura foi educada pela mãe de Leôncio e é tratada por Malvina; no entanto, o à-vontade da patroa resulta dum sentimento provocado pela formosura de Isaura, não por sua condição social: "é uma vergonha, que uma rapariga como tu ['mui linda e bem prendada'] se veja ainda na condição de escrava". Dir-se-ia que ela estava para o cativeiro assim como Iracema, de Alencar, para a comunidade indígena. Análoga idealização se observa no desenho da natureza, fruto do apego à tendência amplificadora do Romantismo, mas que destoa dos paroxismos pictóricos do prosador cearense, ao revelar uma calma, um como pendor à fotografação, que prenuncia o descritivismo realista, ou, ao menos, corrobora em certo sentido a concepção paisagística de Taunay. Note-se, por último, a recorrência de um lugar-comum de nossa ficção romântica: o gosto pelo histórico. A fabulação decorre nos "primeiros anos do reinado do Sr. D. Pedro II", vale dizer, meio século antes de o romance ter vindo a lume, o que neutraliza ainda mais o impacto denunciatório da obra. Em conclusão: não obstante aproveitasse a onda abolicionista para formular uma acusação generosa e indireta, Bernardo Guimarães soube criar um enredo que se coloca entre o melhor que o nosso Romantismo produziu em matéria de ficção.

CASTRO ALVES

Antônio de Castro Alves nasceu a 14 de março de 1847, na fazenda Cabaceiras, interior da Bahia. Feitos os estudos secundários no Ginásio Baiano, em 1864 ingressa na Faculdade de Direito do Recife, onde granjeia desde cedo notoriedade como poeta inflamado. Apaixonando-se pela atriz Eugênia Câmara, com ela ruma para o Rio de Janeiro, em fevereiro de 1868, e é festivamente recebido por Alencar e Machado de Assis. Vem para São Paulo a fim de prosseguir o curso jurídico, e aqui continua a gozar da mesma aura de vate genial. Todavia, separa-se de Eugênia Câmara e entra a desanimar. Numa caçada, fere o pé acidentalmente. Segue para o Rio, onde lhe operam o membro gangrenado, e de lá para a Bahia, já minado pela tuberculose que o vitimaria a 6 de julho de 1871. Seu espólio literário consta do seguinte: *Espumas Flutuantes* (1870), *Gonzaga ou A Revolução de Minas*, teatro (1876), *A Cachoeira de Paulo Afonso* (1876), *Os Escravos* (1883). Suas *Obras Completas* foram reunidas pela primeira vez em 1898.

Hebréia

Flos campi et lilium convallium.
Cântico dos Cânticos

Pomba d'esp'rança sobre um mar d'escolhos!
Lírio do vale oriental, brilhante!
Estrela vésper do pastor errante!
Ramo de murta a recender cheirosa!...

Tu és, ó filha de Israel formosa...
Tu és, ó linda, sedutora Hebréia...
Pálida rosa da infeliz Judéia
Sem ter o orvalho, que do céu deriva!

Por que descoras, quando a tarde esquiva
Mira-se triste sobre o azul das vagas?
Serão saudades das infindas plagas,
Onde a oliveira no Jordão se inclina?

Sonhas, acaso, quando o sol declina,
A terra santa do Oriente imenso?
E as caravanas no deserto extenso?
E os pegureiros da palmeira à sombra?!...

Sim, fora belo na relvosa alfombra,
Junto da fonte, onde Raquel gemera,
Viver contigo qual Jacó vivera
Guiando escravo teu feliz rebanho...

Depois nas águas de cheiroso banho
— Como Susana a estremecer de frio —
Fitar-te, ó flor do babilônio rio,
Fitar-te a medo no salgueiro oculto...

Vem pois!... Contigo no deserto inculto,
Fugindo às iras de Saul embora,
Davi eu fora —, se Mical tu foras,
Vibrando na harpa do profeta o canto...

Não vês?... Do seio me goteja o pranto
Qual da torrente do Cédron deserto!...
Como lutara o patriarca incerto
Lutei, meu anjo, mas caí vencido.

Eu sou o lótus para o chão pendido,
Vem ser o orvalho oriental, brilhante!...
Ai! guia o passo ao viajor perdido,
Estrela vésper do pastor errante!...

Mocidade e Morte

E perto avisto o porto
Imenso, nebuloso e sempre noite
Chamado — Eternidade —

Laurindo

Lasciate ogni speranza, voi ch'entrate.
Dante

Oh! Eu quero viver, beber perfumes
Na flor silvestre, que embalsama os ares;
Ver minh'alma adejar pelo infinito,
Qual branca vela n'amplidão dos mares,

No seio da mulher há tanto aroma...
Nos seus beijos de fogo há tanta vida...
— Árabe errante, vou dormir à tarde
À sombra fresca da palmeira erguida.

Mas uma voz responde-me sombria:
Terás o sono sob a lájea fria.

Morrer... quando este mundo é um paraíso,
E a alma um cisne de douradas plumas:
Não! o seio da amante é um lago virgem...
Quero boiar à tona das espumas.
Vem! formosa mulher — camélia pálida,
Que banharam de pranto as alvoradas.
Minh'alma é a borboleta, que espaneja
O pó das asas lúcidas, douradas...

E a mesma voz repete-me terrível,
Com gargalhar sarcástico: — impossível!

Eu sinto em mim o borbulhar do gênio.
Vejo além um futuro radiante:
Avante! — brada-me o talento n'alma
E o eco ao longe me repete — avante! —
O futuro... o futuro... no seu seio...
Entre louros e bênçãos dorme a glória!
Após — um nome do universo n'alma,
Um nome escrito no Panteon da história.

E a mesma voz repete funerária: —
Teu Panteon — a pedra mortuária!

Morrer — é ver extinto dentre as névoas
O fanal, que nos guia na tormenta:
Condenado — escutar dobres de sino,
— Voz da morte, que a morte lhe lamenta —
Ai! morrer — é trocar astros por círios,
Leito macio por esquife imundo,
Trocar os beijos da mulher — no visco
Da larva errante no sepulcro fundo.

Ver tudo findo... só na lousa um nome,
Que o viandante a perpassar consome.

E eu sei que vou morrer... dentro em meu peito
Um mal terrível me devora a vida:
Triste Ahasverus, que no fim da estrada,
Só tem por braços uma cruz erguida.

Sou o cipreste, qu'inda mesmo flórido,
Sombra da morte no ramal encerra!
Vivo — que vaga sobre o chão da morte,
Morto — entre os vivos a vagar na terra.

Do sepulcro escutando triste grito
Sempre, sempre bradando-me: maldito! —

E eu morro, ó Deus! na aurora da existência,
Quando a sede e o desejo em nós palpita...
Levei aos lábios o dourado pomo,
Mordi no fruto podre do Asfaltita.
No triclínio da vida — novo Tântalo —
O vinho do viver ante mim passa...
Sou dos convivas da legenda Hebraica,
O 'stilete de Deus quebra-me a taça.

É que até minha sombra é inexorável,
Morrer! morrer! soluça-me implacável.

Adeus, pálida amante dos meus sonhos!
Adeus, vida! Adeus, glória! amor! anelos!
Escuta, minha irmã, cuidosa enxuga
Os prantos de meu pai nos teus cabelos.
Fora louco esperar! fria rajada
Sinto que do viver me extingue a lampa...
Resta-me agora por futuro — a terra,
Por glória — nada, por amor — a campa.

Adeus! arrasta-me uma voz sombria
Já me foge a razão na noite fria!...

Adormecida

Ses longs cheveux épars la couvrent tout entière:
La croix de son collier repose dans sa main,
Comme pour témoigner qu'elle a fait sa prière.
Et qu'elle va la faire en s'eveillant demain.

A. de Musset

Uma noite, eu me lembro... Ela dormia
Numa rede encostada molemente...
Quase aberto o roupão... solto o cabelo
E o pé descalço no tapete rente.

'Stava aberta a janela. Um cheiro agreste
Exalavam as silvas da campina...
E ao longe, num pedaço do horizonte,
Via-se a noite plácida e divina.

De um jasmineiro os galhos encurvados,
Indiscretos entravam pela sala,
E de leve oscilando ao tom das auras,
Iam na face trêmulos — beijá-la.

Era um quadro celeste!... A cada afago
Mesmo em sonhos a moça estremecia...
Quando ela serenava... a flor beijava...
Quando ela ia beijar-lhe... a flor fugia...

Dir-se-ia que naquele doce instante
Brincavam duas cândidas crianças...
A brisa, que agitava as folhas verdes,
Fazia-lhe ondear as negras tranças!

E o ramo ora chegava ora afastava-se...
Mas quando a via despertada a meio,
P'ra não zangá-la... sacudia alegre
Uma chuva de pétalas no seio...

* * *

Eu, fitando esta cena, repetia
Naquela noite lânguida e sentida:
"Ó flor! — tu és a virgem das campinas!
"Virgem! — tu és a flor de minha vida!...

Vozes d'África

Deus! ó Deus! onde estás que não respondes?
Em que mundo, em qu'estrela tu t'escondes
        Embuçado nos céus?

Há dois mil anos te mandei meu grito,
Que embalde desde então corre o infinito...
        Onde estás, Senhor Deus?...

Qual Prometeu tu me amarraste um dia
Do deserto na rubra penedia
        — Infinito: galé!...

Por abutre — me deste o sol candente,
E a terra de Suez — foi a corrente
        Que me ligaste ao pé...

O cavalo estafado do Beduíno
Sob a vergasta tomba ressupino
        E morre no areal.

Minha garupa sangra, a dor poreja,
Quando o chicote do *simoun* dardeja
      O teu braço eternal.

Minhas irmãs são belas, são ditosas...
Dorme a Ásia nas sombras voluptuosas
      Dos *haréns* do Sultão.

Ou no dorso dos brancos elefantes
Embala-se coberta de brilhantes
      Nas plagas do Hindustão.

Por tenda tem os cimos do Himalaia...
O Ganges amoroso beija a praia
      Coberta de corais...

A brisa de Misora o céu inflama;
E ela dorme nos templos do Deus Brama,
      — Pagodes colossais...

A Europa é sempre Europa, a gloriosa!...
A mulher deslumbrante e caprichosa,
      Rainha e cortesã.

Artista — corta o mármor de Carrara;
Poetisa — tange os hinos de Ferrara,
      No glorioso afã!...

Sempre a láurea lhe cabe no litígio...
Ora uma *c'roa*, ora o *barrete frígio*
      Enflora-lhe a cerviz.

O Universo após ela — doudo amante —
Segue cativo o passo delirante
      Da grande meretriz.

. . . .

Mas eu, Senhor!... Eu triste abandonada
Em meio das areias esgarrada,
      Perdida marcho em vão!

Se choro... bebe o pranto a areia ardente;
Talvez... p'ra que meu pranto, ó Deus clemente!
      Não descubras no chão...

E nem tenho uma sombra de floresta...
Para cobrir-me nem um templo resta
      No solo abrasador...

Quando subo às Pirâmides do Egito
Embalde aos quatro céus chorando grito:
      "Abriga-me, Senhor!..."

Como o profeta em cinza a fronte envolve,
Velo a cabeça no areal que volve
        O siroco feroz...

Quando eu passo no Saara amortalhada...
Ai! dizem: "Lá vai África embuçada
        No seu branco albornoz..."

Nem vêem que o deserto é meu sudário,
Que o silêncio campeia solitário
        Por sobre o peito meu.

Lá no solo onde o cardo apenas medra
Boceja a Esfinge colossal de pedra
        Fitando o morno céu.

De Tebas nas colunas derrocadas
As cegonhas espiam debruçadas
        O horizonte sem fim...

Onde branqueja a caravana errante,
E o camelo monótono, arquejante
        Que desce de Efraim...

. . . .

Não basta inda de dor, ó Deus terrível?!
É, pois, teu peito eterno, inexaurível
        De vingança e rancor?...

E que é que fiz, Senhor? que torvo crime
Eu cometi jamais que assim me oprime
        Teu gládio vingador?!...

. . . .

Foi depois do *dilúvio*... Um viandante,
Negro, sombrio, pálido, arquejante,
        Descia do Arará...

E eu disse ao peregrino fulminado:
"Cam!... serás meu esposo bem-amado...
        — Serei tua Eloá..."

Desde este dia o vento da desgraça
Por meus cabelos ululando passa
        O anátema cruel.

As tribos erram do areal nas vagas,
E o *Nômada* faminto corta as plagas
        No rápido corcel.

Vi a ciência desertar do Egito...
Vi meu povo seguir — Judeu maldito —
    Trilho de perdição.

Depois vi minha prole desgraçada
Pelas garras d'Europa — arrebatada —
  •   Amestrado falcão!...

Cristo! embalde morreste sobre um monte...
Teu sangue não lavou de minha fronte
    A mancha original.

Ainda hoje são, por fado adverso,
Meus filhos — alimária do universo,
    Eu — pasto universal...

Hoje em meu sangue a América se nutre
— Condor que transformara-se em abutre,
    Ave da escravidão,

Ela juntou-se às mais... irmã traidora
Qual de José os vis irmãos outrora
    Venderam seu irmão.

. . . .

Basta, Senhor! De teu potente braço
Role através dos astros e do espaço
    Perdão p'ra os crimes meus!...

Há dois mil anos... eu soluço um grito...
Escuta o brado meu lá no infinito,
    Meus Deus! Senhor, meu Deus!...*

(*Obra Completa*, Rio de Janeiro, Aguilar [1966],
pp. 90-91, 96-98, 124-125, 255-258.)

_____

* "Hebréia": *Mical* = filha de Saul, dada a Davi em casamento como recompensa de seus feitos, dentre os quais vencer o gigante Golias; "Mocidade e Morte": *Ahasverus* = Judeu Errante, figura lendária, condenada à imortalidade e a vagar perpetuamente; *Asfaltita* = Mar Morto, em cujas margens se encontram frutos sedutores por fora e podres por dentro; *Tântalo* = Rei lendário da Lídia, serviu seu próprio filho em banquete aos deuses; em represália, Zeus mandou prendê-lo numa árvore recamada de apetitosos frutos, que lhe escapavam das mãos sempre que tencionava apanhá-los, erguida em meio a um lago cuja água cristalina lhe fugia do alcance; "Vozes d'África": *Prometeu* = divindade grega, tendo roubado uma chispa do fogo celeste, foi condenado à prisão numa rocha do Cáucaso, onde uma águia lhe comia o fígado que renascia perenemente; *Misora* = cidade e estado da Índia meridional; *c'roa* = monarquia; *barrete frígio* = república; *Arará* = Ararat, monte onde Noé aportou com sua arca; *Cam* = segundo filho de Noé, cujos descendentes são considerados, na *Bíblia*, antepassados dos negros; *Eloá* = Deus; no poema, significaria "deusa" ou "esposa".

Aparecendo na década de 60, contemporaneamente a Fagundes Varela, Castro Alves representa um traço de união entre o Romantismo agonizante e o Parnasianismo emergente. Em verdade, sua poesia, ao mesmo tempo que constitui a derradeira floração do lirismo sentimental, pressagia de modo flagrante a dissolução das estruturas estéticas em que se fundava o espírito romântico. Tal antinomia vem claramente documentada nos poemas transcritos: de um lado, tem-se a poesia lírico-amorosa, expressa em "Hebréia", "Adormecida" e "Mocidade e Morte", onde se nota uma sensualidade escaldante, ainda que vigiada pelos padrões de comportamento em moda no Romantismo; antípoda do lirismo de Gonçalves Dias, enaltece o amor em masculino, donjuanesco ou que, ao menos, pressupõe a realização integral dos apelos sensoriais. No outro pólo, coloca-se a poesia social, estampada em "Vozes d'África", de teor humanitarista e abolicionista, "condoreira", ressoando o exemplo do Vítor Hugo da *Legende des Siècles*: a voz do poema, convertendo-se em arauto das aspirações populares, ganha acentos retóricos e declamatórios, que, porém, mal disfarçam a postura subjetivista adotada pelo engajamento do poeta. Do exame das duas tendências infere-se uma resultante de caráter pré-parnasiano, na forma, onde a musicalidade plangente que vimos nos demais poetas românticos cede passo a uma solenidade de oratória, e no temário, onde o orientalismo, a mitologia greco-latina e a sensualidade classicizante preludiam a lírica amorosa de Bilac. Tudo isso faz de Castro Alves, contrariamente aos seus predecessores, um poeta otimista, sequioso de vida, idealista, orientado por uma visão utópica do mundo e dos homens que o tom depressivo de "Mocidade e Morte" ensombra apenas por momentos: não esquecer que o tema da morte, sobre ser peculiar à mundividência romântica, se insinua na poesia de Castro Alves também por uma circunstância biográfica (o poema, inicialmente intitulado "O Tísico", foi escrito a 7 de outubro de 1864, sob o efeito da impressão causada por uma hemoptise). No balanço final, Castro Alves reuniu condições excepcionais de talento literário, que uma vida repassada de passionalidade e aventura mais acentuou, tornando-o um dos maiores poetas do tempo e da Literatura Brasileira.

Textos para Análise

O Gondoleiro do Amor
BARCAROLA

Dama-Negra

Teus olhos são negros, negros,
Como as noites sem luar...
São ardentes, são profundos,
Como o negrume do mar;

Sobre o barco dos amores,
Da vida boiando à flor,
Douram teus olhos a fronte
Do Gondoleiro do amor.

Tua voz é cavatina
Dos palácios de Sorrento,
Quando a praia beija a vaga,
Quando a vaga beija o vento.

E como em noites de Itália
Ama um canto o pescador,
Bebe a harmonia em teus cantos
O Gondoleiro do amor.

Teu sorriso é uma aurora
Que o horizonte enrubesceu,
— Rosa aberta com o biquinho
Das aves rubras do céu;

Nas tempestades da vida
Das rajadas no furor,
Foi-se a noite, tem auroras
O Gondoleiro do amor.

Teu seio é vaga dourada
Ao tíbio clarão da lua,
Que, ao murmúrio das volúpias,
Arqueja, palpita nua;

Como é doce, em pensamento,
Do teu colo no langor
Vogar, naufragar, perder-se
O Gondoleiro do amor!?

Teu amor na treva é — um astro.
No silêncio uma canção,
É brisa — nas calmarias,
É abrigo — no tufão;

Por isso eu te amo, querida,
Quer no prazer, quer na dor...
Rosa! Canto! Sombra! Estrela!
Do Gondoleiro do amor.

Recife, janeiro de 1867

O Povo ao Poder

Quando nas praças s'eleva
Do povo a sublime voz...
Um raio ilumina a treva
O Cristo assombra o algoz...
Que o gigante da calçada
Com pé sobre a barricada
Desgrenhado, enorme, e nu,
Em Roma é Catão ou Mário,
É Jesus sobre o Calvário,
É Garibaldi ou Kossuth.

A praça! A praça é do povo
Como o céu é do condor
É o antro onde a liberdade
Cria águias em seu calor.
Senhor!... pois quereis a praça?
Desgraçada a populaça
Só tem a rua de seu...
Ninguém vos rouba os castelos
Tendes palácios tão belos...
Deixai a terra ao Anteu.

Na tortura, na fogueira...
Nas tocas da inquisição
Chiava o ferro na carne
Porém gritava a aflição.
Pois bem... nest'hora poluta
Nós bebemos a cicuta
Sufocados no estertor;
Deixai-nos soltar um grito
Que topando no infinito
Talvez desperte o Senhor.

A palavra! vós roubais-la
Aos lábios da multidão
Dizeis, senhores, à lava
Que não rompa do vulcão.
Mas qu'infâmia! Ai, velha Roma,
Ai, cidade de Vendoma,
Ai, mundos de cem heróis,
Dizei, cidades de pedra,
Onde a liberdade medra
Do porvir aos arrebóis.

Dizei, quando a voz dos Gracos
Tapou a destra da lei?
Onde a toga tribunícia
Foi calcada aos pés do rei?
Fala, soberba Inglaterra
Do sul ao teu pobre irmão,
Dos teus tributos que é feito?
Tu guarda-os no largo peito
Não no lodo da prisão.

No entanto em sombras tremendas
Descansa extinta a nação
Fria e treda como o morto.

E vós, que sentis-lhe o pulso
Apenas tremer convulso
Nas extremas contorções...
Não deixais que o filho louco
Grite "oh! Mãe, descansa um pouco
Sobre os nossos corações".

Mas embalde... Que o direito
Não é pasto do punhal.
Nem a patas de cavalos
Se faz um crime legal...
Ah! não há muitos setembros!
Da plebe doem os membros
No chicote do poder.
E o momento é malfadado
Quando o povo ensangüentado
Diz: já não posso sofrer.

Pois bem! Nós que caminhamos
Do futuro para a luz,
Nós que o Calvário escalamos
Levando nos ombros a cruz,
Que do presente no escuro
Só temos fé no futuro,
Como alvorada do bem,
Como Laocoonte esmagado
Morreremos coroado
Erguendo os olhos além.

Irmãos da terra da América,
Filhos do solo da cruz,
Erguei as frontes altivas,
Bebei torrentes de luz...
Ai! soberba populaça,
Rebentos da velha raça
Dos nossos velhos Catões,
Lançai um protesto, ó povo,
Protesto que o mundo novo
Manda aos tronos e às nações.

(*Ibidem*, pp. 103-104, 352-354.)

SOUSÂNDRADE

Joaquim de Sousa Andrade nasceu no Maranhão, a 9 de julho de 1833. Perdeu os pais com tenra idade. Após os estudos em São Luís e breve estada no Rio de Janeiro, inicia deambulação que só tardiamente interromperá: esteve na Amazônia, em Paris forma-se em Letras e Engenharia, retorna ao Maranhão, casa-se, e em 1857 lança *Harpas Selvagens* no

Rio de Janeiro. Por volta de 1870, separa-se da esposa e segue para Nova Iorque, onde vive do jornalismo e imprime o primeiro volume das *Obras Poéticas* (1874). Em 1885, regressa ao Maranhão: dedica-se ao magistério de Língua Grega no Liceu Maranhense e sonha com a instalação de uma Universidade. Faleceu na extrema pobreza, em São Luís, a 21 de abril de 1902. Além das obras assinaladas, deixou: *Impressos* (2 vols., 1868, 1869), *Guesa Errante* (1876, 1877), *O Guesa* (1888?), *Novo Éden* (1893), *Inéditos* (reúne *Harpa de Ouro*, *Liras Perdidas*, "O Guesa, o Zac", 1970), *Prosa* (1978).

O Guesa

Em treze cantos, dos quais alguns incompletos (os de número VII, XII e XIII), *O Guesa* narra a errância do herói que dá nome ao poema, desde a conquista dos Incas pelos espanhóis até o regresso à Pátria, enfermo. O Guesa principia no Amazonas, desce até o Maranhão, e depois o Rio de Janeiro, Europa, África; retorno; subida pelo Amazonas, Antilhas, Nova Iorque, o *Inferno de Wall Street*; volta pelo Pacífico, visão dos libertadores da América, o Império Inca, rumo do Sul, os Andes, o Chile, a Patagônia, o Pólo Sul. Epílogo: novamente o solo pátrio. Os fragmentos que se vão ler pertencem ao Canto XI:

Quando as estrelas, cintilada a esfera,
    Da luz radial rabiscam todo o oceano,
    Que uma brisa gentil de primavera,
    Qual alva duna os alvejantes panos,
Cândida assopra, — da hora adamantina
    Velando, nauta do convés, o Guesa
    Amava a solidão, doce bonina
    Que abre e às doiradas alvoradas reza.
Ora, no mar Pacífico renascem
    Os sentimentos, qual depois de um sonho
    Os olhos de um menino se comprazem
    Grande-abertos aos céus de luz risonhos.
Vasta amplidão — imensidade — iludem,
    Côncavos céus, profunda redondeza
    Do mar em luz — quão amplos se confundem
    Na paz das águas e da natureza!
Nem uma vaga, nem florão d'espuma,
    Ou vela ou íris à grandiosa calma,
    Onde eu navego (reino-amor de Numa)
    Qual navegava dentro da minha alma!
Eis-me nos horizontes luminosos!
    Eu vejo, qual eu via, os mundos Andes,
    Terríveis infinitos tempestuosos,
    Nuvens flutuando — os espetác'los grandes —
Eia, imaginação divina! abrazo
    Do pensamento eterno — ei-lo magnífico
    Aos Andes, que ondam alto ao Chimborazo,
    Aos raios d'Ínti, à voz do mar Pacífico!

Ondam montanhas, rebentadas curvas
        Lançando umas sobre outras, êneas, turvas,
        Ante o manto extensíssimo de prata
        De uma nuvem, quão límpida e quão grata!
Ondam ermos, rochedo alto e selvagem;
        S'estende o cortinado, a áurea teagem;
        Sempre véu-luz à cada negra vaga
        Desses abismos, onde até se apaga
Do dia o resplendor mais fulguroso
        De revérbero à ausência; e mais rareia
        Cerúleo, tão sagrado, tão saudoso —
        Névoa, espiritual, etérea areia!
Pureza criadora! ao pensamento
        O místico velame, que não arde,
        Doce qual as soidões do sentimento
        Ouvindo voz celeste que nos brade —
Ó Lamartine! os cândidos países
        Vejo, os longos além-mundos sonhados,
        Onde os fortes revivem, que felizes
        São da tribo e dos seus sempre lembrados.
As regiões formosas, onde as almas
        Habitam, dos guerreiros, que lutaram
        A existência, onde estão no Deus das calmas
        E 'i tranqüilos na glória descansaram!
Caem trevas dos céus; anfiteatros
        Vão densas nuvens removendo à proa;
        Do relâmpago as armas, nave e mastros
        E tudo, ameaçam co'o trovão que atroa.
Tarde estes céus despertam, que nos tomam
        Pelo imigo invasor, e as cataratas
        Rompem hiemais em Guaiaquil e assomam
        Ao Guesa, em vez de amor, sombras ingratas.
Diria-se que os gênios da revolta
        Apagam toda aurora, toda estrela
        Mesmo em céus do Equador —
                                "Satânea escolta,
        Sustai o corso em minha pátria bela!"
. . . .
Titã o celerado — Cotopaxi
        Lá das nuvens s'eleva alevantado
        Tal um que, desviando, s'encontrasse
        Não pertencer à terra, ou dela odiado:
É anel desertor, elo estupendo
        Rebelde da cadeia, negrejante

Pelos céus infinitos: sente, vendo-o
O espiritualista, o repto.

                                    Nas distantes

Eneofibradas cimas quase-etéreas
            Dos Andes, berço do Inca e monumento,
            Bela nação perdeu-se em idas eras,
            Que era um qual-populoso firmamento.
Na direção dos túmulos, o Guesa
            Ao longo vai das serras navegando
            Qual, delas à mudez, rendida presa,
            Dias, imensos dias, sempre olhando.
E ondam montanhas, trovoar de crebros
            Montes, abarrancando o ândeo destroço,
            Desde o azul mar ao céu azul — vertebros
            Sobrepostos do mundo e mundo dorso —
Cordilheira eternal! eternos, grandes
            Altares! — alva transparente névoa!
            Há no assombroso pélago dos Andes
            Íris estranho; e um qual-poder, sem trégua
Avultando no espaço — as aniladas
            Diáfanas soidões do nimbo andino,
            Onde sua alma habitará, sagradas
            Formas do Éter!
                                    E sempre o algente, fino
Cortinado suspenso aos duros montes;
            E o vago, o fumarento, a profundeza
            Dos que são-lhes os próprios horizontes;
            E imensos dias sempre olhando o Guesa.
Assim navegou ele o mar Pacífico:
            Aprendendo o silêncio, da montanha;
            Das águas, esta calma; e que em véu místico
            Meio oculta-se a glória ândea, tamanha!
Modéstia dos rochedos: sós a imitam
            Os fortes da virtude e divindade,
            Que, resplendores se lhe' à fronte agitam,
            Guardam no peito a dor e a virgindade.
Por flóreas zonas d'equatóreas calmas,
            Da serra à sombra, há paz e força havida.
            Da Região-Desolada, longe, onde almas
            Morrem, 'ar, ondas sem sinal de vida' —
Por 'í veio Pizarro, ou vindo, oh, Zac!
            De Kuro-Siwo, Typhon lh'inspirara!
            Quem andou por aqui foi Manco-Cápac,
            Que um reino meigo paraisal fundara.

O homem forte: adorou silencioso,
                    Cerrados olhos qual quem 'stá no templo
                    Interno, eterno; e forte e tão piedoso
                    De si mesmo, e a si mesmo sendo exemplo;
Sentiu-se, Ínti existindo, estando em Deus.
                    Sentiu ser em Deus-alma necessária
                    Sua existência, nuvem que precária
                    Era animada à limpidez dos céus,
Ao Coração — que ele ora contemplava
                    Com a ciência, que vê mais claramente.
                    Mais sonda o abismo seu, mais luz achava.
                    Era na infância um homem-deus vidente.
Na deusa dos mortais não creu, na esp'rança;
                    Creu na fé, na gratidão que não esquece,
                    Porque é a saudade, é a lembrança
                    E o divo amor, que o outro é d'interesse.
Entanto, é da esperança um sentimento
                    De justiça futura, que o encanta;
                    Mas, antes que a visão de julgamento,
                    Creu fé, e houve resignação, a santa.
Meditando, sentia terra o cérebro
                    Onde a idéia, qual arvor', se lhe enfinca:
                    E recém-nado, do terreno verbo
                    Sentiu-se em Deus e ergueu a fronte d'Inca!*

(*O Guesa*, Londres, Cooke & Halsted, 1888?,
pp. 278-279, 280-282.)

Ilustre desconhecido até bem pouco tempo, apesar de Sílvio Romero reconhecer que "sai quase inteiramente fora da toada comum da poetização do seu meio; suas idéias e linguagem têm outra estrutura" (*História da Literatura Brasileira*, 6ª ed., Rio de Janeiro, José Olympio, 1960, vol. IV, p. 1129), e de Humberto de Campos o considerar o "João Batista da poesia moderna, ou, melhor, modernista" (*Crítica*, 3ª série, 2ª ed., Rio de Janeiro, Jackson, 1945, p. 18), foi preciso que o revisionismo crítico dos nossos dias examinasse Sousândrade mais de perto para evidenciar que sua hora tinha chegado: como a vingar-se postumamente de quantos

---

* *Numa* = Numa Pompílio, rei legendário de Roma, casado com uma ninfa, Egéria; *Ínti* = deus do sol e ancestral da dinastia inca; *Cotopaxi* = vulcão e um dos picos mais altos da cordilheira dos Andes. O poeta compara-o a um *Titã*: os titãs, filhos do Céu e da Terra, revoltaram-se contra os deuses e tentaram escalar o Céu, sobrepondo montanhas umas às outras (mitologia); *Zac* = provavelmente, referência à lenda do Eldorado; *Kuro-Siwo* = o mesmo que rio Negro, corrente quente do Pacífico, que banha as costas do Japão; *Typhon* = o mesmo que Tufão (em Grego, *Tuphon*; em inglês, *Typhoon*) (Notas de Augusto e Haroldo de Campos, *in Revisão de Sousândrade*, São Paulo, Ed. Invenção, 1964).

lhe deitaram pá de cal nas obras, acoimando-o de louco, sua poesia se ergue atualmente como um estranho totem, que não pode passar despercebido sem minimizar a visão de nossa poesia romântica. Discrepando da metaforização em moda na segunda metade do século XVIII, Sousândrade cunha suas imagens como se vislumbrasse inusitadas aproximações entre objetos e noções que naturalmente andam distantes. E não que buscasse, obsessivamente, o neologismo ou a esdrúxula palavra composta para apontar a intuição nova; o vocabulário usual entre os românticos serviu-lhe para imprevistas metáforas, como, por exemplo, "a solidão, doce bonina / Que abre e às doiradas alvoradas reza", em que a decantada "bonina", como que redescoberta, ganha nova coloração e sentido. E tal metaforização, fruto de um pensamento alógico a infiltrar-se no reino das convenções imagéticas e sintáticas, expressa uma visão do mundo magicamente épica, patente no próprio ritmo dos versos, na objetividade/subjetiva em que pervaga o Inca mítico, a significar que a arquetípica peregrinação homérica se tornou americana. Canto do Novo Mundo, *O Guesa* fundamenta-se, como se nota mesmo nos escassos versos que é possível transcrever, uma concepção ciclópica: não surpreende que o poeta levasse, qual Camões dos trópicos, praticamente vinte anos para compor os treze cantos de sua epopéia ameríndia. Impulsionava-o a idéia de grandiosidade que assumia, para sua fértil imaginação, o mistério do Novo Mundo, cortado pelos Andes ao sul do Equador e torturado ao norte pelo moderno babilônico de Nova Iorque: conduzido pela "imaginação divina", descortina a "Cordilheira eternal!", e "Sentiu ser em Deus-Alma". Ao contrário dos românticos em geral, que louvavam o torrão natal, Sousândrade entoa o hino das Américas, tomando por herói o Inca, uma espécie de síncrese do homem americano, produto do encontro mítico das raças no Eldorado subequatoriano. E com uma força épica que nenhum dos pares brasileiros logrou, decerto porque na travessia continental do Guesa o poeta não apenas retratou o Homem, (re)nascido nestas plagas, mas também e sobretudo, seu próprio nomadismo de Ahasverus: encarnando-se no Guesa, viu-se transfigurado, oferecendo o retrato de uma privilegiada interioridade; e viu, a um só tempo, o mito de uma nova idade e um novo homem.

Texto para Análise

Eia, imaginação divina!
           Os Andes
Vulcânicos elevam cumes calvos,
Circundados de gelos, mudos, alvos,
Nuvens flutuando — que espetac'los grandes!
Lá, onde o ponto do condor negreja,
Cintilando no espaço como brilhos
D'olhos, e cai a prumo sobre os filhos
Do lhama descuidado; onde lampeja
Da tempestade o raio; onde deserto,
O azul sertão, formoso e deslumbrante,
Arde do sol o incêndio, delirante
Coração vivo em céu profundo aberto!

«Nos áureos tempos, nos jardins da América
Infante adoração dobrando a crença
Ante o belo sinal, nuvem ibérica
Em sua noite a envolveu ruidosa e densa.

«Cândidos Incas! Quando já campeiam
Os heróis vencedores do inocente
Índio nu; quando os templos s'incendeiam,
Já sem virgens, sem ouro reluzente,
«Sem as sombras dos reis filhos de Manco,
Viu-se... (que tinham feito? e pouco havia
A fazer-se...) num leito puro e branco
A corrupção, que os braços estendia!
«E da existência meiga, afortunada,
O róseo fio nesse albor ameno
Foi destruído. Como ensangüentada
A terra fez sorrir ao céu sereno!
«Foi tal a maldição dos que caídos
Morderam dessa mãe querida o seio,
A contrair-se aos beijos, denegridos,
O desespero se imprimi-los veio, —
«Que ressentiu-se, verdejante e válido,
O floripôndio em flor: e quando o vento
Mugindo estorce-o doloroso, pálido,
Gemidos se ouvem no amplo firmamento!
«E o Sol, que resplandece na montanha
As noivas não encontra, não se abraçam
No puro amor; e os fanfarrões d'Espanha,
Em sangue edêneo os pés lavando, passam.
«Caiu a noite da nação formosa;
Cervais romperam por nevado armento,
Quando com a ave a corte deliciosa
Festejava o purpúreo nascimento.»

Assim volvia o olhar o Guesa Errante
    Às meneadas cimas qual altares
    Do gênio pátrio, que a ficar distante
    S'eleva a alma beijando-o além dos ares.
E enfraquecido o coração, perdoa
    Pungentes males que lhe estão dos seus —
    Talvez feridas setas abençoa
    Na hora saudosa, murmurando adeus.

Porém, não s'interrompa esta paisagem
    Do sol no espaço! misteriosa calma
    No horizonte; na luz, bela miragem
    Errando, sonhos de dourada palma!
Eia, imaginação divina! Sobre
    As ondas do Pacífico azulado
    O fantasma da Serra projetado
    Áspero cinto de nevoeiros cobre:

Donde as torrentes espumando saltam
E o lago anila seus lençóis d'espelho.
E as colunas dos picos dum vermelho
Clarão ao longe as solidões esmaltam.
A forma os Andes tomam solitária
Da eternidade em roto vendaval
E os mares compelindo procelária,
Condensa, altiva, indômito, infernal!
(Ao que do oceano sobe, avista a curva
Perdendo-se lá do éter no infinito,
Treme-lhe o coração; a mente turva
S'inclina e beija a terra — Deus bendito!)
Ou a da noite austral, co'a flor do prado
Comunicando o astro; ou a do bronco
E convulsivo se anelar dum tronco
De constritor, o páramo abrasado!

(*Ibidem*, pp. 3-4.)

TAUNAY

Alfredo d'Escragnolle Taunay nasceu no Rio de Janeiro, a 22 de fevereiro de 1843. Após o bacharelado em Letras no Colégio Pedro II (1858), formou-se em Ciências Físicas e Matemáticas na Escola Militar. Terminada a Guerra do Paraguai, de que participou na qualidade de engenheiro, abraça o magistério na instituição em que se licenciara, e a política, como deputado e senador pelo partido conservador, e presidente das províncias de Santa Catarina e Paraná. Faleceu a 25 de janeiro de 1899, no estado natal. Escreveu: *La Retraite de Laguna*, 1871 (traduzida para o Português em 1874, com o título de *A Retirada da Laguna*); *A Mocidade de Trajano*, romance, 1871; *Inocência*, romance, 1872; *Lágrimas do Coração. Manuscrito de uma Mulher*, romance, 1873; *Ouro sobre Azul*, romance, 1875; *Amélia Smith*, drama, 1886; *No Declínio*, romance, 1889; *O Encilhamento*, romance, 1894; *Memórias*, 1948, etc.

Inocência

Estampada pela primeira vez em 1872, *Inocência* contém o seguinte entrecho: no sul de Mato Grosso, vivem Pereira e sua filha, Inocência, prometida ao vaqueiro Manecão. Um dia chega ao "retiro" um curandeiro, Cirino, e apaixona-se pela moça, no que é correspondido. Descoberta a mútua atração, explode um drama de amor e honra que termina pelo assassínio de Cirino às mãos do rival, e, finalmente, pela morte de Inocência. Do romance, escolheu-se um fragmento do capítulo VI, que leva o nome da heroína, e o capítulo XXV, intitulado "A Viagem".

Apesar de bastante descorada e um tanto magra, era Inocência de beleza deslumbrante.

Do seu rosto irradiava singela expressão de encantadora ingenuidade, realçada pela meiguice do olhar sereno que, a custo, parecia coar por entre os cílios sedosos e franjar-lhe as pálpebras, e compridos a ponto de projetarem sombras nas mimosas faces.

Era-lhe o nariz fino, um bocadinho arqueado; a boca pequena, e o queixo admiravelmente torneado.

Ao erguer a cabeça para tirar o braço de sob o lençol, descera um nada a camisinha de crivo que vestia, deixando nu um colo de fascinadora alvura, em que ressaltava um ou outro sinal de nascença.

Razões de sobra tinha, pois, o pretenso facultativo para sentir a mão fria e um tanto incerta, e não poder atinar com o pulso de tão gentil cliente.

— Então? perguntou o pai.

— Febre nenhuma, respondeu Cirino, cujos olhos fitavam com mal disfarçada surpresa as feições de Inocência.

— E que temos que fazer?

— Dar-lhe hoje mesmo um suador de folhas de laranjeira da terra a ver se transpira bastante e, quando for meia-noite, acordar-me para vir administrar uma boa dose de sulfato.

Levantara a doente os olhos e os cravara em Cirino, para seguir com atenção as prescrições que lhe deviam restituir a saúde.

— Não tem fome nenhuma, observou o pai; há quase três dias que só vive de beberagens. É uma ardência contínua; isto até nem parecem maleitas.

— Tanto melhor, replicou o moço; amanhã verá que a febre lhe sai do corpo, e daqui a uma semana sua filha está de pé com certeza. Sou eu que lho afianço.

— Fale o doutor pela boca de um anjo, disse Pereira com alegria.

— Hão de as cores voltar logo, continuou Cirino.

Ligeiramente enrubesceu Inocência e descansou a cabeça no travesseiro.

— Por que amarrou esse lenço? perguntou em seguida o moço.

— Por nada, respondeu ela com acanhamento.

— Sente dor de cabeça?

— Nhor-não.

— Tire-o, pois: convém não chamar o sangue; solte, pelo contrário, os cabelos.

Inocência obedeceu e descobriu uma espessa cabeleira, negra como o âmago da cabiúna e que em liberdade devia cair abaixo da cintura. Estava enrolada em bastas tranças, que davam duas voltas inteiras ao redor do cocuruto.

— É preciso, continuou Cirino, ter de dia o quarto arejado e pôr a cama na linha do nascente ao poente.

— Amanhã de manhãzinha hei de virá-la, disse o mineiro.

— Bom, por hoje então, ou melhor, agora mesmo, o suador. Fechem tudo, e que a dona sue bem. À meia-noite, mais ou menos, virei aqui dar-lhe a mezinha. Sossegue o seu espírito e reze duas Ave-Marias para que a quina faça logo efeito.

— Nhor-sim, balbuciou a enferma.

— Não lhe dói a luz nos olhos? perguntou Cirino, achegando-lhe um momento a vela ao rosto.

— Pouco... — um nadinha.

— Isso é bom sinal. Creio que não há de ser nada.

E levantando-se, despediu-se:

— Até logo, sinhá-moça.

Depois do que, convidou Pereira a sair.

Este acenou para alguém que estava num canto do quarto e na sombra.

— Ó Tico, disse ele, venha cá...

Levantou-se, a este chamado, um anão muito entanguido, embora perfeitamente proporcionado em todos os seus membros. Tinha o rosto sulcado de rugas, como se já fora entrado em anos; mas os olhinhos vivos e a negrejante guedelha mostravam idade pouco adiantada. Suas perninhas um tanto arqueadas terminavam em pés largos e chatos que, sem grave desarranjo na conformação, poderiam pertencer a qualquer palmípede.

Trajava comprida blusa parda sobre calças que, por haverem pertencido a quem quer que fosse muito mais alto, formavam em baixo volumosa rodilha, apesar de estarem dobradas. À cabeça, trazia um chapéu de palha de *carandá* sem copa, de maneira que a melena lhe aparecia toda arrepiada e erguida em torcidas e emaranhadas grenhas.

Capítulo XXV

Às vezes sinto necessidade de morrer, como pessoas acordadas sentem necessidade de dormir.

Mme. Du Deffand

Encantador país! Teu aspecto, teus solitários bosques, ar puro e balsâmico, têm o poder de dissipar toda a sorte de tristeza, menos a da perda da esperança.

Carlota Smith

Cirino em pouco mais de uma hora, transpôs a distância da povoação ao rio. Também, na légua e quarto que até lá medeia, só há de ruim o trecho em que fica a floresta que borda as margens da majestosa corrente.

Nessa mata, trazem os troncos das árvores vestígios das grandes enchentes; o terreno é lodacento e enatado; centro de putrefação vegetal donde irradiam os miasmas que, por ocasião da retirada das águas, se formam, em dias de calor abrasador e sufocante.

Abundam ali coqueiros de estípite curto e folhuda coroa chamados *aucuris*, a que rodeiam numerosas lagoinhas de água empoçada e coberta de limo.

Em nada é, pois, aprazível o aspecto, e a lembrança de que ali imperam as temidas sezões faz que todo o viajante apresse a travessia de tão tristonhas paragens.

Ouve-se à curta distância o ruído do rio que corre largo, claro e com rapidez.

Como duas verdes orlas refletem-se no espelhado da superfície as elevadas margens, a cujo sopé moitas de *sarandis*, curvadas pelo esforço das águas e num balancear contínuo, produzem doce marulho.

Causa-nos involuntário cismar a contemplação de grande massa líquida a rolar, a rolar mansamente, tangida por força oculta.

Bem como a ondulação incessante e monótona do oceano agita a alma, assim também aquele perpassar perene, quase silencioso, de uma corrente caudal, insensivelmente nos leva a meditar.

E quando o homem medita, torna-se triste.

Franca e espontânea é a alegria, como todo o fato repentino da natureza. A tristeza é uma vaga aspiração metafísica, uma elação inquieta e quase dolorosa acima da contingência material.

Ninguém se prepara para ficar alegre. A melancolia, pelo contrário, aos poucos é que chega como efeito de fenômenos psicológicos a encadear-se uns nos outros.

De que modo nasceu aquela enorme mole de água? Donde veio? Para onde vai? Que mistérios encerra em seu seio?

Largo tempo ficou Cirino a olhar para o rio. Em sua mente tumultuavam negros pensamentos.

Já se havia difundido o crepúsculo, e bandos folgazões de *quero-queros* saudavam os últimos raios do sol e despertavam os ecos em descomunal gritaria. De vez em quando, passava algum pato selvagem, batendo pesadamente as asas; sobre as águas, adejavam garças estirando e encolhendo o níveo colo e pombas, aos centos, cruzavam de margem a margem a buscar inquietas o pouso de querência.

Foi a luz gradativamente morrendo no céu, seguida de perto pelas sombras; e o rio tomou aspecto uniforme como se fora imensa lâmina de prata não brunida.

— Enfim, conheci o Manecão! pensava Cirino. E para esse é que reservam a minha gentil Inocência?!... Bonito homem para qualquer... para mim, para ela, horrendo monstro!... E como é forte!...

Digamo-lo, sem por isso amesquinhar o nosso herói, a idéia de força no rival acabrunhava-o.

— Se eu pudesse, esmagava-o!... E que ar sombrio e desconfiado!... Meu Deus, dai-me coragem... dai-me esperanças... Nossa Senhora da Abadia!... Nosso Senhor da Cana Verde... valei-me!...

E o mancebo, diante daquela natureza acabrunhadora a quem tanto importava a paixão que lhe atanazava o peito, como o inseto a chilrar debaixo da folha de humilde erva, caiu de joelhos, orando com fervor ou, melhor, desfiando automaticamente as preces que sua mãe lhe havia, em pequeno, ensinado.

E o rio lá se ia sereno; e uma onça ao longe urrava, ou algum pássaro da noite soltava gritos de susto, esvoaçando às tontas.

Transpondo, na manhã seguinte, o rio Paranaíba, pisou Cirino território de Minas Gerais.

Depois de légua e meia em mata semelhante à da margem direita, abrem-se campos dobrados, um tanto crestados do sol, de aspecto pouco variado, mas abundantíssimos em perdizes e codornas.

Tão preocupado levava o moço o espírito que, nem sequer uma só vez, imitou o pio daqueles aves; distração, a que aliás não se furta quem por lá viaja, tão instantes os motivos de instigação.

Foi com impaciência mais e mais crescente que percorreu as dezesseis léguas intermédias à fazenda do Pádua.

Ia com o coração cheio de apreensões e os olhos se lhe arrasavam de lágrimas, de cada vez que contemplava o melancólico buriti. Então, pelo pensamento, voava à casa de Inocência. Também, ali junto ao córrego em cuja borda se dera a última entrevista, se erguia uma daquelas palmeiras, rainhas dos sertões.

Que estaria fazendo a querida dos seus sonhos?

Que lhe aconteceria? E Manecão?! Já teria lá chegado?

Ao pensar nisto, aumentava-se-lhe a agitação e com vigor esporeava a cavalgadura.

Transformava-se para ele o caminho em dolorosa via, que numa vertiginosa carreira quisera vencer, mas que era preciso ir tragando pouso a pouso, ponto por ponto.

A majestosa impassibilidade da natureza exasperava-o.

Quando o homem sofre deveras, deseja nos raptos do alucinado orgulho, ver tudo derrocado pela fúria dos temporais, em harmonia com a tempestade que lhe vai no íntimo.

— Meu Deus! murmurava Cirino, tudo quanto me rodeia está tão alegre e é tão belo! Com tanta leveza voam os pássaros: as flores são tão mimosas; os ribeirões tão claros... tudo convida ao descanso... só eu a padecer! Antes a morte... Quem me dera arrancar do coração este peso! esta certeza de uma desgraça imensa! Que é afinal o amor?... Daqui a anos talvez nem me lembre mais da pobre Inocência... Estarei me atormentando à toa... Oh não! Essa menina é minha vida! é o meu sangue... o meu farol para os céus... Quem ma rouba mata-me de uma vez. Venha a morte... fique ela para chorar por mim... um dia contará como um homem soube amar!...

Levantara Cirino a voz. De repente, deu um grande grito, como que o sufocava:

— Inocência!... Inocência!

E as sonoridades da solidão, dóceis a qualquer ruído, repetiram aquele adorado nome, como repetiam o uivo selvático da suçuarana, a nota plangente do sabiá ou a martelada metálica da araponga.

Como tudo, afinal, tem termo, alcançou Cirino, no quarto dia, a casa de Antônio Cesário. Acolheu-o este com toda a amabilidade e franqueza.

(*Inocência*, 24ª ed., São Paulo, Melhoramentos, s. d., pp. 53-56, 205-209.)

Apesar de haver sido publicada apenas três anos antes d*A Escrava Isaura*, *Inocência* atesta um compromisso com a estética romântica ao mesmo tempo que respira novas brisas, anunciadoras do Realismo, como se vê nos excertos que foi possível transcrever. Primeiro que tudo, chama-nos a atenção o retrato da personagem feminina ("cílios sedosos", "nariz fino, um bocadinho arqueado; a boca pequena, e o queixo admiravelmente torneado"; "um colo de fascinadora alvura"; "espessa cabeleira, negra como o âmago da cabiúna"): embora longe de constituir o protótipo da sertaneja, afigura-se uma heroína cabocla autêntica; sua beleza corresponde à de um tipo de brasileira do campo, em que a mestiçagem ressalta positivamente no jogo do claro-escuro (formado pelo contraste entre a cor do colo e do cabelo).

Para mais acentuar o fascínio da moça, o romancista dispõe à sua volta um "anão muito entanguido": criado na esteira do Quasímodo, de Vítor Hugo, sua presença se justifica pela noção de belo-horrível valorizada pela estética romântica. Dada a razoável impessoalidade da descrição, o retardado parece ascendente próximo das patologias do Naturalismo. Análogo contorno exibem outros aspectos, como a situação "realista" de o herói ser falso médico e a heroína, uma doente: raramente nossa ficção romântica escancara a intimidade da personagem feminina para nela introduzir o protagonista, como vemos no capítulo VI. Decerto que o "conteúdo" da cena se inscreve nos quadrantes românticos, mas sua mecânica escapa da estereotipia social em moda no tempo. A pormenorização da mata (capítulo XXV) sublinha o caráter "realista" que perpassa os trechos: como que elaborada por um cientista duplo de escritor, soma a precisão do traço à elegância da frase, formando um rosto de duas faces, a olhar para a estética romântica, que agonizava, e a realista, que emergia. Ainda nesse diapasão, note-se no mesmo capítulo a associação "realista" entre a paisagem e a lembrança de Manecão na mente de Cirino: o agreste ciclópico da vegetação equivale à força bruta do rival. Observe-se, ainda, o solilóquio de Cirino, importante como expediente ficcional (não muito freqüente em nosso Romantismo) e como manifestação mística dum herói sertanejo, porém dotado duma sensibilidade fora do comum, espécie de "bom brasileiro" a contracenar com uma "caipira" autêntica em meio ao sertão hostil e fechado: neste aspecto continua a imperar a fidelidade "realista" do desenho. Um dos poucos romances românticos brasileiros que terminam em morte, *Inocência* constitui um elo de união entre as duas visões do mundo propostas pela cultura ao longo do século XIX.

REALISMO

Preliminares

A época do Realismo entre nós começa em 1881, com a publicação d*O Mulato*, de Aluísio Azevedo. E descreve uma linha senóide cujo ponto mais alto se localiza na década seguinte, quando entra a mesclar-se com o Simbolismo. A partir de 1902, com o aparecimento de *Canaã*, de Graça Aranha, a renovação realista mergulha em franco declínio, até que em 1922 se instala o Modernismo, com a Semana de Arte Moderna, em São Paulo. Durante sua vigência, a estética realista (e a naturalista, que lhe está estreitamente conectada) apresentou três facetas principais: a prosa realista e naturalista, representada por Aluísio Azevedo, Inglês de Sousa, Domingos Olímpio, Adolfo Caminha, Coelho Neto, Afonso Arinos, Machado de Assis, Raul Pompéia; a poesia parnasiana, representada por Olavo Bilac, Raimundo Correia, Alberto de Oliveira, Vicente de Carvalho; o teatro de costumes, representado por Artur Azevedo. Se a época romântica presenciou o despontar de um grupo de poetas e prosadores de fibra, o Realismo foi bem mais longe, graças a uma esplêndida floração de talentos onde pontifica Machado de Assis, ainda hoje a maior expressão de nossas letras. Com a reforma realista, a Literatura Brasileira principia vigorosamente seu processo de maturação, que alcançaria o ápice três decênios mais tarde, na revolução modernista.

A POESIA

Ao longo da época realista, floresceu a poesia parnasiana, caracterizada por seu anti-sentimentalismo e a conseqüente reposição de ideais clássicos de Arte, como a impassibilidade, o racionalismo, o culto da Forma, o sensualismo, o esteticismo, o universalismo. Surgido em 1883 e 1884, com *Sinfonias* e *Meridionais*, respectivamente de Raimundo Correia e Alberto de Oliveira, o movimento parnasiano definiu-se em 1888, com *Poesias*, de Olavo Bilac. Publicando *Relicário* nesse mesmo ano, Vicente de Carvalho passou a compor com eles o quarteto principal do nosso Parnasianismo.

OLAVO BILAC

Olavo Brás Martins dos Guimarães Bilac nasceu no Rio de Janeiro, a 16 de dezembro de 1865. Após estudar Medicina cinco anos, em seu Estado natal, abandona o curso e vem para São Paulo disposto a seguir Direito, mas não passa do primeiro ano. De volta ao Rio de Janeiro, entrega-se ao jornalismo e à literatura. Exerceu vária atividade administrativa e diplomática (inspetor escolar, secretário da Terceira Conferência Pan-Americana, Secretário do Prefeito do Distrito Federal), foi dos fundadores da Academia Brasileira de Letras, empenhou-se em campanhas cívicas (em prol do serviço militar obrigatório; contra o analfabetismo), esteve na Europa várias vezes, sendo festivamente recebido em Portugal. Faleceu a 28 de dezembro de 1918. Escreveu: *Poesias,* cuja primeira edição (1888) continha *Panóplias, Via-Láctea* e *Sarças de Fogo,* e a segunda (1902) enriqueceu-se de *Alma Inquieta, As Viagens, O Caçador de Esmeraldas*; *Crítica e Fantasia* (1904), *Conferências Literárias* (1906), *Ironia e Piedade* (1916); *Dicionário de Rimas* (1913), *Tratado de Versificação* (2ª ed., 1910), ambos em colaboração com Guimarães Passos, etc. Mais importante como poeta que como prosador, malgrado os méritos próprios, de sua obra lírica extraiu-se o seguinte:

Profissão de Fé

> *Le poète est ciseleur,*
> *Le ciseleur est poète.*
> Vítor Hugo

Não quero o Zeus Capitolino,
    Hercúleo e belo,
Talhar no mármore divino
    Com o camartelo.

Que outro — não eu! — a pedra corte
    Para, brutal,
Erguer de Atene o altivo porte
    Descomunal.

Mais que esse vulto extraordinário,
    Que assombra a vista,
Seduz-me um leve relicário
    De fino artista.

Invejo o ourives quando escrevo:
    Imito o amor
Com que ele, em ouro, o alto relevo
    Faz de uma flor.

Imito-o. E, pois, nem de Carrara
    A pedra firo:
O alvo cristal, a pedra rara,
    O ônix prefiro.

Por isso, corre, por servir-me,
    Sobre o papel
A pena, como em prata firme
    Corre o cinzel.

Corre; desenha, enfeita a imagem,
    A idéia veste:
Cinge-lhe ao corpo a ampla roupagem
    Azul-celeste.

Torce, aprimora, alteia, lima
        A frase; e, enfim,
No verso de ouro engasta a rima,
        Como um rubim.

Quero que a estrofe cristalina,
        Dobrada ao jeito
Do ourives, saia da oficina
        Sem um defeito:

E que o lavor do verso, acaso,
        Por tão sutil,
Possa o lavor lembrar de um vaso
        De Becerril.

E horas sem conto passo, mudo,
        O olhar atento,
A trabalhar, longe de tudo
        O pensamento.

Porque o escrever — tanta perícia,
        Tanta requer,
Que ofício tal... nem há notícia
        De outro qualquer.

Assim procedo. Minha pena
        Segue esta norma,
Por te servir, Deusa serena,
        Serena Forma!

Deusa! A onda vil, que se avoluma
        De um torvo mar,
Deixa-a crescer; e o lobo e a espuma
        Deixa-a rolar!

Blasfemo, em grita surda e horrendo
        Ímpeto, o bando
Venha dos Bárbaros crescendo,
        Vociferando...

Deixa-o: que venha e uivando passe
        — Bando feroz!
Não se te mude a cor da face
        E o tom da voz!

Olha-os somente, armada e pronta,
        Radiante e bela:
E, ao braço o escudo, a raiva afronta
        Dessa procela!

Este que à frente vem, e o todo
    Possui minaz
De um Vândalo ou de um Visigodo,
    Cruel e audaz;

Este, que, de entre os mais, o vulto
    Ferrenho alteia,
E, em jacto, expele o amargo insulto
    Que te enlameia:

É em vão que as forças cansa, e à luta
    Se atira; é em vão
Que brande no ar a maça bruta
    À bruta mão.

Não morrerás, Deusa sublime!
    Do trono egrégio
Assistirás intacta ao crime
    Do sacrilégio.

E, se morreres por ventura,
    Possa eu morrer
Contigo, e a mesma noite escura
    Nos envolver!

Ah! ver por terra, profanada,
    A ara partida;
E a Arte imortal aos pés calcada,
    Prostituída!...

Ver derribar do eterno sólio
    O Belo, e o som
Ouvir da queda do Acropólio,
    Do Partenon!...

Sem sacerdote, a Crença morta
    Sentir, e o susto
Ver, e o extermínio, entrando a porta
    Do templo augusto!...

Ver esta língua, que cultivo,
    Sem ouropéis,
Mirrada ao hálito nocivo
    Dos infiéis!...

Não! Morra tudo que me é caro,
    Fique eu sozinho!
Que não encontre um só amparo
    Em meu caminho!

Que a minha dor nem a um amigo
        Inspire dó...
Mas, ah! que eu fique só contigo,
        Contigo só!

Vive! que eu viverei servindo
        Teu culto, e, obscuro,
Tuas custódias esculpindo
        No ouro mais puro.

Celebrarei o teu ofício
        No altar: porém,
Se inda é pequeno o sacrifício,
        Morra eu também!

Caia eu também, sem esperança,
        Porém tranqüilo,
Inda, ao cair, vibrando a lança,
        Em prol do Estilo!

Sonetos

VI

Em mim também, que descuidado vistes,
Encantado e aumentando o próprio encanto,
Tereis notado que outras cousas canto
Muito diversas das que outrora ouvistes.

Mas amastes, sem dúvida... Portanto,
Meditai nas tristezas que sentistes:
Que eu, por mim, não conheço cousas tristes,
Que mais aflijam, que torturem tanto.

Quem ama inventa as penas em que vive:
E, em lugar de acalmar as penas, antes
Busca novo pesar com que as avive.

Pois sabei que é por isso que assim ando:
Que é dos loucos somente e dos amantes
Na maior alegria andar chorando.

XII

Sonhei que me esperavas. E, sonhando,
Saí, ansioso por te ver: corria...
E tudo, ao ver-me tão depressa andando,
Soube logo o lugar para onde eu ia.

E tudo me falou, tudo! Escutando
Meus passos, através da ramaria,
Dos despertados pássaros o bando:
"Vai mais depressa! Parabéns" dizia.

Disse o luar: "Espera! que eu te sigo:
Quero também beijar as faces dela!"
E disse o aroma: "Vai, que eu vou contigo!"

E cheguei. E, ao chegar, disse uma estrela:
"Como és feliz! como és feliz, amigo,
Que de tão perto vais ouvi-la e vê-la!"

Nel Mezzo del Camin...

Cheguei. Chegaste. Vinhas fatigada
E triste, e triste e fatigado eu vinha.
Tinhas a alma de sonhos povoada,
E a alma de sonhos povoada eu tinha...

E paramos de súbito na estrada
Da vida: longos anos, presa à minha
A tua mão, a vista deslumbrada
Tive da luz que teu olhar continha.

Hoje, segues de novo... Na partida
Nem o pranto os teus olhos umedece
Nem te comove a dor da despedida.

E eu, solitário, volto a face, e tremo,
Vendo o teu vulto que desaparece
Na extrema curva do caminho extremo.

Inania Verba

Ah! quem há de exprimir, alma impotente e escrava,
O que a boca não diz, o que a mão não escreve?
— Ardes, sangras, pregada à tua cruz, e, em breve,
Olhas, desfeito em lodo, o que te deslumbrava...

O Pensamento ferve, e é um turbilhão de lava:
A Forma, fria e espessa, é um sepulcro de neve...
E a Palavra pesada abafa a Idéia leve,
Que, perfume e clarão, refulgia e voava.

Quem o molde achará para a expressão de tudo?
Ai! quem há de dizer as ânsias infinitas
Do sonho? e o céu que foge à mão que se levanta?

E a ira muda? e o asco mudo? e o desespero mudo?
E as palavras de fé que nunca foram ditas?
E as confissões de amor que morrem na garganta?!

Tédio

Sobre minh'alma, como sobre um trono,
Senhor brutal, pesa o aborrecimento.
Como tardas em vir, último outono,
Lançar-me as folhas últimas ao vento!

Oh! dormir no silêncio e no abandono,
Só, sem um sonho, sem um pensamento.
E, no letargo do aniquilamento,
Ter, ó pedra, a quietude do teu sono!

Oh! deixar de sonhar o que não vejo!
Ter o sangue gelado, e a carne fria!
E, de uma luz crepuscular velada,

Deixar a alma dormir sem um desejo,
Ampla, fúnebre, lúgubre, vazia
Como uma catedral abandonada!...

Velhas Árvores

Olha estas velhas árvores, mais belas
Do que as árvores novas, mais amigas:
Tanto mais belas quanto mais antigas,
Vencedoras da idade e das procelas...

O homem, a fera, e o inseto, à sombra delas
Vivem, livres de fomes e fadigas;
E em seus galhos abrigam-se as cantigas
E os amores das aves tagarelas.

Não choremos, amigo, a mocidade!
Envelhaçamos rindo! envelheçamos
Como as árvores fortes envelhecem:

Na glória da alegria e da bondade,
Agasalhando os pássaros nos ramos,
Dando sombra e consolo aos que padecem!

Milagre

Depois de tantos anos, frente a frente,
Um encontro... O fantasma do meu sonho!
E, de cabelos brancos, mudamente,

Quedamos frios, num olhar tristonho.

Velhos!... Mas, quando, ansioso, de repente,
Nas suas mãos as minhas palmas ponho,
Ressurge a nossa primavera ardente,
Na terra em bênçãos, sob um sol risonho:

Felizes, num prestígio, estremecemos;
Deliramos, na luz que nos invade
Dos redivivos êxtases supremos;

E fulgimos, volvendo à mocidade,
Aureolados dos beijos que tivemos,
No divino milagre da saudade.

Sinfonia

Meu coração, na incerta adolescência, outrora,
Delirava e sorria aos raios matutinos,
Num prelúdio incolor, como o allegro da aurora,
Em sistros e clarins, em pífanos e sinos.

Meu coração, depois, pela estrada sonora
Colhia a cada passo os amores e os hinos,
E ia de beijo a beijo, em lasciva demora,
Num voluptuoso adágio em harpas e violinos.

Hoje, meu coração, num scherzo de ânsias, arde
Em flautas e oboés, na inquietação da tarde,
E entre esperanças foge e entre saudades erra...

E, heróico, estalará num final, nos clamores
Dos arcos, dos metais, das cordas, dos tambores,
Para glorificar tudo que amou na terra!

(*Poesias*, 22ª ed., São Paulo, Liv. Francisco Alves, 1946, pp. 5-10, 48, 54, 130, 149, 222, 224,
346, 383.)

Graças aos aspectos polimórficos de sua poesia, Olavo Bilac encarnou brilhantemente o verso e o reverso de nosso Parnasianismo. Mais ainda: ao aderir à nova corrente poética, não só cuidou de materializá-la em suas composições, como também buscou traduzir-lhe e divulgar-lhe a doutrina de modo tão direto quanto possível. Esta segunda preocupação exprime-se concretamente em "Profissão de Fé", que abre a coletânea de suas *Poesias* e representa algo como uma plataforma da poesia parnasiana. Apologia da forma (com maiúscula no poema), do Belo, da Arte, do Estilo, — constitui o timbre dessa modalidade poética, em que se nota a retomada dos padrões de arte defendidos pelos clássicos, e a recusa dos que os Bárbaros pregavam, isto é, os valores românticos. Tal concepção de poesia, com todo o seu projeto de universalidade e impassibilidade, e com toda a sua contradição interna, documenta-se nos sonetos. Estes, percorrem duas fases, ou atestam duas configurações do ser poético de Bilac: na primeira, evidente nos sonetos XI, XII e "Nel Mezzo del Camin...", sobreleva o lirismo-amoroso, numa dualidade em que se pode vislumbrar a mescla de um sentimento romântico, ou pelo menos comovido, e subjetivo, e de uma roupagem clássica, de recorte camoniano, incluindo o tom discursivo, conceitual, exprimindo a busca dum universal no plano da emoção, e a idéia-fixa do soneto, exemplo de apego às estruturas formais acabadas e rigorosas. Dir-se-ia que, nessa fase, prevalece a ortodoxia parnasiana, dentro da relatividade apontada. No estádio seguinte, a Forma é posta em crise ("Inania Verba") e o lírico imerge em dúvidas, anunciadoras de metamorfoses profundas e irremissíveis, patentes em "Tédio", onde o abandono da temática amorosa entroniza uma poesia de reflexão e melancolia: a despeito de manter-se a obsessão formalista, insinua-se uma fluidez no ritmo dos versos que se diria contágio do Simbolismo. Em semelhante atmosfera se organizam os sonetos finais, caracterizados pelo elogio da árvore e da senectude (de proveniência clássica), a saudade magoada das palpitações afetivas da juventude ("Milagre") e, por último, uma espécie de súmula orquestral duma existência marcada pelo esteticismo, evoluindo desde as posições programaticamente definidas até o acolhimento de soluções liberais e heterodoxas. Conquanto demasiado datada, a poesia de Olavo Bilac revela o enlace feliz de uma sensibilidade de eleição e um indefectível apuro formal, condição para sobressair entre os poetas de seu tempo, e mesmo, da Literatura Brasileira.

Textos para Análise

XXVIII

Pinta-me a curva destes céus... Agora,
Erecta, ao fundo, a cordilheira apruma:
Pinta as nuvens de fogo de uma em uma,
E alto, entre as nuvens, o raiar da aurora.

Solta, ondulando, os véus de espessa bruma,
E o vale pinta, e, pelo vale em fora,
A correnteza túrbida e sonora
Do Paraíba, em torvelins de espuma.

Pinta; mas vê de que maneira pintas...
Antes busques as cores da tristeza,
Poupando o escrínio das alegres tintas:

— Tristeza singular, estranha mágoa
De que vejo coberta a natureza,
Porque a vejo com os olhos rasos d'água...

Sonho

Quantas vezes, em sonho, as asas da saudade
Solto para onde estás, e fico de ti perto!
Como, depois do sonho, é triste a realidade!
Como tudo, sem ti, fica depois deserto!

Sonho... Minha alma voa. O ar gorjeia e soluça.
Noite... A amplidão se estende, iluminada e calma:

De cada estrela de ouro um anjo se debruça,
E abre o olhar espantado, ao ver passar minha alma.

Há por tudo a alegria e o rumor de um noivado.
Em torno a cada ninho anda bailando uma asa.
E, como sobre um leito um alvo cortinado,
Alva, a luz do luar cai sobre a tua casa.

Porém, subitamente, um relâmpago corta
Todo o espaço... O rumor de um salmo se levanta
E, sorrindo, serena, apareces à porta,
Como numa moldura a imagem de uma Santa...

Maldição

Se por vinte anos, nesta furna escura,
Deixei dormir a minha maldição,
— Hoje, velha e cansada da amargura,
Minh'alma se abrirá como um vulcão.

E, em torrentes de cólera e loucura,
Sobre a tua cabeça ferverão
Vinte anos de silêncio e de tortura,
Vinte anos de agonia e solidão...

Maldita sejas pelo Ideal perdido!
Pelo mal que fizeste sem querer!
Pelo amor que morreu sem ter nascido!

Pelas horas vividas sem prazer!
Pela tristeza do que eu tenho sido!
Pelo esplendor do que eu deixei de ser!...

A um Poeta

Longe do estéril turbilhão da rua,
Beneditino, escreve! No aconchego
Do claustro, na paciência e no sossego,
Trabalha, e teima, e lima, e sofre, e sua!

Mas que na forma se disfarce o emprego
Do esforço; e a trama viva se construa
De tal modo, que a imagem fique nua,
Rica mas sóbria, como um templo grego.

Não se mostre na fábrica o suplício
Do mestre. E, natural, o efeito agrade,
Sem lembrar os andaimes do edifício:

Porque a Beleza, gêmea da Verdade,
Arte pura, inimiga do artifício,
É a força e a graça na simplicidade.

(Ibidem, pp. 70, 154, 225, 339.)

RAIMUNDO CORREIA

Raimundo da Mota Azevedo Correia nasceu a 13 de maio de 1859, a bordo do vapor "São Luís", ancorado em águas do Maranhão. Depois do curso secundário no Colégio Pedro II, vem para São Paulo estudar Direito, ocasião em que abraça as novas idéias, positivistas e republicanas. Formado, ingressa na magistratura, indo servir em São João da Barra (1883), em Vassouras (1884-1888), em S. Gonçalo do Sapucaí (Minas Gerais, 1890). Além disso, foi secretário das Finanças de Minas Gerais (1892) e professor de Direito da Faculdade de Ouro Preto (1892). Em 1897, é eleito para a Academia Brasileira de Letras e nomeado 2º Secretário da Legação do Brasil em Lisboa, onde publica o volume *Poesias* (1898). Exonerado das funções diplomáticas, regressa à Pátria. Volta à magistratura (juiz da 2ª Pretoria do Distrito Federal, etc.) e ao ensino (vice-diretor e professor do Ginásio Fluminense). Com a saúde abalada por profunda neurastenia, vai à França em tratamento, e lá falece, a 13 de setembro de 1911. Seis anos mais tarde, por iniciativa da Academia Brasileira de Letras, seus despojos são trazidos para o Rio de Janeiro. Escreveu: *Primeiros Sonhos* (1879), *Sinfonias* (1883), *Versos e Versões* (1887), *Aleluias* (1891), *Poesias* (1898). Sua prosa está reunida na edição de que foram extraídos os poemas selecionados para representá-lo nesta antologia:

Anoitecer

Esbraseia o Ocidente na agonia
O sol... Aves em bandos destacados,
Por céus de oiro e de púrpura raiados,
Fogem... Fecha-se a pálpebra do dia...

Delineam-se, além da serrania
Os vértices de chama aureolados,
E em tudo, em torno, esbatem derramados
Uns tons suaves de melancolia...

Um mundo de vapores no ar flutua...
Como uma informe nódoa, avulta e cresce
A sombra à proporção que a luz recua...

A natureza apática esmaece...
Pouco a pouco, entre as árvores, a lua
Surge trêmula, trêmula... Anoitece.

A Cavalgada

A lua banha a solitária estrada...
Silêncio!... Mas além, confuso e brando,
O som longínquo vem-se aproximando
Do galopar de estranha cavalgada.

São fidalgos que voltam da caçada;
Vêm alegres, vêm rindo, vêm cantando.
E as trompas a soar vão agitando
O remanso da noite embalsamada...

E o bosque estala, move-se, estremece...
Da cavalgada o estrépito que aumenta
Perde-se após no centro da montanha...

E o silêncio outra vez soturno desce...
E límpida, sem mácula, alvacenta
A lua a estrada solitária banha...

Mal Secreto

Se a cólera que espuma, a dor que mora
N'alma, e destrói cada ilusão que nasce,
Tudo o que punge, tudo o que devora
O coração, no rosto se estampasse;

Se se pudesse, o espírito que chora,
Ver através da máscara da face,
Quanta gente, talvez, que inveja agora
Nos causa, então piedade nos causasse!

Quanta gente que ri, talvez, consigo
Guarda um atroz, recôndito inimigo,
Como invisível chaga cancerosa!

Quanta gente que ri, talvez existe,
Cuja ventura única consiste
Em parecer aos outros venturosa!

Últimos Momentos

Deslizava o período das flores...
Pela janela aberta, além se via
Do sol retinto em sangue, a pradaria
Esbatendo nos grandes resplendores.

No seu olhar pintavam-se os terrores
Que a morte gera, e a palidez tingia
Seu semblante molhado da agonia
Derradeira nos gélidos suores...

E ai! quando ouvi-lhe no último momento,
Seu lamento final, convulso, aflito,
Foi-me um gládio de dor esse lamento;

E atravessou-me o seio, como um grito
Que, fúnebre, retumba de um convento,
Nas abóbadas negras de granito...

Soneto

Homem, embora exasperado brades,
Aos céus (bradas em vão e te exasperas)
Ascendo, arroubo-me às imensidades,
Onde estruge a aleluia das esferas...

Cá baixo o que há?: traições e iniqüidades,
As tramas que urdes, e os punhais que aceras;
As feras nos sertões, e nas cidades
Tu, homem, tu, inda pior que as feras!

Cá baixo: A Hipocrisia, o Ódio sanhudo
E o Vício com tentáculos de polvo...
Lá cima: os céus... Dos céus o olhar não desço,

Homem, bicho da terra, hediondo é tudo
O que eu conheço aqui; eis por que volvo
O olhar, assim, para o que não conheço!

Pélago Invisível

Sentes-lhe, acaso, o soluçoso grito,
Os bravos estos, o guaiar plangente?!
Ah! Ninguém vê, mas todo o mundo sente
Dentro, n'alma, um Atlântico infinito...

De um mar à borda eu me debruço aflito...
Não mires a este espelho a alma inocente!
Verto aí, muita vez, meu pranto ardente;
Muita vez, clamo; muita vez medito...

E ele, ora, inchado, estoira e arqueja e nuta;
Ora, túrgido, a c'roa vitoriosa,
De rutilante espuma, aos céus levanta;

Ora, plácido, ofega... e só se escuta
A saudade — sereia misteriosa,
Que em suas praias infinitas canta...

Banzo

Visões que n'alma o céu do exílio incuba,
Mortais visões! Fuzila o azul infando...

Coleia, basilisco de ouro, ondeando
O Níger... Bramem leões de fulva juba...

Uivam chacais... Ressoa a fera tuba
Dos cafres, pelas grotas retumbando,
E a estralada das árvores, que um bando
De paquidermes colossais derruba...

Como o guaraz nas rubras penas dorme,
Dorme em nimbos de sangue o sol oculto...
Fuma o saibro africano incandescente...

Vai coa sombra crescendo o vulto enorme
Do baobá... E cresce n'alma o vulto
De uma tristeza, imensa, imensamente...

Plenilúnio

Além nos ares, tremulamente,
Que visão branca das nuvens sai!
Luz entre as franças, fria e silente;
Assim nos ares, tremulamente,
Balão aceso subindo vai...

Há tantos olhos nela arroubados,
No magnetismo do seu fulgor!
Lua dos tristes e enamorados,
Golfão de cismas fascinador!

Astro dos loucos, sol da demência,
Vaga, noctâmbula aparição!
Quantos, bebendo-te a refulgência,
Quantos por isso, sol da demência,
Lua dos loucos, loucos estão!

Quantos à noite, de alva sereia
O falaz canto na febre a ouvir,
No argênteo fluxo da lua cheia,
Alucinados se deixam ir...

Também outrora, num mar de lua,
Voguei na esteira de um louco ideal;
Exposta aos euros a fronte nua,
Dei-me ao relento, num mar de lua,
Banhos de lua que fazem mal.

Ah! quantas vezes, absorto nela,
Por horas mortas postar-me vim

Cogitabundo, triste, à janela,
Tardas vigílias passando assim!

E assim, fitando-a noites inteiras,
Seu disco argênteo n'alma imprimi;
Olhos pisados, fundas olheiras,
Passei fitando-a noites inteiras,
Fitei-a tanto, que enlouqueci!

Tantos serenos tão doentios,
Friagens tantas padeci eu;
Chuva de raios de prata frios
A fronte em brasa me arrefeceu!

Lunárias flores, ao feral lume,
— Caçoilas de ópio, de embriaguez —
Evaporavam letal perfume...
E os lençóis d'água, do feral lume
Se amortalhavam na lividez...

Fúlgida névoa vem-me ofuscante
De um pesadelo de luz encher,
E a tudo em roda, desde esse instante,
Da cor da lua começo a ver.

E erguem por vias enluaradas
Minhas sandálias chispas a flux...
Há pó de estrelas pelas estradas...
E por estradas enluaradas
Eu sigo às tontas, cego de luz...

Um luar amplo me inunda, e eu ando
Em visionária luz a nadar,
Por toda a parte, louco arrastando
O largo manto do meu luar...

(*Poesia Completa e Prosa,* Rio de Janeiro,
Aguilar, 1961, pp. 126-127, 128-129, 135-136,
156, 255-256, 284, 295, 346-348.)

Irmão gêmeo de Antero de Quental e Cruz e Sousa, Raimundo Correia é dos raros poetas da Literatura Brasileira que sofreram obstinadamente da ânsia de infinito, da angústia de transcender, que enforma os santos e os visionários. Embora seus arroubos românticos, estampados em *Primeiros Sonhos,* tenham arrefecido no contacto com os ideais de cultura postos em voga pelo Parnasianismo, fica-se com a sensação de que o lastro primitivo se manteve íntegro. Quando muito, o impacto das novas correntes de pensamento acelerou o processo de transformação latente, rumo das profundezas e alturas em que, afinal, se colocou a mente do poeta. Daí a relatividade do seu Parnasianismo, mais de ordem externa que doutrinária: o apuro da forma, em vez de cobrir o transcurso das emoções, serve perfeitamente ao propósito. Na verdade, o comando das soluções estilísticas em momento algum chega à obsessão que se nota em Alberto de Oliveira, dando mesmo a impressão de um à-vontade incoerente com o decálogo parnasiano: registre-se a prodigalidade de reticências nos vários poemas transcritos, mostrando frinchas que, com romper a uniformidade dos versos, permitem extravasar a intimidade do poeta. Desse modo, o próprio descritivismo se atenua, e em lugar de notações precisas e impessoais, insinua-se um clima de sugestões vagas e subjetivas. A musicalidade, os "tons suaves de melancolia", apóiam a formulação de quadros em que a evanescência desponta. Tais acentos, presentes em todos os poemas, atingem o zênite em "Plenilúnio", onde o sortilégio do luar (patente ainda em "Anoitecer" e "A Cavalgada") ganha uma rarefação de matiz autenticamente simbolista, incluindo a loucura que consagra os so- nhadores e idealistas ("Lua dos loucos, loucos estão!"). Este último aspecto, que resulta duma sondagem no "mistério" existencial (antiparnasiano por natureza), encontra sua expressão mais acabada nos demais poemas, nomeadamente em "Mal Secreto", das obras-primas do soneto em Língua Portuguesa: aqui, o desespero latejante se casa a um filosofismo tenso, plasmado numa forma oracular e desembaraçada. Basta essa composição para conferir a Rai- mundo Correia posto de honra nos quadros da Literatura Brasileira: talvez fosse o menos esteta de nossos parnasianos, mas é inegável que carregava como nenhum deles a inquietação filosófica que gera a poesia superior, capaz de resistir ao tempo e às modas.

Textos para Análise

A Idéia Nova

A BARROS CASSAL

Sob inóspito solo e estéril estremece
O vulcão e abre a boca aos vômitos da chama!
Voa o fogo no ar!... Tudo em redor se inflama!
Tudo reduz-se a pó! e então mais nada vê-se!...

Pouco tempo depois, sobre os montões de lama,
De cinzas e betume a primavera desce;
De alta vegetação o solo se recama,
Que em seivas exubera a loirejante messe!

O cérebro febril da ardente juventude
É um vulcão também: a luz da Nova Idéia
Há de romper de lá em súbita explosão!

Atlético lutar! Tomba a decrepitude!
Mas das ruínas vis da sórdida Pompéia
A cidade — Progresso — há de surgir então!

As Pombas...

Vai-se a primeira pomba despertada...
Vai-se outra mais... mais outra... enfim dezenas
De pombas vão-se dos pombais, apenas
Raia sangüínea e fresca a madrugada...

E à tarde, quando a rígida nortada
Sopra, aos pombais de novo elas, serenas,
Ruflando as asas, sacudindo as penas,
Voltam todas em bando e em revoada...

Também dos corações onde abotoam,
Os sonhos, um por um, céleres voam,
Como voam as pombas dos pombais;

No azul da adolescência as asas soltam,
Fogem.... Mas aos pombais as pombas voltam,
E eles aos corações não voltam mais...

A Chegada

A EZEQUIEL FREIRE

Vimos de longe; o guia vai na frente;
É longa a estrada... Aos ríspidos estalos
Do impaciente látego, os cavalos
Correm veloz, larga e fogosamente....

Já estranho rubor inflama o Oriente;
Rompe a manhã; cantam ao longe os galos...
Que ledo campo entre risonhos valos
Se vê! que fresco matinal se sente!

O Vinho de Hebe

Quando do Olimpo nos festins surgia
Hebe risonha, os deuses majestosos
Os copos estendiam-lhe, ruidosos,
E ela, passando, os copos lhes enchia...

A mocidade, assim, na rubra orgia
Da vida, alegre e pródiga de gozos,
Passa por nós, e nós também, sequiosos,
Nossa taça estendemos-lhe, vazia...

E o vinho do prazer em nossa taça
Verte-nos ela, verte-nos e passa...
Passa, e não torna atrás o seu caminho.

Nós chamamo-la em vão; em nossos lábios,
Restam apenas tímidos ressábios,
Como recordações daquele vinho.

(*Ibidem*, pp. 92, 122, 143.)

ALBERTO DE OLIVEIRA

Antônio Mariano Alberto de Oliveira nasceu em Palmital de Saquarema (Estado do Rio de Janeiro), a 28 de abril de 1857. Após cursar Medicina até o terceiro ano, diplomou-se em Farmácia (1883). Exerceu funções públicas, como a de Diretor Geral da Instrução no Rio de Janeiro (1893-1898), e o magistério, de Português e Literatura Brasileira. Um dos fundadores da Academia Brasileira de Letras, foi aclamado, em 1924, Príncipe dos Poetas Brasileiros. Faleceu a 19 de janeiro de 1937, em Niterói, deixando a seguinte obra poética: *Canções Românticas* (1878), *Meridionais* (1884), *Sonetos e Poemas* (1885), *Versos e Rimas* (1895), *Poesias* (1900; contém os livros anteriores, exceto o primeiro, e mais *Por Amor de uma Lágrima* e *Livro de Ema*), *Poesias*, 2ª série (1905; reúne *Alma Livre, Terra Natal, Alma em Flor, Flores da Serra* e *Versos de Saudade*), *Poesias*, ed. melhorada da 1ª série (1912; reúne *Canções Românticas, Meridionais, Sonetos e Poemas, Versos e Rimas, Por Amor de uma Lágrima*), *Poesias*, ed. melhorada da 2ª série (1912; com *Livro de Ema, Alma Livre, Terra Natal, Alma em Flor, Flores da Serra, Versos de Saudade*), *Poesias*, 3ª série (1913; contém *Sol de Verão, Céu Noturno, Alma das Cousas, Sala de Baile, Rimas Várias, No Seio do Cosmos* e *Natália*), *Ramo de Árvore* (1922), *Poesias,* 4ª série (1927; inclui o anterior, mais *Ode Cívica, Alma e Céu, Cheiro de Flor, Ruínas que Falam, Câmara Ardente*), *Póstuma* (1944).

A Volta da Galera

Quase em Corinto. As velas esquisitas,
Purpúreas velas de real trirreme,
Pandas ondulam; a água escura freme
E ouve-se a espaço a voz dos talamitas.
— Praias do iônio mar, sede benditas!

A torre vejo e a luz que vela e treme;
Frínia me espera e desolada geme,
Do alto encarando as águas infinitas.

Tal o compasso de impelidos remos
Ouvia a noite alguém que velejava,
A alma espraiando em lágrimas e extremos;

E perto as praias nítidas medindo,
Curvas, sem termo, a sombra meditava,
Do ombro a clâmide aos ventos sacudindo.

Vaso Grego

Esta de áureos relevos, trabalhada
De divas mãos, brilhante copa, um dia,
Já de aos deuses servir como cansada,
Vinda do Olimpo, a um novo deus servia.

Era o poeta de Teos que a suspendia
Então, e, ora repleta ora esvasada,
A taça amiga aos dedos seus tinia,
Toda de roxas pétalas colmada.

Depois... Mas o lavor da taça admira,
Toca-a, e do ouvido aproximando-a, às bordas
Finas hás de lhe ouvir, canora e doce,

Ignota voz, qual se da antiga lira
Fosse a encantada música das cordas,
Qual se essa voz de Anacreonte fosse.

Vaso Chinês

Estranho mimo aquele vaso! Vi-o,
Casualmente, uma vez, de um perfumado
Contador sobre o mármor luzidio,
Entre um leque e o começo de um bordado.

Fino artista chinês, enamorado,
Nele pusera o coração doentio
Em rubras flores de um sutil lavrado,
Na tinta ardente, de um calor sombrio.

Mas, talvez por contraste à desventura,
Quem o sabe?... de um velho mandarim
Também lá estava a singular figura;

Que arte em pintá-la! a gente acaso vendo-a,
Sentia um não sei quê com aquele chim
De olhos cortados à feição de amêndoa.

Os Amores da Estrela

Já sob o largo pálio a tenebrosa
Noite as estrelas nítidas e belas
Prendera ao seio, como mãe piedosa.

De umas as brancas lúcidas capelas,
De outras o manto e as clâmides de linho
Viam-se à luz da lua. Estas e aquelas,

Todas no lácteo sideral caminho
Dormiam, como bando alvinitente
De aves, à sombra, nos frouxéis de um ninho.

Vênus, porém, chorava; ela somente
De pé, cismando, o níveo olhar mais níveo
Que a prata, abria na amplidão dormente.

Olhava ao longo o célico declívio,
Como a buscar alguém que desejava,
Qual se deseja alguém que é doce alívio.

Só, no espaço desperta, como a escrava
Romana ao pé do leito da senhora
Velando à noite, a mísera velava.

Um deus de formas válidas adora;
São seus cabelos ouro puro, o peito
Veste a armadura de cristal da aurora.

Quando ele sai das púrpuras do leito,
O arco na mão, parece de diamantes
E rosados rubis seu rosto feito.

Dera por vê-lo agora as cintilantes
Lágrimas todas, líquido tesouro,
Que lhe tremem às pálpebras brilhantes...

Mas soa de repente um grande coro
Pelas cavas abóbadas... E logo
Assoma ao longe um capacete de ouro.

O deus ouviu-lhe o suplicante rogo!
Ei-lo que vem! seu plaustro os ares corta;
Ouve o relincho aos seus corcéis de fogo.

Já do roxo Levante se abre a porta...
E ao ver-lhe o vulto e as chamas da armadura,
Fria, trêmula, muda e quase morta,

Vênus desmaia na infinita altura.

Pastores

Zagala, de zagais na rústica família,
Se Teócrito eu leio ou Bernardim Ribeiro,
Sonho-te, a pastorear ao sol o dia inteiro.
Chamam-te em tua aldeia Aônia, ou Dafne, ou Lília.

Ao pé de anoso tronco, olmo, carvalho ou tília,
Cismas, a ouvir com a tarde, em modular ligeiro,
Nas quebradas do monte, às mãos do pegureiro,
Sanfonina do Tejo ou flauta da Sicília.

E sonho-me eu também em meio dos pastores.
Menalcas é o meu nome, ou Jano, ou Tirses. Canto
E cajado e surrão às plantas te deponho.

Enastrado por ti o meu rabel de flores,
Em contendas me travo a celebrar-te o encanto.
Oh! tempos que lá vão! oh! vida antiga... oh! sonho!

Choro de Vagas

Não é de águas apenas e de ventos,
No rude som, formada a voz do Oceano:
Em seu clamor — ouço um clamor humano,
Em seus lamentos — todos os lamentos.

São de náufragos mil estes acentos,
Estes gemidos, esse aiar insano;
Agarrados a um mastro, ou tábua, ou pano,
Vejo-os varridos de tufões violentos;

Vejo-os, na escuridão da noite, aflitos,
Bracejando, ou já mortos e debruços,
Largados das marés, em ermas plagas...

Ah! que são deles estes surdos gritos,
Este rumor de preces e soluços
E o choro de saudade destas vagas!*

(*Poesias*, 1ª série, Rio de Janeiro, Briguiet, 1912, pp. 87, 168 e 177; 2ª série, *ibidem*, 1912, pp. 149-150; 3ª série, Liv. Francisco Alves, 1913, p. 191; 4ª série, *ibidem*, 2ª ed., 1928, p. 241.)

Mais do que qualquer outro, Alberto de Oliveira encarnou a concepção de Arte preconizada pelo Parnasianismo, graças ao fato de tomá-la ao pé da letra e conduzi-la ao extremo de suas virtualidades. A ortodoxia na adoção do código estético em moda no tempo eviden-

---

* "Vaso Grego": *Anacreonte* = poeta lírico grego (c. 570 a. C. — c. 490 a. C.), que cantava os prazeres da mesa e do amor; "Pastores": *Teócrito* = poeta grego, do III século a. C., autor de composições em torno de temas bucólicos; *Bernardim Ribeiro* = escritor português do século XVI, autor de poesia bucólica (églogas).

cia-se no rigor da forma, na impassibilidade marmórea, na identificação com os moldes clássicos, no conferir aos versos um fim em si mesmos (arte pela arte), — constituindo um todo em que por vezes o poeta resvala no limite entre a poesia e a prosa, como se pode ver em "Vaso Grego", "Vaso Chinês" e, mesmo, em "A Volta da Galera". Porque exemplares do ideal estético parnasiano, deles parece haver fugido a emoção propriamente poética, deixando em seu lugar apenas uma descrição fria, esculpida em versos lapidares. No entanto, à semelhança dos demais poetas de sua geração, era uma sensibilidade romântica que resolveu utilizar o guarda-roupa parnasiano, como se observa em "Amores de uma Estrela", "Pastores" e "Choro das Vagas", onde a couraça dos versos não alcança aprisionar totalmente o circuito de emoção que habita o artista. É verdade que se enquadram numa atmosfera parnasiana, respectivamente pelo ingrediente mitológico, pelo bucólico e pelo marinhista, mas também é verdade que tais características traem a presença de um fluxo emocional que se diria represo nas fronteiras dos versos, por um puro ato da vontade. Tanto é assim que noutros instantes, quando a contensão se afrouxava naturalmente, o poeta erguia poemas de cariz romântico e/ou simbolista, como alguns que integram os livros *Por Amor de uma Lágrima* e *Livro de Ema*. Príncipe dos poetas brasileiros em certa fase de sua vida, Alberto de Oliveira legou aos pósteros a imagem de um esteta obcecado pela forma, que sacrificou baldadamente os sentimentos mais íntimos em nome de uma coerência infrutífera.

VICENTE DE CARVALHO

Vicente Augusto de Carvalho nasceu em Santos, a 5 de abril de 1866. Após os estudos secundários na cidade natal, veio para São Paulo estudar Direito. Ao longo do curso, entrou em contacto com as novidades do Parnasianismo e publicou um livro de versos, *Ardentias* (1885). Formado, dedicou-se à política (deputado em 1887 e 1891, e secretário do Interior), à magistratura (juiz em 1908 e desembargador em 1914), ao comércio de café e à sua fazenda em Franca. Fez três viagens à Europa, e pertenceu à Academia Brasileira de Letras. Faleceu em Santos, em 22 de abril de 1924. Além de *Ardentias*, escreveu: *Relicário* (1888), *Rosa, Rosa de Amor* (1902), *Poemas e Canções* (1908), *Verso e Prosa* (1909), *Páginas Soltas* (1911), *Versos da Mocidade* (*Ardentias, Relicário, Avulsas*) (1912), *A Voz do Sino*, poesia (1916); *Luizinha*, teatro (1924).

Velho Tema

Só a leve esperança, em toda a vida,
Disfarça a pena de viver, mais nada;
Nem é mais a existência, resumida,
Que uma grande esperança malograda.

O eterno sonho da alma desterrada,
Sonho que a traz ansiosa e embevecida,
É uma hora feliz, sempre adiada
E que não chega nunca em toda a vida.

Essa felicidade que supomos,
Árvore milagrosa que sonhamos
Toda arreada de dourados pomos,

Existe, sim; mas nós não a alcançamos
Porque está sempre apenas onde a pomos
E nunca a pomos onde nós estamos.

Pequenino Morto

Tange o sino, tange, numa voz de choro,
Numa voz de choro... tão desconsolado...
No caixão dourado, como em berço de ouro,
Pequenino, levam-te dormindo... Acorda!
Olha que te levam para o mesmo lado
De onde o sino tange numa voz de choro...
            Pequenino, acorda!

Como o sono apaga o teu olhar inerte
Sob a luz da tarde tão macia e grata!
Pequenino, é pena que não possas ver-te...
Como vais bonito, de vestido novo
Todo azul celeste com debruns de prata!
Pequenino, acorda! E gostarás de ver-te
            De vestido novo.

Como aquela imagem de Jesus, tão lindo,
Que até vai levado em cima dos andores
Sobre a fronte loura um resplendor fulgindo,
— Com a grinalda feita de botões de rosas
Trazes na cabeça um resplendor de flores...
Pequenino, acorda! E te acharás tão lindo
            Florescido em rosas!

Tange o sino, tange, numa voz de choro,
Numa voz de choro... tão desconsolado...
No caixão dourado, como em berço de ouro,
Pequenino, levam-te dormindo... Acorda!
Olha que te levam para o mesmo lado
De onde o sino tange numa voz de choro...
            Pequenino, acorda!

Que caminho triste, e que viagem! Alas
De ciprestes negros a gemer no vento;
Tanta boca aberta de famintas valas
A pedir que as fartem, a esperar que as encham...
Pequenino, acorda! Recupera o alento,
Foge da cobiça dessas fundas valas
            A pedir que as encham.

Vai chegando a hora, vai chegando a hora
Em que a mãe ao seio chama o filho... A espaços
Badalando, o sino diz adeus, e chora
Na melancolia do cair da noute:
Por aqui, só cruzes com seus magros braços
Que jamais se fecham, hirtos sempre... É a hora
      Do cair da noute...

Pela Ave Maria, como procuravas
Tua mãe!... Num eco de sua voz piedosa,
Que suaves cousas que tu murmuravas,
De mãozinhas postas, a rezar com ela...
Pequenino, em casa, tua mãe saudosa
Reza a sós... É a hora quando a procuravas...
      Vai rezar com ela!

E depois... teu quarto era tão lindo! Havia
Na janela jarras onde abriam rosas;
E no meio a cama, toda alvor, macia,
De lençóis de linho no colchão de penas.
Que acordar alegre nas manhãs cheirosas!
Que dormir suave, pela noute fria,
      No colchão de penas...

Tange o sino, tange, numa voz de choro,
Numa voz de choro... tão desconsolado...
No caixão dourado, como em berço de ouro,
Pequenino, levam-te, dormindo... Acorda!
Olha que te levam para o mesmo lado
De onde o sino tange numa voz de choro...
      Pequenino, acorda!

Por que estacam todos dessa cova à beira?
Que é que diz o padre numa língua estranha?
Por que assim te entregam a essa mão grosseira
Que te agarra e leva para a cova funda?
Por que assim cada homem um punhado apanha
De caliça, e espalha-a, debruçado à beira
      Dessa cova funda?

Vais ficar sozinho no caixão fechado...
Não será bastante para que te guarde?
Para que essa terra que jazia ao lado
Pouco a pouco rola, vai desmoronando?
Pequenino, acorda! — Pequenino!... É tarde...
Sobre ti cai todo esse montão que ao lado
      Vai desmoronando...

Eis fechada a cova. Lá ficaste... A enorme
Noute sem aurora todo amortalhou-te.
Nem caminho deixam para quem lá dorme,
Para quem lá fica e que não volta nunca...
Tão sozinho sempre por tamanha noute!...
Pequenino, dorme! Pequenino, dorme...
        Nem acordes nunca!

X

(Última Confidência)

— E se acaso voltar? Que hei de dizer-lhe, quando
        Me perguntar por ti?
— Dize-lhe que me viste, uma tarde, chorando...
        Nessa tarde parti.

Se arrependido e ansioso ele indagar: "Para onde?
        Por onde a buscarei?"
— Dize-lhe: "Para além... para longe..." Responde
        Como eu mesma: "Não sei."

Ai, é tão vasta a noute! A meia luz do ocaso
        Desmaia... anouteceu...
Onde vou? Nem eu sei... Irei seguindo ao acaso
        Até achar o céu...

Eu cheguei a supor que possível me fosse
        Ser amada — e viver.
É tão fácil a morte... Ai, seria tão doce
        Ser amada... e morrer!...

Ouve: conta-lhe tu que eu chorava, partindo,
        As lágrimas que vês...
Só conheci do amor, que imaginei tão lindo,
        O mal que ele me fez.

Narra-lhe transe a transe a dor que me consome...
        Nem houve nunca igual!
Conta-lhe que eu morri murmurando o seu nome
        No soluço final!

Dize-lhe que o seu nome ensangüentava a boca
        Que o seu beijo não quis:
Golfa-me em sangue, vês? E eu murmurando-o, louca!
        Sinto-me tão feliz!

Nada lhe contes, não... Poupa-o... Eu quase o odeio,
Oculta-lho! Senhor,
Eu morro!... Amava-o tanto... Amei-o sempre... Amei-o
Até morrer... de amor.

(Poemas e Canções, 14ª ed., São Paulo, Sarai-
va, 1950, pp. 33, 47-51, 310-311.)

Convertido ao Parnasianismo na maturidade, nem por isso Vicente de Carvalho o perfi-lhou dogmaticamente. Em verdade, manteve-se um crente em perpétua dúvida, oscilando entre a aceitação franca do decálogo estético e caldeá-lo com as tendências imanentes de seu espírito, onde certo romantismo inato e um pendor para a ironia constituíam tônicas principais. Assim, no soneto "Velho Tema", dos mais conhecidos do poeta, nota-se um patente camo-nismo, inclusive no travejamento conceptual. Entretanto, um traço de melancolia ou deses-perança confessional neutraliza o impulso para qualquer transcendentalidade. Em análogo tom se estrutura o "Pequenino Morto": basta pô-lo em face do "Cântico do Calvário", de Fagundes Varela, para salientar-lhe a ausência de maior dramaticidade. Com efeito, o tema da morte de um infante situa-se em nível superiormente emocional, mas sem a tragicidade que exibe a outra composição. Falta-lhe um mais alto vôo do pensamento, explicável pelo esteticismo em que se comprazia o poeta, evidente na musicalidade onomatopaica e plangente ("Tange o sino, tange, numa voz de choro") e na predominância de notações pictóricas ("Como vais bonito, de vestido novo / Todo azul celeste com debruns de prata"). Afinal, como se as posições se invertessem relativamente a Fagundes Varela, Vicente de Carvalho é que assume uma postura romântica, vizinha do Simbolismo: porventura mais do que os outros parnasianos reunidos na presente antologia, era acionado por vetores de extração romântica e/ou simbolista. Evidencia-o limpidamente a "Última Confidência", onde a tensão lírica beira o melodramático, num clima sentimental à século XIX, incluindo a hemoptise das heroínas deliqüescentes ("Gol-fa-me em sangue"), que a dicção rigorosa e fluente preserva de maiores danos. De qualquer modo, Vicente de Carvalho foi um dos raros parnasianos cuja obra continua a encontrar eco em leitores de hoje, embora os menos exigentes ou mais afinados com sua poesia, essencial-mente emotiva e formalmente escorreita.

A PROSA DE FICÇÃO

A prosa de ficção, durante o predomínio realista, seguiu três direções fundamentais, não raro interinfluentes: 1) realismo exterior, que defendia o aproveitamento das conquistas da Ciência, de molde a buscar o máximo de objetividade na fotografação da realidade concreta, e a transformar a obra de arte em arma de combate das instituições julgadas decadentes e incapazes de atender aos reclamos dos novos tempos (a Burguesia, o Clero e o Trono); daí seu anti-Romantismo, seu anticlericalismo e seu republicanismo; o exagero de tais caracte-rísticas originou o Naturalismo; representam-na: Aluísio Azevedo, Inglês de Sousa, Adolfo Caminha, Domingos Olímpio: 2) realismo interior, que preconizava como realidade objetiva não a aparência, mas a essência, dos seres e das coisas; de onde procurasse vasculhar a psicologia íntima das personagens, e anunciasse alguns caminhos percorridos pela introspec-ção moderna; representam-na: Machado de Assis, Raul Pompéia; o prolongamento dessa linha converge para a prosa simbolista; 3) a prosa regionalista, em que se miscigenam por vezes as duas tendências, como na obra de Coelho Neto, Afonso Arinos. Em qualquer dessas áreas cultivam-se o romance e o conto: o primeiro, vinha sendo produzido desde o Romantismo;

o segundo, praticamente surgido com o Realismo, alcançou nessa época o apogeu, graças ao volume e qualidade das obras.

ALUÍSIO AZEVEDO

Aluísio Tancredo Gonçalves Azevedo nasceu em São Luís do Maranhão, a 14 de abril de 1857. Realizados os estudos primários, encaminha-se para o comércio. Todavia, sentindo-se atraído pelas artes plásticas, ruma para o Rio de Janeiro, e junta-se ao irmão, Artur. Com a morte repentina do pai, regressa à cidade natal, onde passa a colaborar na imprensa e inicia sua trajetória de ficcionista, com *Uma Lágrima de Mulher* (1880), seguido pel*O Mulato* (1881), que lhe granjeia desde logo renome nacional. Retorna ao Rio de Janeiro e atira-se a um intenso labor jornalístico e literário, em que se revezam a tarefa profissional e a criação livre. Desgostoso, porém, de não poder optar pela segunda alternativa, abraça a carreira diplomática, certo de usufruir por seu intermédio dos lazeres indispensáveis à elaboração serena de sua obra. Serve em Vigo, Nápoles, Japão e Buenos Aires, onde falece a 21 de janeiro de 1913. Além dos volumes mencionados, deixou os seguintes romances: *A Condessa Vésper* (1882, com o título de *Memórias de um Condenado*), *Girândola de Amores* (1882, com o título de *Mistérios da Tijuca*), *Filomena Borges*, (1884), *Casa de Pensão* (1884), *O Homem* (1887), *O Coruja* (1890), *O Esqueleto* (1890, em colaboração com Olavo Bilac), *A Mortalha de Alzira* (1894), *O Livro de uma Sogra* (1895); um livro de contos, *Demônios* (1893); um livro de crônicas e cartas, *Touro Negro* (1938); etc.

O Cortiço

Romance capital na evolução histórica da ficção brasileira, *O Cortiço* foi publicado pela primeira vez no Rio de Janeiro, em 1890. Como o próprio título sugere, a fabulação tem como tema uma habitação coletiva fluminense, nos fins do século XIX. Construiu-a João Romão, português ambiciosamente inescrupuloso, às custas da exploração do próximo e do emprego de todos os ardis, desde a pequena diferença no metro e no peso até o furto declarado. A pouco e pouco, vai adquirindo terrenos à volta de sua tasca e lá erigindo pocilgas onde abriga e espolia a ralé e os trabalhadores de sua pedreira, situada nos fundos do cortiço. Assim, vão sucedendo os dramas anônimos daquele conglomerado de marginais: Rita Baiana, mulata faceira, Pombinha, menina inocente que se prostitui, Jerônimo, português brioso que cede aos dengues da mulata, Florinda, Leocádia, etc. Enquanto isso, João Romão, ajudado pela negra Bertoleza, criada e amásia, enriquece. Mas a mudança de Miranda para o sobrado vizinho incita-o a sonhar com ascender socialmente. E tanto faz que acaba casando com Zulmira, filha do outro. Denunciada ao antigo dono, Bertoleza suicida-se, e o romance finda. As páginas que se transcrevem a seguir, constituem fragmento do capítulo I e o capítulo XVII:

Desde que a febre de possuir se apoderou dele totalmente, todos os seus atos, todos, fosse o mais simples, visavam um interesse pecuniário. Só tinha uma preocupação: aumentar os bens. Das suas hortas recolhia para si e para a companheira os piores legumes, aqueles que, por maus, ninguém compraria; as suas galinhas produziam muito e ele não comia um ovo, do que, no entanto, gostava imenso; vendia-os todos e contentava-se com os restos das comidas dos trabalhadores. Aquilo já não era ambição, era uma moléstia nervosa, uma loucura, um desespero de acumular, de

249

reduzir tudo a moeda. E seu tipo baixote, socado, de cabelos à escovinha, a barba sempre por fazer, ia e vinha da pedreira para a venda, da venda às hortas e ao capinzal, sempre em mangas de camisa, de tamancos, sem meias, olhando para todos os lados, com o seu eterno ar de cobiça, apoderando-se, com os olhos, de tudo aquilo de que ele não podia apoderar-se logo com as unhas.

Entretanto, a rua lá fora povoava-se de um modo admirável. Construía-se mal, porém muito; surgiam chalés e casinhas de noite para o dia; subiam os aluguéis; as propriedades dobravam de valor. Montara-se uma fábrica de massas italianas e outra de velas, e os trabalhadores passavam de manhã e às Ave-Marias, e a maior parte deles iam comer à casa de pasto que João Romão arranjara aos fundos da sua venda. Abriram-se novas tavernas; nenhuma, porém, conseguia ser tão afreguesada como a dele. Nunca o seu negócio fora tão bem, nunca o finório vendera tanto; vendia mais agora, muito mais, que nos anos anteriores. Teve até de admitir caixeiros. As mercadorias não lhe paravam nas prateleiras; o balcão estava cada vez lustroso, mais gasto. E o dinheiro a pingar, vintém por vintém, dentro da gaveta, e a escorrer da gaveta para a burra, aos cinqüenta e aos cem mil réis, e da burra para o banco, aos contos e aos contos.

Afinal, já lhe não bastava sortir o seu estabelecimento nos armazéns fornecedores; começou a receber alguns gêneros diretamente da Europa: o vinho, por exemplo, que ele dantes comprava aos quintos nas casas de atacado, vinha-lhe agora de Portugal às pipas, e de cada uma fazia três com água e cachaça; despachava faturas de barris de manteiga, de caixas de conservas, caixões de fósforos, azeite, queijos, louça e muitas outras mercadorias.

Criou armazéns para depósito, aboliu a quitanda e transferiu o dormitório, aproveitando o espaço para ampliar a venda, que dobrou de tamanho e ganhou mais duas portas.

Já não era uma simples taverna, era um bazar em que se encontrava de tudo: objetos de armarinho, ferragens, porcelanas, utensílios de escritório, roupa de riscado para os trabalhadores, fazenda para roupa de mulher, chapéus de palha próprios para o serviço ao sol, perfumarias baratas, pentes de chifre, lenços com versos de amor, e anéis e brincos de metal ordinário.

E toda a gentalha daquelas redondezas ia cair lá, ou então ali ao lado, na casa de pasto, onde os operários das fábricas e os trabalhadores da pedreira se reuniam depois do serviço, e ficavam bebendo e conversando até às dez horas da noite, entre o espesso fumo dos cachimbos, do peixe frito em azeite e dos lampiões de querosene.

Era João Romão quem lhes fornecia tudo, tudo, até dinheiro adiantado, quando algum precisava. Por ali não se encontrava jornaleiro, cujo ordenado não fosse inteirinho parar às mãos do velhaco. E sobre este cobre, quase sempre emprestado aos tostões, cobrava juros de oito por cento ao mês, um pouco mais do que levava aos que garantiam a dívida com penhores de ouro ou prata.

Não obstante, as casinhas do cortiço, à proporção que se atamancavam, enchiam-se logo, sem mesmo dar tempo a que as tintas secassem. Havia grande avidez em alugá-las; aquele era o melhor ponto do bairro para a gente do trabalho. Os empregados da pedreira preferiam todos morar lá, porque ficavam a dois passos da obrigação.

O Miranda rebentava de raiva.

— Um cortiço! exclamava ele, possesso. Um cortiço! Maldito seja aquele vendeiro de todos os diabos! Fazer-me um cortiço debaixo das janelas!... Estragou-me a casa, o malvado!

E vomitava pragas, jurando que havia de vingar-se, e protestando aos berros contra o pó que lhe invadia em ondas as salas, e contra o infernal barulho dos pedreiros e carpinteiros que levavam a martelar de sol a sol.

O que aliás não impediu que as casinhas continuassem a surgir, uma após outra, e fossem logo se enchendo, a estenderem-se unidas por ali afora, desde a venda até quase ao morro, e depois dobrassem para o lado do Miranda e avançassem sobre o quintal deste, que parecia ameaçado por aquela serpente de pedra e cal.

O Miranda mandou logo levantar o muro.

Nada! aquele demônio era capaz de invadir-lhe a casa até a sala de visitas!

E os quartos do cortiço pararam enfim de encontro ao muro do negociante, formando com a continuação da casa deste um grande quadrilongo, espécie de pátio de quartel, onde podia formar um batalhão.

Noventa e cinco casinhas comportou a imensa estalagem.

Prontas, João Romão mandou levantar na frente, nas vinte braças que separavam a venda do sobrado do Miranda, um grosso muro de dez palmos de altura, coroado de cacos de vidro e fundos de garrafa, e com um grande portão no centro, onde se dependurou uma lanterna de vidraças vermelhas, por cima de uma tabuleta amarela, em que se lia o seguinte, escrito a tinta encarnada e sem ortografia.

"Estalagem de São Romão. Alugam-se casinhas e tinas para lavadeiras."

As casinhas eram alugadas por mês e as tinas por dia: tudo pago adiantado. O preço de cada tina, metendo água, quinhentos réis, sabão à parte. As moradoras do cortiço tinham preferência e não pagavam nada para lavar.

Graças à abundância da água que lá havia, como em nenhuma outra parte, e graças ao muito espaço de que se dispunha no cortiço para estender a roupa, a concorrência às tinas não se fez esperar; acudiram lavadeiras de todos os pontos da cidade, entre elas algumas vindas de bem longe. E, mal vagava uma das casinhas, ou um quarto, um canto onde coubesse um colchão, surgia uma nuvem de pretendentes a disputá-los.

E aquilo se foi constituindo numa grande lavanderia, agitada e barulhenta, com as suas cercas de varas, as suas hortaliças verdejantes e os seus jardinzinhos de três e quatro palmos, que apareciam como manchas alegres por entre a negrura das limosas tinas transbordantes e o revérbero das claras barracas de algodão cru, armadas sobre os lustrosos bancos de lavar. E os gotejantes giraus, cobertos de roupa molhada, cintilavam ao sol, que nem lagos de metal branco.

E naquela terra encharcada e fumegante, naquela umidade quente e lodosa, começou a minhocar, a esfervilhar, a crescer, um mundo, uma coisa viva, uma geração, que parecia brotar espontânea, ali mesmo, daquele lameiro, e multiplicar-se como larvas no esterco.

Mal os Carapicus sentiram a aproximação dos rivais, um grito de alarma ecoou por toda a estalagem e o rolo dissolveu-se de improviso, sem que a desordem cessasse. Cada qual correu à casa, rapidamente, em busca do ferro, do pau e de tudo que servisse para resistir e para matar. Um só impulso os impelia a todos; já não havia ali brasileiros e portugueses, havia um só partido que ia ser atacado pelo partido contrário; os que se batiam há pouco emprestavam armas uns aos outros, limpando com as costas da mão o sangue das feridas. Agostinho, encostado ao lampião do meio do cortiço, cantava em altos berros uma cousa que lhe parecia responder à música bárbara que entoavam lá fora os inimigos; a mãe dera-lhe licença, a pedido dele, para pôr um cinto de Nenê, em que o pequeno enfiou a faca da cozinha. Um mulatinho franzino, que até aí não fora notado por ninguém no São Romão, postou-se defronte da entrada, de mãos limpas, à espera dos invasores; e todos tiveram confiança nele, porque o ladrão, além de tudo, estava rindo.

Os Cabeças de Gato assomaram afinal ao portão. Uns cem homens, em que se não via a arma que traziam. Porfiro vinha na frente, a dançar, de braços abertos, bamboleando o corpo e dando rasteiras para que ninguém lhe estorvasse a entrada. Trazia o chapéu à ré, com um laço de fita amarela flutuando na copa.

— Agüenta! Agüenta! Faz frente! clamavam de dentro os Carapicus.

E os outros, cantando o seu hino de guerra, entraram e aproximaram-se lentamente, a dançar como selvagens.

As navalhas traziam-nas abertas e escondidas na palma da mão.

Os Carapicus enchiam a metade do cortiço. Um silêncio arquejado sucedia à estrepitosa vozeria do rolo que findara. Sentia-se o hausto impaciente da ferocidade que atirava aqueles dois bandos de capoeiras um contra o outro. E, no entanto, o sol, único causador de tudo aquilo, desaparecia de todo nos limbos do horizonte, indiferente, deixando atrás de si as melancólicas do crepúsculo, que é a saudade da terra quando ele se ausenta, levando consigo a alegria da luz e do calor.

Lá na janela do Barão, o Botelho, entusiasmado como sempre por tudo que lhe cheirava a guerra, soltava gritos de aplauso e dava brados de comando militar.

E os Cabeças de Gato aproximavam-se cantando, a dançar, rastejando alguns de costas para o chão, firmados nos pulsos e nos calcanhares.

Dez Carapicus saíram em frente; dez Cabeças de Gato se alinharam defronte deles.

E a batalha principiou, não mais desordenada e cega, porém com método, sob o comando de Porfiro que, sempre a cantar ou a assobiar, saltava em todas as direções, sem nunca ser alcançado por ninguém.

Desferiram-se navalhas contra navalhas, jogaram-se as cabeçadas e os voa-pés. Par a par, todos os capoeiras tinham pela frente um adversário de igual destreza que respondia a cada investida com um salto de gato ou uma queda repentina que anulava o golpe. De parte a parte esperavam que o cansaço desequilibrasse as forças, abrindo furo à vitória; mas um fato veio neutralizar inda uma vez a campanha: imenso rebentão de fogo esgargalhava-se de uma das casas do fundo, o número 88. E agora o incêndio era a valer.

Houve nas duas maltas um súbito espasmo de terror. Abaixaram-se o ferros e calou-se o hino de morte. Um clarão tremendo ensangüentou o ar, que se fechou logo de fumaça fulva.

A Bruxa conseguira afinal realizar o seu sonho de louca: o cortiço ia arder; não haveria meio de reprimir aquele cruento devorar de labaredas. Os Cabeças de Gato, leais nas suas justas de partido, abandonaram o campo, sem voltar o rosto, desdenhosos de aceitar o auxílio de um sinistro e dispostos até a socorrer o inimigo, se assim fosse preciso. E nenhum dos Carapicus os feriu pelas costas. A luta ficava para outra ocasião. E a cena transformou-se num relance; os mesmos que barateavam tão facilmente a vida, apressavam-se agora a salvar os miseráveis bens que possuíam sobre a terra. Fechou-se um entra-e-sai de maribondos defronte daquelas cem casinhas ameaçadas pelo fogo. Homens e mulheres corriam de cá para lá com os tarecos ao ombro, numa balbúrdia de doudos. O pátio e a rua enchiam-se agora de camas velhas e colchões espocados. Ninguém se conhecia naquela zumba de gritos sem nexo, e choro de crianças esmagadas, e pragas arrancadas pela dor e pelo desespero. Da casa do Barão saíam clamores apopléticos; ouviam-se os guinchos de Zulmira que se espolinhava com um ataque. E começou a aparecer água. Quem a trouxe? Ninguém sabia dizê-lo; mas viam-se baldes e baldes que se despejavam sobre as chamas.

Os sinos da vizinhança começaram a badalar.

E tudo era um clamor.

A Bruxa surgiu à janela da sua casa, como à boca de uma fornalha acesa. Estava horrível; nunca fora tão bruxa. O seu moreno trigueiro, de cabocla velha, reluzia que nem metal em brasa; a sua crina preta, desgrenhada, escorrida e abundante, como as das éguas selvagens, dava-lhe um caráter fantástico de fúria saída do inferno. E ela ria-se, ébria de satisfação, sem sentir as queimaduras e as feridas, vitoriosa no meio daquela orgia de fogo, com que ultimamente vivia a sonhar em segredo a sua alma extravagante de maluca.

Ia atirar-se cá para fora, quando se ouviu estalar o madeiramento da casa incendiada, que abateu rapidamente, sepultando a louca num montão de brasas.

Os sinos continuavam a badalar aflitos. Surgiram aguadeiros com as suas pipas em carroça, alvoroçados, fazendo cada qual maior empenho em chegar antes dos outros e apanhar os dez mil réis da gratificação. A polícia defendia a passagem ao povo que queria entrar. A rua lá fora estava já atravancada com o despojo de quase toda a estalagem. E as labaredas iam galopando desembestadas para a direita e para a esquerda do número 88. Um papagaio, esquecido à parede de uma das casinhas e preso à gaiola, gritava furioso, como se pedisse socorro.

Dentro de meia hora o cortiço tinha de ficar em cinzas. Mas um fragor de repiques de campainhas e estridente silvar de válvulas encheu de súbito todo o quarteirão, anunciando que chegava o corpo dos bombeiros.

E logo em seguida apontaram carros à desfilada, e um bando de demônios de blusa clara, armados uns de archotes e outros de escadinhas de ferro, apoderaram-se do sinistro, dominando-o incontinenti, com uma expedição mágica, sem uma palavra, sem hesitações e sem atropelos. A um só tempo viram-se fartas mangas d'água chicoteando o fogo por todos os lados; enquanto, sem se saber como, homens, mais ágeis que macacos, escalavam os telhados abrasados por escadas que mal se distinguiam; e outros invadiam o coração vermelho do incêndio, a dardejar duchas em torno de si, rodando, saltando, piruetando, até estrangularem as chamas que se atiravam ferozes para cima deles, como dentro de um inferno; ao passo que outros, cá de fora, imperturbáveis, com uma limpeza de máquina moderna, fuzilavam d'água toda a estalagem, número por número, resolvidos a não deixar uma só telha enxuta.

O povo aplaudia-os entusiasmado, já esquecido do desastre e só atenção para aquele duelo contra o incêndio. Quando um bombeiro, de cima do telhado, conseguiu sufocar uma ninhada de labaredas, que surgira defronte dele, rebentou cá de baixo uma roda de palmas, e o herói voltou-se para a multidão, sorrindo e agradecendo.

Algumas mulheres atiravam-lhe beijos, entre brados de ovação.

(*O Cortiço*, S. Paulo, Martins, 1959, pp. 30-33, 202-205.)

O Cortiço é dos espécimes mais acabados da tendência naturalista em nossas letras, como se depreende dos excertos transcritos. Orientados pela crença positivista de que a Ciência constituía o sumo saber e a redenção do homem, os adeptos do Naturalismo procuraram reduzir a gênese dos conflitos pessoais e interpessoais a três fatores, a herança, o ambiente e o momento. Com efeito, as personagens do romance em causa carregam taras patológicas: João Romão possuía "uma moléstia nervosa, uma loucura, um desespero de acumular", denunciada imediatamente por seu físico ("baixote, socado, cabelos à escovinha, a barba sempre por fazer"), numa aliança preconizada pelo psicofisiologismo em voga no tempo; "Da casa do Barão saíam clamores apopléticos; ouviam-se os guinchos de Zulmira que se espolinhava com um ataque"; notem-se os dois parágrafos que dizem respeito à Bruxa, iniciados por "A Bruxa conseguira afinal realizar o seu sonho de louca" e "A Bruxa surgiu à janela da sua casa". O enfoque narrativo, na terceira pessoa, apresenta características de um relatório científico, objetivo, direto, franco ("faturas de barris de manteiga", etc.). Registre-se a descrição pormenorizada da venda do herói (ou antes: anti-herói), que atende a dois quesitos naturalistas: completar o retrato psicológico da personagem, pois, consoante os postulados em moda, o cenário seria o prolongamento obrigatório do temperamento e humores de quem o habita; e concretizar a idéia de verossimilhança fotográfica. Na descrição "científica" da paisagem não falta inclusive a notação referente ao pressuposto de que a personagem estaria sujeita à influência determinista do meio: "sol, único causador de tudo aquilo". Além de constituir uma preconcepção tão radical quanto a idealização romântica, observe-se que o prosador, na seqüência da cena, parece não suportar por muito tempo a impassibilidade que se impôs, e acaba deixando escapar um sinal de contradição: o sol "desaparecia de todo nos limbos do horizonte, indiferente, deixando atrás de si as melancólicas do crepúsculo, que é a saudade da terra quando ele se ausenta, levando consigo a alegria da luz e do calor". A presença do grupo social, esmagando as individualidades e assumindo o papel de protagonista (capítulo XVII), é outro aspecto a salientar: naturalista ortodoxo, Aluísio Azevedo buscou focalizar de perto as distorções morais que se geram no âmbito das comunidades promíscuas, e assim se tornou em nossa literatura o romancista dos grupos sociais. Tanto é assim que, para acentuar-lhes a força dramática, lança mão do espetaculoso (o incêndio, que também comparece n*O Ateneu*; os sinos a badalar), que difere do homônimo romântico na medida em que recusa a teatralidade, em que implica uma disposição para arquitetar documentos sociais, e, finalmente, em que assinala a intromissão da impessoalidade no plano da narrativa. Anote-se, à guisa de remate, a perfeição com que as partes da fábula romanesca se entrosam uma na outra, testemunhando um ficcionista de superior domínio factual, cujo apego às prescrições naturalistas, efetuado com exemplar lucidez, não o impediu de vir a ser um dos mestres de nosso romance.

Textos para Análise

XIX

Daí a dias, com efeito, a estalagem metia-se em obras. À desordem do desentulho do incêndio sucedia a do trabalho dos pedreiros; martelava-se ali de pela manhã até à noite, o que aliás não impedia que as lavadeiras continuassem a bater roupa e as engomadeiras reunissem ao barulho das ferramentas o choroso falsete das suas eternas cantigas.

Os que ficaram sem casa foram aboletados a trouxe-mouxe por todos os cantos, à espera dos novos cômodos. Ninguém se mudou para o "Cabeça-de-Gato".

As obras principiaram pelo lado esquerdo do cortiço, o lado do Miranda; os antigos moradores tinham preferência e vantagens nos preços. Um dos italianos feridos morreu na Misericórdia e o outro, também lá, continuava ainda em risco de vida. Bruno recolhera-se à Ordem de que era irmão, e Leocádia, que não quis atender àquela carta escrita por Pombinha, resolveu-se a ir visitar o seu homem no hospital. Que alegrão para o infeliz a volta da mulher, aquela mulher levada dos diabos, mas de carne dura, a quem ele, apesar de tudo, queria muito. Com a visita reconciliaram-se, chorando ambos, e Leocádia decidiu tornar para o "São Romão" e viver de novo com o marido. Agora fazia-se muito séria e ameaçava com pancada a quem lhe propunha brejeirices.

Piedade, essa é que se levantou das febres completamente transformada. Não parecia a mesma depois do abandono de Jerônimo; emagrecera em extremo, perdera as cores do rosto, ficara feia, triste e resmungona; mas não se queixava, e ninguém lhe ouvia falar no nome do esposo.

Esses meses, durante as obras, foram uma época especial para a estalagem. O cortiço não dava idéia do seu antigo caráter, tão acentuado e, no entanto, tão misto: aquilo agora parecia uma grande oficina improvisada, um arsenal, em cujo fragor a gente só se entende por sinais. As lavadeiras fugiram para o capinzal dos fundos, porque o pó da terra e da madeira sujava-lhes a roupa lavada. Mas, dentro de pouco tempo, estava tudo pronto; e, com imenso pasmo, viram que a venda, a sebosa bodega, onde João Romão se fez gente, ia também entrar em obras. O vendeiro resolvera aproveitar dela somente algumas das paredes, que eram de um metro de largura, talhadas à portuguesa; abriria as portas em arco, suspenderia o teto e levantaria um sobrado, mais alto que o do Miranda e, com toda a certeza, mais vistoso. Prédio para meter o do outro no chinelo; quatro janelas de frente, oito de lado, com um terraço ao fundo. O lugar em que ele dormia com Bertoleza, a cozinha, e a casa de pasto seriam abobadadas, formando, com a parte de taverna, um grande armazém, em que o seu comércio iria fortalecer-se e alargar-se.

O Barão e o Botelho apareciam por lá quase todos os dias, ambos muito interessados pela prosperidade do vizinho; examinavam os materiais escolhidos para a construção, batiam com a biqueira do chapéu de sol no pinho de Riga destinado ao assoalho, e afetando-se bons entendedores, tomavam na palma da mão e esfarelavam entre os dedos um punhado de terra e de cal com que os operários faziam barro. Às vezes chegavam a ralhar com os trabalhadores, quando lhes parecia que não iam bem no serviço! João Romão, agora sempre de paletó, engravatado, de calças brancas, colete e corrente de relógio, já não parava na venda, e só acompanhava as obras na folga das ocupações da rua. Principiava a tomar tino no jogo da Bolsa; comia em hotéis caros e bebia cerveja em larga camaradagem com capitalistas nos cafés do comércio.

E a crioula? Como havia de ser?

XXII

Desde esse dia Bertoleza fez-se ainda mais concentrada e resmungona e só trocava com o amigo um ou outro monossílabo inevitável no serviço da casa. Entre os dois havia agora esses olhares de desconfiança, que são abismos de constrangimentos entre pessoas que moram juntas. A infeliz vivia num sobressalto constante; cheia de apreensões, com medo de ser assassinada; só comia do que ela própria preparava para si e não dormia senão depois de fechar-se à chave. À noite o mais ligeiro rumor a punha de pé, olhos arregalados, respiração convulsa, boca berta e pronta para pedir socorro ao primeiro assalto.

No entanto, em redor do seu desassossego e do seu mal-estar, tudo ali prosperava forte em grosso, aos contos de réis, com a mesma febre com que dantes, em torno da sua atividade de escrava trabalhadeira, os vinténs choviam dentro da gaveta da venda. Durante o dia paravam agora em frente do armazém carroças e carroças com fardos e caixas trazidos da alfândega, em que se liam as inicias de João Romão; e rodavam-se pipas e mais pipas de vinho e de vinagre, e grandes partidas de barricas de cerveja e de barris de manteiga e de sacos de pimenta. E o armazém, com as suas portas escancaradas sobre o público, engolia tudo de um trago, para depois ir deixando sair de novo, aos poucos com um lucro lindíssimo, que no fim do ano causava assombros. João Romão, fizera-se o fornecedor de todas as tabernas e armarinhos de Botafogo; o pequeno comércio sortia-se lá para vender a retalho. A sua casa tinha agora um pessoal complicado de primeiros, segundos e terceiros caixeiros, além do guarda-livros, do comprador, do despachante e do caixa; do seu escritório saíam correspondências em várias línguas e, por dentro das grades de madeira polida, onde havia um bufete sempre servido com presunto, queijo e cerveja, faziam-se largos contratos comerciais, transações em que se arriscavam fortunas; e propunham-se negociações de empresas e privilégios obtidos do governo; e realizavam-se vendas e compras de papéis; e concluíam-se empréstimos de juros fortes sobre hipotecas de grande valor. E ali ia de tudo: o alto e o baixo negociante; capitalistas adulados e mercadores falidos; corretores da praça, zangões, cambistas; empregados públicos, que passavam procuração contra o seu ordenado; empresários de teatro e fundadores de jornais, em apuros de dinheiro; viúvas, que negociavam o seu montepio; estudantes, que iam receber a sua mesada; e capatazes de vários grupos de trabalhadores pagos pela casa; e, destacando-se de todos, pela quantidade, os advogados e a gente miúda do foro, sempre inquieta, farisqueira, a meter o nariz em tudo, feia, a papelada debaixo do braço, a barba por fazer, o cigarro babado e apagado a um canto da boca.

E, como a casa comercial de João Romão, prosperava igualmente a sua avenida. Já lá se não admitia assim qualquer pé-rapado: para entrar era preciso carta de fiança e uma recomendação especial. Os preços dos cômodos subiam, e muitos dos antigos hóspedes, italianos principalmente, iam por economia, desertando para o "Cabeça-de-Gato" e sendo substituídos por gente mais limpa. Decrescia também o número das lavadeiras, e a maior parte das casinhas eram ocupadas agora por pequenas famílias de operários, artistas e praticantes de secretaria. O cortiço aristocratizava-se. Havia um alfaiate logo à entrada, homem sério, de suíças brancas, que cosia na sua máquina entre oficiais, ajudado pela mulher, uma lisboeta cor de nabo, gorda, velhusca, com um princípio de bigode e cavanhaque, mas extremamente circunspecta; em seguida um relojoeiro calvo, de óculos, que parecia mumificado atrás da vidraça em que ele, sem mudar de posição, trabalhava, da manhã até à tarde; depois um pintor de tetos e tabuletas, que levou a fantasia artística ao ponto de fazer, a pincel, uma trepadeira em volta da sua porta, onde se viam pássaros de várias cores e feitios, muito comprometedores para o crédito profissional do autor; mais adiante instalara-se um cigarreiro, que ocupava nada menos de três números na estalagem e tinha quatro filhas e dois filhos a fabricarem cigarros, e mais três operárias que preparavam palha de milho e picavam e desfiavam tabaco. Florinda, metida agora com um despachante de estrada de ferro, voltara para o São Romão e trazia a sua casinha em muito bonito pé de limpeza e arranjo. Estava ainda de luto pela mãe, a pobre velha Marciana, que ultimamente havia morrido no hospício dos doidos. Aos domingos o despachante costumava receber alguns camaradas para jantar, e como a rapariga puxava os feitios da Rita Baiana, as suas noitadas acabavam sempre em pagode de dança e cantarola, mas tudo de portas adentro, que ali já se não admitiam sambas e chinfrinadas ao relento. A Machona quebrara um pouco de gênio depois da morte de Agostinho e era agora visitada por um grupo de moços do comércio, entre os quais havia um pretendente à mão de Nenê, que se mirrava já de tanto esperar a seco por marido. Alexandre fora promovido a sargento e empertigava-se ainda mais dentro da sua farda nova, de botões que cegavam; a mulher, sempre indiferentemente fecunda e honesta, parecia criar bolor na sua moleza úmida e tinha um ar triste de cogumelo; era vista com freqüência a dar de mamar a um pequerrucho de poucos meses, empinando muito a barriga para a frente, pelo hábito de andar sempre grávida. A sua comadre Léonie continuava a visitá-la de vez em quando, aturdindo a atual pacatez daquele cenóbio com as suas roupas gritadoras. Uma ocasião em que lá fora, um sábado à tarde, produzira grande alvoroço entre os decanos da estalagem, porque consigo levava Pombinha, que se atirara ao mundo e vivia agora em companhia dela.

(*Ibidem*, pp. 211-212, 243-245.)

DOMINGOS OLÍMPIO

Domingos Olímpio Braga Cavalcanti nasceu em Sobral (Ceará), a 18 de setembro de 1850. Formado em Direito pela Faculdade de Recife (1873), regressa a seu Estado natal e de lá se transfere ao Pará (1879), onde se dedica à advocacia e ao jornalismo. Republicano e abolicionista convicto, nessa altura escreve contos, que espera reunir em volume. Em 1891, muda-se para o Rio de Janeiro, entregue às mesmas ocupações; publica então algumas narrativas nos periódicos em que colabora. No ano seguinte, vai a Washington como secretário da missão diplomática encarregada de resolver o litígio de fronteiras com a Argentina. De volta ao Rio de Janeiro, em 1903 dá a lume o romance *Luzia-Homem*, sua obra capital. Entre 1904 e 1906, publica na revista *Os Anais*, por ele fundada e dirigida, o romance *O Almirante*, ambientado no Rio de Janeiro do II Reinado. Nesse mesmo órgão estampa, em 1906, grande parte de outro romance, *Uirapuru*, que se passa no Pará. Faleceu no Rio de Janeiro, a 6 de outubro de 1906. Tudo o mais que escreveu, permanece inédito ou disperso.

Luzia-Homem

A ação de *Luzia-Homem* transcorre no Ceará, em 1878. A protagonista que confere título à obra reúne qualidades físicas de homem e a beleza plástica de mulher. Integrada num grupo de retirantes, logo sua figura soberba chama a atenção de homens diametralmente opostos: Crapiúna, soldado de maus bofes, e Alexandre, honesto e trabalhador. O primeiro, a fim de conseguir as boas graças de Luzia, arma uma calúnia contra Alexandre, e este é preso sob acusação de roubo. Graças à interferência de Teresinha, pobre desgraçada mas ainda animada por uns restos de virtude, tudo se esclarece e Crapiúna acaba sendo levado para a cadeia em lugar do outro. Assim, Luzia e Alexandre podiam realizar seu sonho: ir para a praia com a mãe dela, velha entrevada, e casar-se. Em caminho, Luzia, enveredando por um atalho, topa com Crapiúna, que fugira da prisão para vingar-se de Teresinha. Lutam, e o soldado apunhala a moça, e em seguida despenca no precipício. Os trechos que se vão ler, pertencem aos capítulos II, III e VI:

O francês Paul — misantropo devoto e excelente fabricante de sinetes que, na despreocupada viagem de aventura pelo mundo, encalhara em Sobral — costumava vaguear pelos ranchos de retirantes, colhendo, com apurada e firme observação, documentos da vida do povo, nos seus aspectos mais exóticos, ou rabiscando notas curiosas, ilustradas com esboços de tipos originais, cenas e paisagens — trabalho paciente e douto, perdido no seu espólio de alfarrábios, de coleções de botânica e geologia, quando morreu, inanido pelos jejuns, como um santo.

Um dia, visitando as obras da cadeia, escreveu ele, com assombro, no seu caderno de notas:

"Passou por mim uma mulher extraordinária, carregando uma parede na cabeça."

Era Luzia, conduzindo para a obra, arrumados sobre uma tábua, cinqüenta tijolos.

Viram-na outros levar, firme, sobre a cabeça, uma enorme jarra d'água, que valia três potes, de peso calculado para a força normal de um homem robusto. De outra feita, removera, e assentara no lugar próprio, a soleira de granito da porta principal da prisão, causando pasmo aos mais valentes operários, que haviam tentado, em vão, a façanha e, com eles, Raulino Uchoa, sertanejo hercúleo e afamado, prodigioso de destreza, que chibanteava em pitorescas narrativas.

Em plena florescência de mocidade e saúde, a extraordinária mulher, que tanto impressionara o francês Paul, encobria os músculos de aço sob as formas esbeltas e graciosas das morenas moças do sertão. Trazia a cabeça sempre velada por um manto de algodãozinho, cujas ourelas prendia aos alvos dentes, como se, por um requinte de casquilhice, cuidasse com meticuloso interesse de preservar o rosto dos raios do sol e da poeira corrosiva, a evolar em nuvens espessas do solo adusto, donde ao tênue borrifo de chuvas fecundantes, surgiam, por encanto, alfombras de relva virente e flores odorosas. Pouco expansiva, sempre em tímido recato, vivia só, afastada dos grupos de consortes de infortúnio e quase não conversava com as companheiras de trabalho, cumprindo, com inalterável calma, a sua tarefa diária, que excedia à vulgar, para fazer jus a dobrada ração.

— É de uma soberbia desmarcada — diziam as moças da mesma idade, na grande maioria desenvoltas ou deprimidas e infamadas pela miséria.

— A modos que despreza de falar com a gente, como se fosse uma senhora dona — murmuravam os rapazes remordidos pelo despeito da invencível recusa, impassível às suas insinuações galantes.

. . . .

A população da cidade triplicava com a extraordinária afluência de retirantes. Casas de taipa, palhoças, latadas, ranchos e abarracamentos do subúrbio, estavam repletos a transbordarem. Mesmo sob os tamarineiros das praças se aboletavam famílias no extremo passo da miséria — resíduos da torrente humana que dia e noite atravessava a Rua da Vitória, onde entroncavam os caminhos e a estrada real, traçada ao lado esquerdo do Rio Acaracu, até ao mar. Eram pedaços da multidão, varrida dos lares pelo flagelo, encalhando no lento percurso da tétrica viagem através do sertão tostado, como terra de maldição ferida pela ira de Deus; esquálidas criaturas de aspecto horripilante, esqueletos automáticos dentro de fantásticos trajes, rendilhados de trapos sórdidos, de uma sujidade nauseante, empapados de sangue purulento das úlceras, que lhes carcomiam a pele, até descobrirem os ossos, nas articulações deformadas. E o céu límpido, sereno, de um azul doce de líquida safira, sem uma nuvem mensageira de esperança, vasculhado pela viração aquecida, ou intermitentes redemoinhos a sublevarem bulcões de pó amarelo, envolvendo, como um nimbo, a trágica procissão do êxodo.

Luzia viera na enxurrada, marchando, lentamente, a curtas jornadas, e fora forçada a esbarrar na cidade, por já não poder conduzir a mãe doente. Do Capitão Francisco Marçal, o homem mais popular da terra, tão procurado padrinho, que contratara com o vigário pagar-lhe uma quantia certa, todos os anos, por espórtulas dos batizados, obtivera, por felicidade, uma casinha velha e desaprumada, onde se aboletou com relativo conforto. A vida lhe correu bem durante seis meses. Havia trabalho e ela ganhava o suficiente para se prover quase com fartura. Mas o coração pressentia, então, com vago terror, o perigo das pretensões de Crapiúna e ela procurava, por todos os meios, evitá-lo. Seu primeiro impulso, depois que ele lhe ousara falar em termos desabridos, foi anoitecer e não amanhecer; emigrar, confundir-se nas levas de famintos em busca das praias ubertosas, com os lagos povoados de curimãs, em cardumes assombrosos, os tabuleiros irrigados por orvalho abundante, cheios de plantações e confinando em contraste consolador, com a planície seca e esturricada.

Além se desdobrava o grande, o soberbo mar infindo e glauco, a rugir lamentoso, despejando, envolta em rendas de espuma, a generosa esmola de peixes, moluscos e crustáceos saborosos. Com a proteção de Maria Santíssima venceria a travessia. Vinte léguas galgam-se depressa. Talvez tombasse, como os míseros, cujas ossadas alvejantes, descarnadas pelos urubus e carcarás, iam marcando o caminho das vítimas da calamidade.

E a mãe, a querida mãezinha, que era o seu tudo neste mundo? Não era possível abandoná-la a cuidados estranhos, doente, quase entrevada, como estava, a deitar a alma pela boca, quando a acometia o implacável puxado. Os brincos e o cordão de ouro, que lhe dera a madrinha, vendidos aos mascates da miséria, não dariam com que pagar o transporte da pobre velha, em carroças puxadas por homens atrelados dois a dois, como animais de tiro. Era esse, naquela quadra de infortúnio, o veículo das famílias abastadas, que já não possuíam cavalos e muares de carga e montaria.

Nesta triste conjunção, venceu o dever. Luzia ficou resoluta a enfrentar, de ânimo sereno, e aparelhada para suportar os mais dolorosos lances da adversidade. Continuaria a trabalhar sem desfalecimento, retraindo-se quanto pudesse para evitar encontros com o importuno soldado. Por fortuna sua, Alexandre, o amigo dedicado e afetuoso, que se lhe deparara entre a multidão de desconhecidos e indiferentes, moço de maneiras brandas, muito paciente, muito carinhoso com a tia Zefa, passando serões, noites em claro junto dela e da filha, num recato de adoração muda e casta, lhe poupava o vexame de ir à cidade: era ele que ia ao mercado comprar a quarta de carne fresca para o caldo da enferma, os remédios e consultar o médico, mister em que era auxiliado pelo Raulino, outro amigo da família.

. . . .

Setembro de 1878 ia em meados e não apareciam no céu límpido, de azul polido e luminoso, indícios de auspiciosa mudança de tempo. Não se encastelavam no horizonte os colossais flocos a estufarem como iriada espuma; nem, pela madrugada, cirros, penachos inflamados, ou, em pleno dia, nuvens pardacentas, esmagadas em torrões. À noite, constelações de rutilante esplendor tauxiavam o firmamento, e a lua percorria, melancólica, a silenciosa senda.

Como que se percebia no abismo do espaço infindo a eterna gestação do cosmos, operoso e fecundo, em flagrante criação de mundos novos. E, na gloriosa harmonia dos astros, na expansão soberba da vida universal, a terra cearense era a nota de contraste, um lamento de desespero, de esgotamento das derradeiras energias, porque o sol sedento lhe sorvera, em haustos de fogo, toda a seiva.

Olhares ansiosos procuravam, em vão, o fuzilar de relâmpagos longínquos a pestanejarem no rumo do Piauí, desvelando o perfil negro da Ibiapaba. Nada; nem o mais ligeiro prenúncio das chuvas de caju.

O sertão, ressequido, estava quase deserto: campos sem gados, povoações abandonadas. E a constante, a implacável ventania, varrendo o céu e a terra, entrava, silvando e rugindo, as casas vazias, como fera raivosa, faminta, buscando e rebuscando a presa, e fazendo, como pavoroso ruído, baterem as portas de encontro aos portais, num lamentoso tom de abandono.

As pastagens de reserva, nos pés de terras, protegidas por espessa faixa de caatingas impenetráveis, onde se criavam famosos barbatões bravios, haviam sido devorados ou estruídas e pesteadas pela acumulação de rebanhos em retiradas numerosas. E, a grande distância, sentia-se o fedor dos campos infeccionados por milhares de corpos de reses em decomposição.

Não havia mais esperança. Os horóscopos populares aceitos pela crendice, como infalíveis: a experiência de Santa Luzia, as indicações do Lunário Perpétuo e a tradição conservada pelos velhos mais atilados, eram negativas, e afirmavam uma seca pior que a de 1825, de sinistra impressão na memória dos sertanejos, pois olhos-d'água, mananciais que nunca haviam estancado, já não marejavam.

Os socorros, distribuídos pelo governo, não podiam chegar aos centros afastados, por falta de condução, ou eram os comboios de víveres assaltados por bandos de famintos, malfeitores e bandidos, organizados em legiões de famosos cangaceiros.

Em tão aflitiva conjunção, era natural que os retirantes, por instinto de conservação, procurassem o litoral, e abandonassem o sertão querido, onde nada mais tinham que perder; onde já não podiam ganhar a vida, porque à miséria precedera o fatal cortejo de moléstias infecciosas, competindo com a fome e a sede na terrível faina de destruição.

Luzia encontrara em Sobral abrigo e fáceis meios de subsistência; mas pressentia iminente perigo no capricho ou paixão brutal de Crapiúna. Era forçoso procurar outro refúgio, e por isso espreitava, ansiosa, os mais ligeiros sintomas da moléstia da mãe, sinais de melhora, para empreenderem a anelada viagem aonde a distância a preservasse dos contínuos sustos e vexames afrontosos. Não confiava no projeto de mudança para a ladeira da Mata-Fresca, dependente de condição, que não resolvera ainda aceitar, além de que, ficaria a duas léguas, apenas, da cidade.

Já não ia, diariamente, ao trabalho. Ficava em casa, tratando com desvelado carinho, a pobre mãe, cada vez mais trôpega. Felizmente, o Capitão João Braga lhe abonava as rações, e Alexandre não se descuidava de repartir com elas, quanto ganhava, apesar da relutante recusa, oposta à sua espontânea generosidade. Ele vivia folgadamente, porque passara de apontador a fiel do armazém, onde havia grande depósito de mantimentos e todos os valores do almoxarifado. Tinha demais para si, e doía-lhe no coração não poder aliviar as necessidades dos pobres, seus companheiros de infortúnio.

(*Luzia-Homem*, 4ª ed., São Paulo, Melhoramentos, s. d., pp. 8-10, 15-17, 32-34.)

Luzia-Homem confina-se nos limites do Naturalismo, mas dum modo *sui generis*, a principiar da conformação física da heroína: "encobria os músculos de aço sob as formas esbeltas e graciosas das morenas moças do sertão". Na antinomia da compleição, que lhe reflete a dualidade meiguice *versus* energia moral do temperamento, estampa-se a batalha travada entre o substrato romântico (representado pela beleza) e a doutrinação naturalista (concentrada na força). De qualquer modo, o retrato verossímil de uma retirante privilegiada atenua-se com a presença de laivos românticos por trás da formosura e robustez de caráter, uma vez que Luzia, sobrenadando no mar de miséria desencadeada pela seca, defende a honra a todo o custo, projeta um casamento pacato com Alexandre, e acaba pagando com a própria vida a compostura ética e as prendas físicas de que a dotara a natureza. O Romantismo subjacente ao perfil tipológico de Luzia ainda se observa no protagonista, antípoda de Crapiúna, vilão da estirpe de Manecão, de *Inocência*. Note-se o parágrafo derradeiro, sobretudo o último período, iniciado por "Tinha demais para si". Além das figuras centrais do drama, há que registrar uma como que personagem, a seca nordestina, patente no segundo trecho, começado por "A população da cidade triplicava". Contrariamente a José de Alencar, cujos romances regionalistas se caracterizavam por uma expressa intenção apologética, o sertanejismo de *Luzia-Homem* procura respeitar fielmente a realidade dos fatos, por mais cruentos que sejam. Daí o ar de romance-reportagem ou documentário, em que o trinômio de Taine é empregado com moderação, resultante de as causas determinantes do conflito básico, centradas no estilo avassalador, saltarem à vista. De onde o vigor e a fidelidade do painel social, que se mostram no romance todo e nos excertos selecionados, e que apenas não alcançam tensões mais elevadas em razão do estilo: a linguagem, menos apurada do que era comum na época, por certo colabora para a atmosfera de reportagem que domina a narrativa, mas rouba-lhe parte do fulgor e amortece o impacto que a visão das cenas dos retirantes poderia ocasionar. Não obstante, *Luzia-Homem* enfileira-se junto do melhor que nosso Realismo produziu, e cooperou para o clima de interesse efetivo pelo Nordeste que viria a fomentar o romance engajado de 1930, com Jorge Amado, Graciliano Ramos, José Lins do Rego e outros.

INGLÊS DE SOUSA

Herculano Marcos Inglês de Sousa nasceu em Óbidos (Pará), a 28 de dezembro de 1853. Estudos primários e secundários em sua terra natal e no Maranhão. Ingressa na Faculdade de Direito do Recife, mas termina o curso em São Paulo (1876). Inicialmente, dedica-se ao jornalismo e à política, alcançando ser presidente das províncias do Sergipe e Espírito Santo (1881 e 1882). Posteriormente, atraído pela advocacia, as finanças e o ensino, muda-se para Santos e de lá para o Rio de Janeiro, onde abraça a docência universitária, ao mesmo tempo que batalha pela democratização do ensino primário. Colabora na fundação da Academia Brasileira de Letras (1897). Faleceu na então Capital Federal, a 6 de setembro de 1918. Escreveu: *História de um Pescador* (1876), *O Cacaulista* (1876), *O Coronel Sangrado* (1877), *O Missionário* (1888), sua obra mais importante, e *Contos Amazônicos* (1893).

O Missionário

Tomando o hábito, o Padre Antônio de Morais vai para Silves, povoado paraense, à entrada da selva amazônica. Embora carente de vocação, conquista prestígio de sacerdote correto e pio; todavia, a rotina da vilazinha, começando a enfastiá-lo, sugere-lhe a procura de um objeto mais valioso para aplicar o talento. E resolve embrenhar-se na mata inóspita, a fim de catequizar os temíveis mundurucus. Parte em companhia do sacristão, mas este regressa a Silves antes de chegar. E é doente que arriba ao sítio de João Pimenta, onde os desvelos de Clarinha, neta do agricultor, e o prolongado repouso lhe restituem a saúde e lhe acordam o erotismo que a batina dissimulara até então. Por fim, conduzindo a matuta, retorna a Silves, e é recebido como a um autêntico santo. Do romance destacaram-se as seguintes páginas:

A canoa deslizava brandamente, entrando a boca do rio Canumã, cuja superfície calma enrugava de leve, despertando às sardinhas a meio adormecidas entre duas águas. Nenhum pássaro cantava, as vozes noturnas da floresta haviam-se calado, num recolhimento solene, ao despontar da aurora, como se ensaiassem as forças para a abertura do grande hino da manhã selvagem. Reinava profundo silêncio, apenas entrecortado pelo ruído cadenciado do remo batendo alternadamente na água e nas falcas da montaria. Padre Antônio procurava concentrar o espírito numa meditação profunda, influenciada pelos materiais objetivos que o cercavam, sentindo que dava um passo decisivo na vida, e precisava reunir todas as forças da sua mentalidade para o conhecimento exato da sua situação moral. A meditação em que se absorvesse não impediria a marcha regular do governo da montaria, porque o grande rio Canumã oferecia navegação larga e franca, a corrente não era de todo desfavorável, e permitia imobilizar o remo do jacumã numa posição demorada. Naquela região inteiramente despovoada e sujeita às correrias dos índios bravos, entrava de repente num mundo novo, longe da vida social.

A cem braças da embocadura já o rio oferecia um aspecto muito diverso do que nas proximidades do sítio do Guilherme, tendo um cunho de selvagem grandeza que impressionava a imaginação e prendia a faculdade contemplativa. As árvores da beirada, sem receio do machado vandálico do lenhador, cresciam a uma altura descomunal, envoltas em intrincados cipós e em apaixonadas parasitas, que pareciam querer sufocá-las num abraço estreito; e à claridade dúbia da madrugada projetavam no rio a sua grande sombra, cheia de mistérios. As ribanceiras negras, irregulares, ora alteando-se como montanhas, ora arredondando-se em lombadas, aqui estendendo-se em praia alagadiça, salpicada de aningas magras, ali correndo a largos trechos um muro baixo, feito de tabatinga de veios cor-de-rosa; em alguns lugares retendo a custo os cedros que se esforçavam por despenhar-se no rio, ansiosos por vagabundear nos braços da correnteza; em outros esmagadas pelas possantes maçarandubas que lhe entranhavam no seio as raízes grossas como galhos de pau-pereira; tinham o aspecto triste e desconsolado das paragens ermas, das vastas solidões jamais pisadas pelo homem civilizado, e onde a pujança da natureza bruta parece opor uma resistência de bronze ao mesquinho que se aventura a perscrutar-lhe os segredos.

Mas, ao abrir do sol, bandos de macacos grandes e de guaribas assaltaram os castanheiros, pulando de galho em galho em gritos de porfia. Uma infinidade de pássaros de todas as cores cruzaram o ar, atravessando o rio num canto alegre de liberdade e de vida. Veados vieram beber confiadamente a água do rio, levantando a tímida cabeça para escutar o urro da onça que se fazia ouvir no mato, de vez em quando, dominando os ruídos da floresta, e pondo em sobressalto as capivaras vermelhas que se banhavam em numerosa vara à beira da corrente.

O movimento da fauna amazonense arrancara Padre Antônio à meditação a que se queria entregar, sujeitando-o todo à encantadora contemplação das maravilhas da natureza selvagem, naquela esplêndida manhã de agosto, em meio do largo rio que se desdobrava, a perder de vista, numa luzente toalha em que se refletia, como em puríssimo cristal, o azul dum céu sem nuvens, sombreado pelas ramagens de árvores seculares, e riscado em diagonal pela linha de vôo de pássaros desconhecidos. As recordações da meninice assaltaram-no de novo, eram a mais grata memória do seu cérebro, evocadas sempre pelo espetáculo da natureza virgem. E vira-se a percorrer os campos incultos da fazenda, a aventurar-se numa pequena canoa pelo Amazonas fora, quando gostava de supor-se perdido na vastidão do rio, e a imaginação sonhava uma vida acidentada de combates com feras e de luta com os elementos na solidão das águas e das matas. Agora via quase realizado o seu sonho de menino, em pleno deserto, indo talvez perder-se em paragens desconhecidas, dormir ao relento, matar a fome nos maracujás silvestres e nas castanhas oleosas, talvez morrer às mãos dos índios do sertão, que não teriam pena da sua mocidade e gentileza. Mas em todo o caso ia saciar a alma de solidão e de liberdade, gozar talvez a inefável delícia de sentir-se só num grande país, de poder entregar-se desassombradamente ao enlevo dos seus queridos pensamentos íntimos, sem receio de olhares indiscretos nem de interrupções importunas. Ia, enfim, achar-se face a face com a grande e virgem natureza, num *tête-à-tête* misterioso, em que poderia desabafar as dores secretas do coração dilacerado por sentimentos incompreensíveis; pensar e falar sinceramente, pondo o peito a nu, reconhecer-se a si próprio, ser franco consigo mesmo, propondo e resolvendo com lealdade, despido de todos os preconceitos, de todos os prejuízos de educação e de doutrina, o até ali insolúvel problema da natureza humana. Esta idéia, esta esperança mergulhava-lhe os sentidos numa embriaguez estranha, que lhe fazia esquecer as horas, imóvel, à popa da montaria, não sentindo o sol que na sua marcha ascendente, vinha queimar-lhe as faces em carícias ardentes.

. . . .

A tarde estava muito fresca. A viração, vinda do Amazonas, acentuava-se, enrugando as águas do Canumã em pequenas vagas de prata e fazendo oscilar a humilde embarcação de pesca. As árvores da beirada balançavam-se graciosamente sobre as ribanceiras em saudações corteses aos atrevidos nautas que visitavam aquelas paragens despovoadas. As cigarras e os tananãs, sentindo avizinhar-se a noite, cantavam em notas melancólicas as saudades da vida efêmera que se desprendia do minguado corpinho. O unicorne denunciava a sua presença nas várzeas da beira do rio, cortando o ar com as vibrações da voz sonora e potente acordando o jaburu meditativo e tristonho na sua roupagem negra. Araras de torna-viagem enchiam o céu com a gritaria estridente que ia perder-se, num rumor longínquo e monótono, nos taperebás da serra, e cruzavam-se com os papagaios sertanejos voando alto, em bandos compactos, governando o impulso do vôo com os *staccati* do canto arquejado. No meio dos gapós a saracura e o galo-d'água gemiam um dueto amoroso, com o acompanhamento da orquestra desenxabida da lontras que vinham gozar do último calor do sol morrente; e no capinzal da beira os cururus enfatuados e bulhentos assustavam as tímidas rolas aninhadas na espessura da canarana, no aconchego da folhagem macia, e que se punham a dar gritozinhos aflitos, cedendo à fascinação irresistível. Com a despedida do dia as ciganas grasnavam à porfia, numa confusão de vozes discordantes, maltratando-se a bicadas, lutando por um mesmo ramo de árvore, donde pudessem, empoleiradas, mergulhar na água duvidosa do rio a profundeza escura do olhar corvino, em busca de um indício de carne morta. Frutos maduros se desprendiam das árvores ribeirinhas, caindo n'água com um ruído sonoro que provocava uma avançada geral das tartarugas famintas, nadando entre duas águas. Enormes pirarucus vinham por sua vez, graves e solenes, gozar a fresca da tarde, aspirando com delícia e em grandes rabanadas a brisa do Amazonas. O sol já se escondia por trás da serra, desprendendo uma luz suave coada através das clareiras, dourando as cristalizações das rochas, e resvalando sobre a toalha do rio, salientava as cabeças silenciosas dos grandes jacarés imóveis, como tocos de pau, perdidos na correnteza, e cujos olhos ardentes e ferozes cravavam-se na montaria com fixidez de mau agouro. A canoa avançava lentamente.

. . . .

Fora ali, contemplando aquele delicioso sítio, que, logo à chegada, Padre Antônio de Morais vira a Clarinha, a neta de João Pimenta, de pé sobre o tronco de palmeira que servia de ponte ao bem tratado porto. Era uma mameluca, de quinze a dezesseis anos de idade, uma fisionomia petulante e decididamente desagradável, tão desagradável que Padre Antônio sentiu uma necessidade imperiosa de não se demorar nesta recordação, desejando já terminar com o passado e chegar ao presente, naquele quarto, naquela cama, para indagar de si, da sua situação e do seu futuro. Chegara doente e bem doente, disso se recordava e fora recolhido àquele quarto, o quarto do finado Padre João da Mata, dando-se-lhe a cama que fora do Padre João, uma marquesa de palhinha, envernizada de preto, que ele guardava para as noites frias, por causa do reumatismo. João Pimenta e o neto tinham ido buscar a marquesa ao paiol, onde se achava por inútil, e a Clarinha, entretanto, ia e vinha, arrumando o quarto, e, quando a marquesa chegou, pôs-se a fazer a cama, curvando-se e deitando-se às vezes sobre o leito para prender a fímbria dos lençóis de linho, dum luxo raro naquelas alturas.

E daí em diante, nos dias seguintes, sempre aquele vulto de mulher, indo e vindo pelo quarto, cuidadosa, falando meigamente, e com uma solicitude incômoda. E então a figura de João Pimenta, calado e estúpido, limitando-se a duas saudações por dia, a do Felisberto, falando sem parar, curioso, impertinente, fatigante com o seu latim das brenhas e as suas receitas da mãe Benta de Maués para todas as moléstias, e a da Clarinha, a mameluca, a irmã do Felisberto, com a sua saia de chita verde sobre a camisa, sem anáguas, e o seu cabeção rendado que, num descaro impudente, deixava ver a pele acetinada e clara, trotavam-lhe na cabeça, num vaivém contínuo de entradas e saídas, entremeadas de palavras ocas duma sensibilidade extrema, de cuidados excessivos que lhe deixavam, sobretudo as palavras e os cuidados da rapariga, uma impressão penosa. Aquela mameluca incomodava-o, irritava-lhe os nervos doentes, com o seu pisar firme de moça do campo, a voz doce e arrastada, os olhos lânguidos de crioula derretida. Não lhe parecia formosa, tanto quanto podia julgar olhando-a por baixo das pálpebras, porque jamais fitara de frente a uma mulher qualquer, ou pelo menos, a sua beleza, se beleza tinha, não o atraía, achava-a petulante demais, provocadora, quase impudente, com o seu arzinho ingênuo, visivelmente enganador, como devem ter todas as mulheres que o demônio excita a tentar os servos de Deus. Não sabia por que, mas antipatizara com ela, recebia-a agressivo e brutal, como se receasse um ataque à sua, aliás invencível, castidade. Entretanto, francamente, sem vaidade nem falsas modéstias, nada tinha a recear da neta de João Pimenta, da matutinha de saia de chita e cabeção rendado. Quem no Pará entrevira as mulheres do mundo, luxuosas e apetecidas, sem quebrar o voto sagrado que fizera, quem na vila de Silves se vira alvo das atenções de muitas senhoras brancas, de posição, formosas e dedicadas, sem ceder à tentação de lhes sorrir ao menos, não podia duvidar de si, quando se tratava duma simples mameluca, perdida nas brenhas do Guaranatuba. Não, não era isso. Não sentia, à vista da neta de João Pimenta, emoção alguma que pudesse sobressaltar a sua dignidade de Padre severo e consciencioso, e demais tinha bastante confiança em si e na proteção de Nossa Senhora, para poder estar tranqüilo a esse respeito. Mas, positivamente, aquela rapariga incomodava-o. E como explicar isso? Ela era dedicada, serviçal, quase extremosa, cuidava-lhe da saúde como se aquele hóspede inesperado fosse seu irmão ou seu pai. Por que a aborrecia? Incongruências dos seus nervos abalados, efeito da moléstia que o abatera, tirando-lhe a compreensão exata das cousas, causando-lhe verdadeiras aberrações de sentimento. Mas tinha fé em Deus que isto passaria com o restabelecimento da saúde. Sentia-se melhor, quase bom, em breve partiria para o seu glorioso destino, e a figura da neta de João Pimenta se apagaria da sua lembrança, como a de tantas outras mulheres que entrevira na vida austera que dedicara a Deus.

(O Missionário, Rio de Janeiro, Edições de
Ouro, 1967, pp. 255-259, 263-265, 338-341.)

Embora tão ortodoxo quanto *O Cortiço* em matéria de afeiçoamento ao ideário naturalista, *O Missionário* utiliza-o numa área geográfica e numa problemática novas: a selva amazônica e a questão do celibato clerical. Quanto ao aspecto regionalista, ainda comparece noutros romances filiados ao Naturalismo (como, por exemplo, *Luzia-Homem*, de Domingos Olímpio, e *A Fome,* de Rodolfo Teófilo), e o tema focalizado já merecera a atenção de Herculano (*Eurico, o Presbítero*) e, contemporaneamente a Inglês de Sousa, de Eça de Queirós (*O Crime do Padre Amaro*) e de Zola (*La Faute de l'Abbé Mouret*). Tais circunstâncias, que tornam *O Missionário* um típico romance de tese, são visíveis nos trechos dados à leitura: salta aos olhos a descrição minuciosa da vegetação equatorial, primitiva, hostil e sufocante, em meio à qual o homem se volve pigmeu, impotente para resistir ao chamado dos instintos, como que reconduzido, naquele cenário tão velho como o despontar do mundo, à condição de ser pré-histórico. Notem-se, particularmente, os parágrafos iniciados por "A cem braças da embocadura", por "O movimento da fauna amazonense", e por "A tarde estava muito fresca". E ao impacto da natureza selvagem sobre o psiquismo do sacerdote se acrescenta o de Clarinha, mestiça animalizada no contacto com a mata virgem. Defrontando-se com tais forças telúricas, o missionário, destituído de real pendor para a vida eclesiástica, fraqueja. Ao submeter o Padre Antônio de Morais ao império dos fatores de Taine (herança, meio e momento), o ficcionista acabou por torná-lo títere, aliás como soía acontecer no perímetro naturalista: assumindo o ponto de vista do narrador onisciente, Inglês de Sousa converte a vida mental do protagonista numa superfície tão plana e óbvia quanto a floresta em que penetra com intuitos evangelizadores (observe-se o parágrafo iniciado por "O movimento da fauna amazonense", notadamente o período que principia por "Agora via quase realizado o seu sonho de menino"). Em contrapartida, Clarinha parece menos à mercê do escritor, decerto porque concentrado na situação do clérigo: heroína matuta, reverso de Inocência e de todas as personagens românticas no gênero (como Isaura, de Bernardo Guimarães), ao elegê-la para contracenar com o presbítero, o prosador teria em mente denunciar a falsidade que sustentava a idealização romântica das figuras femininas; divisando-lhe os verdadeiros atributos físicos e morais, o romancista encontraria as proporções julgadas exatas de um faixa da realidade social brasileira, mas tombava no extremo oposto, obnubilando aspectos igualmente relevantes. De qualquer modo, a cabocla ostenta uma "verdade" que falta à estereotipia do sacerdote, assim mostrando o outro lado d*O Missionário*: apesar da rígida submissão ao código naturalista, gerando a visão microscópica da selva amazônica, encerra uma personagem como Clarinha e atinge equilíbrio entre os componentes narrativos, razões suficientes para salientar-se no panorama de nossa ficção oitocentista.

ADOLFO CAMINHA

Nasceu em Aracati (Ceará), a 29 de maio de 1867. Por causa da grande seca de 1877, muda-se para Fortaleza, e de lá para o Rio de Janeiro (1883), onde ingressa na Escola de Marinha. Durante o curso, abraça ideais abolicionistas e republicanos. Declarado guarda-marinha em 1885, no ano seguinte empreende viagem de instrução aos E.U.A. Promovido a segundo-tenente, transfere-se para Fortaleza (1888). Envolvendo-se num rumoroso caso de amor, abandona a Marinha e emprega-se na Tesouraria da Fazenda. Em 1892, é removido para o Rio de Janeiro, onde publica o melhor de sua obra. Tuberculoso, falece a 1º de janeiro de 1897. Seu espólio literário consta do seguinte: *Vôos Incertos*, poesia (1886), *Judite e Lágrimas de um Crente*, contos (1887), *A Normalista*, romance (1893), *No País dos Ianques*, viagens (1894), *Bom-Crioulo*, romance (1895), *Cartas Literárias*, crítica (1895), *Tentação*, romance (1896).

Bom-Crioulo

Passa-se à volta do seguinte enredo: Amaro, o Bom-Crioulo, engajando-se na Marinha, logo atrai com seu magnífico porte físico a atenção do adolescente Aleixo, também embarcadiço. Daí para se ligarem sentimentalmente foi um passo. E tudo corria num remanso até que Aleixo conhece em terra a portuguesa Carolina e com ela se amasia. Descobrindo a infidelidade, Amaro acaba assassinando o grumete. As páginas que se vão ler pertencem ao capítulo II:

Inda estava longe, bem longe a vitória do abolicionismo, quando Bom-Crioulo, então simplesmente Amaro, veio, ninguém sabe donde, metido em roupas d'algodãozinho, trouxa ao ombro, grande chapéu de palha na cabeça e alpercatas de couro cru. Menor (teria dezoito anos), ignorando as dificuldades por que todo homem de cor em um meio escravocrata e profundamente superficial como era a Corte — ingênuo e resoluto, abalou sem ao menos pensar nas conseqüências da fuga.

Nesse tempo o "negro fugido" aterrava as populações de um modo fantástico. Dava-se caça ao escravo como aos animais, de espora e garrucha, mato a dentro, saltando precipícios, atravessando rios a nado, galgando montanhas... Logo que o fato era denunciado — aqui-del-rei! — enchiam-se as florestas de tropel, saíam estafetas pelo sertão num clamor estranho, medindo pegadas, açulando cães, rompendo cafezais. Até fechavam-se as portas, com medo... Jornais traziam na terceira página a figura de um "moleque" em fuga, trouxa ao ombro, e, por baixo, o anúncio, quase sempre em tipo cheio, minucioso, explícito, com todos os detalhes, indicando estatura, idade, lesões, vícios, e outros característicos do fugitivo. Além disso, o "proprietário" gratificava generosamente a quem prendesse o escravo.

Conseguindo, porém, escapar à vigilância dos interessados, e depois de curtir uma noite, a mais escura de sua vida, numa espécie de jaula com grades de ferro, Amaro, que só temia regressar à "fazenda", voltar ao seio da escravidão, estremeceu diante de um rio muito largo e muito calmo, onde havia barcos vogando em todos os sentidos, à vela, outros deitando fumaça, e lá cima, beirando a água, um morro alto, em ponta, varando as nuvens, como ele nunca tinha visto...

Depois mandaram-no tirar a roupa do corpo (até ficou envergonhado...), examinaram-lhe as costas, o peito, as virilhas, e deram-lhe uma camisa azul de marinheiro.

No mesmo dia foi para a fortaleza, e, assim que a embarcação largou do cais a um impulso forte, o novo homem do mar sentiu pela primeira vez toda a alma vibrar de uma maneira extraordinária, como se lhe houvessem injetado no sangue de africano a frescura deliciosa de um fluido misterioso. A liberdade entrava-lhe pelos olhos, pelos ouvidos, pelas narinas, por todos os poros, enfim, como a própria alma da luz, do som, do odor e de todas as cousas etéreas... Tudo que o cercava: a planura da água cantando na proa do escaler, o imaculado do céu, o perfil longínquo das montanhas, navios balouçando entre ilhas, e a casaria imóvel da cidade que ficava atrás — os companheiros mesmo, que iam remando igual, como se fossem um só braço —, e sobretudo, meu Deus!, sobretudo o ambiente largo e iluminado da baía: enfim, todo o conjunto da paisagem comunicava-lhe uma sensação tão forte de liberdade e vida, que até lhe vinha vontade de chorar, mas de chorar francamente, abertamente, na presença dos outros, como se tivesse enlouquecido... Aquele magnífico cenário gravara-se-lhe na retina para toda a existência; nunca mais o havia de esquecer, ó, nunca mais! Ele, o escravo, "o negro fugido" sentia-se verdadeiramente homem, igual aos outros homens, feliz de o ser, grande como a natureza, em toda a pujança viril da sua mocidade, e tinha pena, muita pena dos que ficavam na "fazenda" trabalhando, sem ganhar dinheiro, desde a madrugadinha té... sabe Deus!

No princípio, antes de ir para bordo, foi-lhe difícil esquecer o passado, a "mãe Sabina", os costumes que aprendera nos cafezais... Muita vez chegava a sentir um vago desejo de abraçar os seus antigos companheiros do eito, mas logo essa lembrança esvaía-se como a fumaça longínqua e tênue das queimadas, e ele voltava à realidade, abrindo os olhos, num gozo infinito, para o mar crivado de embarcações...

A disciplina militar, com todos os seus excessos, não se comparava ao penoso trabalho da fazenda, ao regímen terrível do tronco e do chicote. Havia muita diferença... Ali ao menos, na fortaleza, ele tinha sua maca, seu travesseiro, sua roupa limpa, e comia bem, a fartar, como qualquer pessoa, hoje boa carne cozida, amanhã suculenta feijoada, e, às sextas-feiras, um bacalhauzinho com pimenta e "sangue de Cristo"... Para que vida melhor? Depois, a liberdade, minha gente, só a liberdade valia por tudo! Ali não se olhava a cor ou a raça do marinheiro: todos eram iguais, tinham as mesmas regalias — o mesmo serviço, a mesma folga. — "E quando a gente se faz estimar pelos superiores, quando não se tem inimigos, então é um viver abençoado esse: ninguém pensa no dia d'amanhã!"

Amaro soube ganhar logo a afeição dos oficiais. Não podiam eles, a princípio, conter o riso diante daquela figura de recruta alheio às praxes militares, rude como um selvagem, provocando a cada passo gargalhadas irresistíveis com seus modos ingênuos de tabaréu; mas, no fim de alguns meses, todos eram de parecer que "o negro dava para gente". Amaro já sabia manejar uma espingarda segundo as regras do ofício, e não era lá nenhum botocudo em artilharia; criara fama de "patesca".

Nunca, durante esse primeiro ano de aprendizagem, merecera a pena de um castigo disciplinar: seu caráter era tão meigo que os próprios oficiais começaram a tratá-lo por *Bom-Crioulo*. Seu maior desejo, porém, sua grande preocupação era embarcar fosse em que navio fosse, acostumar-se a viver no mar, conhecer, enquanto estava moço, os costumes de bordo, saber praticamente "amichelar uma verga, rizar uma vela, fazer um quarto na agulha...". Podia muito bem ser promovido logo... Invejava os que andavam no alto mar, longe de terra, bordejando à solta por esses mundos de Deus. Como devia de ser bom para a alma e para o corpo o ar livre que se respira lá fora, sobre as águas!...

Divertia-se a construir pequenas embarcações de madeira imitando navios de guerra com flâmulas no tope do mastro e portinholas, cruzadores em miniatura, iatezinhos, tudo à ponta de canivete e com a paciência tenaz de um arquiteto.

Mas nada de o fazerem embarcar definitivamente! Ia para bordo, às vezes, em exercício, remando no escaler, mas voltava logo com a turma de outros aprendizes, triste por não ter ficado, sonhando histórias de viagens, cousas que havia de ver, quando pela primeira vez saísse barra fora...

Chegou afinal esse dia. Bom-Crioulo estava nomeado para embarcar num velho transporte que seguia para o sul.

— Ora, até! fez ele, erguendo os braços com um gesto de maravilhosa surpresa. Até que enfim, graças a Deus, lembraram-se do Bom-Crioulo!

E saiu por ali muito feliz, muito alegre, todo alvoroçado, anunciando seu destino.

— Queria alguma cousa do sul? Nem um lembrançazinha do Rio Grande? Nada, nada?...

— Traze uma paraguaia, ó Bom-Crioulo, gracejava um.

— Olha, eu me contento com uma duzia d'ovos, de Santa Catarina...

Outros encomendavam-lhe cousas impossíveis: um pedaço de "gringo" assado; uma terça de sangue espanhol; a orelha de um "barriga-verde"...

E riam todos no rancho, e todos o que estimavam é que Amaro fosse muito feliz na sua primeira viagem, que voltasse gordo e forte "pra matar galego no cais dos Mineiros".

Alguns gabavam o comandante do transporte, o velho Novais, bom homem, que não gostava de castigar e que até era amigo dos marinheiros.

— E o imediato?

Ora, o imediato era um tal Pontes, um de suíças, que naufragara na corveta *Isabel*, muito feio, coitado, mas boa pessoa; também não fazia mal a ninguém, pelo contrário — marinheiro que lhe caísse nas graças era tratado a vinho do Porto...

Bom-Crioulo exultava!

O embarque devia se efetuar à tardinha, pouco antes de "arriar a bandeira".

Todo ele estava pronto, e via-se-lhe no olhar, na fala, nos modos, o grande contentamento de que estava cheio seu coração. Era uma felicidade estranha, um bem-estar nunca visto, assim como um começo de loucura inofensiva e serena, que o fazia mais homem vinte vezes, que o tornava mais forte e retemperado para as lutas da vida. Suave embriaguez dos sentidos, essa que vem de uma grande alegria ou de uma tristeza... Bom-Crioulo só experimentara prazer igual quando o tinham obrigado a conhecer o que é liberdade, recrutando-o para a marinha. Essa liberdade ampliava-se agora a seus olhos, crescia desmesuradamente em sua imaginação, provocando-lhe frêmitos de alucinado, abrindo-lhe n'alma horizontes cor-de-rosa, largos e ignorados.

Não deixava um só inimigo, um rival sequer na fortaleza; ia bem com todos, egoísta na sua felicidade, mas levando a saudade irresistível dos que se vão embora...

Quando o escaler que o conduzia se afastou da ponte, onde os companheiros acenavam com os bonés, num entusiasmo comovente, ele sentiu a quentura de uma lágrima fugitiva descer-lhe rosto abaixo, e, disfarçando, pôs-se também a acenar, em pé na embarcação, vendo sumirem-se, pouco a pouco, na bruma do crepúsculo, os contornos da ilha e as saudações da maruja.

Parecia-lhe ouvir ainda, na proa do transporte, como as últimas reminiscências de um sonho, a voz dos companheiros abraçando-o: — Adeus, ó Bom-Crioulo: sê feliz!

Não dormiu toda essa noite. Estendido no convés sobre o dorso, como se estivesse num bom leito macio e amplo, viu desaparecerem as estrelas, uma a uma, na penumbra da antemanhã, e o dia ressurgir glorioso, dourando os Órgãos, ourejando os edifícios, cantando o hino triunfal da ressurreição.

E pouco depois o esplêndido cenário da baía transformara-se num vastíssimo oceano deserto e resplandecente, desdobrando-se num círculo imenso d'água, onde não verdejava sequer um canto de oásis... A grandeza do mar enchia-o de uma coragem espartana. Ali se achava, ao redor dele, a sublime expressão da liberdade infinita e da soberania absoluta, cousas que o seu instinto alcançava muito vagamente através de um nevoeiro de ignorância.

(*Bom-Crioulo*, 3ª ed., Rio de Janeiro, Organização Simões, 1956, pp. 23-30.)

Como facilmente se percebe logo no primeiro parágrafo, o *Bom-Crioulo* focaliza o problema da escravidão, segundo um prisma abolicionista e republicano. A denúncia do regime opressivo está implícita na figura de Amaro, marginalizado pelo sistema social preconceituoso e discriminatório: o drama do cativo parece avultar na medida de suas qualidades pessoais. Daí o equilíbrio geral do romance, evidente nas páginas transcritas, em que a tese geral se reflete no caso individual, e vice-versa; assim, o particular corrige a idéia proposta pelo coletivo, e este retifica a imagem determinada pelo outro. Atente-se para as seguintes notações: "Ele, o escravo, 'o negro fugido' sentia-se verdadeiramente homem, igual aos outros homens, feliz de o ser", etc.; "Depois, a liberdade, minha gente, só a liberdade valia por tudo!". Tal equilíbrio, ao lado de aspectos sugeridos pela obra toda, permitiu a Lúcia Miguel-Pereira tecer rasgados encômios a Adolfo Caminha, colocando-o a par de Aluísio Azevedo e afirmando ser o *Bom-Crioulo,* "com *O Cortiço,* o ponto alto do Naturalismo" (*Prosa de Ficção* [De 1870 a 1920], Rio de Janeiro, Liv. José Olympio, 1950, pp. 166-167 e 169). Pode-se acoimar de exagero o juízo da prestigiada estudiosa, mas é impossível negar-lhe fundamento. Entrando em pormenores, observe-se o porquê de Amaro ter sido apelidado Bom-Crioulo: "seu caráter era tão meigo", etc. Para confirmar a impressão, "quando o escaler que o conduzia se afastou da ponte, onde os companheiros acenavam com os bonés, num entusiasmo comovente, ele sentiu a quentura de uma lágrima fugitiva descer-lhe rosto abaixo", etc. Em suma: trata-se de um escravo tão sensitivo quão rijo de músculos. Esse aspecto oculta indubitavelmente o lastro romântico que suportava a cosmovisão realista de Adolfo Caminha: veja-se a abundância de reticências, que destroem a idéia de apreensão total das circunstâncias e objetos, que constituía apanágio do Realismo, e chamam para o indefinido e a fantasia desatada, como algumas vezes acontece ("Suave embriaguez dos sentidos, essa que vem de uma grande alegria ou de uma tristeza imensa..."). Análoga função parece cumprir o trecho iniciado por "No mesmo dia foi para a fortaleza", cujo teor narrativo esconderia um diálogo interior da personagem ou um transbordamento do próprio escritor: num caso ou noutro, a passagem guarda especial interesse como índice do Romantismo (ou Simbolismo) subjacente à visão objetiva do ficcionista. É que ele, fugindo dos estereótipos e dos apriorismos falseadores, buscou criar personagens e situações caracterizadas por nuanças significativas, e assim logrou escrever uma das obras fortes de nosso Realismo. Ainda haveria que registrar o influxo de Eça de Queirós, mais na linguagem fluente e plástica que na interpretação da realidade: Adolfo Caminha recusava a ironia demolidora em favor da auscultação dos sentimentos básicos do homem e da tragicidade, como verificará o leitor que percorrer todo o *Bom-Crioulo.*

MACHADO DE ASSIS

Joaquim Maria Machado de Assis nasceu no Rio de Janeiro, a 21 de junho de 1839, filho de um mulato e uma lavadeira portuguesa. Infância no morro do Livramento. Após os estudos elementares, dedica-se a vários empregos menores a fim de ajudar no sustento da família. Conhece Paula Brito, que lhe faculta a publicação do primeiro escrito, o poema "Ela", na *Marmota Fluminense,* a 12 de janeiro de 1855. No ano seguinte, ingressa como aprendiz de tipógrafo na Imprensa Nacional, onde ganha a amizade de Manuel Antônio de Almeida. Em 1858, transfere-se para a tipografia de Paula Brito, trava contacto com alguns expoentes literários do tempo, e encontra estímulo para continuar escrevendo. Passado um ano, ei-lo no *Correio Mercantil,* como revisor e colaborador. Nessa altura, seu nome começa a aparecer e a ser solicitado para jornais e revistas. Em 1869, casando-se com Carolina Xavier de Novais, inicia a fase madura de sua carreira. Quatro anos mais tarde, é nomeado primeiro oficial da Secretaria de Estado do Ministério da Agricultura, Comércio e Obras Públicas. Alcançada a estabilidade econômica e doméstica, vai entregar-se à construção da parte mais sólida de sua obra: os títulos sucedem-se, numa evolução que não se interrompe até à morte. Enquanto isso, ascende pouco a pouco na burocracia, de que resulta um progressivo desafogo econômico: chefe da Diretoria do Comércio, do Ministério da Agricultura (1892), Secretário do Ministro da Viação (1898), diretor-geral da Contabilidade do Ministério (1902). Corroborando o êxito cultural e administrativo, a 15 de dezembro de 1896 funda, com outros escritores, a Academia Brasileira de Letras, e torna-se seu primeiro presidente. Coroado de glória e admiração, experimenta a mágoa profunda de perder Carolina, a 2 de outubro de 1904, e principia a morrer. Somente a Literatura lhe ameniza a solidão irremediável. Até que falece, a 29 de setembro de 1908, cercado de alguns amigos fiéis. Espírito polimórfico, cultivou o romance (*Ressurreição,* 1872; *A Mão e a Luva,* 1874; *Helena,* 1876; *Iaiá Garcia,* 1878; *Memórias*

Póstumas de Brás Cubas, 1881; *Quincas Borba*, 1891; *Dom Casmurro*, 1899; *Esaú e Jacó*, 1904; *Memorial de Aires*, 1908), o conto (*Contos Fluminenses*, 1870; *Histórias da Meia-Noite*, 1873; *Papéis Avulsos*, 1882; *Várias Histórias*, 1896; *Páginas Recolhidas*, 1899; *Relíquias de Casa Velha*, 1906; etc.), o teatro (*Queda que as mulheres têm pelos tolos*, 1861; *Desencantos*, 1861; *Teatro*, 1863; *Os Deuses de Casaca*, 1866; *Tu, só Tu, Puro Amor*, 1881), a crônica (*A Semana*, 1914; etc.), a crítica (*Crítica*, 1910).

Memórias Póstumas de Brás Cubas

Publicou-se pela primeira vez em folhetim, na "Revista Brasileira", do Rio de Janeiro, de 15 de março a 15 de dezembro de 1880. Em volume, apareceu no ano seguinte. Gira em torno do seguinte núcleo dramático: o narrador, depois de morto, conta suas aventuras em vida e as observações que lhe suscitaram. Por entre capítulos em que se misturam a realidade concreta e a fantasia, o cinismo e o desencanto de existir, vão-se sucedendo as cenas tendo por figuras centrais Marcela e Virgília. Com a primeira, pecadora inconseqüente, gasta pequena fortuna e o melhor de sua mocidade. Já na idade madura, entretém com a segunda, esposa de Lobo Neves, uma relação que termina no adultério, sob o olhar conivente de D. Plácida. Sua chocarrice ainda se defronta com Quincas Borba, filósofo cujas idéias generosas vinham ensombradas pela asa da loucura. O epílogo dá-se quando o herói se despede da vida. Dois capítulos, breves como de hábito na ficção machadiana, foram escolhidos para representar este romance:

Capítulo XXXI

A BORBOLETA PRETA

No dia seguinte, como eu estivesse a preparar-me para descer, entrou no meu quarto uma borboleta, tão negra como a outra, e muito maior do que ela. Lembrou-me o caso da véspera, e ri-me; entrei logo a pensar na filha de D. Eusébia, no susto que tivera, e na dignidade que, apesar dele, soube conservar. A borboleta, depois de esvoaçar muito em torno de mim, pousou-me na testa. Sacudi-a, ela foi pousar na vidraça; e, porque eu a sacudisse de novo, saiu dali e veio parar em cima de um velho retrato de meu pai. Era negra como a noite. O gesto brando com que, uma vez posta, começou a mover as asas, tinha um certo ar escarninho, que me aborreceu muito. Dei de ombros, saí do quarto; mas tornando lá, minutos depois, e achando-a ainda no mesmo lugar, senti um repelão dos nervos, lancei mão de uma toalha, bati-lhe e ela caiu.

Não caiu morta; ainda torcia o corpo e movia as farpinhas da cabeça. Apiedei-me; tomei-a na palma da mão e fui depô-la no peitoril da janela. Era tarde; a infeliz expirou dentro de alguns segundos. Fiquei um pouco aborrecido, incomodado.

— Também por que diabo não era ela azul? disse comigo.

E esta reflexão, — uma das mais profundas que se tem feito, desde a invenção das borboletas, — me consolou do malefício, e me reconciliou comigo mesmo. Deixei-me estar a contemplar o cadáver, com alguma simpatia, confesso. Imaginei que ela saíra do mato, almoçada e feliz. A manhã era linda. Veio por ali fora, modesta e negra, espairecendo as suas borboletices, sob a vasta cúpula de um céu azul, que é sempre azul, para todas as asas. Passa pela minha janela, entra e dá comigo. Suponho que nunca teria visto um homem; não sabia, portanto, o que era o homem; descreveu infinitas voltas em torno do meu corpo, e viu que me movia, que tinha olhos, braços, pernas, um ar divino, uma estatura colossal. Então disse consigo: "Este é provavelmente o inventor das borboletas." A idéia subjugou-a, aterrou-a; mas o medo, que é também sugestivo, insinuou-lhe que o melhor modo de agradar ao seu criador era beijá-lo na testa, e beijou-me na testa. Quando enxotada por mim, foi pousar na vidraça, viu dali o retrato de meu pai, e não é impossível que descobrisse meia verdade, a saber, que estava ali o pai do inventor das borboletas, e voou a pedir-lhe misericórdia.

Pois um golpe de toalha rematou a aventura. Não lhe valeu a imensidade azul, nem a alegria das flores, nem a pompa das folhas verdes, contra uma toalha de rosto, dous palmos de linho cru. Vejam como é bom ser superior às borboletas! Porque, é justo dizê-lo, se ela fosse azul, ou cor de laranja, não teria mais segura a vida; não era impossível que eu a atravessasse com um alfinete, para recreio dos olhos. Não era. Esta última idéia restituiu-me a consolação; uni o dedo grande ao polegar, despedi um piparote e o cadáver caiu no jardim. Era tempo; aí vinham já as próvidas formigas... Não, volto à primeira idéia; creio que para ela era melhor ter nascido azul.

Capítulo CXVII

O HUMANITISMO

Duas forças, porém, além de uma terceira, compeliam-me a tornar à vida agitada do costume: Sabina e Quincas Borba. Minha irmã encaminhou a candidatura conjugal de Nhã-loló de um modo verdadeiramente impetuoso. Quando dei por mim estava com a moça quase nos braços. Quanto ao Quincas Borba, expôs-me enfim o Humanitismo, sistema de filosofia destinado a arruinar todos os demais sistemas.

— Humanitas, dizia ele, o princípio das cousas, não é outro senão o mesmo homem repartido por todos os homens. Conta três fases Humanitas: a *estática*, anterior a toda a criação; a *expansiva,* começo das cousas; a *dispersiva,* aparecimento do homem; e contará mais uma, a *contrativa*, absorção do homem e das cousas. A *expansão,* iniciando o universo, sugeriu a Humanitas o desejo de o gozar, e daí a *dispersão*, que não é mais do que a multiplicação personificada da substância original.

Como me não aparecesse assaz clara esta exposição, Quincas Borba desenvolveu-a de um modo profundo, fazendo notar as grandes linhas do sistema. Explicou-me que, por um lado, o Humanitismo ligava-se ao Bramanismo, a saber, na distribuição dos homens pelas diferentes partes do corpo de Humanitas; mas aquilo que na religião indiana tinha apenas uma estreita significação teológica e política, era no Humanitismo a grande lei do valor pessoal. Assim, descender do peito ou dos rins de Humanitas, isto é, ser *um forte*, não era o mesmo que descender dos cabelos ou da ponta do nariz. Daí a necessidade de cultivar e temperar o músculo. Hércules não foi senão um símbolo antecipado do Humanitismo. Neste ponto Quincas Borba ponderou que o paganismo poderia ter chegado à verdade, se se não houvesse amesquinhado com a parte galante dos seus mitos. Nada disso acontecerá com o Humanitismo. Nesta igreja nova não há aventuras fáceis, nem quedas, nem tristezas, nem alegrias pueris. O amor, por exemplo, é um sacerdócio, a reprodução um ritual. Como a vida é o maior benefício do universo, e não há mendigo que não prefira a miséria à morte (o que é um delicioso influxo de Humanitas), segue-se que a transmissão da vida, longe de ser uma ocasião de galanteio, é a hora suprema da missa espiritual. Porquanto, verdadeiramente há só uma desgraça: é não nascer.

— Imagina, por exemplo, que eu não tinha nascido, continuou o Quincas Borba; é positivo que não teria agora o prazer de conversar contigo, comer esta batata, ir ao teatro, e para tudo dizer numa só palavra: viver. Nota que eu não faço do homem um simples veículo de Humanitas; não, ele é ao mesmo tempo veículo, cocheiro e passageiro; ele é o próprio Humanitas reduzido; daí a necessidade de adorar-se a si próprio. Queres uma prova da superioridade do meu sistema? Contempla a inveja. Não há moralista grego ou turco, cristão ou muçulmano, que não troveje contra o sentimento da inveja. O acordo é universal, desde os campos da Iduméia até o alto da Tijuca. Ora bem; abre mão dos velhos preconceitos, esquece as retóricas rafadas, e estuda a inveja, esse sentimento tão sutil e tão nobre. Sendo cada homem uma redução de Humanitas, é claro que nenhum homem é fundamentalmente oposto a outro homem, quaisquer que sejam as aparências contrárias. Assim, por exemplo, o algoz que executa o condenado pode excitar o vão clamor dos poetas; mas substancialmente é Humanitas que corrige em Humanitas uma infração da lei de Humanitas. O mesmo direi do indivíduo que estripa a outro; é uma manifestação da força de Humanitas. Nada obsta (e há exemplos) que ele seja igualmente estripado. Se entendeste bem, facilmente compreenderás que a inveja não é senão admiração que luta, e sendo a luta a grande função do gênero humano, todos os sentimentos belicosos, são os mais adequados à sua felicidade. Daí vem que a inveja é uma virtude.

Para que negá-lo? eu estava estupefato. A clareza da exposição, a lógica dos princípios, o rigor das conseqüências, tudo isso parecia superiormente grande, e foi-me preciso suspender a conversa por alguns minutos, enquanto digeria a filosofia nova. Quincas Borba mal podia encobrir a satisfação do triunfo. Tinha uma asa de frango no prato, e trincava-a com filosófica serenidade. Eu fiz-lhe ainda algumas objeções, mas tão frouxas, que ele não gastou muito tempo em destruí-las.

— Para entender bem o meu sistema, concluiu ele, importa não esquecer nunca o princípio universal, repartido e resumido em cada homem. Olha: a guerra, que parece uma calamidade, é uma operação conveniente, como se disséssemos o estalar dos dedos de Humanitas; a fome (e ele chupava filosoficamente a asa do frango), a fome é uma prova a que Humanitas submete a própria víscera. Mas eu não quero outro documento da sublimidade do meu sistema, senão este mesmo frango. Nutriu-se de milho, que foi plantado por um africano, suponhamos, importado de Angola. Nasceu esse africano, cresceu, foi vendido; um navio o trouxe, um navio construído de madeira cortada no mato por dez ou doze homens, levado por velas, que oito ou dez homens teceram, sem contar a cordoalha e outras partes do aparelho náutico. Assim, este frango, que eu almocei agora mesmo, é o resultado de uma multidão de esforços e lutas, executadas com o único fim de dar mate ao meu apetite.

Entre o queijo e o café, demonstrou-me Quincas Borba que o seu sistema era a destruição da dor. A dor, segundo o Humanitismo, é uma pura ilusão. Quando a criança é ameaçada por um pau, antes mesmo de ter sido espancada, fecha os olhos e treme; essa *predisposição*, é que constitui a base da ilusão humana, herdada e transmitida. Não basta certamente a adoção do sistema para acabar logo com a dor, mas é indispensável; o resto é a natural evolução das cousas. Uma vez que o homem se compenetre bem de que ele é o próprio Humanitas, não tem mais do que remontar o pensamento à substância original para obstar qualquer sensação dolorosa. A evolução, porém, é tão profunda, que mal se lhe podem assinar alguns milhares de anos.

Quincas Borba leu-me daí a dias a sua grande obra. Eram quatro volumes manuscritos, de cem páginas cada um, com letra miúda e citações latinas. O último volume compunha-se de um tratado político, fundado no Humanitismo; era talvez a parte mais enfadonha do sistema, posto que concebida com um formidável rigor de lógica. Reorganizada a sociedade pelo método dele, nem por isso ficavam eliminadas a guerra, a insurreição, o simples murro, a facada anônima, a miséria, a fome, as doenças; mas sendo esses supostos flagelos verdadeiros equívocos do entendimento, porque não passariam de movimentos externos da substância interior, destinados a não influir sobre o homem, senão como simples quebra da monotonia universal, claro estava que a sua existência não impediria a felicidade humana. Mas ainda quando tais flagelos (o que era radicalmente falso) correspondessem no futuro à concepção acanhada de antigos tempos, nem por isso ficava destruído o sistema, e por dous motivos: 1º porque sendo Humanitas a substância criadora e absoluta, cada indivíduo deveria achar a maior delícia do mundo em sacrificar-se ao princípio de que descende; 2º porque, ainda assim, não diminuiria o poder espiritual do homem sobre a terra, inventada unicamente para seu recreio dele, como as estrelas, as brisas, as tâmaras e o ruibarbo. Pangloss, dizia-me ele ao fechar o livro, não era tão tolo como o pintou Voltaire.*

(*Memórias Póstumas de Brás Cubas*, Rio de Janeiro, Civilização Brasileira/INL, 1975, pp. 156-158, 259-263.)

Como se sabe, as *Memórias Póstumas de Brás Cubas* inauguraram a fase adulta da carreira de Machado de Assis. Os dois capítulos transcritos, semelhantes a tantos outros da obra, documentam nitidamente as tendências de seu espírito nessa quadra: filosofismo, ironia amarga, reflexão profunda em torno do trágico da condição humana, da sem-razão de tudo. O primeiro, referente à borboleta preta, está intimamente ligado ao anterior na seqüência da narrativa, pois nele também surge uma borboleta negra. Enquanto o narrador conversava com

---

* *Bramanismo* = Brama, deus supremo dos antigos hindus, teria criado o mundo, os deuses e os seres. A organização social nele inspirada compreendia as seguintes castas: os brâmanes (sacerdotes), os xátrias (guerreiros), os vaicias (burgueses), os sudras (operários ou lavradores). Os impuros ou párias ficavam à margem; *Hércules* = Semideus da mitologia greco-latina, famoso pelo porte descomunal e a espantosa força física; *Iduméia* = Região ao sul da Palestina.

D. Eusébia e sua filha, Eugênia, irrompe na sala um lepidóptero, a assustar a velha senhora como a aparição do Demônio ("— T'esconjuro!... Sai, diabo!... Virgem Nossa Senhora!..."). É importante recordar que a negridão do visitante importuno contrastava com a "borboletinha de asas de ouro e olhos de diamante..." que Brás Cubas divisara nas pupilas de Eugênia. O confronto logra tanto mais significação quanto mais sabemos que a moça era coxa de nascença: desse modo, a falha de a borboleta ser escura correspondia ao defeito físico da personagem. Mas a similitude guarda um alto sentido, — o idêntico destino frustro da borboleta e da jovem —, como se, na verdade, não fossem elas que tivessem a cor e o defeito, mas estes é que as tivessem, ou seja, o acidente marcou-lhes definitivamente a vida, como se tudo o mais de nada valesse. Dir-se-ia uma premonição do verso pessoano: "A cor é que tem cor nas asas da borboleta." Esse capítulo testemunha de maneira flagrante o processo de composição da metáfora empregado por Machado: partindo do cotejo entre o pormenor plástico na borboleta e na moça, o escritor passa a tecer comentários e reflexões especulativas, que desentranham do acontecimento, aparentemente banal, um conteúdo simbólico. Por trás do ceticismo que impregna o trecho, adivinha-se o pensamento de Darwin ensinando que a seleção natural premia os mais fortes, somente que transposta, como sucedia regularmente na prosa machadiana, para um clima simbólico. O capítulo seguinte, dedicado ao Humanitismo, contém algumas chaves indispensáveis à compreensão do romance todo: permeia-o uma filosofia anti-schopenhaueriana ("verdadeiramente há só uma desgraça: é não nascer"; "A dor, segundo o Humanitas, é uma pura ilusão."), mas defendida por um lunático, como se o ficcionista pretendesse mostrar que apenas um indivíduo desassisado poderia passionalmente apegar-se à vida. Tomando o capítulo como uma metáfora, percebe-se ainda um antipositivismo, na medida em que o Humanitas, identificando-se com o próprio homem, o induz à egolatria e ao desprezo da objetividade. Por outro lado, nota-se que o balanço das doutrinas comtianas, subjacente ao fragmento, se desenvolve com ironia sutil e destila uma sátira amena, que acabam levando ao paradoxo: "a inveja é uma virtude". O imprevisto do aforismo é contrabalançado com a menção à "substância interior", que, ratificando o caráter idealista do defensor de Humanitas, assinala mais um traço da cosmovisão machadiana. Numa literatura carente de inquietação filosófica ou existencial, as *Memórias Póstumas de Brás Cubas* constituem exceção de superior quilate, a desafiar esfingicamente gerações de leitores e críticos.

Dom Casmurro

Publicado no Rio de Janeiro, em 1899, *Dom Casmurro* gravita ao redor do seguinte entrecho: Bentinho e Capitu, personagens centrais, crescem juntos e trocam desde cedo confidências de verdadeiros namorados. Entretanto, a mãe do menino sonhava com fazê-lo padre, e para isso toma as providências necessárias, que só não resultam no esperado porque José Dias, o agregado, intercede. Finalmente, casam-se e principiam uma vida que se diria feliz não fosse a ausência de um filho. A amizade de Escobar, colega de Bentinho no seminário, e de Sancha, sua mulher, ameniza-lhes, porém, a solidão. Até que lhes nasce um filho, Ezequiel. Este, crescendo, entra a manifestar espantosa capacidade de imitação, dirigida para as pessoas à volta, inclusive Escobar. Trespassado de ciúme, Bento rumina silenciosamente sua frustração. Certo dia, Escobar morre afogado, e ele vê no rosto de Capitu a confissão de culpa. Arquiteta o suicídio, mas resolve expulsar a mulher e o filho de casa. Capitu falece anos depois na Europa, e Ezequiel, já moço, na Ásia. Os dois primeiros capítulos que se vão ler, dizem respeito à figura controvertida de Capitu:

Capítulo XXXII

OLHOS DE RESSACA

Tudo era matéria às curiosidades de Capitu. Caso houve, porém, no qual não sei se aprendeu ou ensinou, ou se fez ambas as cousas, como eu. É o que contarei no outro capítulo. Neste direi somente que, passados alguns dias do ajuste com o agregado, fui ver a minha amiga; eram dez horas da manhã. Dona Fortunata, que estava no quintal, nem esperou que eu lhe perguntasse pela filha.

— Está na sala, penteando o cabelo, disse-me; vá devagarzinho para lhe pregar um susto.

Fui devagar, mas ou o pé ou o espelho traiu-me. Este pode ser que não fosse; era um espelhinho de pataca (perdoai a barateza), comprado a um mascate italiano, moldura tosca, argolinha de latão, pendente da parede, entre as duas janelas. Se não foi ele, foi o pé. Um ou outro, a verdade é que, apenas entrei na sala, pente, cabelos, toda ela voou pelos ares, e só lhe ouvi esta pergunta:

— Há alguma cousa?

— Não há nada, respondi; vim ver você antes que o padre Cabral chegue para a lição. Como passou a noite?

— Eu bem. José Dias ainda não falou?

— Parece que não.

— Mas então quando fala?

— Disse-me que hoje ou amanhã pretende tocar no assunto; não vai logo de pancada, falará assim por alto e por longe, um toque. Depois, entrará em matéria. Quer primeiro ver se mamãe tem a resolução feita...

— Que tem, tem, interrompeu Capitu. E se não fosse preciso alguém para vencer já, e de todo, não se lhe falaria. Eu já nem sei se José Dias poderá influir tanto; acho que fará tudo, se sentir que você realmente não quer ser padre, mas poderá alcançar?... Ele é atendido; se, porém... É um inferno isto! Você teime com ele, Bentinho.

— Teimo; hoje mesmo ele há de falar.

— Você jura?

— Juro! Deixe ver os olhos, Capitu.

Tinha-me lembrado a definição que José Dias dera deles, "olhos de cigana oblíqua e dissimulada". Eu não sabia o que era oblíqua, mas dissimulada sabia, e queria ver se se podiam chamar assim. Capitu deixou-se fitar e examinar. Só me perguntava o que era, se nunca os vira; eu nada achei de extraordinário; a cor e a doçura eram minhas conhecidas. A demora da contemplação creio que lhe deu outra idéia do meu intento; imaginou que era um pretexto para mirá-los mais de perto, com os meus olhos longos, constantes, enfiados neles, e a isto atribuo que entrassem a ficar crescidos, crescidos e sombrios, com tal expressão que...

Retórica dos namorados, dá-me uma comparação exata e poética para dizer o que foram aqueles olhos de Capitu. Não me acode imagem capaz de dizer, sem quebra da dignidade do estilo, o que eles foram e me fizeram. Olhos de ressaca? Vá, de ressaca. É o que me dá idéia daquela feição nova. Traziam não sei que fluido misterioso e enérgico, uma força que arrastava para dentro, como a vaga que se retira da praia, nos dias de ressaca. Para não ser arrastado, agarrei-me às outras partes vizinhas, às orelhas, aos braços, aos cabelos espalhados pelos ombros; mas tão depressa buscava as pupilas, a onda que saía dela vinha crescendo, cava e escura, ameaçando envolver-me, puxar-me e tragar-me. Quantos minutos gastamos naquele jogo? Só os relógios do céu terão marcado esse tempo infinito e breve. A eternidade tem as suas pêndulas; nem por não acabar nunca deixa de querer saber a duração das felicidades e dos suplícios. Há de dobrar o gozo aos bem-aventurados do céu conhecer a soma dos tormentos que já terão padecido no inferno os seus inimigos; assim também a quantidade das delícias que terão gozado no céu os seus desafetos aumentará as dores aos condenados do inferno. Este outro suplício escapou ao divino Dante; mas eu não estou aqui para emendar poetas. Estou para contar que, ao cabo de um tempo não marcado, agarrei-me definitivamente aos cabelos de Capitu, mas então com as mãos, e disse-lhe, — para dizer alguma cousa, — que era capaz de os pentear, se quisesse.

— Você?

— Eu mesmo.

— Vai embaraçar-me o cabelo todo, isso sim.

— Se embaraçar, você desembaraça depois.

— Vamos ver.*

Capítulo CXXIII

OLHOS DE RESSACA

Enfim, chegou a hora da encomendação e da partida. Sancha quis despedir-se do marido, e o desespero daquele lance consternou a todos. Muitos homens choravam também, as mulheres todas. Só Capitu, amparando a viúva, parecia vencer-se a si mesma. Consolava a outra, queria arrancá-la dali. A confusão era geral. No meio dela, Capitu olhou alguns instantes para o cadáver tão fixa, tão apaixonadamente fixa, que não admira lhe saltassem algumas lágrimas poucas e caladas...

As minhas cessaram logo. Fiquei a ver as dela; Capitu enxugou-as depressa, olhando a furto para a gente que estava na sala. Redobrou de carícias para a amiga, e quis levá-la; mas o cadáver parece que a retinha também. Momento houve em que os olhos de Capitu fitaram o defunto, quais os da viúva, sem o pranto nem palavras desta, mas grandes e abertos, como a vaga do mar lá fora, como se quisesse tragar também o nadador da manhã.

Capítulo CXXXV

OTELO

Jantei fora. De noite fui ao teatro. Representava-se justamente *Otelo*, que eu não vira nem lera nunca; sabia apenas o assunto, e estimei a coincidência. Vi as grandes raivas do mouro, por causa de um lenço, — um simples lenço! — e aqui dou matéria

---

* *Pataca* = Moeda brasileira, de prata, valendo aproximadamente 320 réis; *Dante* = Dante Alighieri (1265-1321), famoso poeta italiano, autor da *Divina Comédia*, dividida em Inferno, Purgatório e Paraíso; o texto refere-se aos padecimentos infligidos aos pecadores no Inferno.

à meditação dos psicólogos deste e de outros continentes, pois não me pude furtar à observação de que um lenço bastou a acender os ciúmes de Otelo e compor a mais sublime tragédia deste mundo. Os lenços perderam-se, hoje são precisos os próprios lençóis; alguma vez nem lençóis há, e valem só as camisas. Tais eram as idéias que me iam passando pela cabeça, vagas e turvas, à medida que o mouro rolava convulso, e Iago destilava a sua calúnia. Nos intervalos não me levantava da cadeira; não queria expor-me a encontrar algum conhecido. As senhoras ficavam quase todas nos cama-rotes, enquanto os homens iam fumar. Então eu perguntava a mim mesmo se alguma daquelas não teria amado alguém que jazesse agora no cemitério, e vinham outras incoerências, até que o pano subia e continuava a peça. O último ato mostrou-me que não eu, mas Capitu devia morrer. Ouvi as súplicas de Desdêmona, as suas pa-lavras amorosas e puras, e a fúria do mouro, e a morte que este lhe deu entre aplausos frenéticos do público.

— E era inocente, vinha eu dizendo rua abaixo; — que faria o público, se ela deveras fosse culpada, tão culpada como Capitu? E que morte lhe daria o mouro? Um travesseiro não bastaria; era preciso sangue e fogo, um fogo intenso e vasto, que a consumisse de todo, e a reduzisse a pó, e o pó seria lançado ao vento, como eterna extinção...

Vaguei pelas ruas o resto da noite. Ceei, é verdade, um quase nada, mas o bastante para ir até à manhã. Vi as últimas horas da noite e as primeiras do dia, vi os derradeiros passeadores e os primeiros varredores, as primeiras carroças, os pri-meiros ruídos, os primeiros albores, um dia que vinha depois do outro e me veria ir para nunca mais voltar. As ruas que eu andava como que me fugiam por si mesmas. Não tornaria a contemplar o mar da Glória, nem a Serra dos Órgãos, nem a Fortaleza de Santa Cruz e as outras. A gente que passava não era tanta, como nos dias comuns da semana, mas era já numerosa e ia a algum trabalho, que repetiria depois; eu é que não repetiria mais nada.

Cheguei a casa, abri a porta devagarinho, subi pé ante pé, e meti-me no gabinete; iam dar seis horas. Tirei o veneno do bolso, fiquei em mangas de camisa, e escrevi ainda uma carta, a última, dirigida a Capitu. Nenhuma das outras era para ela; senti necessidade de lhe dizer uma palavra em que lhe ficasse o remorso da minha morte. Escrevi dous textos. O primeiro queimei-o por ser longo e difuso. O segundo continha só o necessário, claro e breve. Não lhe lembrava o nosso passado, nem as lutas havidas, nem alegria alguma; falava-lhe só de Escobar e da necessidade de morrer.*

(*Dom Casmurro*, Rio de Janeiro, Civilização Brasileira/INL, 1975, pp. 112-114, 223-234, 244-245.)

---

* *Otelo* = Peça de Shakespeare (1564-1616), em torno do ciúme doentio de Otelo pela pren-dada e bela Desdêmona.

Dom Casmurro é a obra de Machado de Assis que mais controvérsias tem levantado, em razão do caráter enigmático de Capitu e da incerteza quanto a seu comportamento: afinal, houve ou não adultério? E se houve, ou não, qual sua importância para a interpretação do romance? Não ocorreria de o ficcionista deixar em suspenso a questão precisamente porque, a seu ver, é impossível saber o que acontece em casos que tais? Ora, os capítulos transcritos podem fornecer-nos elementos para encaminhar uma análise do problema. Focalizando Capitu, os dois primeiros informam-nos de um aspecto relevante de seu tipo autoritário e determinado: observe-se o diálogo todo entre ela e Bentinho, sobretudo a fala introduzida por "— Que tem, tem, interrompeu Capitu" (capítulo XXXII). Firmeza de adulto, dir-se-ia, que os olhos de indecifrável caracterização acentuam e encobrem: "olhos de cigana oblíqua e dissimulada", "olhos de ressaca" (capítulo XXXII). Note-se que o romancista se vale de breves palavras para descrever o pormenor físico que mais metáforas e circunlóquios tem desencadeado através dos tempos. A mestria do escritor reside na concisão, que não empobreceu o significado do objeto, antes, enriqueceu-o descobrindo-lhe matizes novos e indefiníveis. Por meio deles, ficamos sabendo que se trata de uma psicologia complexa, disfarçada, dotada de um "fluido misterioso e enérgico" (capítulo XXXII). O capítulo CXXIII, com o mesmo título do anterior, mostra-nos um dos momentos-chave do romance: o velório de Escobar. Capitu trai uma comoção perante o morto que é tão mais digna de nota quanto mais destoa do pranto aberto e derramado de Sancha, e do ambiente, onde "a confusão era geral": "Capitu olhou alguns instantes para o cadáver tão fixa, tão apaixonadamente fixa, que não admira lhe saltassem algumas lágrimas poucas e caladas..." Com fazê-lo, "olhando a furto para a gente que estava na sala", Capitu revelava um sentimento inconfessável pelo defunto, diverso da piedade e do amor ao próximo. Objetar-se-ia dizendo que a passagem nos é transmitida pelo narrador, amparado exclusivamente em sua memória: obcecado pela esposa, era natural que lhe observasse todos os gestos, chegando assim a desvendar-lhes um oculto e anômalo sentido. A ponderação colheria se Bento elidisse o mais da cena, em especial o desespero de Sancha. Ou tudo se explicaria pelo ciúme patológico de Bentinho, o que nos transporta ao capítulo CXXXV: intitulado "Otelo", por causa da peça a que o protagonista assiste, configura a questão de outra perspectiva. À semelhança dos passos anteriores, estamos em face de uma situação ambígua por natureza. De um lado, o ser *Otelo* a tragédia shakespeariana que as circunstâncias propiciaram a Bento, despista o leitor, pois desloca a tônica do drama doméstico para o próprio narrador, e porque injeta a dúvida atroz no fluxo dos acontecimentos, dúvida para a personagem e para nós; desse modo, insinuaria, como pareceu a Helen Caldwell (*The Brazilian Othello of Machado de Assis*, Los Angeles, University of California Press, 1960) e outros, que o conflito íntimo de Bento não passou de fruto de uma desordenada fantasia: morbidamente ciumento, teria imaginado o delito assim como a personagem de Shakespeare. De outro lado, orienta a sondagem do leitor, porquanto a analogia de situações agrava a tragicidade dos pensamentos do ex-seminarista e faz admitir a possibilidade da falta de Capitu. Qualquer que seja o resultado da perquirição, os trechos transcritos nos ofertam alguns momentos maiores da prosa de Machado de Assis e, portanto, da Literatura Brasileira.

Cantiga de Esponsais

Imagine a leitora que está em 1813, na igreja do Carmo, ouvindo uma daquelas boas festas antigas, que eram todo o recreio público e toda a arte musical. Sabem o que é uma missa cantada; podem imaginar o que seria uma missa cantada daqueles anos remotos. Não lhe chamo a atenção para os padres e os sacristães, nem para o sermão, nem para os olhos das moças cariocas, que já eram bonitos nesse tempo, nem para as mantilhas das senhoras graves, os calções, as cabeleiras, as sanefas, as luzes, os incensos, nada. Não fala sequer da orquestra, que é excelente; limito-me a mostrar-lhe uma cabeça branca, a cabeça desse velho que rege a orquestra, com alma e devoção.

Chama-se Romão Pires; terá sessenta anos, não menos, nasceu no Valongo, ou por esses lados. É bom músico e bom homem; todos os músicos gostam dele. Mestre Romão é o nome familiar; e dizer familiar e público era a mesma cousa em tal matéria e naquele tempo. "Quem rege a missa é mestre Romão", — equivalia a esta outra forma de anúncio, anos depois: "Entra em cena o ator João Caetano"; — ou então: "O ator Martinho cantará uma de suas melhores árias." Era o tempero certo, o chamariz delicado e popular. Mestre Romão rege a festa! Quem não conhecia mestre Romão, com o seu ar circunspecto, olhos no chão, riso triste, e passo demorado? Tudo isso desaparecia à frente da orquestra; então a vida derramava-se por todo o corpo e todos os gestos do mestre; o olhar acendia-se, o riso iluminava-se: era outro. Não que a missa fosse dele; esta, por exemplo, que ele rege agora no Carmo é de João Maurício; mas ele rege-a com o mesmo amor que empregaria, se a missa fosse sua.

Acabou a festa; é como se acabasse um clarão intenso, e deixasse o rosto apenas alumiado da luz ordinária. Ei-lo que desce do coro, apoiado na bengala; vai à sacristia beijar a mão aos padres e aceita um lugar à mesa do jantar. Tudo isso indiferente e calado. Jantou, saiu, caminhou para a Rua da Mãe dos Homens, onde reside, com um preto velho, pai José, que é a sua verdadeira mãe, e que neste momento conversa com uma vizinha.

— Mestre Romão lá vem, pai José, disse a vizinha.

— Eh! eh! adeus, sinhá, até logo.

Pai José deu um salto, entrou em casa, e esperou o senhor, que daí a pouco entrava com o mesmo ar do costume. A casa não era rica naturalmente; nem alegre. Não tinha o menor vestígio de mulher, velha ou moça, nem passarinhos que cantassem, nem flores, nem cores vivas ou jucundas. Casa sombria e nua. O mais alegre era um cravo, onde o mestre Romão tocava algumas vezes, estudando. Sobre uma cadeira, ao pé, alguns papéis de música; nenhuma dele...

Ah! se mestre Romão pudesse seria um grande compositor. Parece que há duas sortes de vocação, as que têm língua e as que a não têm. As primeiras realizam-se; as últimas representam uma luta constante e estéril entre o impulso interior e a ausência de um modo de comunicação com os homens. Romão era destas. Tinha a vocação íntima da música; trazia dentro de si muitas óperas e missas, um mundo de harmonias novas e originais, que não alcançava exprimir e pôr no papel. Esta era a causa única de tristeza de mestre Romão. Naturalmente o vulgo não atinava com ela; uns diziam isto, outros aquilo: doença, falta de dinheiro, algum desgosto antigo; mas a verdade é esta: — a causa da melancolia de mestre Romão era não poder compor, não possuir o meio de traduzir o que sentia. Não é que não rabiscasse muito papel e não interrogasse o cravo, durante horas; mas tudo lhe saía informe, sem idéia nem harmonia. Nos últimos tempos tinha até vergonha da vizinhança, e não tentava mais nada.

E, entretanto, se pudesse, acabaria ao menos uma certa peça, um canto esponsalício, começado três dias depois de casado, em 1789. A mulher, que tinha então vinte e um anos, e morreu com vinte e três, não era muito bonita, nem pouco, mas extemamente simpática, e amava-o tanto como ele a ela. Três dias depois de casado, mestre Romão sentiu em si alguma cousa parecida com inspiração. Ideou então o canto esponsalício, e quis compô-lo; mas a inspiração não pôde sair. Como um pássaro que acaba de ser preso, e forceja por transpor as paredes da gaiola, abaixo, acima, impaciente, aterrado, assim batia a inspiração do nosso músico, encerrada nele sem poder sair, sem achar uma porta, nada. Algumas notas chegaram a ligar-se; ele escreveu-as; obra de uma folha de papel, não mais. Teimou no dia seguinte, dez dias depois, vinte vezes durante o tempo de casado. Quando a mulher morreu, ele releu essas primeiras notas conjugais, e ficou ainda mais triste, por não ter podido fixar no papel a sensação de felicidade extinta.

— Pai José, disse ele ao entrar, sinto-me hoje adoentado.

— Sinhô comeu alguma cousa que fez mal...

— Não; já de manhã não estava bom. Vai à botica...

O boticário mandou alguma cousa, que ele tomou à noite; no dia seguinte mestre Romão não se sentia melhor. É preciso dizer que ele padecia do coração: — moléstia grave e crônica. Pai José ficou aterrado, quando viu que o incômodo não cedera ao remédio, nem ao repouso, e quis chamar o médico.

— Para quê? disse o mestre. Isto passa.

O dia não acabou pior; e a noite suportou-a ele bem, não assim o preto, que mal pôde dormir duas horas. A vizinhança, apenas soube do incômodo, não quis outro motivo de palestra; os que entretinham relações com o mestre foram visitá-lo. E diziam-lhe que não era nada, que eram macacas do tempo; um acrescentava graciosamente que era manha, para fugir aos capotes que o boticário lhe dava no gamão, — outro que eram amores. Mestre Romão sorria, mas consigo mesmo dizia que era o final.

— Está acabado, pensava ele.

Um dia de manhã, cinco dias depois da festa, o médico achou-o realmente mal; e foi isso o que ele lhe viu na fisionomia por trás das palavras enganadoras:

— Isto não é nada; é preciso não pensar em músicas...

Em músicas! justamente esta palavra do médico deu ao mestre um pensamento. Logo que ficou só, com o escravo, abriu a gaveta onde guardava desde 1789 o canto esponsalício começado. Releu essas notas arrancadas a custo e não concluídas. E então teve uma idéia singular: — rematar a obra agora, fosse como fosse; qualquer cousa servia, uma vez que deixasse um pouco de alma na terra.

— Quem sabe? Em 1880, talvez se toque isto, e se conte que um mestre Romão...

O princípio do canto rematava em um certo *lá*; este *lá*, que lhe caía bem no lugar, era a nota derradeiramente escrita. Mestre Romão ordenou que lhe levassem o cravo para a sala do fundo, que dava para o quintal: era-lhe preciso ar. Pela janela viu na janela dos fundos de outra casa dois casadinhos de oito dias, debruçados, com os braços por cima dos ombros, e duas mãos presas. Mestre Romão sorriu com tristeza.

— Aqueles chegam, disse ele, eu saio. Comporei ao menos este canto que eles poderão tocar...

Sentou-se ao cravo; reproduziu as notas e chegou ao *lá*...

— *Lá, lá, lá...*

Nada, não passava adiante. E contudo, ele sabia música como gente.

— *Lá, dó... lá, mi... lá, si, dó, ré... ré... ré...*

Impossível! nenhuma inspiração. Não exigia uma peça profundamente original, mas enfim alguma coisa que não fosse de outro e se ligasse ao pensamento começado. Voltava ao princípio, repetia as notas, buscava reaver um retalho da sensação extinta, lembrava-se da mulher, dos primeiros tempos. Para completar a ilusão, deitava os olhos pela janela para o lado dos casadinhos. Estes continuavam ali, com as mãos presas e os braços passados nos ombros um do outro; a diferença é que se miravam agora, em vez de olhar para baixo. Mestre Romão, ofegante da moléstia e de impaciência, tornava ao cravo; mas a vista do casal não lhe suprira a inspiração, e as notas seguintes não soavam.

— *Lá... lá... lá...*

Desesperado, deixou o cravo, pegou do papel escrito e rasgou-o. Nesse momento, a moça embebida no olhar do marido, começou a cantarolar à toa, inconscientemente, uma coisa nunca antes cantada nem sabida, na qual cousa um certo *lá* trazia após si uma linda frase musical, justamente a que mestre Romão procurava durante anos sem achar nunca. O mestre ouviu-a com tristeza, abanou a cabeça, e à noite expirou.*

(*Histórias sem Data*, Rio de Janeiro, Civilização Brasileira/INL, 1975, pp. 83-87.)

Incluído no volume *Histórias sem Data*, publicado em 1884, "Cantiga de Esponsais" qualifica-se entre as obras-primas de Machado de Assis em matéria de conto. Exemplo acabado do que seria o paradigma dessa fôrma literária, todo ele se estrutura, com uma modelar economia de meios expressivos, em função do enigma contido no epílogo. Efetivamente, na circunstância de a recém-casada entoar a frase musical que o maestro procurou em vão pela

---

* *Valongo* = Grande área compreendida entre o Morro de S. Francisco da Prainha e a Ponte da Saúde; a Rua do Valongo e o Largo do Valongo passaram a chamar-se Rua da Imperatriz e Largo da Imperatriz, e, mais tarde, Camerino; *João Caetano* = João Caetano dos Santos (1808-1863), o ator brasileiro mais célebre em seu tempo, a quem se deve a co-participação no início de nossa atividade teatral sistemática; *Martinho* = Martinho Correia Vasques (1822-1890) pertenceu ao elenco de João Caetano, por vinte anos, de 1843 a 1863; *José Maurício* = Pe. José Maurício Nunes Garcia (1767-1830), célebre músico brasileiro oitocentista; *Rua da Mãe dos Homens* = atual Rua da Alfândega; *Cravo* = Instrumento musical de teclas e cordas, que se tocava com pequenos martelos ou penas; predecessor do piano; *Gamão* = "Jogo de azar e de algum cálculo, entre dois parceiros, que se joga com quinze tabelas por cada parceiro, sobre um tabuleiro dividido dos dois lados em dois compartimentos com seis subdivisões ou casas cada um" (Caldas Aulete, *Dicionário Contemporâneo da Língua Portuguesa*, 2 vols., 3ª ed. atual., Lisboa, Parceria Antônio Maria Pereira [1952], vol. II, p. 1345).

vida fora, ganha corpo um símbolo que pode traduzir-se do seguinte modo: para Machado, o cotidiano trivial reserva dramas intensos, embora anônimos ou sem voz; em segundo lugar, a felicidade da nubente corresponde ao encontro do inefável, que somente se comunica por vias indiretas ou obtusas, no caso representadas pelo cantarolar despreocupado. O contista parece descobrir, na moral que fecharia a história, que a vida não passa de "um vácuo ator-mentado, um sistema de erros" (Carlos Drummond de Andrade), preenchido pela ânsia de lograr um único objeto (plasmado na frase musical), que apenas se atingiria quando não fosse mais perseguido. Assim, a jovem é feliz porque ignora seu estado, mas conduz na garganta a expressão etérea dessa inconsciência, ao contrário do regente, que buscava exprimir a lem-brança dum bem perdido pelo meio impróprio, a Arte. Esta, consistiria na obsessiva procura de uma realidade inexprimível que a vida apenas permite surpreender involuntariamente: um abismo distancia as duas formas de estar-aqui, confidencia-nos, obliquamente, o narrador. De onde o ar de melancolia e desencanto que percorre o conto, tão mais denso quanto mais antinômico da alegria incauta da jovem casada. Tal divergência revela que o drama do maestro, culminando no ouvir o trinado da vizinha, é desconhecido por todos quantos o cercam, in-clusive o criado fiel ("trazia dentro de si muitas óperas e missas", etc.). Mas nem por isso menos "real" ou menos profundo. Sem fazer introspecção, que conturbaria o andamento da narrativa, Machado sonda a intimidade de uma situação-chave no *continuum* humano. Assim, alcança a razoável parcela de objetivismo preconizado no tempo, dirigindo-o para o mundo subjetivo. Realismo interior.

Texto para Análise

Um Apólogo

Era uma vez uma agulha, que disse a um novelo de linha:

— Por que está você com esse ar, toda cheia de si, toda enrolada, para fingir que vale alguma cousa neste mundo?

— Deixe-me, senhora.

— Que a deixe? Que a deixe, por quê? Porque lhe digo que está com um ar insuportável? Repito que sim, e falarei sempre que me der na cabeça.

— Que cabeça, senhora? A senhora não é alfinete, é agulha. Agulha não tem cabeça. Que lhe importa o meu ar? Cada qual tem o ar que Deus lhe deu. Importe-se com a sua vida e deixe a dos outros.

— Mas você é orgulhosa.

— De certo que sou.

— Mas por quê?

— É boa! Porque coso. Então os vestidos e enfeites de nossa ama, quem é que os cose, senão eu?

— Você! Esta agora é melhor. Você é que os cose? Você ignora que quem os cose sou eu, e muito eu?

— Você fura o pano, nada mais; eu é que coso, prendo um pedaço ao outro, dou feição aos babados...

— Sim, mas que vale isso? Eu é que furo o pano, vou adiante, puxando por você, que vem atrás, obedecendo ao que eu faço e mando...

— Também os batedores vão adiante do imperador.

284

— Você, imperador?

— Não digo isso. Mas a verdade é que você faz um papel subalterno, indo adiante; vai só mostrando o caminho, vai fazendo o trabalho obscuro e ínfimo. Eu é que prendo, ligo, ajunto...

Estavam nisso, quando a costureira chegou à casa da baronesa. Não sei se disse que isto se passava em casa de uma baronesa, que tinha a modista ao pé de si, para não andar atrás dela. Chegou a costureira, pegou do pano, pegou da agulha, pegou da linha, enfiou a linha na agulha e entrou a coser. Uma e outra iam andando orgulhosas, pelo pano adiante, que era a melhor das sedas, entre os dedos da costureira, ágeis como os galgos de Diana — para dar a isto uma cor poética. E dizia a agulha:

— Então, senhora linha, ainda teima no que dizia há pouco? Não repara que esta distinta costureira só se importa comigo; eu é que vou aqui entre os dedos dela, unidinha a eles, furando abaixo e acima...

A linha não respondia nada; ia andando. Buraco aberto pela agulha era logo enchido por ela, silenciosa e ativa, como quem sabe o que faz, e não está para ouvir palavras loucas. A agulha, vendo que ela não lhe dava resposta, calou-se também e foi andando. E era tudo silêncio na saleta de costura; não se ouvia mais que o *plic-plic-plic-plic* da agulha no pano. Caindo o sol, a costureira dobrou a costura, para o dia seguinte; continuou ainda nesse e no outro, até que no quarto acabou a obra, e ficou esperando o baile.

Veio a noite do baile, e a baronesa vestiu-se. A costureira, que a ajudou a vestir-se, levava a agulha espetada no corpinho, para dar algum ponto necessário. E enquanto compunha o vestido da bela dama, e puxava a um lado ou outro, arregaçava daqui ou dali, alisando, abotoando, acolcheteando, a linha, para mofar da agulha, perguntou-lhe:

— Ora agora, diga-me quem é que vai ao baile, no corpo da baronesa, fazendo parte do vestido e da elegância? Quem é que vai dançar com ministros e diplomatas, enquanto você volta para a caixinha da costureira, antes de ir para o balaio das mucamas? Vamos, diga lá!

Parece que a agulha não disse nada; mas um alfinete, de cabeça grande e não menor experiência, murmurou à pobre agulha:

— Anda, aprende, tola. Cansa-te em abrir caminho para ela e ela é que vai gozar da vida, enquanto aí ficas na caixinha de costura. Faze como eu, que não abro caminho para ninguém. Onde me espetam, fico.

Contei esta história a um professor de melancolia, que me disse, abanando a cabeça:

— Também eu tenho servido de agulha a muita linha ordinária!*

(*Várias histórias*, Rio de Janeiro/S. Paulo/Porto Alegre, Jackson, 1946, pp. 223-226.)

---

* *Diana* = Deusa caçadora, na mitologia grega.

RAUL POMPÉIA

Raul d'Ávila Pompéia nasceu em Angra dos Reis, Estado do Rio de Janeiro, a 12 de abril de 1863. Após os anos de internato no Colégio Abílio, que lhe inspirariam mais tarde *O Ateneu* (1888), empreende estudos secundários no Colégio Pedro II. Vem para São Paulo e matricula-se na Faculdade de Direito, ocasião em que acolhe os ideais republicanos e abolicionistas. Transferindo-se para Recife, lá se forma, em 1885. De regresso ao Rio de Janeiro, é nomeado para vários cargos públicos, como diretor do *Diário Oficial* e da Biblioteca Nacional. Também exerce o magistério (Escola Nacional de Belas-Artes), ao mesmo tempo que colabora em jornais e constrói sua obra de ficcionista. Em 1892, por questões de honra, trava duelo com Olavo Bilac. Já nesta altura começam a manifestar-se os sintomas da perturbação mental que o empurrariam ao suicídio, cometido a 25 de dezembro de 1895. Afora numerosos contos e crônicas esparsos, publicou as seguintes obras: *Uma Tragédia no Amazonas* (1880), *Microscópicos* (1881), *As Jóias da Coroa* (1882), *O Ateneu* (1888), *Canções sem Metro* (1900).

O Ateneu

Publicado pela primeira vez no Rio de Janeiro, em 1888, *O O Ateneu* traz por subtítulo a expressão "Crônica de Saudades", que evidencia o quanto seu autor hesitava em classificá-lo. Misto de ficção e memória, pendente entre o diário e o romance, gira em torno das experiências sofridas por um menino ingênuo no internato de Aristarco Argolo de Ramos. Sem haver propriamente um enredo, mas uma justaposição de quadros, vão desfilando diante de nós as personagens e as situações de um colégio em que a hipocrisia esconde toda gama de baixeza, desde a falsidade dos amigos e das "proteções" até o assassínio, provocado pela criada (Ângela). Diretor e senhora (D. Ema), professores e estudantes, todos vivem numa atmosfera saturada e postiça, forjada pela vaidade de Aristarco. A sucessão de flagrantes, ora impressionistas, ora expressionistas, termina com o incêndio do colégio, ateado pelo estudante Américo. O trecho que se vai ler, pertence ao capítulo VIII:

Quando, tempos passados, anunciou-se o grande piquenique ao Jardim Botânico, certo não foi objeção a lembrança deste descalabro de fadiga. Tínhamos almoçado na montanha; tratava-se agora de ir jantar ao jardim. Prontos!

Ao meio-dia, apeava o *Ateneu* dos bondes especiais à porta do grande parque. Atravessamos cantando um dos hinos do colégio as arcarias elevadas de palmas. Junto ao lago da avenida, debandamos.

No bosque dos bambus, à esquerda, estavam armadas as longas mesas para o banquete das quatro horas. Graças à boa vontade dos pais, prevenidos oportunamente, vergavam as tábuas, sobre cavaletes, ao peso de uma quantidade rabelaisiana de acepipes. À parte, em cestos, no chão, amontoavam-se frutas, caixas e frascos de confeitaria.

Era por um desses dias caprichosos, possíveis todo o ano, mais freqüentes de verão, em que as bátegas de chuva fazem alternativa com as mais sadias expansões de Sol, deliciosos e traidores, em que, parece, a alma feminina se faz clima com as incertezas de pranto e riso.

Chovera uma vez ao partirmos, outra vez em viagem; havia no jardim muita umidade na relva e sob as folhas caídas; às alamedas de mais sombra, via-se a areia crivada recentemente dos pequeninos furos que cava o gotejar do arvoredo. Mas eram tão claros os trechos de bom tempo, no intervalo dos nimbos, que não podiam apreensões de aguaceiro entibiar a franqueza de alegria a que estávamos preparados.

A rapaziada dispersou-se pelos gramados para a montanha, para os canaviais e pomares de ingresso vedado. Alguns, munidos de anzóis, acocoravam-se à beira do açude, como batráquios, enquanto esperavam que picasse a probabilidade difícil de um peixe.

Os de espírito calmo buscavam sítios de soledade, iam passear a cisma silenciosa; os sentimentais, com o instinto dos fotógrafos paisagistas, ensaiavam, comparavam, aplaudiam os melhores pontos de vista, ou, simplesmente, dois a dois, íntimos, seguiam para longe, braços pela cintura, balbuciando diálogos lentos. Os menores corriam, armando animadíssimos brincos, atiravam-se às borboletas, iam pelos cursos d'água canalizada através do parque, perseguindo a fuga de um graveto, trépido, inalcançável na evasão rápida da linfa. Nos enredamentos obscuros do bosque, exatamente onde o artista grego incluiria um sátiro, podia-se surpreender sob uma blusa o confiado abandono bucólico de outros colegas.

De quando em quando, um sinal de clarim. Tocava-se a reunir e fazia-se a distribuição das gulodices. Muitos não compareciam.

Às quatro horas a banda de música assinalou com o hino nacional o grande momento da festa campestre.

De todos os pontos do jardim começaram a chegar magotes pressurosos de uniformes brancos. Os vigilantes, enérgicos, regularizavam a ocupação dos lugares.

Ao correr da mesa, fechou-se o bloqueio ameaçador de dentaduras.

No centro alinhavam-se as peças, sem conta, frias, sem molho, apetitosas, entretanto, da cor tostada e do aroma suculento.

Os garfos agitavam-se inimigos, amolavam-se os trinchantes nas mãos dos copeiros...

Obrigados a uma sobranceria estóica de filósofos, depois da provação definitiva do forno, nem os perus, nem os leitões, nem os tímidos frangos mostravam aperceber-se da situação arriscada.

Os frangos de pernas para trás, sobre o dorso, cabeça escondida na asa, pareciam dormir sonhando o calembur das pernas perdidas; os redondos bácoros, encouraçados na bela cor de torresmo, serviam-se dos olhos de azeitona para não mais ver as seduções mentidas da existência, empenhados em ensinar aos homens como se leva a cabo o suplício culinário dos palitos, com a agravante azeda dos limões em rodela; os perus, soberbos até a última e menos filosóficos, prescindiam francamente da cabeça, orgulhosos apenas da vastidão do peito, enfunando a vaidade cheia do papo, hipertrofia de farofa.

Guarnecendo os assados, perfilavam-se as garrafas pretas desarrolhadas, conglobavam-se montes de maçãs, peras, laranjas, apoiadas às nacionalíssimas bananas, como um traço de nativismo. Os pudins, as marmeladas, as compotas enchiam os vãos da toalha, com um zelo apertado de mediador plástico. Mesmo sem meter em conta as postas de rosbife com que contribuíra Aristarco, percebe-se que era de truz o jantar.

Quando os rapazes sentaram-se, em bancos vindos do *Ateneu* de propósito, e um gesto do diretor ordenou o assalto, as tábuas das mesas gemeram. Nada pôde a severidade dos vigilantes, contra a selvageria da boa vontade. A licença da alegria exorbitou em canibalismo.

Aves inteiras saltavam das travessas, os leitões, à unha, hesitavam entre dois reclamos igualmente enérgicos, dos dois lados da mesa. Os criados fugiram. Aristarco, passando, sorria do espetáculo como um domador poderoso que relaxa. As garrafas, de fundo para cima, entornavam rios de embriaguez para os copos, excedendo-se pela toalha em sangueira. Moderação! moderação! clamavam os inspetores, afundando a boca em aterros da farofa dignos de Sr. Revy. Alguns rapazes declamavam saúdes, erguendo em vez de taça, uma perna de porco. À extremidade da última das mesas um pequeno apanhara um trombone e aplicava-se, muito sério, a encher-lhe o tubo de carne assada. Maurílio descobriu um repolho recheado e devorava-o às gargalhadas, afirmando que era munição para os dias de gala. Cerqueira, *ratazana*, curvado, redobrado, sobre o prato, comia como um restaurante, comia, comia como as sarnas, como um cancro. Sanches, meio embriagado, beijava os vizinhos, caindo, com os beiços em tromba. Ribas, dispéptico, era o único retraído; suspirava de longe, anjo que era, diante dos reprovados excessos da bacanal.

Em meio do tumulto ebrifestante, ouviram-se palmas. À cabeceira da mesa principal, apresentavam-se de pé Aristarco e o empertigadinho e cúprico Professor Venâncio. Era a poesia! Venâncio de Lemos costumava improvisar, mais ou menos previamente, estrofes análogas nas festas campestres...

Outros professores, que tinham concorrido ao piquenique, davam-se à faina grosseira de jantar. Ele não.

Havia um quarto de hora que andava misteriosamente por uma aléia de bambus, esfiapando as barbicas, a gaforinha, palpando a testa, arrancando inspiração ao couro cabeludo, passando, nervoso, repassando, espiado furtivamente pela nossa admiração. Ninguém ousava acercar-se, temendo perturbar a elaboração do gênio.

Muchochos adoráveis das brisas, que andais pela mata, gemedoras fontes, que desfiais à toa as lágrimas de vossos penares, amáveis sabiás cantores, que viveis de plantão na palmeira da literatura indígena, sem que vos galardoe uma verba da secretaria do Império, vinde comigo repartir o segredo do vosso encanto! Sedutoras rolinhas, um pouco da vossa ternura! Vívidos colibris, a mim! que sois como os animados tropos no poema frondoso da floresta... E as inspirações vieram. Primeiro, cerimoniosamente, à altura, volteando espirais de urubu sobre a carniça; depois, de chofre, caindo-lhe às bicadas sobre o estro. O estro entorpecido acordou. Fez-se hipogrifo um asno morto. O poeta foi registrando as estrofes.

Quadras de rima fácil de particípios, espancados pelo camartelo contundente dos agudos.

Sustou-se em toda a linha o furor gastronômico dos rapazes. Ficamos a ouvir, surpresos.

Murmuravam as brisas; as fontes correram; tomaram a palavra os sabiás; surgiram palmeiras em repuxo; houve revoadas de juritis, de beija-flores; todas essas coisas, de que se alimentam versos comuns e de que morrem à fome os versejadores.

Súbito, no melhor das quadras, exatamente quando o poeta apostrofava o dia sereno e o Sol, comparando a alegria dos discípulos com o brilho dos prados, e a presença do Mestre com o astro supremo, mal dos improvisos prévios! desata-se das nuvens espessadas uma carga d'água diluvial, única, sobre o banquete, sobre o poeta, sobre a miseranda apóstrofe sem culpa.

Venâncio não se perturbou. Abriu um guarda-chuva para não ser inteiramente desmentido pelas goteiras e continuou, na guarita, a falar entusiasticamente ao Sol, à limpidez do azul.

Não querendo desprestigiar o estimável subalterno, Aristarco fingia acreditar no improviso e, indiferente, deixava cair o aguaceiro. As abas do chapéu de palha murchavam-lhe ao redor da cabeça, o rodaque branco desengomava-se em pregas verticais gotejantes.

Para os rapazes a chuva foi novo sinal de desordem. Deixou-se o poeta com a sua inspiração arrebatadora de bom tempo; começou a investida aos pratos.

A abóbada de folhagem que nos cobria, em vez de atenuar a violência das águas, concorria para fazer mais grossos os pingos. Pouco importava. A filosofia impermeável do diretor servia-nos também de capa. Que chovesse! Era o molho dos manjares que nos faltava. As frutas lavadas luziam com um verniz de frescura que o próprio outono não possui. O vinho estendia-se pela toalha encharcada numa generalização solene de púrpura. O banho oportuno do banquete vinha temperar a demasiada aridez das farinhas de recheio. "Acabamos pela sopa, descobriu Nearco, o penetrante, por onde o vulgo principia!"

Qual acabávamos! Ninguém acabou. Sucedeu que, com os fundilhos molhados, ninguém quis mais sentar-se. Girou o atropelo ao redor das mesas; os bancos foram repelidos a pontapés. Repartiu-se o doce sem eqüidade; quem não avançava a tempo ficava sem ele. Dois inspetores, João Numa e o *Conselheiro,* a pretexto de decidir uma contenda, arranjaram-se com uma caixa de pessegada e desapareceram.

A chuva desculpava a bebida. Era inacreditável o consumo de brindes. Brindes a Aristarco, brindes aos companheiros, ao Silvino, ao poeta, ao Sol, aos temporais, ao trovão escandinavo; inimigos figadais, no transporte do prazer, reconciliaram-se; Barbalho saudou-me fogosamente. Rômulo, já tonto, afastado das mesas, brindava o copeiro que lhe arranjara uma garrafa; depois brindou a noiva; o criado, bebendo também, tocou-lhe o copo.

Como escurecia, o diretor fez o clarim chamar à forma.

Debaixo do aguaceiro que não cessava, o colégio alinhou-se como bem pôde. Muitos, queixando-se de saúde delicada, obtiveram dispensa desta inoportuna disciplina de equilíbrio; seguiram adiante para o portão abrigado do jardim... Após, fomos os outros, em marcha regular, pingando de molhados. A fita vermelha dos gorros desbotava-se-nos pelo rosto em fios de sangue.

Quando chegamos ao portão, já nos esperavam os bondes especiais. Do outro lado da rua, à entrada de conhecido restaurante, apareceu a família do Aristarco com alguns professores, que lá tinham jantado. D. Ema, pelo braço do Crisóstomo, a Melica altivamente só e distanciada.

No colégio, tivemos ordem de subir a descanso nos dormitórios. Preventivo louvável de prudência, depois dos excessos e da tempestade sofrida. O descanso foi simplesmente um prolongamento da pândega do passeio. Para cessar a desordem, tocou-se a estudo... Baixamos ao salão geral. Aristarco, reassumindo a dureza olímpica da seriedade habitual, apresentou-se e perguntou asperamente se pretendíamos que a vida passasse a ser agora um piquenique perpétuo na desmoralização. Tacitamente negamos e a tranqüilidade normal entrou nos eixos.

(*O Ateneu,* São Paulo, Cultrix, 1976, pp. 148-154.)

O Ateneu distingue-se na história de nossa ficção por uma série de aspectos, alguns dos quais comparecem no excerto selecionado. Efetivamente, seu Realismo, tanto quanto o de Machado de Assis, era interior, como se observa no tom reminiscente adotado pelo narrador, aliás em consonância com a obra em sua totalidade, a partir do subtítulo, "Crônica de Saudades". Romance na primeira pessoa, traduzia a tomada de consciência da realidade "objetiva" do "eu", equivalente à que oferecia o mundo concreto. Tal enfoque, original em relação às modas ficcionais vigentes no século XIX brasileiro, semelha antecipar Proust, na medida em que a sondagem no passado infantil, que orienta *O Ateneu,* encerra uma das primeiras tentativas de análise dos subterrâneos da memória e do inconsciente. E pelo erotismo que atravessa determinadas cenas, dir-se-ia antevisão das técnicas freudianas de psicanálise. Interpretando o trecho de um prisma estético, haveria que notar primeiramente o processo descritivo e narrativo empregado: "mancha", cromo ou pormenorização plástica dos componentes humanos e naturais. Tem-se a impressão de um pintor que utilizasse as palavras em lugar da tinta, tal o visualismo presente na descrição do piquenique. E de um pintor impressionista: a cena transcorre ao ar livre; a descrição monta-se como uma soma de minúcias pictóricas, à semelhança de uma seqüência de pinceladas rápidas, superpostas, de acordo com a técnica pontilhista; as orações curtas representam nitidamente o movimento nervoso e ininterrupto, de quem forceja por abarcar o máximo de seres, objetos e situações no diminuto quadrilátero da página, como o artista plástico no espaço limitado da tela (note-se o parágrafo iniciado por "Chovera uma vez ao partirmos", por "Os frangos de pernas para trás, sobre o dorso", etc., por "Guarnecendo os assados"). Impressionismo à Goncourt, denota um esforço de objetividade que se confirma doutro ângulo: a despeito de se tratar de um romance de memórias, o narrador põe-se fora do quadro descrito, quando seria de esperar que se lembrasse mais de si que dos outros. A explicação reside no verismo que inspira o escritor, e na crueldade subjacente ao evento campestre, bem como a todo *O Ateneu.* Na verdade, o realismo impiedoso traduz um desejo recôndito de vingança, de tal modo que a inquirição nas mazelas do colégio interno obrigasse o narrador ao papel de observador ou de vítima revoltada (notem-se as referências aos convivas do regabofe, sobretudo no parágrafo começado por "Aves inteiras saltavam das travessas"). E a revolta contra o mau ensino conduz à caricatura amarga, como se pode ver na discursata ridícula do Prof. Venâncio, tanto mais grotesca quanto mais desmentida pela própria natureza. Em idêntica posição (embora, no trecho referido, sem o relevo correspondente) se situa Aristarco, alvo central da ira vingativa do narrador (Sérgio). O próprio ambiente lhe merece igual apodo: os companheiros se entregam a toda sorte de libações, sob o olhar complacente de Aristarco ("A chuva desculpava a bebida", etc.), cuja doblez de caráter se satisfaz com o atendimento oratório das prescrições morais disciplinares (veja-se último parágrafo). Das obras marcantes da Literatura Brasileira, *O Ateneu* permanece vivo como documento de hábitos pedagógicos ainda não de todo erradicados de nosso meio, elaborado num estilo novo e ágil, fruto duma especial e rara sensibilidade estética e duma visão trágica do mundo e dos homens.

Texto para Análise

1

"Vais encontrar o mundo, disse-me meu pai, à porta do *Ateneu*. Coragem para a luta."

Bastante experimentei depois a verdade deste aviso, que me despia, num gesto, das ilusões de criança educada exoticamente na estufa de carinho que é o regime do amor doméstico; diferente do que se encontra fora, tão diferente, que parece o poema dos cuidados maternos um artifício sentimental, com a vantagem única de fazer mais sensível a criatura à impressão rude do primeiro ensinamento, têmpera brusca da vitalidade na influência de um novo clima rigoroso. Lembramo-nos, entretanto, com saudade hipócrita, dos felizes tempos; como se a mesma incerteza de hoje, sob outro aspecto, não nos houvesse perseguido outrora, e não viesse de longe a enfiada das decepções que nos ultrajam.

Eufemismo, os felizes tempos, eufemismo apenas, igual aos outros que nos alimentam, a saudade dos dias que correram como melhores. Bem considerando, a atualidade é a mesma em todas as datas. Feita a compensação dos desejos que variam, das aspirações que se transformam, alentadas perpetuamente do mesmo ardor, sobre a mesma base fantástica de esperanças, a atualidade é uma. Sob a coloração cambiante das horas, um pouco de ouro mais pela manhã, um pouco mais de púrpura ao crepúsculo — a paisagem é a mesma de cada lado, beirando a estrada da vida.

Eu tinha onze anos.

Freqüentara como externo, durante alguns meses, uma escola familiar do Caminho Novo, onde algumas senhoras inglesas, sob a direção do pai, distribuíam educação à infância como melhor lhes parecia. Entrava às nove horas, timidamente, ignorando as lições com a maior regularidade, e bocejava até as duas, torcendo-me de insipidez sobre os carcomidos bancos que o colégio comprara, de pinho e usados, lustrosos do contato da malandragem de não sei quantas gerações de pequenos. Ao meio-dia, davam-nos pão com manteiga. Esta recordação gulosa é o que mais pronunciadamente me ficou dos meses de externato; com a lembrança de alguns companheiros — um que gostava de fazer rir à aula, espécie interessante de mono louro, arrepiado, vivendo a morder, nas costas da mão esquerda, uma protuberância calosa que tinha; outro, adamado, elegante, sempre retirado, que vinha à escola de branco, engomadinho e radioso, fechada a blusa em diagonal do ombro à cinta por botões de madrepérola. Mais ainda: a primeira vez que ouvi certa injúria crespa, um palavrão cercado de terror no estabelecimento, que os partistas denunciavam às mestras por duas iniciais como em monograma.

Lecionou-me depois um professor em domicílio.

Apesar deste ensaio da vida escolar a que me sujeitou a família, antes da verdadeira provação, eu estava perfeitamente virgem para as sensações novas da nova fase. O internato! Destacada do conchego placentário da dieta caseira, vinha próximo o momento de se definir a minha individualidade. Amarguei por antecipação o adeus às primeiras alegrias; olhei triste os meus brinquedos, antigos já! os meus queridos pelotões de chumbo! espécie de museu militar de todas as fardas, de todas as bandeiras, escolhida amostra da força dos estados, em proporções de microscópio, que eu fazia formar a combate como uma ameaça tenebrosa ao equilíbrio do mundo; que eu fazia guerrear em desordenado aperto, — massa tempestuosa das antipatias geográficas, encontro definitivo e ebulição dos seculares ódios de fronteira e de raça; que eu pacificava por fim, com uma facilidade de Providência Divina, intervindo sabiamente, resolvendo as pendências pela concórdia promíscua das caixas de pau. Força era deixar à ferrugem do abandono o elegante vapor da linha circular do lago, no jardim, onde talvez não mais tornasse a perturbar com a palpitação das rodas a sonolência morosa dos peixinhos, rubros, dourados, argentados, pensativos à sombra dos tinhorões, na transparência adamantina da água...

Mas um movimento animou-me, primeiro estímulo sério da vaidade: distanciava-me da comunhão da família, como um homem! ia por minha conta empenhar a luta dos merecimentos; e a confiança nas próprias forças sobrava. Quando me disseram que estava a escolha feita da casa de educação que me devia receber, a notícia veio achar-me em armas para a conquista audaciosa do desconhecido.

Um dia, meu pai tomou-me pela mão, minha mãe beijou-me a testa, molhando-me de lágrimas os cabelos e eu parti.

Duas vezes fora visitar o *Ateneu* antes da minha instalação.

Ateneu era o grande colégio da época. Afamado por um sistema de nutrida reclame, mantido por um diretor que de tempos a tempos reformava o estabelecimento, pintando-o jeitosamente de novidade, como os negociantes que liquidam para recomeçar com artigos de última remessa, o *Ateneu* desde muito tinha consolidado crédito na preferência dos pais; sem levar em conta a simpatia da meninada, a cercar de aclamações o bombo vistoso dos anúncios.

(Ibidem, pp. 21-23.)

COELHO NETO

Henrique Maximiliano Coelho Neto nasceu em Caxias (Maranhão), a 21 de fevereiro de 1864, de pai português e mãe indígena amazonense. Ainda menino, é levado para o Rio de Janeiro, onde cursa o Colégio Pedro II. Em 1883, vem para São Paulo estudar Direito, e daqui se transfere para Recife, de onde regressa no ano seguinte. Abandonando a intenção de realizar estudos superiores, muda-se para o Rio de Janeiro e abraça o jornalismo e o magistério, ao mesmo tempo que se dedica a uma profícua e estafante produção literária, a partir de 1891, com o volume de contos *Rapsódias*. Em 1909, é nomeado professor de Literatura no Colégio Pedro II e eleito deputado por seu Estado natal. Cercado de glórias, viaja para a Europa (1913) e vê seus livros serem vertidos para outros idiomas. Presidiu a Academia Brasileira de Letras (1926), e foi aclamado "Príncipe dos Prosadores Brasileiros". Faleceu a 28 de novembro de 1934. De sua copiosa bagagem literária (120 volumes), em que se representam vários gêneros e espécies literárias, destaca-se o seguinte: romances, *A Capital Federal* (1893), *Miragem* (1895), *A Conquista* (1898), *O Morto* (1898), *A Esfinge* (1901), *Turbilhão* (1906), *Rei Negro*

(1914), *Fogo-Fátuo* (1928), etc.; contos, *Sertão* (1896), *Água de Juventa* (1905), *O Jardim das Oliveiras* (1908), *Banzo* (1913), *A Cidade Maravilhosa* (1928), etc.; crônicas, *O Meio* (1889), *Bilhetes Postais* (1894), *Lanterna Mágica* (1898), *Por Montes e Vales* (1899), etc.; teatro, vol. I (1911), vol. II e III (1907), vol. IV (1908), vol. V (1918), vol. VI (1926); memórias, *Mano* (1924), *Canteiro de Saudades* (1927); ensaio e didática, *Compêndio de Literatura Brasileira* (1905), *Conferências Literárias* (1909), etc. De *Sertão*, que reúne do melhor que Coelho Neto produziu em matéria de conto, escolheu-se a seguinte peça:

Firmo, o Vaqueiro

Sentados na soleira da palhoça, em face do verde campo, à hora vesperal em que os rebanhos recolhem, o velho Firmo e eu fumávamos, relembrando passagens alegres da vida de outrora.

Firmo era meu companheiro quando eu ia passar as férias na roça. O que ele sabia de histórias! como as contava fazendo a voz enternecida e meiga para imitar as princesas que imploravam ou arremetendo com vozeirão terrível para que eu tivesse a impressão exata do bradar horrível dos gigantes antropófagos. E não só histórias dos livros, outras sabia que eu jamais em letras vira: a que descrevia a iara branca seduzindo o remador do Itapicuru e o conto do curupira, com que no bom tempo faziam cessar a minha impertinência. Algumas eram inventadas por ele, diziam; outras o velho Firmo, vaqueano e andejo, aprendera por esses sertões de Deus por onde caminhara.

Andava pelos oitenta anos, mas quem o visse a cavalo, no campo, não lhe daria tanta idade. O diabo era o reumatismo que lhe não deixava as pernas. No seu tempo ninguém levava a melhor ao Firmo do *Curral Novo*. Raparigas, que uma vez o viam montado no garboso *fábrica*, o laço em volta da cinta, a aguilhada firme sobre a coxa coberta de couro cru, perdiam-se de amor por ele.

Era um caboclo atirado, musculoso e rijo; grandes olhos negros brilhavam-lhe no rosto queimado pelos verões e os cachos do seu cabelo rolavam-lhe pelos ombros largos.

Velho, embora "ninguém lhe chegava ao pé sem muito jeito", como ele próprio dizia sorrindo com os seus dentes limados, agudos como pontas de frechas. Apesar de alquebrado e enfermo, andava com arrogância e notava-se-lhe na voz, áspera e forte, o hábito de comando.

Em tempos de festa, quando vinham para a mesma eira moças do lugar e de longe, Firmo saltava na roda, sapateando, rasgando na viola *a tirana* do campeiros, e quem ousava pegar no verso do caboclo?! As tabaroas morenas sorriam com os olhos fascinados e unidas desfaziam-se das flores para que o cantador as fosse pisando no sapateado. Por isso Firmo andava sempre de ponta com os companheiros e, mais de uma vez, o descante acabou varrido à faca; mas quem ficasse do lado do caboclo podia estar descansado — nunca fugiu de arrelia, fosse com um, fosse com dez ou mais.

Mãezinha, a velha mucama de casa, quando o via passar no caminho, curvado, pitando o seu cachimbo de taquara, dizia maliciosa:

— *Isso,* ahn! *isso* foi o diabo!

Firmo "vivia encostado no tempo de dantes", a saudade era o seu conforto. "Hoje em dia qu'a gente vê? má língua e moleza só", dizia e citava os valentes d'antanho e mostrava as velhas gabando-lhes a beleza que a idade fanara:

"Sarapião, homem que nem o diabo!... Ana Rosa, essa curumba... foi mulata de dengue, era um motim aqui em cima por causa dela. Filomena, com essa cara de peixe moqueado, teve o seu luxo e foi gente. Eu também pisei duro, ora!"

Firmo vivia de recordações. Passava os dias caminhando de um para outro lado, visitando as palhoças, ou à beira do rio para ver e ouvir as lavadeiras, quando não se metia em casa a fazer bodoques para as crianças.

À tarde sentava-se em um pilão quebrado, à porta da casa, e deixava-se estar inerte, os olhos ao longe: "Estava vivendo..." dizia quando eu lhe perguntava que fazia ali sozinho. Estávamos, às vezes, sentados juntos, ele a contar-me histórias, quando nos chegava, nítido e agudo, o grito do campeiro. Firmo calava-se, um estremecimento agitava-o, os olhos dilatados recobravam o brilho antigo e punha-se de pé, devassando a paisagem triste, à luz crepuscular.

De repente aparecia a nuvem de poeira anunciando o gado que chegava... uma mancha vermelha, uma mancha negra, outra e logo o magote, os bois juntos, emaranhando os chifres; um mugia, outros imitavam-no levantando os focinhos ou ferravam-se às marradas, sendo, às vezes, necessária a intervenção do vaqueiro que apartava os dois à ponta de vara. E a marcha aproximava-se morosa.

Firmo estava enlevado acompanhando os movimentos da manada, inclinando-se para um lado, para outro, aspirando sôfrego. De repente batia as palmas e juntava, logo em seguida, as mãos na boca à guisa de porta-voz, bradando:

— Eh! eh! eh cou! ruma! ruma! Eh! lou!...

E ficava longo tempo excitado, a olhar. Não perdia uma só das peripécias e, se um touro espirrava, correndo aos galões pela campina, o velho entrava a bramar do outeiro, tão alto, tão alto que as raparigas, que andavam na eira recolhendo a roupa ou socando o arroz, paravam assustadas erguendo os olhos para o lado da palhoça do vaqueiro velho. Mas ninguém o acomodava antes de ser laçado o boi fujão e quando o vaqueiro aparecia, arrastando o animal laçado, Firmo suspirava baixinho:

— Ah! Nossa Senhora! meu tempo!

Foi pelo Natal que o vi pela última vez. Começavam os preparativos da festa, quando cheguei ao sítio. Nas casas dos escravos as velhas, à noite, ensaiavam as crianças. Na eira os rapazolas preparavam jiraus; colhia-se o arroz novo para os presepes e de todos os lados, mal o sol fugia, começavam as toadas das cantigas ao *Deus Menino* e as falas dos infantes que figuravam no *Mistério*.

Firmo estava doente, mal podia mover-se: passava os dias na rede. Subi, a vê-lo, numa noite, justamente na véspera do grande dia. Encontrei-o deitado, fumando, os olhos semicerrados.

— Eh! vaqueiro velho... Então que é isso?!

— Estou derrubado, patrãozinho.

— Mas que diabo tem você?

— Moléstia má, patrãozinho; parece que desta feita vou mesmo.

— Ora qual...

— Eu é que sei como me sinto, patrãozinho. Se até o *pito* me faz nojo...

— Pois eu preparei uma surpresa que te vai fazer mais bem do que todas as *mezinhas* de mãe Tude. Quem está aí fora? adivinha...

— Ah! patrãozinho, alguma alma boa. Quem há de ser?!

— Raimundinho.

O velho sacudiu-se nervosamente na rede e, voltando-se para a porta com um sorriso, perguntou:

— E onde está esse negro que não entra?

— Boa noite à gente de casa! disse da porta o cafuso.

— Entra, negro!

O cafuso, um codoense de fama, atravessou o limiar da porta:

— Então, tio Firmo, a febre pôde mais, hein?

— Sim, porque eu não vi quando ela entrou... quando não! Então, negro, que é que vamos fazendo?...

— Vim fazer a minha festa. Dizem que vão queimar fogaréus no *Curral Novo*.

— Como vai Noca?

— Boa.

— E Ana? está na cidade, mais o pai?

— Hen, hen, afirmou o cafuso.

— Negro, você não vai daqui hoje. Ah, patrãozinho, vosmecê vai ver o que é um diabo. Negro, ajunta a madeira ali atrás da arca.

— Está encordoada?

— Ó danado! Onde você viu viola de homem sem corda? e afinada. Ajunta.

O codoense agachou-se, apanhou a viola do vaqueiro e logo correu os dedos ágeis pelas cordas.

— Passa pra luz, cafuso.

— Lá vou.

Sentou-se no centro da sala, cruzou as pernas e, tombando a cabeça, gemeu a toada sertaneja.

— Anda com Deus.

— La vai; pigarreou e desferiu:

> *No coração de quem ama*
> *Nasce uma flor que envenena.*

— Eh! gritou Firmo entusiasmado, concluindo a quadra:

> *Morena, essa flor que mata*
> *Chama-se paixão, morena.*

— Pega, negro, não deixa o verso no chão!

De fora, contínuo e doce, vinha o coro longínquo das crianças em louvor de Jesus e, de vez em vez, reboava o mugido de um touro.

Quando o cafuso descansou a viola, Firmo disse da rede com esforço, arrastando a voz fraca:

— Canta, canta mais, cafuso. Quem não tem Nosso Pai ouve a cantiga. Canta.

Era tarde quando desci o outeiro. Raimundinho lá ficou cantando.

No dia seguinte, à hora em que saía o gado, estava eu debruçado à varanda quando vi o cafuso que preparava o animal viajeiro:

— Raimundinho, como vai ele?...

De longe apontou para a palhoça:

— Sim.

O braço caiu-lhe, olhou-me algum tempo comovido; depois, saltando para o animal, levou o polegar à boca fazendo estalar a unha nos dentes:

— Às quatro da manhã... Atirei um verso e disse, para bulir com ele: Pega, velho! Não respondeu. Tio Firmo, mesmo velho e doente, não era homem para deixar um verso no chão. Fui ver, coitado!... Estava morto. E deu de esporas para que eu não lhe visse as lágrimas.

Subi ao outeiro. Pobre Firmo! Lá estava no fundo da rede, cercado de gente. Guardara o sorriso, morrera feliz, ouvindo os cantos do seu tempo e bem perto de casa o mugido dos rebanhos. E bem que o choraram nessa noite os grandes bois, e diziam, entretanto, que eles estavam louvando o Senhor Menino; chorando o companheiro é que eles estavam, os grandes bois que pressentem todas as desgraças e que vêem a Morte passar, à noite, com a foice de rastro, através das campinas. Bem que choraram nessa noite os bois: decerto viram a Morte entrar na cabana de Firmo.

(*Sertão*, Porto, Lello e Irmão, s. d., pp. 123-129.)

Esquecido pelas gerações formadas à luz do Modernismo, Coelho Neto já pode ser avaliado objetivamente: nem tão genial quanto permitia crer sua imperturbável fecundidade, nem tão despiciendo quanto faziam supor as demasias de seu estilo. Aqui, sem dúvida, a pedra de toque do problema, pois sua opulência verbal, que durante anos lhe sustentou o prestígio, acabou sendo relegada ao plano das superfetações genuinamente tropicais. Todavia, na afoita generalização com que se lhe rubricou a obra, muita injustiça se cometeu, porquanto não distinguia o produto de superior qualidade dos outros forjados na luta do ganha-pão diário. À primeira categoria pertence o volume *Sertão*, de que foi selecionado "Firmo, o Vaqueiro". Neste conto, percebe-se que a linguagem de Coelho Neto se caracteriza por certo portuguesismo ou casticismo, ainda que se trate de uma narrativa regionalista, e que o narrador emprega um vocabulário parcimonioso, adequado ao tema, que colabora eficazmente para a concisão e harmonia do conjunto. Nem tudo, portanto, era exagero em Coelho Neto, inclusive seu realismo, que nada possui de ortodoxo ou de escola: nascido de uma inclinação medular (dir-se-ia atávica, herança da mãe indígena) para o visualismo, à semelhança de um pintor voltado para as questões sociais, não raro se mescla de um idealismo ou duma tendência para o desgarramento da fantasia, que atenua ainda mais o verismo das cenas. Daí que o ficcionista construa uma fábula regionalista a meio caminho entre o Realismo e o Simbolismo, graças à ambiguidade com que divisa a cor local. Assim, o Vaqueiro, cuja vida se resumiu no serão cantado, em companhia do narrador e, especialmente, de Raimundinho, ganha qualquer coisa de mágico, na medida em que seu modo de ser, definido, recortado, guardava um "mistério" que a vigília de Natal fixou, simbolicamente, para sempre. Espécie de Malhadinhas sem picardia, antepassado de Riobaldo, misto de "caboclo atirado, musculoso e rijo" e poeta ("quem ousava pegar no verso do caboclo?!"), seu "mistério" consistia em estar habitado por um entranhado sentimento poético do mundo, que lhe compensava a rudeza de campino, e um temperamento de sensitivo ("Firmo estava enlevado, acompanhando os movimentos da manada"; "a saudade era o seu conforto"). Crônica de uma existência monocolor a ocultar uma rica sabedoria das coisas, o conto atesta as qualidades literárias de seu criador e ocupa lugar de honra na evolução da Literatura Brasileira como uma das obras-primas no gênero.

AFONSO ARINOS

Afonso Arinos de Melo Franco nasceu em Paracatu (Minas Gerais), a 1º de maio de 1868. Após o curso secundário em São João d'El Rei, vem para São Paulo em 1885, a fim de estudar na Faculdade de Direito. Formando-se em 1889, segue para Ouro Preto, onde se põe a advogar e a colaborar na imprensa. Em 1897, muda-se para São Paulo, aqui assumindo a direção de *O Comércio de São Paulo*. Em 1901, elege-se para a Academia Brasileira de Letras, mas em 1903 está em Paris, de onde regressa para Minas Gerais e Rio de Janeiro, entre 1912 e 1916, quando viaja para a Europa. Acometido de uma crise vesicular, falece em Barcelona, a 19 de fevereiro de 1916. Deixou as seguintes obras: *Pelo Sertão* (1898), *Os Jagunços,* romance (1898), *Notas do Dia* (1900), *Lendas e Tradições Brasileiras* (1917), *O Contratador de Diamantes*, teatro (1917), *O Mestre de Campo*, romance (1918), *Histórias e Paisagens* (1921), *Ouro! Ouro!*, romance, publicado pela primeira vez na *Obra Completa* do Autor, aparecida no Rio de Janeiro, em 1969. De *Pelo Sertão*, livro de contos que lhe deu notoriedade, escolheu-se uma das narrativas mais bem conseguidas:

Pedro Barqueiro

"— Eu lhe conto — dizia-me o Flor, quase ao chegarmos à Cruz de Pedra. — Naquele tempo eu era franzinozinho, maneiro de corpo, ligeiro de braços e de pernas. Meu patrão era avalentado, temido e tinha sempre em casa uns vinte capangas, rapaziada de ponta de dedo. Eu tinha uma *meia légua*, trochada de aço, que era meu osso de correia." E, concertando o corpo no lombilho, soltou as rédeas à mula ruana, que era boa estradeira. Inclinou-se para um lado, debruçando-se sobre a coxa, e apertou na unha do polegar o fogo do cigarro, puxando uma baforada de fumo.

"Estávamos, um dia, divertindo-nos com os ponteados do Adão, à viola. Eu estava recostado sobre os pelegos do lombilho, estendidos no chão. A rapaziada toda em roda. Pouco tínhamos que fazer e passava-se o tempo assim.

"Eis senão quando entra o patrão, com aqueles modos decididos, e, voltando-se para um moço que o acompanhava, disse: "Para o Pedro Barqueiro bastam estes meninos!" — apontando-me e ao Pascoal com o indicador. — "Não preciso bulir nos meus *peitos largos*. O Flor e o Pascoal dão-me conta do crioulo aqui, amarrado a sedenho.

"Para que mentir, patrãozinho? o coração me pulou cá dentro, e eu disse comigo — estou na unha! O Pascoal me olhou com o rabo dos olhos. Parece que o patrão nos queria experimentar. Éramos os mais novos dos camaradas, e nunca tínhamos servido senão no campo, juntando a tropa espalhada, pegando algum burro sumido. Eu tinha ouvido falar sempre no Pedro Barqueiro, que um dia aparecera na cidade sem se saber quem era, nem donde vinha. Cheguei uma vez a conhecê-lo e falamonos. Que boa peça, patrãozinho! Crioulo retinto, alto, troncudo, pouco falante e desempenado. Cada tronco de braço que nem um pedaço de aroeira.

"Estou com ele diante dos olhos, com aquela roupa azuleja, tingida no Barro Preto; atravessado à cinta um ferro comprido, afiado, alumiando sempre, mais que um facão e menorzinho do que uma espada.

"Esse negro metia medo de se ver, mas era bonito. Olhava a gente assim com ar de soberbo, de cima para baixo. Parecia ter certeza de que, em chegando a encostar a mão num cabra, o cabra era defunto. Ninguém bulia com ele, mas ele não mexia com os outros. Vivia seu quieto, em seu canto. Um dia, pegaram a dizer que ele era negro fugido, escravo de um homem lá das bandas do Carinhanha. Chegou aos ouvidos do patrão esse boato. Para que chegou, meu Deus! O patrão não gostava de ver negro, nem mulato de proa. Queria que lhe tirassem o chapéu e lhe tomassem a bênção.

"Daí, ainda contavam muita valentia do Barqueiro, nome que lhe puseram por ter vindo dos lados do Rio São Francisco. Essas histórias esquentavam mais o patrão, que eu estava vendo de uma hora para outra estripado no meio da rua, porque era homem de chegar quando lhe fizessem alguma.

"Tanto eu como Pascoal tínhamos medo de que o patrão topasse Pedro Barqueiro nas ruas da cidade.

"Subiram de ponto esse nosso receio e a ira do patrão, quando se soube de uma passagem do Pedro, num batuque, em casa de Maria Nova, na Rua da Abadia.

"Chegara uma precatória da Pedra dos Angicos e o juiz mandou prender a Pedro. Deram cerco à casa onde ele estava na noite do batuque. Ah! patrãozinho! o crioulo mostrou aí que canela de onça não é assobio. Não é dizer que estivesse muito armado, nem por isso: só tinha o tal ferro, alumiando sempre; e com esse ferro deu pancas.

"Quando cercaram a casinha e lhe deram voz de prisão, o negro fechou a cara e ficou feito jacaré de papo amarelo. Deu frente à porta da rua e encostou-se a uma parede. Maria Nova estava perto e me disse que ele cochichou uma oração, apertando nos dedos um *bentinho,* que branquejava na pele negra de sua peitaria lustrosa.

"Chegaram a entrar a casa três homens da escolta, e todos três ficaram estendidos. Pedro tinha oração, e muito boa oração contra armas de fogo, porque José Pequeno, caboclinho atarracado, ao entrar, escancarou no negro o pinguelo de um clavinote e fez fogo. Pedro Barqueiro caminhou sobre ele na fumaça da pólvora e, quando clareou a sala, José Pequeno estava escornado no chão como um boi sangrado.

"Dois rapazinhos quiseram chegar ainda assim, mas Pedro Barqueiro descadeirou um e pôs as tripas de fora a outro, que escaparam, é verdade, mas ficaram lá no chão gemendo por muito tempo.

"Daí para cá, Pedro evitava andar pela cidade, onde só aparecia de longe, e à noite. Mas todo o mundo tinha medo dele e vivia adulando-o.

"Um dia, como já lhe contei, apareceu lá em casa um moço pedindo auxílio a meu patrão para agarrar o negro. Era mesmo escravo, o Barqueiro; mas há muitos anos vivia fugido. Já lhe disse que o patrão queria tirar o topete ao valentão, e, para isso, escolheu o pobre de mim e Pascoal.

"— Que dizes, Flor? — falou o patrão rindo-se.

"— Uai, meu branco, vossemecê mandando, o negro vem mesmo, e no sedenho.

"— Quero ver isso.

"— Vamos embora, Pascoal!

"Quando íamos a sair, o patrão bateu-me no ombro e, voltando-se para o moço, disse muito firme: 'Pode prevenir a escolta para vir buscar o Barqueiro aqui, de tarde. Hão de dar duzentos mil-réis a esses meninos.'

"Desci ao quarto dos arreios, passei a mão na *meia légua* e no facão e apertei a correia à cinta.

"Pascoal já estava na porta da rua, assobiando. Tinha por costume, nos momentos de aperto, assobiar sempre uma trova que diz assim:

> Na mata de Josué
> Ouvi o mutum *gemê*:
> Ele geme assim:
> Ai-rê-uê, hum! airê!

"Quando Pascoal me viu, soltou uma risada.

"— Estás doido, rapaz! — gritou-me.

"— Por quê?

"— Queres mesmo enfrentar com o Pedro Barqueiro?... Ele faz de nós paçoca. A coisa se há de fazer de outro modo.

"Pascoal tinha tento e eu sempre tive fé nele. Era um cabritozinho mitrado. Saía-lhe cada idéia... Mandou-me guardar a *meia légua* e o facão. Depois, foi à venda, escolheu anzóis de pesca e veio para casa encastoá-los. Eu, nem bico! Ajudei a acabar o serviço, certo de que Pascoal tinha alguma na mente.

"— Deixa a coisa comigo — ajuntava ele.

"Isso ainda era cedo; o sol estava umas três braças de fora, no tempo dos dias grandes. Lá por casa madrugávamos sempre, para ir ao pasto e trazer os animais de trato.

"— Vamos fazer uma pescaria — disse-me o Pascoal. — Ali para os lados do Batista, perto de um baruzeiro grande, há um poço onde as curimatãs e os piaus são como formigas. O rancho do Pedro Barqueiro fica perto. Ele mora só e eu conheço bem o lugar. Pela astúcia, havemos de prendê-lo. Quando eu gritar — segura Flor! — tu agarras o negro, mas segura rente!

"E fomos. Nessa hora me veio bastante vontade de fugir ao perigo, de ir passear, porque tinha como certo suceder-nos alguma. 'Que é lá, Flor!' — disse de mim para mim: 'Um homem é para outro.' E, depois, o Pascoal não me deixava nas embiras. Quando descemos o Gorgulho e fomos virando para o lado do córrego, fiquei meio sorumbático. Nesse tempo, eu andava arrastando a asa à Emília, filha do José Carapina. Era uma roxa bonita deveras, e não estava muito longe de me querer. Posso dizer mesmo que na véspera olhou muito para mim, ao passar com a saia de chita sarapintada de vermelho, umas chinelas novas de cordovão amarelo. Ah! que peitinho de jaó, patrãozinho! empinado, redondo, macio como um couro de lontra. Com o devido respeito, patrãozinho, eu estava na peia, enrabichado, e foi nesse mesmo dia que ela me deu esta cinta de lã, tecida por suas mãos, que guardo até hoje. 'Ai! roxa da minha paixão — pensava eu —, como hei de morrer assim, fazendo cruz na boca?' O diabo da idéia me atarantou pelo caminho e cheguei a dar tremenda topada numa pedra, no meio da estrada. Curvei-me sobre a perna, agarrei o pé com as mãos e estive assim, dançando sem querer, um pedacinho de tempo. Depois, levantei a cabeça. Pascoal sentara num barranco e encarava para mim, rindo. Levantei a cabeça e olhei para cima, assustado. No céu galopavam umas nuvens escuras, a modo de um bando de queixadas rodando pelo campo.

"Um vento áspero passava, arrancando do genipapeiro as frutas maduras, que esborrachavam no chão, assim — pof! — espantando as juritis que andavam esgaravatando a terra e comendo grãozinhos, Duas seriemas guinchavam, esgoelavam. Depois vi que estavam brigando — me lembra como se fosse hoje — e uma avançava para a outra dando pulinhos, sacudindo as asas, com o cocuruto arrepiado e os olhos em fogo. O coração pareceu dizer-me outra vez: — 'Olha, Flor, o que vais fazer.' Nesse entretanto, o Pascoal, que me encarava sempre do ponto onde estava sentado, gritou-me:

"— Esqueceste a cabeça nalgum lugar? Vamos embora, que vai tardando já.

"Fiquei descochado; caí em mim e fui marchando disposto. Daí em diante, fui brincando com o Pascoal, que era muito divertido e tinha sempre um caso a contar.

"Chegando embaixo, arregaçamos as calças e descemos o córrego, cada um com seu anzol na vara, ao ombro.

"Era preciso que ninguém desconfiasse do nosso conluio para prendermos o Pedro Barqueiro.

"Aí, quase que tínhamos esquecido o perigoso mandado, tão diferente andava a conversa com as caçoadas do Pascoal.

"Para encurtar a história, patrãozinho, achamos Pedro Barqueiro no rancho, que só tinha três divisões: a sala, o quarto dele e a cozinha.

"Quando chegamos, Pedro estava no terreiro debulhando milho, que havia colhido em sua rocinha, ali perto.

"— Vocês por aqui, meninos? Olhem! vão ali àquele poço, para baixo da cachoeira. Tem lá uma laje grande e de cima dela vocês podem fazer bichas com os piaus.

"— Louvado seja Cristo, meu tio!" — havia dito o Pascoal, e nisto o imitei.

"— Se quiserem comer uma carne assada ao espeto, tirem um naco; está na fumaça, por cima do fogão, uma boa manta. Olhem a faca aí na sala, se vocês não têm algum caxerenguengue.

"Pascoal entrou e viu recostado a um canto da parede o ferro alumiando. Pegou nele, saiu pela porta da cozinha e escondeu-o numa restinga, ao fundo. Depois, me assobiou, eu acudi, e fui procurar a *lazarina* de Pedro — boa arma, de um só cano, é verdade, mas comedeira.

"— Há alguma jaó por aqui, tio Pedro? — perguntou Pascoal.

"— Nem uma, nem duas, um lote delas. Se você quer experimentar minha arma, vá lá dentro e tire-a. Não errando a pontaria, você traz agora mesmo uma jaó.

"— Quero matar um passarinho para fazer isca, meu tio.

"— Pois vá, menino.

"E Pascoal descarregou a arma.

"Pedro tinha-se levantado e falava com Pascoal do vão da porta de entrada.

"Era hora.

"Pascoal me fez um sinalzinho, eu dei volta e entrei pela porta do fundo para agarrar o Barqueiro pelas costas. A combinação era essa. Enquanto o Pascoal o foi entretendo, eu fui chegando soturno, e quando ele gritou — "segura!" — eu pulei como uma onça sobre o negro desprevenido.

"Conheci o que era homem, patrãozinho! Saltando-lhe nas costas, dei-lhe um abraço de tamanduá no pescoço. Mas o negro não pateteou e, mergulhando comigo para dentro da sala, gritou:

"— Nem dez de vocês, meninos! Ah! se eu soubesse...

"Patrãozinho, eu sei dizer que o negro me sacudiu para cima como um touro bravo sacode uma garrocha. Mas eu via que, se o largasse, estava morto, e arrochei os braços.

"— Chega, Pascoal! — gritei.

"— Eu quero manobrar de fora. Ânimo! Segura bem que nós amarramos o negro.

"Que tirada de tempo! O negro, às vezes, abaixava a cabeça, dando de popa, e minhas pernas dançavam no ar, tocando quase o teto do rancho. Lutamos, lutamos, até que Pascoal pôde meter um tolete de pau entre as canelas do Pedro, de modo que ele cambaleou e caiu de bruços. Nós dois pulamos em riba dele. Eu, triunfante, gritava: 'Conheceu, crioulo? Negro é homem?' Ele era teimoso, porque dizia ainda: 'Nem dez de vocês, meninos! Ah! se eu soubesse...'

"Pascoal trazia à bandoleira um embornal para carregar peixe e veio dentro dele escondida uma corda de sedenho, comprida e forte.

"O Barqueiro estava no chão; e foi preciso ainda fazermos bonito para amarrá-lo.

"Agora, puxe na frente, seu negro! — gritou-lhe o Pascoal.

"Havíamos juntado os braços dele nas costas e apertamos com vontade. Ficou completamente tolhido.

"Eu ia segurando a ponta do sedenho e levava o negro na frente. Mesmo assim, houve uma hora em que ele me deu um tombo, arrancando de repente a correr. Por seguro, a corda estava-me enrolada na mão e eu não a larguei. Nesse instante, Pascoal tinha corrido atrás dele e lhe descarregado na nuca um tremendo murro, que o fez bambear um pouco e me deu tempo de endurecer o corpo e segurar firme a corda.

"O Barqueiro, depois que saiu do rancho, não piou.

"Chegamos a casa de tarde e o negro ia no sedenho.

"— Eu não disse — gritava o patrão muito contente — que só bastavam esses dois meninos para o Barqueiro? Está aí o negro.

"E o povo corria para ver, e a frente da casa do patrão estava estivada de gente.

"Recebemos os duzentos mil réis.

"Tinha-me esquecido de contar-lhe que eu fizera uma promessa à Senhora da Abadia, de levar-lhe ao altar uma vela, se voltasse são e salvo. Cumpri a promessa no dia seguinte e arranjei uma festinha para a noite. Queria um pé para estar com a Emília.

"Comprei um trancelim de ouro para aquela roxa de meus pecados e um xale azul. Ela era esquiva. Fez muito momo nessa noite, e não me quis dar nem uma boquinha, com o devido respeito ao patrãozinho.

"Saí de casa de José Mendes, onde dei a festa, quando os galos estavam amiudando.

"A estrela-d'alva, no céu escuro, parecia uma garça lavando-se na lagoa. O orvalho das vassouras me molhou as pernas e eu estremeci um bocadinho. Entrei num beco que ia sair na Rua de Trás, onde eu então morava.

"Ia meio avexado e peguei a banzar. Emília! Emília do coração! por que me amofinas com esse pouco caso? E desandei a cantar, bem chorada, esta cantiga:

Tá trepado no pau,
De cabeça p'ra baixo.
Com as asas caídas
Gavião de penacho!
Todo mundo tem seu bem,
Só pobre de mim não tem!
Ai! gavião de penacho!

"De repente, pulou um vulto diante de mim. Quem havia de ser, patrãozinho? Era o Pedro Barqueiro em carne e osso. Tinha, não sei como, desamarrado as cordas e escapado da escolta, em cujas mãos o patrão o havia entregado.

"O ladrão do negro tinha oração até contra sedenho!

"Sem me dar tempo de nada, o Barqueiro me agarrou pela gola e me sujigou. Levantou-me no ar três vezes, de braço teso e gritou-me:

"— Pede perdão, cabrito desvergonhado, do que fizeste ontem, que te vou mandar para o inferno! Pede perdão, já!

"A gente precisa de ter um bocado de sangue nas veias, patrãozinho, e um homem é um homem! Eu não lhe disse pau nem pedra. Vi que morria, criei ânimo e disse comigo que o negro não me havia de pôr o pé no pescoço.

"Exigiu-me ele, ainda muitas vezes, que lhe pedisse perdão, mas eu não respondi. Então, ele foi me levando nos braços até um pontezinha que atravessava uma perambeira medonha. A boca do buraco estava escura como breu e parecia uma boca de sucuriú querendo me engolir. Suspendeu-me arriba do guarda-mão da ponte e balançou meu corpo no ar. Nessa hora, subiu-me um frio pelos pés e um como formigueiro me passeou pela regueira das costas até a nuca, mas minha boca ficou fechada. Então, o Barqueiro, levantando-me de novo, me pousou no chão, onde eu bati firme.

"O dia estava querendo clarear. O negro olhou para mim muito tempo, depois disse:

"— Vai-te embora, cabritinho, tu és o único homem que tenho encontrado nesta vida!

"Eu olhei para ele, pasmado.

"Aquele pedaço de crioulo cresceu-me diante dos olhos, e vi — não sei se era o dia que vinha raiando — mas eu vi uma luz estúrdia na cabeça de Pedro.

"Desempenado, robusto, grande, de braço estendido, me pareceu, mal comparando, o Arcanjo São Miguel sujigando o Maligno. Até claro ele ficou nessa hora!

"Tirei o chapéu e fui andando de costas, olhando sempre para ele.

"Veio-me uma coisa na garganta e penso que me ia faltando o ar.

"Insensivelmente, estendi a mão. As lágrimas me saltaram dos olhos, e foi chorando que eu disse:

"— Louvado seja Cristo, tio Pedro!

"Quando caí em mim, ele tinha desaparecido."

(*Obra Completa*, Rio de Janeiro, INL, 1969, pp. 114-120.)

É sabido que, durante a hegemonia do Romantismo, a temática regionalista, sendo produto de gabinete, não passou da fase embrionária. Teríamos de aguardar a eclosão do Realismo para que amadurecesse, inicialmente nos contos de Valdomiro Silveira, esparsos em jornal e tão-somente reunidos em volume anos depois, e no livro *Pelo Sertão*, de Afonso Arinos, que assim se tornou o introdutor dessa corrente em nossa literatura. "Pedro Barqueiro", narrativa escolhida para representar o ficcionista mineiro, integra a referida obra. Conto de personagem, focaliza um tipo humano inspirado no regime escravagista reinante no século XIX. A despeito de evidenciar um esforço de superação do idealismo abolicionista e utópico que alimentava a última geração romântica, Afonso Arinos, navegando nas mesmas águas do Aluísio Azevedo d*O Mulato* e da Bertoleza d*O Cortiço*, edifica um homem ambíguo na pessoa do herói. Sem definir-se como falha, tal circunstância assinala uma visão do problema da escravidão que busca detectar o para-além das aparências. De onde o protagonista exibir uma espécie de síntese entre o protótipo do negro escravo, robusto e destemido, e a bondade natural de Pedro, discípulo de Cristo, como revela a exclamação que fecha a história, em que o narrador parece dar-se conta de algo sobrenatural na figura do adversário ("Louvado seja Cristo, tio Pedro!"). É de registrar, nessa mesma ordem de idéias, o fato de o cativo ter sido atacado de surpresa quando, pacificamente, "estava no terreiro debulhando milho", tal e qual uma personagem bíblica, plena de fé e esperança. Por outro lado, embora o conto gire em torno de um escravo foragido, altamente dotado de força física e moral, não se lhe percebe maior incidência de componentes românticos no caráter: o escritor procurou retratá-lo com objetividade, como se protagonizasse um "caso" verdadeiro, incluindo aquele não sei quê de irreal ou insólito que lhe aureola a cabeça. Desse ângulo, o possível libelo contra a escravidão, que estaria implícito no conto, ganha nova coloração, pois se trata de mostrar que Pedro reunia qualidades superiores às dos seus inimigos. Em decorrência, praticava-se dupla injustiça: contra ele, merecedor de liberdade porque o cativeiro é sempre iníquo, e contra sua virtudes excepcionais. O estilo, que surpreende com relativa autenticidade o falar caboclo, segue de perto o ritmo de um flagrante social em que se reflete o drama de um homem de fibra acossado pela lei e a incompreensão dos semelhantes.

SIMBOLISMO

Preliminares

O movimento simbolista começa historicamente entre nós com a publicação, em 1893, de *Broquéis*, de Cruz e Sousa. Até 1902, quando vem a lume o romance *Canaã*, de Graça Aranha, o Simbolismo vive uma década de esplendor. Daquele ano em diante, até o surgimento do Modernismo, com a "Semana de Arte Moderna", em São Paulo (1922), vai-se mesclando com os remanescentes realistas e naturalistas.e experimentando mutações que prenunciam tempos novos. Com rejeitar o primado do objetivo em Arte, a estética simbolista punha de novo em circulação o subjetivismo romântico, mas levando a fundo a sondagem nos estratos interiores, em busca de surpreender o universo mental anterior à fala. Tendência essencialmente poética, concretizou-se em verso, conto, teatro e crítica. Além de seu introdutor, cabe citar outros nomes, como Alphonsus de Guimaraens, Emiliano Perneta, Eduardo Guimaraens, Mário Pederneiras, Raul de Leôni, Augusto dos Anjos, Graça Aranha, Lima Barreto, Nestor Vítor, Rocha Pombo, Gonzaga Duque e outros. Conquanto fora dos quadros simbolistas, à época pertencem Joaquim Nabuco, Rui Barbosa, Euclides da Cunha e Monteiro Lobato: os três primeiros, interessados no debate ideológico ou doutrinário, são homens típicos do século XIX, e o último, voltado para a detecção do meio rural paulista, alia esteticismo e denúncia em sua mundividência.

CRUZ E SOUSA

João da Cruz e Sousa nasceu em Desterro, atual Florianópolis, capital de Santa Catarina, a 24 de novembro de 1861, de pai escravo e mãe alforriada. Após o curso secundário no Ateneu Provincial Catarinense, vive do magistério. Pouco depois, engaja-se numa companhia teatral (1881), e percorre o País. De regresso, lança com Virgílio Várzea um jornal de orientação republicana e abolicionista, que circulou até 1889. Nessa altura, deixa-se impregnar de idéias naturalistas. Em 1890, transfere-se para o Rio de Janeiro, onde se vai afastando do Naturalismo à medida que se aproxima do Simbolismo. Em 1893, publica *Broquéis* e *Missal*. Em 1896, sofre a morte do pai e a loucura da esposa. No ano seguinte, descobre-se tuberculoso. Muda-se para Sítio, Minas Gerais, na esperança de melhora, e lá falece a 19 de março de 1898. Nesse mesmo ano, saíram suas *Evocações*, poemas em prosa. Em 1900, publicavam-se *Faróis*, e em 1905, Nestor Vítor recolhia-lhe os *Últimos Sonetos*. Em 1923-1924, o referido crítico publicou-lhe, no Rio de Janeiro, as *Obras Completas*, em dois volumes.

Antífona

Ó Formas alvas, brancas, Formas claras
de luares, de neves, de neblinas!...
Ó Formas vagas, fluidas, cristalinas...
Incensos dos turíbulos das aras...

Formas do Amor, constelarmente puras,
de Virgens e de Santas vaporosas...
Brilhos errantes, mádidas frescuras
e dolências de lírios e de rosas...

Indefiníveis músicas supremas,
harmonias da Cor e do Perfume...
Horas do Ocaso, trêmulas, extremas,
Réquiem do Sol que a Dor da Luz resume...

Visões, salmos e cânticos serenos,
surdinas de órgãos flébeis, soluçantes...
Dormências de volúpicos venenos
sutis e suaves, mórbidos, radiantes...

Infinitos espíritos dispersos,
inefáveis, edênicos, aéreos,
fecundai o Mistério destes versos
com a chama ideal de todos os mistérios.

Do Sonho as mais azuis diafaneidades
que fuljam, que na Estrofe se levantem
e as emoções, todas as castidades
da alma do verso, pelos versos cantem.

Que o pólen de ouro dos mais finos astros
fecunde e inflame a rima clara e ardente...
Que brilhe a correção dos alabastros
sonoramente, luminosamente.

Forças originais, essência, graça
de carnes de mulher, delicadezas...
Todo esse eflúvio que por ondas passa
do Éter nas róseas e áureas correntezas...

Cristais diluídos de clarões álacres,
desejos, vibrações, ânsias, alentos,
fulvas vitórias, triunfamentos acres,
os mais estranhos estremecimentos...

Flores negras do tédio e flores vagas
de amores vãos, tantálicos, doentios...
Fundas vermelhidões de velhas chagas
em sangue, abertas, escorrendo em rios...

Tudo! vivo e nervoso e quente e forte,
nos turbilhões quiméricos do Sonho,
passe, cantando, ante o perfil medonho
e o tropel cabalístico da Morte...

Braços

Braços nervosos, brancas opulências,
brumais brancuras, fúlgidas brancuras,
alvuras castas, virginais alvuras,
latescências das raras latescências.

As fascinantes, mórbidas dormências
dos teus abraços de letais flexuras,
produzem sensações de agres torturas,
dos desejos as mornas florescências.

Braços nervosos, tentadoras serpes
que prendem, tetanizam como os herpes,
dos delírios na trêmula coorte...

Pompa de carnes tépidas e flóreas,
braços de estranhas correções marmóreas,
abertos para o Amor e para a Morte!

Encarnação

Carnais, sejam carnais tantos desejos,
carnais, sejam carnais tantos anseios,
palpitações e frêmitos e enleios,
das harpas da emoção tantos arpejos...

Sonhos, que vão, por trêmulos adejos,
à noite, ao luar, intumescer os seios
láteos, de finos e azulados veios
de virgindade, de pudor, de pejos...

Sejam carnais todos os sonhos brumos
de estranhos, vagos, estrelados rumos
onde as Visões do amor dormem geladas...

Sonhos, palpitações, desejos e ânsias
formem, com claridades e fragrâncias,
a encarnação das lívidas Amadas!

Velhas Tristezas

Diluências de luz, velhas tristezas
das almas que morreram para a luta!

Sois as sombras amadas de belezas
hoje mais frias do que a pedra bruta.

Murmúrios incógnitos de gruta
onde o Mar canta os salmos e as rudezas
de obscuras religiões — voz impoluta
de todas as titânicas grandezas.

Passai, lembrando as sensações antigas,
paixões que foram já dóceis amigas,
na luz de eternos sóis glorificados.

Alegrias de há tempos! E hoje e agora,
velhas tristezas que se vão embora
no poente da Saudade amortalhadas!...

Dança do Ventre

Torva, febril, torcicolosamente,
numa espiral de elétricos volteios,
na cabeça, nos olhos e nos seios
fluíam-lhe os venenos da serpente.

Ah! que agonia tenebrosa e ardente!
que convulsões, que lúbricos anseios,
quanta volúpia e quantos bamboleios,
que brusco e horrível sensualismo quente.

O ventre, em pinchos, empinava todo
como réptil abjecto sobre o lodo,
espolinhando e retorcido em fúria.

Era a dança macabra e multiforme
de um verme estranho, colossal, enorme,
do demônio sangrento da luxúria!

Flor do Mar

És da origem do mar, vens do secreto,
do estranho mar espumaroso e frio
que põe rede de sonhos ao navio
e o deixa balouçar, na vaga, inquieto.

Possuis do mar o deslumbrante afeto,
as dormências nervosas e o sombrio
e torvo aspecto aterrador, bravio
das ondas no atro e proceloso aspecto.

Num fundo ideal de púrpuras e rosas
surges das águas mucilaginosas
como a lua entre a névoa dos espaços...

Trazes na carne o eflorescer das vinhas,
auroras, virgens músicas marinhas,
acres aromas de algas e sargaços...

Dilacerações

Ó carnes que eu amei sangrentamente,
ó volúpias letais e dolorosas,
essências de heliotropos e de rosas
de essência morna, tropical, dolente...

Carnes, virgens e tépidas do Oriente
do Sonho e das Estrelas fabulosas,
carnes acerbas e maravilhosas,
tentadoras do sol intensamente...

Passai, dilaceradas pelos zelos,
através dos profundos pesadelos
que me apunhalam de mortais horrores...

Passai, passai, desfeitas em tormentos,
em lágrimas, em prantos, em lamentos,
em ais, em luto, em convulsões, em dores...

Sinfonias do Ocaso

Musselinosas como brumas diurnas
descem do ocaso as sombras harmoniosas,
sombras veladas e musselinosas
para as profundas solidões noturnas.

Sacrários virgens, sacrossantas urnas,
os céus resplendem de sidéreas rosas,
da Lua e das Estrelas majestosas
iluminando a escuridão das furnas.

Ah! por estes sinfônicos ocasos
a terra exala aromas de áureos vasos,
incensos de turíbulos divinos.

Os plenilúnios mórbidos vaporam...
E como que no Azul plangem e choram
cítaras, harpas, bandolins, violinos...

Acrobata da Dor

Gargalha, ri, num riso de tormenta,
como um palhaço, que desengonçado,
nervoso, ri, num riso absurdo, inflado
de uma ironia e de uma dor violenta.

Da gargalhada atroz, sanguinolenta,
agita os guizos, e convulsionado
salta, gavroche, salta *clown*, varado
pelo estertor dessa agonia lenta...

Pedem-se bis e um bis não se despreza!
Vamos! retesa os músculos, retesa
nessas macabras piruetas d'aço...

E embora caias sobre o chão, fremente,
afogado em teu sangue estuoso e quente,
ri! Coração, tristíssimo palhaço.

Música da Morte

A música da Morte, a nebulosa,
estranha, imensa música sombria,
passa a tremer pela minh'alma e fria
gela, fica a tremer, maravilhosa...

Onda nervosa e atroz, onda nervosa,
letes sinistro e torvo da agonia,
recresce a lancinante sinfonia
sobe, numa volúpia dolorosa...

Sobe, recresce, tumultuando e amarga,
tremenda, absurda, imponderada e larga,
de pavores e trevas alucina...

E alucinando e em trevas delirando,
como um ópio letal, vertiginando,
os meus nervos, letárgica, fascina...

Tristeza do Infinito

Anda em mim, soturnamente,
uma tristeza ociosa,
sem objetivo, latente,
vaga, indecisa, medrosa.

Como ave torva e sem rumo,
ondula, vagueia, oscila

e sobe em nuvens de fumo
e na minh'alma se asila.

Uma tristeza que eu, mudo,
fico nela meditando
e meditando, por tudo
e em toda a parte sonhando.

Tristeza de não sei donde,
de não sei quando nem como...
flor mortal, que dentro esconde
sementes de um mago pomo.

Dessas tristeza incertas,
esparsas, indefinidas...
como almas vagas, desertas
no rumo eterno das vidas.

Tristeza sem causa forte,
diversa de outras tristezas,
nem da vida nem da morte
gerada nas correntezas...

Tristeza de outros espaços,
de outros céus, de outras esferas,
de outros límpidos abraços,
de outras castas primaveras.

Dessa tristezas que vagam
com volúpias tão sombrias
que as nossas almas alagam
de estranhas melancolias.

Dessas tristezas sem fundo,
sem origens prolongadas,
sem saudades deste mundo,
sem noites, sem alvoradas.

Que principiam no sonho
e acabam na Realidade,
através do mar tristonho
desta absurda Imensidade.

Certa tristeza indizível,
abstrata, como se fosse
a grande alma do Sensível
magoada, mística, doce.

Ah! tristeza imponderável,
abismo, mistério, aflito,
torturante, formidável...
ah! tristeza do Infinito!

Vida Obscura

Ninguém sentiu o teu espasmo obscuro,
ó ser humilde entre os humildes seres.
Embriagado, tonto dos prazeres,
o mundo para ti foi negro e duro.

Atravessaste no silêncio escuro
a vida presa a trágicos deveres
e chegaste ao saber de altos saberes
tornando-te mais simples e mais puro.

Ninguém te viu o sentimento inquieto,
magoado, oculto e aterrador, secreto,
que o coração te apunhalou no mundo.

Mas eu que sempre te segui os passos
sei que cruz infernal prendeu-te os braços
e o teu suspiro como foi profundo!

Madona da Tristeza

Quando te escuto e te olho reverente
e sinto a tua graça triste e bela
de ave medrosa, tímida, singela,
fico a cismar enternecidamente.

Tua voz, teu olhar, teu ar dolente
toda a delicadeza ideal revela
e de sonhos e lágrimas estrela
o meu ser comovido e penitente.

Com que mágoa te adoro e te contemplo,
ó da Piedade soberano exemplo,
flor divina e secreta da Beleza!

Os meus soluços enchem os espaços,
quando te aperto nos estreito braços,
solitária madona da Tristeza!

O Grande Momento

Inicia-te, enfim, Alma imprevista,
entra no seio dos Iniciados.
Esperam-te de luz maravilhados
os Dons que vão te consagrar Artista.

Toda uma Esfera te deslumbra a vista,
os ativos sentidos requintados.
Céus e mais céus e céus transfigurados
abrem-te as portas da imortal Conquista.

Eis o grande Momento prodigioso
para entrares sereno e majestoso
num mundo estranho d'esplendor sidéreo.

Borboleta de sol, surge da lesma...
oh! vai, entra na posse de ti mesma,
quebra os selos augustos do Mistério!

Cárcere das Almas

Ah! Toda a Alma num cárcere anda presa,
soluçando nas trevas, entre as grades
do calabouço olhando imensidades,
mares, estrelas, tardes, natureza.

Tudo se veste de uma igual grandeza
quando a alma entre grilhões as liberdades
sonha e sonhando, as imortalidades
rasga no etéreo Espaço da Pureza.

Ó almas presas, mudas e fechadas
nas prisões colossais e abandonadas,
da Dor no calabouço, atroz, funéreo!

Nesses silêncios solitários, graves,
que chaveiro do Céu possui as chaves
para abrir-vos as portas do Mistério?!

Assim Seja

Fecha os olhos e morre calmamente!
Morre sereno do Dever cumprido!
Nem o mais leve, nem um só gemido
traia, sequer, o teu Sentir latente.

Morre com a alma leal, clarividente,
da Crença errando no Vergel florido
e o Pensamento pelos céus brandido
como um gládio soberbo e refulgente.

Vai abrindo sacrário por sacrário
do teu Sonho no templo imaginário
na hora glacial da negra Morte imensa...

Morre com o teu Dever! Na alta confiança
de quem triunfou e sabe que descansa,
desdenhando de toda a Recompensa!

Pacto de Almas

A Nestor Vítor
Por devotamento e admiração.
12 de outubro de 1897

I

PARA SEMPRE

Ah! para sempre! para sempre! Agora
não nos separaremos nem um dia...
Nunca mais, nunca mais, nesta harmonia
das nossas almas de divina aurora.

A voz do céu pode vibrar sonora
ou do Inferno a sinistra sinfonia,
que num fundo de astral melancolia
minh'alma com a tu'alma goza e chora.

Para sempre está feito o augusto pacto!
Cegos serenos do celeste tato,
do Sonho envoltos na estrelada rede,

E perdidas, perdidas no Infinito
as nossa almas, no clarão bendito,
hão de enfim saciar toda esta sede...

II

LONGE DE TUDO

É livres, livres desta vã matéria,
longe, nos claros astros peregrinos
que havemos de encontrar os dons divinos
e a grande paz, a grande paz sidérea.

Cá nesta humana e trágica miséria,
nestes surdos abismos assassinos
teremos de colher de atros destinos
a flor apodrecida e deletéria.

O baixo mundo que troveja e brama
só nos mostra a caveira e só a lama,
ah! só a lama e movimentos lassos...

Mas as almas irmãs, almas perfeitas,
hão de trocar, nas Regiões eleitas,
largos, profundos, imortais abraços!

III

ALMA DAS ALMAS

Alma das almas, minha irmã gloriosa,
divina irradiação do Sentimento,
quando estarás no azul Deslumbramento,
perto de mim, na grande Paz radiosa?!

Tu que és a lua da Mansão de rosa
da Graça e do supremo Encantamento,
o círio astral do augusto Pensamento
velando eternamente a Fé chorosa;

Alma das almas, meu consolo amigo,
seio celeste, sacrossanto abrigo,
serena e constelada imensidade;

entre os teus beijos de etereal carícia,
sorrindo e soluçando de delícia,
quando te abraçarei na Eternidade?!

(*Obra Completa*, Rio de Janeiro, Aguilar,
1961, pp. 69-70, 73-74, 77-78, 82, 85, 87, 88,
89-90, 92, 129-130, 164-165, 178-179, 180-
181, 182, 185, 217-218, 218-220.)

Introdutor e o maior vulto de nosso Simbolismo, Cruz e Sousa pode ser considerado uma das traves-mestras da Literatura Brasileira: di-lo enfaticamente a mostra de sua obra que é possível oferecer na presente antologia. "Antífona", que lhe serve de pórtico à *opera omnia*, constitui verdadeira profissão de fé simbolista, equivalente do poema bilaquiano em que se inscreve o programa do Parnasianismo. Com efeito, invocando etéreas Musas — "Infinitos espíritos dispersos, / inefáveis, edênicos, aéreos" —, o poeta organiza a plataforma simbolista ao mesmo tempo que vai compondo estrofes coerentes com a doutrina preconizada. Apologia da brancura mística, da sinestesia baudelairiana ("harmonias da Cor e do Perfume"), o Mistério, o Sonho, a Dor, a Luz, o Éter, a Morte, — apontam em seus absolutos, identificados pela maiúscula inicial, características fundamentais. Para tornar o quadro mais completo, faltaria assinalar o individualismo, o transcendentalismo e a musicalidade, esta mais adiante explícita no título de um soneto: "Sinfonias do Ocaso". O decálogo estético contido em "Antífona" só não é cem por cento uniforme em razão da presença de elementos que atestam contágio parnasiano: "que brilhe a correção dos alabastros", e a referência efusiva à Estrofe e ao Verso. A coexistência das duas orientações estéticas se explica pela própria contemporaneidade em que nasceram e se desenvolveram, e pelo fato de predicarem, cada qual a seu modo, a arte pela arte. O cultivo do soneto, poema de estrutura fixa embora rica de possibilidades, aponta em Cruz e Sousa, como em tantos poetas coevos, a adoção de posturas literárias

317

convergentes. Na verdade, o poeta de Santa Catarina jamais se libertou por inteiro da sedução formalista do Parnasianismo, do mesmo passo que adeptos desta corrente poética assimilaram conquistas do Simbolismo. É de registrar, ainda com vistas ao enquadramento de Cruz e Souza, a mistura de sensualismo e transcendentalismo, sobretudo nas primeiras composições, "ismos" esses referidos respectivamente à poesia parnasiana e à simbolista. A nota sensualista, que pode atribuir-se ao influxo de Baudelaire e às próprias circunstâncias genéticas e biográficas de Cruz e Sousa, marca a etapa inicial de sua trajetória. O momento seguinte identifica-se pela desesperação existencial e essencial, manifesta em sonetos como "Acrobata da Dor", "Música da Morte", "Tristeza do Infinito", que traduzem o desprendimento do plano da matéria e a conseqüente transcendentalização dolorosa, platônica, pela saudade das origens que inspira. Nessa fase, mais do que nas demais, sente-se que Cruz e Sousa se aproxima de Antero, numa irmandade substancial, oriunda do mesmo apelo aflitivo, na direção das Essências mudas e remotas. Todavia, o desespero kierkegaardiano por instantes assume uma nervosidade que prenuncia Augusto dos Anjos, como em "Vida Obscura". O derradeiro estágio dessa peregrinação de dor situa-se em "O Grande Momento", quando a "Alma imprevista, / entra no seio dos Iniciados", para quebrar "os selos augustos do Mistério!". Fase de piedade e caridade, evidenciada no poema "Piedade", que inaugura os *Últimos Sonetos*, traduz a máxima depuração estética atingida pelo poeta e o apaziguamento interior, ambos imantados rumo do Simbolismo sem ganga. Nessa evolução de dentro para fora, Cruz e Souza realizava os ideais de Arte enunciados em "Antífona", e criava algumas das peças únicas de toda a nossa poesia.

Texto para Análise

Oração ao Mar

Ó Mar! Estranho Leviatã verde! Formidável pássaro selvagem, que levas nas tuas asas imensas, através do mundo, turbilhões de pérolas e turbilhões de músicas!

Órgão maravilhoso de todos os nostalgismos, de todas as plangências e dolências...

Mar! Mar azul! Mar de ouro! Mar glacial!

Mar das luas trágicas e das luas serenas, meigas, como castas adolescentes! Mar dos sóis purpurais, sangrentos, dos nababescos ocasos rubros! No teu seio virgem, de onde derivam as correntes cristalinas da Originalidade, de onde procedem os rios largos e claros do supremo vigor, eu quero guardar, vivos, palpitantes, estes Pensamentos, como tu guardas os corais e as algas.

Nessa frescura iodada, nesse acre e ácido salitre vivificante, Eles se perpetuarão, sem mácula, à saúde das tuas águas mucilaginosas onde geram-se prodígios como de uma luz imortal fecundadora.

Nos mistérios verdes das tuas ondas, dentre os profundos e amargos salmos luteranos que elas cantam eternamente, estes Pensamentos acerbos viverão para sempre, à augusta solenidade dos astros resplandecentes e mudos.

Rogo-te, ó Mar suntuoso e supremo! para que conserves no íntimo da tu'alma heróica e ateniense toda esta dolorosa Via-Láctea de sensações e idéias, estas emoções e formas evangélicas, religiosas, estas rosas exóticas, de aromas tristes, colhidas com enternecido afeto nas infinitas aléias do Ideal, para perfumar e florir, num abril e maio perpétuos, as aras imaculadas da Arte.

Em nenhuma outra região, Mar triunfal! ficarão estes Pensamentos melhor guardados do que no fundo das tuas vagas cheias de primorosas relíquias de corações gelados, de noivas pulcras, angélicas, mortas no derradeiro espasmo frio das paixões enervantes...

Lá, nessas ignotas e argentadas areias, estas páginas se eternizarão, sempre puras, sempre brancas, sempre inacessíveis a mãos brutais e poluídas, que as manchem, a olhos sem entendimento, indiferentes e desdenhosos, que as vejam, a espíritos sem harmonia e claridade, que as leiam...

Pelas tuas alegrias radiantes e garças; pelas alacridades salgadas, picantes, primaveris e elétricas que os matinais esplendores derramam, alastram sobre o teu dorso, em pompas; pelas convulsas e mefistotélicas orquestrações das borrascas; pelo epilético chicotear, pelas vergastantes nevroses dos ventos colossais que te revolvem; pelas nostálgicas sinfonias que violinam e choram nas harpas da cordoalha dos Navios, ó Mar! guarda nos recônditos Sacrários d'esmeralda as Idéias que este Missal encerra, dá-o, pelas noites, a ler às meditadoras Estrelas, à emoção dos *Angelus* espiritualizados e, majestosamente, envolve-o, deixa que Ele repouse, calmo, sereno, por entre as raras púrpuras olímpicas dos teus ocasos...

(Ibidem, pp. 463-465)

EMILIANO PERNETA

Emiliano David Perneta nasceu no Sítio dos Pinhais, arredores de Curitiba (Paraná), a 3 de janeiro de 1866. Filho de um português cristão-novo, após os preparatórios na capital de seu Estado, vem para São Paulo em 1883 e matricula-se na Faculdade de Direito. Conhece anos de febre literária, de boêmia dourada e de atividade abolicionista. Estréia em 1888, com *Músicas.* Formado, segue para o Rio de Janeiro, onde permanece até 1892, cada vez mais integrado no movimento simbolista. Adoecendo, vai para Minas Gerais, e de lá para Curitiba, em 1895, onde se entrega à advocacia e ao jornalismo, e, mais tarde, ao magistério e às funções de auditor de guerra. Em 1914, cercado de largo prestígio, revisita o Rio de Janeiro. Faleceu a 19 de janeiro de 1921, em Curitiba. Ainda deixou, em versos: *Carta à Condessa D'Eu* (1899), *Ilusão* (1911), *Setembro* (1934); em prosa: *O Inimigo* (1889), *Floriano* (1902), *Alegoria* (1903), *Oração da Estátua do Marechal Floriano Peixoto* (1905), *Prosas* (1º vol. das *Obras Completas,* 1945); em teatro: *Pena de Talião* (1914), *Vovozinha* (peça infantil, escrita em 1917, ainda inédita), *Papilio Innocentia* (poema-libreto calcado em *Inocência*, de Taunay, 1966).

Prólogo

Estrelas que luzis na abóbada infinita,
Inquietamente, assim, com um olhar que fascina,
Vendo-vos palpitar, meu coração palpita,
Mordido de paixão por essa luz divina...

Largos céus ideais, região diamantina,
Mirífico esplendor, ó pérola esquisita,
Quanta cobiça vã, que nunca se imagina,
Quanto furor enfim o ânimo me excita!

É o impossível, pois, que eu amo unicamente,
A névoa que fugiu, a forma evanescente,
A sombra que se foi tal qual uma visão...

E por isso também, por isso é que eu suponho
Que a vida, em suma, é um grande e extravagante Sonho,
E a Beleza não é mais do que uma Ilusão!

Vencidos

Nós ficaremos, como os menestréis da rua,
Uns infames reais, mendigos por incúria,
Agoureiros da Treva, adivinhos da Lua,
Desferindo ao luar cantigas de penúria?

Nossa cantiga irá conduzir-nos à tua
Maldição, ó Roland?... E, mortos pela injúria,
Mortos, bem mortos, e, mudos, a fronte nua,
Dormiremos ouvindo uma estranha lamúria?

Seja. Os grandes um dia hão de cair de bruço...
Hão de os grandes rolar dos palácios infetos!
E glória à fome dos vermes concupiscentes!

Embora, nós também, nós, num rouco soluço,
Corda a corda, o violão dos nervos inquietos
Partamos! inquietando as estrelas dormentes!

Não é Só Te Querer...

Não é só, não é só te querer, porém tudo
Que é teu, ó girassol girando sobre mim,
Com sorrisos onde há seduções de veludo,
Atrações de luar e vozes dum jardim...

Sonho que me faz mal, tortura onde me iludo,
Cruel inquietação, ânsia que não tem fim,
Ó delírio de ver palácios com escudo,
Reinos antigos com torreões de marfim!

Gestos lindos e vãos do que já foi, querida,
Graça do que findou, essência e flor da vida,
Origens afinal secretas do teu eu...

Quem me dera beijar tudo isso que me alegra,
No meio da nudez desse infinito Céu,
Desse Ródano Azul, dessa Floresta Negra!

Esperança

Entre o Ódio e o Amor, eu vivo a debater-me.
Quando não sangra o Amor, não ruge o Amor, porém,
Quando aos pés me não calca o Ódio, como um verme,
É o Tédio quem me vê com os olhos do desdém.

E oh! das mãos desse fauno cúpido, eu inerme,
Tal que se fosse uma donzela, uma cecém,
Sentindo que me vão ferir, que vão perder-me,
Tento escapar... Em vão! O monstro me detém...

Tudo, tudo me causa horror. A vida, enfim,
Como um castelo desabou neste momento...
Mas, ah! que uma mulher passa a roçar por mim...

E eu esquecido já do mal que ela me fez,
Vendo-a sorrir, assim, mais leve do que o vento
Atrás dela saí correndo, inda uma vez!

Glória

Quando um dia eu descer às margens desse lago
Estígio, onde Caron, mediante uma parca
Moeda de estanho vil ou cobre, que eu lhe pago,
Há de me transportar numa sombria barca...

Quando sem um sinal, sem uma prova ou marca
De afeição, eu me for por esse abismo vago,
Vendo que sobre mim funebremente se arca
O céu, e junto a mim esse Caron pressago...

E envolvido na mais completa obscuridade,
Abandonado, e só, e triste, e silencioso,
Sem a sombra sequer do orgulho e da vaidade,

Eu tiver de rolar no olvido, que me espera,
Que ao menos possa ver o palácio radioso,
Feito de louro e sol e mirto e ramos de hera!

O Brigue

Num porto quase estranho, o mar de um morto aspecto,
Esse brigue veleiro, e de formas bizarras,
Flutua há muito sobre as ondas, inquieto,
À espera, apenas, que lhe afrouxem as amarras...

Na aparência, a apatia amortece-lhe o esforço;
Se uma brisa, porém, ao passar, o embalsama,
Ei-lo em sonho, a partir, e, então, empina o dorso,
Bamboleia-se, mais gentil do que uma dama...

Dentro a maruja acorda ao mínimo ruído,
Deita velas ao mar, à gávea sonda, o ouvido
Alerta, o coração batendo, o olhar aceso...

Mas a nau continua oscilando, oscilando...
Ó quando eu poderei, também, partir, ó quando?
Eu que não sou da Terra e que à Terra estou preso?

Ao Cair da Tarde

Agora nada mais. Tudo silêncio. Tudo,
Esses claros jardins com flores de giesta,
Esse parque real, esse palácio em festa,
Dormindo à sombra de um silêncio surdo e mudo...

Nem rosas, nem luar, nem damas... Não me iludo.
A mocidade aí vem, que ruge e que protesta,
Invasora brutal. E a nós que mais nos resta,
Senão ceder-lhe a espada e o manto de veludo?

Sim, que nos resta mais? Já não fulge e não arde
O sol! E no covil negro deste abandono,
Eu sinto o coração tremer como um covarde!

Para que mais viver, folhas tristes de outono?
Cerra-me os olhos, pois, Senhor. É muito tarde.
São horas de dormir o derradeiro sono.

Medo do Infinito

Sobre a montanha estava em certo dia.
Era quase ao morrer do sol... defronte,
Dos lados, aos meus olhos se estendia
A vastidão do lúgubre horizonte.

Infinito aos meus pés, tremendo, eu via,
Infinito por sobre a minha fronte,
E a Verdade a fugir-me à luz sombria,
À pavorosa luz do sol poente...

Súbito um medo veio-me... esmagado
Até quase à loucura deslumbrado,
Fico, imóvel, suspenso, aflito, aflito...

Que não há medo que enlouqueça tanto,
Como a indizível contorção de espanto,
O extraordinário *Medo do Infinito!*

(*Poesias Completas*, 2 vols., Rio de Janeiro,
Zélio Valverde, 1945, vol. I, pp. 3, 13-14, 16,
83, 102; vol. II, pp. 81-82, 94, 171.)

Os oito sonetos escolhidos para representar Emiliano Perneta na presente antologia dizem bem da curva ascendente de seu itinerário poético. Através do "Prólogo", entramos em contato com sua profissão de fé literária: fascínio parnasiano pelos catorze versos de forma fixa, em que se engasta uma metaforização estelar de análogo sentido, resumida na Beleza absoluta, e um apelo angustiado na direção do inefável, como se observa nos tercetos; dir-se-ia que as duas quadras conotam a sujeição ao formalismo parnasiano, e as estrofes finais apontam o caminho novo que a poesia tomou após os anos 90. Tal ambigüidade, que reveste um denso conflito ao mesmo tempo ético e estético, percorre as etapas por que atravessa o poeta ao longo de sua evolução. O afeiçoamento ao Parnasianismo parece resultar menos da sujeição servil ou condicionada ao padrão literário do momento, que de uma afinidade radical entre as postulações doutrinárias e um temperamento em que se funde o meridional e o hebreu, numa síntese verdadeiramente escaldante. Prova-o, como já foi assinalado, a freqüência do soneto, e do soneto esculpido com o rigor de ourivesaria peculiar aos sectários daquele culto poético; e prova-o ainda o eruptivo sensualismo de fauno às soltas, como se estampa em "Não é só te querer..." e "Esperança", a indicar uma visão estetizante e dionisíaca, de um artista nostálgico do esplendor helênico ou de sua metamorfose renascentista ("Glória"). Pouco a pouco, na razão direta da diminuição de suas forças instintivas, o poeta evolui do terreno para o transcendental, patente nos três sonetos derradeiros. Entretanto, a uma análise mais circunstanciada, percebe-se que o drama original não se resolveu de todo: o poeta vislumbra o repouso cristão (última estrofe de "O Brigue" e de "Ao Cair da Tarde"), mas tolhido, "até quase à loucura", pelo *Medo do Infinito*. Equação binária oposta à fome de Infinito que agita vários poetas do tempo (Cruz e Sousa e Antero de Quental, entre outros), constitui a mola básica de que arranca o vôo amplo da poesia de Emiliano Perneta, para cuja grandeza, no perímetro simbolista, concorreu de modo palpitante seu invulgar talento artesanal.

MÁRIO PEDERNEIRAS

Mário Veloso Paranhos Pederneiras nasceu no Rio de Janeiro, a 2 de novembro de 1868. Estudos secundários no Colégio Pedro II. Em São Paulo, cursa durante um ano a Faculdade de Direito. Regressando à cidade natal, emprega-se como securitário e, logo mais, taquígrafo do Senado. Ao mesmo tempo, inicia-se no jornalismo e na literatura. Em 1900, estréia com *Agonia*. Classifica-se em terceiro lugar, seguidamente a Olavo Bilac e Alberto de Oliveira, num concurso para escolher o "príncipe dos poetas brasileiros", realizado em 1913. Faleceu a 8 de fevereiro de 1915. Publicou ainda: *Rondas Noturnas* (1901), *Histórias do Meu Casal* (1906), *Ao Léu do Sonho e à Mercê da Vida* (1912), *Outono* (1921). Inéditas permaneceram duas peças de teatro (*Dona Bernarda* e *Dr. Mendes Camacho*, esta desaparecida) e um *Caderno de Notas Literárias*, correspondente ao ano de 1900.

Saudades

Longo bando de Monjas maceradas
Pelo palor vernal das Agonias,
Que nascem ao luar das Invernias
E vivem no silêncio das Estradas.

Por longas Alvas monacais veladas,
Fofas e frouxas, flácidas e frias,
Macabram sombras trôpegas, esguias,
Movimentando o engonço das ossadas.

A ritmar-lhes o vagar parece
Que às Luzes brancas do Luar e neves
Vaga um tono de Dobres e de Prece.

Seguem rumo dos Céus farandulando
Flácidas, alvas, céleres e leves,
Como um bando de Tísicas noivando.

Meu Casal

Fica distante da cidade e em frente
À remansosa paz de uma enseada,
Esta dos meus romântica morada,
Que olha de cheio para o Sol nascente.

Árvores dão-lhe a sombra desejada
Pela calma feição da minha gente,
E ela toda se ajusta ao tom dolente
Das cantigas que o Mar lhe chora à entrada.

Lá dentro o teu olhar de calmos brilhos,
Todo o meu bem e todo o meu empenho,
E a sonora alegria de meus filhos.

Outros que tenham com mais luxo o lar,
Que a mim me basta, Flor, o que aqui tenho,
Árvores, filhos, teu amor e o mar.

Suave Caminho

Assim... Ambos assim, no mesmo passo,
Iremos percorrendo a mesma estrada;
Tu — no meu braço trêmulo amparada,
Eu — amparado no teu lindo braço.

Ligados neste arrimo, embora escasso,
Venceremos as urzes da jornada...

E tu — te sentirás menos cansada
E eu — menos sentirei o meu cansaço.

E assim, ligados pelos bens supremos,
Que para mim o teu carinho trouxe,
Placidamente pela Vida iremos,

Calcando mágoas, afastando espinhos,
Como se a escarpa desta Vida fosse
O mais suave de todos os caminhos.

Elogio da Cidade

Tu, minha linda Terra Carioca!
Não és apenas
A Terra suave das manhãs serenas
Cujo cenário,
A todo instante, diferente e vário,
Provoca
Uma franca explosão de espanto e pasmo,
E o lisonjeiro
Entusiasmo
Do vagabundo espírito estrangeiro.

E nem vales somente
Pelo que exibes de aparente
Na tua aspiração
De Cidade moderna;
Nem pela cada vez mais densa
Mais forte, mais intensa
Americanização
Da tua vida interna.

Já não és mais,
Decerto
Aquela grande e sossegada aldeia,
De Rua estreita e casaria feia,
Dos tempos que, aliás,
Vão ainda bem perto.
E em que, como única prova
Do teu grande valor e da tua grandeza,
Tinhas apenas — esta Natureza,
Eternamente azul e eternamente nova.

Já te esqueceram a errônea
E arcaica lenda injusta
De Cidade-Colônia,
E te deram às Ruas e à morada,

O lindo aspecto, que tão bem se ajusta
Aos teus requintes de civilizada.

Por onde quer agora que sigamos
— Ou seja beira-mar ou rude encosta bruta
De um alto morro urbano,
Ao léu
Do passo livre e descansado,
Com que encanto feliz o olhar repousa, ufano,
Na seda azul do teu amado Céu,
E deslumbrado,
Em todo o curso, atento, o ouvido escuta,
A canção vegetal da Cigarra e dos Ramos.

Fizeram-te mais linda,
Mais forte e mais sadia, e mais
Te aumentaram, ainda,
A graça natural, que é todo o teu orgulho;
Para tua defesa e teu amparo,
Da raiva em temporal, do lamento em marulho,
Com que a fúria do Mar te persegue e te implora,
Envolveram-te agora
Na larga faixa de granito claro,
Da cinta hospitaleira de teus cais.

Deram melhor moldura
À tua paisagem;
Fizeram-te mais nobre
E domaram, por fim, a indomável agrura,
Exúbere e brutal do teu sangue selvagem,
E, atendendo à tua
Ambição natural de trânsito e de espaço,
Para a cômoda pressa do teu passo,
Demoliram a Casa velha e pobre
E tornaram mais ampla a sedução da Rua.

É mais azul teu Céu, tuas luzes mais jaldes,
São outros mais jucundos,
Os aspectos modernos que seduzem,
Tudo o que, melhorada,
A tua vida nova agora abrange,
Na sua agitação intensa e diurna;
E é mais limpa e cuidada
A natureza de teus arrabaldes;
Seja embora mais e mais soturna,
A miséria dos bairros vagabundos,

Onde a viola plange
E as lâminas reluzem.

Esquecida
Da feição providencial dos tempos primitivos,
A tua vida
Agora é esta,
Agitada, imodesta,
Toda feita de pompas e atrativos;
Os efeitos da luz ou as nuanças da cor,
Teu aspecto feliz e teu ar escorreito,
Tudo parece preparado e feito
Para a franca explosão do pasmo exterior,
Para a larga atração do dinheiro europeu.

Entretanto,
Minha linda Cidade!
Não é apenas teu feitio,
Nem a tua exclusiva qualidade,
E nem, também, o que proclamo e canto
No verso musical deste elogio.

Quem te conhece o espírito normal,
Sossegado e tranqüilo,
E sabe amá-lo e senti-lo,
Mesmo através desta ânsia em que agora evoluis,
Quem te conhece a Alma sentimental
E todo o encanto real que vive em ti disperso,
E tua vida sã escuta e sente,
Sabe que tu possuis
Exuberantemente,
Tudo quanto merece a sagração do verso.

(*Rondas Noturnas*, Rio de Janeiro, Companhia Tipográfica do Brasil, 1901, p. 45; *Histórias do Meu Casal*, Rio de Janeiro, Companhia Tipográfica do Brasil, 1906, p. 9; *Ao Léu do Sonho e à Mercê da Vida*, s. l. p., s. e., 1912, p. 63; *Outono*, Rio de Janeiro, Leite Ribeiro, 1921, pp. 27-31.)

Apesar de escassos numericamente, os poemas transcritos oferecem uma idéia nítida da evolução sofrida por Mário Pederneiras ao longo de sua carreira poética. À semelhança de não poucos dos contemporâneos, iniciou sua trajetória fascinado pelo brilho de Cruz e Sousa, como se observa no soneto "Saudades", onde tudo lembra o poeta catarinense, desde a aliteração ("Fofas e frouxas, flácidas e frias"), cara à mentalidade simbolista, até a abundância meio arbitrária de maiúsculas. Superando a influência constrangedora, Mário Pederneiras descobre a vertente que o distinguiria nos quadros de nosso Simbolismo: o cotidiano simples e burguês, apresentado por "Meu Casal", "Elogio da Cidade", em meio a que se incrusta uma pausa lírico-amorosa, que gerou um poema freqüente nas seletas escolares ("Suave Caminho"), nucleado sobre um fundo sentimental e ingênuo, de feição romântica. Tal coexistência de estruturas e de temas assinala provavelmente um conflito íntimo que jamais se resolveu, entre um viver calmo e feliz mas que rejeita a poesia, e uma ebulição interior que denota a gênese subterrânea do artefato literário. A predominância do verso livre e da dicção cronística à beira da prosa, embora faça crer na vitória da primeira alternativa, confere a Mário Pederneiras o papel de intermediário entre as linhas avançadas do Simbolismo e a revolução modernista de 1922. Desse modo, sua mediana cotação estética é compensada por sua importância histórica: a ele se deve a vulgarização do ritmo e do metro irregulares e dos temas colhidos no dia-a-dia banal, que se tornariam moda nos anos 20 e 30.

ALPHONSUS DE GUIMARAENS

Afonso Henriques da Costa Guimarães nasceu em Ouro Preto, a 24 de julho de 1870. Após os primeiros estudos no Liceu Mineiro, ingressa, em 1887, no Curso Complementar da Escola de Minas, com vistas na Engenharia. Mas o falecimento de Constança, sua prima e namorada, lança-o em profundo abatimento físico e moral. Doente, vem para São Paulo em 1891, e matricula-se na Faculdade de Direito. Durante os dois anos que passa aqui, trava contato com um grupo de poetas partidários do Simbolismo. Transfere-se para a Faculdade Livre de Direito de Minas Gerais, e lá se forma (1894). Em 1897, já casado, segue para Conceição do Serro, como juiz e, mais tarde, promotor. Em 1906, muda-se para Mariana, onde se entrega às atividades de juiz municipal e à elaboração de sua obra poética, num isolamento completo, de eremita e sonhador. Faleceu naquele povoado mineiro a 15 de julho de 1921, deixando os seguintes livros: *Setenário das Dores de Nossa Senhora* (1899), *Câmara Ardente* (1899), *Dona Mística* (1899), *Kyriale* (1902), *Pauvre Lyre* (1921), *Pastoral aos Crentes do Amor e da Morte* (1923), todos de poesia, e *Mendigos* (1920), em prosa. Em 1960, publicou-se no Rio de Janeiro sua obra completa, que inclui inéditos e dispersos, em verso e prosa.

Ossa Mea

II

Mãos de finada, aquelas mãos de neve,
De tons marfíneos, de ossatura rica,
Pairando no ar, num gesto brando e leve,
Que parece ordenar mas que suplica.

Erguem-se ao longe como se as eleve
Alguém que ante os altares sacrifica:
Mãos que consagram, mãos que partem breve,
Mas cuja sombra nos meus olhos fica...

Mãos de esperança para as almas loucas,
Brumosas mãos que vêm brancas, distantes,
Fechar ao mesmo tempo tantas bocas...

Sinto-as agora, ao luar, descendo juntas,
Grandes, magoadas, pálidas, tateantes,
Cerrando os olhos das visões defuntas...

Pulchra ut Luna

II

Celeste... É assim, divina, que te chamas.
Belo nome tu tens, Dona Celeste...
Que outro terias entre humanas damas,
Tu que embora na terra do céu vieste?

Celeste... E como tu és do céu não amas:
Forma imortal que o espírito reveste
De luz, não temes sol, não temes chamas,
Porque és sol, porque és luar, sendo celeste.

Incoercível como a melancolia,
Andas em tudo: o sol do poente vasto
Pede-te a mágoa do findar do dia.

E a lua, em meio à noite constelada,
Pede-te o luar indefinido e casto
Da tua palidez de hóstia sagrada.

Árias e Canções

II

A suave castelã das horas mortas
Assoma à torre do castelo. As portas,

Que o rubro ocaso em onda ensangüentara,
Brilham do luar à luz celeste e clara.

Como em órbitas de fatais caveiras
Olhos que fossem de defuntas freiras,

Os astros morrem pelo céu pressago...
São como círios a tombar num lago.

E o céu, diante de mim, todo escurece...
E eu que nem sei de cor uma só prece!

Pobre Alma, que me queres, que me queres?
São assim todas, todas as mulheres.

Câmara Ardente

X

Hirta e branca... Repousa a sua áurea cabeça
Numa almofada de cetim bordada em lírios.
Ei-la morta afinal como quem adormeça
Aqui para sofrer Além novos martírios.

De mãos postas, num sonho ausente, a sombra espessa
Do seu corpo escurece a luz dos quatro círios:
Ela faz-me pensar numa ancestral Condessa
Da Idade Média, morta em sagrados delírios.

Os poentes sepulcrais do extremo desengano
Vão enchendo de luto as paredes vazias,
E velam para sempre o seu olhar humano.

Expira, ao longe, o vento, e o luar, longinquamente,
Alveja, embalsamando as brancas agonias
Na sonolenta paz desta Câmara-ardente...

Terceira Dor

VI

É Sião que dorme ao luar. Vozes diletas
Modulam salmos de visões contritas...
E a sombra sacrossanta dos Profetas
Melancoliza o canto dos levitas.

As torres brancas, terminando em setas,
Onde velam, nas noites infinitas,
Mil guerreiros sombrios como ascetas,
Erguem ao Céu as cúpulas benditas.

As virgens de Israel as negras comas
Aromalizam com os ungüentos brancos
Dos nigromantes de mortais aromas...

Jerusalém, em meio às Doze Portas,
Dorme: e o luar que lhe vem beijar os flancos
Evoca ruínas de cidades mortas.

V. Cisnes Brancos

Ó cisnes brancos, cisnes brancos,
Por que viestes, se era tão tarde?
O sol não beija mais os flancos
Da montanha onde morre a tarde.

Ó cisnes brancos, dolorida
Minh'alma sente dores novas.
Cheguei à terra prometida:
É um deserto cheio de covas.

Voai para outras risonhas plagas,
Cisnes brancos! Sede felizes...
Deixai-me só com as minhas chagas,
E só com as minhas cicatrizes.

Venham as aves agoireiras,
De risada que esfria os ossos...
Minh'alma, cheia de caveiras,
Está branca de padre-nossos.

Queimando a carne como brasas,
Venham as tentações daninhas,
Que eu lhes porei, bem sob as asas,
A alma cheia de ladainhas.

Ó cisnes brancos, cisnes brancos,
Doce afago de alva plumagem!
Minh'alma morre aos solavancos
Nesta medonha carruagem...

VIII

Quando chegaste, os violoncelos
Que andam no ar cantaram hinos.
Estrelaram-se todos os castelos,
E até nas nuvens repicaram sinos.

Foram-se as brancas horas sem rumo,
Tanto sonhadas! Ainda, ainda
Hoje os meus pobres versos perfumo
Com os beijos santos da tua vinda.

Quando te foste, estalaram cordas
Nos violoncelos e nas harpas...
E anjos disseram: — Não mais acordas,
Lírio nascido nas escarpas!

Sinos dobraram no céu e escuto
Dobres eternos na minha ermida.
E os pobres versos ainda hoje enluto
Com os beijos santos da despedida.

XXXIII. Ismália

Quando Ismália enlouqueceu,
Pôs-se na torre a sonhar...
Viu uma lua no céu.
Viu outra lua no mar.

No sonho em que se perdeu,
Banhou-se toda em luar...
Queria subir ao céu,
Queria descer ao mar...

E, no desvario seu,
Na torre pôs-se a cantar...
Estava perto do céu,
Estava longe do mar...

E como um anjo pendeu
As asas para voar...
Queria a lua do céu,
Queria a lua do mar...

As asas que Deus lhe deu
Ruflaram de par em par...
Sua alma subiu ao céu,
Seu corpo desceu ao mar...

Os Sonetos

IV

Vagueiam suavemente os teus olhares
Pelo amplo céu todo franjado em linho:
Comprazem-se as visões crepusculares...
Tu és uma ave que perdeu o ninho.

Em que nichos doirados, em que altares
Repoisas, anjo errante, de mansinho?
E penso, ao ver-te envolta em véus de luares,
Que vês no azul o teu caixão de pinho.

És a essência de tudo quanto desce
Do solar das celestes maravilhas...
— Harpa dos crentes cítola da prece.

Lua eterna que não tivesse fases,
Cintilas branca, imaculada brilhas,
E poeiras de astros nas sandálias trazes...

XIX

Hão de chorar por ela os cinamomos,
Murchando as flores ao tombar do dia.
Dos laranjais hão de cair os pomos,
Lembrando-se daquela que os colhia.

As estrelas dirão: — "Ai! nada somos,
Pois ela se morreu, silente e fria..."
E pondo os olhos nela como pomos,
Hão de chorar a irmã que lhes sorria.

A lua, que lhe foi mãe carinhosa,
Que a viu nascer e amar, há de envolvê-la
Entre lírios e pétalas de rosa.

Os meus sonhos de amor serão defuntos...
E os arcanjos dirão no azul ao vê-la,
Pensando em mim: — "Por que não vieram juntos?"

LXXV

Como se moço e não bem velho eu fosse
Uma nova ilusão veio animar-me:
Na minh'alma floriu um novo carme,
O meu ser para o céu alcandorou-se.

Ouvi gritos em mim como um alarme.
E o meu olhar, outrora suave e doce,
Nas ânsias de escalar o azul, tornou-se
Todo em raios que vinham desolar-me.

Vi-me no cimo eterno da montanha,
Tentando unir ao peito a luz dos círios
Que brilhavam na paz da noite estranha.

Acordei do áureo sonho em sobressalto:
Do céu tombei ao caos dos meus martírios,
sem saber para que subi tão alto...

XLI

Cantem outros a clara cor virente
Do bosque em flor e a luz do dia eterno...
Envoltos nos clarões fulvos do oriente,
Cantem a primavera: eu canto o inverno.

Para muitos o imoto céu clemente
É um manto de carinho suave e terno:
Cantam a vida, e nenhum deles sente
Que decantando vai o próprio inferno.

Cantam esta mansão, onde entre prantos
Cada um espera o sepulcral punhado
De úmido pó que há de abafar-lhe os cantos...

Cada um de nós é a bússola sem norte.
Sempre o presente pior do que o passado.
Cantem outros a vida: eu canto a morte...

(*Obra Completa*, Rio de Janeiro, Aguilar, 1960,
pp. 79, 89, 107-108, 133, 151, 209-210, 212,
231-232, 250, 258, 286, 351.)

Alphonsus de Guimaraens forma, com Cruz e Sousa, Eduardo Guimaraens e Emiliano Perneta, a ala mais representativa de nosso Simbolismo, seja pelo valor da criação poética, seja pela identidade profunda com aquele movimento literário. O segundo aspecto evidencia-se imediatamente, nos poemas transcritos, pelo vocábulo compulsado, onde recorrem termos como "brumosas", "brancas", "luar", "pálidas", "lírios", etc., ou cognatos, de emprego corriqueiro na poesia do tempo. E tudo o mais dessas composições ratifica a medular adesão às matrizes simbolistas, mas dum modo tal que não permite confundir o solitário de Mariana com nenhum dos poetas coevos. Destituída de qualquer tragédia ou desespero, a cosmovisão de Alphonsus de Guimaraens timbra-se por um acendrado espiritualismo, como se nota em todas as peças escolhidas, especialmente em "Pulchra ut Luna". Liga-se-lhe um íntimo sentimento místico, uma catolicidade de raiz, evidente no mesmo poema ("hóstia sagrada") e na segunda estrofe de *Arias e Canções*, X. E integrando um círculo fechado com as observações anteriores, alinha-se o medievalismo, de extração lusitanizante e romântica, que se estampa nos mesmos poemas acima referidos. Daí o lirismo amoroso de base idealista (soneto VIII: "Quando chegaste, os violoncelos") e a musicalidade peculiar ao Simbolismo, patente em todas as composições, sobretudo no mencionado soneto VIII, onde se fundem o sentimento afetivo e a melopéia, num contraponto que subtrai toda discriminação entre contexto físico e contexto emotivo. Tudo isso vincula-se ao desalento, ao desengano, que serve de fulcro à mundividência do poeta: "eu canto o inverno"; "eu canto a morte..." (soneto XLI). Em suma: poesia de cristão em agonia, no rumo da salvação pelo encontro das verdades sonhadas ("Cisnes Brancos"), confissão transcendental de uma experiência mística, que remete para espaços etéreos ou longínquos, fora da realidade geográfica que circundava seu criador: Além, Idade Média, Sião. Dentre os poemas citados, ressalta "Ismália", a peça mais conhecida de todas, em que se plasmam, numa síntese feliz, os valores que norteavam Alphonsus de Guimaraens e ao mesmo tempo o tornam um dos protótipos simbolistas em nossa literatura.

Textos para Análise

Sexta Dor

II

O teu nome, Senhora, é a estrela da alva
Que entre alfombras de nuvens irradia:
Salmo de amor, canto de alívio, e salva
De palmas a saudar a luz do dia...

Pela primeira vez, quando a veste alva
A mão do Sacerdote me vestia.
Ouvi-o: e na hora batismal, oh! salva
A alma que o santo nome repetia...

Foram-se anos... e sonho que me segue
A doçura infinita dos teus olhos
Que me dão luzes para que eu não cegue:

Doce clarão de estrela em fins da tarde.
Que há de encontrar-me trêmulo, de giolhos,
Com remorsos de te adorar tão tarde...

LXVI

Sempre esperar aquela que não chega,
Que já veio talvez sem que eu a visse...
No pastoril silêncio de uma veiga
Fruir os sonhos que ninguém fruísse...

Entre as visões de uma ilusão manchega,
Com os cabelos sonhar de Berenice...
Vê-la que vem, deslumbradora e meiga,
Sem escutar os versos que lhe disse...

Ah! tudo é sonho, tudo passa e morre,
E a alma que sofre, para a morte corre
Como o rio seguindo para o mar...

Fecham-se os olhos, pois que a morte é santa!
Se a vida é sonho à flor de mágoa tanta,
Melhor é não viver e não sonhar...

XXIII

Ampla montanha abrupta ante nós se alevanta:
É a montanha da vida, ao luar e à luz da aurora...
Tudo é perfume e paz; este, que a sobe, canta.
Tudo é tristeza e dor: este, que a desce, chora.

Há quem a siga, em luto o olhar que se quebranta,
Atrás de si deixando as saudades de outrora;
É esse que já viveu e cuja mágoa é tanta,
Que invoca só a morte e só a cinza exora.

Há quem a siga, cheio o olhar das alegrias
Que a esperança derrama em cada alma, na estranha
Carícia espiritual das noites e dos dias...

Ei-la ante nós. Feliz do poeta ou pegureiro
(Pastor de almas!) que expira ao sopé da montanha
Antes de dar no mundo o seu passo primeiro!

XX

Vou pela sombra. O luar é suave como
O sol que morre no claror supremo.
Agora a lua, em demorado assomo,
Domina todo o céu, de extremo a extremo.

Eis a floresta. O espírito de um gnomo
Em cada árvore ri. Valha-me o demo!
Por sobre a copa deste cinamomo
Desliza a lua, gôndola sem remo...

Sigo. Silêncio e luz... Dormem os ninhos.
Por toda a parte, heráldicos arminhos,
Aqui e ali, refulgem sobre o chão.

É a floresta enluarada da minh'alma:
E o teu olhar é a lua doce e calma
Que me segue através desta ilusão...

(Ibidem, pp. 161, 281, 316, 340.)

AUGUSTO DOS ANJOS

Augusto Carvalho Rodrigues dos Anjos nasceu no Engenho Pau D'Arco (Paraíba), a 20 de abril de 1884. Sempre ajudado pelo pai, homem culto e lido, forma-se no Liceu Paraibano, e mais tarde, em 1907, na Faculdade de Direito do Recife. Terminado o curso superior, entra a lecionar em João Pessoa, de onde se transfere para o Rio de Janeiro. Depois de passar pelo Ginásio Nacional e Escola Normal, torna-se diretor do Grupo Escolar de Leopoldina, (Minas Gerais). Faleceu poucos meses mais tarde, a 12 de novembro de 1914. Em 1912 publicara, com o auxílio do irmão, o volume de versos intitulado *Eu*, que, enriquecido de *Outras Poesias*, constitui hoje o seu reduzido, porém originalíssimo, espólio literário.

Psicologia de um Vencido

Eu, filho do carbono e do amoníaco,
Monstro de escuridão e rutilância,
Sofro, desde a epigênese da infância,
A influência má dos signos do zodíaco.

Profundissimamente hipocondríaco,
Este ambiente me causa repugnância...
Sobe-me à boca uma ânsia análoga à ânsia
Que se escapa da boca de um cardíaco.

Já o verme — este operário das ruínas —
Que o sangue podre das carnificinas
Come, e à vidas em geral declara guerra,

Anda a espreitar meus olhos para roê-los,
E há de deixar-me apenas os cabelos,
Na frialdade inorgânica da terra!

Budismo Moderno

Tome, Dr., esta tesoura, e... corte
Minha singularíssima pessoa.
Que importa a mim que a bicharia roa
Todo o meu coração, depois da morte?!

Ah! um urubu pousou na minha sorte!
Também, das diatomáceas da lagoa
A criptógama cápsula se esbroa
Ao contacto de bronca destra forte!

Dissolva-se, portanto, minha vida
Igualmente a uma célula caída
Na aberração de um óvulo infecundo;

Mas o agregado abstrato das saudades
Fique batendo nas perpétuas grades
Do último verso que eu fizer no mundo!

Vandalismo

Meu coração tem catedrais imensas,
Templos de priscas e longínquas datas,
Onde um nume de amor, em serenatas,
Canta a aleluia virginal das crenças.

Na ogiva fúlgida e nas colunatas
Vertem lustrais irradiações intensas
Cintilações de lâmpadas suspensas
E as ametistas e os florões e as pratas.

Como os velhos Templários medievais
Entrei um dia nessas catedrais
E nesse templos claros e risonhos...

E erguendo os gládios e brandindo as hastas,
No desespero dos iconoclastas,
Quebrei a imagem dos meus próprios sonhos!

Versos Íntimos

Vês?! Ninguém assistiu ao formidável
Enterro de tua última quimera.
Somente a Ingratidão — essa pantera —
Foi tua companheira inseparável!

Acostuma-te à lama que te espera!
O Homem, que, nesta terra miserável,
Mora entre feras, sente inevitável
Necessidade de também ser fera.

Toma um fósforo. Acende teu cigarro!
O beijo, amigo, é a véspera do escarro,
A mão que afaga é a mesma que apedreja.

Se a alguém causa inda pena a tua chaga,
Apedreja essa mão vil que te afaga,
Escarra nessa boca que te beija!

Eterna Mágoa

O homem por sobre quem caiu a praga
Da tristeza do Mundo, o homem que é triste
Para todos os séculos existe
E nunca mais o seu pesar se apaga!

Não crê em nada, pois, nada há que traga
Consolo à Mágoa, a que só ele assiste.
Quer resistir, e quanto mais resiste
Mais se lhe aumenta e se lhe afunda a chaga.

Sabe que sofre, mas o que não sabe
É que essa mágoa infinita assim não cabe
Na sua vida, é que essa mágoa infinda

Transpõe a vida do seu corpo inerme;
E quando esse homem se transforma em verme
É essa mágoa que o acompanha ainda!

O Lamento das Coisas

Triste, a escutar, pancada por pancada,
A sucessividade dos segundos,
Ouço, em sons subterrâneos, do Orbe oriundos,
O choro da Energia abandonada!

É a dor da Força desaproveitada
— O cantochão dos dínamos profundos,
Que, podendo mover milhões de mundos,
Jazem ainda na estática do Nada!

É o soluço da forma ainda imprecisa...
Da transcendência que se não realiza...
Da luz que não chegou a ser lampejo...

E é, em suma, o subconsciente aí formidando
Da Natureza que parou, chorando,
No rudimentarismo do Desejo!

O Meu Nirvana

No alheamento da obscura forma humana,
De que, pensando, me desencarcero,
Foi que eu, num giro de emoção, sincero
Encontrei, afinal, o meu Nirvana!

Nessa manumissão schopenhaueriana,
Onde a Vida do humano aspecto fero
Se desarraiga, eu, feito força, impero
Na imanência da Idéia Soberana!

Destruída a sensação que oriunda fora
Do tacto — ínfima antena aferidora
Destas tegumentárias mãos plebéias —

Gozo o prazer, que os anos não carcomem,
De haver trocado a minha forma de homem
pela imortalidade das Idéias!

Homo Infimus

Homem, carne sem luz, criatura cega,
Realidade geográfica infeliz,
O Universo calado te renega
E a tua própria boca te maldiz!

O nôumeno e o fenômeno, o alfa e o ômega
Amarguram-te. Hebdômadas hostis
Passam... Teu coração se desagrega,
Sangram-te os olhos, e, entretanto, ris!

Fruto injustificável dentre os frutos,
Montão de estercorária argila preta,
Excrescência de terra singular,

Deixa a tua alegria aos seres brutos,
Porque, na superfície do planeta,
Tu só tens um direito: — o de chorar!

Vítima do Dualismo

Ser miserável dentre os miseráveis
— Carrego em minhas células sombrias
Antagonismos irreconciliáveis
E as mais opostas idiossincrasias!

Muito mais cedo do que o imagináveis
Eis-vos, minha alma, enfim, dada às bravias
Cóleras dos dualismos implacáveis
E à gula negra das antinomias!

Psiquê biforme, o Céu e o Inferno absorvo...
Criação a um tempo escura e cor-de-rosa,
Feita dos mais variáveis elementos,

Ceva-se em minha carne, como um corvo,
A simultaneidade ultramonstruosa
De todos os contrastes famulentos!

Ao Luar

Quando, à noite, o Infinito se levanta
À luz do luar, pelos caminhos quedos
Minha táctil intensidade é tanta
Que eu sinto a alma do Cosmos nos meus dedos!

Quebro a custódia dos sentidos tredos
E a minha mão, dona, por fim, de quanta
Grandeza o Orbe estrangula em seus segredos,
Todas as coisas íntimas suplanta!

Penetro, agarro, ausculto, apreendo, invado,
Nos paroxismos da hiperestesia,
O Infinitésimo e o Indeterminado...

Transponho ousadamente o átomo rude
E, transmudado em rutilância fria,
Encho o Espaço com a minha plenitude!

(*Obra Completa*, Rio de Janeiro, Nova Aguilar, 1994, pp. 203, 224, 279, 280, 290, 309, 310, 332, 340, 341.)

Poeta inconfundível e dos mais inspirados de nossas letras, Augusto dos Anjos embriaga e perturba. É que, num caldeamento heteróclito, nele desembocam alguns dos principais veios filosóficos, científicos e estéticos que percorrem a literatura européia, e a brasileira, no transcurso do século XIX. À primeira, foi buscar o exemplo de um Baudelaire e sua poesia da decomposição; de um Cesário Verde e sua poesia do cotidiano urbano e expressionista; de um Schopenhauer e sua filosofia da Dor e da Vontade (como se nota em "Versos Íntimos"); de um Hegel e sua filosofia dialética e idealista ("O Meu Nirvana", "Vítima do Dualismo", "Ao Luar"); dos naturalistas, como Darwin, Haeckel e outros, e sua teoria evolucionista. Dentre os nossos, recebeu o impacto da poesia científica, da parnasiana, e de Cruz e Sousa. Toda essa massa de informações, recebida pela mundividência de Augusto dos Anjos em razão de uma íntima afinidade eletiva, e assimilada às matrizes próprias do poeta, tem dificultado seu enquadramento histórico-estético. Parnasiano? Simbolista? Considerando que o culto da forma seguido pelos parnasianos integrou o programa de arte preconizado pelo Simbolismo, pode-se dizer que seu lugar mais preciso é entre os partidários da última tendência. O emprego de palavras contundentes, tomadas de empréstimo às ciências, não deve confundir, porquanto o poeta, repudiando-lhes a univocidade originária, desenvolve insuspeitadas conotações no encontro com os demais vocábulos; dir-se-ia que lhes desvenda significados ocultos e profundos, e assim elabora uma obra lírica de elevado quilate. Por certo, opera-se uma espécie de dessacralização ou desliricização do poema, mas a poesia continua, mercê de uma tensa emoção banhar os versos em que o "eu" se espraia: ainda é poética a postura escolhida, mas realizando um mergulho no "eu" que leva à imanência, à terra e à desintegração do mundo, em vez de convidar para vôos transcendentais. Ou, pelo menos, em que se processa o amálgama entre imanência e transcendência, como nos poemas que marcam a infiltração hegeliana. Poesia de um solipsista torturado, a escavar masoquistamente o mais secreto de seu ser biológico e metafísico, expressa numa linguagem sincopada, agressiva e máscula, poesia madura e niilista, da melhor que tem produzido nossa literatura.

Textos para Análise

Apóstrofe à Carne

Quando eu pego nas carnes de meu rosto,
Pressinto o fim da orgânica batalha:
— Olhos que o húmus necrófago estraçalha,
Diafragmas, decompondo-se, ao sol-posto...

E o Homem — negro e heteróclito composto,
Onde a alva flama psíquica trabalha,
Desagrega-se e deixa na mortalha
O tato, a vista, o ouvido, o olfato e o gosto!

Carne, feixe de mônadas bastardas,
Conquanto em flâmeo fogo efêmero ardas,
A dardejar relampejantes brilhos,

Dói-me ver, muito embora a alma te acenda,
Em tua podridão a herança horrenda,
Que eu tenho de deixar para os meus filhos!

Ultima Visio

Quando o homem, resgatado da cegueira
Vir Deus num simples grão de argila errante,
Terá nascido nesse mesmo instante
A mineralogia derradeira!

A impérvia escuridão obnubilante
Há de cessar! Em sua glória inteira
Deus resplandecerá dentro da poeira
Como um gazofilácio de diamante!

Nessa última visão já subterrânea,
Um movimento universal de insânia
Arrancará da insciência o homem precito...

A Verdade virá das pedras mortas
E o homem compreenderá todas as portas
que ele ainda tem de abrir para o Infinito!

O Poeta do Hediondo

Sofro aceleradíssimas pancadas
No coração. Ataca-me a existência
A mortificadora coalescência
Das desgraças humanas congregadas!

Em alucinatórias cavalgadas,
Eu sinto, então, sondando-me a consciência,
A ultra-inquisitorial clarividência
De todas as neuronas acordadas!

Quanto me dói no cérebro esta sonda!
Ah! Certamente, eu sou a mais hedionda
Generalização do Desconforto...

Eu sou aquele que ficou sozinho
Cantando sobre os ossos do caminho
A poesia de tudo quanto é morto!

Revelação

I

Escafandrista de insondado oceano
Sou eu que, aliando Buda ao sibarita,
Penetro a essência plásmica infinita,
— Mãe promíscua do amor e do ódio insano!

Sou eu que, hirto, auscultando o absconso arcano,
Por um poder de acústica esquisita,
Ouço o universo ansioso que se agita
Dentro de cada pensamento humano!

No abstrato abismo equóreo, em que me inundo,
Sou eu que, revolvendo o *ego* profundo
E a escuridão dos cérebros medonhos,

Restituo triunfalmente à esfera calma
Todos os cosmos que circulam na alma
Sob a forma embriológica de sonhos!

(*Ibidem*, pp. 312, 327, 330, 348.)

EDUARDO GUIMARAENS

Filho do português Gaspar da Costa Guimarães, nasceu em Porto Alegre, a 30 de março de 1892. Estudos primários e secundários. Aos dezesseis anos publica, a expensas do pai, seu primeiro livro, *Caminho da Poesia*. Em 1912 e 1916, esteve no Rio de Janeiro, na segunda das vezes para assistir ao lançamento de sua *Divina Quimera*. Em 1913, torna-se auxiliar técnico da Biblioteca Pública de Porto Alegre; mais tarde, é nomeado seu diretor. Em 1928, gravemente enfermo, vai ao Rio de Janeiro em tratamento, e lá falece a 13 de dezembro. Ao morrer, deixou cinco livros inéditos, que Mansueto Bernardi acrescentou aos anteriores sob o título geral de *Divina Quimera* (1944): *Poemas à Bem-Amada, La Gerbe sans Fleurs, Cantos da Terra Natal, Estâncias de um Peregrino* e *Rimas do Reino dos Céus.* Inéditas permanecem sua *Prosa Vária* e peças de teatro: *As Núpcias de Antígona, Sonho de uma Noite de Estio, A Mulher de D. João, O Leque e Por um Noturno.*

2

Doçura de estar só quando a alma torce as mãos!
— Oh! doçura que tu, silêncio, unicamente
sabes dar a quem sonha e sofre em ser o Ausente,
ao lento perpassar destes instantes vãos!

Doçura de estar só quando alguém pensa em nós!
De amar e evocar, pelo esplendor secreto
e pálido de uma hora em que ao seu lábio inquieto
floresce, como um lírio estranho, a Sua Voz!

E os lustres de cristal! E as teclas de marfim!
E os candelabros que, olvidados, se apagaram!
E a saudade, acordando as vozes que calaram!
Doçura de estar só quando finda o festim!

Doçura de estar só, calado e sem ninguém!
Dolência de um murmúrio em flor que a sombra exala,
sob o fulgor da noite aureolada de opala
que uma urna de astros de ouro ao seio azul sustém!

Doçura de estar só! Silêncio e solidão!
Ó fantasma que vens do sonho e do abandono,
dá-me que eu durma ao pé de ti do mesmo sono!
Fecha entre as tuas mãos as minhas mãos de irmão!

4

De onde vieste, afinal? De que imortal paisagem
fugiu, um dia, a forma em flor da tua imagem

fragilíssima, de um doce encanto doloroso,
de um divino palor ardente e luminoso,

como feita à feição de alguma estampa antiga,
de um missal de outro tempo, onde a insone fadiga

de algum monge sofreu? De onde vens? De algum sonho
místico? Do fulgor magnífico e tristonho

de um Éden sideral de que ainda tens a idéia?
Ou do mistério azul das noites da Iduméia?

17

Voltei. Vi-te de novo. E o encanto, a que não tento
fugir agora, aviva o que findara aqui;
dói-me, outra vez, o mesmo estranho sofrimento
da hora em que te deixei, do instante em que parti.

Quis esquecer-te. Olhando o mar, ouvindo o vento,
sonhei. Vivi com ânsia! Em vão. Não te esqueci.
E é com tédio que lembro o túrbido lamento
das ondas que sulquei e das canções que ouvi!

De que valeu então? Sob o amplo firmamento,
fora melhor vogar sem rumo, ao ritmo lento
da água que, à noite, geme e, à luz do sol, sorri!

E olvidar para sempre o antigo desalento!
E este anseio de enfermo! E este letal tormento!
E o desejo da morte! E a saudade de ti!

Madrigalesco

Quando, suaves, suavemente,
sobre a minha alma que vês dolente
de uma tristeza que mal relembro
e olvido sempre, sem gestos vãos

sobre a minha alma que se tortura,
suaves, brancas, mas da brancura
das rosas brancas quando é setembro,
são como flores as tuas mãos.

Autunal

Tarde, os salgueiros... têm a fronde à beira-rio.
Que solidão! Ao longe, o horizonte sombrio
do crepúsculo e no alto o vasto céu vazio
de nuvens, muito claro... Outono. Quase frio.

Outono. Sente a gleba um desejo de paz.
Respira o coração o acre aroma fugaz
que das cousas se evola e que à luz se desfaz
do ocaso, à dúbia luz deste ocaso lilás.

Outono. Sob o azul do céu que se angeliza,
com que resignação de mártir agoniza
e morre a tarde! Treme entre ramos a brisa.

Bailam as folhas no ar. Pálido, o sol se esvai.
Perde-se uma asa, além... Só, como uma alma, vai!
Segue-a o teu doce olhar que sonha... E a noite cai.

Sobre o Cisne de Stéphane Mallarmé

Un cygne d'autrefois se souvient que c'est lui.
Stéph. Mallarmé

Um Sonho existe em nós como um cisne num lago
de água profunda e clara e em cujo fundo existe
outro cisne alvo e triste, e ainda mais alvo e triste
que a sua forma real de um tom dolente e vago.

Nada: e os gestos que tem, de carícia e de afago,
lembram da imagem tênue, onde a tristeza insiste
por ser mais alva, a graça inversa em que consiste
a dolente mudez de um espelho pressago.

Um cisne existe em nós como um sonho de calma,
plácido, um cisne branco e triste, longo e lasso
e puro, sobre a face oculta de nossa alma.

E a sua imagem lembra a imagem de um destino
de pureza e de amor que segue, passo a passo,
este sonho imortal como um cisne divino!

(*A Divina Quimera*, Porto Alegre, Globo, 1944,
pp. 139-140, 141, 149, 202, 304, 341.)

O preconceito que durante décadas cercou nosso Simbolismo é culpado de algumas injustiças graves, uma das quais tem sido cometida contra Eduardo Guimaraens. Bastam os poemas transcritos para configurar a questão de modo insofismável: ali se coalha em versos de superior estesia uma das mais altas e sonoras sensibilidades líricas de quantas povoaram o espaço literário simbolista. Movendo-nos de fora para dentro, desde os aspectos mais palpáveis até os mais sutis, vemos que a primeira nota digna de registro se refere à musicalidade, em que Eduardo Guimaraens não tem parelha em nossa poesia simbolista. Decerto, foi o que mais longe orientou a pesquisa musical dos versos, evidente no uso das reticências, que prolongam a melodia em surdina (como em "Autunal"), ou nos *staccatos* que distinguem enfaticamente as notas, compondo atmosferas voláteis e diáfanas ("Outono. Quase frio", de "Autunal"), ou nos encadeamentos, que congraçam numa unidade melódica e rítmica, dois longos versos e meio, como em "Sobre o Cisne de Stéphane Mallarmé", em cuja primeira estrofe a vírgula assinala, com veemência, a pausa ligeira entre os dois extensos segmentos musicais que formam a quadra. Alternando a música de câmara e as largas respirações sinfônicas, Eduardo Guimaraens traía um esteticismo, de inspiração italiana (Dante, D'Annunzio) e francesa (Baudelaire, Verlaine, Mallarmé, Rimbaud, Albert Samain), provavelmente sem igual em nosso Simbolismo. Os temas caros a seu temperamento apenas corroboram esse desvelo estético, em que parece atingido o estágio de "poesia pura" sofregamente perseguido pelos simbolistas. A solidão procurada e desejada ("2"), o apego às ambiências difusas e neblinosas, crepusculares e recolhidas ("Autunal"), onde erra uma perene melancolia ("4", "17", "Autunal") fazem dele o poeta intimista e penumbrista por excelência, predecessor imediato de um Ribeiro Couto ou de um Ronald de Carvalho. Em meio a esse clima irreal, o amor (ou o Amor) se ergue como um totem, a ponto de constituir a *Divina Quimera*, "sem exagero nenhum, a nossa *Vila Nuova*" (Mansueto Bernardi, *Divina Quimera*, ed. cit., p. 17): amor espiritualizado, idealista, semelhante ao de Dante por Beatriz ou de Petrarca por Laura ("São como flores as suas mãos", de "Madrigalesco"). Poeta do amor e das tristezas outonais, sustentado por uma visão cristã e resignada do mundo, senhor de uma peregrina consciência dos valores poemáticos, eis em suma o perfil de Eduardo Guimaraens.

RAUL DE LEÔNI

Raul de Leôni Ramos nasceu em Petrópolis (Estado do Rio), a 30 de outubro de 1895. Após os cursos fundamentais, ingressa na Faculdade Livre de Direito do Distrito Federal, em 1912, e no ano seguinte visita a Europa. No retorno, inicia colaboração na imprensa do Rio de Janeiro. Formado em 1916, dois anos mais tarde é nomeado para cargo diplomático em Cuba, mas não chega a assumi-lo. Idêntico destino conhece a nomeação para o Vaticano. Nesse mesmo ano (1919), elege-se deputado. Em 1923, descobrindo-se tuberculoso, segue para Itaipava, onde falece a 21 de novembro de 1926. Publicou: *Ode a um Poeta Morto* (1919), dedicada a Olavo Bilac, falecido naquele ano, e *Luz Mediterrânea* (1922). Sob esse título corre toda a escassa produção poética de Raul de Leôni, incluindo "poemas inacabados". Parte de sua prosa foi recolhida no suplemento "Autores e Livros", nº 15, de 23 de novembro de 1941.

I

Sombra do nosso Sonho ousado e vão!
De infinitas imagens irradias
E, na dança da tua projeção,
Quanto mais cresces, mais te distancias...

A Alma te vê à luz da posição
Em que fica entre as cousas e entre os dias:
És sombra e, refletindo-te, varias
Como todas as sombras, pelo chão...

O Homem não te atingiu na vida instável
Porque te embaraçou na filigrana
De um ideal metafísico e divino;

E te busca na selva impraticável,
Ó Bela Adormecida da alma humana!
Trevo de quatro folhas do Destino!...

II

Basta saberes que és feliz, e então
Já o serás na verdade muito menos:
Na árvore amarga da meditação,
A sombra é triste e os frutos têm venenos.

Se és feliz e o não o sabes, tens na mão
O mais bem entre os mais bens terrenos
E chegaste à suprema aspiração,
Que deslumbra os filósofos serenos.

Felicidade... Sombra que só vejo,
Longe do Pensamento e do Desejo,
Surdinando harmonias e sorrindo.

Nessa tranqüilidade distraída,
Que as almas simples sentem pela Vida,
Sem mesmo perceber que estão sentindo...

Crepuscular

Poente no meu jardim... O olhar profundo
Alongo sobre as árvores vazias,
Essas em cujo espírito infecundo
Soluçam silenciosas agonias.

Assim estéreis, mansas e sombrias,
Sugerem à emoção em que as circundo
Todas as dolorosas utopias
De todos os filósofos do mundo.

Sugerem... Seus destinos são vizinhos:
Ambas, não dando frutos, abrem ninhos
Ao viandante exânime que as olhe.

Ninhos, onde vencida de fadiga,
A alma ingênua dos pássaros se abriga
E a tristeza dos homens se recolhe...

História Antiga

No meu grande otimismo de inocente,
Eu nunca soube por que foi... um dia,
Ela me olhou indiferentemente,
Perguntei-lhe por que era... Não sabia...

Desde então, transformou-se de repente
A nossa intimidade correntia
Em saudações de simples cortesia
E a vida foi andando para a frente...

Nunca mais nos falamos... vai distante...
Mas, quando a vejo, há sempre um vago instante
Em que seu mudo olhar no meu repousa,

E eu sinto, sem no entanto compreendê-la,
Que ela tenta dizer-me qualquer cousa,
Mas que é tarde demais para dizê-la...

Legenda dos Dias

O homem desperta e sai cada alvorada
Para o acaso das cousas... e, à saída,
Leva uma crença vaga, indefinida,
De achar o Ideal nalguma encruzilhada...

As horas morrem sobre as horas... Nada!
E ao Poente, o Homem, com a sombra recolhida
Volta, pensando: "Se o Ideal da Vida
Não veio hoje, virá na outra jornada..."

Ontem, hoje, amanhã, depois, e, assim,
Mais ele avança, mais distante é o fim,
Mais se afasta o horizonte pela esfera;

E a Vida passa... efêmera e vazia:
Um adiamento eterno que se espera,
Numa eterna esperança que se adia...

Platônico

As idéias são seres superiores,
— Almas recônditas de sensitivas —
Cheias de intimidades fugitivas,
De crepúsculos, melindres e pudores.

Por onde andares e por onde fores,
Cuidado com essas flores pensativas,
Que têm pólen, perfume, órgãos e cores
E sofrem mais que as outras cousas vivas.

Colhe-as na solidão... são obras-primas
Que vieram de outros tempos e outros climas
Para os jardins de tua alma que transponho,

Para com elas teceres, na subida,
A coroa votiva do teu Sonho
E a legenda imperial da tua Vida.

Argila

Nascemos um para o outro, dessa argila
De que são feitas as criaturas raras;
Tens legendas pagãs nas carnes claras
E eu tenho a alma dos faunos na pupila...

Às belezas heróicas te comparas
E em mim a luz olímpica cintila,
Gritam em nós todas as nobres taras
Daquela Grécia esplêndida e tranqüila...

É tanta a glória que nos encaminha
Em nosso amor de seleção, profundo,
Que (ouço ao longe o oráculo de Elêusis)

Se um dia eu fosse teu e fosses minha,
O nosso amor conceberia um mundo
E do teu ventre nasceriam deuses...*

(*Luz Mediterrânea*, 8ª ed., São Paulo, Liv. Martins [1952], pp. 57, 58, 59, 60, 76, 78; *Raul de Leôni*, Rio de Janeiro, Agir, 1961, p. 79.)

O primeiro problema colocado pela obra de Raul de Leôni diz respeito à sua filiação: parnasiana? simbolista? Conquanto pareça simplista, pode-se asseverar que ela funciona como liame entre as duas tendências poéticas e o Modernismo. Na verdade, surgindo para as Letras quando as duas correntes finisseculares agonizavam, Raul de Leôni ficou a meio do caminho, preso ainda às seduções de ontem e já prenunciando a moda de amanhã. Guardando uma visão bifronte do mundo, fruto da sua mocidade ou/e das condições em que elaborou sua obra, tal dicotomia manisfesta a coexistência de Pensamento e Desejo ("II"). Pelo segundo, participa dum sensualismo, dum classicismo florentino, que o aproximaria dos parnasianos. Pelo primeiro, sentaria à mesa dos simbolistas, num convívio que amorteceu as vinculações formalizantes. Como nenhum outro, Raul de Leôni criou a poesia que faltava ao nosso Simbolismo, a poesia de reflexão, filosofante, evidente em todas as peças transcritas: por exemplo, em "II", ou em "Crepuscular", importante para assinalar a divergência radical entre o autor de *Luz Mediterrânea* e Eduardo Guimaraens, pois o descritivo dos jardins de penumbra do poeta gaúcho cede lugar à meditação sofrida. Esta, presente noutros poemas como um autêntico moto-contínuo, ora leva ao plano abstrato do visionário em crise ("I"), ora ao ceticismo existencial e cósmico ("Legenda dos Dias"), ora ao amor impossível ("História Antiga"): o resultado é sempre um profundo e amargo desencanto. Nesse filosofismo desalentado perpassa a sombra gélida de Schopenhauer, mas seu nome tutelar é Platão ("Platônico"), fazendo crer num espírito religioso que conjugasse a fé com um pensamento transcendentalista. Bem ponderadas as coisas, trata-se de componentes simbolistas, aos quais se associa a fluência do verso, que ultrapassa as bordas rígidas do soneto e cumpre-se com a espontaneidade de quem pensa em voz alta ou murmura confidências, a preludiar claramente a descontração modernista. Põe-se no fim da série o soneto "Argila", que o poeta, respeitando os sentimentos católicos da família, não incluiu em *Luz Mediterrânea*: ao fundir o paganismo helênico dos apelos instintivos com a transubstanciação idealista (estampada nos dois últimos versos), como que o poeta traduzia, de modo pleno, a bipolaridade de sua cosmovisão, e enriquecia a própria obra de outro espécime de alto valor.

---

* *Elêusis* = Cidade grega onde se celebravam festas de cunho oracular e de iniciação nos mistérios.

GRAÇA ARANHA

José Pereira da Graça Aranha nasceu em São Luís do Maranhão, a 21 de junho de 1868. Formado em Direito no Recife (1886), é nomeado Promotor Público e mais tarde Juiz de Direito, no Estado natal, e Juiz Municipal, no Espírito Santo. Fundada a Academia Brasileira de Letras (1897), ocupa uma de suas cadeiras. Ingressa na carreira diplomática, e vai servir em Londres, Suíça, Noruega, Dinamarca. Em 1902, publica *Canaã*, e em 1911 representa, em Paris, a peça *Malazarte*. Regressa ao Brasil em 1920, imbuído do espírito de vanguarda, e, recusando o passado acadêmico, engaja-se na revolução modernista. Ainda publica *O Espírito Moderno* (1925) e *A Viagem Maravilhosa* (1927), e falece no Rio de Janeiro, a 27 de fevereiro de 1931. Além das obras referidas, escreveu: *A Estética da Vida* (1921), *Correspondência entre Machado de Assis e Joaquim Nabuco* (1923).

Canaã

Publicado em 1902, este romance passa-se em Porto do Cachoeiro, no Espírito Santo. Dois imigrantes alemães, Milkau e Lentz, travam um longo debate acerca da terra que elegeram para segunda pátria: o primeiro, orientado por um relevante idealismo e senso de fraternidade; o segundo, racista e preconceituoso. Terminada a disputa ideológica, a ação desloca-se para a vida do pequeno povoado, suas festas, seus dramas, etc. Milkau enamora-se de Maria, empregada na casa de abastados compatriotas seus, e que havia sido seduzida pelo filho dos patrões. Expulsa de casa, perambula pela colônia, até que vem dar à luz junto de um rio. Devorado pelos porcos o recém-nascido, a jovem é presa sob acusação de infanticídio. Milkau tira-a de lá e ambos fogem, numa escalada simbólica em busca da terra da Promissão. Ao epílogo (capítulo XII) pertencem as páginas seguintes:

— Maria!

A desgraçada estremeceu; e com as mãos hirtas, estiradas, afastou de si o rosto que se inclinara sobre ela. Nas torturas do pesadelo, parecia-lhe que beiços roxos, sedentos e viscosos lhe buscavam os lábios...

— Maria, sou eu... repetiu Milkau.

Ela abriu os olhos e ficou deslumbrada. A sua mão agora branda e lânguida tateava incerta para se certificar da súbita e estranha aparição do amigo. E gestos infantis e leves roçavam pela barba de Milkau numa inconsciente carícia...

— Vamos! Levanta-te... disse ele, baixo e com firmeza, sacudindo o morno carinho, recolhendo e enfeixando com energia as suas forças mais intensas.

Obedecendo, Maria ergueu-se; e pela mão de Milkau foi seguindo pela casa meio escura. No corredor, a claridade da noite, que entrava pela porta da rua, aberta como de costume, deixava ver o corpo de um soldado negro dormindo numa postura brutal, como uma figura tosca e arcaica. A prisioneira alarmada quis recuar; Milkau tomou-lhe as mãos com império e passou com ela serena e forte ao lado da sentinela, conduzindo-a para a noite e para a liberdade.

Fora, o ar sutil e frio que lhe penetrava nas carnes sonolentas e tépidas, o céu cristalino, a cintilação das estrelas, a largueza, a imensidão do espaço davam à fugitiva uma deliciosa vertigem, e, num esmorecido colapso, ela vacilou e veio se apoiar nos braços de Milkau, que a foi arrastando vagarosamente.

Enlaçados, caminhavam pela cidade calada e adormecida. Iam morosos; os passos dela eram vacilantes, e os pés, por tanto tempo entorpecidos, tropeçavam nas pedras soltas da rua. O silêncio inquietador enchia-lhe o espírito do antigo pavor que se não extingue nunca. Uma ou outra vez, cães sonolentos despertavam com o passar dos vultos, e ladrando se arremessavam em vão contra eles. E depois tudo voltava ao sossego ameaçador, que parecia ser a cada instante bruscamente interrompido pelas vozes da perseguição surgindo das casas acordadas... Dobraram de cautela, espiando com os olhos imensos e dilatados pela treva, as formas apagadas e sinistras do mundo. Era no ouvido dela, assustadiça e trêmula, que Milkau ia falando:

— Fujamos para sempre de tudo o que te persegue; vamos além, aos outros homens, em outra parte, onde a bondade corra espontânea e abundante, como a água sobre a terra. Vem... Subamos àquelas montanhas de esperança. Repousemos depois na perpétua alegria... Vamos... corre.

Deixaram a cidade, e agora sem receio de despertá-la, galgavam a montanha, lépidos e radiantes. A fria rigidez, criada pelo terror, se fora dos braços de Maria, que se prendiam aos de Milkau, tépidos e brandos.

Subindo, perdiam eles de instante a instante a vista do Cachoeiro, em baixo aos seus pés, coberto pelo manto cinzento e vaporoso da bruma, sobre que passava a luz exausta da noite úmida, levantando ali uma fosforescência vaga de nebulosa... E debaixo desse manto se desenhavam seres fantásticos, colossais, gigantescos, sem forma ainda imaginada... Um trecho do Santa Maria, lívido, morto, cortava como um gládio fumegante a várzea do Queimado, onde as colinas baixas semelhavam corpos deitados de heróis antigos e mutilados, corcundas e aleijões... Depois, nada mais viram; subiram ainda e entraram no bojo da mata. Os braços de Maria retesaram-se de novo e apertaram os de Milkau. Havia um rumor contínuo e aflitivo de vento mau nas folhas da grande massa. Iam inquietos, afundando os olhos na infindável negrura, donde vinha o clamor do mistério e do sofrimento das árvores castigadas. E o vento implacável ia passando, fazendo-as gemer rumorosamente... No vão das trevas, de espaço a espaço, pelas frestas descia a claridade, e do jorro de luz se formava dentro da floresta uma coluna alevantada do chão para o céu, atravessando o teto ondeante, e docemente iluminada pelos reflexos das árvores espectrais... Estreitados um ao outro, aspirando o aroma capitoso e perturbador que se desprendia das flores noturnas, caminhavam velozes. Milkau repetia no ouvido da companheira o seu apelo de sedução:

— É a felicidade que te prometo. Ela é da Terra, e havemos de achá-la... Quando vier a luz, encontraremos outros homens, outro mundo, e aí... É a felicidade... Vem, vem...

Assim espantava o terror, e Maria já se animava, recolhendo nessa voz acariciadora o canto mágico dos seus esponsais com a ventura. Subiram, voando, voando...

O caminho deixou a mata sombria e saiu pelas alturas descobertas. Era pedregoso, escasso, margeando o despenhadeiro. O passo da fuga moderou. Cautelosos e arquejantes, escalavam a subida. Milkau não mais falava, e os seus olhos mergulhavam no abismo e se perdiam fascinados na toalha branca e espumosa do rio... Maria quase não caminhava; fatigada e de pés maltratados, puxava com esforço o braço de

Milkau, mais inclinada sobre ele, aquecendo-lhe o rosto com o seu hálito ofegante. Subiam lentos, arrastando-se unidos. A estrada tomava sempre pela beira de precipícios cada vez mais difíceis de vencer, e aos fugitivos, como uma zoada infernal, vinham os urros do Santa Maria, acorrentado no fundo do cavado e fragoso vale. E este se ia estreitando, e as ribas mais augustas pareciam se terminar, confundidas no horizonte, sobre rochedos escarpos e negros. Milkau desanimou, vendo-se perdido naquele recôncavo tenebroso, naquela solidão de pedra. Percorria-lhe os membros um suor gelado, e o corpo frio, alquebrado, abatia-se, escapava-se, desprendia-se para o abismo, para a morte... Maria num assomo de pavor, recobrou uma estranha energia e tentou retê-lo, arrastando-o para a encosta da montanha. Ele olhou-a com os olhos desvairados, agarrou-a pela cintura, e com um sorriso diabólico, feroz e resoluto, gaguejou estrangulado:

— Não há mais nada... mais nada... Só, só... a morte...

Maria resistiu com fúria, debatendo-se nas mãos fortes do homem; rolaram por terra confundidos, lutando, destruindo-se, alucinados, doidos... O calor da mulher, já olvidado, incendiava-o implacavelmente agora; e no combate ele a estreitava com veemência, com ardor, beijando-a febrilmente. Também ela se apertava com fúria a ele, num acordar violento das suas entranhas... A tentação satânica da morte era mais poderosa... O Santa Maria urrava soturno e medonho... De um salto, Milkau ergueu-se, e arrebatando a mulher do chão, avançou alegre e infernal para o abismo... e logo estacou. Os braços dela, enlaçando-se como correntes a uma árvore, o retinham. Pregados assim nessa postura, os dois desgraçados lutaram longamente, mas a força dele, que a queria levar para a morte, teve de ceder à dela, que os prendia à vida... E Milkau fraqueou por fim, caiu num súbito desfalecimento, aniquilado, confuso, e dos seus braços esvaídos desprendeu Maria. Ela, lívida, espavorida, sentindo-se em liberdade, deitou a correr veloz pela vereda de pedra, que aos seus pés medrosos e vivos se tornava macia e segura. Milkau, reanimando-se, seguiu-a. E as duas sombras, enormes, na obscuridade da treva, iam desfilando sinistras e rápidas pela aresta da barranca... Num momento, galgaram o alto da montanha, e pasmaram a vista nos livres descampados por onde desvia a estrada. A agonia de Milkau se desmanchava à vista da planície dilatada e benfazeja, os ruídos desesperados e atraentes do rio morriam atrás, o abismo negro e assombroso passava como o tormento de uma vertigem; e agora eles se precipitavam numa campina suavemente esclarecida pela noite maravilhosa e límpida. Corriam, corriam... Atrás de si, ouvia a voz de Milkau, vibrando como a modulação de um hino...

— Adiante... Adiante... Não pares... Eu vejo. Canaã! Canaã!

Mas o horizonte na planície se estendia pelo seio da noite e se confundia com os céus. Milkau não sabia para onde o impulso os levava: era o desconhecido que os atraía com a poderosa e magnética força da Ilusão. Começava a sentir a angustiada sensação de uma corrida no Infinito...

— Canaã, Canaã!... suplicava ele em pensamento, pedindo à noite que lhe revelasse a estrada da Promissão.

E tudo era silêncio, e mistério... Corriam... corriam. E o mundo parecia sem fim, e a terra do Amor mergulhada, sumida na névoa incomensurável... E Milkau, num sofrimento devorador, ia vendo que tudo era o mesmo; horas e horas, fatigados de voar, e nada variava, e nada lhe aparecia... Corriam... corriam...

Apenas na sua frente uma visão deliciosa era a transfiguração de Maria. Animada, transmudada pelo misterioso poder do Sonho, a Mulher enchia de novas carnes o seu esqueleto de prisioneira e mártir; novo sangue batia-lhe vitorioso nas artérias, inflamando-as; os cabelos cresciam-lhe milagrosos como florestas douradas deitando ramagens, que cobriam e beneficiavam o mundo, os olhos iam iluminando o caminho, e Milkau envolto no foco dessa gloriosa luz, acompanhava em amargurado êxtase a sombra que o arrebatava... Corriam... corriam... E tudo era imutável na noite. A figura fantástica sempre adiante, veloz e intangível; ele atrás, ansiado, naquela busca fatigante e vã, sem a poder alcançar, e temendo dissolver com a sua voz mortal a dourada forma da Ilusão, que seguia amando... Canaã! Canaã! pedia ele no coração, para fim do seu martírio... E nunca jamais lhe aparecia a terra desejada... Nunca jamais... Corriam... corriam...

A noite enganadora recolhia-se, o mundo cansava de ser igual; Milkau festejou num frêmito de esperança a deliciosa transição... Enfim, Canaã ia revelar-se!... A nova luz sem mistério chegou, e esclareceu a várzea. Milkau viu que tudo era vazio, que tudo era deserto, que os novos homens ainda ali não tinham surgido. Com as suas mãos desesperançadas, tocou a Visão que o arrastara. Ao contacto humano ela parou, e Maria volveu outra vez para Milkau a primitiva face moribunda, os mesmos olhos pisados, a mesma boca murcha, a mesma figura de mártir.

Vendo-a assim, na miseranda realidade, ele disse:

— Não te canses em vão... Não corras... É inútil... A terra da Promissão, que eu te ia mostrar e que também ansioso buscava, não a vejo mais... Ainda não despontou à Vida. Paremos aqui e esperemos que ela venha vindo no sangue das gerações redimidas. Não desesperes. Sejamos fiéis à doce ilusão da Miragem. Aquele que vive o Ideal contrai um empréstimo com a Eternidade... Cada um de nós, a soma de todos nós, exprime a força criadora da utopia; é em nós mesmos, como num indefinido ponto de transição, que se fará a passagem dolorosa do sofrimento. Purifiquemos os nossos corpos, nós que viemos do mal originário, que é a Violência... O que seduz na vida, é o sentimento da perpetualidade. Nós nos prolongaremos, desdobraremos infinitamente a nossa personalidade, iremos viver longe, muito longe, na alma dos descendentes... Façamos dela o vaso sagrado da nossa ternura, onde depositaremos tudo o que é puro, e santo, e divino. Aproximemo-nos uns dos outros, suavemente. Todo o mal está na Força e só o Amor pode conduzir os homens...

Tudo o que vês, todos os sacrifícios, todas as agonias, todas as revoltas, todos os martírios são formas errantes da Liberdade. E essas expressões desesperadas, angustiosas, passam no curso dos tempos, morrem passageiramente, esperando a hora da ressurreição... Eu não sei se tudo o que é vida tem um ritmo eterno, indestrutível, ou se é informe e transitório... Os meus olhos não atingem os limites inabordáveis do Infinito, a minha visão se confina em volta de ti... Mas, eu te digo, se isto tem de acabar para se repetir em outra parte o ciclo da existência, ou se um dia nos extinguirmos com a última onda de calor, que venha do seio maternal da Terra; ou se tivermos de nos despedaçar com ela no Universo, desagregar-nos, dissolver-nos na estrada dos céus, não nos separemos para sempre um do outro nesta atitude de rancor... Eu te suplico, a ti e à tua ainda inumerável geração, abandonemos os nossos ódios destruidores, reconciliemo-nos antes de chegar ao instante da Morte...

(*Canaã*, 9ª ed., rev., Rio de Janeiro, Briguiet, 1943, pp. 270-276.)

Obra anfíbia, *Canaã* pende entre o romance e o documentário, entre a prosa poética e a prosa doutrinal, entre o Naturalismo e o Simbolismo. Enquanto romance propriamente dito, navega nas águas de Zola, como na cena em que o filho de Maria é devorado pelos suínos, e na relativa aceitação da força do meio sobre a conduta das personagens. Enquanto prosa poética, acolhe a vaguidade, o mistério e o idealismo de extração simbolista. O capítulo final, transcrito na íntegra, flui dentro destas coordenadas: os protagonistas, em sua ascensão física e moral, vão a pouco e pouco perdendo a carnação e adquirindo contornos míticos, de símbolos vivos, ao mesmo tempo que a paisagem circundante se transcendentaliza, inscrita fora da geografia brasileira ou tropical. Bem por isso, o conflito que impulsiona o par de namorados cede lugar a uma seqüência de jatos líricos, sobretudo representados pelas falas de Milkau, que somente parecem homogêneas porque acompanham a escalada simbólica dos sonhadores aflitos em demanda de Canaã. O próprio escritor, quem sabe embalado no ritmo poético da situação, vai abandonando paulatinamente o traço verossímil em favor da verdade emocional que evola das personagens e do cenário: "Subiam, voando, voando..." Percebe-se que o por-menor observado, que fazia as delícias dos realistas e naturalistas, é substituído pela notação imaginária e fantástica, consoante os postulados subjetivistas do Simbolismo. O emprego da maiúscula em Ilusão, Infinito, Amor, etc., colabora para adensar a atmosfera abstratizante e quimérica. E na progressiva espectralização geral, inclusive o ato de amor se torna impossível (V. o parágrafo iniciado por "Maria resistiu com fúria"). De onde o ar de lenda que cerca os dois fugitivos, logo tornados quais figuras de vitral, flutuando num espaço mágico, como se pode verificar no parágrafo começado por "Subindo, perdiam eles de instante a instante a vista de Cachoeiro". Ainda em conformidade com o ideário simbolista, *Canaã* implica uma tese acerca da redenção do Homem oposta à defendida pelos realistas e naturalistas: "Todo o mal está na Força e só o Amor pode conduzir os homens..." Tese que encerra uma utópica e panteística visão do mundo, contrária à certeza objetiva e científica dos realistas, como se nota principalmente no parágrafo final, espécie de mensagem de esperança após os dois vi-sionários terem descoberto o malogro de seu Eldorado. A linguagem procura acompanhar o fluxo e refluxo da ambiência lírica: apreendendo a vibração estética que cruza a Natureza e o casal de namorados, a dicção de Graça Aranha ganha um automatismo que, se nem sempre consegue repelir expressões menos felizes, no geral resulta positivamente.

Texto para Análise

Já Maria voltara à estrada, e ainda continuava mesmo ofegante a correr, fugindo espavorida para longe daquele ponto. Na sua carreira chegou até uma pequena mata que o caminho cortava. A claridade da tarde aí dentro esmorecia ainda mais. Maria parou, com medo de penetrar na sombra, e, postada na abertura da floresta, tomada de um calafrio, espiou para dentro, até perder os olhos na outra longínqua porta de luz. Pela estrada interior iam e vinham borboletas enormes, azuis e pardas, num vôo cativo e arquejante... Maria ficou pregada à beira da mata, sem ânimo para entrar, sem ânimo para fugir, e uma inexplicável e funda atração por aquele sombrio e tenebroso mundo a retinha extática... Das mãos trêmulas e despercebidas caiu-lhe a trouxa de roupa. Esgotada de forças, aterrada, vendo-se colhida em pleno deserto pela noite, desamparada, batida, a mesquinha derreou-se aos pés seculares de uma árvore, e de olhos dilatados, ouvidos apurados, ela espreitava o rumor e o curso das coisas... E o poder de visão redobrava à medida que a sombra surgia misteriosa nos meandros da floresta, como o bafo vaporoso, impalpável da Terra. Na sua imaginação perturbada sentia a natureza toda agitando-se para sufocá-la. Aumentavam as sombras. No céu, nuvens colossais e túmidas rolavam para o abismo do horizonte... Na várzea, ao clarão indeciso do crepúsculo, os seres tomavam ares de monstros... As montanhas, subindo ameaçadoras da terra, perfilavam-se tenebrosas... Os caminhos, espreguiçando-se sobre os campos, animavam-se quais serpentes infinitas... As árvores soltas choravam ao vento, como carpideiras fantásticas da natureza morta... Os aflitivos pássaros noturnos gemiam agouros com pios fúnebres. Maria quis fugir, mas os membros cansados não acudiam aos ímpetos do medo e deixavam-na prostrada em uma angústia desesperada.

Os primeiros vagalumes começavam no bojo da mata a correr as suas lâmpadas divinas... No alto, as estrelas miúdas e sucessivas principiavam também a iluminar... Os pirilampos iam-se multiplicando dentro da floresta, e insensivelmente brotavam silenciosos e inumeráveis nos troncos das árvores, como se as raízes se abrissem em pontos luminosos... A desgraçada, abatida por um grande torpor, pouco a pouco foi vencida pelo sono; e deitada às plantas da árvore, começou a dormir... Serenavam aquelas primeiras ânsias da Natureza, ao penetrar no mistério da noite. O que havia de vago, de indistinto, no desenho das coisas transformava-se em límpida nitidez. As montanhas acalmavam-se na imobilidade perpétua; as árvores esparsas na várzea perdiam o aspecto de fantasmas desvairados... No ar luminoso tudo retomava a fisionomia impassível. Os pirilampos já não voavam, e miríades e miríades deles cobriam os troncos das árvores, que faiscavam cravados de diamantes e topázios. Era uma iluminação deslumbrante e gloriosa dentro da mata tropical, e os fogos dos vagalumes espalhavam aí uma claridade verde, sobre a qual passavam camadas de ondas amarelas, alaranjadas e brandamente azuis. As figuras das árvores desenhavam-se envoltas numa fosforescência zodiacal. E os pirilampos se incrustavam nas folhas e aqui, ali e além, mesclados com os pontos escuros, cintilavam esmeraldas, safiras, rubis, ametistas e as mais pedras que guardavam parcelas das cores divinas e eternas. Ao poder dessa luz o mundo era de um silêncio religioso, não se ouvia mais o agouro dos pássaros da morte; o vento que agita e perturba, calara-se... Por toda a parte a benfazeja tranqüilidade da luz... Maria foi cercada pelos pirilampos que vinham cobrir o pé da árvore em que adormecera. A sua imobilidade era absoluta, e assim ela recebeu num halo dourado a cercadura triunfal; e interrompendo a combinação luminosa da mata, a carne da mulher desmaiada, transparente, era como uma opala encravada no seio verde de uma esmeralda. Depois os vagalumes incontáveis cobriram-na, os andrajos desapareceram numa profusão infinita de pedrarias, e a desgraçada, vestida de pirilampos, dormindo imperturbável como tocada de uma morte divina, parecia partir para uma festa fantástica no céu, para um noivado com Deus... E os pirilampos desciam em maior quantidade sobre ela, como lágrimas de estrelas. Sobre a cabeça dourada brilhavam reflexos azulados, violáceos e dali a pouco braços, mãos, colo, cabelos sumiam-se no montão de fogo inocente. E vagalumes vinham mais e mais, como se a floresta se desmanchasse toda numa pulverização de luz, caindo sobre o corpo de Maria até o sepultarem numa tumba mágica. Um momento, a rapariga inquieta ergueu docemente a cabeça, abriu os olhos que se deslumbraram. Pirilampos espantados faiscavam relâmpagos de cores... Maria pensou que o sonho a levara ao abismo dourado de uma estrela, e recaiu adormecida na face iluminada da Terra...

O silêncio da noite foi perturbado pelas primeiras brisas, mensageiras da madrugada. As estrelas abandonam o céu, os vagalumes vão se apagando medrosos e ocultando-se no segredo das selvas, enquanto os seus derradeiros lampejos na mata se misturaram ao clarão do dia nascente, formando uma luz turva, indecisa, incolor. Na árvore que agasalha Maria, começa o canto dos pássaros, e, sem tardar, de todos os galhos da floresta sai uma nota musical, que enche os ouvidos da mulher com o acento de uma felicidade inextinguível. E aves surgiam, e tudo se esclarecia de outra luz, e o ruído começava, e um perfume concentrado durante a noite espalhava-se, capitoso, pelo mundo despertado. Abandonada pelos pirilampos, despida das jóias misteriosas, Maria foi emergindo do sonho, e a sua inocência de todo o pecado, a sua perfeita confusão com o Universo acabou ao rebate violento da consciência. E a infatigável memória lembrou-lhe a agonia. Maria conheceu-se a si mesma. Arrancada pelo pavor dos perigos porventura passados naquele deserto, ergueu-se de um salto e partiu correndo. E enquanto atravessava a mata, apesar do medo que a tomara, na sua lembrança persistia um clarão, que descia dessa miragem entrevista no espetáculo da noite maravilhosa. E quando chegou aos caminhos descobertos, já encontrou o sol, a cuja temível potência morreu toda a ilusão do sonho.

(Ibidem, pp. 188-192.)

LIMA BARRETO

Afonso Henriques de Lima Barreto nasceu no Rio de Janeiro, a 13 de maio de 1881. Órfão de mãe em tenra idade, realiza estudos até metade do curso na Escola Politécnica, quando ingressa na Diretoria do Expediente da Secretaria da Guerra (1903). Ao mesmo tempo, inicia colaboração em jornal e a carreira de romancista. Em 1914, roído pelo álcool e a demência, passa no hospício cerca de dois meses. De volta à sociedade, retoma o viver desgovernado de antes, que aos poucos o afasta de todos, até culminar na aposentadoria, a 26 de dezembro de 1918. No ano seguinte, candidata-se inutilmente a uma vaga na Academia Brasileira de Letras, e recolhe-se pela segunda vez ao manicômio. Falece a 1º de novembro de 1922. Escreveu os seguintes romances: *Recordações do Escrivão Isaías Caminha* (1909), *Triste Fim de Policarpo Quaresma* (publicado em folhetins no *Jornal do Comércio*, do Rio de Janeiro, em 1911; em volume, 1915), *Numa e a Ninfa* (publicado em folhetins de *A Noite*, do Rio de Janeiro, em 1915; em volume, no mesmo amo), *Vida e Morte de M. J. Gonzaga de Sá* (1919), *Clara dos Anjos* (publicado em folhetins da *Revista Sousa Cruz*, em 1923-1924; em volume, 1948). Em 1956, a Editora Brasiliense, de São Paulo, publicou-lhe as obras completas, em 17 volumes, que enfeixam inéditos e dispersos: *Histórias e Sonhos*, contos; *Os Bruzundangas*, sátira; *Coisas do Reino de Jambom*, sátira; *Bagatelas*, artigos; *Feiras e*

Mafuás, artigos e crônicas; *Vida Urbana*, artigos e crônicas; *Marginália*, artigos e crônicas; *Impressões de Leitura*, crítica; *Diário Íntimo*; *O Cemitério dos Vivos*, memórias; *Correspondência* (2 tomos).

Triste Fim de Policarpo Quaresma

Publicou-se pela primeira vez em folhetim do *Jornal do Comércio*, do Rio de Janeiro, em 1911, e em livro, quatro anos mais tarde. O entrecho gravita em torno da personagem que confere razão ao título. Patriota ferrenho, nacionalista extremado, propugna pela instauração do tupi como língua oficial e pela recuperação de nosso folclore. A pouco e pouco, as idéias se lhe transformam em mania, até que uma ocasião, por descuido, vaza em tupi um requerimento da repartição em que vegeta. Dali para a loucura, real ou imaginada pelos outros, é um passo. Curado, ou tido como tal, entrega-se de corpo e alma à agricultura, mas a politicagem suburbana lhe coarta, ainda uma vez, os arroubos ufanistas. Eis que estoura a revolta contra Floriano, e Quaresma se apresenta ao ditador para servi-lo. Designam-no para chefiar uma guarnição. No ápice da crise, endereça uma carta a Floriano recriminando-lhe certas iniciativas. Resultado: é preso. E apesar de ter combatido pelas hostes florianistas e dos empenhos da afilhada e de Ricardo Coração dos Outros, acaba condenado à morte; eis o triste fim de Policarpo Quaresma. O trecho escolhido para leitura pertence ao capítulo II da segunda das três partes em que se fragmenta o romance, intitulado "Você, Quaresma, é um Visionário", e surpreende nosso herói nos trabalhos de guerra:

Oito horas da manhã. A cerração ainda envolve tudo. Do lado da terra, mal se enxergam as partes baixas dos edifícios próximos; para o lado do mar, então, a vista é impotente contra aquela treva esbranquiçada e flutuante, contra aquela muralha de flocos e opaca, que se condensa ali e aqui em aparições, em semelhanças de cousas. O mar está silencioso: há grandes intervalos entre o seu fraco marulho. Vê-se da praia um pequeno trecho, sujo, coberto de algas, e o odor da maresia parece mais forte com a neblina. Para a esquerda e para a direita, é o desconhecido, o Mistério. Entretanto, aquela pasta espessa, de uma claridade difusa, está povoada de ruídos. O chiar das serras vizinhas, os apitos de fábricas e locomotivas, os guinchos de guindastes dos navios enchem aquela manhã indecifrável e taciturna; e ouve-se mesmo a bulha compassada de remos que ferem o mar. Acredita-se, dentro daquele decoro, que é Caronte que traz a sua barca para uma das margens do Estige...

Atenção! Todos perscrutam a cortina de névoa pastosa. Os rostos estão alterados; parece que, do seio da bruma, vão surgir demônios...

Não se ouve mais a bulha: o escaler afastou-se. As fisionomias respiram aliviadas...

Não é noite, não é dia; não é o dilúculo, não é o crepúsculo; é a hora da angústia, é a luz da incerteza. No mar, não há estrelas nem sol que guiem; na terra, as aves morrem de encontro às paredes brancas das casas. A nossa miséria é mais completa e a falta daqueles mudos marcos da nossa atividade dá mais forte percepção do nosso isolamento no seio da natureza grandiosa.

Os ruídos continuam, e, como nada se vê, parece que vêm do fundo da terra ou são alucinações auditivas. A realidade só nos vem do pedaço de mar que se avista, marulhando com grandes intervalos, fracamente, tenuemente, a medo, de encontro à areia da praia, suja de bodelhas, algas e sargaços.

Aos grupos, após o rumor dos remos, os soldados deitaram-se pela relva que continua a praia. Alguns já cochilam; outros procuram com os olhos o céu através do nevoeiro que lhes umedece o rosto.

O cabo Ricardo Coração dos Outros, de refle à cintura e gorro à cabeça, sentado numa pedra, está de parte, sozinho, e olha aquela manhã angustiosa.

Era a primeira vez que via a cerração assim perto do mar, onde ela faz sentir toda a sua força de desesperar. Em geral, ele só tinha olhos para as alvoradas claras e purpurinas, macias e fragrantes; aquele amanhecer brumoso e feio era uma novidade para ele.

Sob o fardamento de cabo, o menestrel não se aborrece. Aquela vida solta de caserna vai-lhe bem n'alma; o violão está lá dentro e, em horas de folga, ele o experimenta, cantarolando em voz baixa. É preciso não enferrujar os dedos... O seu pequeno aborrecimento é não poder, de quando em quando, soltar o peito.

O comandante do destacamento é Quaresma que, talvez, consentisse...

O major está no interior da casa que serve de quartel, lendo. O seu estudo predileto é agora artilharia. Comprou compêndios; mas, como sua instrução é insuficiente, da artilharia vai à balística, da balística à mecânica, da mecânica ao cálculo e à geometria analítica; desce mais a escada; vai à trigonometria, à geometria e à álgebra e à aritmética. Ele percorre essa cadeia de ciências entrelaçadas com uma fé de inventor. Aprende uma noção elementaríssima após um rosário de consultas, de compêndio em compêndio; e leva assim aqueles dias de ócio guerreiro enfronhado na matemática, nessa matemática rebarbativa e hostil aos cérebros que já não são mais moços.

Há no destacamento um canhão Krupp, mas ele nada tem a ver com o mortífero aparelho; contudo, estuda artilharia. É encarregado dele o Tenente Fontes, que não dá obediência alguma ao patriota major. Quaresma não se incomoda com isso; vai aprendendo lentamente a servir-se da boca de fogo e submete-se à arrogância do subalterno.

O comandante do "Cruzeiro do Sul", o Bustamante da barba mosaica, continua no quartel, superintendendo a vida do batalhão. A unidade tem poucos oficiais e muito poucas praças; mas o Estado paga o pré de quatrocentas. Há falta de capitães, o número de alferes está justo, o de tenentes quase, mas há já um major, que é Quaresma, e o comandante, Bustamante, que, por modéstia, se fez simplesmente tenente-coronel.

Tem quarenta praças o destacamento que Quaresma comanda, três alferes, dous tenentes; mas os oficiais pouco aparecem. Estão doentes ou licenciados e só ele, o antigo agricultor do "Sossego", e um alferes, Polidoro, este mesmo só à noite, estão a postos. Um soldado entrou:

— Senhor comandante, posso ir almoçar?

— Pode. Chama-me o cabo Ricardo.

A praça saiu capengando em cima de grandes botinas; o pobre homem usava aquela peça protetora como um castigo. Assim que se viu no mato, que levava à sua casa, tirou-as e sentiu pelo rosto o sopro da liberdade.

O comandante chegou à janela. A cerração se ia dissipando. Já se via o sol que brilhava como um disco de ouro fosco.

Ricardo Coração dos Outros apareceu. Estava engraçado dentro do seu fardamento de caporal. A blusa era curtíssima, sungada; os punhos lhe apareciam inteiramente; e as calças eram compridíssimas e arrastavam no chão.

— Como vais, Ricardo?

— Bem. E o senhor, major?

— Assim.

Quaresma deitou sobre o inferior e amigo, aquele seu olhar agudo e demorado:

— Andas aborrecido, não é?

O trovador sentiu-se alegre com o interesse do comandante:

— Não... Para que dizer, major, que sim... Se a cousa for assim até ao fim, não é mau... O diabo é quando há tiro... Uma cousa, major; não se poderia, assim, aí pelas horas em que não há que fazer, ir nas mangueiras, cantar um pouco...

O major coçou a cabeça, alisou o cavanhaque e disse:

— Eu, não sei... É...

— O senhor sabe que isso de cantar baixo é remar em seco... Dizem que no Paraguai...

— Bem. Cante lá; mas não grite, hein!

Calaram-se um pouco; Ricardo ia partir quando o major recomendou:

— Manda-me trazer o almoço.

Quaresma jantava e almoçava ali mesmo. Não era raro também dormir. As refeições eram-lhe fornecidas por um "frege" próximo e ele dormia em um quarto daquela edificação imperial. Porque a casa em que se acantonara o destacamento era o pavilhão do imperador, situado na antiga Quinta da Ponta do Caju. Ficavam nela também a estação da estrada de ferro do Rio Douro e uma grande e bulhenta serraria. Quaresma veio até à porta, olhou a praia suja e ficou admirado que o imperador a quisesse para banhos. A cerração se ia dissipando inteiramente.

As formas das cousas saíam modeladas do seio daquela massa de névoa pesada; e, satisfeitas, como se o pesadelo tivesse passado. Primeiro surgiam as partes baixas, lentamente; e, por fim, quase repentinamente, as altas.

À direita, havia a Saúde, a Gamboa, os navios de comércio: galeras de três mastros, cargueiros a vapor, altaneiros barcos à vela — que iam saindo da bruma, e, por instantes, aquilo tudo tinha um ar de paisagem holandesa; à esquerda, era o saco da Raposa, o Retiro Saudoso, a Sapucaia horrenda, a ilha do Governador, os Órgãos azuis, altos de tocar no céu; em frente, a ilha dos Ferreiros, com os seus depósitos de carvão; e, alongando a vista pelo mar sossegado, Niterói, cujas montanhas acabavam de recortar-se no céu azul, à luz daquela manhã atrasada.

A neblina foi-se e um galo cantou. Era como se a alegria voltasse à terra; era uma aleluia. Aqueles chiados, aqueles apitos, os guinchos tinham um acento festivo de contentamento.

Chegou o almoço e o sargento veio dizer a Quaresma que havia duas deserções.

— Mais duas? fez admirado o major.

— Sim, senhor. O cento e vinte e cinco e o trezentos e vinte não responderam hoje a revista.

— Faça a parte.

Quaresma almoçava. O Tenente Fontes, o homem do canhão, chegou. Quase nunca dormia ali; pernoitava em casa, e, durante o dia, vinha ver as cousas como iam.

Uma madrugada, ele não estava. A treva ainda era profunda. O soldado de vigia viu lá, ao longe, um vulto que se movia dentro da sombra, resvalando sobre as águas do mar. Não trazia luz alguma: só o movimento daquela mancha escura, revelava uma embarcação, e também a ligeira fosforescência das águas. O soldado deu rebate; o pequeno destacamento pôs-se a postos e Quaresma apareceu.

— O canhão! Já! Avante! ordenou o comandante. E, em seguida, nervoso, recomendou:

— Esperem um pouco.

Correu a casa e foi consultar os seus compêndios e tabelas. Demorou-se e a lancha avançava, os soldados tontos e um deles tomou a iniciativa: carregou a peça e disparou-a.

Quaresma reapareceu correndo, assustado, e disse, entrecortado pelo resfolegar:

— Viram bem... a distância... a alça... o ângulo... É preciso ter sempre em vista a eficiência do fogo.

Fontes veio e sabendo do caso no dia seguinte riu-se muito:

— Ora, major, você pensa que está em um polígono, fazendo estudos práticos... Fogo para diante!

E assim era. Quase todas as tardes havia bombardeio, do mar para as fortalezas, e das fortalezas para o mar; e, tanto os navios como os fortes, saíam incólumes de tão terríveis provas.

(*Triste Fim de Policarpo Quaresma*, São Paulo, Brasiliense, 1956, pp. 225-231.)

Herdeiro de Machado de Assis, mas contagiado por novas tendências estéticas e conturbado por uma vida desgraçada, Lima Barreto constitui um elo de união entre o Realismo e o Modernismo. Escritor fronteiriço, o primeiro aspecto que nos chama a atenção diz respeito ao humor, um humor bem brasileiro, puxado à caricatura e mesmo à chalaça, que impregna as personagens e as situações. Observe-se, por exemplo, a breve descrição do fardamento de Ricardo Coração dos Outros ("Estava engraçado dentro do seu fardamento de caporal". Etc.), ou a hilariante cena do bombardeio, já no final do trecho. Por certo, o alvo do humor caricaturesco é o próprio herói do romance, uma espécie de Rubião sem metafísica, ou "um Dom Quixote nacional", no dizer de Oliveira Lima (prefácio à edição citada de *Triste Fim de Policarpo Quaresma*, p. 9). Destacado, porém, do conjunto, o retrato do Major Quaresma pode oferecer uma imagem distorcida: na verdade, o ar grotesco de sua figura de homem crédulo e generoso esconde uma visão biliosa e intolerante do mundo, através da qual se manifestaria a revolta íntima de Lima Barreto. De qualquer modo, trata-se de uma nota distintiva de sua cosmovisão, essencialmente carioca e brasileira. Outro aspecto a observar: o difuso, o incerto, o neblinoso dos primeiros parágrafos ("Oito horas da manhã". Etc.), mais próximo da poesia que da prosa, sobretudo da prosa defendida pelos realistas. Típico quadro impressionista ("tudo tinha um ar de paisagem holandesa"), composto em sinestesias amplas, decorrentes do intuito deliberado de captar a totalidade sensorial do Cosmos, traduzindo uma concepção da realidade em que os dados concretos surgem *pari passu* com a subjetividade do escritor, como se nota no parágrafo iniciado por "Não é noite, não é dia". Para mais acentuar o geral traço indeciso, o ficcionista confessa que não conhece bem o panorama que descreve, ao contrário dos realistas ortodoxos, crentes de que podiam surpreender o mínimo pormenor das coisas e seres. Desse modo, o Mistério banha tudo, não apenas o "eu" sombrio do protagonista: dir-se-ia algo como uma introspecção empreendida pela própria matéria inanimada, de que o ficcionista, empregando o enfoque inconsciente, seria espectador privilegiado. Sem forçar a nota, pode-se dizer que Lima Barreto acrescentou à sondagem psicológica de Machado de Assis uma nova e moderna dimensão. Uma última ponderação, quanto à linguagem: espontânea, quase jornalística, descontraída, para se contrapor ao vezo coevo de fazer estilo, de apurar a sintaxe às raias da esterilização, no falso pressuposto de que escrever bem significa obedecer cegamente aos ditames da gramática tradicional, purista e normativa. Vinculada à melhor tradição de nossa prosa (José de Alencar, Manuel Antônio de Almeida, Machado de Assis), a experiência revolucionária e precursora de Lima Barreto somente hoje pode ser aquilatada corretamente, quando a vemos continuada nos anos 30 pelo romance nordestino.

Texto para Análise

V

A Afilhada

Como lhe parecia ilógico com ele mesmo estar ali metido naquele estreito calabouço. Pois ele, o Quaresma plácido, o Quaresma de tão profundos pensamentos patrióticos, merecia aquele triste fim? De que maneira sorrateira o Destino o arrastara até ali, sem que ele pudesse pressentir o seu extravagante propósito, tão aparentemente sem relação com o resto da sua vida? Teria sido ele com os seus atos passados, com as suas ações encadeadas no tempo, que fizera com que aquele velho deus docilmente o trouxesse até à execução de tal desígnio? Ou teriam sido os fatos externos que venceram a ele, Quaresma, e fizeram-no escravo da sentença da onipotente divindade? Ele não sabia, e, quando teimava em pensar, as duas cousas se baralhavam, se emaranhavam e a conclusão certa e exata lhe fugia.

Não estava ali há muitas horas. Fora preso pela manhã, logo ao erguer-se da cama; e, pelo cálculo aproximado do tempo, pois estava sem relógio e mesmo se o tivesse não poderia consultá-lo à fraca luz da masmorra, imaginava podiam ser onze horas.

Por que estava preso? Ao certo não sabia; o oficial que o conduzira, nada lhe quisera dizer; e, desde que saíra da ilha das Enxadas para a das Cobras, não trocara palavra com ninguém, não vira nenhum conhecido no caminho, nem o próprio Ricardo que lhe podia, com um olhar, com um gesto, trazer sossego às suas dúvidas.

Entretanto, ele atribuía a prisão à carta que escrevera ao presidente, protestando contra a cena que presenciara na véspera.

Não se pudera conter. Aquela leva de desgraçados a sair assim, a desoras, escolhidos a esmo, para uma carniçaria distante, falara fundo a todos os seus sentimentos; pusera diante dos seus olhos todos os seus princípios morais; desafiara a sua coragem moral e a sua solidariedade humana; e ele escrevera a carta com veemência, com paixão, indignado. Nada omitiu do seu pensamento; falou claro, franca e nitidamente.

Devia ser por isso que ele estava ali naquela masmorra, engaiolado, trancafiado, isolado dos seus semelhantes como uma fera, como um criminoso, sepultado na treva, sofrendo umidade, misturado com os detritos, quase sem comer... Como acabarei? Como acabarei? E a pergunta lhe vinha, no meio da revoada de pensamentos que aquela angústia provocava pensar. Não havia base para qualquer hipótese. Era de conduta tão irregular e incerta o Governo que tudo ele podia esperar; a liberdade ou a morte, mais esta que aquela.

O tempo estava de morte, de carnificina; todos tinham sede de matar, para afirmar mais a vitória e senti-la bem na consciência cousa sua, própria, e altamente honrosa.

Iria morrer, quem sabe se naquela noite mesmo? E que tinha ele feito de sua vida? Nada. Levara toda ela atrás da miragem de estudar a pátria, por amá-la e querê-la muito, no intuito de contribuir para a sua felicidade e prosperidade. Gastara a sua mocidade nisso, a sua virilidade também; e, agora que estava na velhice, como ela o recompensava, como ela o premiava, como ela o condecorava? Matando-o. E o que não deixara de ver, de gozar, de fruir, na sua vida? Tudo. Não brincara, não pandegara, não amara — todo esse lado da existência que parece fugir um pouco à sua tristeza necessária, ele não vira, ele não provara, ele não experimentara.

Desde dezoito anos que o tal patriotismo lhe absorvia e por ele fizera a tolice de estudar inutilidades. Que lhe importavam os rios? Eram grandes? Pois que fossem... Em que lhe contribuiria para a felicidade saber o nome dos heróis do Brasil? Em nada... O importante é que ele tivesse sido feliz. Foi? Não. Lembrou-se das suas cousas de tupi, do folclore, das suas tentativas agrícolas... Restava disso tudo em sua alma uma satisfação? Nenhuma! Nenhuma!

O tupi encontrou a incredulidade geral, o riso, a mofa, o escárnio; e levou-o à loucura. Uma decepção. E a agricultura? Nada. As terras não eram ferazes e ela não era fácil como diziam os livros. Outra decepção. E, quando o seu patriotismo se fizera combatente, o que achara? Decepções. Onde estava a doçura de nossa gente? Pois ele não a viu combater como feras? Pois não a via matar prisioneiros, inúmeros? Outra decepção. A sua vida era uma decepção, uma série, melhor, um encadeamento de decepções.

A pátria que quisera ter era um mito; era um fantasma criado por ele no silêncio do seu gabinete. Nem a física, nem a moral, nem a intelectual, nem a política que julgava existir, havia. A que existia de fato, era a do tenente Antonino, a do doutor Campos, a do homem do Itamarati.

E, bem pensando, mesmo na sua pureza, o quê vinha a ser a Pátria? Não teria levado toda a sua vida norteado por uma ilusão, por uma idéia a menos, sem base, sem apoio, por um Deus ou uma Deusa cujo império se esvaía? Não sabia que essa idéia nascera da amplificação da crendice dos povos greco-romanos de que os ancestrais mortos continuariam a viver como sombras e era preciso alimentá-las para que eles não perseguissem os descendentes? Lembrou-se do seu Fustel de Coulanges... Lembrou-se de que essa noção nada é para os Menenanã, para tantas pessoas... Pareceu-lhe que essa idéia como que fora explorada pelos conquistadores por instantes sabedores das nossas subserviências psicológicas, no intuito de servir às suas próprias ambições...

Reviu a história; viu as mutilações, os acréscimos em todos os países históricos e perguntou de si para si: como um homem que vivesse quatro séculos, sendo francês, inglês, italiano, alemão, podia sentir a Pátria?

Uma hora, para o francês, o Franco-Condado era terra dos seus avós, outra não era; num dado momento, a Alsácia não era, depois era e afinal não vinha a ser.

Nós mesmos não tivemos a Cisplatina e não a perdemos; e, porventura, sentimos que haja lá manes dos nossos avós e por isso sofremos qualquer mágoa?

Certamente era uma noção sem consistência racional e precisava ser revista.

Mas, como é que ele tão sereno, tão lúcido, empregara sua vida, gastara o seu tempo, envelhecera atrás de tal quimera? Como é que não viu nitidamente a realidade, não a pressentiu logo e se deixou enganar por um falaz ídolo, absorver-se nele, dar-lhe em holocausto toda a sua existência? Foi o seu isolamento, o seu esquecimento de si mesmo; e assim é que ia para a cova, sem deixar traço seu, sem um filho, sem um amor, sem um beijo mais quente, sem nenhum mesmo, e sem sequer uma asneira!

Nada deixava que afirmasse a sua passagem e a terra não lhe dera nada de saboroso.

Contudo, quem sabe se outros que lhe seguissem as pegadas não seriam mais felizes? E logo respondeu a si mesmo: mas como? Se não se fizera comunicar, se nada dissera e não prendera o seu sonho, dando-lhe corpo e substância?

E esse seguimento adiantaria alguma coisa? E essa continuidade traria enfim para a terra alguma felicidade? Há quantos anos vidas mais valiosas que a dele, se vinham oferecendo, sacrificando e as coisas ficaram na mesma, a terra na mesma miséria, na mesma opressão, na mesma tristeza.

E ele se lembrava que há bem cem anos, ali, naquele mesmo lugar onde estava, talvez naquela mesma prisão, homens generosos e ilustres estiveram presos por quererem melhorar o estado de coisas de seu tempo. Talvez só tivessem pensado, mas sofreram pelo seu pensamento. Tinha havido vantagem? As condições gerais tinham melhorado? Aparentemente sim; bem examinado, não.

Aqueles homens, acusados de crime tão nefando em face da legislação da época, tinham levado dous anos a ser julgados; e ele, que não tinha crime algum, nem era ouvido, nem era julgado: seria simplesmente executado!

Fora bom, fora generoso, fora honesto, fora virtuoso — ele que fora tudo isso, ia para a cova sem o acompanhamento de um parente, de um amigo, de um camarada...

Onde estariam eles? Sobre o Ricardo Coração dos Outros, tão simples e tão inocente na sua mania de violão, ele não poria mais os olhos? Era tão bom que o pudesse, para mandar à sua irmã o último recado, ao preto Anastácio um adeus, à sua afilhada um abraço! Nunca mais vê-los-ia, nunca!

E ele chorou um pouco.

Quaresma, porém, enganava-se em parte. Ricardo soubera de sua prisão e procurava soltá-lo. Teve notícia do exato motivo dela; mas não se intimidou. Sabia perfeitamente que corria grande risco, pois a indignação no palácio contra Quaresma fora geral. A vitória tinha feito os vitoriosos inclementes e ferozes, e aquele protesto soou entre eles como um desejo de diminuir o valor das vantagens alcançadas. Não havia mais piedade, não havia mais simpatia, nem respeito pela vida humana; o que era necessário era dar o exemplo de um massacre à turca, porém clandestino, para que jamais o poder constituído fosse atacado ou mesmo discutido. Era a filosofia social da época, com forças de religião, com os seus fanáticos, com os seus sacerdotes e pregadores, e ela agia com a maldade de uma crença forte, sobre a qual fizéssemos repousar a felicidade de muitos.*

(*Ibidem*, pp. 282-287.)

MONTEIRO LOBATO

José Bento Monteiro Lobato nasceu em Taubaté, Estado de São Paulo, a 18 de abril de 1882. Após o curso primário e o secundário em sua cidade natal, vem para São Paulo estudar Direito. Durante esses anos, toma parte num grupo literário formado de estudantes, "O Minarete". Formado (1904), regressa a Taubaté, cônscio de seu destino de escritor. Em 1907, é nomeado promotor em Areias, no Vale do Paraíba, onde continua a lapidar seus escritos e a pensar Literatura. Quatro anos após, vê-se obrigado a tomar a direção da fazenda do avô. Mas a repercussão de dois artigos n*O Estado de S. Paulo*, em 1914, decide-lhe o rumo a seguir: vende a fazenda, vem para São Paulo e entrega-se à Literatura e às lides intelectuais: editor, campanhas nacionalistas em favor do petróleo e do ferro, fruto de sua viagem aos EUA, em 1927, etc. Preso pela ditadura (1941), ao sair exila-se na Argentina, onde permanece algum tempo. Faleceu a 4 de julho de 1948. Escreveu: *Urupês*, contos (1918), *Problemas Vitais*, jornalismo (1918), *Cidades Mortas*, contos (1919), *Idéias de Jeca Tatu* (1919), *Negrinha*, contos (1920), *A Onda Verde*, jornalismo (1921), *O macaco que se fez homem* (1923), *Mundo da Lua* (1923), *O Choque das Raças ou O Presidente Negro*, romance (1926), *Mr. Slang e o Brasil* (1927), *Ferro* (1931), *América* (1931), *Na Antevéspera* (1933), *O Escândalo do Petróleo* (1936), *A Barca de Gleyre*, correspondência literária (1944); e literatura infantil.

Urupês

Estimulado pelo êxito imprevisto de dois artigos estampados n*O Estado de S. Paulo* em fins de 1914 ("Velha Praga" e "Urupês"), Monteiro Lobato resolve reunir em volume alguns dos contos que a experiência de fazendeiro no Vale do Paraíba lhe proporcionara. A princípio,

---

* *Fustel de Coulanges* = Historiador francês (1830-1889), autor de *Cidade Antiga* (1864), dentre outros livros.

pensou intitulá-los *Dez Histórias Trágicas*, mas, por sugestão de Artur Neiva, muda para *Urupês*. Paralelamente à substituição do título, suprimiram-se várias histórias e em seu lugar entraram outras, de caráter lírico ou irônico, somando doze ao todo: "Os Faroleiros", "O Engraçado Arrependido", "A Colcha de Retalhos", "A Vingança da Peroba", "Um Suplício Moderno", "Meu Conto de Maupassant", "*Pollice Verso*", "Bucólica", "O Mata-pau", "Bocatorta", "O Comprador de Fazendas", "O Estigma". Do volume, aparecido em julho de 1918, e entusiasticamente recebido pela crítica, escolheu-se a sexta narrativa, "Meu Conto de Maupassant":

Conversavam no trem dois sujeitos. Aproximei-me e ouvi:

— "Anda a vida cheia de contos de Maupassant; infelizmente há pouquíssimos Guys...

— "Por que Maupassant e não Kipling, por exemplo?

— "Porque a vida é amor e morte, e a arte de Maupassant é nove em dez um enquadramento engenhoso do amor e da morte. Mudam-se os cenários, variam os atores, mas a substância persiste — o amor, sob a única face impressionante, a que culmina numa posse violenta de fauno incendido de luxúria, e a morte, o estertor da vida em transe, o quinto ato, o epílogo fisiológico. A morte e o amor, meu caro, são os dois únicos momentos em que a jogralice da vida arranca a máscara e freme num delírio trágico.

— "?

— "Não te rias. Não componho frases. Justifico-me. Na vida, só deixamos de ser uns palhaços inconscientes a mentirmos à natureza quando esta, reagindo, põe a nu o instinto hirsuto ou acena o 'basta' final que recolhe o mau ator ao pó. Só há grandeza, em suma, e 'seriedade', quando cessa de agir o pobre jogral que é o homem feito, guiado e dirigido por morais, religiões, códigos, modas e mais postiços de sua invenção — entra em cena a natureza bruta.

— "A propósito de que tanta filosofia, com este calor de janeiro?...

O comboio corria entre S. José e Quiririm. Região arrozeira em plena faina do corte. Os campos em sega tinham o aspecto de cabelos louros tosados à escovinha. Pura paisagem européia de trigais.

A espaços feriam nossos olhos quadros de Millet, em fuga lenta, se longe, ou rápida, se perto. Vultos femininos de cesta à cabeça, que paravam a ver passar o trem. Vultos de homens amontoando feixes de espigas para a malhação do dia seguinte. Carroções tirados a bois recolhendo o cereal ensacado. E como caía a tarde e a Mantiqueira já era uma pincelada opaca de índigo a barrar a imprimadura evanescente do azul, vimos em certo trecho o original do "Ângelus"...

— "Já te digo a propósito de que vem tanta filosofia.

E, enfiando os olhos pela janela, calou-se. Houve uma pausa de minutos. Súbito, apontando um velho saguaragi avultado à margem da linha e logo sumido para trás, disse:

— "A propósito dessa árvore que passou. Foi ela comparsa no 'meu conto de Maupassant'.

— "Conta lá, se é curto.

O primeiro sujeito não se ajeitou no banco, nem limpou o pigarro, como é de estilo. Sem transição foi logo narrando.

— "Havia um italiano, morador destas bandas, que tinha vendola na estrada. Tipo mal encarado e ruim. Bebia, jogava, e por vezes andou às voltas com as autoridades. Certo dia — eu era delegado de polícia — uns piraguaras vieram dizer-me que em tal parte jazia o 'corpo morto' de uma velha, picado à foice.

Organizei a diligência e acompanhei-os. — "É lá naquele saguaragi", disseram ao aproximarem-se da árvore que passou. Espetáculo repelente! Ainda tenho na pele o arrepio de horror que me correu pelo corpo ao dar uma topada balofa num corpo mole. Era a cabeça da velha, semi-oculta sob folhas secas. Porque o malvado a decepara do tronco, lançando-a a alguns metros de distância.

Como por sistema eu desconfiasse do italiano, prendi-o. Havia contra ele indícios fortes. Viram-no sair com a foice, a lenhar, na tarde do crime.

Entretanto, por falta de provas foi restituído à liberdade, mau grado meu, pois cada vez me capacitava da sua culpabilidade. Eu pressentia naquele sórdido tipo — e negue-se valor ao pressentimento! — o miserável matador da pobre velha.

— "Que interesse tinha no crime?

— "Nenhum. Era o que alegava. Era como argumentava a logicazinha trivial de toda gente. Não obstante, eu o trazia de olho, certo de que era o homicida.

O patife, não demorou muito, traspassou o negócio e sumiu-se. Eu do meu lado deixei a polícia e do crime só me ficou, nítida, a sensação da topada mole na cabeça da velha.

Anos depois o caso reviveu. A polícia obteve indícios veementes contra o italiano, que andava por São Paulo num grau extremo de decadência moral, pensionista do xadrez por furtos e bebedices. Prenderam-no e, remeteram-no para cá, onde o júri iria decidir da sua sorte.

— "Os teus pressentimentos...

O sujeito sorriu com malícia e continuou.

— "Não resistiu, não reagiu, não protestou. Tomou o trem no Brás e veio de cabeça baixa, sem proferir palavra, até S. José; daí por diante (quem o conta é um soldado da escolta) metia amiúde os olhos pela janela, como preocupado em ver coisa na paisagem, até que defrontou o saguaragi. Nesse ponto armou um pincho de gato e despejou-se pela janela fora. Apanharam-no morto, de crânio rachado, a escorrer a couve-flor dos miolos perto da árvore fatal.

— "O remorso!

— "Está aqui o 'meu conto de Maupassant'. Tive a impressão dele nas palavras do soldado da escolta: 'veio de cabeça baixa até S. José, daí por diante enfiou os olhos pela janela até enxergar a árvore e pinchou-se'. No progresso ingênuo da narrativa li toda a tragédia íntima daquele cérebro, senti todo um drama psicológico que nunca será escrito...

— "É curioso! comentou o outro, pensativamente.

Mas o primeiro sujeito acendeu o cigarro e concluiu sorridente, com pausada lentidão:

— "O curioso é que mais tarde um dos piraguaras denunciadores do crime, e filho da velha, preso por picar um companheiro a foiçadas, *confessou-se também o assassino da velhinha, sua mãe...*

— "?

— "Meu caro, aquele pobre Oscar Fingall O'Flahertie Wills Wilde disse muita coisa, quando disse que a vida sabe melhor imitar a arte do que a arte sabe imitar a vida.*

(*Urupês*, São Paulo, Brasiliense, 1957, pp. 171-175.)

Além de constituir um protótipo de conto, esta narrativa exemplifica nitidamente as tendências literárias de Monteiro Lobato, ao menos na altura em que elaborou *Urupês*. Na verdade, se nem tudo em suas composições breves se deve ao magistério de Maupassant, algumas de suas constantes o vinculam de imediato ao contista francês. A engenhosa síntese da arte do autor de *Boule de Suif*, efetuada logo à entrada do conto, afora corresponder à realidade dos fatos, denuncia a própria maneira de Monteiro Lobato: "Porque a vida é amor e morte", etc. Em semelhante perspectiva se coloca o epílogo, enigmático e inesperado, peculiar ao conto, em que Maupassant foi mestre. E o foco narrativo, empregando a terceira e a primeira pessoas simultaneamente, numa aliança em que a última predomina, é outro aspecto digno de nota: conto dentro do conto, equivale ao afã de autenticidade que notabilizara o escritor europeu. Este, reagindo contra a rigidez doutrinária em voga no tempo, destinava à psicologia um lugar marcante em sua visão do mundo, mas da psicologia que se esconde por trás de vidas anônimas e medíocres, por trás da aparente ausência de qualquer vibração, como se surpreendesse as tragédias ocultas na inércia pardacenta do cotidiano. Assim procede nosso contista: deixando suspenso o veredito em torno do assassínio da velha, insinua as profundezas abissais em que mergulha a existência mental de criaturas destituídas de relevo ou maior significação. Como que forcejando por captar o mistério recôndito no dia-a-dia trivial, a ficção de Monteiro Lobato talvez se diferencie da de Maupassant naquilo em que este repudiava a "escrita artística" dos irmãos Goncourt, ao passo que ele buscava um casticismo de linguagem inspirado em Camilo. Não obstante, a limpidez do retrato psicológico e a objetividade na localização do invisível ou do incerto são características que permanecem, tornando o prosador de Taubaté um dos nossos mais engenhosos artífices do conto.

JOAQUIM NABUCO

Joaquim Aurélio Barreto Nabuco de Araújo nasceu em Recife, a 19 de agosto de 1849. Após o curso secundário no Colégio Pedro II, do Rio de Janeiro, ingressa na Faculdade de Direito de São Paulo, mas termina seus estudos superiores na cidade natal (1870). Pouco

---

* *Maupassant* = Guy de Maupassant (1850-1893), mestre francês do conto, autor de *Boule de Suif* (1880), *La Maison Tellier* (1881), *Mlle. Fifi* (1882), *Contes du Jour et de la Nuit* (1885), *Le Horla* (1887), etc.; *Kipling* = Rudyard Kipling (1865-1936), poeta e romancista inglês, autor de *O Livro da Selva* (1894), entre outros tantos livros; *Oscar Wilde* = Dramaturgo, poeta e ensaísta irlandês, autor d*O Retrato de Doryan Gray* (1890), *Salomé* (1896), *Balada da Prisão de Reading* (1898), *De Profundis* (1905), etc.

depois, lança seu primeiro livro, *Camões e Os Lusíadas* (1872). Entre 1873 e 1874, viaja para a Europa e trava conhecimento com Renan, George Sand, Thiers e outros. Em 1876, atraído pela vida diplomática, serve como adido de legação nos EUA e na Inglaterra. De regresso, elege-se deputado por Pernambuco (1878), e participa na campanha pela abolição da escravatura. Em 1897, associa-se à Academia Brasileira de Letras, como secretário perpétuo, e dois anos mais tarde empenha-se no caso de fronteira com a Guiana Inglesa. Em 1905, é designado nosso Embaixador em Washington, onde falece em 17 de janeiro de 1910. Escreveu ainda: *Um Estadista do Império*, 3 vols. (1897-1899), *Minha Formação* (1900), *Pensées Detachées et Souvenirs* (1906), *L'Option* (1910). Suas obras completas foram dadas a público em 14 volumes, entre 1947 e 1949, pela IPÊ, de São Paulo.

Minha Formação

Autobiografia, publicou-se pela primeira vez, embora não integralmente, no *Comércio de São Paulo*, em 1895. Em volume, apareceu em 1900. Composta de 26 capítulos, a obra se inicia na fase do "Colégio e Academia", e finda em 1899. Entre as duas raias de tempo, desfilam os principais episódios de uma vida multiforme, em que o panorama local se compagina com os grandes centros internacionais de cultura, notadamente a França, a Inglaterra e os EUA, e em que "a crise poética" (capítulo VIII) tem contrapeso na "eleição de deputado" (capítulo XIX) e na Abolição (capítulo XXI). O fragmento que se transcreve a seguir, pertence ao capítulo XX, intitulado "Massangana", das páginas mais antológicas de quantas inspirou o talento de Joaquim Nabuco:

O traço todo da vida é para muitos um desenho da criança esquecido pelo homem, mas ao qual ele terá sempre que se cingir sem o saber... Pela minha parte acredito não ter nunca transposto o limite das minhas quatro ou cinco primeiras impressões... Os primeiros oito anos da vida foram assim, em certo sentido, os de minha formação, instintiva ou moral, definitiva... Passei esse período inicial, tão remoto, porém mais presente do que qualquer outro, em um engenho de Pernambuco, minha província natal. A terra era uma das mais vastas e pitorescas da zona do Cabo... Nunca se me retira da vista esse pano de fundo que representa os últimos longes de minha vida. A população do pequeno domínio, inteiramente fechado a qualquer ingerência de fora, como todos os outros feudos da escravidão, compunha-se de escravos, distribuídos pelos compartimentos da senzala, o grande pombal negro ao lado da casa de morada, e de rendeiros, ligados ao proprietário pelo benefício da casa de barro que os agasalhava ou da pequena cultura que ele lhes consentia em suas terras. No centro do pequeno cantão de escravos levantava-se a residência do senhor, olhando para os edifícios da moagem, e tendo por trás, em uma ondulação do terreno, a capela sob a invocação de São Mateus. Pelo declive do pasto árvores isoladas abrigavam sob sua umbela impenetrável grupos de gado sonolento. Na planície estendiam-se os canaviais cortados pela alameda tortuosa de antigos ingás carregados de musgos e cipós, que sombreavam de lado a lado o pequeno rio Ipojuca. Era por essa água quase dormente sobre os seus largos bancos de areia que se embarcava o açúcar para o Recife; ela alimentava perto da casa um grande viveiro, rondado pelos jacarés, a que os negros davam caça, e nomeado pelas suas pescarias. Mais longe começavam os mangues que chegavam até à costa de Nazaré... Durante o dia, pelos grandes calores, dormia-se a sesta, respirando o aroma, espalhado por toda a parte, das grandes tachas em que cozia o mel. O declinar do sol era deslumbrante, pedaços da planície transformavam-se em uma poeira d'ouro; a boca da noite, hora das boninas e dos bacuraus, era agradável e balsâmica, depois o silêncio dos céus estrelados majestoso e profundo. De todas essas impressões nenhuma morrerá em mim. Os filhos de pescadores sentirão sempre debaixo dos pés o roçar das areias da praia e ouvirão o ruído da vaga. Eu por vezes acredito pisar a espessa camada de canas caídas da moenda e escuto o rangido longínquo dos grandes carros de bois...

Emerson quisera que a educação da criança começasse cem anos antes dela nascer. A minha educação religiosa obedeceu certamente a essa regra. Eu sinto a idéia de Deus no mais afastado de mim mesmo, como o sinal amante e querido de diversas gerações. Nessa parte a série não foi interrompida. Há espíritos que gostam de quebrar todas as suas cadeias, e de preferência as que outros tivessem criado para eles; eu, porém, seria incapaz de quebrar inteiramente a menor das correntes que alguma vez me prendeu, o que faz que suporte cativeiros contrários, e menos do que as outras uma que me tivesse sido deixada como herança. Foi na pequena capela de Massangana que fiquei unido à minha.

As impressões que conservo dessa idade mostram bem em que profundezas os nossos primeiros alicerces são lançados. Ruskin escreveu esta variante do pensamento de Cristo sobre a infância: "A criança sustenta muitas vezes entre os seus fracos dedos uma verdade que a idade madura com toda sua fortaleza não poderia suspender e que só a velhice terá novamente o privilégio de carregar." Eu tive em minhas mãos como brinquedos de menino toda a simbólica do sonho religioso. A cada instante encontro entre minhas reminiscências miniaturas que por sua frescura de provas *avant la lettre* devem datar dessas primeiras tiragens da alma. Pela perfeição dessas imagens inapagáveis pode-se estimar a impressão causada. Assim eu vi a Criação de Miguel-Ângelo na Sistina e a de Rafael nas Loggie, e, apesar de toda a minha reflexão, não posso dar a nenhuma o relevo interior do primeiro paraíso que fizeram passar diante dos meus olhos em um vestígio de antigo Mistério popular. Ouvi notas perdidas do *Ângelus* na Campanha romana, mas o muezim íntimo, o timbre que soa aos meus ouvidos à hora da oração, é o do pequeno sino que os escravos escutavam com a cabeça baixa, murmurando o *Louvado seja Nosso Senhor Jesus Cristo*. Este é o Millet inalterável que se gravou em mim. Muitas vezes tenho atravessado o oceano, mas se quero lembrar-me dele, tenho sempre diante dos olhos, parada instantaneamente, a primeira vaga que se levantou diante de mim, verde e transparente como um biombo de esmeralda, um dia que, atravessando por um extenso coqueiral atrás das palhoças dos jangadeiros, me achei à beira da praia e tive a revelação súbita, fulminante, da terra líquida e movente... Foi essa onda, fixada na placa mais sensível do meu *kodak* infantil, que ficou sendo para mim o eterno *clichê* do mar. Somente por baixo delas poderia eu escrever: *Thalassa! Thalassa!*

Meus moldes de idéias e de sentimentos datam quase todos dessa época. As grandes impressões da madureza não têm o condão de me fazer reviver que tem o pequeno caderno de cinco a seis folhas apenas em que as primeiras hastes da alma aparecem tão frescas como se tivessem sido calcadas nesta mesma manhã... O encanto que se encontra nesses *eidoli* grosseiros e ingênuos da infância não vem senão de sentirmos que só eles conservam a nossa primeira sensibilidade apagada... Eles são, por assim dizer, as cordas soltas, mas ainda vibrantes, de um instrumento que não existe mais em nós...

Do mesmo modo que com a religião e a natureza, assim com os grandes fatos morais em redor de mim. Estive envolvido na campanha da abolição e durante dez anos procurei extrair de tudo, da história, da ciência, da religião, da vida, um filtro que seduzisse a dinastia; vi os escravos em todas as condições imaginárias; mil vezes li a *Cabana do Pai Tomás*, no original da dor vivida e sangrando; no entanto a escravidão para mim cabe toda em um quadro inesquecido da infância, em uma primeira impressão, que decidiu, estou certo, do emprego ulterior de minha vida. Eu estava uma tarde sentado no patamar da escada exterior da casa, quando vejo precipitar-se para mim um jovem negro desconhecido, de cerca de dezoito anos, o qual se abraça aos meus pés suplicando-me pelo amor de Deus que o fizesse comprar por minha madrinha para me servir. Ele vinha das vizinhanças, procurando mudar de senhor, porque o dele, dizia, o castigava, e ele tinha fugido com risco de vida... Foi este o traço inesperado que me descobriu a natureza da instituição com a qual eu vivera até então familiarmente, sem suspeitar a dor que ela ocultava.

Nada mostra melhor do que a própria escravidão o poder das primeiras vibrações do sentimento... Ele é tal, que a vontade e a reflexão não poderiam mais tarde subtrair-se à sua ação e não encontram verdadeiro prazer senão em se conformar... Assim eu combati a escravidão com todas as minhas forças, repeli-a com toda a minha consciência, como a deformação utilitária da criatura, e na hora em que a vi acabar, pensei poder pedir também minha alforria, dizer o meu *nunc dimittis*, por ter ouvido a mais bela nova que em meus dias Deus pudesse mandar ao mundo; e, no entanto, hoje que ela está extinta, experimento uma singular nostalgia, que muito espantaria um Garrison ou um John Brown: a saudade do escravo.

É que tanto a parte do senhor era inscientemente egoísta, tanto a do escravo era inscientemente generosa. A escravidão permanecerá por muito tempo como a característica nacional do Brasil. Ela espalhou por nossas vastas solidões uma grande suavidade; seu contato foi a primeira forma que recebeu a natureza virgem do País, e foi a que ele guardou; ela povoou-o, como se fosse uma religião natural e viva, com os seus mitos, suas legendas, seus encantamentos; insuflou-lhe sua alma infantil, suas tristezas sem pesar, suas lágrimas sem amargor, seu silêncio sem concentração, suas alegrias sem causa, sua felicidade sem dia seguinte... É ela o suspiro indefinível que exalam ao luar as nossas noites do Norte. Quanto a mim, absorvi-a no leite preto que me amamentou; ela envolveu-me com uma carícia muda toda a minha infância; aspirei-a da dedicação de velhos servidores que me reputavam o herdeiro presuntivo do pequeno domínio de que faziam parte... Entre mim e eles deve ter-se dado uma troca contínua de simpatia, de que resultou a terna e reconhecida admiração que vim mais tarde a sentir pelo seu papel. Este pareceu-me, por contraste com o instinto mercenário da nossa época, sobrenatural à força de naturalidade humana, e no dia em que a escravidão foi abolida, senti distintamente que um dos mais absolutos desinteresses de que o coração humano se tenha mostrado capaz não encontraria mais as condições que o tornaram possível.

Nessa escravidão da infância não posso pensar sem um pesar involuntário... Tal qual o pressenti em torno de mim, ela conserva-se em minha recordação como um jugo suave, orgulho exterior do senhor, mas também orgulho íntimo do escravo, alguma coisa parecida com a dedicação do animal que nunca se altera, porque o fermento da desigualdade não pode penetrar nela. Também eu receio que essa espécie particular de escravidão tenha existido somente em propriedades muito antigas, administradas durante gerações seguidas com o mesmo espírito de humanidade, e onde uma longa hereditariedade de relações fixas entre o senhor e os escravos tivesse feito de um e outros uma espécie de tribo patriarcal isolada do mundo. Tal aproximação entre situações tão desiguais perante a lei seria impossível nas novas e ricas fazendas do Sul, onde o escravo, desconhecido do proprietário, era somente um instrumento de colheita. Os engenhos do Norte eram pela maior parte pobres explorações industriais, existiam apenas para a conservação do estado do senhor, cuja importância e posição avaliava-se pelo número de seus escravos. Assim também encontrava-se ali, com uma aristocracia de maneiras que o tempo apagou, um pudor, um resguardo em questões de lucro, próprio das classes que não traficam.*

(*Minha Formação*, São Paulo, IPÊ, 1949, pp. 177-183.)

Posto situar-se, com *Minha Formação*, na área do memorialismo, e gozar de uma personalidade inconfundível, Joaquim Nabuco apresenta a mesma característica fundamental de Euclides da Cunha: escritor acima de tudo, nele prevalece o domínio das matrizes da língua sobre o da fantasia criadora. Noutros termos, vale mais pelos méritos estilísticos, já que seu intuito básico, sendo a reconstituição "sincera" da própria existência, o afastava da imaginação, que é a mola propulsora do ficcionista, do dramaturgo e do poeta. Assim, a página que se leu, provavelmente conhecida do leitor pelo fato de ser peça obrigatória em qualquer antologia do vernáculo, nos patenteia as excelências de um estilo caracterizado pela nitidez, pelo casticismo, por uma espécie de aticismo que o aproximaria dos clássicos. Tais qualidades, que

---

* *Cabo* = Cabo de Santo Agostinho; *Ruskin* = John Ruskin (1819-1900), crítico de arte nascido na Inglaterra; *Loggie* = Galerias do Vaticano, pintadas por Rafael (1483-1520), artista italiano da Renascença; *Sistina* = capela do Vaticano, pintada por Miguel-Ângelo Buonarotti (1475-1564), escultor, pintor, arquiteto e poeta de gênio, dentre os mais célebres de seu tempo; *muezzin* = Árabe muçulmano que anuncia a hora da oração; *Millet* = Jean-François Millet (1814-1875), pintor francês que ficou célebre com seu quadro *L'Angélus*, focalizando uma cena campestre ao fim do dia; *Thalassa! Thalassa!* = O Mar! O Mar! Grito solto pelos dez mil gregos chefiados por Xenofonte (*Anabasis*, IV, 8) quando viram o mar após meses de deserto; *eidoli* = Plural do grego *eidolon* = figura, imagem; *Cabana do Pai Tomás* = Romance da escritora norte-americana Harriet Beecher Stowe (1811-1896), acerca da escravidão; *Nunc dimittis servum tuum, Domine* = "Agora despede o teu servo, Senhor" (*Lucas*, 2: 29); *William Lloyd Garrison* e *John Brown* = Abolicionistas norte-americanos.

os demais capítulos da obra ajudam a explicar, relatando-nos desde a meninice privilegiada num meio aristocrático, até a cultura aprendida em livros e nas viagens ao estrangeiro, tais qualidades denotam um espírito de eleição, basilarmente conservador, como se observa de modo explícito no parágrafo começado por "Emerson quisera que a educação da criança começasse cem anos antes dela nascer". Percebe-se, porém, que esse conservadorismo se põe em litígio com um substrato (ainda de extração aristocrática) sensível à humanidade e à simplicidade, que remonta à infância (cf. o parágrafo começado por "As impressões que conservo dessa idade"), e com um pensamento filosófico elaborado na idade madura, com fundamento naquelas impressões da puerícia (cf. o parágrafo iniciado por "Do mesmo modo que a religião e a natureza"). Daí o caráter sentimental e particularista que exibe seu pensar abolicionista, induzindo a uma aparente contradição: sente "saudade de escravo", e admite que, no Norte, a escravidão era "um jugo suave, orgulho exterior do senhor, mas também orgulho íntimo do escravo". No final, essa concepção empática e romântica do cativo assinala uma postura refinada, oriunda de um homem inserido nas classes elevadas, balançando-se entre um sentimento profundo, recuado à infância, que lhe determinou os estereótipos mentais de adulto, e uma doutrina igualitarista em parte promanada desse mesmo sentimento, e em parte do saber que a experiência dos homens e do mundo lhe foi permitindo assimilar no curso da vida consciente. Feitas as contas, pode-se concluir que o estilo depurado, bem como a matéria que reveste, decorrem de uma visão apolínea do Cosmos, pouco freqüente na Literatura Brasileira.

RUI BARBOSA

Rui Caetano Barbosa de Oliveira nasceu em Salvador (Bahia), a 5 de novembro de 1849. Após o curso secundário no Ginásio Baiano, de Abílio César Borges, inicia em 1866 os estudos de Direito no Recife. Transfere-se para São Paulo dois anos mais tarde, e aqui se forma, em 1870. Enceta a carreira de advogado, mas logo a política o atrai (deputado em 1877/1878, senador em 1890, etc.). Envolveu-se na campanha abolicionista, através da imprensa e da oratória; coopera na derrubada da Monarquia e elabora o projeto da Constituição, mas a oposição a Floriano o remete para o exílio na Argentina, Portugal e Inglaterra. Regressa em 1895, e continua a atividade jornalística, enquanto vai sofrendo lenta conversão para o Catolicismo. Em 1902, redige o parecer acerca do Código Civil e trava a célebre polêmica com seu mestre, Carneiro Ribeiro. Em 1907, representa o Brasil na Conferência de Paz de Haia. Passados dois anos, candidata-se à Presidência da República, e é derrotado. Insiste em 1919, baldadamente. Desengana-se da política e recolhe-se aos trabalhos literários. Faleceu em Petrópolis, a 1º de março de 1923. Deixou obra volumosa, de que se destacam os seguintes títulos: *O Papa e o Concílio* (tradução e introdução, 1877), *Réplica às Defesas da Redação do Projeto do Código Civil* (1904), *Discursos e Conferências* (1907), *Páginas Literárias* (1918), *Cartas Políticas e Literárias* (1919). Suas obras completas, somando já dezenas de volumes, vêm sendo publicadas pela Casa de Rui Barbosa, do Rio de Janeiro, desde 1942. Na impossibilidade de transcrever a *Oração aos Moços*, sua obra-prima, discurso de paraninfo à turma de 1921 da Faculdade de Direito de São Paulo, escolheu-se uma das páginas mais felizes de quantas criou — a oração que, em nome da Academia Brasileira de Letras, proferiu perante os restos mortais de Machado de Assis:

A Machado de Assis

Designou-me a Academia Brasileira de Letras para vir trazer ao amigo que de nós aqui se despede, para lhe vir trazer, nas suas próprias palavras, num gemido da sua lira, para lhe vir trazer o nosso "coração de companheiros".

Eu quase não sei dizer mais, nem sei que mais se possa dizer, quando as mãos que se apertavam no derradeiro encontro se separam desta para a outra parte da eternidade. Nunca ergui a voz sobre um túmulo, parecendo-me sempre que o silêncio era a linguagem de nos entendermos com o mistério dos mortos. Só o irresistível de uma vocação, como a dos que me chamaram para órgãos desses adeuses, me abriria a boca ao pé deste jazigo, em torno do qual, ao movimento das emoções reprimidas, se sobrepõe o murmúrio do indizível, a sensação de uma existência, cuja corrente se ouvisse cair de uma em outra bacia no insondável do tempo, onde se formam do veio das águas sem mancha as rochas de cristal exploradas pela posteridade.

Do que a ela se reserva em surpresas, em maravilhas de transparência e sonoridade e beleza na obra de Machado de Assis, di-lo-ão outros, hão de o dizer os seus confrades, já o está dizendo a imprensa, e de esperar é que o diga, dias sem conta, derredor do seu nome, da lápide que vai tombar sobre o seu corpo, mas abrir a porta ao ingresso da sua imagem na sagração dos incontestados, a admiração, a reminiscência, a mágoa sem cura dos que lhe sobrevivem. Eu, de mim, porém não quisera falar senão do seu coração e da sua alma.

Daqui, deste abismar-se de ilusões e esperanças que soçobram ao cerrar de cada sepulcro, deixemos passar a glória na sua resplandecência, na sua fascinação, na impetuosidade do seu vôo. Muito ressumbra sempre da nossa debilidade na altivez do seu surto e na confiança das suas asas. As arrancadas mais altas do gênio mal se libram nos longes da nossa atmosfera, de todas as partes envolvida e distanciada pelo infinito. Para se não perder no incomensurável deste, para vizinhar a terra do firmamento, para desassombrar a impenetrabilidade da morte, não há como a bondade. Quando ela, como aqui, se debruça fora de uma campa ainda aberta, já se não cuida que lhe esteja à beira, de guarda, o mais malquisto dos nomes, no sentimento grego, e os braços de si mesmos se levantam, se estendem, se abrem para tomar entre si a visão querida, que se aparta.

Não é o clássico da língua; não é o mestre da frase; não é o árbitro das letras; não é o filósofo do romance; não é o mágico do conto; não é o joalheiro do verso, o exemplar sem rival entre os contemporâneos, da elegância e da graça, do aticismo e da singeleza no conceber e no dizer; é o que soube viver intensamente da arte, sem deixar de ser bom. Nascido com uma dessas predestinações sem remédio ao sofrimento, a amargura do seu quinhão nas expiações da nossa herança o não mergulhou no pessimismo dos sombrios, dos mordazes, dos invejosos, dos revoltados. A dor lhe aflorava ligeiramente aos lábios, lhe roçava ao de leve a pena, lhe ressumava sem azedume das obras, num ceticismo entremeio de timidez e desconfiança, de indulgência e receio, com os seus toques de malícia a sorrirem, de quando em quando, sem maldade, por entre as dúvidas e as tristezas do artista. A ironia mesma se desponta, se embebe de suavidade no íntimo desse temperamento, cuja compleição, sem desigualdades, sem espinhos, sem asperezas, refratária aos antagonismos e aos conflitos, dir-se-ia emersa das mãos da própria Harmonia, tal qual essas criações da Hélade, que se lavraram para a imortalidade num mármore cujas linhas parecem relevos do ambiente e projeções do céu no meio do cenário que as circunda.

Deste lado moral da sua entidade, quem me dera saber exprimir, neste momento, o que eu desejaria. Das riquezas da sua inspiração na lírica, da sua mestria no estilo, da sua sagacidade na psicologia, do seu mimo na invenção, da sua bonomia no humorismo, do seu nacionalismo na originalidade, da sua lhaneza, tato e gosto literário, darão testemunho perpetuamente os seus escritos, galeria de obras-primas, que não atesta menos da nossa cultura, da independência, da vitalidade e das energias civilizadoras da nossa raça do que uma exposição inteira de tesoiros do solo e produtos mecânicos do trabalho. Mas, nesta hora de entrada ao ignoto, a este contacto quase direto, quase sensível com a incógnita do problema supremo, renovado com interrogações da nossa ansiedade cada vez que um de nós desaparece na torrente das gerações, não é a ocasião dos cânticos de entusiasmo, dos hinos pela vitória nas porfias do talento. A este não faltarão comemorações, cujo círculo se alargará com os anos, à medida que o rastro de luz penetrar, pelo futuro além, cada vez mais longe do seu foco.

O que se pagaria talvez se não o colhêssemos logo na memória dos presentes, dos que lhe cultivaram o afeto, dos que lhe seguiram os dias, dos que lhe escutaram o peito, dos que lhe fecharam os olhos, é o sopro da sua vida moral. Quando ele se lhe exalou pela última vez, os amigos que lho receberam com o derradeiro anélito, contraíram a obrigação de o reter, como se reteria na máxima intensidade de aspirações dos nossos pulmões o aroma de uma flor cuja espécie se extinguisse, para o dar a sentir aos sobreviventes, e dele impregnar a tradição, que não perece.

Eu não fui dos que o respiraram de perto. Mas, homem do meu tempo, não sou estranho às influências do mal e do bem, que lhe perpassam no ar. Numa época de lassidão e violência, de hostilidade e fraqueza, de agressão e anarquia nas coisas e nas idéias, a sociedade necessita justamente, por se recordar, de mansidão e energia, de resistência e conciliação. São as virtudes da vontade e as do coração as que salvam nesses transes. Ora, dessas tendências que atraem para a estabilidade, a pacificação e a disciplina, sobram exemplos no tipo desta vida, mal extinta e ainda quente.

Modelo foi de pureza e correção, temperança e doçura; na família, que a unidade e devoção do seu amor converteu em santuário; na carreira pública, onde se extremou pela fidelidade e pela honra; no sentimento da língua pátria, em que prosava como Luís de Sousa, e cantava como Luís de Camões; na convivência dos seus colegas, dos seus amigos, em que nunca deslizou da modéstia, do recato, da tolerância, da gentileza. Era sua alma um vaso da amenidade e melancolia. Mas a missão da sua existência, repartida entre o ideal e a rotina, não se lhe cumpriu sem rudeza e sem fel. Contudo, o mesmo cálice da morte, carregado de amargura, lhe não alterou a brandura da têmpera e a serenidade da atitude.

Poderíamos gravar-lhe aqui, na laje da sepultura, aquilo de um grande livro cristão: "Escreve, lê, canta, suspira, ora, sofre os contratempos virilmente", se eu não temesse claudicar, aventurando que as suas tribulações conheceram o lenitivo da prece. O instinto, não obstante, no-lo adivinha nas trevas do seu naufrágio, quando, na orfandade do lar despedaçado, cessou de encontrar a providência das sua alegrias e das suas penas entre as carícias da que tinha sido a meeira da sua lida e do seu pensamento.

Mestre e companheiro, disse eu que nos íamos despedir. Mas disse mal. A morte não extingue: transforma; não aniquila: renova; não divorcia: aproxima. Um dia supuseste "morta e separada" a consorte dos teus sonhos e das tuas agonias, que te soubera "pôr um mundo inteiro no recanto" do teu ninho; e, todavia, nunca ela te esteve mais presente, no íntimo de ti mesmo e na expressão do teu canto, no fundo do teu ser e na face das tuas ações. Esses catorze versos inimitáveis, em que o enlevo dos teus discípulos resume o valor de toda uma literatura, eram a aliança de ouro do teu segundo noivado, um anel de outras núpcias, para a vida nova do teu renascimento e da tua glorificação, com a sócia sem nódoa dos teus anos de mocidade e madureza, da florescência e frutificação de tua alma. Para os eleitos do mundo das idéias a miséria está na decadência, e não na morte. A nobreza de uma nos preserva das ruínas da outra. Quando eles atravessam essa passagem do invisível, que os conduz à região da verdade sem mescla, então é que entramos a sentir o começo do seu reino, o reino dos mortos sobre os vivos.

Ainda quando a vida mais não fosse que a urna da saudade, o sacrário da memória dos bons, isso bastava para a reputarmos um benefício celeste, e cobrirmos de reconhecimento a generosidade que nô-la doou. Quando ela nos prodigaliza dádivas como a do espírito e a da tua poesia, não é que lhe deveremos duvidar da grandeza, a que te acercaste primeiro do que nós, mestre e companheiro. Ao chegar da nossa hora, em vindo a de te seguirmos um a um no caminho de todos, levando-te a segurança da justiça da posteridade, teremos o consolo de haver cultivado, nas verdadeiras belezas da tua obra, na obra de teus livros e da tua vida, sua idealidade, sua sensibilidade, sua castidade, sua humanidade, um argumento mais da existência e da infinidade dessa ordem de todas as graças à onipotência de quem devemos a criação do universo e a tua, companheiro e mestre, sobre cuja transfiguração na eternidade e na glória caiam suas bênçãos, com as da pátria, que te reclina ao seu seio.

(*O Adeus da Academia a Machado de Assis*, Rio de Janeiro, C. R. B., 1958, *apud Rui Barbosa*, Rio de Janeiro, Agir, 1962, pp. 72-77.) ("Nossos Clássicos")

Tornado mito da nacionalidade graças a uma série de fatores, Rui Barbosa pertence mais à história de nossa cultura que à história de nossas letras. Respeitando distâncias e proporções, sua posição lembra a de Joaquim Nabuco: é pelo estilo, o manejo superior do idioma, que pode ter guarida numa antologia da Literatura Brasileira. Não que lhe escasseassem dotes de imaginação e sensibilidade estética, mas é que esses convergiam para o mesmo ponto, onde se localizava o orador inflamado e o jurisconsulto sereno. Posto a serviço de outras formas de interpretação de nossa problemática cultural, seu estilo caracteriza-se pelo recorte clássico, lusitano, em que a um léxico variado e numeroso se acrescenta um dinamismo sintático, que procura explorar a estrutura da Língua em todas as suas virtualidades. Fortemente influenciado pelos mestres seiscentistas (Pe. Antônio Vieira, Pe. Manuel Bernardes, Frei Luís de Sousa), evidencia uma contensão racional, uma vigilância consciente, que não chega a transformar-lhe os escritos em planície adusta: ao contrário, no subsolo da tranqüila malha expressiva lateja um sentimento que a educação, a cultura e o próprio requinte vernacular impedem de emergir com violência e anarquia. Na verdade, a vibração subjacente e o trabalho mental consorciam-se eficientemente, de modo que o manancial emotivo se canaliza no rumo desejado, mercê do controle dos meios de transmissão verbal empregados pelo escritor. Assim, vê-se que o conduz um pensamento cristão, reverente em face da "impenetrabilidade da morte", para cujo desassombro "não há como a bondade". O elogio das verdades morais (parágrafo começado por "Modelo foi de pureza e correção") alcança uma síntese que logo se torna axiomática na filosofia do orador: a vida, "um benefício celeste". Além da linguagem e da visão do mundo, o classicismo se observa na composição do discurso, onde se diria ressoar a voz de um Vieira que amortecesse o rigor dialético e a estrutura cerrada da oração com o manifestar de um sentimento fraternal em relação a um morto ilustre. No retrato deste, em que pontificam os traços relevantes de estilista e de homem, estampa-se o perfil do tribuno, igualmente modelar pelas mesmas virtudes.

EUCLIDES DA CUNHA

Euclides Rodrigues Pimenta da Cunha nasceu em Cantagalo, Estado do Rio de Janeiro, a 20 de janeiro de 1866. Terminado o curso secundário, matricula-se na Escola Politécnica, mas é obrigado, por motivos financeiros, a transferir-se para a Escola Militar (1884), de onde sai tenente e engenheiro, após uma interrupção provocada por suas idéias liberais. Dedicando-se à Engenharia e ao jornalismo, nesta atividade segue para Canudos em 1896, como correspondente d*O Estado de S. Paulo*. No regresso, vai para S. José do Rio Pardo, a fim de reconstruir uma ponte, e lá escreve *Os Sertões*, cuja publicação, em 1902, lhe traz imediata notoriedade. Ingressa na Academia Brasileira de Letras e no Itamarati, e mais adiante torna-se professor de Lógica no Colégio Pedro II (1909). Morreu assassinado a 15 de agosto de 1909. Deixou, além d*Os Sertões: Peru versus Bolívia* (1907), *Contrastes e Confrontos* (1907), à *Margem da História* (1909), *Canudos (Diário de uma Expedição)* (1939).

Os Sertões

Fruto das reportagens escritas para *O Estado de S. Paulo* no término da Campanha de Canudos (Bahia, 1897), *Os Sertões* publicaram-se pela primeira vez no Rio de Janeiro, em 1902. A obra divide-se em três partes: A Terra, O Homem e A Luta. A primeira, calcada na erudição científica em voga no tempo, consta de um apanhado geral da zona das secas e de suas causas possíveis. Na segunda, com base na idéia do condicionamento do meio e da herança, estuda-se a gênese do jagunço e, principalmente, de Antônio Conselheiro, chefe carismático de uma multidão de fanáticos reunida em Canudos. Na terceira parte, narram-se os sucessivos combates que levaram ao extermínio dos jagunços pelas tropas federais. O trecho que se vai ler, pertence à segunda parte, e subintitula-se "A Seca" e "Insulamento no Deserto":

De repente, uma variante trágica.

Aproxima-se a seca.

O sertanejo adivinha-a e prefixa-a graças ao ritmo singular com que se desencadeia o flagelo.

Entretanto não foge logo, abandonando a terra a pouco e pouco invadida pelo limbo candente que irradia do Ceará.

Buckle, em página notável, assinala a anomalia de se não afeiçoar nunca, o homem, às calamidades naturais que o rodeiam. Nenhum povo tem mais pavor aos terremotos que o peruano; e no Peru as crianças ao nascerem têm o berço embalado pelas vibrações da terra.

Mas o nosso sertanejo faz exceção à regra. A seca não o apavora. É um complemento à sua vida tormentosa, emoldurando-a em cenários tremendos. Enfrenta-a, estóico. Apesar das dolorosas tradições que conhece através de um sem-número de terríveis episódios, alimenta a todo o transe esperanças de uma resistência impossível.

Com os escassos recursos das próprias observações e das dos seus maiores, em que ensinamentos práticos se misturam a extravagantes crendices, tem procurado estudar o mal, para o conhecer, suportar e suplantar. Aparelha-se com singular serenidade para a luta. Dous ou três meses antes do solstício de verão, especa e fortalece os muros dos açudes, ou limpa as cacimbas. Faz os roçados e arregoa as estreitas faixas de solo arável à orla dos ribeirões. Está preparado para as plantações ligeiras à vinda das primeiras chuvas.

Procura em seguida desvendar o futuro. Volve o olhar para as alturas; atenta longamente nos quadrantes; e perquire os traços mais fugitivos das paisagens...

Os sintomas do flagelo despontam-lhe, então, encadeados em série, sucedendo-se inflexíveis, como sinais comemorativos de uma moléstia cíclica, da sezão assombradora da Terra. Passam as "chuvas do caju" em outubro, rápidas, em chuvisqueiros prestes delidos nos ares ardentes, sem deixarem traços; e *pintam* as caatingas, aqui, ali, por toda a parte, mosqueadas de tufos pardos de árvores marcescentes, cada vez mais numerosos e maiores, lembrando cinzeiros de uma combustão abafada, sem chamas; e greta-se o chão; e abaixa-se vagarosamente o nível das cacimbas... Do mesmo passo nota que os dias, estuando logo ao alvorecer, transcorrem abrasantes, à medida que as noites se vão tornando cada vez mais frias. A atmosfera absorve-lhe, com avidez de esponja, o suor na fronte, enquanto a armadura de couro, sem mais a flexibilidade primitiva, se lhe endurece aos ombros, esturrada, rígida, feito uma couraça de bronze. E ao descer das tardes, dia a dia menores e sem crepúsculos, considera, entristecido, nos ares, em bandos, as primeiras aves emigrantes, transvoando a outros climas...

É o prelúdio da sua desgraça.

Vê-o acentuar-se, num crescendo, até dezembro.

Precautela-se: revista, apreensivo, as malhadas. Percorre os logradouros longos. Procura entre as chapadas que se esterilizam várzeas mais benignas para onde tange os rebanhos. E espera, resignado, o dia 13 daquele mês. Porque em tal data, usança avoenga lhe faculta sondar o futuro, interrogando a Providência.

É a experiência tradicional de Santa Luzia. No dia 12 ao anoitecer expõe ao relento, em linha, seis pedrinhas de sal, que representam, em ordem sucessiva da esquerda para a direita, os seis meses vindouros, de janeiro a junho. Ao alvorecer de 13 observa-as: se estão intactas, pressagiam a seca; se a primeira apenas se deliu, transmudada em aljôfar límpido, é certa a chuva em janeiro; se a segunda, em fevereiro; se a maioria ou todas, é inevitável o inverno benfazejo.

Esta experiência é belíssima. Em que pese ao estigma supersticioso, tem base positiva, e é aceitável desde que se considere que dela se colhe a maior ou menor dosagem de vapor d'água nos ares, e, dedutivamente, maiores ou menores probabilidades de depressões barométricas, capazes de atrair o afluxo das chuvas.

Entretanto, embora tradicional, esta prova deixa ainda vacilante o sertanejo. Nem sempre desanima, ante os seus piores vaticínios. Aguarda, paciente, o equinócio da primavera, para definitiva consulta aos elementos. Atravessa três longos meses de expectativa ansiosa e no dia de S. José, 19 de março, procura novo augúrio, o último.

Aquele dia é para ele o índice dos meses subseqüentes. Retrata-lhe, abreviadas em doze horas, todas as alternativas climáticas vindouras. Se durante ele chove, será chuvoso o inverno; se, ao contrário, o sol atravessa abrasadoramente o firmamento claro, estão por terra todas as suas esperanças.

A seca é inevitável.

Então se transfigura. Não é mais o indolente incorrigível ou o impulsivo violento, vivendo às disparadas pelos arrastadores. Transcende a sua situação rudimentar. Resignado e tenaz, com a placabilidade superior dos fortes, encara de fito a fatalidade incoercível; e reage. O heroísmo tem nos sertões, para todo o sempre perdidas, tragédias espantosas. Não há revivê-las ou episodiá-las. Surgem de uma luta que ninguém descreve — a insurreição da terra contra o homem. A princípio este reza, olhos postos na altura. O seu primeiro amparo é a fé religiosa. Sobraçando os santos milagreiros, cruzes alçadas, andores erguidos, bandeiras do Divino ruflando, lá se vão, descampados em fora, famílias inteiras — não já os fortes e sadios senão os próprios velhos combalidos e enfermos claudicantes, carregando aos ombros e à cabeça as pedras dos caminhos, mudando os santos de uns para outros lugares. Ecoam largos dias, monótonas, pelos ermos, por onde passam as lentas procissões propiciatórias, as ladainhas tristes. Rebrilham longas noites nas chapadas, pervagantes, as velas dos penitentes... Mas os céus persistem sinistramente claros; o sol fulmina a terra; progride o espasmo assombrador da seca. O matuto considera a prole apavorada; contempla entristecido os bois sucumbidos, que se agrupam sobre as fundagens das ipueiras, ou, ao longe, em grupos erradios e lentos, pescoços dobrados, acaroados com o chão, em mugidos prantivos "farejando a água"; — e sem que se lhe amorteça a crença, sem duvidar da Providência que o esmaga, murmurando às mesmas horas as preces costumeiras, apresta-se ao sacrifício. Arremete de alvião e enxada com a terra, buscando nos estratos inferiores a água que fugiu da superfície. Atinge-os às vezes: outras, após enormes fadigas, esbarra em uma lajem que lhe anula todo o esforço despendido; e outras vezes, o que é mais corrente, depois de desvendar tênue lençol subterrâneo, o vê desaparecer um, dois dias passados, evaporando-se, ou sugado pelo solo. Acompanha-o tenazmente, reprofundando a mina, em cata do tesouro fugitivo. Volve, por fim, exausto, à beira da própria cova que abriu, feito um desenterrado. Mas como frugalidade rara lhe permite passar os dias com alguns manelos de paçoca, não se lhe afrouxa, tão de pronto, o ânimo.

Ali está, em torno, a caatinga, o seu celeiro agreste. Esquadrinha-o. Talha em pedaços os mandacarus que desalteram, ou as ramas verdoengas dos juazeiros que alimentam os magros bois famintos; derruba os estípites dos ouricuris e rala-os, amassa-os, cozinha-os, fazendo um pão sinistro, o *bró*, que incha os ventres num enfarte ilusório, empanzinando o faminto; atesta os jiraus de coquilhos; arranca as raízes túmidas dos umbuzeiros, que lhe dessedentam os filhos, reservando para si o sumo adstringente dos cladódios do xiquexique, que enrouquece ou extingue a voz de quem o bebe, e demasia-se em trabalhos, apelando infatigável para todos os recursos, — forte e carinhoso — defendendo-se e estendendo à prole abatida e aos rebanhos confiados a energia sobre-humana.

Baldam-se-lhe, porém, os esforços.

A natureza não o combate apenas com o deserto. Povoa-a, contrastando com a fuga das seriemas, que emigram para outros *tabuleiros* e jandaias, que fogem para o litoral remoto, uma fauna cruel. Miríades de morcegos agravam a *magrém*, abatendo-se sobre o gado, dizimando-o. Chocalham as cascavéis, inúmeras, tanto mais numerosas quanto mais ardente o estio, entre as macegas recrestadas.

À noite, a suçuarana traiçoeira e ladra, que lhe rouba os bezerros e os novilhos, vem beirar a sua rancharia pobre.

É mais um inimigo a suplantar.

Afugenta-a e espanta-a, precipitando-se com um tição aceso no terreiro deserto. E se ela não recua, assalta-a. Mas não a tiro porque sabe que, desviada a mira, ou pouco eficaz o chumbo, a onça, "vindo em cima da fumaça", é invencível.

O pugilato é mais comovente. O atleta enfraquecido, tendo à mão esquerda a forquilha e à direita a faca, irrita e desafia a fera, provoca-lhe o bote e apara-a'no ar, trespassando-a de um golpe.

Nem sempre, porém, pode aventurar-se à façanha arriscada. Uma moléstia extravagante completa a sua desdita — a hemerolopia. Esta falsa cegueira é paradoxalmente feita pelas reações da luz; nasce dos dias claros e quentes, dos firmamentos fulgurantes, do vivo ondular dos ares em fogo sobre a terra nua. É uma pletora do olhar. Mal o sol se esconde no poente a vítima nada mais vê. Está cega. A noite afoga-a, de súbito, antes de envolver a terra. E na manhã seguinte a vista extinta lhe revive, acendendo-se no primeiro lampejo do levante, para se apagar, de novo, à tarde, com intermitência dolorosa.

Renasce-lhe com ela a energia. Ainda se não considera vencido. Restam-lhe, para desalterar e sustentar os filhos, os talos tenros, os *mangarás* das bromélias selvagens. Ilude-os com essas iguarias bárbaras.

Segue, a pé agora, porque se lhe parte o coração só de olhar para o cavalo, para os logradouros. Contempla ali a ruína da fazenda: bois espectrais, vivos não se sabe como, caídos sob as árvores mortas, mas soerguendo o arcabouço murcho sobre as pernas secas, marchando vagarosamente, cambaleantes; bois mortos há dias e intactos, que os próprios urubus rejeitam, porque não rompem a bicadas as suas peles esturradas; bois jururus, em roda da clareira de chão entorroado onde foi a aguada predileta; e, o que mais lhe dói, os que ainda não de todo exaustos o procuram, e o circundam, confiantes, urrando em longo apelo triste que parece um choro.

E nem um *cereus* avulta mais em torno; foram ruminadas as últimas ramas verdes dos juás...

Trançaram-se, porém, ao lado impenetráveis renques de macambiras. É ainda um recurso. Incendeia-os, batendo o isqueiro nas acendalhas das folhas ressequidas para os despir, em combustão rápida, dos espinhos. E quando os rolos de fumo se enovelam e se diluem no ar puríssimo, vêem-se, correndo de todos os lados, em tropel moroso de estropeados, os magros bois famintos, em busca do último repasto...

Por fim tudo se esgota e a situação não muda. Não há probabilidades sequer de chuvas. A casca dos marizeiros não transuda, prenunciando-as. O *nordeste* persiste intenso, rolante, pelas chapadas, zunindo em prolongações uivadas na galhada estre-pitante das caatingas e o sol alastra, reverberando no firmamento claro, os incêndios inextinguíveis da canícula. O sertanejo, assoberbado de revezes, dobra-se afinal.

Passa certo dia, à sua porta, a primeira turma de "retirantes". Vê-a, assombrado, atravessar o terreiro, miseranda, desaparecendo adiante numa nuvem de poeira, na curva do caminho... No outro dia, outra. E outras. É o sertão que se esvazia.

Não resiste mais. Amatula-se num daqueles bandos, que lá se vão caminho em fora, debruando de ossadas as veredas, e lá se vai ele no êxodo penosíssimo para a costa, para as serras distantes, para quaisquer lugares onde o não mate o elemento primordial da vida.

Atinge-os. Salva-se.

Passam-se meses. Acaba-se o flagelo. Ei-lo de volta. Vence-o saudade do sertão. Remigra. E torna feliz, revigorado, cantando; esquecido de infortúnios, buscando as mesmas horas passageiras da ventura perdidiça e instável, os mesmos dias longos de transes e provações demoradas.*

(*Os Sertões*, 29ª ed., Rio de Janeiro, Liv. Francisco Alves/INL, 1979, pp. 92-95.)

Euclides da Cunha ocupa lugar destacado no panorama da Literatura Brasileira por sua condição de escritor *stricto sensu*, ou seja, graças ao talento especial na manipulação dos esquemas básicos da Língua. Fundindo a tradição e a mudança, o respeito às normas con-suetudinárias e uma pulsação fremente em que se agita o novo, tornou-se um dos nossos estilistas de primeira água, como bem registra o fragmento transcrito. Percorrendo-o em qual-quer velocidade, o leitor certamente se deixará fascinar pelo estilo e menos pelo assunto que nele se plasma. Um estilo incisivo, nervoso, elástico, objetivo, despojado, composto de pa-lavras fortes e cortantes, em que se mesclam, numa tensão dialética incessante, a postura sociológica e a literária, dando o resultado superior que se nota. É que o enfoque científico evitou o esparramamento sentimental que a problemática social visada fatalmente acarretaria (o flagelo das secas e a matança dos sertanejos tomados de furor místico). E, por seu turno, o enfoque literário, representado pela utilização de uma linguagem cuidada e orientada se-

---

* *Buckle* = Henrique Thomaz Buckle (1821-1862), historiador inglês, autor de uma *História da Civilização na Inglaterra* (1857-1861), escrita segundo os métodos científicos em moda no tempo.

gundo os padrões parnasianos de vernaculidade, evitou que o escritor, em nome da objetividade das ciências, elaborasse um relatório árido e impessoal do fenômeno sócio-climático focalizado. Daí que o trecho escolhido, bem como a obra toda, oscile entre a Literatura e a Etnografia, acabando por classificar-se como ensaio de compreensão e interpretação de uma calamidade pública. Aliás, sua fundamentação teórica, que ressalta particularmente na primeira parte da obra — A Terra —, orienta-se nesse bifrontismo: Euclides da Cunha deixa transparecer que o embasamento científico lhe serve como freio à sensibilidade exacerbada que possuía. Desse modo, o proceder isento, que descura de perquirir qualquer sentido oculto ou transcendente na odisséia do jagunço, não significa ausência de simpatia pelo motivo da obra: indeciso entre as duas atitudes, alcançou escrever um libelo eloqüente e vívido, sem tombar em retóricas campanudas, e que viria a fazer carreira no romance nordestino dos anos 30.

Textos para Análise

...E surgia na Bahia o anacoreta sombrio, cabelos crescidos até aos ombros, barba inculta e longa; face escaveirada; olhar fulgurante; monstruoso, dentro de um hábito azul de brim americano; abordoado ao clássico bastão, em que se apóia o passo tardo dos peregrinos...

É desconhecida a sua existência durante tão largo período. Um velho caboclo, preso em Canudos nos últimos dias da campanha, disse-me algo a respeito, mas vagamente, sem precisar datas, sem pormenores característicos. Conhecera-o nos sertões de Pernambuco, um ou dois anos depois da partida do Crato. Das palavras desta testemunha, concluí que Antônio Maciel, ainda moço, já impressionava vivamente a imaginação dos sertanejos. Aparecia por aqueles lugares sem destino fixo, errante. Nada referia sobre o passado. Praticava em frases breves e raros monossílabos. Andava sem rumo certo, de um pouso para outro, indiferente à vida e aos perigos, alimentando-se mal e ocasionalmente, dormindo ao relento à beira dos caminhos, numa penitência demorada e rude...

Tornou-se logo alguma cousa de fantástico ou *mal-assombrado* para aquelas gentes simples. Ao abeirar-se das rancharias dos tropeiros aquele velho singular, de pouco mais de trinta anos, fazia que cessassem os improvisos e as violas festivas.

Era natural. Ele surdia — esquálido e macerado — dentro do hábito escorrido, sem relevos, mudo, como uma sombra, das chapadas povoadas de duendes...

Passava, buscando outros lugares, deixando absortos os matutos supersticiosos. Dominava-os, por fim, sem o querer.

No seio de uma sociedade primitiva que pelas qualidades étnicas e influxo das *santas missões* malévolas compreendia melhor a vida pelo incompreendido dos milagres, o seu viver misterioso rodeou-se logo de não vulgar prestígio, agravando-lhe, talvez, o temperamento delirante. A pouco e pouco todo o domínio que, sem cálculo, derramava em torno, parece haver refluído sobre si mesmo. Todas as conjecturas ou lendas que para logo o circundavam fizeram o ambiente propício ao germinar do próprio desvario. A sua insânia estava, ali, exteriorizada. Espelhavam-lha a admiração intensa e o respeito absoluto que o tornaram em pouco tempo árbitro incondicional de todas as divergências ou brigas, conselheiro predileto em todas as decisões. A multidão poupara-lhe o indagar torturante acerca do próprio estado emotivo, o esforço dessas interrogativas angustiosas e dessa intuspecção delirante, entre os quais evolve a loucura nos cérebros abalados. Remodelava-o à sua imagem. Criava-o. Ampliava-lhe, desmesuradamente, a vida, lançando-lhe dentro os erros de dois mil anos.

Precisava de alguém que lhe traduzisse a idealização indefinida, e a guiasse nas trilhas misteriosas para os céus...

O evangelizador surgiu, monstruoso, mas autômato.

Aquele dominador foi um títere. Agiu passivo, como uma sombra. Mas esta condensava o obscurantismo de três raças.

E cresceu tanto que se projetou na História...

....

O *Conselheiro* continuou sem tropeços na missão pervertedora, avultando na imaginação popular.

Apareciam as primeiras lendas.

Não as arquivaremos todas.

Fundou o arraial do Bom Jesus; e contam as gentes assombradas que em certa ocasião, quando se construía a belíssima igreja que lá está, esforçando-se debalde dez operários por erguerem pesado baldrame, o predestinado trepou sobre o madeiro e ordenou, em seguida, que dois homens apenas o levantem; e o que não haviam conseguido tantos, realizaram os dois, rapidamente, sem esforço algum...

Outra vez — ouvi o estranho caso a pessoas que se não haviam deixado fanatizar! — chegou a Monte Santo e determinou que se fizesse uma procissão pela montanha acima, até a última capela, no alto. Iniciou-se à tarde a cerimônia. A multidão derivou, lenta, pela encosta clivosa, entoando benditos, estacionando nos *passos*, contrita. Ele seguia na frente — grave e sinistro — descoberto, agitada pela ventania forte a cabeleira longa, arrimando-se ao bordão inseparável. Desceu a noite. Acenderam-se as tochas dos penitentes, e a procissão, estendida na linha de cumeadas, traçou uma estrada luminosa no dorso da montanha...

Ao chegar à Santa Cruz, no alto, Antônio Conselheiro, ofegante, senta-se no primeiro degrau da tosca escada de pedra, e queda-se estático, contemplando os céus, o olhar imerso nas estrelas...

A primeira onda de fiéis enche logo o âmbito restrito da capela, enquanto outros permanecem fora ajoelhados sobre a rocha aspérrima.

O contemplativo, então, levanta-se. Mal sofreia o cansaço. Entre alas respeitosas, penetra, por sua vez, na capela, pendida para o chão a cabeça, humílimo e abatido, arfando.

Ao abeirar-se do altar-mor, porém, ergue o rosto pálido, emoldurado pelos cabelos em desalinho. E a multidão estremece toda, assombrada... Duas lágrimas sangrentas rolam, vagarosamente, no rosto imaculado da Virgem Santíssima...

Estas e outras lendas são ainda correntes no sertão. É natural. Espécie de grande homem pelo avesso, Antônio Conselheiro reunia no misticismo doentio todos os erros e superstições que formam o coeficiente de redução da nossa nacionalidade. Arrastava o povo sertanejo não porque o dominasse, mas porque o dominavam as aberrações daquele. Favorecia-o o meio e ele realizava, às vezes, como vimos, o absurdo de ser útil. Obedecia à finalidade irresistível de velhos impulsos ancestrais; e jugulado por ela espelhava em todos os atos a placabilidade de um evangelista incomparável.

De feito, amortecia-lhe a nevrose inexplicável placidez.

Certo dia o vigário de uma freguesia sertaneja vê chegar à sua porta um homem extremamente magro e sucumbido; longos cabelos despenteados pelos ombros, longas barbas descendo pelo peito; uma velha figura de peregrino a que não faltavam o crucifixo tradicional, suspenso a um lado entre as camândulas da cintura, e o manto poento e gasto, e a borracha d'água, e o bordão comprido...

Dá-lhe o pároco com que se alimente, aceita um pedaço de pão apenas; oferece-lhe um leito, prefere uma tábua sobre que se deita sem cobertas, vestido, sem mesmo desatacar as sandálias.

No outro dia o singularíssimo hóspede, que poucas palavras até então pronunciara, pede ao padre lhe conceda pregar por ocasião da festa que ia realizar-se na igreja.

— Irmão, não tendes ordens: a Igreja não permite que pregueis.

— Deixai-me, então, fazer a *via-sacra.*

— Também não posso, vou fazê-la, contraveio mais uma vez o sacerdote.

O peregrino, então, encarou-o fito por algum tempo, e sem dizer palavra tirou de sob a túnica um lenço. Sacudiu o pó das alpercatas. E partiu.

Era o clássico protesto inofensivo e tranqüilo dos apóstolos...

(Ibidem, pp. 109-110, 118-120.)

MODERNISMO

Preliminares

Afora os prenúncios de renovação encontráveis na quadra simbolista, os antecedentes imediatos do Modernismo localizam-se na década de 10. Em traços gerais, resumem-se nos seguintes: em 1912, Oswald de Andrade viaja para a Europa pela primeira vez e trava contacto com o Futurismo de Marinetti; em1915, Monteiro Lobato publica n*O Estado de S. Paulo* dois artigos ("Velha Praga" e "Urupês"), que decretam a falência de nosso regionalismo sentimental e idealista; em 1917, Anita Malfatti realiza exposição de pintura cubista, e provoca um depoimento polêmico de Monteiro Lobato ("A Propósito da Exposição Malfatti", 20/12/1917); entre 1917 e 1922, os moços de São Paulo descobrem a escultura de Brecheret, Graça Aranha regressa da Europa e dá a lume sua *Estética da Vida* (1921), onde germina um pensamento insatisfeito com os padrões em voga; Ronald de Carvalho, após integrar o movimento modernista português, em torno da revista *Orpheu* (1915-1916), aproxima-se dos "novos" que preparavam o advento da modernidade entre nós. O ano de 1921 presencia a completa maturação do processo revolucionário: faltava apenas um acontecimento que deflagrasse o estopim. Com efeito, anunciada em 20 de janeiro de 1922, a "Semana de Arte Moderna" instala-se no Teatro Municipal de São Paulo, entre 11 e 18 do mês seguinte, em três sessões, nos dias 13, 15 e 17. Conferências, declamações, récitas musicais, mostra de artes plásticas, constavam do programa, executado por Mário de Andrade, Oswald de Andrade, Guilherme de Almeida, Menotti del Picchia, Paulo Prado, Guiomar Novais, Ronald de Carvalho, Graça Aranha e outros. Apesar da forte reação do público, o novo ideário vingou, fixou-se numa série de revistas e difundiu-se pelo resto do País. Ao longo de seu percurso, o Modernismo atravessou as seguintes fases: de destruição, entre 1922 e 1928, caracterizada pela irreverência iconoclasta ("poema-piada"), o nacionalismo desenfreado, o primitivismo, o repúdio total de nosso passado histórico; em 1928, com a publicação de *Macunaíma*, de Mário de Andrade, e *Bagaceira*, de José Américo de Almeida, tem começo a segunda fase, que se estende até 1945: etapa de construção, de edificação dum organismo literário coerente com o espírito reformador, dá origem à ficção nordestina e à regional, de Jorge Amado, Raquel de Queirós, Graciliano Ramos, José Lins do Rego, Érico Veríssimo, ao romance urbano, psicológico e introspectivo, de Octavio de Faria, Marques Rebelo, Lúcio Cardoso, Cornélio Pena, José Geraldo Vieira, à poesia de Carlos Drummond de Andrade, Vinícius de Morais, Jorge de Lima, Manuel Bandeira, Cassiano Ricardo, Cecília Meireles, Ribeiro Couto, Augusto

Frederico Schmidt e outros, vindos de antes mas definindo o melhor de sua obra nessa altura, ou iniciando então sua trajetória.

MÁRIO DE ANDRADE

Mário Raul de Morais Andrade nasceu em São Paulo, a 9 de outubro de 1893. Depois do curso secundário no Ginásio N. S. do Carmo, ingressa no Conservatório Dramático e Musical. Formado, passa a viver do magistério particular e na própria escola em que se diplomara (História da Música). Em 1917, publica *Há uma gota de sangue em cada poema*, inspirado na primeira Grande Guerra. Alinhando-se entre os que pregam moldes estéticos renovadores, torna-se praticamente o guia de sua geração, e, em consonância com esse papel orientador, exerce múltipla e ininterrupta atividade intelectual. Entre 1934 e 1937, dirige o Departamento de Cultura da Prefeitura de São Paulo, onde realiza um trabalho verdadeiramente pioneiro. No ano seguinte, vai para o Rio de Janeiro, no seguimento de seu labor docente e jornalístico, ao mesmo tempo que coopera com o Instituto Nacional do Livro no anteprojeto da futura Enciclopédia Nacional. Regressando a São Paulo em 1940, é nomeado funcionário do Serviço do Patrimônio Histórico. Faleceu na cidade natal, a 25 de fevereiro de 1945. Deixou obra multímoda, — que reflete uma curiosidade diversificada e um talento polimórfico, sem par em nosso Modernismo, — reunida em duas dezenas de volumes, publicados desde 1944. Poesia: *Paulicéia Desvairada* (1922), *Losango Cáqui* (1926), *Clã do Jaboti* (1927), *Remate de Males* (1930), *Lira Paulistana* (1946); prosa de ficção: *Primeiro Andar*, contos (1926), *Amar, Verbo Intransitivo*, romance (1927), *Macunaíma*, rapsódia (1928), *Belazarte*, contos (1934), *Contos Novos* (1946); ensaio: *A escrava que não é Isaura* (1925), *O Aleijadinho e Álvares de Azevedo* (1935), *O Baile das Quatro Artes* (1943), *Aspectos da Literatura Brasileira* (1943), *O Empalhador de Passarinho* (1944); crônica: *Os Filhos da Candinha* (1943); vária: *Compêndio de História da Música* (1929), *Namoros com a Medicina* (1939), etc. Não sendo possível representar todas essas direções, escolheram-se duas das que melhor testemunham o vigor literário de Mário de Andrade: a prosa de ficção e a poesia.

O Peru de Natal

O nosso primeiro Natal de família, depois da morte de meu pai acontecida cinco meses antes, foi de conseqüências decisivas para a felicidade familiar. Nós sempre fôramos familiarmente felizes, nesse sentido muito abstrato da felicidade: gente honesta, sem crimes, lar sem brigas internas nem graves dificuldades econômicas. Mas, devido principalmente à natureza cinzenta de meu pai, ser desprovido de qualquer lirismo, duma exemplaridade incapaz, acolchoado no medíocre, sempre nos faltara aquele aproveitamento da vida, aquele gosto pelas felicidades materiais, um vinho bom, uma estação de águas, aquisição de geladeira, coisas assim. Meu pai fora de um bom errado, quase dramático, o puro sangue dos desmancha-prazeres.

Morreu meu pai, sentimos muito, etc. Quando chegamos nas proximidades do Natal, eu já estava que não podia mais pra afastar aquela memória obstruente do morto, que parecia ter sistematizado pra sempre a obrigação de uma lembrança dolorosa em cada almoço, em cada gesto mínimo da família. Uma vez que eu sugerira a mamãe a idéia dela ir ver uma fita no cinema, o que resultou foram lágrimas. Onde se viu ir ao cinema, de luto pesado! A dor já estava sendo cultivada pelas aparências, e eu, que sempre gostara apenas regularmente de meu pai, mais por instinto de filho que por espontaneidade de amor, me via a ponto de aborrecer o bom do morto.

Foi decerto por isto que me nasceu, esta sim, espontaneamente, a idéia de fazer uma das minhas chamadas "loucuras". Essa fora aliás, e desde muito cedo, a minha esplêndida conquista contra o ambiente familiar. Desde cedinho, desde os tempos de ginásio, em que arranjava regularmente uma reprovação todos os anos; desde o beijo às escondidas, numa prima, aos dez anos, descoberto por Tia Velha, uma detestável de tia; e principalmente desde as lições que dei ou recebi, não sei, duma criada de parentes: eu consegui no reformatório do lar e na vasta parentagem, a fama conciliatória de "louco". "É doido, coitado!" falavam. Meus pais falavam com certa tristeza condescendente, o resto da parentagem buscando exemplo para os filhos e provavelmente com aquele prazer dos que se convencem de alguma superioridade. Não tinham doidos entre os filhos. Pois foi o que me salvou, essa fama. Fiz tudo o que a vida me apresentou e o meu ser exigia para se realizar com integridade. E me deixaram fazer tudo, porque eu era doido, coitado. Resultou disso uma existência sem complexos, de que não posso me queixar um nada.

Era costume sempre, na família, a ceia de Natal. Ceia reles, já se imagina: ceia tipo meu pai, castanhas, figos, passas, depois da Missa do Galo. Empanturrados de amêndoas e nozes (quanto discutimos os três manos por causa do quebra-nozes...), empanturrados de castanhas e monotonias, a gente se abraçava e ia pra cama. Foi lembrando isso que arrebentei com uma das minhas "loucuras":

— Bom, no Natal, quero comer peru.

Houve um desses espantos que ninguém não imagina. Logo minha tia solteirona e santa, que morava conosco, advertiu que não podíamos convidar ninguém por causa do luto.

— Mas quem falou de convidar ninguém! essa mania... Quando é que a gente já comeu peru em nossa vida! Peru aqui em casa é prato de festa, vem toda essa parentada do diabo...

— Meu filho, não fale assim...

— Pois falo, pronto!

E descarreguei minha gelada indiferença pela nossa parentagem infinita, diz-que vinda de bandeirantes, que bem me importa! Era mesmo o momento pra desenvolver minha teoria de doido, coitado, não perdi a ocasião. Me deu de supetão uma ternura imensa por mamãe e titia, minhas duas mães, três com minha irmã, as três mães que sempre me divinizaram a vida. Era sempre aquilo: vinha aniversário de alguém e só então faziam peru naquela casa. Peru era prato de festa: uma imundície de parentes já preparados pela tradição, invadiam a casa por causa do peru, das empadinhas e dos doces. Minhas três mães, três dias antes já não sabiam da vida senão trabalhar no preparo de doces e frios finíssimos de bem feitos, a parentagem devorava tudo e inda levava embrulhinhos pros que não tinham podido vir. As minhas três mães mal podiam de exaustas. Do peru, só no enterro dos ossos, no dia seguinte, é que mamãe com titia inda provavam um naco de perna, vago, escuro, perdido no arroz alvo. E isso mesmo era mamãe que servia, catava tudo pro velho e pros filhos. Na verdade ninguém sabia de fato o que era peru em nossa casa, peru resto de festa.

Não, não se convidava ninguém, era um peru pra nós, cinco pessoas. E havia de ser com duas farofas, a gorda com os miúdos, e a seca, douradinha, com bastante manteiga. Queria o papo recheado só com a farofa gorda, em que havíamos de ajuntar ameixa preta, nozes e um cálice de Xerez, como aprendera na casa da Rose, muito minha companheira. Está claro que omiti onde aprendera a receita, mas todos desconfiaram. E ficaram logo naquele ar de incenso assoprado, se não seria tentação do Dianho aproveitar receita tão gostosa. E cerveja bem gelada, eu garantia quase gritando. É certo que com meus "gostos", já bastante afinados fora do lar, pensei primeiro num vinho bom, completamente francês. Mas a ternura por mamãe venceu o doido, mamãe adorava cerveja.

Quando acabei meus projetos, notei bem, todos estavam felicíssimos, num desejo danado de fazer aquela loucura em que eu estourava. Bem que sabiam, era loucura sim, mas todos se faziam imaginar que eu sozinho é que estava desejando muito aquilo e havia jeito fácil de empurrarem pra cima de mim a... culpa de seus desejos enormes. Sorriam se entreolhando, tímidos como pombas desgarradas, até que minha irmã resolveu o consentimento geral:

— É louco mesmo!...

Comprou-se o peru, fez-se o peru, etc. E depois de uma Missa do Galo bem mal rezada, se deu o nosso mais maravilhoso Natal. Fora engraçado: assim que me lembrara de que finalmente ia fazer mamãe comer peru, não fizera outra coisa aqueles dias que pensar nela, sentir ternura por ela, amar minha velhinha adorada. E meus manos também, estavam no mesmo ritmo violento de amor, todos dominados pela felicidade nova que o peru vinha imprimindo na família. De modo que, ainda disfarçando as coisas, deixei muito sossegado que mamãe cortasse todo o peito do peru. Um momento aliás, ela parou, feito fatias um dos lados do peito da ave, não resistindo àquelas leis de economia que sempre a tinham entorpecido numa quase pobreza sem razão.

— Não senhora, corte inteiro! só eu como tudo isso!

Era mentira. O amor familiar estava por tal forma incandescente em mim, que até era capaz de comer pouco, só pra que os outros quatro comessem demais. E o diapasão dos outros era o mesmo. Aquele peru comido a sós, redescobria em cada um o que a cotidianidade abafara por completo, amor, paixão de mãe, paixão de filhos. Deus me perdoe mas estou pensando em Jesus... Naquela casa de burgueses bem modestos, estava se realizando um milagre digno do Natal de um Deus. O peito do peru ficou inteiramente reduzido a fatias amplas.

— Eu que sirvo!

"É louco, mesmo!" pois por que havia de servir, se sempre mamãe servira naquela casa! Entre risos, os grandes pratos cheios foram passados pra mim e principiei uma distribuição heróica, enquanto mandava meu mano servir a cerveja. Tomei conta logo dum pedaço admirável da "casca", cheio de gordura e pus no prato. E depois vastas fatias brancas. A voz severizada de mamãe cortou o espaço angustiado com que todos aspiravam pela sua parte no peru:

— Se lembre de seus manos, Juca!

Quando que ela havia de imaginar, a pobre! que aquele era o prato dela, da Mãe, da minha amiga maltratada, que sabia da Rose, que sabia meus crimes, a que eu só lembrava de comunicar o que fazia sofrer! O prato ficou sublime.

— Mamãe, este é o da senhora! Não! não passe não!

Foi quando ela não pôde mais com tanta comoção e principiou chorando. Minha tia também, logo percebendo que o novo prato sublime seria o dela, entrou no refrão das lágrimas. E minha irmã, que jamais viu lágrima sem abrir a torneirinha também, se esparramou no choro. Então principiei dizendo muitos desaforos pra não chorar também, tinha dezenove anos... Diabo de família besta que via peru e chorava! coisas assim. Todos se esforçavam por sorrir, mas agora é que a alegria se tornara impossível. É que o pranto evocara por associação a imagem indesejável de meu pai morto. Meu pai, com sua figura cinzenta, vinha pra sempre estragar nosso Natal, fiquei danado.

Bom, principiou-se a comer em silêncio, lutuosos, e o peru estava perfeito. A carne mansa, de um tecido muito tênue boiava fagueira entre os sabores das farofas e do presunto, de vez em quando ferida, inquietada e redesejada, pela intervenção mais violenta da ameixa preta e o estorvo petulante dos pedacinhos de noz. Mas papai sentado ali, gigantesco, incompleto, uma censura, uma chaga, uma incapacidade. E o peru, estava tão gostoso, mamãe por fim sabendo que peru era manjar mesmo digno do Jesusinho nascido.

Principiou uma luta baixa entre o peru e o vulto de papai. Imaginei que gabar o peru era fortalecê-lo na luta, e, está claro, eu tomara decididamente o partido do peru. Mas os defuntos têm meios visguentos, muito hipócritas de vencer: nem bem gabei o peru que a imagem de papai cresceu vitoriosa, insuportavelmente obstruidora.

— Só falta seu pai...

Eu nem comia, nem podia gostar daquele peru perfeito, tanto que me interessava aquela luta entre os dois mortos. Cheguei a odiar papai. E nem sei que inspiração genial, de repente me tornou hipócrita e político. Naquele instante que hoje me parece decisivo da nossa família, tomei aparentemente o partido de meu pai. Fingi, triste:

— É mesmo... Mas papai, que queria tanto bem a gente, que morreu de tanto trabalhar pra nós, papai lá no céu há de estar contente... (hesitei, mas resolvi não mencionar mais o peru) contente de ver nós todos reunidos em família.

E todos principiaram muito calmos, falando de papai. A imagem dele foi diminuindo, diminuindo e virou uma estrelinha brilhante no céu. Agora todos comiam o peru com sensualidade, porque papai fora muito bom, sempre se sacrificara tanto por nós, fora um santo que "vocês, meus filhos, nunca poderão pagar o que devem a seu pai", um santo. Papai virara santo, uma contemplação agradável, uma inestorvável estrelinha do céu. Não prejudicava mais ninguém, puro objeto de contemplação suave. O único morto ali era o peru, dominador, completamente vitorioso.

Minha mãe, minha tia, nós, todos alagados de felicidade. Ia escrever "felicidade gustativa", mas não era só isso não. Era uma felicidade maiúscula, um amor de todos, um esquecimento de outros parentescos distraidores do grande amor familiar. E foi, sei que foi aquele primeiro peru comido no recesso da família, o início de um amor novo, reacomodado, mais completo, mais rico e inventivo, mais complacente e cuidadoso de si. Nasceu de então uma felicidade familiar pra nós que, não sou exclu-sivista, alguns a terão assim grande, porém mais intensa que a nossa me é impossível conceber.

Mamãe comeu tanto peru que um momento imaginei, aquilo podia lhe fazer mal. Mas logo pensei: ah, que faça! mesmo que ela morra, mas pelo menos que uma vez na vida coma peru de verdade!

A tamanha falta de egoísmo me transportara o nosso infinito amor... Depois vieram umas uvas leves e uns doces, que lá na minha terra levam o nome de "bem-casados". Mas nem mesmo este nome perigoso se associou à lembrança de meu pai, que o peru já convertera em dignidade, em coisa certa, em culto puro de contempla-ção.

Levantamos. Eram quase duas horas, todos alegres, bambeados por duas garrafas de cerveja. Todos iam deitar, dormir ou mexer na cama, pouco importa, poque é bom um insônia feliz. O diabo é que a Rose, católica antes de ser Rose, prometera me esperar com uma champanha. Pra poder sair, menti, falei que ia a uma festa de amigo, beijei mamãe e pisquei pra ela, modo de contar onde é que ia e fazê-la sofrer seu bocado. As outras duas mulheres beijei sem piscar. E agora, Rose!...

(*Contos Novos*, São Paulo, Martins, 1947, pp. 91-98.)

Inscrito na melhor tradição do conto, "Peru de Natal" apresenta as peculiares caracterís-ticas estruturais dessa fôrma literária, inclusive a de constituir a fixação do instante que "parece decisivo" na crônica da família do narrador. O tom, direto e coloquial (como se nota, por exemplo, na reiteração do "pro" e do "pra"), aplica-se a um tema extraído do cotidiano banal, vivido por personagens sem nome próprio, mas transportando cada qual um drama íntimo. Para mais acentuar as cores acinzentadas do conflito social de oculta grandeza, a única figura diferenciada pelo nome é Rose. O contraste, ressaltando a ironia do destino que coloca uma família anônima em torno de um peru de Natal e uma pobre decaída à espera de uma entrevista, guarda uma "verdade" que a interpretação do dia-a-dia confirma, e revela a maestria do ficcionista. Como outros modernistas da primeira hora, Mário de Andrade era um apaixonado por São Paulo: daí que a narrativa, surpreendendo o viver diário da grande (então acanhada) cidade, nos bairros típicos, colabora para a mitografia do subúrbio paulista. O fascínio pelo temário, que em momento algum se dissimula, explica o halo poético que, ao fim de contas, emana da ceia natalina: uma vibração lírica perpassa tudo, desde a ternura que invade o narrador (misto de poeta sentimental e doidivanas, como tanta gente da São Paulo daqueles tempos) até a emoção glutônica dos convivas vorazes e as lágrimas que derramam. A ponto de o narrador perceber que "naquela casa de burgueses bem modestos, estava se realizando um milagre digno do Natal de um Deus". Peça antológica, o "Peru de Natal" não representa ainda mais enfaticamente seu autor porque esse, solicitado pelos múltiplos estímulos que recebia da conjuntura histórica coeva, dispersou o talento por várias espressões literárias. Seja como for, dá-nos clara idéia de uma autêntica vocação estética servida por um rigor de *clerc*, compondo a equação que inspira os grandes mestres de uma literatura.

Macunaíma

Conquanto houvesse escrito *Macunaíma* na semana de 16 a 23 de dezembro de 1926, Mário de Andrade somente veio a publicá-lo em 1928, dados os cortes e refundições a que submeteu o texto original. Perplexo ante o rótulo que classificasse a obra, batizou-a primeiro de "história", e depois de "rapsódia". Realmente, a narrativa entrelaça, ao longo de dezessete capítulos e um epílogo, as numerosas "aventuras" vividas pelo herói que empresta nome à obra e seus dois irmãos, Maanape e Jiguê. Para tanto, aproveita com a máxima liberdade das lendas e tradições de nosso folclore. O resultado é um clima surreal, mítico, próprio das gestas medievais, como se pode ver no trecho seguinte, pertencente ao capítulo V, denominado "Piamã":

No outro dia Macunaíma pulou cedo na ubá e deu uma chegada até a foz do rio Negro pra deixar a consciência na ilha de Marapatá. Deixou-a bem na ponta dum mandacaru de dez metros, pra não ser comida pelas saúvas. Voltou pro lugar onde os manos esperavam e no pino do dia os três rumaram pra margem esquerda da Sol.

Muitos casos sucederam nessa viagem por caatingas rios corredeiras, gerais, corgos, corredores de tabatinga, matos-virgens e milagres do sertão. Macunaíma vinha com os dois manos pra São Paulo. Foi o Araguaia que facilitou-lhes a viagem. Por tantas conquistas e tantos feitos passados o herói não ajuntara um vintém só mas os tesouros herdados da icamiaba estrela estavam escondidos nas grunhas do Roraima lá. Desses tesouros Macunaíma apartou pra viagem nada menos de quarenta vezes quarenta milhões de bagos de cacau, a moeda tradicional. Calculou com eles um dilúvio de embarcações. E ficou lindo trepando pelo Araguaia aquele poder de igaras, duma em uma duzentas em ajojo, que-nem flecha na pele do rio. Na frente Macunaíma vinha de pé, carrancudo, procurando no longe a cidade. Matutava matutava roendo os dedos agora cobertos de berrugas de tanto apontarem Ci estrela. Os manos remavam espantando os mosquitos e cada arranco dos remos repercutindo nas duzentas igaras ligadas, despejava uma batelada de bagos na pele do rio, deixando uma esteira de chocolate onde os camuatás pirapitingas dourados piracanjubas uarus-uarás e bacus se regalavam.

Uma feita a Sol cobrira os três manos duma escaminha de suor e Macunaíma se lembrou de tomar banho. Porém no rio era impossível por causa das piranhas tão vorazes que de quando em quando na luta pra pegar um naco de irmã espedaçada, pulavam aos cachos pra fora d'água metro e mais. Então Macunaíma enxergou numa lapa bem no meio do rio uma cova cheia d'água. E a cova era que-nem a marca dum pé gigante. Abicaram. O herói depois de muitos gritos por causa do frio da água entrou na cova e se lavou inteirinho. Mas a água era encantada porque aquele buraco na lapa era marca do pezão do Sumé, do tempo em que andava pregando o evangelho de Jesus pra indiada brasileira. Quando o herói saiu do banho estava branco loiro e de olhos azuizinhos, água lavara o pretume dele. E ninguém não seria capaz mais de indicar nele um filho da tribo retinta dos Tapanhumas.

Nem bem Jiguê percebeu o milagre, se atirou na marca do pezão do Sumé. Porém a água já estava muito suja da negrura do herói e por mais que Jiguê esfregasse feito maluco atirando água pra todos os lados só conseguiu ficar da cor de bronze novo. Macunaíma teve dó e consolou:

— Olhe, mano Jiguê, branco você ficou não, porém pretume foi-se e antes fanhoso que sem nariz.

Maanape então é que foi se lavar, mas Jiguê esborrifara toda a água encantada pra fora da cova. Tinha só um bocado lá no fundo e Maanape conseguiu molhar só a palma dos pés e das mãos. Por isso ficou negro bem filho da tribo dos Tapanhumas. Só que as palmas das mãos e dos pés dele são vermelhas por terem se limpado na água santa. Macunaíma teve dó e consolou:

— Não se avexe, mano Maanape, não se avexe não, mais sofreu nosso tio Judas!

E estava lindíssimo na Sol da lapa os três manos um louro um vermelho outro negro, de pé bem erguidos e nus. Todos os seres do mato espiavam assombrados. O jacareúna o jacaretinga o jacaré-açu o jacaré-ururau de papo amarelo, todos esses jacarés botaram os olhos de rochedo pra fora d'água. Nos ramos das ingazeiras das aningas das mamoranas das embaúbas dos catauaris de beira-rio o macaco-prego o macaco-de-cheiro o guariba o bugio o cuatá o barrigudo o coxiú o cairara, todos os quarenta macacos do Brasil, todos, espiavam babando de inveja. E os sabiás, o sabiácica o sabiápoca o sabiaúna o sabiápiranga o sabiágongá que quando come não me dá, o sabiá-barranco o sabiá-tropeiro o sabiá-laranjeira o sabiá-gute todos esses ficaram pasmos e esqueceram de acabar o trinado, vozeando vozeando com eloqüência. Macunaíma teve ódio. Botou as mãos nas ancas e gritou pra natureza:

— Nunca viu não!

Então os seres naturais debandaram vivendo e os três manos seguiram caminho outra vez.

Porém entrando nas terras do igarapé Tietê adonde o burbom vogava e a moeda tradicional não era mais cacau, em vez, chamava arame contos conteços milréis borós tostão duzentorréis quinhentorréis, cinqüenta paus, noventa bagarotes, e pelegas cobres xenxéns caraminguás selos bicos-de-coruja massuni bolada calcáreo gimbra siridó bicha e pataracos, assim, adonde até liga pra meia ninguém comprava nem por vinte mil cacaus. Macunaíma ficou muito contrariado. Ter de trabucar, ele, herói!... Murmurou desolado:

— Ai! que preguiça!...

Resolveu abandonar a empresa, voltando pros pagos de que era imperador. Porém Maanape falou assim:

— Deixa de ser aruá, mano! Por morrer um carangueijo o mangue não bota luto! que diacho! desanima não que arranjo as coisas!

Quando chegaram em São Paulo, ensacou um pouco do tesouro pra comerem e barganhando o resto na Bolsa apurou perto de oitenta contos de réis. Maanape era feiticeiro. Oitenta contos não valia muito mas o herói refletiu bem e falou pros manos:

— Paciência. A gente se arruma com isso mesmo, quem quer cavalo sem tacha anda de a-pé...

Com esses cobres é que Macunaíma viveu.

E foi numa boca-da-noite fria que os manos toparam com a cidade macota de São Paulo esparramada a beira-rio do igarapé Tietê. Primeiro foi a gritaria da papagaiada imperial se despedindo do herói. E lá se foi o bando sarapintado volvendo pros matos do norte.

(*Macunaíma*, 29ª ed., Belo Horizonte, Villa Rica [1993], pp. 29-31.)

Para bem compreender esse episódio de *Macunaíma*, seria preciso considerar toda a rapsódia, principiando pelo subtítulo: "O Herói sem Nenhum Caráter." Com efeito, o protagonista sintetiza, na variação constante de temperamento, as diversas facetas do brasileiro-tipo, segundo a região em que vive e o substrato étnico de que participa. Todavia, a ausência de caráter também denota falha, como se observa logo à entrada do excerto, ao "deixar a consciência na ilha de Marapatá", assim partilhando de usança corriqueira entre aqueles que se embrenhavam nos seringais amazônicos. (M. Cavalcanti Proença, *Roteiro de Macunaíma*, 2ª ed., Rio de Janeiro, Civilização Brasileira, 1969, p. 187.) É que Mário de Andrade, a despeito de seu acendrado espírito nacionalista, não visava a uma apologia do brasileiro, mas a erguer-lhe um retrato fidedigno, seja apontando-lhe a esperteza que transforma favoravelmente as adversidades do meio físico e social, seja a indolência inata, expressa numa frase-bordão, a primeira que o herói aprende a dizer na infância e em que se condensa toda uma visão do mundo: "— Ah! que preguiça!..." Complementa-lhe a bipolaridade caracterológica o pendor para a irresponsabilidade ("o herói não ajuntara um vintém só"), fruto de a terra esconder imensas riquezas ("os tesouros herdados da icamiaba estrela estavam escondidos nas grunhas do Roraima lá"), que lhe facultavam uma prodigalidade inconseqüente e paradoxal ("Calculou com eles um dilúvio de embarcações"). Ao delinear o perfil desse verdadeiro anti-herói, o rapsodo propicia-lhe, no fragmento transcrito, uma aventura em que se concretiza a lenda acerca da origem das três raças que, miscigenando-se, povoaram o País: Macunaíma volve-se branco, Maanape, preto, e Jiguê, vermelho como um silvícola. A cena, que transpira uma sensível aura poética, como se de repente o mito se materializasse, ainda explora outra história fantástica, referente à passagem de S. Tomé (Sumé) por aqui, quando "andava pregando o evangelho de Jesus pra indiada brasileira". Imbricam-se, desse modo, crendices de vária extração e significado, num compósito heterogêneo que é bem o reflexo do Brasil e seus habitantes. A fim de o exprimir, o ficcionista lançou mão de uma linguagem inventada, que não corresponde à fala de nenhuma área geográfica em particular, e sim à "fusão dos regionalismos em um todo" (*idem, ibidem*, 82): orientando-se por um vetor estético análogo ao de Alencar, Mário de Andrade preconizava uma língua nacional que congraçasse os hábitos e costumes estilísticos de todo o País, incluindo os empréstimos indígenas. Daí que, por exemplo, ao lado de "que facilitou-lhes a viagem" (colocação pronominal que lembra o esforço consciente e artificial de Alencar no sentido de abrasileirar o código lingüístico de seus romances), nota-se um "que-nem", um "— Nunca viu não!", a enumeração botânica e zoológica ("Nos ramos das ingazeiras das aningas", etc.), o emprego da gíria paulista para designar o dinheiro, e, finalmente, os provérbios, por meio dos quais o povo inculto ou semiletrado expressa uma sabedoria de vida ou os limites de seu horizonte cultural. Feitas as contas, percebe-se que nem por derivar dum momentâneo frenesi de nacionalização de nossa literatura, *Macunaíma* envelheceu ou malogrou: ao contrário, seu ideal básico permanece vivo, como se nota em *Grande Sertão: Veredas*, de Guimarães Rosa, que lhe continua, amplificada e transcendentemente, a lição de brasilidade e epopéia.

XVI

URARICOERA

No outro dia Macunaíma amanheceu com muita tosse e uma febrinha sem parada. Maanape desconfiou e foi fazer um cozimento de broto de abacate, imaginando que o herói estava hético. Em vez era impaludismo, e a tosse viera só por causa da laringite que toda a gente carrega de São Paulo. Agora Macunaíma passava as horas deitado de borco na proa da igarité e nunca mais que havia de sarar. Quando a princesa não podia mais e vinha pra brincarem, o herói até uma vez recusou suspirando:

— Ara... que preguiça...

No outro dia atingiram as cabeceiras dum rio e escutaram perto o ruidejar do Uraricoera. Era ali. Um passarinho sirigaita trepado na manguba, enxergando o farrancho gritou logo:

— Sinhá dona do porto, dá caminho pra mim passar!

Macunaíma agradeceu feliz. De pé ele assuntava a paisagem passando. Veio vindo o forte São Joaquim erguido pelo mano do grande Marquês. Macunaíma deu um té-logo pro cabo e pro soldado que só possuíam um naco esfarrapado de culote e o boné na cabeça e viviam guardando as saúvas dos canhões. Afinal ficou tudo conhecidíssimo. Se enxergou o cerro manso que fora mãe um dia, no lugar chamado Pai da Tocandeira, se enxergou o pauê trapacento malhado de vitórias-régias escondendo os puraquês e os pitiús e pra diante do bebedouro da anta se viu o roçado velho agora uma tigüera e a maloca velha agora uma tapera. Macunaíma chorou.

Abicaram e entraram na tapera. Vinha a boca-da-noite. Maanape com Jiguê resolveram fazer uma facheada pra pegarem algum peixe e a princesa foi ver se topava com algum arezi pra comerem. O herói ficou descansando. Estava assim quando sentiu no ombro um peso de mão. Virou a cara e olhou. Junto dele estava um velho de barba. O velho falou:

— Quem és tu, nobre estrangeiro?

— Não sou estranho não, conhecido. Sou Macunaíma o herói e vim parar de novo na terra dos meus. Você quem é?

O velho afastou os mosquitos com amargura e secundou:

— Sou João Ramalho.

Então João Ramalho enfiou dois dedos na boca e assoviou. Apareceram a mulher dele e as quinze famílias de escadinha. E lá partiram de mudança buscando pagos novos sem ninguém.

No outro dia bem cedinho foram todos trabucar. A princesa foi no roçado Maanape foi no mato e Jiguê foi no rio. Macunaíma se desculpou, subiu na montaria e deu uma chegadinha até a boca do rio Negro pra buscar a consciência deixada na ilha de Marapatá. Jacaré achou? nem ele. Então o herói pegou na consciência dum hispano-americano, botou na cabeça e se deu bem da mesma forma.

Passava uma piracema de jaraquis. Macunaíma agarrou pescando e distraído distraído quando viu estava em Óbidos, a montaria cheinha de peixes frescos. Mas o herói foi obrigado a atirar tudo fora porque em Óbidos "quem come jaraqui fica aqui" falam e ele tinha que voltar pro Uraricoera. Voltou e como era ainda o pino do dia deitou na sombra da ingazeira catou os carrapatos e dormiu. Tarde chegando todos voltaram pra tapera só Macunaíma não. Os outros saíram pra esperar. Jiguê se acocorou botando a orelha no chão pra ver si escutava o passinho do herói, nada. Maanape trepou no grelo duma inajá pra ver se enxergava o brilho dos brincos do herói, nada. Então saíram por mato e capoeira gritando:

— Macunaíma, nosso mano!...

Nada. Jiguê chegou debaixo da ingazeira e gritou:

— Nosso mano!

— Que foi!

— Você, aposto que já estava dormindo!

— Dormindo nada, então! Estava mas era negaceando um inambu-guaçu. Você fez bulha, nhambu escapuliu!

Voltaram. E assim todos os dias. Os manos andavam muito desconfiados. Macunaíma percebeu e disfarçou bem:

— Eu caço porém não acho nada não. Jiguê nem caça nem pesca, passa o dia dormindo.

Jiguê teve raiva porque peixe andava rareando e caça inda mais. Foi na praia do rio pra ver si pescava alguma coisa e topou com o feiticeiro Tzaló que tem uma perna só. O catimbozeiro possuía uma cabaça encantada feita com a metade duma casca de gerimum. Mergulhou a cabaça no rio, encheu de água até o meio e despejou na praia. Caiu um despropósito de peixe. Jiguê reparou bem como que o feiticeiro fazia. Tzaló largou da cabaça por aí e principiou matando peixe com um porrete. Então Jiguê roubou a cabaça do feiticeiro Tzaló que tem uma perna só.

Mais pra diante fez que-nem tinha reparado e veio muito peixe, veio pirandira veio pacu veio cascudo veio bagre jundiá tucunaré, todos esses peixes e Jiguê voltou carregado pra tapera depois de esconder a cabaça na raiz do cipó. Todos ficaram sarapantados com aquele mundo de peixe e comeram bem. Macunaíma desconfiou.

No outro dia esperou com o olho esquerdo dormindo que Jiguê fosse pescar, saiu atrás. Descobriu tudo. Quando o mano foi-se embora Macunaíma largou da gaiola com os legornes no chão pegou na cabaça escondida e fez quenem o mano. Isso vieram muitos peixes, veio acará veio piracanjuba veio aviú guarijuba, piramutaba mandi surubim, todos esses peixes. Macunaíma atirou a cabaça por aí, na pressa de matar todos os peixes, cabaça caiu numa lapa e juque! mergulhou no rio. Passava a pirandira chamada Padzá. Imaginou que era abobra e engoliu a cabaça que virou na bexiga de Padzá. Então Macunaíma enfiou a gaiola no braço voltou pra tapera e contou o sucedido. Jiguê teve raiva.

(*Ibidem*, pp. 117-119.)

Poesia

Garoa do meu São Paulo,
— Timbre triste de martírios —
Um negro vem vindo, é branco!

Só bem perto fica negro,
Passa e torna a ficar branco.

Meu São Paulo da garoa,
— Londres das neblinas finas —
Um pobre vem vindo, é rico!
Só bem perto fica pobre,
Passa e torna a ficar rico.

Garoa do meu São Paulo,
— Costureira de malditos —
Vem um rico, vem um branco,
São sempre brancos e ricos...
Garoa, sai dos meus olhos.

* * *

O bonde abre a viagem,
No banco ninguém,
Estou só, stou sem.

Depois sobe um homem,
No banco estou,
Companheiro vou.

O bonde está cheio,
De novo porém
Não sou mais ninguém.

* * *

Eu nem sei se vale a pena
Cantar São Paulo na lida,
Só gente muito iludida
Limpa o goto e assopra a avena,
Esta angústia não serena,
Muita fome pouco pão,
Eu só vejo na função
Miséria, dolo, ferida,
        Isso é vida?

São glórias desta cidade
Ver a arte contando história,
A religião sem memória
De quem foi Cristo em verdade,
Os chefes nossa amizade,
Os estudantes sem textos,
Jornalismo no cabresto,
Tolos cantando vitória,
        Isso é glória?

Divórcio pra todo o lado,
As guampas fazem furor,
Grã-finos do despudor,
No gasogênio empestado,
Das moças do operariado
São os gozozos mistérios,
Isso de ter filho, néris,
E se ama seja o que for,
          Isso é amor?

Mas o pior desta nação
É ter fábrica de gás
Que donos-da-vida faz
Ianques e ingleses de ação,
Tudo vem de convulsão
Enquanto se insulta o Eixo,
Lights, Tramas, Corporation,
E a gente de trás pra trás,
          Isso é paz?

Pois nada vale a verdade,
Ela mesma está vendida,
A honra é uma suicida,
Nuvem a felicidade,
E entre rosas a cidade,
Muito concha e relambória,
Sem paz, sem amor, sem glória,
Se diz terra prometida,
          Eu pergunto:
          Isso é vida?

                * * *

Quando eu morrer quero ficar,
Não contem aos meus inimigos,
Sepultado em minha cidade,
          Saudade.

Meus pés enterrem na rua Aurora,
No Paiçandu deixem meu sexo,
Na Lopes Chaves a cabeça
          Esqueçam.

No Pátio do Colégio afundem
O meu coração paulistano:
Um coração vivo e um defunto
          Bem juntos.

Escondam no Correio o ouvido
Direito, o esquerdo nos Telégrafos.
Quero saber da vida alheia,
Sereia.

O nariz guardem nos rosais,
A língua no alto do Ipiranga
Para cantar a liberdade
Saudade...

Os olhos lá no Jaraguá
Assistirão ao que há de vir,
O joelho na Universidade,
Saudade...

As mãos atirem por aí,
Que desvivam como viveram,
As tripas atirem pro Diabo,
Que o espírito será de Deus.
Adeus.

(*Poesias Completas*, São Paulo, Martins, [1955],
pp. 385, 391, 392-393, 414-415.)

Dois signos estelares presidiram o universo poético de Mário de Andrade — o circunstancial e o perene, a polêmica e a comoção, o distanciamento e a solidariedade —, formando inicialmente pólos dialéticos em conflito, mas que aos poucos evoluíram no sentido de uma síntese ideal. Nessa viagem de paulatina superação da dicotomia radical, nota-se que, tirante *Há uma gota de sangue em cada poema*, estréia poética mais tarde relegada à categoria de "obra imatura", São Paulo constitui estação de partida e de chegada. Em *Paulicéia Desvairada*, a contingência revolucionária e o afã de cantar o burgo desperto para a indústria e o progresso não empanam o sentimento efusivo: "São Paulo! comoção de minha vida!..." Em *Lira Paulistana*, após atravessar paisagem sugerida pela vida militar (*Losango Cáqui*) e pelo primitivismo em voga após 22 (*Clã do Jabuti*), o poeta retorna à sua cidade: agora alcançara a unidade procurada, no equilíbrio entre as forças que digladiavam no seu interior, o cotidiano de reportagem e a comoção já exclamada no início do percurso lírico. Tem-se a impressão de que aspirava desde sempre a oralizar o mais fundo de si, mas recuava ante o compromisso estético ou doutrinário assumido com o pensamento modernista. E agora, cessadas as inibições, pode franquear a intimidade e transformar a poesia em plena confissão, sem prejuízo de todas as "verdades" que sua consciência pretendia afirmar. É o que se nota nos poemas citados, pertencentes a *Lira Paulistana*: a cidade inspira um canto semelhante ao amor por uma mulher. A comoção instala-se, definitiva, num ritmo homogêneo, que recupera metros tradicionais e longevos, sem comprometer, todavia, a vigilância e a indignação peculiares, não raro em nome do mesmo afeto pela "cidade da garoa" (cf. "Garoa do meu São Paulo" e "Eu não sei se vale a pena"). De tal modo que chega a descobrir-se ninguém na multidão ("O bonde abre a viagem"), revelando uma vocação epicizante que seu testamento ("Quando eu morrer quero ficar") comprova: "As tripas atirem pro Diabo, / Que o espírito será de Deus." Este poema, que lembra o excerto de ode de Fernando Pessoa ("Vem, Noite antiqüíssima e idêntica"), diz bem do quanto a paulistanidade era a viga-mestra do edifício cultural de Mário de Andrade, a ponto de servir-lhe de núcleo a todo o sentimento poético e motivar-lhe as mais bem realizadas composições de quantas escreveu.

OSWALD DE ANDRADE

José Oswald de Sousa Andrade nasceu em São Paulo, a 11 de janeiro de 1890. Estudos primários e secundários no Ginásio São Bento. Em 1912, viaja para a Europa, ocasião em que conhece o Futurismo. Em 1917, forma-se pela Faculdade de Direito de São Paulo, trava amizade com Mário de Andrade e Di Cavalcanti, e com eles faz planos de renovação literária. Instalada a "Semana de Arte Moderna", em 1922, torna-se o principal dinamizador do movimento, e até o fim mantém a flama de revoltado e irreverente. Em permanente atividade, viajando para a Europa algumas vezes, e publicando espaçadamente sua obra, em 1931 adere ao Comunismo, mas dele se afasta em 1945, numa altura em que a virulência modernista começa a não ter mais razão de ser. Pouco depois, tenta a conquista da cátedra de Literatura Brasileira da Universidade de São Paulo. Faleceu a 22 de outubro de 1953, na cidade natal. Publicou poesia: *Pau-Brasil* (1925), *Primeiro Caderno de Poesia do Aluno Oswald de Andrade* (1927), *Poesias Reunidas* (1945); romances: *Os Condenados* (1922), *Memórias Sentimentais de João Miramar* (1924), *Estrela de Absinto* (1927), *Serafim Ponte Grande* (1933), *A Escada Vermelha* (1934), *Marco Zero, I — A Revolução Melancólica* (1943), *Marco Zero, II — Chão* (1946); teatro: *O Homem e o Cavalo* (1934), *A Morta, O Rei da Vela*, (1937); ensaios: *Ponta de Lança* (1945), *A Crise da Filosofia Messiânica* (1950); memórias: *Um Homem sem Profissão* (1954). A Ed. Civilização Brasileira, do Rio de Janeiro, vem-lhe republicando as obras, de forma sistemática, desde 1970. Das várias facetas da personalidade literária de Oswald de Andrade, escolheu-se aquela que melhor lhe reflete a combatividade polêmica e o vanguardismo de temperamento: a poesia.

Falação

O Cabralismo. A civilização dos donatários. A Querência e a Exportação.

O Carnaval. O Sertão e a Favela. Pau-Brasil. Bárbaro e nosso.

A formação étnica rica. A riqueza vegetal. O minério. A cozinha. O vatapá, o ouro e a dança.

Toda a história da Penetração e a história comercial da América. Pau-Brasil.

Contra a fatalidade do primeiro branco aportado e dominando diplomaticamente as selvas selvagens. Citando Virgílio para os tupiniquins. O bacharel.

País de dores anônimas. De doutores anônimos. Sociedade de náufragos eruditos.

Donde a nunca exportação de poesia. A poesia emaranhada na cultura. Nos cipós das metrificações.

Século vinte. Um estouro nos aprendimentos. Os homens que sabiam tudo se deformaram como babéis de borracha. Rebentaram de enciclopedismo.

A poesia para os poetas. Alegria da ignorância que descobre. Pedr'Álvares.

Uma sugestão de Blaise Cendrars: — Tendes as locomotivas cheias, ides partir. Um negro gira a manivela do desvio rotativo em que estais. O menor descuido vos fará partir na direção oposta ao vosso destino.

Contra o gabinetismo, a palmilhação dos climas.

A língua sem arcaísmos. Sem erudição. Natural e neológica. A contribuição milionária de todos os erros.

Passara-se do naturalismo à pirogravura doméstica e à kodak excursionista.

Todas as meninas prendadas. Virtuoses de piano de manivela.

As procissões saíram do bojo das fábricas.

Foi preciso desmanchar. A deformação através do impressionismo e do símbolo. O lirismo em folha. A apresentação dos materiais.

A coincidência da primeira construção brasileira no movimento de reconstrução geral. Poesia Pau-Brasil.

Contra a argúcia naturalista, a síntese. Contra a cópia, a invenção e a surpresa.

Uma perspectiva de outra ordem que a visual. O correspondente ao milagre físico em arte. Estrelas fechadas nos negativos fotográficos.

E a sábia preguiça solar. A reza. A energia silenciosa. A hospitalidade.

Bárbaros, pitorescos e crédulos. Pau-Brasil. A floresta e a escola. A cozinha, o minério e a dança. A vegetação. Pau-Brasil.

3 de Maio

Aprendi com meu filho de dez anos
Que a poesia é a descoberta
Das coisas que eu nunca vi.

Fim e Começo

A noite caiu sem licença da Câmara
Se a noite não caísse
Que seriam dos lampiões?

Música de Manivela

Sente-se diante da vitrola
E esqueça-se das vicissitudes da vida

Na dura labuta de todos os dias
Não deve ninguém que se preze

Descuidar dos prazeres da alma.
Discos a todos os preços.

Aperitivo

A felicidade anda a pé,
Na Praça Antônio Prado
São 10 horas azuis
O café vai alto como a manhã de arranha-céus
Cigarros Tietê
Automóveis
A cidade sem mitos

Ocaso

No anfiteatro de montanhas
Os profetas do Aleijadinho
Monumentalizam a paisagem
As cúpulas brancas dos Passos
E os cocares revirados das palmeiras
São degraus da arte de meu país
Onde ninguém mais subiu

Bíblia de pedra sabão
Banhada no ouro das minas

Canto do Regresso à Pátria

Minha terra tem palmares
Onde gorjeia o mar
Os passarinhos daqui
Não cantam como os de lá

Minha terra tem mais rosas
E quase que mais amores
Minha terra tem mais ouro
Minha terra tem mais terra

Ouro terra amor e rosas
Eu quero tudo de lá
Não permita Deus que eu morra
Sem que volte para lá

Não permita Deus que eu morra
Sem que volte pra São Paulo
Sem que veja a Rua 15
E o progresso de São Paulo

Balada do Esplanada

Ontem à noite
Eu procurei
Ver se aprendia
Como é que se fazia
Uma balada
Antes d'ir
Pro meu hotel

É que este
Coração
Já se cansou
De viver só
E quer então
Morar contigo
No Esplanada

Eu qu'ria
Poder
Encher
Este papel
De versos lindos
É tão distinto
Ser menestrel

No futuro
As gerações
Que passariam
Diriam
É o hotel
Do menestrel

Pra m'inspirar
Abro a janela
Como um jornal
Vou fazer a
A balada
Do Esplanada
E ficar sendo
O menestrel
De meu hotel
Mas não há poesia
Num hotel
Mesmo sendo
'Splanada
Ou Grand-Hotel

Há poesia
Na dor
Na flor
No beija-flor
No elevador

OFERTA

Quem sabe
Se algum dia
Traria
O elevador
Até aqui
O teu amor

Promontório

Que há por aí?
Amor
Chuvas ao longe
Jogo
Mormaço
Mentira
Radar.*

(*Poesias Reunidas*, São Paulo, Difusão Européia do Livro, 1966, pp. 68-69, 96, 97, 113,
115, 128, 130, 149-150 e 186.)

Em que pese ao brilho de sua obra, Oswald de Andrade ganhou lugar proeminente nos quadros do Modernismo pela constante ação pessoal em favor das idéias de vanguarda. Não se entenda, com isso, que sua poesia, seu teatro, seu romance e seu ensaio sejam destituídos de vitalidade e, mesmo, de atualidade. Possuem-nos a olhos vistos, mas contrabalançando a faceta polemizante e sarcástica, que parece identificá-lo para sempre. E tal faceta se exprime de modo esfuziante nos poemas, razão suficiente para pô-los em relevo. Que encontramos nas poucas composições que foi possível transcrever? "Falação" constitui uma espécie de profissão de fé ou de manifesto literário, até certo ponto representando o pensamento de sua geração: postula o espírito Pau-Brasil, isto é, a valorização de nosso substrato indígena; refuta o Parnasianismo, o Naturalismo e o vernaculismo de Rui Barbosa e outros ("A língua sem arcaísmos. Sem erudição. Natural e neológica. A contribuição milionária de todos os erros"); aceita a "deformação através do impressionismo e do símbolo"; prega "uma perspectiva de outra ordem que a visual". Interpretando esse decálogo estético, observa-se que nem tudo recusa do passado, pois o Simbolismo sai engrandecido, e nem tudo é avançado em seu ideário, decerto por razões culturais do momento (rejeita a perspectiva visual, pensando talvez no Parnasianismo, e esquece do cinema, visual por excelência e "moderno"). Afora o que vai explícito, nota-se a indistinção entre poesia e prosa: ao realizar a mescla de ambas, não raro a primeira desaparecia, como se observava também nos demais poemas. Que explicação se poderia aventar para o prosaísmo geral? Acredito que se explique pelo intuito consciente de polemicar e satirizar, coerente com o ideal reformista da geração. E como o desejo panfletário

---

* *Blaise Cendrars* = Poeta e ficcionista francês contemporâneo, cuja obra enaltece o perigo e a aventura.

prevalecesse, o sentimento poético do mundo manteve-se subterrâneo (V. "Canto de Regresso à Pátria", e final de "Balada do Esplanada"). É decerto por via desse dualismo radical que sua curiosidade permanecia aberta a tudo quanto surgisse de novo, como se personificasse a própria poesia: assim, no "Promontório", o radar se instala no cosmos oswaldiano. Que, afinal de contas, se resumia no microcosmos paulistano: entranhadamente homem de São Paulo, sua poesia buscou refletir, como um lago espelha os astros inumeráveis do firmamento, as grandes comoções do tempo. Com fazê-lo, datou-se, para que os desígnios de sua geração vingassem e perdurassem.

GUILHERME DE ALMEIDA

Guilherme de Andrade e Almeida nasceu em Campinas (Estado de São Paulo), a 24 de julho de 1890. Estudos primários e secundários na cidade natal, Rio Claro, Pouso Alegre e em São Paulo. Formado em Direito na capital do Estado (1912), entra a praticar a advocacia, a colaborar na imprensa e mais tarde a exercer importantes cargos públicos, ao mesmo tempo que se dedica às Letras. Deflagrado o movimento modernista com a "Semana de Arte Moderna" (1922), coloca-se desde os primeiros instantes entre os seus promotores e incentivadores. De 1923 a 1925, está no Rio de Janeiro. Após uma viagem pelo Rio Grande do Sul, Pernambuco e Ceará para difundir os ideais de vanguarda, regressa a São Paulo e, intervindo na Revolução Constitucionalista (1932), é exilado na Europa por um ano. De volta, retoma suas várias atividades. Em 1959, é eleito "Príncipe dos Poetas Brasileiros". Pertenceu à Academia Brasileira de Letras. Faleceu em São Paulo, a 11 de julho de 1969. Publicou: *Nós* (1917), *A Dança da Horas* (1919), *Messidor* (1919), *Livro de Horas de Sóror Dolorosa* (1920), *Era uma vez...* (1922), *A frauta que eu perdi* (1924), *Encantamento* (1925), *Meu* (1925), *Raça* (1925), *A flor que foi um homem* (1925), *Simplicidade* (1929), *Carta à Minha Noiva* (1931), *Você* (1931), *Cartas que eu não mandei* (1932), *Acaso* (1938), *Cartas do Meu Amor* (1941), *Poesia Vária* (1947), *O Anjo de Sal* (1951), *Acalanto de Bartira* (1954), *Camoniana* (1956), *Pequeno Romanceiro* (1957), *A Rua* (1962), *Rosamor* (1965); *Toda a Poesia* (1ª ed., 6 vols., 1952; 2ª ed., 7 vol., 1955); prosa: *Natalika* (1924), *Do Sentimento Nacionalista na Poesia Brasileira* (1926), *Ritmo, Elemento de Expressão* (1926), *Gente de Cinema* (1929), *Nossa Bandeira e a Resistência Paulista* (1932), *O Meu Portugal* (1933), *A Casa* (1933), *Golçalves Dias e o Romantismo* (1944), *Histórias, Talvez...* (1948), etc.

Balada do Solitário

Edifiquei certo castelo
por uma esplêndida manhã:
brincava o sol, quente e amarelo,
numa alegria incauta e sã.
E eu quis fazer, ó louco anelo!
desse palácio encantador
o ninho rico, mas singelo,
do teu, do meu, do nosso amor.

Por isso, em vez do som do duelo
tinindo em luta heróica e vã,
fiz soluçar um "ritornello"
em cada ameia ou barbacã...

Depois, tomando o camartelo,
alto esculpi, dominador,
esse brasão suntuoso e belo
do teu, do meu, do nosso amor.

De que serviu? se elo por elo
dessa paixão de alma pagã
rompeste a golpes de cutelo,
ó minha loira castelã?
Hoje estou só, sozinho, e velo
por este imenso corredor
que corre, corre paralelo
ao teu, ao meu, ao nosso amor.

OFERTÓRIO

A ti, Princesa, eu te revelo
esta canção, que um trovador
virá cantar pelo castelo
do teu, do meu, do nosso amor!

Essa que Eu Hei de Amar...

Essa que eu hei de amar perdidamente um dia,
será tão loura, e clara, e vagarosa, e bela,
que eu pensarei que é o sol que vem, pela janela,
trazer luz e calor a esta alma escura e fria.

E, quando ela passar, tudo o que eu não sentia
da vida há de acordar no coração, que vela...
E ele irá como o sol, e eu irei atrás dela
como sombra feliz... — Tudo isso eu me dizia,

quando alguém me chamou. Olhei: um vulto louro,
e claro, e vagaroso, e belo, na luz de ouro
do poente, me dizia adeus, como um sol triste...

E falou-me de longe: "Eu passei a teu lado,
mas ias tão perdido em teu sonho dourado,
meu pobre sonhador, que nem sequer me viste!

X

Vou partir, vais ficar. "Longe da vista,
longe do coração" — diz o ditado.
Basta, porém, que o nosso amor exista,
para que eu parta e fiques sem cuidado.

Dentro em mim mesmo, o coração egoísta,
quanto mais longe, mais te quer ao lado;

tanto mais te ama, quanto mais te avista
e, antes de ver-te, já te havia amado.

Vou partir. Para longe? Para perto?
— Não sei: longe de ti tudo é deserto
e todas as distâncias são iguais.

Como eu quisera, que, na despedida,
quando se unissem nossas mãos, querida,
nunca pudessem desunir-se mais!

XVII

Eu em ti, tu em mim, minha querida,
nós dois passamos despreocupados,
como passa, de leve, pela vida,
um parzinho feliz de namorados.

E assim vou, e assim vais. E assim, unida
à minha a tua mão, de braços dados,
assim nós vamos, como quem duvida
que haja, no mundo, tantos desgraçados.

Um dia, para nós — não sei... quem sabe? —
é bem possível que tudo isto acabe,
que sejas mais feliz, que eu fique louco...

Mas nunca percas, nunca mais, de vista
aquele moço sentimentalista
que te quis muito e a quem quiseste um pouco!

A Rua das Rimas

A rua que eu imagino, desde menino, para o meu destino
                                    [pequenino
é uma rua de poeta, reta, quieta, discreta,
direita, estreita, bem feita, perfeita,
com pregões matinais de jornais, aventais nos portais,
                          [animais e varais nos quintais;
e acácias paralelas, todas elas belas, singelas, amarelas,
douradas, descabeladas, debruçadas como namoradas para
                                    [as calçadas;
e um passo, de espaço a espaço, no mormaço de aço baço e
                                    [lasso;
e algum piano provinciano, cotidiano, desumano,
mas brando e brando, soltando, de vez em quando,
na luz rala de opala de um sala uma escala clara que
                                    [embala;
e no ar de uma tarde que arde, o alarde das crianças do
                                    [arrabalde;

e de noite, no ócio capadócio,
junto aos lampiões espiões, os bordões dos violões;
e a serenata ao luar de prata (Mulata ingrata que me
                                                    [mata...);
e depois o silêncio, o denso, o intenso, o imenso silêncio...
A rua que eu imagino, desde menino, para o meu destino
                                                    [pequenino
é uma rua qualquer, onde desfolha um malmequer uma
                                        [mulher que bem me quer;
é uma rua, como todas as ruas, com suas duas calçadas
                                                    [nuas,
correndo paralelamente, como a sorte diferente de toda
                                        [gente, para a frente,
para o infinito; mas uma rua que tem escrito um nome
                            [bonito, bendito, que sempre repito
e que rima com mocidade, liberdade, tranqüilidade: RUA
                                        [DA FELICIDADE...

Definição de Poesia

Aí está a rosa,
aí está o vaso,
aí está a água,
aí está o caule,
aí está a folhagem,
aí está o espinho,
aí está a cor,
aí está o perfume,
aí está o ar,
aí está a luz,
aí está o orvalho,
aí está a mão
(até a mão que colheu).

Mas onde está a terra?

Poesia não é a rosa.

A Visita

A visita chegou com olhos de horizonte.
Tinha estrelas nos pés e tinha pó na fronte.

A lâmpada cegou. Murcharam os espelhos.
Asas de cortinado, o Anjo caiu de joelhos.

A visita estacou no umbral seu passo estável
da estátua reta e só no silêncio palpável.

Das pálpebras de vidro as janelas abertas
soltaram um olhar para esferas desertas.

Houve o ambíguo tremor de um acontecimento.
E a visita partiu no trânsito do vento.

O Pensamento

O ar. A folha. A fuga.
No lago, um círculo vago.
No rosto, uma ruga.

Nós Dois

Chão humilde. Então,
riscou-o a sombra de um vôo.
"Sou céu!" disse o chão.

Soneto VIII

Por que confiado estou dos fingimentos
de mores bens e de menores danos,
se o de que vive amor são desenganos,
se o de que morre são contentamentos?

Ah! que tornar pudera aos meus tormentos
que em outro tempo tive por tiranos!
Que hoje é dias, semanas, meses, anos,
séc'los aquilo que era só momentos.

E vejo a vida assim tão mal devida
ao mal d'amor que tanto bem lhe deve
e lhe paga co duro desfavor.

Por que viver d'amor e amar a vida,
se para o bem amar a vida é breve,
se para o bem viver é breve o amor?

(*Toda a Poesia*, 6 vols., São Paulo, Martins,
1952, vol. I, pp. 64-65, 146-147; II, 27-28, 41-
42; V, 202-203; VI, 131, 134, 163-164, 249,
285.)

Os poemas que acabamos de ler oferecem-nos uma imagem do núcleo central da poesia
de Guilherme de Almeida, ao redor do qual gravitam manifestações líricas de outro tipo,
surgidas em determinadas circunstâncias: no alvorecer do Modernismo, *A frauta que eu perdi*
denotava predileção pelos assuntos helênicos, enquanto *Meu* e *Raça* pagavam tributo à voga
de brasilidade dos anos 20; no fim de sua trajetória, *Acalanto de Bartira* e *Rua* glosavam

temas históricos e cotidianos. Tirante tais excursões, via de regra encontramos os aspectos evidentes já na "Balada do Solitário": um extraordinário artesão do verso, aqui a explorar modelarmente o esquema da balada, e o poeta do amor, de feição romântica, sentimental, vinculado à tradição lírica portuguesa que recua até a Idade Média trovadoresca. A primeira faceta mostra-nos um poeta-ouvires a experimentar os mais variados recursos formais, desde a balada até o haicai, desde o metro curto e regular ao verso livre. O segundo aspecto revela-nos um acentuado idealismo amoroso, onde não é demais surpreender reminiscências de aristocratismo clássico ("loura, e clara, e vagarosa, e bela", de "Essa que eu hei de amar..."). As histórias de amor, sempre de ligações cortadas a meio ou impossíveis, emanam uma comoção que repele toda inferência filosófica, salvo no soneto VIII, de premeditado contorno camoniano, inclusive pelo tom sentencioso, ou até certo ponto em "A Visita", que tem por tema a Morte, ou nos haicais, onde a concisão vocabular acompanha o intuito de condensação moral e filosófica. Nesses casos, provavelmente o poeta desejasse romper o círculo fechado da motivação amorosa, como leva a crer a "Definição de Poesia"; entretanto, tal poema contém antes um programa estético que a súmula doutrinária da poesia que criou. Acredita que a "poesia não é a rosa", e sim o resto, mas constrói indefectivelmente a poesia-rosa, isto é, que pretere o vaso, a água, etc., em favor do símbolo da evanescência e do sentimento. Tanto é assim que mais adiante veio a negar sua "Definição de Poesia", ao afirmar que "Rosa é poema. O resto é prosa", em *Rosamor*. E bem ou mal, é a "rosa" e a superior artesania poética que o distinguiram entre seus contemporâneos e explicam a notoriedade de que gozou em vida.

MENOTTI DEL PICCHIA

Paulo Menotti del Picchia nasceu em São Paulo, a 20 de março de 1892. Estudos primários e secundários em Itapira, Campinas e Pouso Alegre (interior de São Paulo). Em 1913, formou-se pela Faculdade de Direito de São Paulo. Desde a adolescência dedicou-se ao jornalismo, mas exerceu outras atividades, como editor, fazendeiro, industrial, procurador-geral do Estado de São Paulo, banqueiro, deputado, tabelião. Figura de proa durante a fase revolucionária do Modernismo, pertenceu à Academia Brasileira de Letras. Cultivou a poesia: *Poemas do Vicio e da Virtude* (1913), *Moisés* (1917), *Juca Mulato* (1917), *Angústia de D. João* (1922), *Chuva de Pedra* (1925), *O Amor de Dulcinéia* (1926), *República dos Estados Unidos do Brasil* (1928), *Poemas* (1935); romance: *Flama e Argila* (1920), *O Homem e a Morte* (1922), *Dente de Ouro* (1923), *A República 3000* (1930), *Kalum, o Sangrento* (1936), *Kumunká* (1938), *Salomé* (1940); crônica: *O Pão de Moloch* (1921); conto: *Toda Nua* (1926); ensaio: *Soluções Nacionais* (1935), *Sob o Signo de Polímnia* (1959). *Juca Mulato* é decerto a sua obra mais representativa. Faleceu a 23 de agosto de 1988.

Juca Mulato

Publicado em 1917, conheceu numerosas edições. O entrecho do poemeto resume-se no seguinte: Juca Mulato era um caboclo feliz até o dia em que deitou o olhar na filha da patroa. Imerso agora num irreprimível sofrimento, procura num curandeiro o lenitivo. Em vão. Acreditando que só na fuga encontraria o esquecimento, abraça-se à terra em despedida, e ouve da alma das coisas uma imprecação contra seu gesto extremista. Apaziguado, recobra o alento e volta ao mundo a que realmente pertence. Do poemeto extraíram-se três fragmentos, um dos quais lhe serve de fecho:

411

V

Juca Mulato cisma. Olha a lua e estremece.
Dentro dele um desejo abre-se em flor e cresce
e ele pensa, ao sentir esse sonhos ignotos,
que a alma é como uma planta, os sonhos como brotos,
vão rebentando nela e se abrindo em floradas...

Franjam de ouro, o ocidente, as chamas das queimadas.
Mal se pode conter de inquieto e satisfeito.
Adivinha que tem qualquer coisa no peito,
e, às promessas do amor, a alma escancara ansiado
como os áureos portais de um palácio encantado!...
Mas, a mágoa que ronda a alegria de perto,
entra no coração sempre que o encontra aberto...

Juca Mulato sofre... Esse olhar calmo e doce
fulgiu-lhe como a luz, como luz apagou-se.
Feliz até então, tinha a alma adormecida...
Esse olhar que o fitou, o acordou para a vida!
A luz que nele viu deu-lhe a dor que ora o assombra,
como o sol que traz a luz e, depois, deixa a sombra...

VI

E, na noite estival, arrepiadas, as plantas
tinham na negra fronde umas roucas gargantas
bradando, sob o luar opalino, de chofre:
"Sofre, Juca Mulato, é tua sina, sofre...
Fechar ao mal de amor nossa alma adormecida
é dormir sem sonhar, é viver sem ter vida...
Ter, a um sonho de amor, o coração sujeito
é o mesmo que cravar uma faca no peito.
Esta vida é um punhal com dois gumes fatais;
não amar, é sofrer; amar, é sofrer mais!"

VII

E, despertando à Vida esse caboclo rude,
alma cheia de abrolhos,
notou, na imensa dor de quem se desilude
que, desse olhar que amou, fugitivo e sereno,
só lhe restara ao lábio um travo de veneno,
uma chaga no peito e lágrimas nos olhos!
. . . .

III

Juca Mulado freme. Imerge os olhos entre
as estrelas curiosas.
Não sabe que anda o amor nos espaços profundos
a fecundar o ventre
das próprias nebulosas
na eterna gestação de novos mundos...

Ele é a matriz da vida: multiplica
seres e coisas, numa força eterna;
cria o verme, animais que andam de rastros.
Mata e ressurge, estiola e frutifica,
e, pelo espaço rútilo, governa
a prodigiosa rotação dos astros!

E a vertigem do amor, fascinadora,
tudo arrasta, fantástica, nos braços
e a terra que palpita, canta e chora,
ora imersa na treva, ora imersa na aurora,
leva através do Tempo e dos Espaços...

★

Acendendo no olhar um lampejo divino,
Juca Mulato cede à vertigem que o enlaça,
[e brada num transporte:
"Arrasta-me também, no turbilhão que passa!
[Leva-me ao teu destino,
Amor que vens da Vida e que vais para a Morte!"
. . . .

RESSURREIÇÃO

I

Coqueiro! Eu te compreendo o sonho inatingível:
queres subir ao céu, mas prende-te a raiz...
O destino que tens de querer o impossível
é igual a este meu de querer ser feliz.
Por mais que bebas seiva e que as forças recolhas,
que os verdes braços teus ergas aos céus risonhos,
no último esforço vão, caem-te murchas as folhas,
[e a mim, murchos, os sonhos!

Ai! coqueiro do mato! Ai! Coqueiro do mato!
Em vão tentas os céus escalar na investida...
Tua sorte é tal qual a de Juca Mulato.
Ai! tu sempre serás um coqueiro do mato...
Ai! eu sempre serei infeliz nesta vida!

II

"Ser feliz! Ser feliz estava em mim, Senhora...
Este sonho que ergui, o poderia pôr
onde quisesse, longe até da minha dor,
em um lugar qualquer onde a ventura mora;

onde, quando o buscasse o encontrasse a toda hora,
tivesse-o em minhas mãos... Mas, louco sonhador,
eu coloquei muito alto o meu sonho de amor...
Guardei-o em vosso olhar e me arrependo agora.

O homem foi sempre assim... Em sua ingenuidade
teme levar consigo o próprio sonho, a esmo,
e oculta-o sem saber se depois o achará...

E, quando vai buscar sua felicidade,
ele, que poderia encontrá-la em si mésmo,
escondeu-a tão bem que nem sabe onde está!"

III

E Mulato parou.
                    Do alto daquela serra,
cismando, o seu olhar era vago e tristonho.

"Se minha alma surgiu para a glória do sonho,
o meu braço nasceu para a faina da terra."

Reviu o cafezal, as plantas alinhadas,
todo o heróico labor que se agita na empreita,
palpitou na esperança imensa das floradas,
pressentiu a fartura enorme da colheita...

Consolou-se depois: "O Senhor jamais erra...
Vai! Esquece a emoção que na alma tumultua.
Juca Mulato! volta outra vez para a terra,
procura o teu amor, numa alma irmã da tua.

Esquece calmo e forte. O destino que impera
um recíproco amor às almas todas deu.
Em vez de desejar o olhar que te exaspera,
procura esse outro olhar, que te espreita e te espera,
que há por certo um olhar que espera pelo teu..."

(*Juca Mulato*, São Paulo, Cultrix, 1978,
pp. 28-30, 49-51, 83-85.)

Juca Mulato é uma obra de transição entre o Parnasianismo e o Simbolismo, ainda reinantes na segunda década deste século, e o Modernismo, que então se anunciava. No tema que lhe serve de fundamento, em torno do caboclo, se evidencia a duplicidade: novo enquanto tema de poesia (uma vez que desde Valdomiro Silveira e Afonso Arinos se fizera objeto da prosa ficcional), não inteiramente novo enquanto tratamento. É que, atribuindo ao tabaréu condições para amar a filha da patroa, o poeta mostrava o reverso do Jeca-Tatu de Monteiro Lobato, personagem criada na mesma época. Assim, em vez de mal-nutrido, Juca Mulato ostenta saúde física excepcional, vizinha da sobrenaturalidade, como um deus dos campos, um ente ideal que assumisse a forma de caboclo meramente por acaso. Longe de esboçar um retrato ao natural do caipira, o poema engendra-o qual um ser de eleição, desse modo abraçando uma concepção do mundo ainda romântica, parcialmente encoberta na roupagem nova inspirada no figurino simbolista. Lembra, por isso, a poesia dos fins do século XIX, inclusive em seu panteísmo evolucionista à Guerra Junqueiro e Gomes Leal (cf. parágrafo iniciado por "Não sabe que anda o amor, nos espaços profundos"). O próprio ritmo dos versos das estrofes e destas no interior dos cantos traduz-se numa eloqüência de metros longos e cantantes que o lirismo simbolista explorou abundantemente. Entretanto, o germe da vanguarda infiltra-se na heterometria e em certa modulação de prosa, revelando mais uma vez a antítese que percorre a obra. No epílogo, dá-se o rompimento da estrutura romântica: Juca Mulato deve retornar à terra, à espera de uma "alma irmã", visto que lhe é vedado materializar o sentimento que o habita, pela simples razão de que o objeto amoroso se situa em classe social elevada. Por outro lado, o regresso não se dá para a Natureza, o que se inscreveria desde logo no cosmos romântico, mas para a agricultura, como se condenado ao triste destino de lavrador. O poemeto é atravessado por um denso sentimento de brasilidade, que atende simultaneamente às aspirações nacionalistas dos românticos e às dos reformadores de 22: pelo primeiro, aglutina-se a um passado que agoniza, e pelo segundo, à modernidade em marcha, num movimento oscilatório que permite classificar *Juca Mulato* de autêntico poema pré-modernista.

MANUEL BANDEIRA

Manuel Carneiro de Sousa Bandeira Filho nasceu em Recife (Pernambuco), a 19 de abril de 1886. Feitos os estudos primários na cidade natal, em 1896 muda-se com a família para o Rio de Janeiro, onde se matricula no Colégio Pedro II. Terminado o curso secundário, vem para São Paulo estudar Engenharia, mas, adoecendo gravemente, abandona o projeto de ser arquiteto (1904). Inicia-se então uma demorada peregrinação em busca de melhoras, que finalmente o leva a Clavadel, na Suíça (1913). Com a deflagração da I Grande Guerra, regressa ao Brasil, e em 1917 publica seu primeiro livro, *A Cinza das Horas*. Integrado no movimento renovador de 1922, continua a escrever e a publicar poesia, enquanto colabora na imprensa. Em 1935, é nomeado inspector do ensino secundário, e três anos mais tarde, professor de Literatura no Colégio Pedro II, e em 1943, de Literatura Hispano-Americana da Faculdade Nacional de Filosofia, cargo em que se aposentou em 1956. Pertenceu à Academia Brasileira de Letras, e faleceu no Rio de Janeiro, a 13/10/1968.

Publicou ainda os seguintes livros de poesia: *Carnaval* (1919), *Poesias* (1924, reúne os dois primeiros livros mais *Ritmo Dissoluto*), *Libertinagem* (1930), *Estrela da Manhã* (1936), *Mafuá do Malungo* (1948), *Opus 10* (1952), *Poesias Escolhidas* (1937), *Poesias Completas* (1940, reeditadas com acréscimo em 1944, 1951, 1955 e 1958), *Estrela da Tarde* (1963), *Estrela da Vida Inteira* (1966); prosa: *Crônicas da Província do Brasil* (1936), *Guia de Ouro Preto* (1938), *Noções de História das Literaturas* (1940), *Literatura Hispano-Americana* (1949), *Gonçalves Dias* (1952), *Itinerário de Pasárgada* (1954), *De Poetas e de Poesias*

(1954), *Frauta de Papel* (1957); *Poesia e Prosa*, 2 vols. (1958). É dos nossos maiores poetas surgidos com o Modernismo.

A Antônio Nobre

Tu que penaste tanto e em cujo canto
Há a ingenuidade santa do menino;
Que amaste os choupos, o dobrar do sino,
E cujo pranto faz correr o pranto:

Com que magoado olhar, magoado espanto
Revejo em teu destino o meu destino!
Essa dor de tossir bebendo o ar fino,
A esmorecer e desejando tanto...

Mas tu dormiste em paz como as crianças.
Sorriu a Glória às tuas esperanças
E beijou-te na boca... O lindo som!·

Quem me dará o beijo que cobiço?
Foste conde aos vinte anos... Eu, nem isso...
Eu, não terei a Glória... nem fui bom.

Os Sinos

Sino de Belém,
Sino da Paixão...

Sino de Belém,
Sino da Paixão...

Sino do Bonfim!...
Sino do Bonfim...

Sino de Belém, pelos que inda vêm!
Sino de Belém bate bem-bem-bem

Sino da Paixão, pelos que lá vão!
Sino da Paixão bate bão-bão-bão.

Sino do Bonfim, por quem chora assim?...

Sino de Belém, que graça ele tem!
Sino de Belém bate bem-bem-bem.

Sino da Paixão, — pela minha irmã!
Sino da Paixão, — pela minha mãe!

Sino do Bonfim, que vai ser de mim?...

★

Sino de Belém, como soa bem!
Sino de Belém bate bem-bem-bem.

Sino da Paixão.. Por meu pai?... — Não! Não!...
Sino da Paixão bate bão-bão-bão.

Sino do Bonfim, baterás por mim?...

★

Sino de Belém,
Sino da Paixão...
Sino da Paixão, pelo meu irmão...

Sino da Paixão,
Sino do Bonfim...
Sino do Bonfim, ai de mim, por mim!

★

Sino de Belém, que graça ele tem!

Pneumotórax

Febre, hemoptise, dispnéia e suores noturnos.
A vida inteira, que podia ter sido e que não foi.
Tosse, tosse, tosse.

Mandou chamar o médico:
— Diga trinta e três.
— Trinta e três... trinta e três... trinta e três...
— Respire.
. . . .
— O senhor tem uma escavação no pulmão esquerdo
    [e o pulmão direito infiltrado.
— Então, doutor, não é possível tentar o pneumotórax?
— Não, a única coisa a fazer é tocar um tango argentino.

Poética

Estou farto do lirismo comedido
Do lirismo bem-comportado
Do lirismo funcionário público com livro de ponto expediente
[protocolo e manifestações de apreço ao sr. diretor

Estou farto do lirismo que pára e vai averiguar no
                [dicionário o cunho vernáculo de um vocábulo

Abaixo os puristas

Todas as palavras sobretudo os barbarismos universais
Todas as construções sobretudo as sintaxes de exceção
Todos os ritmos sobretudo os inumeráveis

Estou farto do lirismo namorador
Político
Raquítico
Sifilítico
De todo lirismo que capitula ao que quer que seja fora de
[si mesmo.

De resto não é lirismo
Será contabilidade tabela de co-senos secretário do amante
[exemplar com cem modelos de cartas e as diferentes
[maneiras de agradar à mulheres, etc.

Quero antes o lirismo dos loucos
O lirismo dos bêbedos
O lirismo difícil e pungente dos bêbedos
O lirismo dos clowns de Shakespeare

— Não quero mais saber do lirismo que não é libertação.

Vou-me Embora pra Pasárgada

Vou-me embora pra Pasárgada
Lá sou amigo do rei
Lá tenho a mulher que eu quero
Na cama que escolherei
Vou-me embora pra Pasárgada

Vou-me embora pra Pasárgada
Aqui eu não sou feliz
Lá a existência é uma aventura
De tal modo inconseqüente
Que Joana a Louca de Espanha
Rainha e falsa demente
Vem a ser contraparente
Da nora que nunca tive

E como farei ginástica
Andarei de bicicleta
Montarei em burro brabo
Subirei no pau-de-sebo
Tomarei banhos de mar!
E quando estiver cansado

Deito na beira do rio
Mando chamar a mãe-d'água
Pra me contar as histórias
Que no tempo de eu menino
Rosa vinha me contar
Vou-me embora pra Pasárgada

Em Pasárgada tem tudo
É outra civilização
Tem um processo seguro
De impedir a concepção
Tem telefone automático
Tem alcalóide à vontade
Tem prostitutas bonitas
Para a gente namorar

E quando eu estiver mais triste
Mais triste de não ter jeito
Quando de noite me der
Vontade de me matar
— Lá sou amigo do rei —
Terei a mulher que eu quero
Na cama que escolherei
Vou-me embora pra Pasárgada

Estrela

Vi uma estrela tão alta,
Vi uma estrela tão fria!
Vi uma estrela luzindo
Na minha vida vazia.

Era uma estrela tão alta!
Era uma estrela tão fria!
Era uma estrela sozinha
Luzindo no fim do dia.

Por que da sua distância
Para a minha companhia
Não baixava aquela estrela?
Por que tão alta luzia?

E ouvi-a na sombra funda
Responder que assim fazia
Para dar uma esperança
Mais triste ao fim do meu dia.

Testamento

O que não tenho e desejo
É que melhor me enriquece.
Tive uns dinheiros — perdi-os...
Tive amores — esqueci-os.
Mas no maior desespero
Rezei: ganhei essa prece.

Vi terras da minha terra.
Por outras terras andei.
Mas o que ficou marcado
No meu olhar fatigado,
Foram terras que inventei.

Gosto muito de crianças:
Não tive um filho de meu.
Um filho!... Não foi de jeito...
Mas trago dentro do peito
Meu filho que não nasceu.

Criou-me, desde eu menino,
Para arquiteto meu pai.
Foi-se-me um dia a saúde...
Fiz-me arquiteto? Não pude!
Sou poeta menor, perdoai!

Não faço versos de guerra.
Não faço porque não sei.
Mas num torpedo-suicida
Darei de bem grado a vida
Na luta em que não lutei!

Belo Belo

Belo belo minha bela
Tenho tudo que não quero
Não tenho nada que quero
Não quero óculos nem tosse
Nem obrigação de voto
Quero quero
Quero a solidão dos píncaros
A água da fonte escondida
A rosa que floresceu
Sobre a escarpa inacessível
A luz da primeira estrela
Piscando no lusco-fusco

Quero quero
Quero dar a volta ao mundo
Só num navio de vela
Quero rever Pernambuco
Quero ver Bagdad e Cuzco
Quero quero
Quero o moreno de Estela
Quero a brancura de Elisa
Quero a saliva de Bela
Quero as sardas de Adalgisa
Quero quero tanta coisa
Belo belo
Mas basta de lero-lero
Vida noves fora zero.

Vita Nuova

De onde me veio esse tremor de ninho
A alvorecer na morta madrugada?
Era todo o meu ser... Não era nada,
Senão na pele a sombra de um carinho.

Ah, bem velho carinho! Um desalinho
De dedos tontos no painel da escada...
Batia a minha cor multiplicada,
— Era o sangue de Deus mudado em vinho!

Bandeiras tatalavam no alto mastro
Do meu desejo. No fervor da espera
Clareou a distância o súbito alabastro.

E na memória, em nova primavera,
Revivesceu, candente como um astro,
A flor do sonho, o sonho da quimera.

(*Poesia e Prosa*, 2 vols., Rio de Janeiro, Aguilar, 1958, vol. I, pp. 12, 151-152, 186, 188-189, 221-222, 294, 308, 349, 428.)

Pode-se dizer de Manuel Bandeira, mais do que outro qualquer de seus confrades modernos, que se transformou, ao longo de sua extensa carreira literária, para permanecer idêntico. Vale dizer: suas antenas captavam sinais em toda parte, absorviam-nos e transfundiamnos em mensagens de beleza, mas sem alterar a substância de uma visão do mundo que se manteve fiel a si mesma, no decurso de meio século de elaboração poética. Os poemas dados à leitura permitem-nos compreender essa orquestração baseada num tema e variações. "A Antônio Nobre", de silhueta parnasiano-simbolista, e fruto da coincidência entre a moléstia de Manuel Bandeira e a do poeta português, traduz uma predileção estética da juventude, e um gosto pelo biográfico que perdurará para sempre: na verdade, a poesia de Manuel Bandeira

421

constitui uma espécie de diário íntimo, registro lírico dum dia-a-dia em que a Arte era o prato obrigatório. O poema seguinte, "Sino de Belém", corresponde à fase de libertação, em que a busca de um "som" para exprimir o cotidiano que a página surpreende, se nutre de melancolia, já visível antes, e que visitará o poeta doravante. O processo de metamorfose (aparente) continua no estágio imediato, representado por "Pneumotórax", indício de concessão à poesia-piada em voga na quadra revolucionária do Modernismo. Note-se, contudo, que a receita contida no último verso, além de carecer de humor (ao menos segundo a perspectiva atual), não consegue esconder por completo a tristeza fundamental: o poeta procura, inutilmente, sorrir e galhofar. A equação lírica dessa fase estampa-se com nitidez na "Poética", onde Bandeira, programando conscientemente o rumo da intuição, revela uma das forças-motizes de sua mundividência: repúdio do lirismo parnasiano em prol do "lirismo dos loucos", "dos bêbados", "dos clowns de Shakespeare", do lirismo libertário. Ou seja: enaltecimento da sem-razão, da "ausência", do esquecer-se, da melancolia pois, que ao fim de contas liga Manuel Bandeira à tradição lírica portuguesa iniciada na Idade Média. Era chegado o momento de gestar sua obra-prima, "Vou-me Embora Pra Pasárgada". A despeito de sua decantada qualidade, percebe-se que se ergue sobre a dicotomia radical do poeta, porquanto o poema é moderno na irreverência, na libertação de tudo, porém "antigo" na tristeza, implícita no corpo dos versos e explícita na derradeira estrofe. A um só tempo, denuncia a superação da anarquia formal da fase do "Pneumotórax", e a posse de uma métrica comedida, embora sem o rigor de "A Antônio Nobre". Em análoga situação se acha "Estrela", com a diferença de agravar a melancolia e expulsar a chocarrice ocasional. Tem-se a impressão de que o poeta aos poucos se despoja, apagando os vestígios descritivos e narrativos da crônica de sua odisséia diária, e desenvolve poderes de abstração, com descobrir a força da prece, da invenção, do filho imaginário e da participação política virtual, como "poeta menor" ("Testamento"). Até que o despojamento alcança o limite máximo ao vislumbrar o inexistente e o gratuito cósmico, mas sem conotação religiosa ou filosófica: "Vida noves fora zero." Atingido tal nível — quando se liberta inclusive da necessidade de proclamar a libertação —, o poeta regressa ao soneto, ou melhor, ao ponto de partida, mas situado no vértice da espiral. Agora, encontrada "a flor do sonho, o sonho da quimera", defronta-se com a síntese verbal de sua vida e de sua cosmovisão, e pode preparar-se para morrer, para morrer a morte que em "A Antônio Nobre" anunciava como próxima. Assim, fechava-se o ciclo, por meio do qual se exprimiu uma das mais sólidas inspirações poéticas de nosso Modernismo, e o tema da mocidade motivava sua derradeira e fatal variação.

Textos para Análise

Momento num Café

Quando o enterro passou
Os homens que se achavam no café
Tiraram o chapéu maquinalmente
Saudavam o morto distraídos
Estavam todos voltados para a vida
Absortos na vida
Confiantes na vida.

Um no entanto se descobriu num gesto largo e demorado
Olhando o esquife longamente
Este sabia que a vida é uma agitação feroz e sem finalidade

Que a vida é traição
E saudava a matéria que passava
Liberta para sempre da alma extinta.

Soneto Inglês nº 1
1940

Quando a morte cerrar meus olhos duros
— Duros de tantos vãos padecimentos,
Que pensarão teus peitos imaturos
Da minha dor de todos os momentos?
Vejo-te agora alheia, e tão distante:
Mais que distante — isenta. E bem prevejo,
Desde já bem prevejo o exato instante
Em que de outro será não teu desejo,
Que o não terás, porém teu abandono,
Tua nudez! Um dia hei de ir embora
Adormecer no derradeiro sono.
Um dia chorarás... Que importa? Chora.
    Então eu sentirei muito mais perto
    De mim feliz, teu coração incerto.

Soneto Inglês nº 2

Aceitar o castigo imerecido,
Não por fraqueza, mas por altivez.
No tormento mais fundo o teu gemido
Trocar num grito de ódio a quem o fez.
As delícias da carne e pensamento
Com que o instinto da espécie nos engana
Sobpor ao generoso sentimento
De uma afeição mais simplesmente humana.
Não tremer de esperança nem de espanto.
Nada pedir nem desejar, senão
A coragem de ser um novo santo
Sem fé num mundo além do mundo. E então
    Morrer sem uma lágrima, que a vida
    Não vale a pena e a dor de ser vivida.

Balada do Rei das Sereias
Petrópolis, 25-3-1943

    O rei atirou
    Seu anel ao mar
    E disse às sereias:
    — Ide-o lá buscar,

Que se o não trouxerdes,
virareis espuma
Das ondas do mar!

Foram as sereias,
Não tardou, voltaram
Com o perdido anel.
Maldito o capricho
De rei tão cruel!

O rei atirou
Grãos de arroz ao mar
E disse às sereias:
— Ide-os lá buscar,
Que se os não trouxerdes,
Virareis espuma
Das ondas do mar!

Foram as sereias,
Não tardou, voltaram,
Não faltava um grão.
Maldito o capricho
Do mau coração!

O rei atirou
Sua filha ao mar
E disse às sereias:
— Ide-a lá buscar,
Que se a não trouxerdes,
Virareis espuma
Das ondas do mar!

Foram as sereias...
Quem as viu voltar?...
Não voltaram nunca!
Viraram espuma
Das ondas do mar.

O Homem e a Morte
7-12-1945

Romance desentranhado de "Um Retrato da Morte" de Fidelino de Figueiredo.

O homem já estava acamado.
Dentro da noite sem cor.
Ia adormecendo, e nisto

À porta um golpe soou.
Não era pancada forte.
Contudo, ele se assustou,
Pois nela uma qualquer coisa
De pressago adivinhou.
Levantou-se e junto à porta.
— Quem bate? ele perguntou.
— Sou eu, alguém lhe responde.
— Eu quem? torna. — A Morte sou.
Um vulto que bem sabia
Pela mente lhe passou:
Esqueleto armado de foice
Que a mãe lhe um dia levou.
Guardou-se de abrir a porta,
Antes ao leito voltou,
E nele os membros gelados
Cobriu, hirto de pavor.
Mas a porta, manso, manso,
Se foi abrindo e deixou
Ver — uma mulher ou anjo?
Figura toda banhada
De suave luz interior.
A luz de quem nesta vida
Tudo viu, tudo perdoou.
Olhar inefável como
De quem ao peito o criou.
Sorriso igual ao da amada.
Que amara com mais amor.
— Tu és a Morte? pergunta.
E o Anjo torna: — A Morte sou!
Venho trazer-te descanso
Do viver que te humilhou.
— Imaginava-te feia,
Pensava em ti com terror...
És mesmo a Morte? ele insiste.
— Sim, torna o Anjo, a Morte sou,
Mestra que jamais engana,
A tua amiga melhor.
E o Anjo foi-se aproximando,
A fronte do homem tocou,
Com infinita doçura
As magras mãos lhe compôs,
Depois com o maior carinho
Os dois olhos lhe cerrou...

Era o carinho inefável
De quem ao peito o criou.
Era a doçura da amada
Que amara com mais amor.

Portugal, Meu Avozinho

Como foi que temperaste,
Portugal, meu avozinho,
Esse gosto misturado
De saudade e de carinho?

Esse gosto misturado
De pele branca e trigueira,
— Gosto de África e de Europa,
Que é o da gente brasileira.

Gosto de samba e de fado,
Portugal, meu avozinho.
Ai, Portugal, que ensinaste
Ao Brasil o teu carinho!

Tu de um lado, e do outro lado
Nós... No meio o mar profundo...
Mas, por mais fundo que seja,
Somos os dois um só mundo.

Grande mundo de ternura,
Feito de três continentes...
Ai, mundo de Portugal,
Gente mãe de tantas gentes!

Ai, Portugal, de Camões,
Do bom trigo e do bom vinho,
Que nos deste, ai avozinho,
Este gosto misturado,
Que é saudade e que é carinho!

(*Ibidem*, pp. 248, 289, 290, 313-314, 339-340,
550-551)

CASSIANO RICARDO

Cassiano Ricardo Leite nasceu em S. José dos Campos (Estado de São Paulo), a 26 de julho de 1895. Após o curso ginasial em Jacareí, veio para São Paulo estudar Direito, mas só se bacharelou no Rio de Janeiro (1917). De volta a São Paulo, engajou-se no movimento em favor do Modernismo, especialmente do grupo "Verde-Amarelo" e "Anta". Esteve algum tempo no Rio Grande do Sul, advogando e participando da luta política. De regresso a São

Paulo, integrou-se vivamente na Revolução de 1932, e acabou sendo preso e remetido para o Rio de Janeiro. Em 1940, tornou-se diretor do jornal carioca *A Manhã*; em 1942, membro do Conselho do Comércio Exterior; até 1955, diretor-geral da Secretaria de Estado dos Negócios do Governo de São Paulo; em 1953, chefe do Escritório Comercial do Brasil em Paris. Faleceu a 15 de janeiro de 1974. Publicou poesia: *Dentro da Noite* (1915), *A Frauta de Pã* (1917), *O Jardim das Hespérides* (1920) *A Mentirosa de Olhos Verdes* (1924), *Borrões de Verde e Amarelo* (1926), *Vamos Caçar Papagaios* (1926), *Martim Cererê* (1928), *Canções de Minha Ternura* (1930), *Deixa Estar, Jacaré* (1931), *O Sangue das Horas* (1943), *Um Dia Depois do Outro* (1947), *A Face Perdida* (1950), *Poemas Murais* (1950), *25 Sonetos* (1952), *Meu Caminho Até Ontem* (poemas reunidos, 1955), *O Arranha-Céu de Vidro* (1956), *João Torto e a Fábula* (1956), *Poesias Completas* (1957), *Montanha Russa* (1960), *A Difícil Manhã* (1960), *Jeremias Sem-Chorar* (1964), *Os Sobreviventes* (1971); ensaio: *O Brasil no Original* (1935), *A Academia e a Poesia Moderna* (1939), *Marcha para Oeste* (1940), *a Poesia na Técnica do Romance (1953)*, *O Tratado de Petrópolis* (1954), *Pequeno Ensaio de Bandeirologia* (1956), *Martins Fontes* (1958), *O Homem Cordial* (1959), *22 e a Poesia de Hoje* (1964), *Algumas Reflexões sobre Poética de Vanguarda* (1964), *O Indianismo de Gonçalves Dias* (1964); e memórias: *Viagem no Tempo e no Espaço* (1970). Apesar do vigor e originalidade de sua prosa ensaística, é no terreno da poesia que Cassiano Ricardo ganhou direito a um lugar seleto nos quadros da Literatura Brasileira.

Tarde no Campo

Ver a tarde, afinal... E as quérulas avenas
de um rancho de zagais, em chorosa surdina,
põem trêmulos de dor, de saudades terrenas,
no claro-escuro da tristeza vespertina...

Ao dorido langor de agrestes cantilenas,
a lâmpada do ocaso as coisas ilumina;
o crepúsculo entreabre as rosas e as verbenas,
como a interrogação da dúvida divina.

Longe, a tarde se estorce, em violácea agonia.
Essas horas de susto e de melancolia,
como é triste ao pastor transviado compreendê-las!

Pelas moitas sem luz, pelos ermos escampos,
com cabelos de luar e olhos de pirilampos,
desce a Noite, tangendo o rebanho de estrelas...

Metamorfose

Meu avô foi buscar prata
mas a prata virou índio.

Meu avô foi buscar índio
mas o índio virou ouro.

Meu avô foi buscar ouro
mas o ouro virou terra.

Meu avô foi buscar terra
e a terra virou fronteira.

Meu avô, ainda intrigado,
foi modelar a fronteira:

E o Brasil tomou forma de harpa.

Viagem sobre o Espelho

Na grande tarde, que é um arco
vermelho
oscila o barco
sobre o espelho.

Nesse barco navega o meu rosto.
O meu rosto de tripulante.
olha o meu rosto de náufrago
no espelho.

A viagem é longa. A paisagem
também oscila
entre o meu mundo em viagem
e a água tranqüila.

Tudo é oscilação na tarde.
A água como que balança
em cada curva
entre o futuro e a demora.

Depois caminha oscilando
entre as duas margens opostas
como uma pergunta: até quando?
entre duas respostas.

Mas a oscilação mais grave
é a da viagem sobre o espelho.
Em que cada um de nós navega
com dois rostos.

Tripulante sobre o barco
e náufrago no meu reflexo
sob a tarde, em forma de arco,
vou eu, cada vez mais perplexo.

O meu rosto que se debruça,
vê o outro, caído ao fundo.
E sente, através do outro,
o abismo que aos meus pés carrego.

Antípoda de mim mesmo
entre mim e a minha mágoa
levo os dois rostos a esmo
um em meu corpo, outro n'água.

O que, por força, conduzo
preso ao corpo
é o que não naufragou ainda.
O outro é o que perdi pra sempre.

Viagem dupla, quase sem alvo,
e, que o meu barco desliza,
entre o que há em mim de salvo
e o que de salvação precisa.

Na grande tarde, que é um arco
vermelho
oscila o barco
sobre o espelho.

Desejo

As coisas que não conseguem morrer
só por isso são chamadas eternas.
As estrelas, dolorosas lanternas
que não sabem o que é deixar de ser.

Ó força incognoscível que governas
o meu querer, como o meu não-querer.
Quisera estar entre as simples luzernas
que morreram no primeiro entardecer.

Ser deus — e não as coisas mais ditosas
Quanto mais breves, como são as rosas —
é não sonhar, é nada mais obter.

Ó alegria dourada de o não ser
entre as coisas que são, e as nebulosas,
que não conseguem dormir nem morrer.

A Física do Susto

O espelho caiu da parede.
Caiu com ele o meu rosto.
Com o meu rosto a minha sede.
Com a minha sede o meu desgosto.
O meu desgosto de olhar,
no espelho caído, o meu rosto.

Relógio de Pêndulo

Nada melhor do que um relógio antigo
pra quem cultive a graça das demoras.
Um relógio que, por absurdo e ambíguo
marque mais os outroras que os agoras.

Um monstro tardo, não obstante assíduo,
que acuse mais os anos do que as horas.
E mais viva atrasado no castigo
que a me indagar na pressa: por que choras?

O que mandei comprar a um velho avaro
é assim — memória no desassossego.
Gorjeia às vezes mais do que um canário.

Relógio sub-reptício que (morcego)
chupa o meu sangue mas, em cada brecha,
as asas dos ponteiros abre e fecha...

Rotação

a esfera
em torno de si mesma
me ensina a espera
a espera me ensina
  a esperança
a esperança me ensina
um nova espera a nova
espera me ensina
de novo a esperança
  na esfera
a esfera
em torno de si mesma
me ensina a espera
a espera me ensina
  a esperança

a esperança me ensina
uma nova espera a nova
espera me ensina
uma nova esperança
  na esfera

a esfera
em torno de si mesma
me ensina a espera
a espera me ensina
a esperança

a esperança me ensina
uma nova espera a nova
espera me ensina
uma nova esperança
na esfera

(*Poesias Completas*, Rio de Janeiro, José Olympio, 1957, pp. 36, 197, 248-249, 449; *Montanha Russa*, São Paulo, Cultrix, 1960, p. 76; *A Difícil Manhã*, Rio de Janeiro, Livros de Portugal, 1960, p. 151; *Jeremias Sem-Chorar*, Rio de Janeiro, José Olympio, 1964, p. 75.)

Produto de uma sensibilidade aberta aos quatro ventos, a poesia de Cassiano Ricardo apresenta *n* faces, quer do ângulo formal, quer temático, e uma evolução que, em vez de processar-se retilineamente, avança por ondas, em meio às quais refluem conquistas anteriores deixadas de parte. Não obstante, é possível estabelecer, com relativa aproximação, os estádios capitais da história desse fazer poético que não se esgotou nas facetas aqui divisadas. De início, impõe-se a marca parnasiana, como em "Tarde no Campo", tributo pago à juventude e às incertezas do começo, mas em que já se vislumbra um poeta de garra. Segue-se-lhe a fase verde-amarela, correspondente ao instante em que a atenção se volta francamente para os temas nacionais e primitivos ("Metamorfose"). Dir-se-ia que tais mutações atestam um lírico em franca disponibilidade, que não encontrou a trilha apropriada, e que experimenta, meio ludicamente, seus recursos artesanais. A fase imediata exibe-nos um poeta que, alcançando superar as hesitações da hora, entra a desenvolver toda a força de suas virtualidades. Instala-se nessa altura, a partir de "Viagem sobre o Espelho", um lirismo introspectivista e cotidiano. Com "Rotação", presenciamos o desenvolvimento da tendência que Cassiano Ricardo revelava desde cedo para a pesquisa formal, agora endereçada à poesia "concreta" e "práxis", mas sem prejuízo da matrizes líricas da fase precedente, onde reside o melhor de sua poesia. Caracteriza-o uma obsessiva indagação do próprio "eu", de que resulta o desvendamento dum permanente "duplo" na imagem refletida sobre o espelho, numa fragmentação irremediável ("Viagem sobre o Espelho", "A Física do Susto"); o reconhecimento de uma "força incognoscível", proveniente dessa sondagem no âmago das coisas e do "eu" ("Desejo"), por onde cruza uma brisa analítica que lembra de pronto o racionalismo dialético de Fernando Pessoa. Em tal conjuntura, representam papel decisivo as metáforas em torno do espelho e do tempo, assinalando um poeta arraigado na problemática cultural deste século e igualmente desejoso de realizações menos circunstanciais. Observe-se que a poesia de Cassiano Ricardo, nessa fase como nas demais, não atinge a abstração pura, uma vez que se debruça, embora interrogativamente, sobre o real físico. Entretanto, é da congruência entre os dois planos que nasce o lirismo de alta tensão que torna a obra do poeta paulista uma das mais ricas e valiosas de sua geração.

RIBEIRO COUTO

Rui Ribeiro Couto nasceu em Santos (Estado de São Paulo), a 12 de março de 1898. Depois de estudar na Escola de Comércio José Bonifácio de sua cidade natal, matricula-se na Faculdade de Direito de São Paulo, mas interrompe o curso e muda-se para o Rio de Janeiro, vindo a diplomar-se pela Faculdade de Ciências Jurídicas e Sociais (1919). Formado, continua a dedicar-se ao jornalismo, até que em 1924 vai para o interior de São Paulo como promotor, e de lá para Minas Gerais (1926-1928). A seguir, ingressa no corpo diplomático e vai servir em França, Holanda, Portugal, Bulgária. Faleceu em Paris, a 30 de maio de 1963, quando regressava ao Brasil. Pertenceu à Academia Brasileira de Letras. Publicou poesia: *O Jardim das Confidências* (1921), *Poemetos de Ternura e de Melancolia* (1924), *Um Homem na Multidão* (1926), *Canções de Amor* (1930), *Noroeste e outros Poemas do Brasil* (1933), *Correspondência de Família* (1933), *Poesia* (1934, reúne os dois primeiros livros), *Província* (1934), *Cancioneiro de D. Afonso* (1939), *Cancioneiro do Ausente* (1943), *Dia Longo* (1944), *Entre Mar e Rio* (1952), *Poesias Reunidas* (1960, engloba os livros anteriores), *Longe* (1961); romance: *Cabocla* (1931), *Prima Belinha* (1940); conto: *Circo de Cavalinhos* (1922), *A Casa do Gato Cinzento* (1922), *O Crime do Estudante Batista* (1922), *Baianinha e Outras Mulheres* (1927), *Clube das Esposas Enganadas* (1933), *Largo da Matriz* (1940), *Uma Noite de Chuva e Outros Contos* (1944); viagem, ensaio, crônica: *Cidade do Vício e da Graça* (1924), *Espírito de São Paulo* (1932), *Presença de Santa Teresinha* (1934), *Conversa Inocente* (1934), *Chão de França* (1935), *Barro do Município* (1956), *Sentimento Lusitano* (1961); teatro: *Nossos Papás* (1921). A despeito de haver cultivado tantos gêneros, Ribeiro Couto atingiu o máximo de seu talento em poesia.

Chuva

A chuva fina molha a paisagem lá fora.
O dia está cinzento e longo... Um longo dia!
Tem-se a vaga impressão de que o dia demora...
E a chuva fina continua, fina e fria,
Continua a cair pela tarde, lá fora.

Da saleta fechada em que estamos os dois,
Vê-se, pela vidraça, a paisagem cinzenta:
A chuva fina continua, fina e lenta...
E nós dois em silêncio, um silêncio que aumenta
Se um de nós vai falar e recua depois.

Dentro de nós existe uma tarde mais fria...

Ah! para que falar? Como é suave, brando,
O tormento de adivinhar — quem o faria? —
As palavras que estão dentro de nós chorando...

Somos como os rosais que, sob a chuva fria,
Estão lá for no jardim se desfolhando.

Chove dentro de nós... Chove melancolia...

Esquecer

Longos dias de sonho e de repouso...
Ócio e doçura... Sinto, nestes dias,
Meu corpo amolecer, voluptuoso,
Num desfalecimento de energias.

A ler o meu poeta doloroso
E a fumar, passo as horas fugidias.
Entre um cigarro e um verso vaporoso
Sou todo evocações e nostalgias.

Quando por tudo a claridade morre
E sobre as folhas do jardim doente
A tinta branca do luar escorre,

A minha alma, à mercê de velhas mágoas,
É um pássaro ferido mortalmente
Que vai sendo arrastado pelas águas.

No Jardim em Penumbra

Na penumbra em que jaz o jardim silencioso
A tarde triste vai morrendo... desfalece...
Sobre a pedra de um banco um vulto doloroso
Vem sentar-se, isolado, e como que se esquece.

Deve ser um secreto, um delicado gozo
Permanecer assim, na hora em que a noite desce,
Anônimo, na paz do jardim silencioso,
Numa imobilidade extática de prece.

Em lugar tão propício à doçura das almas
Ele vem meditar muitas vezes, sozinho,
No mesmo banco, sob a carícia das palmas.

E uma só vez o vi chorar, um choro brando...
Fiquei a ouvir... Caíra a noite, de mansinho...
Uma voz de menina ao longe ia cantando.

Anjo de Outrora

O anjo de outrora, adormecido na minha alma
Acordou esta noite e espiou nos meus olhos:
A lágrima caída ainda há pouco era dele.

Foi ele que a esqueceu à porta dos meus olhos,
Com o discreto pudor com que à porta da igreja
Deixamos cair a esmola na mão de um pobre.

Serenata em Coimbra

Por vós e de um só nome eu te chamaria,
Não fosse a inclinação ao natural — infanta! —
E o pudor que também mais alto se alevanta
No meu vocabulário e na minha poesia.

Passaste com um cântaro à cabeça.
E eu — Mondego, Choupal, Camões, Rainha Santa —
Outro nome não sei que te valha e mereça.
Infanta? Pobre rapariga,
Havia sugestões clássicas pelo espaço
E eras infanta, sim, na paisagem antiga:
Parecias pisar o mármore de um paço.
(Era estranho que eu não ouvisse o burburinho
De fidalgos em ala a oferecer-te o braço.)

Entre escuros portais vejo-me a errar sozinho.
Vai alta a noite. Em que casa moras?
Na colina, uma luz entre tantas
(Não de castelos de rainhas e de infantas)
Será tua janela ainda acesa a estas horas.

Amanhã voltarás ao rio, lavadeira.
Dorme... Dentro da noite um refrão de modinha
Sobe da terra ao céu numa voz estrangeira:
Se Coimbra, se Coimbra fosse minha...

Soneto da Fiel Infância

Tudo que em mim foi natural — pobreza,
Mágoas de infância só, casa vazia,
Lutos, e pouco pão na pouca mesa —
Dói na saudade mais que então doía.

Da lamparina do meu quarto, acesa
No pequeno oratório noite e dia,
Vinha-me a sensação de uma riqueza
Que no meu sangue de menino ardia.

Altas horas, rezando no seu canto,
Minha mãe muitas vezes soluçava
E dava-me a beijar não sei que santo.

Meu Deus! Mais do que o santo que eu beijava,
Faz-me falta o cair daquele pranto
com que ela junto ao peito me molhava.

O Longe e o Perto

Logo que a noite envolve em sombras o jardim
Parece que um mistério estranho me rodeia,
Bocas de flores se entreabrem para mim,
E não sei de quem são estes passos na areia
Nem este murmurar de uma queixa sem fim.

Como a seiva da terra alimenta as raízes,
Uma seiva secreta enche meu coração.
Deve ser o tal "gosto amargo de infelizes",
Plantinha sempre verde entre as pedras do chão,
Cujo travo provei em todos os países.

Tudo que pude fiz para não ser assim,
Mas não posso esquecer o longe pelo perto;
Os que amei e perdi dormem dentro de mim;
A culpa é minha, sou eu mesmo que os desperto,
Logo que a noite envolve em sombras o jardim.

(*Poesias Reunidas*, Rio de Janeiro, José Olympio, 1960, pp. 7, 18, 21, 347, 414 e 439; *Longe*,
Lisboa, Livros do Brasil, 1961, p. 38.)

Ribeiro Couto representa, no interior da revolução modernista, a permanência atuante de certos padrões de Arte e de Vida instaurados pelo Simbolismo. Verlaine parece ser, ao menos nas primeiras obras, o nume tutelar, alma gêmea que lhe ensinou a ver o mundo como um palco de imorredouras melancolias banhadas em chuva fina e perene ("Chuva", "Esque-cer"). Sua poética resume-se, por isso, no poema "Surdina" (que não se inclui na presente coletânea), sobretudo na primeira estrofe: "Minha poesia é toda mansa. / Não gesticulo, não me exalto... / Meu tormento sem esperança / Tem o pudor de falar alto." E se buscássemos sintetizar-lhe numa palavra a concepção de poesia, seria "penumbra": Ribeiro Couto é o criador do que Ronald de Carvalho intitulou de Penumbrismo, em artigo acerca de *Jardim das Confidências*. Na verdade, a estética dos meios-tons crepusculares e outoniços, a intimi-dade recolhida de salas atapetadas e silentes, a dolência de jardins cruzados por brumas peregrinas e irreais, — vinha desde o Decadentimo e o Simbolismo, como notamos em Eduar-do Guimaraens, mas é em Ribeiro Couto que se define e ganha acentos novos. Com o tempo, o lírico santista foi-se despojando, depurando, sem abandonar de todo as matrizes de sua cosmovisão: o mundo de "fora" começa a interessá-lo tanto quanto o de "dentro", estabele-cendo uma fusão que assinala o surgimento de poesia mais tensa e madura ("Anjo de Outrora", "Serenata de Coimbra"). Dir-se-ia que o pendor "literário" da primeira fase vitaliza-se, des-cobre inspiração no cotidiano e na realidade exterior. Já para o fim de sua trajetória, o poeta parece retroceder aos mitos pretéritos: trata-se não de retroação, mas de ultrapassamento do momentâneo fascínio exercido pela reportagem lírica sobre um espírito ávido de comunhão com os semelhantes e as coisas. O último estágio revela a persistência do resíduo moral e estético sobre que Ribeiro Couto montou sua visão do mundo: "O Longe e o Perto" condensa admiravelmente esse processo de reencontro das raízes mais fundas do poeta, sem as demasias da juventude, nem o cronístico (ainda que ocasional) da fase seguinte. Registre-se que se confessa incapaz de esquecer o "longe pelo perto", entendendo-se os dois advérbios como remetidos a um espaço e um tempo situados atrás. Observe-se também que ele recupera a ambiência dileta, "logo que a noite envolve em sombras o jardim". Nesse mesmo clima se coloca "Soneto da Fiel Infância", análogo a "Carta", de Carlos Drummond de Andrade, em que o poeta se volve pura memória e puro sentimento, a uma altura e densidade que as fases anteriores só casualmente atingiram. Para tal amadurecimento, muitas circunstâncias contribuíram, mas apenas cabe referir uma: a filiação estética. Por sobre o apego ao Simbolismo, impôs-se a afinidade, fruto de coincidências arquetípicas, pelo lirismo tradicional português, evidente na dicção geral, como por exemplo, "Serenata em Coimbra". É possível que tudo isso o torne menos brasileiro aos olhos de alguém, mas ajuda a situá-lo, indiscutivelmente, como uma das mais altas vozes líricas de sua geração.

AUGUSTO FREDERICO SCHMIDT

Nasceu no Rio de Janeiro, a 18 de abril de 1906. Em 1913, segue com a mãe, enferma, para a Suíça, onde faz o curso primário. Com a morte do pai, retorna ao Brasil (1916). Feitos os estudos secundários, passa a dedicar-se ao comércio. Em 1924-1926, está em São Paulo, entrosado com os adeptos do Modernismo. Em 1928, estréia com o livro *Canto do Brasileiro Augusto Frederico Schmidt*, mas não abandona as atividades comerciais. Torna-se editor, e lança alguns novos que viriam a tornar-se dos maiores dentre os modernos, como Graciliano Ramos, Jorge Amado e outros. A partir de 1956, acrescenta aos afazeres de industrial, funções diplomáticas e viagens à Europa. Faleceu no Rio de Janeiro, a 8 de fevereiro de 1965. Deixou prosa: *O Galo Branco* (1948), *Paisagens e Seres* (1950), *Discurso aos Jovens Brasileiros* (1956), *As Florestas* (1958); e poesia, que representa o melhor de sua obra: *Cantos do Liberto* (1928), *Navio Perdido* (1929), *Pássaro Cego* (1930), *Desaparição da Amada* (1931), *Canto da Noite* (1934), *Estrela Solitária* (1940), *Mar Desconhecido* (1942), *Fonte Invisível* (1949), *Mensagem aos Poetas Novos* (1950), *Ladainha do Mar* (1951), *Morelli* (1953), *Os Reis* (1953), *Poesias Completas* (1956), *Aurora Lívida* (1958), *Babilônia* (1959), *O Caminho do Frio* (1964).

> Não quero mais o amor,
> Nem mais quero cantar a minha terra.
> Me perco neste mundo.
> Não quero mais o Brasil
> Não quero mais geografia
> Nem pitoresco.
>
> Quero é perder-me no mundo
> Para fugir do mundo.
> As estradas são largas
> As estradas se estendem
> Me falta é coragem de caminhar.
>
> Sou uma confissão fraca
> Sou uma confissão triste
> Quem compreenderá meu coração?!
>
> O silêncio noturno me embala.
> Nem grito. Nem sou.
> Não quero me apegar nunca mais
> Não quero nunca mais.

Casa Vazia

Chora o vento nos caminhos.
Do céu tristonho e nevoento
Já partiram os passarinhos.
Chora o vento, chora o vento:
Com o vento volteando doidas
As folhas mortas se vão.
Chora o vento nos caminhos:
Pobre de mim, que carinhos
Neste mundo jamais tive!

Sou como casa vazia
Num caminho abandonado,
Portão aberto mostrando
A imensa nudez de tudo.
Sou como casa vazia
Onde outrora a alegria
Dançou roda nos jardins,
Onde rosas desmaiavam
Em noites claras de luar.
Sou como casa vazia:
Ninguém a quer habitar,
Sou como casa vazia
Num caminho abandonada.

Cavaleiros! Cavaleiros!
Parai um instante, abrigai-vos!
Não tarda a chuva a cair:
Já chora o vento na estrada,
Cavaleiros. Cavaleiros,
A casa vos quer guardar —
Nem que seja um breve instante.
Sou como casa vazia
Num caminho abandonada,
Com medo que a noite venha.
Com medo de estar tão só!

Momento

Desejo de não ser um herói e nem poeta
Desejo de não ser senão feliz e calmo.
Desejo das volúpias castas e sem sombra
Dos fins de jantar nas casas burguesas.

Desejo manso das moringas de água fresca
Das flores eternas nos vasos verdes.
Desejo dos filhos crescendo vivos e surpreendentes
Desejo de vestidos de linho azul da esposa amada.

Oh! não as tentaculares investidas para o alto
E o tédio das cidades sacrificadas.
Desejo de integração no cotidiano.

Desejo de passar em silêncio, sem brilho
E desaparecer em Deus — com pouco sofrimento
E com a ternura dos que a vida não maltratou.

Soneto

Depois da grande agitação, a grande calma
O recolhimento, o último sossego desencantado.
Depois da grande ânsia e imenso esforço,
O crepúsculos final doce de ser vivido...

Onde estão as tragédias sem remédio?
Onde estão os furores e as desgraças?
Há apenas agora a sombra dos jardins silenciosos
As meninas passeando nas calçadas, sorrindo.

Há apenas as igrejas mortas e os corações dos fiéis
O fumo das agonias finais se dissolveu no ar.
As grandes mágoas desapareceram das memórias.

Nem sequer a consciência dos pecados.
Só o crepúsculo doce, com grandes silêncios
E a frescura dos jardins na hora da noite chegar.

Soneto

Passa a saudade do que foi e é morto.
Passa a glória que eu quis e meu fugiu.
Passam as próprias visões do mundo e a vida,
E é sonho quanto tive em minhas mãos.

Passam as flores nascidas mais perfeitas.
Passa a beleza, e a dor, passam tormentos.
Passa essa angústia diante do eterno nada.
Que não passa, Senhor, todo momento?

De incerteza em incerteza, a vida corre,
E nos mudamos nós, de instante a instante.
O que foi, ele próprio, sofre muda.

Só não passa este amor tão passageiro.
Só não muda este amor que é tão mudável.
Só este amor incerto é certo em mim.

Soneto

Nada ficou em mim do tempo extinto:
As tristezas de outrora, as inquietas esperas,
Fugiram com a alvorada que surgia
Nos plúmbeos céus, escuros, sufocados.

Nada ficou em mim do velho tempo:
As paisagens que eu vi, os seres, tudo
Mergulhou no esquecido mar sem termo,
Onde o silêncio é a lei única e certa.

Bem sei que o Amor de outrora é também sombra.
Bem sei que a luz de um sol que é a própria vida
Não virá nunca mais salvar das trevas

O que se foi e em poeira está mudado.
Bem sei que as vozes que ouço e esse perfume
Que sinto, do passado — é sonho apenas.

XL

Dançarás nos meus olhos, quando a morte
Se debruçar sobre o meu ser inquieto.
Tua visão, tão frágil e tão leve,
Resistirá à escura sombra densa.

Ficarás nos meus olhos, quando a vida
Se for de mim aos poucos separando,
Como a nuvem do céu, a nuvem branca,
Dentro da grande noite já madura.

Dançarás nos meus olhos, como a Estrela
Nos altos céus, na aurora solitária
Dança — e dançando assiste ao claro dia.

Dançarás nos meus olhos, como a chama
Última, como a esperança derradeira,
Como o alento final antes da morte.

Soneto

Só quem Amor não venceu o amor conhece.
Só quem nas trevas vive e se alimenta
Da esperança de luz que é a luz suprema.
Só quem aspira a um bem e o não alcança,

Sabe o valor do objeto desejado
Cujo prestígio e preço não se altera
E resiste ao destino das terrestres
Coisas que, em se as tocando, se desfazem.

Força é sofrer prisão para ser livre,
E, por Ventura ter, da Desventura
Os passos ter seguido sem descanso.

Força é achar na renúncia a posse plena —
Nos caminhos da Noite a luz da Aurora
E no seio da Morte a própria Vida.

(*Poesias Completas*, Rio de Janeiro, José Olympio, 1956, pp. 9, 132-133, 190, 212, 357, 360,
696, 763.)

A posição de Augusto Frederico Schmidt nos quadros do Modernismo pode, em certa medida, ser aferida com base no primeiro poema que abre sua colaboração na presente antologia: "Não quero mais o amor", etc. Rejeição do excesso de pitoresco e de brasileirismo a todo transe que marca o grupo de 22, é a idéia fundamental desses versos. Ao mesmo tempo, assinalam a existência de um caminho que a segunda estrofe apenas parece sugerir: "Quero é perder-me no mundo / Para fugir do mundo." Vale dizer: busca de universalidade, a partir de um lirismo ambíguo, expresso no desejo de "perder-[se] no mundo". Daí que a poética inserida no poema "Momento" gire em torno de um ideal de vida burguês, da apologia do cotidiano singelo que faria lembrar um Mário Pederneiras menos ingênuo e mais sensível. Em consonância com ele, vemos o poeta remontar ao Simbolismo verlainiano de "Casa Vazia", incluindo certo elogio ao crepúsculo (cf. soneto "Depois da grande agitação, a grande calma"). Por outro lado, entrevê-se o fundo católico de sua visão do mundo (note-se, por exemplo, o soneto final), especialmente através de uma consciência trágica do pecado (cf. soneto "Nada ficou em mim do tempo extinto"). Nesse desdobrar solitário e narcisista do "eu", vai-se operando o progressivo adensamento das duas forças que conduzem a mente do poeta, o Amor e a Morte (cf. soneto "Só quem Amor não venceu o amor conhece"), concebidas dentro duma escatologia hebraico-cristã. E para exprimi-las, Augusto Frederico Schmidt lança mão de uma grandiloqüência torrencial, bíblica, por vezes contida em sonetos de versos brancos ou em que se adivinha a momentânea identificação com a "situação" de Camões (cf. sonetos "Passa a saudade do que foi e é morto" e "Só quem Amor não venceu o amor conhece"). Tudo, bem ponderado, nos exibe um poeta a se debater entre a egolatria das confidências ditadas por sua sensibilidade e um anseio de transcender e ampliar o horizonte visual; ou seja: a procurar despir a sufocante couraça lírica a fim de respirar ares épicos.

CARLOS DRUMMOND DE ANDRADE

Nasceu em Itabira do Mato Dentro, no interior de Minas Gerais, a 31 de outubro de 1902. Após os estudos primários em sua cidade natal, em Belo Horizonte matricula-se no ginásio, mas decorridos seis meses regressa a Itabira e de lá segue para o Rio de Janeiro, onde é internado no Colégio Anchieta. Expulso dois anos depois, por "insubordinação mental", vai para Belo Horizonte e entra a colaborar na imprensa, ao mesmo tempo que faz o curso de Farmácia. Trava amizade com João Alphonsus, Pedro Nava, Aníbal Machado e outros.

Conhece Mário de Andrade, Oswald de Andrade, Ribeiro Couto, Tarsila do Amaral. Diplomado, volta a Itabira (1926), a lecionar Português e Geografia algum tempo. De novo em Belo Horizonte, vai trabalhar no *Diário de Minas* e no funcionalismo público. Em 1930, estréia em livro com *Alguma Poesia*, e quatro anos mais tarde está no Rio de Janeiro, como oficial de gabinete do Ministro da Educação, de onde sai (1945) para chefiar a secção de História da Divisão de Estudos e Tombamento da Diretoria do Patrimônio Histórico e Artístico Nacional, cargo em que se aposenta em 1962. Faleceu no Rio de Janeiro, em 17 de agosto de 1987. Publicou, além do volume referido, poesia: *Brejo das Almas* (1934), *Sentimento do Mundo* (1940), *Poesias* (que reúne os anteriores mais *José*, 1942), *A Rosa do Povo* (1945), *Poesia Até Agora* (que reúne os anteriores mais *Novos Poemas*, 1948), *A Mesa* (1951), *Claro Enigma* (1951), *Viola de Bolso* (1952), *Fazendeiro do Ar & Poesia Até Agora* (que reúne os anteriores, menos *Viola de Bolso*, e mais *Fazendeiro do Ar*, 1953), *Poemas* (que reproduz o anterior mais *A Vida Passada a Limpo*, 1959), *Lição de Coisas* (1962), *Versiprosa* (1967), *Boitempo* (1968), *A Falta que Ama* (1968), *Menino Antigo* (1973), *As Impurezas do Branco* (1973), *Discurso de Primavera e Algumas Sombras* (1977), *Esquecer para Lembrar* (1978), *A Paixão Medida* (1980), *Corpo* (1984), *Amar se aprende amando* (1985); conto: *O Gerente* (1945), *Contos de Aprendiz* (1951), *70 Historinhas* (1978), *Contos Plausíveis* (1981); crônica: *Confissões de Minas* (1944), *Passeios na Ilha* (1952), *Fala, Amendoeira* (1957), *Cadeira de Balanço* (1966), *Os Dias Lindos* (1977); diário: *O Observador no Escritório* (1985); entrevistas: *Tempo Vida Poesia* (1986). Não obstante a relevância indiscutível de sua prosa de ficção e de suas crônicas, o renome de Carlos Drummond de Andrade deve-se à poesia, das mais límpidas e altas de quantas produziu o Modernismo, e de que apenas se podem oferecer, lamentavelmente, alguns poucos exemplos:

No Meio do Caminho

No meio do caminho tinha uma pedra
tinha uma pedra no meio do caminho
tinha uma pedra
no meio do caminho tinha uma pedra

Nunca me esquecerei desse acontecimento
na vida de minhas retinas tão fatigadas.
Nunca me esquecerei que no meio do caminho
tinha um pedra
tinha uma pedra no meio do caminho
no meio do caminho tinha uma pedra.

José

E agora, José?
A festa acabou,
a luz apagou,
o povo sumiu,
a noite esfriou
e agora, José?
e agora, você?

você que é sem nome,
que zomba dos outros,
você que faz versos,
que ama, protesta?
e agora, José?

Está sem mulher,
está sem discurso,
está sem carinho,
já não pode beber,
já não pode fumar,
cuspir já não pode,
a noite esfriou,
o dia não veio,
o riso não veio,
o bonde não veio,
o riso não veio,
não veio a utopia
e tudo acabou
e tudo fugiu
e tudo mofou,
e agora, José?

E agora, José?
sua doce palavra,
seu instante de febre,
sua gula e jejum,
sua biblioteca,
sua lavra de ouro,
seu terno de vidro,
sua incoerência,
seu ódio — e agora?

Com a chave na mão
quer abrir a porta,
não existe porta;
quer morrer no mar,
mas o mar secou;
quer ir para Minas,
Minas não há mais.
José, e agora?

Se você gritasse,
se você gemesse.
se você tocasse
a valsa vienense,

se você dormisse,
se você cansasse,
se você morresse...
Mas você não morre,
você é duro, José!

Sozinho no escuro
qual bicho-do-mato,
sem teogonia,
sem parede nua
para se encostar,
sem cavalo preto
que fuja a galope
você marcha, José!
José, para onde?

Morte do Leiteiro

Há pouco leite no país,
é preciso entregá-lo cedo.
Há muita sede no país,
é preciso entregá-lo cedo.
Há no país uma legenda,
que ladrão se mata com tiro.

Então o moço que é leiteiro
de madrugada com sua lata
sai correndo e distribuindo
leite bom para gente ruim.
Sua lata, suas garrafas,
seus sapatos de borracha
vão dizendo aos homens no sono
que alguém acordou cedinho
e veio do último subúrbio
trazer o leite mais frio
e mais alvo da melhor vaca
para todos criarem força
na luta brava da cidade.

Na mão a garrafa branca
não tem tempo de dizer
as coisas que lhe atribuo
nem o moço leiteiro ignaro,
morador na rua Namur,
empregado no entreposto,
com 21 anos de idade,

sabe lá o que seja impulso
de humana compreensão.
E já que tem pressa, o corpo
vai deixando à beira das casas
uma apenas mercadoria.

E como a porta dos fundos
também escondesse gente
que aspira ao pouco de leite
disponível em nosso tempo,
avancemos por esse beco,
peguemos o corredor,
depositemos o litro...
Sem fazer barulho, é claro,
que barulho nada resolve.

Meu leiteiro tão sutil
de passo maneiro e leve,
antes desliza que marcha.
É certo que algum rumor
sempre se faz: passo errado,
vaso e flor no caminho,
cão latindo por princípio,
ou um gato quizilento.
E há sempre um senhor que acorda,
resmunga e torna a dormir.

Mas este acordou em pânico
(ladrões infestam o bairro),
não quis saber de mais nada.
O revólver da gaveta
saltou para sua mão.
Ladrão? se pega com tiro.
Os tiros na madrugada
liquidaram meu leiteiro.
Se era noivo, se era virgem,
se era alegre, se era bom.
não sei,
é tarde para saber.

Mas o homem perdeu o sono
de todo e foge pra rua.
Meu deus, matei um inocente.
Bala que mata gatuno
também serve pra furtar
a vida de nosso irmão.

Quem quiser que chame médico,
polícia não bota a mão
neste filho de meu pai.
Está salva a propriedade.
A noite geral prossegue,
a manhã custa a chegar,
mas o leiteiro
estatelado, ao relento,
perdeu a pressa que tinha.

Da garrafa estilhaçada,
no ladrilho já sereno
escorre uma coisa espessa
que é leite, sangue... não sei.
Por entre objetos confusos,
mal redimidos da noite,
duas cores se procuram,
suavemente se tocam.
amorosamente se enlaçam,
formando um terceiro tom
a que chamamos aurora.

A *Máquina do Mundo*

E como eu palmilhasse vagamente
uma estrada de Minas, pedregosa,
e no fecho da tarde um sino rouco

se misturasse ao som de meus sapatos
que era pausado e seco; e aves pairassem
no céu de chumbo, e suas formas pretas

lentamente se fossem diluindo
na escuridão maior, vinda dos montes
e de meu próprio ser desenganado,

a máquina do mundo se entreabriu
para quem de a romper já se esquivava
e só de o ter pensado se carpia.

Abriu-se majestosa e circunspecta,
sem emitir um som que fosse impuro
nem um clarão maior que o tolerável

pelas pupilas gastas na inspeção
contínua e dolorosa do deserto,
e pela mente exausta de mentar

toda uma realidade que transcende
a própria imagem sua debuxada
no rosto do mistério, nos abismos.

Abriu-se em calma pura, e convidando
quantos sentidos e intuições restavam
a quem de os ter usado os já perdera

e nem desejaria recobrá-los,
se em vão e para sempre repetimos
os mesmos sem roteiro tristes périplos,

convidando-os a todos, em coorte,
a se aplicarem sobre o pasto inédito
da natureza mítica das coisas,

assim me disse, embora voz alguma
ou sopro ou eco ou simples percussão
atestasse que alguém, sobre a montanha,

a outro alguém, noturno e miserável,
em colóquio se estava dirigindo:
"O que procuraste em ti ou fora de

teu ser restrito e nunca se mostrou,
mesmo afetando dar-se ou se rendendo,
e a cada instante mais se retraindo,

olha, repara, ausculta: essa riqueza
sobrante a toda pérola, essa ciência
sublime e formidável, mas hermética,

essa total explicação da vida,
esse nexo primeiro e singular,
que nem concebes mais, pois tão esquivo

se revelou ante a pesquisa ardente
em que te consumiste... vê, contempla,
abre teu peito para agasalhá-lo."

As mais soberbas pontes e edifícios,
o que nas oficinas se elabora,
o que pensado foi e logo atinge

distância superior ao pensamento,
os recursos da terra dominados,
e as paixões e os impulsos e os tormentos

e tudo que define o ser terrestre
ou se prolonga até nos animais
e chega às plantas para se embeber

no sono rancoroso dos minérios,
dá volta ao mundo e torna a se engolfar
na estranha ordem geométrica de tudo,

e o absurdo original e seus enigmas,
suas verdades altas mais que todos
monumentos erguidos à verdade;

e a memória dos deuses, e o solene
sentimento de morte, que floresce
no caule da existência mais gloriosa,

tudo se apresentou nesse relance
e me chamou para seu reino augusto,
afinal submetido à vista humana.

Mas, como eu relutasse em responder
a tal apelo assim maravilhoso,
pois a fé se abrandara, e mesmo o anseio,

a esperança mais mínima — esse anelo
de ver desvanecida a treva espessa
que entre os raios do sol inda se filtra;

como defuntas crenças convocadas
presto e fremente não se produzissem
a de novo tingir a neutra face

que vou pelos caminhos demonstrando,
e como se outro ser, não mais aquele
habitante de mim há tantos anos,

passasse a comandar minha vontade
que, já de si volúvel, se cerrava
semelhante a essas flores reticentes

em si mesmas abertas e fechadas;
como se um dom tardio já não fora
apetecível, antes despiciendo,

baixei os olhos, incurioso, lasso,
desdenhando colher a coisa oferta
que se abria gratuita a meu engenho.

A treva mais estrita já pousara
sobre a estrada de Minas, pedregosa,
e a máquina do mundo, repelida,

se foi miudamente recompondo,
enquanto eu, avaliando o que perdera,
seguia vagaroso, de mãos pensas.

Carta

Há muito tempo, sim, que não te escrevo.
Ficaram velhas todas as notícias.
Eu mesmo envelheci: Olha, em relevo,
estes sinais em mim, não das carícias

(tão leves) que fazias no meu rosto:
são golpes, são espinhos, são lembranças
da vida a teu menino, que ao sol-posto
perde a sabedoria das crianças.

A falta que me fazes não é tanto
à hora de dormir, quando dizias
"Deus te abençoe", e a noite abria em sonho.

É quando, ao despertar, revejo a um canto
a noite acumulada de meus dias,
e sinto que estou vivo, e que não sonho.

(*Obra Completa*, Rio de Janeiro, Aguilar, 1967,
pp. 61-62, 130, 169-171, 271-273, 349.)

De certo modo representando a própria evolução da poesia moderna brasileira, a obra poética de Carlos Drummond de Andrade percorreu várias fases ou maneiras. Não sendo possível exemplificá-las todas, convocaram-se para esta coletânea as que mais salientemente lhe marcam a personalidade e o lugar que ocupa nas literaturas de Língua Portuguesa deste século. A uma análise pormenorizada dos poemas citados, percebe-se que os atravessam duas linhas de força capitais: de um lado, o cotidiano ou/e o humor nele implícito; de outro, a visão dum transcendental para além da superfície opaca da realidade diária. "No Meio do Caminho", pertencente ao volume *Alguma Poesia*, expõe de modo flagrante as duas tendências: por detrás da epidérmica atitude de quem se compraz no jogo vocabular e sonoro com as expressões "no meio do caminho" e "tinha uma pedra", que atenderia à inclinação cotidianista de seu estro, — divisa-se a gravidade tensa de "retinas tão fatigadas" auscultando a monotonia inexorável, a que se reduz a tragédia da própria condição humana: sempre "no meio do caminho tinha uma pedra". E o verso livre corresponde aos propósitos renovadores instaurados em 1922. "José", um dos poemas mais populares de Carlos Drummond, centra-se na mesma dualidade, agora expressa em verso redondilho que, substituindo o à-vontade anterior, talvez dissimule o outro rumo tomado pelo cotidianismo: a problemática social se instala no espaço da descontração rítmica e métrica. É nesse ponto de sua trajetória que desabrocha, com veemência serena e cauta, a temática política e social. Engajado, o poeta utiliza o verso como arma em prol de uma causa redentora: "Morte do Leiteiro." Nem por isso, todavia, o lirismo se lhe ausenta da paleta: posto que autêntica, a emoção fraternal pela morte do moço inocente vibra de um nota olímpica, que se diria emanada da reserva natural do poeta ou do inato pendor para o transcendentalismo. De onde a poesia compromissada apenas mudar a "máscara" empregada para esconder a outra tendência, que "A Máquina do Mundo" equaciona nitidamente: superados os tentames de recalcar a visão transcendentalista do mundo com uma solução ideológica ou estética de momento, o poeta abandona o cotidianismo de antes, resolvendo desse modo o impasse radical, o que lhe faculta atingir culminâncias épicas, num poema em que não se sabe o que mais admirar, se o recorte camoniano do verso, sem quebra de individualidade, se o universo novo que a emoção desperta e desvenda. Fica-se com a sensação de que seu "sentimento do mundo" constituía mais do que palavras: procurando o Homem no homem, o perene no efêmero, Carlos Drummond forcejava por exprimir uma cosmovisão em que o oculto e o misterioso se concebem ínsitos na realidade contingente. No fim de contas, vê-se que a indagação transcendentalista não esteriliza, antes engloba, um fluxo íntimo que o poeta teria desejado abrandar desde cedo: a comoção pessoal e profunda, que se estampa em "Carta". Aqui, depurado ainda mais o canto, o poeta não ergue barreiras ao estravasamento do caudal emotivo, decerto tão longevo quanto sua própria existência, e da memória, mais funda que tudo. Regressando no tempo, fechava-se o ciclo iniciado na juventude, mas não terminava a procura, num afã que assinala uma sensibilidade ansiosa de perfeição, em tudo coerente com a altitude de sua inspiração poética.

Textos para Análise

Balada do Amor Através das Idades

Eu te gosto, você me gosta
desde tempos imemoriais.
Eu era grego, você troiana,
troiana mas não Helena.
Saí do cavalo de pau
para matar seu irmão.
Matei, brigamos, morremos.

Virei soldado romano,
perseguidor de cristãos.
Na porta da catacumba
encontrei-te novamente.
Mas quando vi você nua
caída na areia do circo
e o leão que vinha vindo,
dei um pulo desesperado
e o leão comeu nós dois.

Depois fui pirata mouro,
flagelo da Tripolitânia.
Toquei fogo na fragata
onde você se escondia
da fúria de meu bergantim.
Mas quando ia te pegar
e te fazer minha escrava,
você fez o sinal-da-cruz
e rasgou o peito a punhal...
Me suicidei também.

Depois (tempos mais amenos)
fui cortesão de Versailles,
espirituoso e devasso.
Você cismou de ser freira...
Pulei muro de convento
mas complicações políticas
nos levaram à guilhotina.

Hoje sou moço moderno,
remo, pulo, danço, boxo,
tenho dinheiro no banco.
Você é uma loura notável,
boxa, dança, pula, rema.
Sei pai é que não faz gosto.
Mas depois de mil peripécias,
eu, herói da Paramount,
te abraço, beijo e casamos.

Campo de Flores

Deus me deu um amor no tempo de madureza,
quando os frutos ou não são colhidos ou sabem a verme.
Deus — ou foi talvez o Diabo — deu-me este amor maduro,
e a um e outro agradeço, pois que tenho um amor.

Pois que tenho um amor, volto aos mitos pretéritos
e outros acrescento aos que amor já criou.
Eis que eu mesmo me torno o mito mais radioso
e talhado em penumbra sou e não sou, mas sou.

Mas sou cada vez mais, eu que não me sabia
e cansado de mim julgava que era o mundo
um vácuo atormentado, um sistema de erros.
Amanhecem de novo as antigas manhãs
que não vivi jamais, pois jamais me sorriram.

Mas me sorriam sempre atrás de tua sombra
imensa e contraída como letra no muro
e só hoje presente.

Deus me deu um amor porque o mereci.
De tantos que já tive ou tiveram em mim,
o sumo se espremeu para fazer um vinho
ou foi sangue, talvez, que se armou em coágulo.

E o tempo que levou uma rosa indecisa
a tirar sua cor dessas chamas extintas
era o tempo mais justo. Era tempo de terra.

Onde não há jardim, as flores nascem de um
secreto investimento em formas improváveis.

Hoje tenho um amor e me faço espaçoso
para arrecadar as alfaias de muitos
amantes desgovernados, no mundo, ou triunfantes,
e ao vê-los amorosos e transidos em torno,
o sagrado terror converto em jubilação.

Seu grão de angústia amor já me oferece
na mão esquerda. Enquanto a outra acaricia
os cabelos e a voz e o passo e a arquitetura
e o mistério que além faz os seres preciosos
à visão extasiada.

Mas, porque me tocou um amor crepuscular,
há que amar diferente. De uma grave paciência
ladrilhar minhas mãos. E talvez a ironia
tenha dilacerado a melhor doação.
Há que amar e calar.
Para fora do tempo arrasto meus despojos
e estou vivo na luz que baixa e me confunde

(Ibidem, 72, 250-251.)

CECÍLIA MEIRELES

Nasceu no Rio de Janeiro, a 7 de novembro de 1901. Órfã de pai e mãe aos três anos de idade, foi educada pela avó materna. Em 1910, termina o curso primário. Realizados os estudos intermediários, ingressa na Escola Normal. Formada em 1917, passa a dedicar-se ao magistério, à literatura e ao jornalismo. Em 1919, estréia com *Espectros*, livro de versos. Entre 1930 e 1934, entrega-se a uma intensa campanha de reforma educacional, findo o que, viaja para Portugal, a proferir conferências acerca da Literatura Brasileira. No ano seguinte, é nomeada professora de Literatura Luso-Brasileira da Universidade do Distrito Federal. Em 1940, leciona Literatura Brasileira e Cultura Brasileira na Universidade do Texas. Daí para a frente, empreenderia novas viagens ao estrangeiro, para difundir nossa cultura: México (1940), Uruguai e Argentina (1944), Índia, Goa e Europa (1953), Europa e Açores (1954), Porto Rico (1957), Israel (1958). Faleceu no Rio de Janeiro, a 9 de novembro de 1964. Ainda publicou: *Nunca Mais... e Poemas dos Poemas* (1923), *Baladas para El-Rei* (1925), *Viagem* (1939), *Vaga Música* (1942), *Mar Absoluto* (1945), *Retrato Natural* (1949), *Amor em Leonoreta* (1952), *12 Noturnos de Holanda e o Aeronauta* (1952), *Romanceiro da Inconfidência* (1953), *Pequeno Oratório de Santa Clara* (1955), *Pistóia, Cemitério Militar Brasileiro* (1955), *Canções* (1956), *Romance de Santa Cecília* (1957), *Obra Poética* (reúne os livros anteriores menos os três primeiros, 1958), *Metal Rosicler* (1960), *Poemas Escritos na Índia* (1961), *Solombra* (1963). Também deu a público ensaios, antologias e biografias, e deixou inéditas várias peças de teatro.

Motivo

Eu canto porque o instante existe
e a minha vida está completa.
Não sou alegre nem sou triste:
sou poeta.

Irmão das coisas fugidias,
não sinto gozo nem tormento.
Atravesso noites e dias
no vento.

Se desmorono ou se edifico,
se permaneço ou me desfaço,
— não sei, não sei. Não sei se fico
ou passo.

Sei que canto. E a canção é tudo.
Tem sangue eterno a asa ritmada.
E um dia sei que estarei mudo:
— mais nada.

Epigrama

A serviço da Vida fui,
a serviço da Vida vim;

só meu sofrimento me instrui,
quando me recordo de mim.

(Mas toda mágoa se dilui:
permanece a Vida sem fim.)

A Doce Canção

Pus-me a cantar minha pena
com uma palavra tão doce,
de maneira tão serena,
que até Deus pensou que fosse
felicidade — e não pena.

Anjos de lira dourada
debruçaram-se da altura.
Não houve, no chão, criatura
de que eu não fosse invejada,
pela minha voz tão pura.

Acordei a quem dormia,
fiz suspirarem defuntos.

Um arco-íris de alegria
da minha boca se erguia
pondo o sonho e a vida juntos.

O mistério do meu canto.
Deus não soube, tu não viste.
Prodígio imenso do pranto:
— Todos perdidos de encanto,
só eu morrendo de triste!

Por isso tão docemente
meu mal transformar em verso,
oxalá Deus não o aumente,
para trazer o Universo
de pólo a pólo contente!

Reinvenção

A vida só é possível
reinventada.

Anda o sol pelas campinas
e passeia a mão dourada
pelas águas, pelas folhas...
Ah! tudo bolhas
que vêm de fundas piscinas
de ilusionismo... — mais nada.

Mas a vida, a vida, a vida,
a vida só é possível
reinventada.

Vem a lua, vem, retira
as algemas dos meus braços.
Projeto-me por espaços
cheios da tua Figura.
Tudo mentira! Mentira
da lua, na noite escura.

Não te encontro, não te alcanço...
Só — no tempo equilibrada,
desprendo-me do balanço
que além do tempo me leva.
Só — na treva,
fico: recebida e dada.

Porque a vida, a vida, a vida,
a vida só é possível
reinventada.

Interpretação

As palavras aí estão, uma por uma:
porém minha alma sabe mais.

De muito inverossímil se perfuma
o lábio fatigado de ais.

Falai! que estou distante e distraída,
com meu tédio sem voz.

Falai! meu mundo é feito de outra vida.
Talvez nós não sejamos nós.

Inscrição

Sou entre flor e nuvem,
estrela e mar.
Por que havemos de ser unicamente humanos,
limitados em chorar?

Não encontro caminhos
fáceis de andar
Meu rosto vário desorienta as firmes pedras
que não sabem de água e de ar.

E por isso levito.
É bom deixar
um pouco de ternura e encanto indiferente
de herança, em cada lugar.

Rastro de flor e estrela,
nuvem e mar.
Meu destino é mais longe e meu passo mais rápido:
a sombra é que vai devagar.

Canção Quase Triste

Brilhou a rosa
no espinhoso galho.
Quem a viu? Ninguém.

Nuvens muito altas
lágrimas de orvalho
deram-lhe: — de além.

Seca os teus olhos,
no amargo trabalho,
que a noite já vem.

454

Vê-te a ti mesmo,
se teu agasalho,
pobre Pêro Sem.

Romance III ou do Caçador Feliz

Caçador que andas na mata,
bem sei por que vais contente,
com grandes olhos felizes:
vês que é de reino encantado,
pelo vale, pela serra,
qualquer caminho que pises.
Tropeças em seixos de ouro,
em cascalho de diamantes,
nunca em singelas raízes.

Os grãos da tua escopeta
— e como vai carregada! —
para a caça que precises,
são pepitas de ouro puro...
E está cheio de ouro o papo
das codornas e perdizes...

Caçador que andas na mata,
são bichos que vais caçando,
ou caças o que não dizes?

Caçador que andas na mata...

(*Obra Poética*, Rio de Janeiro, Aguilar, 1958,
pp. 4, 146, 168-169, 249-250, 362, 411, 484,
661.)

Cecília Meireles ocupa situação peculiar dentro do perímetro modernista, em conseqüência da dicção lusitanizante e da vinculação com o Simbolismo. Mas não só por isso: também pela alta e inconfundível qualidade lírica, como atestam os poemas transcritos. Quanto à ligação com a estética simbolista, está evidente no clima geral e na musicalidade de eco prolongado que se distingue à mais apressada leitura. Igualmente, o portuguesismo da linguagem acusa uma sensibilidade afinada com a velha tradição lírica peninsular, como se nota na freqüência da canção, uma das quais parece ressuscitar a atmosfera plangente do lirismo trovadoresco, incluindo o gosto do paradoxo presente nas cantigas medievais ("só eu morrendo de triste", de "Doce Canção"). Para a compreensão desses aspectos, valia a pena considerar mais de perto o poema "Motivo", verdadeira profissão de fé literária: o louvor do instante, como expressão do eterno; o ser poeta ("não sou alegre nem triste: sou poeta"); o sabor "das coisas fugidias"; o culto do abstrato; o elogio da poesia ("A canção é tudo"). A poética de Cecília Meireles, que ainda se enriquece de outras "leis", disseminadas por vários poemas, em determinado momento se corporifica em frases emblemáticas, nas quais se condensa uma visão do mundo e um modo de ser: "meu mundo é feito de outra vida" ("Interpretação"), "meu destino é mais longe e meu passo mais rápido: / a sombra é que vai devagar" ("Inscrição"). Vaguidade, eterização, manifesta de forma epigramática, aliás peculiar a Cecília Meireles (cf. "Epigrama"), atravessada por uma permanente nota lírica e melancólica. E se o lamento profundo não gerou versos derramados e superficiais é porque o sustenta um pendor para o intelectualismo, e mesmo um niilismo de extração racional, por vezes lembrando Fernando Pessoa, como em "Canção Quase Triste". Talvez para romper o círculo do próprio "eu", a poetisa tentou criar uma obra menos pessoal, buscando na história pátria matéria inspiradora, e compôs o *Romanceiro da Inconfidência*. Contudo, a uma análise demorada, vê-se que nem sempre alcançou seu desígnio, e muitas vezes acabou construindo poesia de timbre idêntico ao das restantes composições: é o caso do "Romance III", que encerra antes uma projeção subjetiva da poetisa que a retratação de uma cena historicamente verídica. Aqui, como nos demais poemas, se patenteia a marginalidade de Cecília Meireles no tocante ao vanguardismo da geração de 22, mas também ganha relevo a certeza de que estamos perante a mais alta voz feminina da poesia brasileira até hoje aparecida.

Textos para Análise

Canção

Pus o meu sonho num navio
e o navio em cima do mar;
— depois, abri o mar com as mãos,
para o meu sonho naufragar.

Minhas mãos ainda estão molhadas
do azul das ondas entreabertas,
e a cor que escorre dos meus dedos
colore as areias desertas.

O vento vem vindo de longe,
a noite se curva de frio;
debaixo da água vai morrendo
meu sonho, dentro de um navio...

Chorarei quanto for preciso,
para fazer com que o mar cresça,
e o meu navio chegue ao fundo
e o meu sonho desapareça.

Depois, tudo estará perfeito:
praia lisa, águas ordenadas,
meus olhos secos como pedras
e as minhas duas mãos quebradas.

Canção Excêntrica

Ando à procura de espaço
para o desenho da vida.
Em números me embaraço

e perco sempre a medida.
Se penso encontrar saída,
em vez de abrir um compasso,
protejo-me num abraço
e gero uma despedida.

Se volto sobre o meu passo,
é já distância perdida.

Meu coração, coisa de aço,
começa a achar um cansaço
esta procura de espaço
para o desenho da vida.
Já por exausta e descrita
não me animo a um breve traço:
— saudosa do que não faço,
— do que faço, arrependida.

Cantiguinha

Brota esta lágrima e cai.
Vem de mim, mas não é minha.
Percebe-se que caminha,
sem que se saiba aonde vai.

Parece angústia espremida
de meu negro coração,
— pelos meus olhos fugida
e quebrada em minha mão.

Mas é rio, mais profundo,
sem nascimento e sem fim,
que, atravessando este mundo,
passou por dentro de mim.

. . . .

Venturosa de sonhar-te,
à minha sombra me deito.
(Teu rosto, por toda parte,
mas, amor, só no meu peito!)

— Barqueiro, que céu tão leve!
Barqueiro, que mar parado!
Barqueiro, que enigma breve,
o sonho de ter amado!

Em barca de nuvens sigo:
e o que vou pagando ao vento

para levar-te comigo
é suspiro e pensamento.

— Barqueiro, que doce instante!
Barqueiro, que instante imenso,
não do amado nem do amante;
mas de amar o amor que penso!

. . . .

Quando meu rosto contemplo,
o espelho se despedaça:
por ver como passa o tempo
e o meu desgosto não passa.

Amargo campo da vida,
quem te semeou com dureza,
que os que não se matam de ira
morrem de pura tristeza?

(Ibidem, pp. 18, 150, 268, 914, 937.)

JORGE DE LIMA

Jorge Mateus de Lima nasceu a 23 de abril de 1893, em União (Alagoas). Após o curso primário na cidade natal, vai a Maceió fazer os "preparatórios" (1900). Em 1907, compõe o soneto "O Acendedor de Lampiões", e no ano seguinte transfere-se para Salvador, a fim de estudar Medicina. Ganha notoriedade em 1910, com a publicação daquele poema, e um ano mais tarde muda-se para o Rio de Janeiro, onde termina o curso médico (1914). Regressa a Maceió, para dedicar-se à carreira, à política (1919), e, posteriormente, ao magistério secundário oficial (1927). Em 1930, translada-se para o Rio de Janeiro, onde continua a clinicar, a lecionar (Professor de Literatura Luso-Brasileira da Universidade do Distrito Federal, 1937), a escrever e a interessar-se pela política (vereador de 1947 a 1950). Faleceu no Rio de Janeiro, a 15 de novembro de 1953. Deixou poesia: *XIV Alexandrinos* (1914), *O Mundo do Menino Impossível* (1925), *Poemas* (1927), *Novos Poemas* (1929), *Poemas Escolhidos* (1932), *Tempo e Eternidade* (em colaboração com Murilo Mendes, 1935), *A Túnica Inconsútil* (1938), *Poemas Negros* (1947), *Livro de Sonetos* (1949), *Obras Poética* (reúne os livros anteriores mais *Anunciação e Encontro de Mira-Celi*, 1950), *Invenção de Orfeu* (1952); romance: *Salomão e as Mulheres* (1927), *O Anjo* (1934), *Calunga* (1935), *A Mulher Obscura* (1939), *Guerra Dentro do Beco* (1950); ensaio: *A Comédia dos Erros* (1923), *Dois Ensaios* (1929), *Anchieta* (1934), *D. Vital* (1945); história e biografia: *História da Terra e da Humanidade* (1937), *Vida de São Francisco de Assis* (1942), *Vida de Santo Antônio* (1947); *Obra Completa* (1958). Apesar dos méritos como prosador de ficção e de idéias, o melhor de Jorge de Lima está na poesia.

O Acendedor de Lampiões

Lá vem o acendedor de lampiões da rua!
Este mesmo que vem infatigavelmente,
Parodiar o sol e associar-se à lua
Quando a sombra da noite enegrece o poente!

Um, dois, três lampiões, acende e continua
Outros mais a acender imperturbavelmente,
À medida que a noite aos poucos se acentua
E a palidez da lua apenas se pressente.

Triste ironia atroz que o senso humano irrita: —
Ele que doira a noite e ilumina a cidade,
Talvez não tenha luz na choupana em que habita.

Tanta gente também nos outros insinua
Crenças, religiões, amor, felicidade,
Como este acendedor de lampiões da rua!

Essa Negra Fulô

Ora, se deu que chegou
(Isso já faz muito tempo)
no bangüê dum meu avô
uma negra bonitinha
chamada negra Fulô.

Essa negra Fulô!
Essa negra Fulô!

Ó Fulô! Ó Fulô!
(Era a fala da Sinhá)

— Vai forrar a minha cama,
pentear os meus cabelos,
vem ajudar a tirar
a minha roupa, Fulô!

Essa negra Fulô!

Essa negrinha Fulô
ficou logo pra mucama,
pra vigiar a Sinhá
pra engomar pro Sinhô!

Essa negra Fulô!
Essa negra Fulô!

Ó Fulô! Ó Fulô!
(Era a fala da Sinhá)
vem me ajudar, ó Fulô,
vem abanar o meu corpo
que eu estou suada, Fulô!
vem coçar minha coceira,
vem me catar cafuné,
vem balançar minha rede,
vem me contar uma história,
que eu estou com sono, Fulô!

Essa negra Fulô!

"Era um dia uma princesa
que vivia num castelo
que possuía um vestido
com os peixinhos do mar.
Entrou na perna dum pato
saiu na perna dum pinto
o Rei-Sinhô me mandou
que nos contasse mais cinco."

Essa negra Fulô!
Essa negra Fulô!

Ó Fulô? Ó Fulô?
Vai botar para dormir
esses meninos, Fulô!
"Minha mãe me penteou
minha madrasta me enterrou
pelos figos da figueira
que o Sabiá beliscou."

Essa negra Fulô!
Essa negra Fulô!

Fulô? Ó Fulô?
(Era a fala da Sinhá
chamando a Negra Fulô.)
Cadê meu frasco de cheiro
que teu Sinhô me mandou?
— Ah! foi você que roubou!
Ah! foi você que roubou!

O Sinhô foi ver a negra
levar couro do feitor.
A negra tirou a roupa.

O Sinhô disse: Fulô!
(A vista se escureceu
que nem a negra Fulô)

      Essa negra Fulô!
      Essa negra Fulô!

Ó Fulô? Ó Fulô?
Cadê meu lenço de rendas
cadê meu cinto, meu broche,
cadê meu terço de ouro
que teu Sinhô me mandou?
Ah! foi você que roubou.
Ah! foi você que roubou.

      Essa negra Fulô!
      Essa negra Fulô!

O Sinhô foi açoitar
sozinho a negra Fulô.
A negra tirou a saia
e tirou o cabeção,
de dentro dele pulou
nuinha a negra Fulô.

      Essa negra Fulô!
      Essa negra Fulô!

Ó Fulô? Ó Fulô?
Cadê, cadê teu Sinhô

que nosso Senhor me mandou?
Ah! foi você que roubou,

foi você, negra Fulô?

      Essa negra Fulô!

Nave ou igreja
Laje ou que for
Suba perfeita
Para o Senhor.

Que não se veja
Ouro e esplendor
Mas tudo seja
Amor, amor.

Só um altar
Corpo votivo
Rasgando o espaço.

Para o inflamar
Coração vivo
Enche-o de graça.

XV

A garupa da vaca era palustre e bela,
uma penugem havia em seu queixo formoso;
e na fronte lunada onde ardia uma estrela
pairava um pensamento em constante repouso.

Esta a imagem da vaca, a mais pura e singela
que do fundo do sonho eu às vezes esposo
e confunde-se à noite à outra imagem daquela
que ama me amamentou e jaz no último pouso.

Escuto-lhe o mugido — era o meu acalanto,
e seu olhar tão doce inda sinto no meu:
o seio e o ubre natais irrigam-me em seus veios.

Confundo-os nessa ganga informe que é meu canto:
semblante e leite, a vaca e a mulher que me deu
o leite e a suavidade a mamar de dois seios.

XXVI

Qualquer que seja a chuva desses campos
devemos esperar pelos estios;
e ao chegar os serões e os fiéis enganos
amar os sonhos que restarem frios.

Porém se não surgir o que sonhamos
e os ninhos imortais forem vazios,
há de haver pelo menos por ali
os pássaros que nós idealizamos.

Feliz de quem com cânticos se esconde
e julga tê-los em seus próprios bicos,
e ao bico alheio em cânticos responde.

E vendo em torno as mais terríveis cenas,
possa mirar-se as asas depenadas
e contentar-se com as secretas penas.

XV

Vem amiga; dar-te-ei a tua ceia
e a comida que acaso desejares,
e algum poema que ilumine os ares
menos que a luz malsã dessa candeia.

Aqui terás o peixe desses mares
e o mais gostoso mel de toda a aldeia.
De onde vens? De que cimos? De que altares?
Que luz angelical te agita a veia?

Como te chamas vida da outra vida,
espelho noutro espelho transmudado,
lume na minha luz anoitecida?

Serás o dia à noite do outro lado
de meu ser que nas trevas se apagou?
Ou serás qualquer lume que não sou?

II

Era um cavalo todo feito em chamas
alastrado de insânias esbraseadas;
pelas tardes sem tempo ele surgia
e lia a mesma página que eu lia.

Depois lambia os signos e assoprava
a luz intermitente, destronada,
então a escuridão cobria o rei
Nabucodonosor que eu ressonhei.

Bem se sabia que ele não sabia
A lembrança do sonho subsistido
e transformado em musas sublevadas.

Bem se sabia: a noite que o cobria
era a insânia do rei já transformado
no cavalo de fogo que o seguia.

IV

Era um cavalo todo feito em lavas
recoberto de brasas e de espinhos.
Pelas tardes amenas ele vinha
e lia o mesmo livro que eu folheava.

Depois lambia a página, e apagava
a memória dos versos mais doridos;
então a escuridão cobria o livro,
e o cavalo de fogo se encantava.

Bem se sabia que ele ainda ardia
na salsugem do livro subsistido
e transformado em vagas sublevadas.

Bem se sabia: o livro que ele lia
era a loucura do homem agoniado
em que o íncubo cavalo se nutria.

I

Aqui é o fim do mundo, aqui é o fim do mundo
em que até aves vêm cantar para encerrá-lo.
Em cada poço, dorme um cadáver, no fundo,
e nos vastos areais — ossadas de cavalo.

Entre as aves do céu: igual carnificina:
se dormires cansado, à face do deserto,
quando acordares hás de te assustar. Por certo,
corvos te espreitarão sobre cada colina.

E, se entoas teu canto a essas aves (teu canto
que é debaixo dos céus, a mais triste canção),
vem das aves a voz repetindo teu pranto.

E, entre teu angustiado e surpreendido espanto,
tangê-las-ás de ti, de ti mesmo, em que estão
esses corvos fatais. E esses corvos não vão.

(*Obras Completas*, Rio de Janeiro, Aguilar,
1958, pp. 208, 291-293, 568, 638, 650-651,
701, 728, 729, 775.)

O itinerário poético de Jorge de Lima percorreu quatro fases, que se documentam nos poemas selecionados: a parnasiana, a da poesia negra, a místico-católica e a épica. A primeira, estampa-se em "O Acendedor de Lampiões", poema de adolescente intoxicado da leitura dos partidários da arte pela arte oitocentista, mas suficientemente arguto para escolher o mais talentoso dentre eles: Raimundo Correia. Efetivamente, é nítido no soneto o impacto de "Mal Secreto". Ao ardor juvenil pelo formalismo parnasiano sucedeu a descoberta da negritude, reflexo da onda de brasilidade que varreu a geração de 22, aqui representada pela composição mais conhecida de Jorge de Lima: "Essa Negra Fulô." Note-se o ritmo propositadamente elementar e primitivo, como a traduzir o senso musical da raça africana; e o equilíbrio e originalidade com que é tratado um assunto que nessa mesma altura Gilberto Freyre enquadrava sociologicamente: sem cair no pieguismo romântico, nem assumir arficiosa atitude política, manipula o tema do escravo com uma altitude e uma sinceridade que de pronto o leitor associa às endechas camonianas à negra Bárbara. A terceira fase, assinalando a conversão do poeta, caracteriza-se por um misticismo sem agonia, sereno e firme, que funde crença e amor ("Nave ou Igreja"): como que liberto do esteticismo e da moda brasílica, o poeta expõe francamente seu íntimo, mas nem sempre o resultado compensa. A quarta fase se concretiza nas demais composições, pertencentes a *Invenção de Orfeu*, poema épico de ciclópicas dimensões, onde se mesclam, num dinamismo avassalante, forças poéticas de toda ordem, fruto da convergência de idéias e imagens oriundas dos mais desencontrados universos. Como que encerrando uma demorada e grave reflexão em torno do Homem e do Cosmos, o poema repele as interpretações definitivas e de conjunto. De onde os sonetos transcritos apenas nos ofertarem uma impressão pálida do que a longa e densa cerebração guarda em seu bojo, ponto alto da carreira de Jorge de Lima e das obras magnas de nosso Modernismo. Fusão do sobrenatural com o real, interseccionamento do concreto pelo onírico, simbiose do superficial com o oculto, — eis a síntese possível de seu conteúdo. Daí a zoologia mítica, visão deslumbrada de um surrealismo cósmico e fantástico, fruto de guardar os mistérios recônditos na realidade aparentemente apoética de um animal de pasto (soneto XV) ou um eqüino (sonetos II e IV). Ou, inversamente, resultante de surpreender a existência real dos entes ideais ("há de haver pelo menos por ali / os pássaros que nós idealizamos", do soneto XXVI). Nesse desvendar contínuo de espaços e seres cada vez mais estranhos ao olhar, dá-se o encontro com a musa, anúncio da transcendência de onde veio ou que é o poeta ("Serás o dia à noite do outro lado", etc., do soneto XV). E por último, o "fim do mundo", antevisão do Apocalipse, quando o Homem, condenado aos desertos e aos corvos, porque ausentes a vaca, o cavalo e os pássaros, se reduz a nada. Aqui se diria ouvir a asa da crença religiosa do poeta, reconduzindo-o a uma concepção de vida que remonta ao niilismo barroco, numa afinidade confirmada pela linguagem onde predominam as metáforas rebrilhantes e a sintaxe enovelada. Sem equacionar tal consangüinidade, é impossível entender Jorge de Lima, sobretudo sua obra capital, *Invenção de Orfeu*.

Texto para Análise

VI

Vinde ó alma das coisas, evidências,
cinzas, certezas, ventos, noites, dias,
rosas eternas, pedras resignadas,
que eu vos recebo à porta de meu limbo.
Vinde esquecidos seres e presenças
e coisas que eu não sei de tão dormidas.
Graças numes eternos: vai-se a tarde
e as corujas esvoaçam nas estradas.
. . . .
As horas casuais estão aqui,
e o pressentir e o acaso e o abismo claro;
raízes vêm à tona, lemos solos.
Ó ímpeto atendido, ó grito amado,
ó repousar das árdegas amantes,
ócios mais doces, auges mais serenos;
jamais nessa amplidão houve tão êxtase
nem tão emersas ânsias naturais.

Ouço o meu nome. Volto-me. Chamaram-me,
ou me chamei ou o tempo me chamou?
Ou abriram a porta devagar?

Visitante noturno onde te ocultas,
em que obscura vertente te assinalas?
Ó dorme antigo ser permanecido,
lúcido ser, agudo ser terrível,
ó sempre antecedente sagitário!

Regresso ao meu zodíaco de espelhos
contemplo a noite vasta e simultânea
à solidão me entrego, sacra névoa,
respiro os horizontes superados,
sossego a ventania despertada,
e eis que escuto o meu nome; certo é o nome
de alguém perdido em mim, algum lamento,
algum adeus que do outro lado vem.

Loucura efêmera antes não viesses
reintegrar-me no senso verdadeiro.
Quero voltar a ti, à calma branca
sem apelos a mim, de mim, de quem?
Amo-vos virgens campos de poesia
com os tules das mensagens pressentida
Reacendo esta Lâmpada. E Esta. E Esta.
Sabeis quais são as Três. *Laudamus Te*

Santíssima
Trindade

Decorro nesta febre tão suave,
queimo-me em cinzas, tenho as mãos furadas,
o sumo desta vida Te é mais caro.
Reacendeste-te muro sem lamentos!
Ó muro sem lamentos e lamentos!
Que falenas ocultas te formaram
na cera intermitente em que te espessas,
mas te espessas em tempo e eternidade!

Terra de exílio? Não és meu canto.
Ó terra elaborada, cena e sede,
raízes sem censura, dramas leves,
inclinação venial, arcaica noite.
Ó telescópios salve, sou noturno,
a memória do sonho é meu cristal,
delírio lúcido, eu me ressurgi,
ascendo-me, transluzo-me, consagro-me.

De onde vens fero orgulho imemorial?
Quem me chama de novo? A face andrógina
que é duplo gozo, — sexo e pensamento?
Decerto abriu-se a porta devagar
ou veio abri-la um nume sagitário?

Ou é a fala do incesto inacabado,
mãe e amante tão lava primitiva,
Eva e árvore em serpe e chamamento?
· ·

Ouço o meu nome. Volto-me. Chamaram-me.
A cara viperina é tão visível
que lhe falo da porta devagar:
Lúcido ser, agudo ser terrível
e sempre antecedente sagitário
por que vens visitar o meu poema?
De que círculo de horror ou de que treva
trazes a inquietação ao meu silêncio?
· ·

Infuso por estranha divindade,
convoco os elementos por seus nomes.
O insossego das nuvens me entontece,
as montanhas acesas me circundam.
Ó riqueza enganosa a quem procura
nada ser que obstinado visionário;
ver os signos, mirar-se nas arenas
e dormir nos rochedos indivisos.
· ·

E vi a roda ornada de andarilhos
com face atrás de face, além da vida;
da morte possuídos mas perenes.
Só de estar-se no vórtice danado,
fica-se duas vezes sepultado
com os olhos exumados, vendo tudo.
Que venhas, Outro! Tempo e espaço aceito
e aceito as evidências que impuseres.

Reverto-me no limbo original,
entre dois olhos entre duas órbitas;
dentro da névoa antes respirada;
dentro das coisas possuídas antes;
encolho-me no ventre anterior e ermo;
veio-me as plantas, babo os meus calcâneos,
sugo os leites vindouros não jorrados,
embriono-me na luz que me cegou.

(*Ibidem*, pp. 730, 731, 732, 734, 735, 736.)

MURILO MENDES

Murilo Monteiro Mendes nasceu em Juiz de Fora (Minas Gerais), a 13 de maio de 1901. Cursos primário e secundário na terra natal e em Niterói. Em 1920, instala-se no Rio de Janeiro, inicialmente como funcionário do Ministério da Fazenda, depois do Banco Mercantil e por fim de um cartório. Desde 1953, viveu na Europa, como leitor de Estudos Brasileiros. Faleceu em Lisboa, a 14 de agosto de 1975. Publicou poesia: *Poemas* (1930), *História do Brasil* (1932), *Tempo e Eternidade* (1935), *A Poesia em Pânico* (1938), *O Visionário* (1941), *As Metamorfoses* (1944), *Mundo Enigma* (1945), *Poesia Liberdade* (1947), *Contemplação de Ouro Preto* (1954), *Poesias* (que reúne os livros anteriores menos *História do Brasil,* e inéditos: *Bumba-meu-Poeta* [1930], *Sonetos Brancos* [1946-1948], *Parábola* [1946-1952] e *Siciliana* [1954-1955]), *Tempo Espanhol* (1959), *A Idade do Serrote* (1968), *Convergência* (1970), *Poliedro* (1972), *Ipotesi* (poemas italianos, 1977); prosa: *O Discípulo de Emaús* (1944).

O Mundo Inimigo

O cavalo mecânico arrebata o manequim pensativo
que invade a sombra das casas no espaço elástico.
Ao sinal do sonho a vida move direitinho as estátuas
que retomam seu lugar na série do planeta.
Os homens largam a ação na paisagem elementar
e invocam os pesadelos de mármore na beira do infinito.
Os fantasmas vibram mensagens de outra luz nos olhos,
expulsam o sol do espaço e se instalam no mundo.

Jogo

Cara ou coroa?
Deus ou o demônio
O amor ou o abandono
Atividade ou solidão.

Abre-se a mão, coroa
Deus e o demônio
O amor e o abandono
Atividade e solidão.

Enigma do Amor

Olho-te fixamente para que permaneças em mim.
Toda esta ternura é feita de elementos opostos
Que eu concilio na síntese da poesia.

O conhecimento que tenho de ti
É um dos meus complexos castigos.
Adivinho através do véu que te cobre
O canto de amor sufocado,
O choque ante a palavra divina, a antecipação da morte.
Minha nostalgia do infinito cresce
Na razão direita do afastamento em que estou do teu corpo.

Idéia Fortíssima

Uma idéia fortíssima entre todas menos uma
Habita meu cérebro noite e dia,
A idéia de uma mulher, mais densa que uma forma.
Idéia que me acompanha
De uma a outra lua,
De uma a outra caminhada, de uma a outra angústia,
Que me arranca do tempo e sobrevoa a história,
Que me separa de mim mesmo,
Que me corta em dois como o gládio divino.
Uma idéia que anula as paisagens exteriores,
Que me provoca terror e febre,
Que se antepõe à pirâmide de órfãos e miseráveis,
Uma idéia que verruma todos os poros do meu corpo
E só não se torna o grande cáustico
Porque é um alívio diante da idéia muito mais forte e
                                          [violenta de Deus.

Fim

Eu existo para assistir ao fim do mundo.
Não há outro espetáculo que me invoque.
Será uma festa prodigiosa, a única festa.
Ó meus amigos e comunicantes,
Tudo o que acontece desde o princípio é a sua preparação.

Eu preciso presto assistir ao fim do mundo
Para saber o que Deus quer comigo e com todos
E para saciar minha sede de teatro.
Preciso assistir ao julgamento universal,
Ouvir os coros imensos,
As lamentações e as queixas de todos,
Desde Adão até o último homem.

Eu existo para assistir ao fim do mundo,
Eu existo para a visão beatífica.

Duas Mulheres

Duas mulheres na sombra
Decifram o alfabeto oculto,
Ouvem o contraste das ondas,
Falam com os deuses de pedra.

Dançam a roda, murmuram,
Decifram o enigma das sombras,
Uma triste, outra morena,

Ambas são ágeis e esbeltas,
Vestem roupagens de nuvens,
Segredam amores eternos,
Tocam súbito a corneta
Para despertar os peixes.

Duas mulheres na sombra
Encarnando lua e árvore
Decifram o alfabeto oculto.

A Fatalidade

Um moço azul atirou-se de um jasmineiro
Os sinos perderam a fala
A fértil sementeria de espadas
Atrai o olhar das crianças.

Não existem mais dimensões
Nem cálculos possíveis
O vento caminha
A léguas da história,
As rosas quebram a vidraça.

Demoliram uma mulher
A sons de clarinete.

Escrevo para me tornar invisível,
Para perder a chave do abismo.

Idéias Rosas

Minhas idéias abstratas,
De tanto as tocar, tornaram-se concretas:
São rosas familiares
Que o tempo traz ao alcance da mão,
Rosas que assistem à inauguração de eras novas
No meu pensamento,
No pensamento do mundo em mim e nos outros;
De eras novas, mas ainda assim
Que o tempo conheceu, conhece e conhecerá.
Rosas! Rosas!
Quem me dera que houvesse
Rosas abstratas para mim.

Mulher Dormindo

No teu leito de silfos e de sonho
Dormes, pendida a máquina do braço.
Uma vasta arquitetura de montanhas
Ergue defronte a sua construção.

Acerco-me de ti a passos lentos,
Medindo o gozo do teu respirar.
Súbito, feroz, de mim se aparta
A forma com que antigamente fui.

Na verdade inda ignoro tua essência:
Uma nuvem de códigos nos envolve
Que tento decifrar nesse abandono

Do teu corpo, camélias e coral.
Já que dormes, irei me revelar
O início do teu ser, íntimo a ti.

Conhecimento

Sinto terror de mim, mais do que do mundo.
Que matéria me ergue, que astro mau?
Que força de beleza, unida à morte,
Em seus braços de raio me constringe?

Quando me olho, tantas formas palpo
Que o tempo suscitou pra me plasmar.
Adivinho as Erínias, que do inferno
Chicotadas de ódio me remetem
E o signo da flor súbito sustam.

Vejo-me estranho a mim, à minha voz,
Ao meu silêncio, ao meu andar e gesto.
Que espera o Fogo pra me esclarecer?
Que espera o Fogo pra me refundir?

São João da Cruz

Viver organizando o diamante
(Intuindo sua face) e o escondendo.
Tratá-lo com ternura castigada.
Nem mesmo no deserto suspendê-lo.

Mas
Viver consumido da sua graça.
Obedecer a esse fogo frio
Que se resolve em ponto rarefeito.

Viver: do seu silêncio se aprendendo.
Não temer sua perda em noite obscura.

E, do próprio diamante já esquecido,
Morrer, do seu esqueleto esvaziado:
Para vir a ser tudo, é preciso ser nada.*

(*Poesias,* Rio de Janeiro, José Olympio, 1959,
pp. 34, 157, 178, 198, 213, 224, 277, 327, 340,
466; *Tempo Espanhol*, Lisboa, Morais, 1959,
p. 34.)

Mercê de agasalhar várias e nem sempre congruentes orientações estéticas e éticas, e de uma habilidade artesanal apta a fundir o prosaico e o lírico, o coloquial e o erudito, o irreal e o real, o signo claro e o símbolo hermético, a poesia de Murilo Mendes reserva enigmas novos a cada investida analítica. Daí o lugar diferenciado que ocupa nos quadros de nossa modernidade: trata-se de uma original dicção poética, que aproveita fartamente da libertação trazida pelo movimento de 22, mas com um senso de equilíbrio e de proporção que resulta da própria gravidade com que o escritor encarava o ofício do verso e o mundo nele refletido. Os poemas transcritos, ainda que poucos, nos fornecem uma bússola: a primeira observação diz respeito à presença de incidências surrealistas, aliás raras em nosso Modernismo, mas dum Surrealismo tirado sobre o trágico, em conseqüência de assentar numa visão abstratizante, ocultista e cristã do mundo ("Duas Mulheres", "O Mundo Inimigo"), e de jamais ceder à atração pelo puramente lúdico ou estético. E quando parece que o poeta se verga à tentação de brincar com o automatismo surrealista, como em "A Fatalidade", basta aguardar o final do poema para reencontrar as demais características de sua mundividência: "Escrevo para me tornar invisível, / Para perder a chave do abismo." Quanto ao componente cristão, faz lembrar a agonia mística de uma Santa Teresa ("muero porque no muero"), e o apego ao abstrato, além de permanecer invariavelmente no plano do relativo, acompanha-se dum movimento interior no sentido de penetrar o mais fundo do ser: de onde se falar em essencialismo a propósito da poesia muriliana, um essencialismo que não elimina a dualidade fundamental em que navega o poeta, cindido entre os apelos de uma sensualidade escaldante, embora contendida, e uma "nostalgia de infinito" ("Idéia Fortíssima", "Enigma do Amor"). Decerto porque cônscio da irredutibilidade radical das antinomias que limitam o nosso estar-no-mundo, o poeta não consegue dissimular por muito tempo uma profunda irritação, em parte decorrente do sentido apocalíptico que termina por adquirir sua concepção do mundo ("Conhecimento"). Tal circunstância faz crer que a cosmovisão de Murilo Mendes se acha emblematicamente sinte-tizada no último verso de "São João da Cruz": "Para vir a ser tudo, é preciso ser nada."

VINICIUS DE MORAIS

Nasceu no Rio de Janeiro, a 19 de outubro de 1913. Após o curso secundário no Colégio Santo Inácio, época em que já compõe versos, ingressa na Faculdade Nacional de Direito (1930). Formado (1933), estréia no mesmo ano com um livro de poesia, *O Caminho para a*

---

* *Erínias* = Divindades da mitologia grega votadas à vingança, à reparação moral, guardiãs dos sagrados direitos de família e defensoras das leis que resguardam a ordem da Natureza.

Distância. Abandona a advocacia e passa a exercer as funções de censor cinematográfico, até 1938, quando parte para a Inglaterra em bolsa de estudos. Trabalha na BBC de Londres. Regressando em 1939, e depois de uma longa estada em São Paulo, no Rio de Janeiro começa a colaborar na imprensa. Ingressa na carreira diplomática em 1943, e segue para Los Angeles, onde permanece de 1946 a 1950. De 1953 a 1958, serve em Paris, de onde se transfere para Montevidéu. Em 1963, está de novo em Paris. Retornando em 1964, continua sua intensa atividade literária e artística. Deixou: *Forma e Exegese* (1935), *Ariana, a Mulher* (1936), *Novos Poemas* (1938), *Cinco Elegias* (1943), *Poemas, Sonetos e Baladas* (1946), *Pátria Minha* (1949), *Antologia Poética* (1954), *Livro de Sonetos* (1957), *Novos Poemas II* (1959), *Cordélia e o Peregrino* (1965); crônicas e poemas: *Para viver um grande amor* (1962); crônicas: *Para uma Menina com uma Flor* (1966); teatro: *Orfeu da Conceição* (1962). Embora poeta de altitude e originalidade, grande parte de seu prestígio decorreu das músicas populares e do *Orfeu da Conceição*. Faleceu a 9 de julho de 1980, na cidade natal.

Soneto de Contrição

Eu te amo, Maria, eu te amo tanto
Que o meu peito me dói como em doença
E quanto mais me seja a dor intensa
Mais cresce na minha alma teu encanto.

Como a criança que vagueia o canto
Ante o mistério da amplidão suspensa
Meu coração é um vago de acalanto
Berçando versos de saudade imensa.

Não é maior o coração que a alma
Nem melhor a presença que a saudade
Só te amar é divino, e sentir calma...

E é uma calma tão feita de humildade
Que tão mais te soubesse pertencida
Menos seria eterno em tua vida.

Soneto de Fidelidade

De tudo, ao meu amor serei atento
Antes, e com tal zelo, e sempre, e tanto
Que mesmo em face do maior encanto
Dele se encante mais meu pensamento.

Quero vivê-lo em cada vão momento
E em seu louvor hei de espalhar meu canto
E rir meu riso e derramar meu pranto
Ao seu pesar ou seu contentamento.

E assim, quando mais tarde me procure
Quem sabe a morte, angústia de quem vive
Quem sabe a solidão, fim de quem ama

Eu possa me dizer do amor (que tive);
Que não seja imortal, posto que é chama
Mas que seja infinito enquanto dure.

Soneto de Véspera

Quando chegares e eu te vir chorando
De tanto te esperar, que te direi?
E da angústia de amar-te, te esperando
Reencontrada, como te amarei?

Que beijo teu de lágrimas terei
Para esquecer o que vivi lembrando
E que farei da antiga mágoa quando
Não puder te dizer por que chorei?

Como ocultar a sombra em mim suspensa
Pelo martírio da memória imensa
Que a distância criou — fria de vida

Imagem tua que eu compus serena
Atenta ao meu apelo e à minha pena
E que quisera nunca mais perdida...

Balada das Meninas
de Bicicleta

Meninas de bicicleta
Que fagueiras pedalais
Quero ser vosso poeta!
Ó transitórias estátuas
Esfuziantes de azul
Louras com peles mulatas
Princesas da zona sul:
As vossas jovens figuras
Retesadas nos selins
Me prendem, com serem puras
Em redondilhas afins.
Que lindas são vossas quilhas
Quando as praias abordais!
E as nervosas pantorrilhas
Na rotação dos pedais:
Que douradas maravilhas!
Bicicletai, meninada
Aos ventos do Arpoador
Solta a flâmula agitada

Das cabeleiras em flor
Uma correndo à gandaia
Outra com jeito de séria
Mostrando as pernas sem saia
Feitas da mesma matéria.
Permanecei! vós que sois
O que o mundo não tem mais
Juventude de maiôs
Sobre máquinas da paz
Enxames de namoradas
Ao sol de Copacabana
Centauresas transpiradas
Que o leque do mar abana!
A vós o canto que inflama
Os meus trint'anos, meninas
Velozes massas em chama
Explodindo em vitaminas.
Bem haja a vossa saúde
À humanidade inquieta
Vós cuja ardente virtude
Preservais muito amiúde
Com um selim de bicicleta
Vós que levais tantas raças
Nos corpos firmes e crus:
Meninas, soltai as alças
Bicicletai seios nus!
No vosso rastro persiste
O mesmo eterno poeta
Um poeta — essa coisa triste
Escravizada à beleza
Que em vosso rastro persiste
Levando a sua tristeza
No quadro da bicicleta.

Soneto de Separação

De repente do riso fez-se o pranto
Silencioso e branco como a bruma
E das bocas fez-se a espuma
E das mãos espalmadas fez-se o espanto.

De repente da calma fez-se o vento
Que dos olhos desfez a última chama
E da paixão fez-se o pressentimento
E do momento imóvel fez-se o drama.

De repente, não mais que de repente
Fez-se de triste o que se fez amante
E de sozinho o que se fez contente.

Fez-se do amigo próximo o distante
Fez-se da vida uma aventura errante
De repente, não mais que de repente.

Soneto do Amor Total

Amo-te tanto, meu amor... não cante
O humano coração com mais verdade...
Amo-te como amigo e como amante
Numa sempre diversa realidade.

Amo-te afim, de um calmo amor prestante,
E te amo além, presente na saudade.
Amo-te, enfim, com grande liberdade
Dentro da eternidade e a cada instante.

Amo-te como um bicho, simplesmente,
De um amor sem mistério e sem virtude
Com um desejo maciço e permanente.

E de te amar assim muito e amiúde,
É que um dia em teu corpo de repente
Hei de morrer de amar mais do que pude.

(*Obra Poética,* Rio de Janeiro, Aguilar, 1968,
pp. 203, 247, 276, 293-294, 300-301, 560.)

Na visão que se possa ter do papel e da importância de Vinicius de Morais no panorama do Modernismo, é capaz de haver a interferência incômoda da faceta por que vem sendo mais conhecido ultimamente: o compositor de músicas populares, espécie de François Villon da sociedade de consumo, cultivando uma boêmia dourada e inofensiva. A nós interessa tão-somente focalizar o poeta, embora saibamos que entre as duas manifestações de seu caráter lírico existem indefectíveis pontos de contacto. E na interpretação dos poemas transcritos, deve-se considerar que pertencem à segunda fase da carreira do autor. "A primeira, transcendental, freqüentemente mística, resultante de sua fase cristã", segundo afirma o poeta na "Advertência" à sua *Antologia Poética*, não se representa nesta coletânea apenas porque menos significava. Entretanto, nem todo o "idealismo dos primeiros anos" (*ibidem*) foi superado com "os movimentos de aproximação do mundo material", como se pode verificar pela amostra oferecida à leitura. Na verdade, que vemos nessas composições? Primeiro que tudo, o erotismo intenso, absorvente, que assinala um lírico essencialmente instintivo, emocional. Visto que sua mundividência se fundamenta na emoção, torna-se constante a repulsa do conceito, da idéia pura, que poderia coroar-lhe os sonetos, alguns dos quais obras-primas no gênero dentro do Modernismo. E em vez de fechá-los com a sentença à Camões, já que o erotismo e a própria dicção lembram o bardo renascentista, dá preferência ao fecho de ouro aìnda emocional e ligeiramente terra-a-terra. A constante pulsação dos sentidos repudia toda sorte de pensamento lógico, ou em que se inscrevesse uma inferência filosófica ou moral mais profunda, em favor de uma conclusão de índole donjuanesca ("Mas seja infinito enquanto dure", de "Soneto de Fidelidade"). Por vezes, porém, vibra nesse amorismo pagão uma nota de espiritualidade que o materialismo consciente buscou em vão neutralizar, como se pode ver em "Soneto de Véspera" e "Soneto de Separação". Ao repudiar o idealismo, o poeta descreveu uma curva que o arrastou insensivelmente à crônica, à reportagem do cotidiano, de onde muitas vezes a poesia acabou desertando. Noutras ocasiões, contudo, alcançou equilíbrio entre as duas tendências de seu temperamento, como em "Balada das Meninas de Bicicleta", onde o tema do amor é tratado com uma leveza e um ritmo que visa a reproduzir a própria velocidade do veículo. No entanto, o melhor Vinicius de Morais está nos sonetos, suficientes para lhe garantir destaque e permanência.

ANTÔNIO DE ALCÂNTARA MACHADO

Nasceu em S. Paulo, a 25 de maio de 1901. Ainda estudante de Direito na cidade natal ingressou no jornalismo, onde se manteria depois da formatura até o fim da vida. Realizou várias viagens à Europa, cujas impressões reuniu em *Pathé Baby* (1926), e a outras capitais latino-americanas (Buenos Aires, Montevidéu). Dirigiu revistas importantes do Modernismo, a saber, *Terra Roxa e Outras Terras*, *Revista de Antropofagia* e *Revista Nova*. Transferiu-se em 1933 para o Rio de Janeiro, para assumir a direção do *Diário da Noite*, e lá veio a falecer a 14 de abril de 1935. Deixou ainda as seguintes obras: *Brás, Bexiga e Barra Funda*, contos (1927), *Laranja da China*, contos (1928), *Anchieta na Capitania de S. Vicente*, história (1928), *Mana Maria*, romance incompleto (1936), *Cavaquinho e Saxofone*, artigos de jornal (1940). A narrativa que se transcreve a seguir pertence ao primeiro livro de contos.

Gaetaninho

— Xi, Gaetaninho, como é bom!

Gaetaninho ficou banzando bem no meio da rua. O Ford quase o derrubou e ele não viu o Ford. O carroceiro disse um palavrão e ele não ouviu o palavrão.

— Eh! Gaetaninho! Vem pra dentro.

Grito materno sim: até filho surdo escuta. Virou o rosto tão feio de sardento, viu a mãe e viu o chinelo.

— *Subito!*

Foi-se chegando devagarinho, devagarinho. Fazendo beicinho. Estudando o terreno. Diante da mãe e do chinelo parou. Balançou o corpo. Recurso de campeão de futebol. Fingiu tomar a direita. Mas deu meia volta instantânea e varou pela esquerda porta adentro.

Eta salame de mestre!

Ali na Rua Oriente a ralé quando muito andava de bonde. De automóvel ou carro só mesmo em dia de enterro. De enterro ou de casamento. Por isso mesmo o sonho de Gaetaninho era de realização muito difícil. Um sonho.

O Beppino por exemplo. O Beppino naquela tarde atravessara de carro a cidade. Mas como? Atrás da Tia Peronetta que se mudava para o Araçá. Assim também não era vantagem.

Mas se era o único meio? Paciência.

Gaetaninho enfiou a cabeça embaixo do travesseiro.

Que beleza, rapaz! Na frente quatro cavalos pretos empenachados levavam a Tia Filomena para o cemitério. Depois o padre. Depois o Savério noivo dela de lenço nos olhos. Depois ele. Na boléia do carro. Ao lado do cocheiro. Com a roupa marinheira e o gorro branco onde se lia: *Encouraçado São Paulo*. Não. Ficava mais bonito de roupa marinheira mas com a palhetinha nova que o irmão lhe trouxera da fábrica. E ligas pretas segurando as meias. Que beleza, rapaz! Dentro do carro o pai, os dois irmãos mais velhos (um de gravata vermelha, outro de gravata verde) e o padrinho Seu Salomone. Muita gente nas calçadas, nas portas e nas janelas dos palacetes, vendo o enterro. Sobretudo admirando o Gaetaninho.

Mas Gaetaninho ainda não estava satisfeito. Queria ir carregando o chicote. O desgraçado do cocheiro não queria deixar. Nem por um instantinho só.

Gaetaninho ia berrar mas a Tia Filomena com a mania de cantar o "Ahi, Mari!" todas as manhãs o acordou.

Primeiro ficou desapontado. Depois quase chorou de ódio.

Tia Filomena teve um ataque de nervos quando soube do sonho de Gaetaninho. Tão forte que ele sentiu remorsos. E para sossego da família alarmada com o agouro tratou logo de substituir a tia por outra pessoa numa nova versão de seu sonho. Matutou, matutou, e escolheu o acendedor da Companhia de Gás, Seu Rubino, que uma vez lhe deu um cocre danado de doído.

Os irmãos (esses) quando souberam da história resolveram arriscar de sociedade quinhentão no elefante. Deu a vaca. E eles ficaram loucos de raiva por não haverem logo adivinhado que não podia deixar de dar a vaca mesmo.

O jogo na calçada parecia de vida ou morte. Muito embora Gaetaninho não estava ligando.

— Você conhecia o pai do Afonso, Beppino?

— Meu pai deu uma vez na cara dele.

— Então você não vai amanhã no enterro. Eu vou!

O Vicente protestou indignado:

— Assim não jogo mais! O Gaetaninho está atrapalhando!

Gaetaninho voltou para o seu posto de guardião. Tão cheio de responsabilidades.

O Nino veio correndo com a bolinha de meia. Chegou bem perto. Com o tronco arqueado, as pernas dobradas, os braços estendidos, as mãos abertas, Gaetaninho ficou pronto para a defesa.

— Passa pro Beppino!

Beppino deu dois passos e meteu o pé na bola. Com todo o muque. Ela cobriu o guardião sardento e foi parar no meio da rua.

— Vá dar tiro no inferno!

— Cala a boca, palestrino!

— Traga a bola!

Gaetaninho saiu correndo. Antes de alcançar a bola um bonde o pegou. Pegou e matou.

No bonde vinha o pai do Gaetaninho.

A gurizada assustada espalhou a notícia na noite.

— Sabe o Gaetaninho?

— Que é que tem?

— Amassou o bonde!

A vizinhança limpou com benzina suas roupas domingueiras.

Às dezesseis horas do dia seguinte saiu um enterro da Rua do Oriente e Gaetaninho não ia na boléia de nenhum dos carros do acompanhamento. Ia no da frente dentro de um caixão fechado com flores pobres por cima. Vestia a roupa marinheira, tinha as ligas, mas não levava a palhetinha.

Quem na boléia de um dos carros do cortejo mirim exibia soberbo terno vermelho que feria a vista da gente era o Beppino.

(*Novelas Paulistanas*, 2ª ed., Rio de Janeiro, José Olympio, 1971, pp. 11-13.)

Modernista da primeira hora, paulistano de família tradicional, Antônio de Alcântara Machado escolheu a Paulicéia para assunto das suas narrativas. Em vez dos lugares da moda, ditados pelo aristocratismo da Semana de Arte Moderna, concentrou-se nos bairros proletários de imigrantes italianos para escrever os seus contos, agrupados notadamente em *Brás, Bexiga e Barra Funda*, onde se inclui a história trágica de Gaetaninho, típico exemplar de ítalo-paulistano. Já por esse simples aspecto o seu autor se distinguiria dos outros companheiros de geração, mas não bastaria para lhe cercar o nome da aura especial que o tempo apenas confirmou. Fundado na sua experiência de jornalista absorto nos dramas anônimos da S. Paulo dos anos 20, Antônio de Alcântara Machado pode bem ser considerado um autêntico cronista: as suas narrativas parecem balançar entre o retrato fidedigno, como o de uma reportagem objetiva e isenta, e a transfusão imaginária, própria de quem, decerto comovido com episódios que presencia ou de que tem conhecimento, se põe a tecer histórias paralelas aos fatos. Para o autor, no entanto, a primeira alternativa prevalece: "*Brás, Bexiga e Barra Funda* (...) tenta fixar tão-somente alguns aspectos da vida trabalheira, íntima e cotidiana desses novos mestiços nacionais e nacionalistas. É um jornal. Mais nada. Notícia. Só. Não tem partido nem ideal. Não comenta. Não discute. Não aprofunda", diz ele no "Artigo de Fundo" que abre o volume de contos. O retrato do dia-a-dia de Gaetaninho é a um só tempo flagrante e simbólico de outros meninos de sua idade e condição, como se colhido ao vivo, expresso numa escrita jornalística, fluente, sincopada, moderna, concisa, cujo sabor realista não se perdeu apesar de transcorridos cerca de 70 anos da sua elaboração. O narrador extrai da boca do povo a linguagem do conto, inclusive palavras italianas em uso ("Súbito!") ou o tom italianado das falas, que se diria irradiar-se para o próprio estilo do autor. O futebol e o jogo do bicho, manifestações populares ainda hoje em voga, estão presentes, para compor o quadro da "ralé". Se, de um lado, aqui desponta o preconceito arraigado da sociedade paulistana de velha cepa (à qual de resto pertencia o autor), de outro, o narrador registra o processo de ascensão social de alguns imigrantes quando enriquecem, adquirem carro e mudam para elegantes bairros residenciais, como é o caso de Beppino, contraposto ao de Gaetaninho, e sua "tia Peronetta que se mudou para o Araçá". Costumbrista, Antônio de Alcântara Machado parece fundir o cosmopolitismo da sua formação com o regionalismo urbano da sua eleição, como se o prazer de viajante culto e atento, evidente em *Pathé Baby*, se transferisse para S. Paulo e os "novos mamelucos". Fazendo uma espécie de turismo interno, produziu uma obra que permanece como um álbum de instantâneos não raro expressionistas da Paulicéia do seu tempo, vazados num estilo inconfundível, de cinematográficas ressonâncias.

RAQUEL DE QUEIRÓS

Nasceu em Fortaleza (Ceará), a 17 de novembro de 1910. Em conseqüência da grande seca de 1915, muda-se com os pais para o Rio de Janeiro, e a seguir para Belém do Pará, de lá regressando à cidade natal (1919), onde se forma no curso normal, em 1925. Abraça o jornalismo, e em 1930 estréia com *O Quinze*, que desde logo chama a atenção sobre o seu nome. Após uma frustrante experiência política, em razão da qual conhece fortes dissabores, inclusive a prisão, translada-se para o Rio de Janeiro, onde ainda reside, dividida entre a atividade jornalística e a Literatura. Além daquele romance, publicou: *João Miguel* (1932), *Caminho de Pedras* (1937), *As Três Marias* (1939), *Dôra, Doralina* (1975), *Memorial de Maria Moura* (1993); teatro: *Lampião* (1953), *A Beata Maria do Egito* (1958); crônicas: *A Donzela e a Moura Torta* (1948), *100 Crônicas Escolhidas* (1958), *O Brasileiro Perplexo — Histórias e Crônicas* (1964), *O Caçador de Tatu* (1967), *As Menininhas e Outras Crônicas* (1976).

O Quinze

Girando em torno da seca de 1915 no Ceará, o romance fixa o drama dos retirantes (Chico Bento, D. Inácia e outros), em meio ao qual se esboça um idílio amoroso entre Conceição e Vicente, que não chega a concretizar-se, tragado pelo flagelo e pelo ar de miséria que tudo impregna.

16

Foi Conceição quem os descobriu, sentados pensativamente debaixo do cajueiro: Chico Bento com os braços cruzados, e o olhar vago, Cordulina de cócoras segurando um filho, e um outro menino mastigando uma folha, deixando escorrer-lhe pelo canto da boca um fio de saliva esverdeada.

Já sabia Conceição que Chico Bento havia retirado: Vicente, da derradeira vez, contara a venda do gadinho dele e o caso das passagens.

E a moça, todos os dias, na confusão de gente que ia chegando ao Campo, procurava descobrir aquelas caras conhecidas, que deviam vir bem chupadas e bem negras, provavelmente irreconhecíveis, com sua casca grossa de sujeira.

Afinal ali estavam. Foi realmente com dificuldade que os identificou, apesar de seus olhos já se terem habituado a reconhecer as criaturas através da máscara costumeira com que as disfarçava a miséria.

E marchou para eles, com o coração estalando de pena, lembrando-se da última vez em que os vira, num passeio às Aroeiras feito em companhia do pessoal de Dona Idalina: Chico Bento, chegando do campo, todo encourado, e Cordulina muito gorda, muito pesada, servindo café às visitas em tigelinhas de louça.

Por sinal, nesse dia, Cordulina pedira a Conceição e a Vicente que aceitassem ser padrinhos da criança que estava por nascer.

Conceição, porém, nunca vira o afilhado. Já estava na cidade, ao tempo do batizado.

E lembrara-se de ter achado graça ao ver, na procuração que enviara, o seu nome junto ao de Vicente, num papel sério, eclesiástico, em que eles se tratavam mutuamente por nós, bem expresso na fórmula final: "reservando para nós o parentesco espiritual"... Conceição gostara daquele *nós* de bom agouro, que simbolizava suas mãos juntas, unidas, colocadas protetoramente, pela autoridade da Igreja, sobre a cabeça do neófito...

* * *

Enfim, ali estavam.

E a criança que outro tempo trazia Cordulina tão gorda, era de certo aquela que lhe pendia do colo, e que agora a trazia tão magra, tão magra que nem uma visagem, que nem a morte, que só talvez um esqueleto fosse tão magro...

— Por aqui, compadre? Quando chegou?

Chico Bento ouviu a fala e ergueu os olhos, numa surpresa:

— Ah! comadre Conceição! A senhora por aqui? Cheguei ontem.

A moça dirigiu-se a Cordulina.

— E você, comadre, como vai? Tão fraquinha, hein?

A mulher respondeu tristemente:

— Ai, minha comadre, eu lá sei como vou!... Parece que ainda estou viva...

— É este, o meu afilhado?

Mas Conceição, que tivera a intenção de o tomar ao colo, recuou ante a asquerosa imundície da criança, contentando-se em lhe pegar a mão — uma pequenina garra seca, encascada, encolhida...

— Cadê a bênção da madrinha, Manuel? Não é Manuel o nome dele?

— É, inhora sim; mas os meninos chamam ele de Duca...

— Vocês vieram de trem, compadre?

— Só do Acarape pra cá. Das Aoreiras até lá tinha-se vindo por terra...

Conceição, que olhava um dos meninos, nu, tão magro que era um espanto ver aquele ventre tão grande se suster numas pernas tão finas, horrorizou-se:

— Virgem Maria! Como foi que um bichinho destes agüentou! Só milagre!

Cordulina fez um gesto cansado de mãos. O vaqueiro murmurou:

— Só Deus Nosso Senhor sabe...

* * *

Um silêncio pesou sobre eles, tristemente.

Súbito, Conceição o rompeu:

— Comadre, vou ver se arranjo um ranchinho melhor para vocês. Do lado de lá tem assim uma espécie de barraquinha de zinco, onde morava uma velha doente com uma neta. A velha morreu ainda agora, e uma família tomou a menina. É melhor para vocês...

E saiu, puxando o grupo:

— Venham! Comadre, pegue suas trouxas; tragam os meninos. Antes que cheguem outros e tomem...

Lá, de fato, era melhor. O chão era limpo e duro, não se tinham de enterrar na areia mole, havia um lugarzinho protegido para acender o fogo, indicado por três pedras pretas e alguns tições apagados.

Conceição mostrou-lhes as vantagens e concluiu:

— Pois se acomodem aqui, que é melhor. Agora venha comigo, compadre, receber a ração de comida, que está na hora. Não têm uma vasilha?

E saiu depressa, segurando as pregas da sua saia de lã azul, em direção ao local da distribuição; atrás dela Chico Bento arrastava os pés, curvado, trêmulo, com a lata na mão estendida, habituado já ao gesto, esperando a esmola.

18

Sentado na salinha da Rua de S. Bernardo, o velho chapéu entre as pernas, uma tira áspera de cabelos envesgando os olhos, Chico Bento conversava com Conceição e a avó sobre o futuro, o seu incerto futuro que a perversidade de uma seca entregara aos azares da estrada e à promiscuidade miserável dum abarracamento de flagelados.

Tristemente contou toda a fome sofrida e as conseqüentes misérias.

A morte do Josias, afilhado do compadre Luís Bezerra, delegado do Acarape, que lhes tinha valido num dia bem desgraçado! — a morte do Josias, naquela velha casa de farinha, deitado junto de uma trave de aviamento, com a barriga tão inchada como a de alguns paroaras quando já estão para morrer...

E aquele caso da cabra, em que — Deus me perdoe! — pela primeira vez tinha botado a mão em cima do alheio... E se saíra tão mal, e o homem o tinha posto até de sem-vergonha, e ele tão morto, tão sem coragem, que o que fez foi ficar agachado, agüentando a desgraça...

Os olhos da moça se enchiam de água, e comovidamente Dona Inácia levantou os óculos, passando o lenço pelas pálpebras.

O vaqueiro continuou a falar, no mesmo jeito encolhido, estirando apenas, uma vez ou outra, o braço mirrado, para vergastar o ar numa imagem de miséria mais aguda, ou de desespero mais pungente...

Depois era a fuga do Pedro, e aquela noite na estrada em que a mulher, estirada no chão, com o Duquinha de banda, todo o tempo arquejou, variando, sem sentidos, como quem está para morrer.

E ele de cócoras, junto dela, com os dois outros meninos agarrados nas pernas, não teve forças nem de se mexer, de caçar um recurso, nem de, ao menos, tentar descobrir um rancho...

Agora, felizmente, estavam menos mal. O de que carecia era arranjar trabalho; porque a comadre Conceição bem via que o que davam no Campo mal chegava para os meninos.

Conceição concordou:

— Eu sei, eu sei, é uma miséria! Mas você assim, compadre, tão fraco, lá agüenta um serviço bruto, pesado, que é só o que há para retirante?!

Ele alargou os braços, tristemente:

— A natureza da gente é que nem borracha... Havendo precisão, que jeito? dá pra tudo...

Ela lembrou:

— Olhe, todo dia, você ou a comadre apareçam por aqui, e o que nós juntarmos, em vez de se dar aos outros, guarda-se só pra vocês. E eu vou ver se arranjo alguma coisa que lhe sirva... Assim uma vendinha de água, hein, Mãe Nácia?

Dona Inácia ajeitou os óculos...

— Sim, uma venda de água... A questão é o animal...

A caridade da moça esbarrou no animal. Onde iria buscar um jumento? E ampliou mais vagamente as promessas:

— Um endereço qualquer... Há de se dar um jeito!

Duro e seco na sua cadeira, Chico Bento ouvia. Depois, lentamente, lembrou:

— E o Tauape, comadre?

Conceição acolheu com calor aquela lembrança oportuna:

— Ah! o Tauape! Lá, naturalmente, é fácil de se arranjar!

Chico Bento retificou:

Fácil não era não... Que ele tinha visto muitos, bem recomendados, voltando porque não tinha mais ferramenta.

— Só se a comadre arranjasse um cartãozinho do bispo...

— Pois eu vou ao palácio do bispo! Fique certo. Vou e arranjo. Mais um ou dois dias, e você está no Tauape...

O vaqueiro levantou-se para ir embora.

Conceição cochichou com a avó, e entrou pelo corredor, gritando:

— Espere aí, compadre! Tenho uma encomendazinha para você levar pros seus meninos...

(*3 Romances*, Rio de Janeiro, José Olympio, 1957, pp. 70-72, 76-78.)

Nem por ter sido publicado quando Raquel de Queirós ia em plena adolescência, *O Quinze* deixou de significar o primeiro fruto maduro da literatura do Nordeste, inaugurada em 1928 com *A Bagaceira*, de José Américo de Almeida. É que o romance evidenciava qualidades incomuns num estreante, que as demais obras apenas confirmaram e desenvolveram: algumas delas se encontram no trecho selecionado, a começar da linguagem, direta, límpida, fluente e desafetada, que, realizando o ideal de higiene estilística preconizado pelos homens de 22, apontava um manejo seguro e adulto do Idioma. Sem dúvida, não é suficiente o domínio do instrumental lingüístico para criar obras de ficção válidas: há que saber empregá-lo corretamente. *O Quinze* movimenta-se em dois planos, intercomunicantes: o da seca e sua miséria total, exemplificada na decadência de Chico Bento e a família, e o do namoro malogrado entre Conceição e Vicente, mais vivido na sensibilidade e na imaginação da moça que na seqüência dos acontecimentos (tenha-se em mente o capítulo 16). No exame dos dois planos, observa-se uma discrepância qualitativa que tem sua razão de ser: pondo mais ênfase na calamidade meteorológica, com suas seqüelas morais, que no idílio embrionário, pretendia a romancista sugerir a significação coletiva do primeiro e a irrelevância particular do segundo. Tal disparidade identifica *O Quinze* como romance social, em que se denuncia uma fatalidade geopolítica, segundo um pensamento dialético que, contudo, não chega a exteriorizar-se. Não obstante, a coerência e sutileza com que essa fundamentação ideológica é manuseada, basta para explicar que a obra se tivesse tornado uma espécie de arauto da ficção nordestina dos anos 30, especialmente daquela atraída pela problemática das secas e suas implicações socioeconômicas.

JOSÉ LINS DO REGO

José Lins do Rego Cavalcanti nasceu no Engenho Corredor, município de Pilar (Paraíba), a 3 de julho de 1901. Formado em Direito pela Faculdade de Recife, a amizade com Gilberto Freyre, José Américo de Almeida e Olívio Montenegro desvia-lhe a atenção da política para a literatura, sobretudo de fala inglesa, e o nosso regionalismo. Após exercer a promotoria em Minas Gerais, vai para Maceió, onde convive com Graciliano Ramos, Jorge de Lima e Raquel de Queirós. Em 1932, dá à estampa o *Menino de Engenho*, início do ciclo da cana-de-açúcar e de uma obra ficcional que somente a morte, ocorrida no Rio de Janeiro a 12 de setembro de 1957, interrompeu. Realizou várias viagens à Europa, ao Oriente e à América Latina. Deixou romances e novelas: *Doidinho* (1933), *Bangüê* (1934), *O Moleque Ricardo* (1935), *Usina* (1936), *Pureza* (1937), *Pedra Bonita* (1938), *Riacho Doce* (1939), *Água-Mãe* (1941), *Fogo Morto* (1943), *Eurídice* (1947), *Cangaceiros* (1953); memórias: *Meus Verdes Anos* (1956); ensaios e crônicas: *Gordos e Magros* (1942), *Pedro Américo* (1943), *Conferências no Prata* (1946), *Poesia e Vida* (1945), *Homens, Seres e Coisas* (1952), *A Casa e o Homem* (1954), *Presença do Nordeste na Literatura Brasileira* (1957), *O Vulcão e a Fonte* (1958); viagens: *Bota de Sete Léguas* (1951), *Roteiro de Israel* (1955), *Gregos e Troianos* (1957); literatura infantil.

Fogo Morto

Publicado em 1943, *Fogo Morto* focaliza a ascensão e a decadência de um engenho na Paraíba durante a segunda metade do século XIX. Divide-se em três partes, uma para cada personagem central, o mestre José Amaro, o Coronel Lula e o Capitão Vitorino, cujas vidas se entrelaçam e se influenciam reciprocamente. José Amaro, seleiro de beira de estrada nas terras do Engenho Santa Fé, pertencente ao Coronel Lula, apóia o Capitão Antônio Silvino, cabeça de cangaceiros, contra o senhor da propriedade, ao mesmo tempo que sofre a histeria e o celibato da filha. O Coronel Lula, prepotente e rezador, descura dos haveres deixados pelo sogro, e aos poucos o Engenho Santa Fé vai descambando, até chegar a fogo morto; fazem-lhe companhia a mulher (D. Amélia), cheia de fibra e coragem, a filha (Neném), que arrosta sua melancolia de solteirona por culpa do pai, e a cunhada (D. Olívia), demente. O Capitão Vitorino Carneiro da Cunha, generoso e farronqueiro, vive para a política local, quase por completo esquecido da mulher (D. Adriana), que com ele se casara sem amor, e do filho (Luís), engajado na Marinha. O fragmento que se vai ler, pertencente ao primeiro capítulo da terceira parte, surpreende um diálogo entre ele e o compadre José Amaro.

Pela tarde apareceu o Capitão Vitorino. Vinha numa burra velha, de chapéu de palha muito alvo, com a fita verde-amarela na lapela do paletó. O mestre José Amaro estava sentado na tenda, sem trabalhar. E quando viu o compadre alegrou-se. Agora as visitas de Vitorino faziam-lhe bem. Desde aquele dia em que vira o compadre sair com a filha para o Recife, fazendo tudo com tão boa vontade, que Vitorino não lhe era mais o homem infeliz, o pobre bobo, o sem-vergonha, o vagabundo que tanto lhe desagradava. Vitorino apeou-se para falar do ataque ao Pilar. Não era amigo de Quinca Napoleão, achava que aquele bicho vivia de roubar o povo, mas não aprovava o que o capitão fizera com a D. Inês.

— Meu compadre, uma mulher como a D. Inês é para ser respeitada.

— E o capitão desrespeitou a velha, compadre?

— Eu não estava lá. Mas me disseram que botou o rifle em cima dela, para fazer medo, para ver se D. Inês lhe dava a chave do cofre. Ela não deu. José Medeiros, que é homem, borrou-se todo quando lhe entrou um cangaceiro no estabelecimento. Me disseram que o safado chorava como bezerro desmamado. Este cachorro anda agora com o fogo da força da polícia fazendo o diabo com o povo.

Ouviu-se a voz de Passarinho cantando na cozinha.

— Este negro está aqui?

— É, está me fazendo companhia.

— Como é que se tem um negro deste dentro de casa, meu compadre? É mesmo que morar com um porco.

— O pobre tem me ajudado muito. Sinhá me abandonou aqui sozinho, e se não fosse ele, nem sei como me agüentava.

— Compadre, eu não lhe quero dizer coisa nenhuma. Mas mulher só anda mesmo no chicote. Isto de tratar mulher a vela de libra, não é comigo. A minha me adivinha os pensamentos.

— É preciso paciência, é preciso ter calma.

— Que calma. Comigo é no duro.

Apareceu José Passarinho, que vendo o Capitão Vitorino se chegou, todo cheio de mesuras.

— Bom dia, capitão.

Vitorino rosnou um bom-dia de favor. E o negro sem dar pela coisa se dirigiu ao velho:

— Capitão, tem aí um cigarro para o negro?

— Não tenho cigarro para vagabundo.

— Um cigarrinho, capitão.

Então Vitorino metendo a mão no bolso:

— Toma lá. Isto me deu um filho de Anísio Borges que chegou dos estudos; é fumo da Bahia, é muito fraco.

E passou para Passarinho um maço quase cheio de cigarros.

— Este capitão veio do céu.

E saiu cantando baixo:

> *Encontrei com Santo Antônio*
> *Na ladeira do Pilar*
> *Gritando para todo o mundo*
> *— Este copo é de virar.*

— Negro sem-vergonha — foi dizendo Vitorino. — É a vida que ele quer.

— Tem bom coração. E é prestativo que só ele.

— Como eu ia lhe dizendo, compadre, para se tratar com mulher, só com chicote. No mais é perder tempo. Quinca do Engenho Novo pegou a dele, amarrou num carro de boi e mandou largar a bicha na bagaceira do sogro.

O mestre Amaro calou-se e Vitorino largou o bico:

— A eleição vem aí. Ainda ontem tive que telegrafar para o Lima Filho. Esse político não sabe o que é um pleito renhido. Então não me manda orientação para correr o eleitorado? O Rego Barros vem aí. Dizem que com ele vai chegar um contingente do 49. Ele só anda com força de linha fazendo guarda. E faz muito bem. O pai dele foi senhor de engenho aqui em Mamanguape, e era homem de cabelo na venta. Ouvi dizer que o filho é homem até dizer basta. Esteve em Canudos e matou cabras do Conselheiro que não foi brincadeira. Só gosto de homem assim. Aqui, no Pilar, vou dar uma lição em José Paulino, que vai ser de mestre. No dia de S. Pedro eu ouvi as conversas de Lourenço, o irmão dele, que foi grande em Pernambuco. Rosa e Silva está no Rio cantando "serena estrela". Vamos dar com esta canalha dos Machados no chão.

Pela estrada ia passando um comboio de aguardente. Surgiu Alípio para falar com o mestre:

— Estamos de volta. Lá embaixo, na estrada do Maraú, tem uma tocaia do fiscal José Marinho, com duas praças. O mestre pode me dar uma palavra?

— Se querem falar segredo, eu me retiro.

— Não, capitão, é só duas palavras.

— Não posso ver gente com luxo. Estão pensando que sou bucho-de-piaba?

Saíram os dois para um canto. Alípio tinha sabido do ataque do Pilar. O cego Torquato se encontrara com ele na várzea do Oiteiro e lhe contara tudo. Tivera notícia que Tiago não tinha sido preso.

— O mestre me espere, que eu passo aqui amanhã, com notícia. Não saia da terra. Amanhã eu trago a ordem do homem.

Quando voltaram, Vitorino se preparava para sair.

— Não quero ser demais.

— O senhor não é demais em parte alguma, lhe disse Alípio.

— Já é a segunda vez que me sucede isto nesta casa.

— Compadre, me desculpe, mas a razão não está com o senhor. Não vejo como se possa tomar como uma desconsideração uma pessoa chamar a outra para um particular.

Vitorino calou-se. O comboio sumiu-se na estrada. O trem da Paraíba apitou.

— Bem, compadre José Amaro, vou saindo. O sol está cambando e eu tenho muito que conversar com o Lula de Holanda. Ah, ia me esquecendo: o que foi que houve do Lula com o compadre?

— Botou-me para fora do engenho.

— Não é possível.

— Pois é, compadre.

— E o que fez o senhor para isto?

— Que eu saiba, nada. Mas penso que deve ser história deste negro Floripes. Ah, mas este cachorro me paga.

Os dentes do mestre trincaram-se, todas as suas feições se fecharam. A cara se transformou:

— Compadre, este negro me paga. Eu pego este negro.

— Calma, compadre. Tudo isto pode se arranjar. O Lula anda lesando. Eu falo com ele. Pode deixar comigo que acabo com isto. Agora mesmo vou passar por lá. O Lula não quer aceitar o cargo que lhe ofereci, na Câmara. É medo de José Paulino. Mas eu vou falar com ele. Como se bota para fora de uma propriedade um homem de bem, que vive de seu trabalho? Vou lhe dizer umas duras verdades. Vitorino Carneiro da Cunha não pede favor para dizer a verdade. É ali na focinheira.

A burra velha batia o rabo com as moscas que lhe cobriam a anca em ferida.

— É um animal de primeira ordem. Apanhei na feira de Itabaiana. Um cigano pensou que me enganava. Dei-lhe a minha égua e ele em troca passou-me esta burra. Tem baixo, e é animal de fôlego duro. Não troco por muito cavalo que anda por aí com fama de bom. O diabo do cigano levou uma tabacada dos diabos. Meu compadre, Vitorino Carneiro da Cunha tem guengo.

E riu-se às gaitadas. A ventania bulia com a pitombeira que se agitava. Um redemoinho passou levantando folhas de mato seco. Uma nuvem de poeira cobriu a estrada.

— Vamos ter chuva, compadre. Vento assim com este bafo de boca de fornalha não me engana. Bem, eu me vou.

E de cima da burra, que mal podia com o seu peso, retirou-se o Capitão Vitorino Carneiro da Cunha. Lá de longe ainda voltou-se para dizer ao mestre José Amaro:

— Vou falar com o Lula, isto não fica assim não.

E no passo lerdo, de chapéu novo espelhando ao sol, desapareceu por trás das cabreiras.

(*Fogo Morto*, 5ª ed., Rio de Janeiro, Liv. José Olympio, 1961, pp. 436-440.)

Tendo criado seu universo ficcional mais com base na memória que na fantasia (sobretudo os romances do ciclo da cana-de-açúcar) e tendo falhado quando buscou inspiração em temas citadinos e complexos (*Eurídice*), José Lins do Rego alcançou o equilíbrio das obras-primas em *Fogo Morto*. Conjunção feliz entre a matéria das lembranças infantis no engenho natal e a criatividade livre, eis a explicação do fato. Para documentá-lo, transcrevemos páginas que, apesar de breves, oferecem uma idéia bastante aproximada. Se a edificação de personagens "vivas", verossimilhantes, constitui um dos escopos fundamentais da arte narrativa, *Fogo Morto* logra-o de modo indiscutível. Efetivamente, duas figuras humanas singulares contemplamos no fragmento: José Amaro e o Capitão Vitorino. Aquele, colocado em segundo plano, apenas esboça a densidade de seu caráter e do drama que vive: dentro de casa, o estado da mulher e da filha, fora do âmbito doméstico, a condição de expulso das terras de Santa Fé pelo Coronel Lula. A possível insinuação duma luta de classes dilui-se no confronto com o interlocutor e com o declínio irremediável que espreita o engenho. É que o Capitão Vitorino Carneiro da Cunha, a mais vigorosa personagem talhada por José Lins do Rego e hoje integrada em nossa mitologia literária, parece um misto de D. Quixote e Sancho Pança: desbocado, rezinguento, preconceituoso, transbordante de bazófias ("Aqui, no Pilar, vou dar uma lição em José Paulino que vai ser de mestre"; "Vitorino Carneiro da Cunha não pede favor para dizer a verdade. É ali na focinheira"), rabelaisiano ("E riu-se às gaitadas"), mas idealista e lutador. Justamente nessa mescla de qualidades e defeitos é que reside sua "verdade", transcendente a qualquer estereotipia apriorística ou calcada na mera reconstituição fotográfica de acontecimentos e pessoas. Com isso, José Lins realizava o ideal inerente a todo escritor regionalista: entrever nos quadrantes específicos de uma área geográfica e de uma dada situação moral, características de universalidade e perenidade. Desse modo, à semelhança da dupla cervantina, que escapou do condicionamento ibérico para a simbolização de tendências básicas do Homem, o Capitão Vitorino ultrapassa as barreiras do sertão e identifica-se com todos os homens que batalham genuinamente por uma causa altruística, acima das diferenças ideológicas ou sociais.

Texto para Análise

O carreiro saiu. O carro cantava nos cocões de aroeira, com o peso das sacas. Foi de estrada afora. O mestre José Amaro sacudiu o ferro na sola úmida. Mais uma vez as rolinhas voaram com medo, mais uma vez o silêncio da terra se perturbava com o seu martelo enraivecido. Voltava outra vez à sua mágoa latente: o filho que lhe não viera, a filha que era uma manteiga-derretida. Sinhá, sua mulher, era a culpada de tudo. O sol estava mais para o poente. Agora soprava uma brisa que agitava a pitombeira e os galhos de pinhão-roxo, que mexia nos bogaris floridos. Um cheiro ativo de arruda recendia no ar. O mestre cortava material para os arreios do tangerino do Gurinhém. Estava trabalhando para camumbembes. Era o que mais lhe doía. O pai fizera sela para o Imperador montar. E ele ali, naquela beira de estrada, fazendo rédea para um sujeito desconhecido. Calara-se a sua filha. Uma moça feita, na idade de parir filho, chorando como uma menina desconsolada. Era para o que dava filha única. Sinhá tinha a culpa de tudo. Parou na sua porta um negro a cavalo.

— Boas tardes, mestre.

— Boa tarde, Leandro. Está de viagem?

— Nada não, mestre Zé. Vou levando um recado para o delegado do Pilar que o Seu Augusto do Oiteiro mandou.

— Houve crime por lá?

— Duas mortes. O negócio é que havia uma dança na casa de Chico de Naninha, e apareceu um sujeito da Lapa, lá das bandas de Goiana, e fechou o tempo. Mataram o homem e um companheiro dele. Vou dar notícia ao Major Ambrósio do assucedido.

— Este Ambrósio é um banana. Queria ser delegado nesta terra, um dia só. Mostrava como se metia gente na cadeia. Senhor de engenho, na minha unha, não falava de cima para baixo.

— Seu Augusto não é homem para isto, mestre Zé.

— Homem, não estou falando de Seu Augusto. Estou falando é da laia toda. Não está vendo que, comigo delegado, a coisa não corria assim? Aonde já se viu autoridade ser como criado, recebendo ordem dos ricos? Estou aqui no meu canto mas estou vendo tudo. Nesta terra só quem não tem razão é pobre.

— É verdade, mestre Zé, mas o senhor deve dar razão a quem tem. Seu Augusto não vive se metendo nos negócios da vila. Ele não deixa é que cabra dele sofra desfeita. Homem assim vale a pena. O Doutor Quinca do Engenho Novo era assim. E assim é que deve ser.

— Não estou caducando. O que eu digo, para quem quiser ouvir, é que em mim ninguém manda. Não falo mal de ninguém, não me meto com a vida de ninguém. Sou da minha casa, da minha família, trabalho para quem quiser, não sou cabra de bagaceira de ninguém.

— Não precisa ofender, mestre Zé.

— Não estou ofendendo. Eu digo aqui, todos os dias para quem quiser ouvir: mestre José Amaro não é um pau-mandado. Agora mesmo me passou por aqui um carreiro do Coronel José Paulino. Pergunte a ele o que foi que lhe disse. Não aceito encomenda daquele velho gritador. Não sou cabra de bagaceira, faço o que quero. O velho meu pai tinha o mesmo calibre. Não precisava andar cheirando o rabo de ninguém.

— Mestre Zé está zangado, eu vou saindo.

— Não estou zangado, estou dizendo a verdade. Sou um oficial que não me entrego aos mandões. Quando a gente fala nestas coisas vem logo um pobre como você dizendo que estou zangado. Zangado por quê? Porque digo a verdade? Sou eleitor, dou o meu voto a quem quero. Não voto em governo. Aqui me apareceu outro dia um parente de Quinca Napoleão pedindo o meu voto. "Votar em quem, Seu Zé Medeiros? fui lhe dizendo. Quinca Napoleão é um ladrão de terra. O Pilar é uma terra infeliz; quando sair da mão do velho José Paulino, vai parar na bolsa de Quinca Napoleão". O homem se foi danado comigo.

Ouvia-se um gemer vindo de dentro da casa. O negro Leandro perguntou para o mestre:

— Tem gente doente na família, mestre Zé?

— Não tenho doente nenhum.

E parou a conversa.

Apitou um trem, muito de longe.

— É o horário do Recife que vem passando. Já está tarde. Mestre Zé, mande as suas ordens.

— É cedo.

A cara fechada do mestre José Amaro se abriu num sorriso para o negro que se despedia.

— Não quer nada na rua, mestre?

— Nada não, muito obrigado. Dê lembrança ao banana do Ambrósio. E diga que se quiser um cabresto eu faço para ele, de graça.

O negro saiu, de estrada afora, esquipando o cavalo arrudado. O mestre José Amaro voltou outra vez para dentro de si mesmo. A faca afiada cortava a sola como navalha. Chiavam na ponta da faca as tiras do couro que ele media, com muito cuidado. Trabalhando para um camumbembe do Gurinhém. Não tinha um filho que falasse alto com os grandes, que tivesse fibra para não agüentar desaforo. Então, muito de longe, começavam a soar as campainhas de um cabriolé. O mestre José Amaro se pôs de pé. Vinha passando pela sua porta a carruagem do senhor de suas terras, do dono de sua casa. Era o Coronel Luís César de Holanda Chacon, senhor de engenho de Santa Fé, que passava com a família. Tirou a chapéu para o mestre José Amaro. As senhoras do carro olharam para ele, e cumprimentaram. Pedro Boleeiro nem olhou para o seu lado. Era o cabriolé do Coronel Lula enchendo de grandeza a pobre estrada que dava para o Pilar. A velha Sinhá correu para ver passar o carro. O mestre José Amaro olhou para a mulher, com os seus olhos amarelos, com uma raiva mortal nas palavras que lhe saíram da boca:

— A maluca já parou de chorar?

— Cala a tua boca, homem infeliz, cala a tua boca. Deixa a desgraçada da tua filha sofrer quieta.

O mestre Amaro sentou-se outra vez. O martelo estrondou na paz da tarde que chegava. Ouvia-se já bem distante as campainhas do cabriolé, como uma música que se consumia. Culpada de tudo era a sua mulher Sinhá. O negro Leandro saiu danado com ele. Negro só servia mesmo para o cativeiro. Ninguém queria ser livre. Todos só desejavam a canga. Bem em cima de sua biqueira começou a cantar um canário cor de gema de ovo. O mestre Amaro já estava acostumado com aquele cantar de um pássaro livre. Que cantasse à vontade. Batia forte na sola, batia para doer na sua perna que era torta. Que lhe importava o cabriolé do Coronel Lula? Que lhe importava a riqueza do velho José Paulino? As filhas do rico morriam de parto. O canário não se importava com o martelo do mestre. Um silêncio medonho envolvia tudo, num instante, como se o mundo tivesse parado. Parara de bater o mestre José Amaro, parara de cantar o canário da biqueira. Um silêncio de segundos, de vertigem do mundo. O mestre José Amaro gritou para dentro de casa:

— Sinhá, bota este jantar, faz alguma coisa, mulher dos diabos.

Vinha chegando a noite para a casa do mestre José Amaro. Ele já botara para dentro da sala os seus petrechos de trabalho. Havia barulho de galinha no terreiro. A velha Sinhá tangia a criação para o poleiro.

— Bicho desgraçado, só este — dizia o mestre. — Só faz barulho, só dá trabalho.

(*Ibidem*, pp. 254-257.)

GRACILIANO RAMOS

Nasceu em Quebrângulo (Alagoas), a 27 de outubro de 1892. Passou a infância em Buíque (Pernambuco) e Viçosa e Palmeira dos Índios (Alagoas). Primeiros estudos em Maceió (1905-1910). Em 1914, segue para o Rio de Janeiro, onde vive como revisor de provas tipográficas. De regresso a Palmeira dos Índios, entrega-se ao comércio de miudezas, e mais tarde é eleito prefeito (1927). Como redigisse os relatórios burocráticos numa prosa impecável, chama a atenção de Augusto Frederico Schmidt, nessa altura tentando a aventura editorial. Desse fato resultaria a publicação, em 1933, de *Caetés*, que vinha escrevendo desde 1925. Transfere-se para Maceió em 1930, onde viria a ser diretor da Imprensa Oficial do Estado. Acusado de práticas subversivas, conhece em 1936 os dissabores da cadeia, que lhe inspirariam as *Memórias do Cárcere* (1953). Os últimos anos, vive-os no Rio de Janeiro, de onde sai para uma visita à Tchecoslováquia e URSS, e onde falece a 20 de março de 1953. Publicou, além das obras mencionadas, os seguintes romances: *S. Bernardo* (1934), *Angústia* (1936), *Vidas Secas* (1938); contos: *Histórias de Alexandre* (1944; republicadas com o título de *Alexandre e outros Heróis*, em 1962), *Histórias Incompletas* (1946; republicadas, com o título de *Insônia*, em 1947); crônicas: *Linhas Tortas* (1962), *Viventes das Alagoas* (1962); viagens: *Viagem* (1954); memórias: *Infância* (1945).

Angústia

Dado à estampa pela primeira vez em 1936, no Rio de Janeiro, constitui decerto a obra capital de Graciliano Ramos. O entrecho gira em torno de Luís da Silva, Marina e Julião Tavares, formando a convencional tríade amorosa. O primeiro, abandonando o sertão alagoano, vai tentar vida melhor em Maceió; mas, atraído pelo funcionalismo público, acaba mediocrizando os horizontes de sua ambição. E enamora-se de uma vizinha, Marina, com quem pretende casar-se. Para tanto, dilapida as parcas economias e endivida-se. Apesar do sacrifício, a noiva deixa-se levianamente seduzir por Julião Tavares, filho de um abastado negociante de secos e molhados. Saciado, o doidivanas parte para outras aventuras, sem saber que Luís da Silva lhe consagra um ódio assassino, afinal consumado numa noite em que regressa de uma de suas excursões donjuanescas. O trecho que se vai ler, surpreende algumas das páginas derradeiras do romance:

A réstia descia a parede, viajava em cima da cama, saltava no tijolo — era por aí que se via que o tempo passava. Mas no tempo não havia horas. O relógio da sala de jantar tinha parado. Certamente fazia semanas que eu me estirava no colchão duro, longe de tudo. Nos rumores que vinham de fora as pancadas dos relógios da vizinhança morriam durante o dia. E o dia estava dividido em quatro partes desiguais: uma parede, uma cama estreita, alguns metros de tijolo, outra parede. Depois a escuridão cheia de pancadas, que às vezes não se podiam contar porque batiam vários relógios simultaneamente, gritos de crianças, a voz arreliada de d. Rosália, o barulho dos ratos no armário dos livros, ranger de armadores, silêncios compridos. Eu escorregava nesses silêncios, boiava nesses silêncios como numa água pesada. Mergulhava neles, subia, descia ao fundo, voltava à superfície, tentava segurar-me a um galho. Estava um galho por cima de mim, e era-me impossível alcançá-lo. Ia mergulhar outra vez, mergulhar para sempre, fugir das bocas da treva que me queriam morder, dos braços da treva que me queriam agarrar. O som de uma vitrola coava-se nos meus ouvidos, acariciava-me, e eu diminuía, embalado nos lençóis, que se transformavam numa rede. Minha mãe me embalava cantando aquela cantiga sem palavras. A cantiga morria e se avivava. Uma criancinha dormindo um sono curto, cheio de estremecimentos. Em alguns minutos a criança crescia, ganhava cabelos brancos e rugas. Não era minha mãe a cantar: era uma vitrola distante, tão distante que eu tinha a ilusão de que sobre o disco passeavam pernas de aranha. Um disco a rodar sem interrupção a noite inteira. Não. Estávamos na segunda parede, e eu subia a parede, acompanhava a réstia como uma lagartixa. Marasmo de muitas horas, solução de continuidade que se ia repetir. Cairia da parede, como uma lagartixa desprecatada, ficaria no chão, moído da queda. Quem teria entrado no quarto durante a inconsciência prolongada? Moisés e Pimentel teriam vindo? Seu Ivo teria vindo? Lembrava-me de figuras curvadas sobre a cama. Não eram os meus amigos. Eram tipos de caras esquisitas, todos iguais, de bocas negras, línguas enormes, grossas e escuras. Quantos dias ali no colchão áspero, como um defunto? Um homem sem rosto, sentado na cadeira onde tinha ficado o paletó, falava muito. Que dizia ele? Esforçava-me por entendê-lo, mas tinha a impressão que o visitante usava língua estrangeira. Era como se me achasse num cinema. Apenas compreendia de longe em longe algumas palavras. Cansava-se e desejava que o homem se fosse embora. Não percebia que me importunava, que me obrigava a esforços enormes para entender uma língua estranha? O desconhecido continuava a falar. Eu subia a parede novamente e corria atrás da réstia. Cairia no tijolo outra vez, achatar-me-ia ouvindo o monólogo incompreensível. Receava que o homem sem rosto me julgasse estúpido. Queria dormir, arregalava os olhos e abria os ouvidos. Certamente dizia coisas sem nexo, e o desconhecido me chamava imbecil, com palavras inglesas. Um buraco ao pé de uma cerca. Eu tombava no buraco, ia descendo lentamente. E, enquanto descia, encontrava no caminho muitas flores que desciam também, sem peso, como flocos de algodão. Subia, era como se o meu corpo se transformasse em nevoeiro. Tornava a descer, tornava a subir, as flores caíam sempre numa chuva silenciosa. As flores não me davam nenhum prazer. Desejava livrar-me delas, interromper aquelas viagens para cima e para baixo, andar na terra. Escancarava os olhos. O homem sem rosto havia desaparecido, e eu tinha agora um livro aberto sobre o colchão. Não sabia quem me trouxera o livro, se ele surgira antes ou depois da visita. As letras saíam dos lugares, deixavam espaços em branco, espalhavam-se numa chuva silenciosa. Apertando as pálpebras, esfregando-as, aproximando e afastando o papel, conseguia conter a dispersão. Impossível adivinhar o sentido de uma palavra. Língua estrangeira, tão estrangeira como o solilóquio monótono. Sem memória, um idiota. Chorava, batia com a cabeça no ferro da cama, puxava os cabelos. Olhava as mãos. As unhas crescidas e sujas, a escoriação da palma secando e cicatrizando, os dedos compridos, escuros, com uns nós muito grossos. Sem memória. Que teria acontecido antes? A confusão se dissipava, a réstia avançava no tijolo, trepava na cadeira onde o homem se tinha sentado, ganhava o paletó estendido no encosto. O paletó me espiava com um olho amarelo que mudava de lugar. A calça continuava dobrada sobre a mala coberta de poeira. A sentinela cochilava no portão do palácio, encostada ao fuzil; André Laerte andava como um gato; Amaro vaqueiro, aboiando, laçava a novilha careta; cabo José da Luz caminhava para a cadeia pública, todo pachola; Dagoberto punha na minha cama a cesta de ossos e o compêndio de anatomia. Eu pegava o livro que estava aberto em cima do colchão. Tinham deixado ali aquele volume inútil. Lia-o pensando em ossos. Provavelmente fora Moisés que o trouxera para me distrair. As palavras iam-se tornando claras, mas não se reuniam. Bom camarada, Moisés. Dera-me um livro para me distrair. A réstia descia a cadeira, atravessava os tijolos e ganhava a parede. O cego dos bilhetes de loteria apregoava o número, batendo com o cajado no chão do café; a mulher da rua da Lama cruzava os dedos magros nos joelhos; Lobisomem parecia um velho decrépito. Essas figuras vinham sem nitidez, confundiam-se. Antônia arrastava os chinelos, mostrava as pernas cobertas de marcas de feridas e cantava uma cantiga vagabunda. Mas a cantiga se transformava: "Assentei praça. Na polícia eu vivo..." E Antônia era o cabo José da Luz. Em pé, defronte da prensa de farinha, oferecia-me uma xícara de café. Antônia, cabo José da Luz, Rosenda — uma pessoa só. Às vezes apareciam três corpos juntos com rostos iguais, outras vezes era um corpo com três cabeças. Afinal surgia um vivente, que tinha três nomes. Agarrava-me ao livro, compreendia vagamente o que estava escrito, mas ficava-me a certeza de que havia ali vários trabalhos, feitos por muitos indivíduos chineses. Uns chineses brigões, revoltados. Lembrava-me dos chineses que lavam roupa, fabricam ventarolas, vendem bagatelas, juntam-se às caboclas. Muitos livros arrumados, formando um livro incompreensível. Fernando Inguitai andava pela rua do Comércio, o braço carregado de voltas de contas; o cigarro babado no beiço que se arregaçava, descobrindo os dentes enormes num sorriso parado. O som da vitrola ia quase desaparecendo, a lagartixa subia a parede. Amaro vagueiro, agitando o laço, mastigava o cigarro de palha e mostrava os dentes pretos num sorriso parado. A cadeira suja de poeira, a mala suja de poeira. A roupa havia desaparecido. Seria bom levantar-me, procurar qualquer coisa para me vestir. Pouco tempo antes a roupa estava ali, no encosto da cadeira e em cima da mala. De repente um sumiço. Quem me tinha dito aquele nome estranho? Fernando Inguitai, a lagartixa, a réstia, Amaro vaqueiro. A vitrola cantava baixinho: — "Fernando Inguitai." Tentava sentar-me. Se isto me fosse possível, procuraria a roupa. Virava-me com dificuldade. Por que não entrava logo a pessoa que estava na sala? — "Obrigado, Vitória. Não quero comer. Traga um copo de água." Vitória afastava-se arrastando os pés, levando a bandeja com a comida que me dava engulhos. Minutos depois, lá vinha, chap, chap, resmungando, a cara fechada, e entregava-me o copo. Eu bebia, molhando as cobertas. — "Obrigado, Rosenda." Ficava suando e arquejando, a vista escurecia, estirava-me na prensa de farinha, junto ao muro. O barulho do descaroçador de algodão não me deixava dormir, os passos de Vitória morriam no corredor. Meu pai estava deitado, muito comprido, envolto num pano que se dobrava entre as pernas e tinha no lugar da cara uma nódoa vermelha cheia de moscas. As moscas não se mexiam, mas faziam um zumbido horrível de carapanãs. O olho de vidro de padre Inácio estava parado, suspenso no ar, fora do corpo. A batina de padre Inácio, o capote do velho Acrísio, a farda de cabo José da Luz e o vestido vermelho de Rosenda estavam parados, suspensos no ar, sem corpos. As carapanãs zumbiam. Os pés de Camilo Pereira da Silva, escuros, ossudos, saíam por uma das pontas do marquesão, medonhos. Eu atravessava o corredor, ia à sala, voltava a deitar-me na prensa, abria o livro que tinha chineses revoltados. Mas as pálpebras cerravam-se, as carapanãs e o descaroçador enchiam-me a cabeça. Que motivo tinha Fernando Inguitai para rir-se? Empurrava os travesseiros e tentava abrir os olhos. Se pudesse levantar-me, tudo aquilo desapareceria. Iria conversar com o homem que me esperava na sala. — "Não há chinês chamado Fernando." Onde tinha ouvido aquele nome de Inguitai? Se Vitória me trouxesse um copo de água... Ali com sede, morrendo, sem um diabo que me desse uma xícara de café, um copo de água! Embalava-me com isto: "Sozinho, sozinho, morrendo à míngua, com sede." Era bom que todos estivessem longe. O contínuo da repartição, tão magro, tão velho, tão triste, movia-se trôpego. D. Adélia dançara como carrapeta, e agora era aquilo que se via, mole, acabada, uma lástima. Albertina de tal, parteira diplomada. Quando eu entrava na repartição, apressado e fora da hora, o contínuo velho tinha um sorriso doce e alguma informação útil. Os meus olhos abriam-se, fechavam-se, tornavam-se a abrir. Os caibros engrossavam, torciam-se, alvacentos e repugnantes como cobras descascadas. "Greve no caso de reação." Alguns letreiros estavam raspados, outros desapareciam sob as manchas que as águas da chuva tinham produzido. Mas havia letreiros novos. As crianças das escolas olhavam para eles. O homem cabeludo que vendia aguardente só cuidava da sua vida. Albertina de tal, parteira diplomada. Onde estava a minha roupa? Queria vestir-me, sair pela rua, ler os jornais. Que diziam os jornais? Subir o morro do Farol, entrar nas bodegas, beber cachaça. Seu Ivo me visitara, acocorara-se junto à parede. — "Leve a roupa, seu Ivo." Seu Ivo tinha vestido a calça rasgada e o paletó sujo. Talvez não tivesse vestido aquela imundície, talvez tudo fosse um sonho.

(*Angústia*, 26ª ed., Rio de Janeiro, Record, 1983, pp. 226-230.)

Cangaço, misticismo carismático, secas, código primitivo de honra, — eis aspectos contextuais de que arranca a ficção de Graciliano Ramos. Sobre eles repousa uma tendência de personalidade e visão de mundo que se resume na palavra "introspecção". Com efeito, a temática regionalista ganha desde cedo em sua pena fortes acentos introspectivos, que alcançam o clímax precisamente em *Angústia*, a meu ver sua obra principal e das mais importantes dentre as surgidas com o Modernismo. Atesta-o de modo flagrante o excerto transcrito. Fragmento do monólogo que fecha o romance, com ele o protagonista e nós retornamos ao ponto de partida da narrativa ("Levantei-me há cerca de trinta dias", etc.), assim estabelecendo um círculo vicioso ininterrupto, que exprime a angústia reinante em Luís da Silva até o fim dos dias: qual Sísifo, condenado a remoer incessantemente os passos de seu calvário, expia um crime gravado para sempre na memória conturbada, e que nenhuma prisão será capaz de apaziguar. Dessa forma, reproduzindo, em sua tensão máxima, o clima dramático que cruza a história passional do protagonista, o trecho selecionado constitui um monólogo interior indireto, expresso sem o concurso ostensivo do ficcionista. E nele se percebe aquilo tudo que caracteriza tal gênero de diálogo, a principiar na mistura de planos, não só temporais como físicos. Uma logicidade psicológica preside o encadeamentos dos estilhaços de confidência por meio das quais a memória se exterioriza; instala-se confusão entre o "real" e o "irreal", dentro das coordenadas do romance, fruto de a emissão verbal provir de um associacionismo automático, à Proust, trazidas que são à tona as folhagens submersas nos intramundos do subconsciente ("embalado nos lençóis, que se transformavam numa rede. Minha mãe me embalava cantando aquela cantiga sem palavras"); indecisão angustiante entre a lucidez e a demência ("Quem teria entrado no quarto durante a inconsciência prolongada?"). Na configuração de tal quadro de entressonho ou de parcial desligamento da circunstância física, colaboram de maneira saliente duas forças — o tempo e a memória — inextricavelmente associadas. Banido o contacto direto e rotineiro com o real circundante, o tempo abandona as marcas do calendário e assume-se psicológico ("Mas no tempo não havia horas. O relógio da sala de jantar tinha parado"). De acordo com a nova dimensão cronológica em que bóiam os vagos pensamentos e imagens de Luís da Silva, a memória torna-se praticamente a única faculdade de percepção: em seu aturdimento, a personagem se julga "sem memória", quando, em verdade, está reduzida a pura memória. A essas observações falta acrescentar um pormenor, e estará delineado o panorama em que se difunde a grandeza de *Angústia* e de seu autor: o já decantado estilo enxuto, vocabularmente econômico, sintaticamente rigoroso, vernacular, que, remontando a Machado de Assis, aponta uma das mais sólidas aparelhagens ficcionais de nossos dias.

Levantei-me há cerca de trinta dias, mas julgo que ainda não me restabeleci completamente. Das visões que me perseguiam naquelas noites compridas umas sombras permanecem, sombras que se misturam à realidade e me produzem calafrios.

Há criaturas que não suporto. Os vagabundos, por exemplo. Parece-me que eles cresceram muito, e, aproximando-se de mim, não vão gemer peditórios: vão gritar, exigir, tomar-me qualquer coisa.

Certos lugares que me davam prazer tornaram-se odiosos. Passo diante de uma livraria, olho com desgosto as vitrinas, tenho a impressão de que se acham ali pessoas exibindo títulos e preços nos rostos, vendendo-se. É uma espécie de prostituição. Um sujeito chega, atenta, encolhendo os ombros ou estirando o beiço, naqueles desconhecidos que se amontoam por detrás do vidro. Outro larga uma opinião à-toa. Basbaques escutam, saem. E os autores, resignados, mostram as letras e os algarismos, oferecendo-se como as mulheres da Rua da Lama.

Vivo agitado, cheio de terrores, uma tremura nas mãos, que emagreceram. As mãos já não são minhas: são mãos de velho, fracas e inúteis. As escoriações das palmas cicatrizaram.

Impossível trabalhar. Dão-me um ofício, um relatório, para datilografar, na repartição. Até dez linhas vou bem. Daí em diante a cara balofa de Julião Tavares aparece em cima do original, e os meus dedos encontram no teclado uma resistência mole de carne gorda. E lá vem o erro. Tento vencer a obsessão, capricho em não usar a borracha. Concluo o trabalho, mas a resma de papel fica muito reduzida.

À noite fecho as portas, sento-me à mesa da sala de jantar, a munheca emperrada, o pensamento vadio longe do artigo que me pediram para o jornal.

Vitória resmunga na cozinha, ratos famintos remexem latas e embrulhos no guarda-comidas, automóveis roncam na rua.

Em duas horas escrevo uma palavra: Marina. Depois, aproveitando letras deste nome, arranjo coisas absurdas: *ar, mar, rima, arma, ira, amar*. Uns vinte nomes. Quando não consigo formar combinações novas, traço rabiscos que representam uma espada, uma lira, uma cabeça de mulher e outros disparates. Penso em indivíduos e em objetos que não têm relação com os desenhos: processos, orçamentos, o diretor, o secretário, políticos, sujeitos remediados que me desprezam porque sou um pobre-diabo.

Tipos bestas. Ficam dias inteiros fuxicando nos cafés e preguiçando, indecentes. Quando avisto essa cambada, encolho-me, colo-me às paredes como um rato assustado. Como um rato, exatamente. Fujo dos negociantes que soltam gargalhadas enormes, discutem política e putaria.

Não posso pagar o aluguel da casa. Dr. Gouveia aperta-me com bilhetes de cobrança. Bilhetes inúteis, mas dr. Gouveia não compreende isto. Há também o homem da luz, o Moisés das prestações, uma promissória de quinhentos mil-réis, já reformulada. E coisas piores, muito piores.

O artigo que me pediram afasta-se do papel. É verdade que tenho o cigarro e tenho o álcool, mas quando bebo demais ou fumo demais, a minha tristeza cresce. Tristeza e raiva. *Ar, mar, ria, arma, ira.* Passatempo estúpido.

Dr. Gouveia é um monstro. Compôs, no quinto ano, duas colunas que publicou por dinheiro na seção livre de um jornal ordinário. Meteu esse trabalhinho num caixilho dourado e pregou-o na parede, por cima do *bureau*. Está cheio de erros e pastéis. Mas dr. Gouveia não os sente. O espírito dele não tem ambições. Dr. Gouveia só se ocupa com o temporal: a renda das propriedades e o cobre que o tesouro lhe pinga.

Não consigo escrever. Dinheiro e propriedades, que me dão sempre desejos violentos de mortandade e outras destruições, as duas colunas mal impressas, caixilho, dr. Gouveia, Moisés, homem da luz, negociantes, políticos, diretor e secretário, tudo se move na minha cabeça, como um bando de vermes, em cima de uma coisa amarela, gorda e mole que é, reparando-se bem, a cara balofa de Julião Tavares muito aumentada. Essas sombras se arrastam com lentidão viscosa, misturando-se, formando um novelo confuso.

Afinal tudo desaparece. E, inteiramente vazio, fico tempo sem fim ocupado em riscar as palavras e os desenhos. Engrosso as linhas, suprimo as curvas, até que deixo no papel alguns borrões compridos, umas tarjas muito pretas.

. . . .

Há nas minhas recordações estranhos hiatos. Fixaram-se coisas insignificantes. Depois um esquecimento quase completo. As minhas ações surgem baralhadas e esmorecidas, como se fossem de outra pessoa. Penso nelas com indiferença. Certos atos aparecem inexplicáveis. Até as feições das pessoas e os lugares por onde transitei perdem a nitidez. Tudo aquilo era uma confusão, em que avultava a idéia de reaver Marina. Mais de um mês, quase dois meses em intimidade com o outro. Procurei por todos os meios uma nova aproximação. O despeito, a raiva que senti naqueles dias compridos, uns restos de amor-próprio, tudo se sumiu. À tarde voltava a sentar-me na espreguiçadeira, abria um livro. Marina ausente. Deitava-me, fingia dormir, ficava uma hora espiando o quintal vizinho através das pestanas meio cerradas. As galinhas ciscavam, d. Adélia cantava no banheiro, a sombra da mangueira crescia, além do muro a mulher que lava garrafas trabalhava sacolejando-se num ritmo de batuque e o homem triste enchia dornas. Às vezes passos apressados revelavam-me a presença de Marina. Eu tinha vergonha de abrir os olhos, e quando me decidia a acordar, já ela estava longe. Erguia-me irritado. Perdendo ali, como um rapazinho, momentos preciosos! Esforçava-me por acreditar que os meus momentos eram preciosos.

. . . .

A literatura nos afastou: o que sei deles foi visto nos livros. Comovo-me lendo os sofrimentos alheios, penso nas minhas misérias passadas, nas viagens pelas fazendas, no sono curto à beira das estradas ou nos bancos dos jardins. Mas a fome desapareceu, os tormentos são apenas recordações. Onde andariam os outros vagabundos daquele tempo? Naturalmente a fome antiga me enfraqueceu a memória. Lembro-me de vultos bisonhos que se arrastavam como bichos, remoendo pragas. Que fim teriam levado? Mortos nos hospitais, nas cadeias, debaixo dos bondes, nos rolos sangrentos das favelas. Alguns, raros, teriam conseguido, como eu, em emprego público, seriam parafusos insignificantes na máquina do Estado e estariam visitando outras favelas, desajeitados, ignorando tudo, olhando com assombro as pessoas e as coisas. Teriam as suas pequeninas almas de parafusos fazendo voltas num lugar só.

Ia sentar-me no canto mais escuro, longe do candeeiro de petróleo, longe dos homens de camisas sem mangas e das mulheres que arrastavam tamancos. Vagabundos? Nada. Estavam ali indivíduos de várias profissões. O moleque tisnado era engraxate. A mulher de chinelos, que trazia uma garrafa de querosene pendurada no dedo por um cordel, tinha modos de pessoa séria, casada ou amigada. A rapariga pintada de branco e vermelho, com marcas de feridas nos braços, devia ser uma ratuína como Antônia. O homem gordo era pedreiro, via-se pelas manchas de cal na roupa. Pedreiro com aquele corpo, que perigo! Um cochilo no andaime, pisada em falso na ponta da tábua, e no dia seguinte a família estaria de luto. O rapaz de cabelos compridos que tocava violão provavelmente não se ocupava. No carnaval devia ser uma das figuras mais importantes do cordão, e pela festa de Natal, na barca de terra e varas que ali estava armada em frente à bodega, seria um bicho na chegança, contramestre pelo menos, talvez almirante. Os meninos que brincavam na rua quando estiava, às carreiras e aos gritos, horas depois estariam no grupo escolar, os cotovelos na carteira, escutando, ou não escutando, a voz da professora. Vinte anos depois seriam balizas no clube carnavalesco, contramestres de chegança, donas-de-casa sossegadas que levariam, pendurada no fura-bolo, uma garrafa de querosene amarrada pelo gargalo, mendigos como aquele que ali estava com a perna estirada coberta de trapos. Felizmente as moscas dormiam, e o homem dos trapos não precisava mandar as almas caridosas para o reino do céu em voz alta, para a casa do diabo em voz baixa. Agora não havia esmolas e o homem da perna entrapada conversava com os outros quase naturalmente. O dono da bodega era triste. Certamente pensava no aluguel, na figura odiosa de um dr. Gouveia, no imposto e nas faturas dos gêneros. Talvez dentro de seis meses a bodega estivesse fechada, e ele, com os cacarecos, a mulher, de garrafa pendurada no dedo, e os filhos, que agora dançavam na rua molhada, tivesse descido o morro pela banda do norte e vivesse à beira do Reginaldo, onde há febres, inundações e lixo. As crianças dançavam e cantavam na rua molhada. Dentro de vinte anos as que gostassem de torcer-se no mesmo canto seriam parafusos. Ignorariam o que existisse longe delas, mas conheceriam perfeitamente as coisas por onde passassem as suas roscas. Haveria dentro de vinte anos criaturas assim encaracoladas que, tendo corrido mundo, se resignam a viver num fundo de quintal, olhando canteiros murchos, respirando podridões, desejando um pedaço de carne viciada? Tudo ali era tão simples! Os bordões do violão gemiam, as gargalhadas sonoras da mulher pintada enchiam a praça. A história que o homem acaboclado, de peito cabeludo e cicatrizes no rosto, contava ao engraxate devia ser interessante. Gestos expressivos, provavelmente façanhas de capoeiras. Eu não compreendia a linguagem do narrador, as particularidades que provocavam admiração perdiam-se.

As gargalhadas da mulher transformavam-se naquela viagem curta aos meus ouvidos, chegavam-me frias, geladas. E a marcha do carnaval entristecia nos bordões do pinho. Todas aquelas pessoas entendiam-se perfeitamente. Diferiam muito umas das outras, mas havia qualquer coisa que as aproximava, com certeza os remendos, a roupa suja, a imprevidência, a alegria, qualquer coisa. Eu é que não podia entendê-las. — "Sim senhor. Não senhor." Entre elas não havia esse *senhor* que nos separava. Eu era um sujeito de fala arrevesada e modos de parafuso. Aquele tipo acaboclado, que dizia histórias de capueira e se balançava num pé só, tinha bíceps enormes, provavelmente estrangularia um homem sem grande esforço. A rapariga pintada cheirava a pó-de-arroz. A pó-de-arroz e a gasolina. O rapaz de cabelos compridos largava os sambas carnavalescos e punha-se a arrancar do pinho coisas absurdas que pareciam trechos de óperas. Insuportável. Afinal que estava eu fazendo ali, sentado num caixão, diante de um copo vazio? Procurava fixar a atenção nas crianças que dançavam e corriam, como dançavam e corriam, na areia do Cavalo-Morto, os meus companheiros, alunos de mestre Antônio Justino. Lá estava novamente entrando no passado, torcendo-me como parafuso. — "Rei meu senhor mandou dizer que fossem ao cemitério e trouxessem um osso de defunto." Quem tinha coragem? Os mais atrevidos chegavam até o muro de seu Honório, no fim da rua. Adiante o lugar era mal-assombrado e ninguém se aventurava por lá. Eu queria gritar e espojar-me na areia como os outros. Mas meu pai estava na esquina, conversando com Teotoninho Sabiá, e não consentia que me aproximasse das crianças, certamente receando que me corrompesse. Sempre brinquei só. Por isso cresci assim besta e mofino.

(Ibidem, pp. 7-9, 110-111, 118-120.)

JORGE AMADO

Nasceu a 10 de agosto de 1912, na fazenda Auricídia (Ferradas, hoje Itabuna, Bahia). Após o curso primário em Ilhéus, realiza estudos secundários em Salvador, numa altura em que sente o despontar da vocação literária. No Rio de Janeiro, para onde se transfere em 1931, forma-se em Direito e entra a colaborar na imprensa, ao mesmo tempo em que participa ativamente da luta política. Detido em 1936-1937, esteve exilado na Argentina (1941-1943), na França, Estados Unidos, URSS, etc. (após 1947). De regresso à Pátria (1952), continua a elaboração de sua obra literária, e em 1961 é eleito para a Academia Brasileira de Letras. Tem cultivado a ficção: *O País do Carnaval* (1931), *Cacau* (1933), *Suor* (1934), *Jubiabá* (1935), *Mar Morto* (1936), *Capitães da Areia* (1937), *Terras do Sem-Fim* (1943), *São Jorge dos Ilhéus* (1944), *Seara Vermelha* (1946), *Os Subterrâneos da Liberdade* (1954), *Gabriela, Cravo e Canela* (1958), *Os Velhos Marinheiros* (1961), *Os Pastores da Noite* (1964), *Dona Flor e seus Dois Maridos* (1966), *Tenda dos Milagres* (1970), *Teresa Batista Cansada de Guerra* (1972), *Tieta do Agreste, Pastora de Cabras, ou A Volta da Filha Pródiga* (1977), *Farda Fardão Camisola de Dormir* (1979), *Tocaia Grande: A Face Obscura* (1984), *O Sumiço da Santa: Uma História de Feitiçaria* (1988), *A Descoberta da América pelos Turcos* (1994); teatro: *O Amor de Castro Alves* (1947, título mudado para *O Amor do Soldado* na 2.ª edição, 1958); poesia: *A Estrada do Mar* (1938); biografia: *ABC de Castro Alves* (1941), *Vida de Luis Carlos Prestes, o Cavaleiro da Esperança* (1945); viagens: *o Mundo da Paz* (1950).

Jubiabá

Publicado no Rio de Janeiro em 1935, gira em torno de Antonio Balduíno e não da personagem-título. O herói, moleque de morro em Salvador, torna-se sucessivamente lutador de boxe, lavrador, artista de circo e operário. Com ele contracenam Jubiabá, pai-de-santo e conselheiro, e Lindinalva, moça branca por quem se apaixona e que mais tarde reencontra nas piores condições, seduzida e abandonada que fora pelo advogado Barreiras. Os dois trechos que se vão ler, constituem um fragmento do capítulo "Infância Remota" e o capítulo intitulado "Cais":

Antônio Balduíno ficava em cima do morro vendo a fila de luzes que era a cidade embaixo. Sons de violão se arrastavam pelo morro mal a lua aparecia. Cantigas dolentes eram cantadas. A venda de seu Lourenço Espanhol se enchia de homens que iam conversar e ler o jornal que o vendeiro comprava para os fregueses da pinga.

Antônio Balduíno vivia metido num camisolão sempre sujo de barro, com o qual corria pelas ruas, e becos enlameados do morro, brincando com os outros meninos da mesma idade.

Apesar dos seus oito anos, Antônio Balduíno já chefiava as quadrilhas de molecotes que vagabundeavam pelo Morro do Capa Negro e morros adjacentes. Porém de noite não havia brinquedo que o arrancasse da contemplação das luzes que se acendiam na cidade tão próxima e tão longínqua. Se sentava naquele mesmo barranco à hora do crepúsculo e esperava com ansiedade de amante que as luzes se acendessem. Tinha uma volúpia aquela espera, parecia um homem esperando a fêmea. Antônio Balduíno ficava com os olhos espichados em direção à cidade, esperando. Seu coração batia com mais força enquanto a escuridão da noite invadia o casario, cobria as ruas, a ladeira, e fazia subir da cidade um rumor estranho de gente que se recolhe ao lar, de homens que comentam os negócios do dia e o crime da noite passada.

Antônio Balduíno, que só fora à cidade umas poucas vezes, assim mesmo às pressas, sempre arrastado pela tia, sentia àquela hora toda a vida da cidade. Vinha um rumor lá de baixo. Ele ficava ouvindo os sons confusos, aquela onda de ruídos que subia pelas ladeiras escorregadias do morro. Sentia nos nervos a vibração de todos aqueles ruídos, aqueles sons de vida e de luta. Ficava se imaginando homem feito, vivendo na vida apressada dos homens, lutando a luta de cada dia. Seus olhinhos miúdos brilhavam e por mais de uma vez ele sentiu vontade de se largar pelas ladeiras e ir ver de perto o espetáculo da cidade àquelas horas cinzentas. Bem sabia que perderia o jantar e que a surra o aguardaria na volta... Mas não era isso o que o impedia de ir ver de perto o barulho da cidade que se recolhia do trabalho. O que ele não queria perder era o acender das luzes, revelação que era para ele sempre nova e bela.

Eis que a cidade já se envolve quase completamente nas trevas.

Antônio Balduíno não enxerga mais nada. Vinha um vento frio com a escuridão. Ele nem o sentia. Gozava voluptuosamente os ruídos, o barulho que aumentava cada vez mais. Não perdia um só. Distinguia as risadas, os gritos, as vozes dos bêbados, as conversas sobre política, a voz arrastada dos cegos pedindo uma esmola pelo amor de Deus, o barulho dos bondes carregados de pingentes. Gozava devagarinho a vida da cidade.

Um dia teve uma emoção enorme que o arrepiou. Chegou a ficar em pé, tremendo de prazer. É que distinguiu choro, choro de mulher e vozes que consolam. Aquilo subia como um tropel por dentro dele, o arrastava numa vertigem de gozo. Choro... Alguém, uma mulher, chorava na cidade que escurecia. Antônio Balduíno escutou o choro doloroso até que se extinguiu com o ruído de um bonde que passava arranhando nos trilhos. Antônio Balduíno ainda ficou com a respiração suspensa vendo se conseguia ouvir mais alguma coisa. Porém deviam ter levado a mulher para longe da rua, pois ele não escutou mais nada. Neste dia não quis jantar e não correu à noite pelas ruas com os companheiros. Sua tia dissera:

— Esse menino viu coisa... Isso é sonso como o não sei que diga...

Dias bons, também, aqueles em que sentia a campainha da assistência badalando na cidade. Era sofrimento que existia embaixo e Antônio Balduíno, menino de oito anos, gozava aqueles pedaços de sofrimento como o homem goza a mulher.

. . . .

Grandes canoas imóveis sobre a água parada.

Os saveiros, velas arriadas, dormiam na escuridão. Assim mesmo davam idéia de partida, de viagens por pequenos portos do recôncavo com as suas grandes feiras. Mas agora os saveiros dormiam, os nomes pitorescos gravados perto da proa: "Paquete Voador", "O Viajante sem Porto", "Estrela da Manhã", "O Solitário". Pela manhã sairiam rápidos, atirados pelo vento, as velas soltas, cortando a água da baía.

Iriam se abarrotar de verduras, de frutas, de tijolos, ou telhas. Correriam as feiras todas. Voltariam depois carregados de abacaxis cheirosos. O "Viajante sem Porto" é pintado de vermelho e corre como nenhum. Mestre Manuel dorme na proa. É um mulato velho que nasceu nos saveiros e morou sempre nos saveiros.

Antônio Balduíno sabe a história de todos estes saveiros e de todas estas canoas. Desde menino gosta de vir deitar aqui no areal do cais, a carapinha no travesseiro da areia, os pés metidos dentro da água. A água é morna e gostosa, a estas horas da noite. Balduíno, às vezes, fica pescando, silencioso, o rosto se abrindo em sorrisos quando fisga um peixe. Porém em geral olha somente o mar, os navios, a cidade morta lá atrás.

Antônio Balduíno tem vontade de sair, de viajar, de correr terras desconhecidas, de amar em areias desconhecidas, mulheres desconhecidas. Miguez veio do Peru e lhe deu uma surra.

Um navio apita no quebra-mar. Vai saindo iluminando a noite. É um navio sueco. Ainda há pouco os marinheiros andavam pela cidade, bebendo cerveja nos bares, amando nos braços das mulatas da Barroquinha. Agora estão no mar escuro, amanhã estarão nalgum porto longínquo com mulheres brancas ou amarelas. Um dia Antônio Balduíno há de engajar e correr mundo. Sempre sonhou com isso. Enquanto dorme e enquanto deitado na areia, olha os saveiros e as estrelas.

O navio está desaparecendo.

* * *

A cidade estendia os braços das igrejas para o céu. Do cais ele via as ladeiras, as casas velhas e enormes. As luzes brilhavam lá em cima e nuvens alvas corriam pelo céu como bandos de carneiros. Pareciam também com os dentes de Joana. Antônio Balduíno toda vez que arranja uma cabrocha diz a ela:

— Seus dentes parecem nuvens...

Mas agora que ele apanhou, que perdeu a luta, que cabrocha olhará para ele? Andam dizendo que ele se vendeu.

Ele se perdia olhando o casario negro da cidade. Havia uma estrela bem em cima da sua cabeça. Não sabia qual era mas estava bonita, grande, brilhando num pisca-pisca. Ele nunca havia visto aquela estrela. A lua apareceu muito grande e derrubou pelos fundos das casas uma luz tão esquisita que ele não conheceu mais a cidade. Pensou que era um marinheiro e havia chegado a um porto estrangeiro. Um porto longínquo como estes que ele vê nos sonhos todas as noites. Porque todas as noites Antônio Balduíno sonha que desembarca em terras de outros países. As nuvens corriam pelo céu. Eram carneiros. Alvos, enormes carneiros. Na cidade baixa não havia ninguém. Também era a primeira vez que ele sonhava assim acordado. A Bahia já não era a Bahia e ele não era mais o negro Antônio Balduíno, Baldo, o *boxeur*, que ia às macumbas de Jubiabá e que apanhara de Miguez, o peruano. Que cidade seria aquela e ele quem seria? Para onde teria ido toda gente conhecida? Olhou para o porto e viu o navio. Naturalmente já estava na hora de recolher, a bordo o esperavam.

Olhou a roupa do marinheiro, fez um bamboleio com o corpo e disse em voz alta:

— Vou para bordo.

Aí uma voz gritou:

— Hein?

Mas ele não ouviu e fitou de novo a cidade banhada pela luz alva da lua. Se lembrou da luta de boxe.

De repente vieram lá de cima do morro uns sons de batuque.

Uma nuvem escura cobriu a lua. Se apalpou, a roupa de marinheiro tinha desaparecido, ele estava metido na calça branca com camisa de listas vermelhas.

O tantã aumentava de novo. Vinha como uma súplica, como um grito de angústia. Ele viu, então, que a cidade era novamente a Bahia, bem a Bahia, que ele conhecia toda, ruas, ladeiras e becos, e não um porto perdido de uma ilha perdida na vastidão do mar. Era a Bahia onde ele apanhara.

Agora não olhava mais as estrelas, nem as nuvens. Não enxergava mais bandos de carneiros no céu. Para onde teriam ido os saveiros que fugiram para longe dos olhos de Antônio Balduíno?

Apenas ouvia.

Eram sons de batuque que desciam de todos os morros, sons que do outro lado do mar haviam sido sons guerreiros, batuques que ressoavam para anunciar combates e caçadas. Hoje eram sons de súplica, vozes escravas pedindo socorro, legiões de negros de mãos estendidas para os céus. Alguns daqueles pretos que já tinham carapinha branca, guardavam nas costas marcas de chicote. Hoje as macumbas e os candomblés enviavam aqueles sons perdidos.

Era como uma mensagem a todos os negros, negros que na África ainda combatiam e caçavam, ou negros que gemiam sob o chicote do branco. Sons de batuque que vinham do morro. Se dirigiam também angustiosos e confusos, sons religiosos, sons guerreiros, sons de escravos, a Antônio Balduíno que estava estendido na areia do cais. Os sons lhe entravam pelos ouvidos e buliam com o ódio surdo que vivia dentro dele.

Antônio Balduíno se rojava na areia desesperado. Nunca tivera uma angústia tamanha. Ódio que se revolvia dentro dele. Via filas de negros, via aquele marcado nas costas que ele conhecera na casa de Jubiabá. Via mãos calosas, batendo no chão, via negras terem filhos mulatos de senhores brancos. Via Zumbi dos Palmares transformar o batuque de escravos em batuque de guerreiros. Jubiabá, nobre e sereno, dizendo conceitos ao povo escravo. Via a si próprio se levantando contra o homem branco. Mas ele perdera a luta, tomara uma surra de Miguez, como um vendido.

Mas não via nada porque voltou a claridade perturbadora da lua e os sons morriam nas ladeiras, nos becos sem iluminação, nas ruas calçadas de pedra.

Com os últimos sons de batuque e o brilho atordoante da lua, ele se achou diante do rosto sardento e branco de Lindinalva.

Estava linda e sorria. Fazia desaparecer o batuque e o ódio.

Antônio Balduíno passou a mão pelo rosto para afastar a visão que o acovardava e olhou fixo para o outro lado. Enxergou novamente as luzes dos saveiros e Mestre Manuel que andava pelo cais. Mas no meio das luzes estava Lindinalva bailando. Tudo porque ele perdera a luta e estava desmoralizado.

Fechou os olhos e quando os abriu só conseguiu ver a luz da triste, da pequena lâmpada da "Lanterna dos Afogados".

(*Jubiabá*, 11ª ed., São Paulo, Martins, 1961, pp. 23-24 e 126-129.)

A ficção de Jorge Amado tem percorrido duas fases, mais ou menos autônomas, delimitadas por *Gabriela, Cravo e Canela*. À primeira, caracterizada pelo lirismo e a participação política, pertence *Jubiabá*. Dentro de suas coordenadas, o ponto alto dessa fase demora precisamente nesse romance, como exemplificam os trechos que acabamos de ler. Com efeito, já no primeiro deles se patenteia a dupla orientação: o lirismo, no menino que olha, ao crepúsculo, as "luzes que se acendiam, na cidade tão próxima e tão longínqua", "revelação que era para ele sempre nova e bela"; o sentimento coletivista ou altruístico, experimentado por ele ao escutar "choro de mulher e vozes que consolavam". No segundo fragmento, coexistem as duas forças-motrizes da mundividência de Jorge Amado. Assim, os excertos, que surpreendem Balduíno em diferentes idades, revelam que a transformação psicológica do herói foi superficial (ou seu contorno psíquico se fixara, indelevelmente, na infância), permanecendo no fundo a mesma tendência para captar a poesia das coisas na cidade adormecida, e o mesmo impulso fraternal em relação ao próximo. Mais ainda: tal impulso radica num pensamento socialista, que parece demasiado evidente (cf. os parágrafos iniciados por "Eram sons de batuque" e "Era como uma mensagem", em que a transposição histórica se impõe com duvidosa facilidade) e falseado naquilo em que acaba sendo aceito por Baldo mais como transferência de sua hipersensibilidade, que como resultado de uma escolha consciente. Do contrário, seria caso de creditar-lhe, abusivamente, um sentimento proletarizante desde a meninice. Daí que a tese política de *Jubiabá* saia prejudicada, muito embora alcançando um equilíbrio nem sempre visível nas obras da mesma fase: apesar de a evolução de Baldo se processar rumo de uma ascendente conscientização política, percebe-se que sua coerência se estriba num *a priori* que faz pensar logo no romance naturalista à Zola. Tanto é assim que, no segundo trecho, a exasperação do protagonista parece provir mais da derrota ante o lutador peruano que dum autêntico espírito político. Note-se, a respeito, o parágrafo iniciado por "Antônio Balduíno se rojava na areia desesperado"; até o penúltimo período, acompanhamos a visão idealista relativamente ao negro escravo; na última linha, vemos a personagem regressada à realidade crua da derrota. Pois bem, será excessivo depreender que o malogro como *boxeur* teria motivado a primeira parte do parágrafo? Ou que, sem ele, a explosão de desespero apresentaria diverso matiz? Creio que o próprio fato de a imagem de Lindinalva ocasionar o desaparecimento do "batuque de ódio" confirma-o plenamente. Claro que, na interpretação global de *Jubiabá*, outros vários elementos devem ser levados em conta, mas também, sem as ponderações sugeridas pelos fragmentos escolhidos, toda conclusão final estaria comprometida. Resta uma palavra acerca da linguagem para completar o quadro e compreender-se o duradouro êxito de Jorge Amado; fácil, espontânea, aparentemente sem maior elaboração, comunicando-se rápido com o leitor ainda o menos dotado ou menos exigente.

Textos para Análise

Gabriela, Cravo e Canela

Decerto o romance mais conhecido de Jorge Amado, nacional e internacionalmente, *Gabriela, Cravo e Canela* passa-se em Ilhéus, cenário baiano de outras histórias do autor, no ano de 1925. Além de retratar a cidade do cacau naqueles anos decisivos, gira em torno dos amores e desventuras de Nacib, "um brasileiro das arábias", e Gabriela, retirante maltrapilha encontrada no "mercado dos escravos". Começa ele por contratá-la como cozinheira, mas até casar-se com ela, depois de a tornar a sua amásia, foi um passo. Acontece que Gabriela, com todo o seu charme de cravo e canela, cai nas graças de Tonico Bastos, um dos freqüentadores do Bar Vesúvio, pertencente a Nacib. E o casamento é anulado. Com o tempo, sentindo a falta de Gabriela, não só nos serviços de cozinha, mas também como companheira, Nacib recebe-a de volta. E assim a paz retorna ao Vesúvio.

Do Sol e da Chuva com Pequeno Milagre

Naquele ano de 1925, quando floresceu o idílio da mulata Gabriela e do árabe Nacib, a estação das chuvas tanto se prolongara além do normal e necessário que os fazendeiros, como um bando assustado, cruzavam-se nas ruas a perguntar uns aos outros nos olhos e na voz:

— Será que não vai parar?

Referiam-se às chuvas, nunca se vira tanta água descendo dos céus, dia e noite, quase sem intervalos.

— Mais uma semana e estará tudo em perigo.

— A safra inteira...

— Meu Deus!

Falavam da safra anunciando-se excepcional, a superar de longe todas as anteriores. Com os preços do cacau em constante alta, significava ainda maior riqueza, prosperidade, fartura, dinheiro a rodo. Os filhos dos coronéis indo cursar os colégio mais caros das grandes cidades, novas residências para as famílias nas novas ruas recém-abertas, móveis de luxo mandados vir do Rio, pianos de cauda para compor as salas, as lojas sortidas, multiplicando-se, o comércio crescendo, bebida correndo nos cabarés, mulheres desembarcando dos navios, o jogo campeando nos bares e nos hotéis, o progresso enfim, a tão falada civilização.

E dizer-se que essas chuvas agora demasiado copiosas, ameaçadoras, diluviais, tinham demorado a chegar, tinham-se feito esperar e rogar! Meses antes, os coronéis levantavam os olhos para o céu límpido em busca de nuvens, de sinais de chuva próxima. Cresciam as roças de cacau, estendendo-se por todo o sul da Bahia, esperavam as chuvas indispensáveis ao desenvolvimento dos frutos acabados de nascer, substituindo as flores nos cacauais. A procissão de São Jorge, naquele ano, tomara o aspecto de uma ansiosa promessa coletiva ao santo padroeiro da cidade.

O seu rico andor bordado de ouro, levavam-no sobre os ombros orgulhosos os cidadãos mais notáveis, os maiores fazendeiros, vestidos com a bata vermelha da confraria, e não é pouco dizer, pois os coronéis do cacau não primavam pela religiosidade, não freqüentavam igrejas, rebeldes à missa e à confissão, deixando essas fraquezas para as fêmeas da família:

— Isso de Igreja é coisa para mulheres.

Contentavam-se com atender os pedidos de dinheiro do Bispo e dos padres para obras e folguedos: o colégio das freiras no alto da Vitória, o Palácio Diocesano, escolas de catecismo, novenas, mês de Maria, quermesses, festas de Santo Antônio e São João.

Naquele ano, em vez de ficarem nos bares bebericando, estavam todos eles na procissão, de vela em punho, contritos, prometendo mundos e fundos a São Jorge em troca das chuvas preciosas. A multidão, atrás dos andores, acompanhava pela ruas a reza dos padres. Paramentado, as mãos unidas para a oração, o rosto compungido, o padre Basílio elevava a voz sonora puxando as preces. Escolhido para a importante função por suas eminentes virtudes, por todos consideradas e estimadas, o fora também por ser o santo homem proprietário de terras e roças, diretamente interessado na intervenção celestial. Rezava assim com redobrado vigor.

. . . .

Enfiou a chave na fechadura, arfando da subida, a sala estava iluminada. Seria ladrão? Ou bem a nova empregada esquecera de fechar a luz?

Entrou de mansinho e a viu dormida numa cadeira, os cabelos longos espalhados nos ombros. Depois de lavados e penteados tinham-se transformado em cabeleira solta, negra, encaracolada. Vestia trapos mas limpos, certamente os da trouxa. Um rasgão na saia mostrava um pedaço de coxa cor de canela, os seios subiam e desciam levemente ao ritmo do sono, o rosto sorridente.

— Meu Deus! — Nacib ficou parado sem acreditar.

A espiá-la, num espanto sem limites, como tanta boniteza se escondera sob a poeira dos caminhos? Caído o braço roliço, o rosto moreno sorrindo no sono, ali, adormecida na cadeira, parecia um quadro. Quantos anos teria? Corpo de mulher jovem, feições de menina.

— Meu Deus, que coisa! — murmurou o árabe quase devotamente.

Ao som de sua voz, ela despertou amedrontada mas logo sorriu e toda a sala pareceu sorrir com ela. Pôs-se de pé, as mãos ajeitando os trapos que vestia, humilde e clara como um pouco de luar.

— Por que não deitou, não foi dormir? — foi tudo que Nacib acertou dizer.

— O moço não disse nada...

— Que moço?

— O senhor... Já lavei roupa, arrumei a casa. Depois fiquei esperando, peguei no sono, — uma voz cantada de nordestina.

Dela vinha um perfume de cravo, dos cabelos talvez, quem sabe do cangote.

— Você sabe mesmo cozinhar?

Luz e sombra em seu cabelo, os olhos baixos, o pé direito alisando o assoalho como se fosse sair a dançar.

— Sei, sim senhor. Trabalhei em casa de gente rica, me ensinaram. Até gosto de cozinhar... — sorriu e tudo sorriu com ela, até o árabe Nacib deixando-se cair numa cadeira.

— Se você sabe mesmo cozinhar, lhe faço um ordenadão. Cinqüenta mil-réis por mês. Aqui pagam vinte, trinta é o mais. Se o serviço lhe parecer pesado, pode arranjar uma menina para lhe ajudar. A velha Filomena não queria nenhuma, nunca aceitou. Dizia que não estava morrendo para precisar ajudante.

— Também não preciso.

— E o ordenado? Que me diz?

— O que o moço quiser pagar, tá bom pra mim...

— Vamos ver a comida amanhã. Na hora do almoço mando o moleque buscar... Como mesmo no bar. Agora...

Ela estava esperando, o sorriso nos lábios, a réstia de luar nos seus cabelos e aquele cheiro de cravo.

— ... agora vá dormir que já e tarde.

Ela foi saindo, ele espiou-lhe as pernas, o balanço do corpo no andar, o pedaço de coxa cor de canela. Ela voltou o rosto:

— Pois boa noite, seu moço...

Desaparecia no escuro do corredor, Nacib pareceu ouvi-la acrescentar, mastigando as palavras: "moço bonito..." Levantou-se quase a chamá-la. Não, fora à tarde na feira que ela dissera. Se a chamasse, poderia assustá-la, ela tinha um ar ingênuo, talvez até fosse moça donzela... Havia tempo para tudo. Nacib tirou o paletó, pendurou na cadeira, arrancou a camisa. O perfume ficara na sala, um perfume de cravo. No dia seguinte compraria um vestido para ela, de chita, umas chinelas também. Daria de presente sem descontar no ordenado.

Sentou-se na cama desabotoando os sapatos. Dia complicado aquele. Muita coisa acontecera. Vestiu o camisolão. Morena e tanto, essa sua empregada. Uns olhos, meu

Deus... E da cor queimada que ele gostava. Deitou-se, apagou a luz. O sono o venceu, um sono agitado, sonhou inquieto com Sinhazinha, o corpo nu, calçada com meias pretas, estendida morta no convés de um navio estrangeiro entrando na barra. Osmundo fugia de marinete, Jesuíno atirava em Tonico, Mundinho Falcão aparecia com dona Sinhazinha, outra vez viva, sorrindo para Nacib, estendendo os braços, mas era dona Sinhazinha com a cara morena da nova empregada. Só que Nacib não podia alcançá-la, ela saia dançando no cabaré.

....

Realmente nada sentia, acabara-se todo vestígio de dor, de sofrimento. Temera, ao contratar novamente Gabriela, sua presença a recordar-lhe o passado, medo de sonhar com Tonico Bastos nu, em sua cama. Mas nada sucedera. Era como se tudo aquilo tivesse sido um pesadelo longo e cruel. Voltaram às relações dos primeiros tempos, de patrão e cozinheira, ela muito despachada e alegre, a arrumar a casa, a cantar, a vir ao restaurante preparar os pratos do almoço, a descer ao bar na hora do aperitivo para anunciar o "menu" de mesa em mesa, obtendo fregueses para o andar de cima. Quando o movimento terminava, por volta de uma e meia da tarde, Nacib sentava-se a almoçar, servido por Gabriela. Como antigamente. Ela rodava em torno da mesa, trazia-lhe a comida, abria a garrafa de cerveja. Comia depois com o único garçom (Nacib despedira o outro, era desnecessário ante o movimento reduzido do restaurante) e com Chico Moleza enquanto Valter, o substituto de Bico Fino, olhava pelo bar. Nacib tomava um velho jornal da Bahia, acendia o charuto de São Félix, no fundo da espreguiçadeira encontrava a rosa caída. Nos primeiros dias jogara-a fora, depois passara a guardá-la no bolso. O jornal rolava no chão, o charuto apagava-se, Nacib dormia sua sesta, na sombra e na brisa. Acordava com a voz de João Fulgêncio vindo para a papelaria. Gabriela preparava os salgados e doces para a tarde e a noite, ia depois para casa, ele a via cruzar a praça, em chinelas, desaparecer atrás da Igreja.

Que lhe faltava para ser completamente feliz? Comia a inigualável comida de Gabriela, ganhava dinheiro, juntava no Banco, em breve procuraria terra para comprar. Haviam-lhe falado de uma nova faixa desbravada mais além da serra do Baforé, terra assim tão boa para o cacau nunca existira. Ribeirinho propunha-se levá-lo até lá, era perto de suas fazendas. Os amigos e fregueses diariamente no bar, por vezes no restaurante. As partidas de dama e gamão. A boa prosa de João Fulgêncio, do Capitão, do Doutor, de Nhô-Galo, de Amâncio, de Ari, de Josué, de Ribeirinho. Esses dois sempre juntos desde que o fazendeiro montara casa para Glória perto da Estação. Por vezes até comiam os três no restaurante, davam-se bem.

(*Gabriela, Cravo e Canela*, 5ª ed., São Paulo, Martins, [1958], pp. 25-26, 167-169, 446-447.)

ÉRICO VERÍSSIMO

Nasceu em Cruz Alta (Rio Grande do Sul), a 17 de dezembro de 1905. Com estudos secundários incompletos, torna-se funcionário de banco (1925) e a seguir sócio de uma farmácia (1926). Falida esta em 1930, resolve tentar as Letras em Porto Alegre, inicialmente como secretário e redator da *Revista do Globo*. Em 1932, publica um livro de contos, *Fantoches*, e em 1933, um romance, *Clarissa*, cujo êxito lhe decide o rumo a seguir. Passa a trabalhar na Editora Globo, enquanto continua a escrever e a traduzir. Em 1941, visita pela primeira vez os EUA; em 1943-45, retorna para ensinar Literatura Brasileira, e em 1953, para ocupar o posto de Diretor do Departamento de Assuntos Culturais da União Pan-Americana. Realizou várias viagens ao estrangeiro (México, 1957, Europa, 1959 e 1962, Israel, 1966). Ainda publicou as seguintes obras de ficção: *Caminhos Cruzados* (1935), *Música ao Longe* (1936), *Um Lugar ao Sol* (1936), *Olhai os Lírios do Campo* (1938), *Saga* (1940), *As Mãos de Meu Filho* (1942), *O Resto é Silêncio* (1943), *Noite* (1954), *O Tempo e o Vento* (1949-1961), *O Senhor Embaixador* (1965), *O Prisioneiro* (1967), *Incidente em Antares* (1971); viagens: *Gato Preto em Campo de Neve* (1941), *A Volta do Gato Preto* (1947), *México* (1957), *Israel em Abril* (1969); biografia: *A Vida de Joana d'Arc* (1935); memórias: *Solo de Clarineta*, (2 vols., 1973, 1976), literatura infantil e didática. Faleceu em Porto Alegre, a 28 de novembro de 1975.

O Tempo e o Vento

Trilogia em cinco volumes, compõe-se de "O Continente", "O Retrato" e "Arquipélago", publicados respectivamente em 1949, 1951 e 1961. Consoante nota da editora impressa na orelha dos volumes, a obra projeta-se como a "saga duma família e duma cidade do Rio Grande do Sul, desde suas origens, em meados do século XVIII, até nossos dias", ou, mais precisamente, de 1745 a 1945. O fragmento que se transcreve a seguir, pertence ao capítulo protagonizado por Ana Terra, integrado no primeiro volume da série:

Os anos chegavam e se iam. Mas o trabalho fazia Ana esquecer o tempo. No inverno tudo ficava pior: a água gelava nas gamelas que passavam a noite ao relento; pela manhã o chão freqüentemente estava branco de geada e houve um agosto em que quando foi lavar roupa na sanga Ana teve primeiro de quebrar com uma pedra a superfície gelada da água.

Em certas ocasiões surpreendia-se a esperar que alguma coisa acontecesse e ficava meio aérea, quase feliz, para depois, num desalento, compreender subitamente que para ela a vida estava terminada, pois um dia era a repetição do dia anterior — o dia de amanhã seria igual ao de hoje, assim por muitas semanas, meses e anos até a hora da morte. Seu único consolo era Pedrinho, que ela via crescer, dar os primeiros passos, balbuciar as primeiras palavras. Mas o próprio filho também lhe dava cuidados, incômodos. Quando ele adoecia e não sabia dizer ainda que parte do corpo lhe doía, ela ficava agoniada e, ajudada pela mãe, dava-lhe chás de ervas, e quando a criança gemia à noite ela a ninava, cantando baixinho para não acordar os que dormiam.

De quando em quando chegavam notícias do Rio Pardo pela boca dum passante. Contaram um dia a Maneco Terra que Rafael Pinto Bandeira tinha sido preso, acusado de ter desviado os quintos e direitos da Coroa de Portugal e de ter ficado com as presas apanhadas aos combates de São Martinho e Santa Tecla. Ia ser enviado para o Rio de Janeiro e submetido a conselho de guerra. E o informante acrescentou:

— Tudo são invejas do governador José Marcelino, que é um tirano.

Maneco não disse palavra. Não era homem de conversas. Não se metia com graúdos. O que ele queria era cuidar de sua casa, de sua terra, de sua vida.

De toda a história Ana só compreendeu uma coisa: Rafael Pinto Bandeira fora preso como ladrão. E imediatamente lembrou-se daquele remoto dia de vento em que o comandante, todo faceiro no seu fardamento e seu chapéu de penacho, lhe dissera de cima do cavalo: "Precisaremos de muitas moças bonitas e trabalhadeiras como vosmecê."

Muitos anos mais tarde, Ana Terra costumava sentar-se na frente de sua casa para pensar no passado. E no pensamento como que ouvia o vento de outros tempos e sentia o tempo passar, escutava vozes, via caras e lembrava-se de coisas... O ano de 81 trouxera um acontecimento triste para o velho Maneco: Horácio deixara a fazenda, a contragosto do pai, e fora para o Rio Pardo, onde se casara com a filha dum tanoeiro e se estabelecera com uma pequena venda. Em compensação nesse mesmo ano Antônio casou-se com Eulália Moura, filha dum colono açoriano dos arredores do Rio Pardo, e trouxe a mulher para a estância, indo ambos viver num puxado que tinham feito no rancho.

Em 85 uma nuvem de gafanhotos desceu sobre a lavoura deitando a perder toda a colheita. Em 86, quando Pedrinho se aproximava dos oito anos, uma peste atacou o gado e um raio matou um dos escravos.

Foi em 86 mesmo ou no ano seguinte que nasceu Rosa, a primeira filha de Antônio e Eulália? Bom. A verdade era que a criança tinha nascido pouco mais de um ano após o casamento. Dona Henriqueta cortara-lhe o cordão umbilical com a mesma tesoura de podar com que separara Pedrinho da mãe.

E era assim que o tempo se arrastava, o sol nascia e se sumia, a lua passava por todas as fases, as estações iam e vinham, deixando sua marca nas árvores, na terra, nas coisas e nas pessoas.

E havia períodos em que Ana perdia a conta dos dias. Mas entre as cenas que nunca mais lhe saíram da memória estavam as da tarde em que dona Henriqueta fora para a cama com uma dor aguda no lado direito, ficara se retorcendo durante horas, vomitando tudo que engolia, gemendo e suando frio. E quando Antônio terminou de encilhar o cavalo para ir até o Rio Pardo buscar recursos, já era tarde demais. A mãe estava morta. Era inverno e ventava. Naquela noite ficaram velando o cadáver de dona Henriqueta. Todos estavam de acordo numa coisa: ela tinha morrido de nó na tripa. Um dos escravos disse que conhecia casos como aquele. Fosse como fosse, estava morta. "Descansou" — disse Ana para si mesma; e não teve pena da mãe. O corpo dela ficou estendido em cima duma mesa, enrolado na mortalha que a filha e a nora lhe haviam feito. Em cada canto da mesa ardia uma vela de sebo. Os homens estavam sentados em silêncio. Quem chorava mais era Eulália. Pedrinho, de olhos muito arregalados, olhava ora para a morta ora para as sombras dos vivos que se projetavam nas paredes do rancho. Ana não chorou. Seus olhos ficaram secos e ela estava até alegre, porque sabia que a mãe finalmente tinha deixado de ser escrava. Podia haver outra vida depois da morte, mas também podia não haver. Se houvesse, estava certa de que dona Henriqueta iria para o céu; se não houvesse, tudo estava bem, porque sua mãe ia descansar para sempre. Não teria mais que cozinhar, ficar horas e horas pedalando na roca, em cima do estrado, fiando, suspirando a cantando as cantigas tristes de sua mocidade. Pensando nessas coisas, Ana olhava para o pai que se achava a seu lado, de cabeça baixa, ombros encurvados, tossindo muito, os olhos riscados de sangue. Não sentia pena dele. Por que havia de ser fingida? Não sentia. Agora ele ia ver o quanto valia a mulher que Deus lhe dera. Agora teria de se apoiar na nora ou nela, Ana, pois precisava de quem lhe fizesse a comida, lavasse a roupa, cuidasse da casa. Precisava, enfim, de alguém a quem pudesse dar ordens, como a uma criada. Henriqueta Terra jazia imóvel sobre a mesa e seu rosto estava tranqüilo.

No outro dia pela manhã enterraram-na perto do Lucinho, no alto da coxilha, e sobre o seu túmulo plantaram outra cruz feita com dois galhos de guajuvira. Quando voltavam para casa, soprava o minuano sob um céu limpo e azul. Maneco e Antônio iam na frente, com as pás às costas.

"As mesmas pás que cavaram a sepultura do Pedro" — pensou Ana, que descia a encosta puxando o filho pela mão.

À noite Pedrinho, que dormia abraçado à mãe, apertou-a de leve e cochichou:

— Mãe.

Ana Terra voltou-se para ele resmungando:

— Que é?

— Está ouvindo?

— Ouvindo o quê?

— Um barulho. Escuta...

Ana abriu os olhos, viu a escuridão e ouviu o ressonar de Maneco.

— É o teu avô roncando — disse.

— Não é, não. É a roca.

Sim, Ana agora ouvia o ruído da roca a rodar, ouvia as batidas do pedal, bem como nos tempos em que sua mãe ali se ficava a fiar e a cantar. Mas procurou tranqüilizar o filho:

— Não é ninguém. Dorme, Pedrinho.

Ficaram em silêncio. Mas não puderam dormir. Ana escutava o ta-ta-ta da roda, que agora se confundia com as batidas apressadas de seu próprio coração e com o coração de Pedro que ela tinha apertado contra o peito.

Devia ser a alma de sua mãe que voltava para a casa à noite e, enquanto os outros dormiam, punha-se a fiar. Sentiu um calafrio. Quis erguer-se, ir ver, mas não teve coragem.

— É ela, mãe? — sussurrou Pedro.

— Ela quem?

— A vovó.

— Tua vó está enterrada lá em cima da coxilha.

— É a alma dela.

— Não é nada, meu filho. Deve ser o vento.

Em outras madrugadas Ana tornou a ouvir o mesmo ruído. Por fim convenceu-se de que era mesmo a alma da mãe que vinha fiar na calada da noite. Nem mesmo na morte a infeliz se livrara de sua sina de trabalhar, trabalhar, trabalhar...

(*O Tempo e o Vento*, "O Continente", Porto Alegre, O Globo, 1956, t. I, pp. 185-189.)

O excerto que acabamos de ler pertence à trilogia *O Tempo e o Vento*, com que Érico Veríssimo atingiu o pináculo de sua criatividade literária. Dividida em três partes fundamentais, por sua vez desmembradas em capítulos de acordo com a personagem central, a obra apresenta nítida coloração épica, sobretudo no primeiro volume, de que se extraiu um trecho do episódio talvez mais denso e mais bem conseguido, referente a Ana Terra. Pondo em relevo um tipo humano de grande riqueza interior, sem embargo de seu humilde *status*, a ação transcorre no imperfeito do indicativo. Com isso, o novelista afastava para longe o tempo da fabulação e concomitantemente atribuía ao transcorrer da história um halo de eterno retorno, vizinho da lenda, dos contos de fada ou das narrativas bíblicas. Aliás, para corroborar tal parecença, o trecho passa-se sob o signo do tempo, um tempo mítico, suspenso fora do calendário e de nossa memória, em consonância com o título geral da trilogia. Tanto assim que é na dimensão do tempo que as personagens adquirem consistência física e psicológica: "Ana compreendeu subitamente que para ela a vida estava terminada", identificada que fora com o tempo e o vento (cf. parágrafo iniciado por "Muitos anos mais tarde"); Maneco, voltado para dentro de si como a admirar o tempo para sempre imobilizado em seu subsolo mental, não diz palavra; e Pedro, ainda menino, age como transparente ou invulnerável às horas que escoam sem cessar. Não obstante, o tom narrativo é linear, a sucessão de acontecimentos monta-se em ordem cronológica rigorosa, e os fatos prevalecem sobre as causas ou o sentido profundo. Estrutura típica de novela, inclusive pela linguagem, clara, direta, exata, de instantânea comunicabilidade. Por último, note-se o movimento da roca nas linhas finais que, corporificando o ar de lenda ou de caso folclórico que atravessa o excerto, deixa aberto o espaço à imaginação do leitor e do ficcionista: o primeiro, dá largas à fantasia para suprir com os dados subjetivos as reticências do texto e arquitetar sua interpretação; o segundo, franqueia um caminho à própria inventividade e a uma zona psicológica de múltipla conotação, assim realizando o ideal de todo prosador de ficção.

CORNÉLIO PENA

Nasceu em Petrópolis, a 20 de fevereiro de 1896, mas no ano seguinte é levado pelos pais para Itabira do Mato Dentro, cidade mineira que lhe deixaria indeléveis lembranças na memória. Em 1901, depois de passagem pelo Rio de Janeiro, transfere-se para Campinas, onde realiza estudos primários e secundários. Vindo para S. Paulo em 1913, ingressa na Faculdade de Direito e forma-se em 1919. Muda-se para Niterói, onde se dedica ao jornalismo e às artes plásticas. Em 1935, publica *Fronteira*, seu primeiro romance. Casa-se em 1943, após viver dois anos em São Paulo. Faleceu a 12 de fevereiro de 1958, deixando ainda três romances (*Dois Romances de Nico Horta*, 1939; *Repouso*, 1948; *A Menina Morta*, 1954), e fragmentos de um outro (*Alma Branca*), reunidos num volume em 1958, pela Ed. Aguilar, do Rio de Janeiro.

Fronteira

Romance em forma de diário, gravita em torno do conflito místico-passional entre o Narrador e Maria Santa, que fazia jus ao apelativo graças aos "milagres" que praticava. Num clima irreal, as páginas do diário registram os encontros das personagens num casarão sombrio do interior mineiro, que culminam pela morte da heroína. Os fragmentos que se vão ler, surpreendem alguns momentos dessa vida, paixão e morte de uma crente em perpétua dúvida.

XXIII

— É verdade, — disse Maria Santa.

E eu despertei como de um pesadelo, e percebi que deveria ter recitado o que dissera, como no teatro, tomando, insensivelmente, as entonações e gestos convencionais dos artistas.

Maria Santa, abstraída e conservando sempre o seu meio sorriso, interrompera-me com ligeira impaciência, e agora tomava a atitude discreta e embaraçada das pessoas que querem e não querem, ao mesmo tempo, que nos apercebamos de que elas nos acham risíveis.

— Sei que você tem sofrido muito — continuou, fazendo os mesmos movimentos e tomando o mesmo timbre de voz que eu — sei que você tem sofrido, e que o "sombrio mistério de sofrimento e mal moral" de que você me tem falado tantas vezes...

Parou de falar, e fechou os olhos ruborizada, como se revivesse uma visão vergonhosa, e a sua voz tornou-se, de repente, sincera e trêmula, quando murmurou: tenho pena de nós...

Reabrindo os olhos depois disse-me com tranqüilo desdém:

— Mas você continuou — e repetiu — você continuou...

XXVIII

Outro dia nossos olhos se encontraram, quando nos achávamos em uma das salas internas. E sentimos que eles nos denunciavam, simultaneamente.

— Mas aqui nada se passa! — exclamou Maria Santa, com febril impaciência — e eu não quero saber das mentiras que me cercam, ou que quem quer que seja venha me contar!

Era estranha a crescente perturbação que se fazia sentir em sua voz e nos seus olhos, que se desviavam medrosamente dos meus, enquanto eu a seguia, acompanhando o ritmo maquinal de seus passos muito largos, um pouco arrastados, pois estava abstraída do que a cercava, tirando de seus lugares a manga de vidro, os castiçais e as flores de madrepérola, que nunca saíram de sobre os aparadores.

Andamos assim por algum tempo, até que sua agitação se acalmou de repente, e, com um meio sorriso, ela parou diante de mim, envolvendo-me com as emanações de seu corpo e de seu vestuário, que formavam um perfume esquisitamente místico:

— Você odeia Tia Emiliana, e quer...

E chegou-se bem perto de mim, roçando-me quase com seu vestido monacal, e acrescentou, ciciando com mistério:

— Eu sei o que é, mas não são todos os que recebem a Graça.

Fitei-a com espanto, e só então, como uma revelação, notei que modificara o seu penteado de tantos anos, os cabelos bem puxados para trás, sem uma onda, sem um repartido que suavizasse a sua violenta simplicidade.

Agora o seu rosto aparecia-me emoldurado por dois bandós muito lisos e negros, lembrando uma dessas imagens litográficas de "Madona" popular, de uma tocante banalidade. Mas em Maria, o contraste entre sua pele morena e pálida, os seus olhos muito verdes, iluminados interiormente, e o negror de sua cabeleira, caindo pesadamente na nuca, em um só laço enorme, tirava toda a idéia banal ou vulgar que se lhe pudesse atribuir.

Maria Santa perturbou-se de modo visível, diante de meu exame, com o meu olhar interrogador, e levou num gesto instintivo, as mãos à cabeça, enquanto uma onda de sangue quente cobria o seu rosto de intenso rubor.

E de novo ficou impaciente, agitando as mãos vertiginosamente e contraindo os lábios em forte ríctus.

— Demônio! — murmurou sem se voltar para mim, e, depois de algum tempo, movendo rapidamente os lábios, como se rezasse, retirou-se em silêncio.

XXXI

Observei Maria Santa com admiração. Ela nunca me dissera tanto, e aquele instante de aproximação e de denúncia também a mim me fazia medo e me dava vontade de fugir para muito longe, e nunca mais vê-la, nem o seu remorso.

Nos últimos tempos, cada vez mais soturna, evitava sempre tocar, de leve que fosse, nos assuntos que sabia me interessavam incessantemente.

Mas toda a sua animação de há pouco desaparecera.

O seu olhar tornou-se fixo, o rosto sério, impassível.

Ela também fugia, espavorida. Parecia que estava longe dali, como se o seu espírito se tivesse retirado subitamente, deixando perto de mim apenas o seu corpo imóvel.

Muitas vezes eu já surpreendera essa atitude estranha de Maria Santa, que, habitualmente, se incorporava de novo, dentro de poucos minutos, como se nada se tivesse passado.

Mas desta vez não foi assim, e, decididamente, viria a "alguma coisa" que eu esperava há tanto tempo. Tive afinal o arrepio angustioso que tanto desejava, e que marcaria aquele momento em minha vida, e fiquei também imóvel diante dela, encarando ansiosamente os seus olhos baços, à espera. E fiquei muito tempo assim, até que, de repente, sem que eu percebesse a transição, senti Maria agarrada convulsivamente ao meu braço, e dizendo com raiva, com dor, em um ímpeto que, não sei explicar porque, me pareceu sacrílego:

— Não sou digna! mas, não sou digna! agora é tarde! depois do que se passou é tarde! é tarde!

Mas alguma coisa a chamou a si, porque logo se acalmou, e apontou para a porta de um quarto que dava para a sala interna onde estávamos, e disse com seca ironia:

— Está me observando? quer saber tudo? quer ver a verdade? Ali, atrás daquela porta, naquele quarto está a verdade.

E repentinamente, ajoelhou-se e beijou o chão, sem proferir palavra, e sem que eu pudesse distinguir se o seu movimento era automático ou sugerido por alguma intenção religiosa. Do lado oposto a imagem de Nossa Senhora das Vitórias, do alto, dominava toda uma parede da sala, mas foi diante da porta que me indicara, que Maria se prosternou.

Depois, levantou-se calmamente, o rosto tranqüilo, e saiu para o jardim, fechando com precaução, atrás de si, a meia-porta.

Fiquei muito tempo na mesma posição, e as reflexões de toda a sorte que me assaltaram, não eram bastantes para afastar de mim a luta que se travara entre a curiosidade e a vergonha de ir mais além, que me empolgavam ao mesmo tempo. Finalmente, com gesto brusco, e sentindo todo o sangue subir-me à cabeça, abri a porta de par em par...

XXXIV

Nessa mesma noite, muito mais tarde, passeando no jardim silencioso e devastado, eu senti uma presença misteriosa, e a escuridão parecia viver, palpitando lentamente e fazendo perceber o seu respirar surdo.

— Deve ser do rio, e de algum animal morto aqui por perto — disse Maria Santa, respondendo à pergunta que me fazia interiormente. — Mas o frio está esquisito. Passa por nós, e depois volta, como se fosse alguém que quisesse...

Calou-se subitamente, porque justo nesse momento a presença invisível passou por nós, e o mesmo arrepio que me fez estremecer, sacudiu as espáduas de Maria em um choque brusco.

Murmurei, dominando os nervos:

— Vamos embora, se você está com medo...

— Mas você é que está com medo... — respondeu-me, e deu uma risada clara, mas logo imobilizou-se, rígida, à escuta, como se esperasse a resposta ao seu desafio.

Depois, afastou-se de mim, perdendo-se na sombra, que se tornara espessa, compacta, como se tivesse caído sobre mim um bloco de massa negra.

Fiquei por muito tempo esperando, espreitando, perscrutando ansiosamente em torno de mim, e, sentindo-me cada vez mais longe, cada vez maior o meu abandono.

Talvez até mesmo eu me fora, também, e ali ficara somente o meu fantasma, entre os outros fantasmas que pareciam rondar furtivamente o jardim.

Senti, depois, uma mão trêmula agarrar-me o braço, e unhas em garra enterraram-se na minha carne. Um bafo quente chegou-me até à boca, adocicado e morno, e senti que todo o meu corpo se encostava a outro corpo, em um êxtase doloroso e longo, inacabado e insatisfeito...

Quando voltei a mim, procurei afastar com violência o monstro que viera das trevas, mas estava só de novo, e voltei para casa, sem procurar explicar o que me sucedera, e, já no meu quarto, lavei a boca, o rosto e as mãos, como o fazem os criminosos, apagando os vestígios de seu crime...

LXV

Maria Santa pusera-se a falar baixinho coisas que não se repetem, e que eu ouvia em silêncio, com o rosto entre as mãos e tendo-me apoiado a uma arca. Tinha receio de interromper, se dissesse uma palavra, se fizesse um só gesto, aquele sonho em que ela se perdia, segredando para alguém, que não era eu, e sim o seu confidente habitual e invisível, e a quem parecia querer explicar a confusão dolorosa de seus desejos, de seu corpo e de seu espírito.

Ele estava entre nós, mas estava só nela mesma, e eu percebia a dor sagrada daquela confissão, o trêmulo orgulho com que era feita, a alegria lenta e sobre-humana da libertação que representava, em sua maravilhosa simplicidade, em sua nitidez absoluta, em comunhão com a terra.

E não pude resistir por muito tempo àquela violação, que praticava involuntariamente, e agitei-me para evitar que a atmosfera se cristalizasse entre nós.

Em seu delírio frio, em sua febre de fantasma, os seus olhos, apesar da visível inconsciência em que estavam mergulhados, eram tão estranha e profundamente humanos, que me assustaram, quando me debrucei sobre eles, e me veio uma vaga vontade de apagar de qualquer forma aquele raio luminoso, tão puro, tão transparente em sua divina inocência, em tamanho contraste com as palavras que meus ouvidos escutavam, e que me confundiam e me enlouqueciam em sua embriaguez doente, em sua morosa deleitação.

Lembrei-me, então, de tantas coisas que fizera involuntariamente, sob o impulso de muitas razões, todas contraditórias, e irritei-me, reconhecendo que decerto faria muitas outras ainda, e talvez as mesmas, mas voluntariamente...

(*Fronteira*, Rio de Janeiro, Ariel, 1935,
pp. 46-47, 60-62, 69-71, 79-80, 170-171.)

"Um dos romances mais singulares da moderna literatura brasileira", no dizer de Tristão de Ataíde (artigo publicado em *Fronteiras*, Recife, novembro de 1936, e reproduzido em *Romances Completos*, Rio de Janeiro, Aguilar, 1958, pp. 3-4), *Fronteira* se inscreve, bem como as demais narrativas de Cornélio Pena, na área da ficção introspectiva, que entre nós se instalou contemporaneamente ao romance nordestino de cunho social. Refletia o romance europeu dos anos trinta voltado para o problema da condição humana, notadamente a do católico oscilante entre a Fé e o Pecado; e, até certo ponto, o psicologismo machadiano. Nos capítulos transcritos, presenciamos o embate entre os dois protagonistas, o Narrador e Maria Santa, atraídos pelo Pecado e afastados pela Fé, numa antítese dramática envolta em "sombrio mistério de sofrimento e mal moral". Nessa atmosfera rarefeita, a ação se dilui, é tão-somente esboçada ou sugerida, como se contemplássemos as sombras difusas de seres esquivos, quase incorpóreos, travando diálogos sibilinos, desconexos, carregados dum sentido oculto, como se a lógica do pensamento se estilhaçasse em fragmentos que deixam submersas frases inteiras ou evocam, obliquamente, atitudes assumidas nos interstícios e que mal podemos imaginar. Ao mesmo tempo, iluminados por uma luz sobrenatural, cada palavra ou gesto neles ecoa profundamente, num clima onde o gratuito desaparece em favor de um providencialismo — ou fatalismo — apenas redimido pela confissão em "delírio frio, em (...) febre de fantasma", e pela morte. Transcorrendo "na 'fronteira' entre o sonho e a realidade, entre o passado e o presente, entre o natural e o preternatural, entre a lucidez e a loucura" (*idem, ibidem*), *Fronteira* não só inaugura um série de romances na mesma trilha como avulta por suas qualidades intrínsecas: além de não transformar o romance em confissão indireta de sua crença, ou "agonia" cristã, — o que redundaria em artificiosidade e malogro — o ficcionista soube criar uma ambiência que, podendo ser típica da Minas interiorana, é universal, e nela descortinar uma figura humana de raro porte em nossa galeria de personagens femininas, e que sai da narrativa para permanecer como protótipo de certa mulher brasileira —, Maria Santa.

LÚCIO CARDOSO

Nasceu em Curvelo, Minas Gerais, a 14 de agosto de 1913. Infância e primeiros estudos em Belo Horizonte. Mudança para o Rio de Janeiro em 1923, onde veio a falecer em 24 de setembro de 1968, vítima de derrame cerebral. Estreou com o romance *Maleita* (1934), entroncado na ficção social em moda nos anos 30. A narrativa seguinte (*Salgueiro*, 1935) ambienta-se no Rio de Janeiro, mas a inflexão costumbrista permanece. Com *A Luz no Subsolo* (1936) enghereda pela ficção intimista, na qual se manteria até o fim: *Mãos Vazias* (1938), *O Desconhecido* (1940), *Dias Perdidos* (1943), *Inácio* (1945), *A Professora Hilda* (1946), *O Anfiteatro* (1946), *O Enfeitiçado* (1954), *Crônica da Casa Assassinada* (1959). Cultivou também a poesia (*Poesias*, 1941; *Novas Poesias*, 1944) e o teatro. Deixou ainda um *Diário* (1961). O trecho que se transcreve a seguir foi extraído d*A Luz no Subsolo*.

A Luz no Subsolo

A narrativa transcorre em Curvelo e Diamantina, cidades mineiras, em torno do casamento desigual de Madalena, pertencente a família bem posta na vida, e Pedro, simples mestre-escola, enfiado nos livros. A tranqüilidade aparente é rompida com a chegada de uma nova empregada, Emanuela, que provoca, com todo o seu esoterismo, a paixão em Pedro e em Bernardo, casado com Cira, irmã de Madalena. E por fim, a presença de Adélia, mãe de Pedro, em franca hostilidade com Madalena, desencadeia a tragédia: tudo termina em loucura e morte.

V

Pousou docemente a mão no trinco e sorriu. Todos os acontecimentos daquela tarde lhe apareciam tão estranhos, que agora, sozinha, custava a reconhecê-los, como se se apresentassem inesperadamente na sua forma natural, despidos de toda a fantasia que os cercara.

Não, — na realidade Madalena pensava que vinha de um sonho — tudo se anulava agora diante da porta que ainda era a porta da sua casa e onde ela ia penetrar, para viver simplesmente como tinha vivido todos os dias da sua vida... Nada se tinha alterado — o aspecto das coisas em torno era o mesmo. Vagarosamente voltou a olhar as aléias úmidas de chuva — a escuridão sepultava as grandes árvores e os girassóis ressecados espremiam-se dolorosamente sem nenhum encanto, com as ramas, pesadas de sono, roçando a lama fria da terra. Um sentimento absurdo de terror empolgou-a — sentiu completamente o quanto lhe era estranho aquele lugar, aquela mesma terra onde dias antes tinha se estendido nua. Moveu a cabeça, compreendendo que o mundo absurdo que tinha repelido momentaneamente voltara a se apossar de novo do seu ser. Alguma coisa imprevista se passava com ela. Não era um sentimento conhecido aquele que lhe tornava a própria casa estranha — não era sequer uma sensação efêmera e de ordem habitual, mas alguma coisa profunda que ia rompendo no seu espírito um sulco de sangue. O vago acabara de se colocar subitamente onde tantos sentimentos e tantas angústias tinham criado um clima comum — ansiosamente, a mão pousada ainda no trinco, Madalena sondava a profundeza dessa transformação.

Cada um de nós possui duas partes distintas — a que ama o sofrimento e a que repele violentamente esse mesmo sofrimento. Essas duas partes podem estar por muito tempo ou ainda constantemente em equilíbrio; são razões que se oferecem com o mesmo valor e transformam a vida do mesmo modo que a tormenta encrespa as ondas de um lago. Talvez chegue um dia, onde para sempre uma dessas partes se extinga. É como uma porta, largamente aberta para o tempo, que o vento, repentinamente mais forte, girou nos velhos gonzos e fechou para o resto da existência. Então, nenhuma força mais conseguirá abri-la, nenhuma imprecação, nenhum soluço, nenhuma promessa vã lançada com os lábios da agonia. O que se foi não volta mais — e agora o amor será eterno ou a solidão crescerá como as urzes nos campos que o sol inutiliza.

Madalena sentira que uma dessas partes do seu espírito mergulhara na sombra — e o seu espanto foi tão grande que ela se ergueu de ímpeto — "será possível? o que eu amava antes não era senão isso, esse vazio, esse nada que vinha se colocar no lugar de alguma coisa que recuava como um fantasma perseguido pelo tempo?" — e aquele grito varou o seu coração com tal força, que foi obrigada a se apoiar, a vista escura, as mãos trêmulas. Entretanto, ainda agora, procurava com angústia renovar o charme perdido dos fatos passados. Inutilidade dos gestos que já se realizaram e não se repetem... ah! — o encanto da vida é o fulgor de um momento que se separa da massa pesada habitual e nos embriaga com o seu vinho e a sua luz particular. Reencontrá-lo é difícil... e as recordações não dormem...

Podia pesar, se quisesse, o valor de tudo aquilo que se fora — como sentia à sua presença, desencadear-se toda uma atmosfera ardente de paixões; agora, nesse instante breve, percebia ainda a beleza do seus movimentos e todo o amargo prazer que era aquela inquietação arrancada do fundo da sua carne por um riso ou uma palavra sua...

Compreendia a que regiões profundas descia a sua miséria, sabendo que apesar de tudo nada podia fazer senão amá-lo, amá-lo ainda e sempre, se bem que esse amor se situasse na percepção constante do sofrimento que a sua individualidade lhe causava...

E tudo estava irremediavelmente morto. Madalena olhou ainda uma vez o jardim vazio, o longo céu carregado de nuvens escuras e pesadas e percebeu que estava só e que coisa alguma conseguiria romper essa solidão. Permaneceu assim durante algum tempo, investigando friamente a sua inquietação, com uma intensa consciência das suas forças, dos seus direitos. Empurrou a porta e entrou. Ainda sob a impressão da descoberta que viera de fazer em si própria, deteve-se um instante na sala escura, enquanto a porta aberta se movia ao vento e, de repente, como se uma decisão repentina a dominasse, correu para a escada e galgou-a rapidamente. Já no alto, lembrou-se da porta e ouvindo um leve estalo na madeira do assoalho estacou transida de terror, se bem que esse terror lhe aparecesse ao mesmo tempo como um sentimento pueril e injustificado. Mas, voltando bruscamente a cabeça para trás, julgou distinguir o rápido esquivamento de um vulto — uma sensação fugidia à flor da pele, uma sombra que desliza, um novo estalo no assoalho. "Quem está aí?" — indagou com voz opressa. Um pesado silêncio tinha se derramado de novo pela casa — escutou durante alguns minutos e, como nada mais ouvisse, julgou-se vítima de uma alucinação, caminhando diretamente para o seu quarto. Ao mesmo tempo, a impressão de uma pessoa presente foi tão forte, que o seu coração sobressaltado obrigou-a a se encostar por um momento na parede. Uma sinistra tranqüilidade reinava sobre a casa. Madalena procurou então vencer a própria angústia e voltando atrás, penetrou bruscamente no gabinete onde horas antes tinha deixado Pedro adormecido. O escuro era completo — as cortinas estavam cerradas e um calor sufocante dominava na sala. Vagamente, na sombra, julgou distinguir uma figura imóvel e nesse mesmo instante, constatando que a proximidade de Pedro não lhe trazia mais a antiga alegria dolorosa, percebeu que pelo contrário, sentia uma impressão de mal-estar e de alívio ao mesmo tempo, como se de si para si, murmurasse: "este homem cuja presença me é penosa, nada mais significa para mim". Num impulso rápido, como vinha se movendo desde o princípio, correu para a janela e puxou os cordões da cortina — uma débil claridade, uma penumbra quase, diluiu-se docemente no escuro. Quando ela se voltou, a figura imóvel estava quase perceptível — era Pedro e parecia dormir ainda. Sem saber por que, sentiu uma imensa sensação de desgosto — chegou a sorrir levemente, diante do rosto pálido, quase espectral, que se abandonava ao sono. Forças desconhecidas agitavam agora os movimentos de Madalena — sentia crescer no seu espírito uma certeza inabalável, enquanto o alívio, percebido momentos antes, se avolumava de uma maneira considerável, ao ponto dum grito de vitória despedaçar-se subitamente na sua garganta. Continuava contemplando o homem adormecido e compreendia, como se um véu viesse se rompendo sobre o mistério dos seus atos passados, a razão por que, dias antes, percebera com tanta nitidez a transformação que sofrera aquele rosto. Não mais a beleza de linhas puras, a palidez que lhe dava um tom qualquer de imaterialidade — pelo contrário, uma expressão tormentosa e vulgar, uma claridade de face macerada pela doença, como esses velhos santos de cera que amarelecem nas sacristias abandonadas. De toda aquela fisionomia fechada no silêncio e na ignorância exterior, partia uma irradiação antipática de egoísmo e de sarcasmo — nas narinas que se moviam levemente, esse mesmo egoísmo marcava até à curva dos lábios um rítus duro e angustioso de alegria: odiava-o, odiava-o, tinha-o sempre odiado, desde o primeiro dia em que o conhecera! Nada se parece tanto nessas criaturas solitárias como o amor e o ódio; nada se confunde mais e nada se realiza de um modo tão puro como esses dois sentimentos.

Madalena também se iludira. Imóvel na sombra, o coração agitado, ia forçando o seu próprio reconhecimento: sabia agora, porque minutos antes tinha percebido de um modo tão brusco a sua solidão e porque essa solidão lhe tinha aparecido como algo inalterável... Ela era um desses temperamentos votados à distância das alegrias e dos contatos humanos e que sonham com o calor dessas alegrias e desses contatos, justamente porque não podem respirar dentro deles.

(*A Luz no Subsolo*, Rio de Janeiro, José Olympio, 1936, pp. 396/400.)

517

Lúcio Cardoso é uma das figuras mais representativas da ficção intimista e introspectiva dos anos 30. Com ascendente em Dostoiévski e Ibsen, dentre outros, a sua visão da realidade situa nos dramas íntimos, ou nas ressonâncias íntimas das tensões entre as personagens, o fulcro das questões sociais. *A Luz no Subsolo* é, neste particular, muito expressivo: as poucas páginas que foi possível transcrever surpreendem um momento, entre vários outros, em que a interioridade da protagonista, Madalena, é devassada pelo olhar do narrador. O foco narrativo é o da terceira pessoa, mas o tom e a densidade são da primeira, uma vez que os conflitos íntimos assomam à luz do dia como se extraídos diretamente do inconsciente da heroína. Ou como se ela se revelasse a si própria à medida que ia percorrendo o labirinto dos seus sentimentos, ou franqueasse a sua intimidade ao "outro" que a espionava com a sua incansável retina. Afinal, ela vivia os embaraços e os tumultos de uma incessante autodescoberta: "forças desconhecidas [lhe] agitavam agora os movimentos". Note-se que, na verdade, não sabe ela, nem sabe o narrador, se tudo quanto sentia não era, ao fim de contas, um sonho, já que se tratava de um "mundo obscuro" que aos pedaços se desvelava à sua consciência. Daí a sensação de angústia, de solidão, de terror, de absurdo, de estranheza, que a personagem experimenta, denotando "que uma dessas partes do seu espírito mergulhara na sombra". Ou seja, Madalena encaminhava-se a passos largos para a demência, como resultado natural de que "tudo estava irremediavelmente morto". Observe-se que os breves sinais de ação exterior, como o abrir a porta ou contemplar o sono do marido, mal se desenham no espaço em que se desenrola toda a ação, interior. O clima é tenso, dramático, sugerindo tragédias, como se uma "luz no subsolo" iluminasse os estratos profundos da mente, onde pulsam freudianamente sentimentos contrários, que a dualidade ódio x amor, vida x morte, bem x mal, tão bem simboliza. É que, como sublinha o narrador, "nada se parece tanto nessas criaturas solitárias como o amor e o ódio; nada se confunde mais e nada se realiza de um modo tão puro como esses dois sentimentos". Lúcio Cardoso sonda o flanco obscuro das criaturas, revelando-lhes os conflitos que, decorrentes da falta de um suporte transcendental, arrastam à loucura e à morte. E procede dum tal modo que, sendo peculiar aos anos 30, vale ainda hoje como retrato dos dramas insolúveis da condição humana. Arquitetado como um caleidoscópio, *A Luz no Subsolo* oferece ângulos novos dos mesmos ingredientes dramáticos, à proporção que a heroína se embrenha no seu túnel de sombras. As páginas transcritas, embora escassas, mostram-no nitidamente, como também sugerem a existência de uma tese (moral), implícita na sondagem psicanalítica. O domínio da arte de narrar, que aqui igualmente se descortina, é servido com maestria por um estilo plástico, fluente, por meio do qual o realismo dos primeiros romances do autor continua visível, emprestando ainda mais verossimilhança às sutilezas da vida psicológica trazidas à luz do dia.

OCTAVIO DE FARIA

Nasceu a 15 de outubro de 1908, no Rio de Janeiro. Após os estudos primários e secundários, formou-se pela Faculdade de Direito do Rio de Janeiro, em 1931. Nesse mesmo ano, dá a lume um ensaio, *Maquiavel e o Brasil*, que lhe decide a vocação de escritor. De então para cá, além de colaborar na imprensa, vem escrevendo outros livros. Em 1937, publica *Mundos Mortos*, início de uma obra cíclica, sob o título geral de "Tragédia Burguesa", em treze volumes: *Os Caminhos da Vida* (1939), *O Lodo das Ruas* (1942), *O Anjo de Pedra* (1944), *Os Renegados* (1947), *Os Loucos* (1952), *O Senhor do Mundo* (1957), *O Retrato da Morte* (1961), *Ângela ou As Areias do Mundo* (1963), *A Sombra de Deus* (1966), *O Cavaleiro da Virgem* (1970), *O Indigno* (1973), *O Pássaro Oculto* (1979). Ainda publicou ensaios (*Destino do Socialismo*, 1933; *Dois Poetas*, 1935; *Cristo e César*, 1937; *Fronteiras da San-*

tidade, 1940; *Significação do Far-West*, 1952; *Coelho Neto*, 1958; *Pequena Introdução à História do Cinema*, 1964), teatro (*Três Tragédias à Sombra da Cruz*, 1939) e novelas (*Novelas da Masmorra*, 1966). Faleceu a 17 de outubro de 1980, no Rio de Janeiro.

Mundos Mortos

Primeiro volume da série "Tragédia Burguesa", publicado em 1937, gira em torno dos dramas religiosos e sexuais de um grupo de estudantes de internato católico, no Rio de Janeiro. Padre Luís, Ivo, Branco, Carlos Eduardo são algumas das personagens agitadas por conflitos que surgem da luta contra as "tentações", a dicotomia Bem e Mal, a tomada de consciência da morte e a descrença que gera. Romance de adolescentes, fixa a experiência juvenil da crise interna da Burguesia, cujo retrato constitui o objetivo último do ficcionista na elaboração de seu ciclo romanesco.

No trem, de volta de S. Paulo, Ivo vinha, justamente nesse momento, pensando em problemas bem semelhantes aos de Branco, ainda que caminhando em sentido bastante diverso. Depois de uma noite terrível, passada em claro, embarcara ainda meio desnorteado e viera todo o tempo raciocinando sobre as mesmas coisas, incansável em percorrer sempre os mesmos caminhos.

Uma idéia, entre todas, atormentava-o como uma espécie de tema inicial para uma série de divagações posteriores: se aquele era o tratamento que se recebia de Deus, quando se chegava a ser bom como Carlos Eduardo, então, para que merecer? Bastava esse absurdo para destruir tudo mais. Se, por detrás daquela miséria, permitindo-a, estava Deus, — o Deus de bondade, o Deus de misericórdia e justiça de que Branco tanto lhe falava — então, ele, Ivo, não queria nem mesmo ouvir falar em Deus. E até tomava partido entre os que o combatiam.

Estava decidido a dizer aquilo tudo a Branco assim que estivesse com ele. Faltavam ainda umas duas horas para a chegada, mas, era como se a conversa já fosse principiar. E punha-se a imaginar como Branco iria conseguir justificar o sucedido. Essa morte absurda, injusta, inútil, revoltante, como explicá-la? A escolha de Carlos Eduardo, entre tantos mil, como compreendê-la? Chegara, simplesmente, a sua hora — poderia responder Branco. Mas então, — pensava ele — que hora era aquela, tão cedo, tão no começo ainda, tão desesperadoramente inoportuna? Um engano? Nesse caso, como atribuir a Deus, à Providência, uma insanidade daquelas?

O trem parara numa estação. Ivo desceu para tomar café. A mudança de ambiente o chamou um pouco a si. Percebeu que, a julgar pelas palavras, já não era propriamente a Deus, porém a Branco que, sem querer, estava responsabilizando, na sua onda de indignação. Sorriu, contrafeito. Verdadeiramente, estava exausto. Já não regulava bem seus pensamentos. Era preciso se reanimar um pouco com aquele café quente e deixar de lado, até a hora da chegada, aquelas idéias já inutilmente mexidas e remexidas durante longas horas.

No entanto, quando voltou para o vagão, estava de novo pensando nas mesmas coisas de pouco antes. Apenas, variara um pouco o caminho. Dessa vez, começava se insurgindo contra a idéia de querer responsabilizar quem quer que fosse pela morte de Carlos Eduardo. Não havia ninguém com culpa. Deus, muito menos que qualquer outro — Deus que, na verdade, não existia... Estava convencido disso. Branco se enganava, como André, como tantos — como padre Luís e ele próprio, no tempo ingênuo do colégio e do primeiro chamado do mundo a que soubera responder tão mal. Deus era apenas o medo que tinha de uma luta pressentida na sua violência esmagadora...

E Ivo pensava: responsável, propriamente ninguém. Ninguém podia ser responsável por um disparate daqueles. E Deus, esse, certamente não existia. Dizia-o bem alto, para que se convencesse de vez. O que existia, era um mundo torto, errado, caótico, tão visceralmente desordenado que, nele, tudo podia acontecer indiferentemente, até mesmo a morte de Carlos Eduardo. Um mundo triste que, naquele momento, execrava acima de tudo mais — um mundo repleto de pessoas más e viciadas que viviam para fazer mal umas às outras — como ele próprio, aliás, em tantas ocasiões — e como algumas pessoas boas, como Branco, como Leopoldo, que se enganavam totalmente, acreditando em forças superiores ou numa Providência capaz de governar o universo...

O trem se pusera de novo em marcha, aumentando logo a velocidade para recuperar alguns minutos perdidos. Ivo não o notou, porém. Nem mesmo prestou atenção à paisagem que se desdobrou ante ele, comumente, de todo o percurso, o trecho que mais lhe agradava. Não via nada de bonito, naquele fim de tarde tão triste — apenas, pressentia a aproximação de um grande temporal. O que via, realmente, naquele instante, era o mundo, — o mundo inteiro, em vez daquele trecho de região montanhosa — o mundo hostil em que a morte vinha, traiçoeira e estupidamente, arrebatar Carlos Eduardo no melhor momento de sua existência, como se já estivesse esgotado ou não merecesse viver. Aquilo, sim, era o mundo. Aquilo e não a "obra do Criador" de que a cegueira de Branco tanto falava.

E o olhar mergulhado na paisagem, sem vê-la no entanto, sem nem sequer notar que a chuva começara a cair com grande violência. Ivo tentava se convencer da impossibilidade de acreditar na "Providência Divina" quando um automóvel matava Carlos Eduardo daquele modo revoltante e ele acabava de viver, em plena tranqüilidade, talvez uma das semanas mais repelentes de que se recordava. Sinal de Deus naquilo tudo, "vontade de Deus", "caminhos da Providência"? — contassem isso a outro, não a ele, que não nascera na véspera! Sabia o que acontecia, o que os homens de olhos abertos costumavam ver... E o que ele próprio via, não era diferente: um mundo desumano onde forças terríveis, algumas invencíveis, rondavam dia e noite sem descanso, cobiçando todas as coisas que mereciam um certo interesse, até conseguir devorá-las ou destruí-las por completo. O mundo, era isso: ele, vencido, incapaz de fazer mais nada, de resistir à sedução daquela vida imunda a que se ia habituando aos poucos, e só deixara mesmo devido àquela súbita catástrofe — Carlos Eduardo, triunfante, seguro de si, de seu destino, (a última carta que recebera dele não deixava dúvida, nesse sentido... — uma carta linda de tranqüilidade, de pureza, de força viva, quente, nobre...) um belo dia, subitamente atropelado e morto por um automóvel qualquer... E o mundo era, também, as outras criaturas que conhecia, todos miseráveis, todos fracos, incrivelmente covardes, incapazes de viver em paz consigo mesmos, incapazes de se tornar felizes — dessa felicidade consciente e triunfante que, estava convencido, devia existir para todos, de outro modo não sendo possível acreditar na existência de Deus.

Se o mundo era assim, e não havia como duvidar, — pensava Ivo — então Branco estava errado, tremendamente errado. E não sabia nem mesmo o que estava fazendo. Seu esforço seria vão. Vã aquela pureza, aquele heroísmo, que tanto admirava, apesar de duvidar fundamente dos resultados finais. Por mais forte que fosse, um dia ou outro Branco teria de fracassar, lamentavelmente, como todos os outros. Pois, não vivia no mundo, rodeado de todos os lados por forças hostis? Não sabia o que acontecia sempre?... Que pretendia? A morte numa rua mais movimentada, ou na que se atravessou mais devagar ou com um pouco menos de cuidado? Ou uma bala perdida num conflito em que se tivesse visto envolvido de surpresa? O mundo era assim. Inútil procurar se iludir, porque era assim mesmo.

A indignação levou Ivo até os domínios de Pedro Borges. Pedro Borges, — pensou logo — é um crápula. Seguramente, um crápula. O inegável, porém, é que parecia conhecer a vida melhor do que qualquer outro. Conseguia aproveitá-la, conseguia não se deixar lograr. Sem a menor dúvida, o fazia de um modo repugnante, "porco" como dizia o insuspeitado Leandro. Mas, a morte não o lograria mais — já tivera uma parte bem grande, era ele próprio como que 'uma espécie de vingança antecipada do fim estúpido de Carlos Eduardo.

E depois, — pensava Ivo — havia outros meios de aceitar a vida, além do de Pedro Borges. Era, aliás, o ponto de vista de Leopoldo, de Leandro — o velho e tão discutido ponto de vista de João, no Colégio... Lembrava-se até de uma frase de Leandro, numa discussão entre Leopoldo e Branco, dois anos antes, num aniversário de Carlos Eduardo em que tinham se reunido para conversar, "entre homens"...

— Quando vocês acabarem de discutir, — dissera Leandro — estaremos já todos mortos. E a vida terá acabado para todos, do mesmo modo, — para nós que soubemos aproveitá-la, gozá-la em tudo que nos quis oferecer e para vocês — você, Branco, e outros, como ele — (apontara para Carlos Eduardo, sorrindo, indulgente com o aniversariante...) — que estarão ainda esperando licença dos padres para isso.

Leandro dissera qualquer coisa assim, exatamente assim. — Agora, talvez estivesse modificando as palavras, porém o essencial, sabia, não alterara. Com perfeita exatidão, só se recordava de uma coisa: do indisfarçável espanto de Carlos Eduardo diante da referência de Leandro à sua espera por uma licença dos padres para aproveitar a vida. Do resto, só se lembrava do essencial, daquela afirmação que, agora, traduzia num equivalente: ser Pedro Borges, sem ser Pedro Borges...

De qualquer modo, era o velho tema de João: aproveitar o mais possível sem, no entanto, ir além de certos limites... E sabia bem o que aquela expressão "limites" queria dizer. Era por detrás deles que sentia Branco entrincheirado, armado daquela violência que parecia gritar a todo momento: não existem limites, não podem existir limites... Branco, de longe mesmo já lhe gritava através do temporal que desabara diante dos seus olhos: fora da recusa total, só existe a aceitação absoluta, o afastamento integral de toda e qualquer espécie de barreira. Exatamente como se Branco estivesse querendo afirmar, diretamente em resposta ao que pensara havia pouco: — não é possível ser Pedro Borges, sem ser realmente Pedro Borges.

Ivo teve um movimento de mau humor e prestou um momento atenção à paisagem. A chuva começava a diminuir. E ainda faltava muito para a chegada. O tempo podia ainda mudar duas ou três vezes. Contudo, era inútil, completamente vão, estar remexendo aquelas idéias e conversas passadas. Sabia perfeitamente porque Branco estava errado. Naquela noite mesmo, haveriam de conversar muito sobre aquilo. Abrir-se-ia com o amigo que não via há tanto tempo e cujas cartas se tinham espaçado tanto. Falaria logo da necessidade em que se achava de uma defesa feroz contra o mundo. Mostraria como tinha de aceitá-lo integralmente, cegamente, para não afundar no desespero, no abandono de si mesmo. Como era preciso saber aproveitá-lo, para não ser roubado quando viesse o imprevisível momento da morte... ele que já fora roubado, uma vez, no que tinha de mais precioso na vida e nem sequer percebera...

Não temia as respostas de Branco. Estava disposto a enfrentá-lo, a convencê-lo, talvez, do seu erro. Era só chegar, vencer o choque tremendo dos primeiros encontros em casa. Falaria, logo que estivessem a sós. No entanto, o trem parecia não avançar — e a monotonia daquelas habitações desgraçadas que via disseminadas ao longo da estrada, revelando uma miséria que sempre procurara não ver, irritava-o ainda mais. Tinha a impressão de que estava viajando havia já muitos meses, sem chegar nunca, sem nem mesmo ver se aproximar o momento esperado.

(*Mundos Mortos*, 2ª ed., rev., Rio de Janeiro, Liv. José Olympio, 1949, pp. 316-321.)

Octavio de Faria enquadra-se na vertente introspectiva e católica do nosso romance moderno, como se observa no excerto que se acabou de ler. No tocante ao primeiro aspecto, caracteriza-se pelo emprego do monólogo interior indireto, ou seja, com a participação franca do narrador, o que empresta ao fluxo da consciência relativa ordem, semelhante à implícita no foco narrativo na terceira pessoa: o escritor ainda preside à captação da correnteza mental, demonstrando assim ser parcial a liberdade de pensamento da personagem. Por certo que o monólogo interior direto, efetuado sem a interferência do escritor, ainda resulta da invenção deste, mas o monólogo interior indireto acentua a dependência da obra ao criador. Doutro lado, nota-se que, apesar da sondagem no recesso do "eu", o tom da fabulação é linear, como se na verdade a ação interior exibisse uma unidade lógica, a tal ponto que, retomando o trem sua marcha, o adolescente reata o fio da meditação, em desobediência à verossimilhança. Em igual plano se coloca o segundo aspecto: o romancista afirma que Ivo dizia descrer de Deus e da Providência Divina para se convencer (cf. parágrafos 7º e 8º): embora verdadeira a notação, o ficcionista não permite que emerja da própria ação; ao contrário, prefere apontá-la, a modo de dissertação, o que frustra o protagonista e o leitor. Com base nessa técnica, equaciona-se o problema da existência de Deus, do conflito entre o Bem e o Mal. Examinando mais detidamente o fragmento, vê-se que a descrença de Ivo ("Deus que, na verdade, não existia...") encerra um confronto dramático entre justiça religiosa e justiça política (cf. fim do parágrafo iniciado por "E o olhar mergulhado na paisagem"), o que confere plausibilidade ainda maior à crise de personalidade e de valores que sacode o moço e seus colegas. Todavia, as poucas páginas transcritas podem oferecer uma visão deformada, de vez que a concepção balzaquiana da "Tragédia Burguesa" somente pode ser avaliada na totalidade. A despeito de o estilo manifestar carência de maior polimento, e de a problemática teológica dos adolescentes padecer de relativa inatualidade, Octavio de Faria figura entre os mais dotados ficcionistas de seu tempo, graças ao poder de criar um mundo imaginário em que se concretiza de maneira indelével a profunda mutação cultural dos anos 30 e 40. A ambiciosa ideação ficcional, fielmente cumprida no curso de quarenta anos, guarda um vocação privilegiada de romancista, aqui e ali resvalando no *clichê*, é certo, mas que no geral evidencia uma intuição panorâmica da realidade sem paralelo entre nós.

CIRO DOS ANJOS

Ciro Versiani dos Anjos nasceu a 5 de outubro de 1906, em Montes Claros (Minas Gerais). Na cidade natal, fez os estudos primários, parte dos secundários e a iniciação literária. Transladando-se para Belo Horizonte em 1924, ingressa no curso de Direito. Formado, após tentar a advocacia em Montes Claros, volta a Belo Horizonte, ao funcionalismo público e à imprensa. Em 1946, muda-se para o Rio de Janeiro, onde se torna funcionário da Justiça e, mais tarde, Diretor do IPASE. Entre 1952 e 1955, exerceu as funções de leitor de Estudos Brasileiros no México e em Portugal. Pertenceu à Academia Brasileira de Letras. Publicou três romances (*O Amanuense Belmiro*, 1937; *Abdias*, 1945; *Montanha*, 1956), um ensaio (*A Criação Literária*, 1954) e um livro de memórias (*Explorações no Tempo* (1952). Faleceu no Rio de Janeiro, em 3 de agosto de 1994.

O Amanuense Belmiro

O Amanuense Belmiro consiste numa espécie de diário escrito pela personagem que confere título ao romance. Funcionário público, desiludido, com trinta e oito anos de idade, intoxicado de Literatura, apaixona-se por Carmélia, mas não se atreve a confessar-lhe o sentimento, nutrido que estava de muita fantasia adolescente. Até que um dia a moça se casa com o primo. Desfeito o sonho romântico, Belmiro mergulha ainda mais no tédio que lhe inspira o viver de amanuense. No curso desse tênue fio narrativo, antes sugerido que arquitetado, vão desfilando outras personagens, como Emília e Francisca, velhas irmãs do herói, Jandira, Silviano, Glicério, Florêncio, Redelvim e Carolino. Os capítulos que se vão ler, correspondem ao núcleo dramático da fabulação, ou seja, o conhecimento de Carmélia (Arabela):

§ 6. CARNAVAL

Que tenho eu com os dias que a folhinha assinala? Há dois meses comecei a registrar, no papel, alguns fragmentos de minha vida, e noto agora que apenas o faço em datas especiais. Encontro uma explicação plausível: minha vida tem sido insignificante, e no seu currículo ordinário nem faz, realmente, por onde eu a perceba. Habituei-me às coisas e seres que incidem no meu trajeto usual da Secretaria para o café e do café para a Rua Erê. Tais seres e coisas pertencem, por assim dizer, ao meu sistema planetário, e, entretido com eles, na sua feição mais ou menos constante, vou traçando quase que despercebidamente minha curva no tempo.

Os dias de festa coletiva, introduzindo o elemento multidão na minha esfera e propondo-me novos espetáculos ou novas sugestões, interrompem o equilíbrio do meu pequeno mundo e nele vêm produzir desnivelamentos que suscitam mais fundos movimentos interiores.

Neste carnaval de 1935, hoje começado, mais do que nunca senti de modo tão vivo a impossibilidade de me fundir na massa, de seguir, como célula passiva, seu movimento de translação, de receber e transmitir essas forças misteriosas que nela atuam, comunicando-se de indivíduo para indivíduo e resultando, afinal, numa força uniforme, esmagadora, de onda ou ciclone.

Sinto inutilmente, em mim, uma vaga nervosa que quer acudir ao apelo que a multidão dirige a cada unidade. Quero rir, chorar, cantar, dançar ou destruir, mas ensaio um gesto, e o braço cai, paralítico. Dir-se-ia que há em mim um processo de resfriamento periférico. Os outros têm pernas e braços para transmitir seus movimentos interiores. Em mim, algo destrói sempre os caminhos, por onde se manifestam as puras e ingênuas emoções do ser, e a agitação que me percorre não encontra meios de evadir-se. Reflui, então, às fontes de onde se irradia e converte-se numa angústia comparável à que nos provém de uma ação frustrada.

A multidão me revela, assim, que há coisas extraordinárias, vibrações estranhas, há um mundo diverso do meu e com o qual tentarei, em vão, comunicar-me. No seu bojo, tocamos seres cuja existência nos surpreende quase dolorosamente, tão certos estávamos de que nada havia no espaço além do nosso sistema.

Habituei-me a uma paisagem confinada e a um horizonte quase doméstico. No seu âmbito poucas são as imagens do presente, e muitas as do passado. E se tal vida é melancólica, trata-se de uma sorte de melancolia a que meu espírito se adaptou e que, portanto, não desperta novas reações.

A variação violenta dos quadros, numa noite de carnaval em que fomos abandonados pelos amigos e em que nossa porção de espaço foi invadida por outros seres, leva-nos a um mergulho mais profundo nos nossos abismos. Novas melancolias são despertadas, o homem sofre, e o amanuense põe a alma no papel.

Eis que o amanuense é um esteta: ao passo que há nele um indivíduo sofrendo, um outro há que analisa e estiliza o sofrimento. Talvez fosse preferível ingerir certo vinho capcioso e, sem nenhuma análise, entregar os sentidos à doce música da *Bayadera*, que a radiola derrama no ar.

Mas o homem espia o homem, inexoravelmente.

§ 7. A DONZELA ARABELA

Aconteceu-me ontem uma coisa realmente extraordinária. Não tendo conseguido conter-me em casa, desci para a Avenida, segundo hábito antigo. Já ela estava repleta de carnavalescos, que aproveitavam, como podiam, sua terceira noite.

Pus-me a examinar colombinas fáceis, do lado da Praça Sete, quando inesperadamente me vi envolvido no fluxo de um cordão. Procurei desvencilhar-me, como pude, mas a onda humana vinha imensa, crescendo em torno de mim, por trás, pela frente e pelos flancos. Entreguei-me, então, àquela humanidade que me pareceu mais cansada que alegre. Os sambas eram tristes e os homens pingavam suor como se viessem do fundo de uma mina. Um máscara-de-macaco deu-me o braço e mandou-me cantar. Respondi-lhe que, em rapaz, consumi a garganta em serenatas e que esta, já agora, não ajudava. Imagino a figura que fiz, de colarinho alto e *pince-nez*, no meio daquela roda alegre, pois os foliões se engraçaram comigo, e fui, por momentos, o atrativo do cordão. Tanto fizeram que, sem perceber o disparate, me pus a entoar velha canção de Vila Caraíbas.

Uma gargalhada espantosa explodiu em torno de mim. Deram-me uma corrida e, depois de me terem atirado confete à boca, abandonaram-me ao meio da rua, embriagado de éter. Novo cordão levou-me, porém, para outro lado, e, nesse vaivém, fui arrastado pelos acontecimentos. Um jacto de perfume me atingia às vezes. Procurava, com os olhos gratos, e origem dessa carícia, mas percebia, desanimado, que aquele jacto resvalara de outro rosto a que o destinara uma boneca holandesa. Contudo, aquelas migalhas me consolavam e comoviam. Dêem-me um jacto de éter perdido no espaço e construirei um reino. Mas a boneca holandesa foi arrastada por um príncipe russo, que a livrou dos braços de um marinheiro.

Bebendo aqui, bebendo ali, acabei presa de grande excitação, correndo atrás de choros de blocos e cordões. Não sei como, envolvido em que grupo, entrei no salão de um clube, acompanhando a massa na sua liturgia pagã.

Lembra-me que homens e mulheres, a um de fundo, mãos postas nos quadris do que ia à frente, dançavam, encadeados, e entoavam os coros sensuais que descem do Morro. Eram cantigas bem tristes, que vinham da carne.

A certo momento, alguém me enlaçou o braço, cantando: "Segura, meu bem, segura na mão, não deixes partir o cordão..." O braço que se lembrou do meu braço tinha uma branca e fina mão. Jamais esquecerei: era uma branca e fina mão. Olhei ao lado: a dona da mão era um branca e doce donzela. Foi uma visão extraordinária. Pareceu-me que descera até a mim a branca Arabela, a donzela do castelo que tem uma torre escura onde as andorinhas vão pousar. Pobre mito infantil! Nas noites longas da fazenda, contava-se a história da casta Arabela, que morreu de amor e que na torre do castelo entoava tristes melodias.

Efeito da excitação de espírito em que me achava, ou de qualquer outra perturbação, senti-me fora do tempo e do espaço, e meus olhos só percebiam a doce visão. Era ela, Arabela. Como estava bela! A música lasciva se tornou distante, e as vozes dos homens chegavam a mim, lentas e desconexas. Em meio dos corpos exaustos, a incorpórea e casta Arabela. Parecia que eu me comunicava com Deus e que um anjo descera sobre mim. Meu corpo se desfazia em harmonias, e alegre música de pássaros se produzia no ar.

Não me lembra quanto tempo durou o encantamento e só vagamente me recordo de que, em um momento impossível de localizar, no tempo e no espaço, a mão me fugiu. Também tenho uma vaga idéia de que alguém me apanhou do chão, pisado e machucado, e me pôs num canapé onde, já sol alto, fui dar acordo de mim.

O mito donzela Arabela tem enchido minha vida. Esse absurdo romantismo de Vila Caraíbas tem uma força que supera as zombarias do Belmiro sofisticado e faz crescer, desmesuradamente, em mim, um Belmiro patético e obscuro. Mas vivam os mitos, que são o pão dos homens.

Nesta noite de quarta-feira de cinzas, chuvosa e reflexiva, bem noto que vou entrando numa fase da vida em que o espírito abre mão de suas conquistas, e o homem procura a infância, numa comovente pesquisa das remotas origens do ser.

Há muito tempo que ando em estado de entrega. Entregar-se a gente às puras e melhores emoções, renunciar aos rumos da inteligência e viver simplesmente pela sensibilidade — descendo de novo, cautelosamente, à margem do caminho, o véu que cobre a face real das coisas e que foi, aqui e ali, descerrado por mão imprudente — parece-me a única estrada possível. Onde houver claridade, converta-se em fraca luz de crepúsculo, para que as coisas se tornem indefinidas e possamos gerar nossos fantasmas. Seria uma fórmula para nos conciliarmos com o mundo.

> (*Dois Romances: Abdias e O Amanuense Belmiro*, Rio de Janeiro, José Olympio, 1957, pp. 21-25.)

Ciro dos Anjos pertence a uma linhagem, a machadiana, menos numerosa do que seria de esperar: resultando de uma soma de condições individuais, não apenas de uma técnica literária, a obra do criador de Capitu rejeita as imitações e somente admite as afinidades eletivas. *O Amanuense Belmiro* mostra que a derradeira exigência, embora parcialmente, se cumpriu: romance na primeira pessoa, de memórias, como se nota desde a linha inicial ("Que tenho eu com os dias que a folhinha assinala?"), a insinuar a pouca importância do calendário para quem vive alimentando amarga solidão, desligado da realidade cotidiana e miúda, alheio à passagem monótona das horas, exclusivamente absorto na contemplação de seu tempo interior. Semelha um D. Casmurro menos trágico, a remoer um dia-a-dia cinzento, solipsista (cf. parágrafo começado por "Sinto inutilmente, em mim, uma vaga nervosa"), melancólico ("Habituei-me a uma paisagem confinada e a um horizonte quase doméstico"), a verrumar narcisicamente os estratos subterrâneos da mente, numa auto-análise que revela tendências literárias recalcadas: "Eis que o amanuense é um esteta: ao passo que há nele um indivíduo sofrendo, um outro há que analisa e estiliza o sofrimento. (...) Mas o homem espia o homem, inexoravelmente". Se o "§ 6. Carnaval" nos oferta um corte transversal do psiquismo de Belmiro, o seguinte nos transporta para a ação em que a sondagem mental se comprova, num movimento bipolar que afiança estarmos perante um consciência artesanal vigilante e aguda. No episódio do Carnaval, vale a pena enfatizar o sentido alegórico das máscaras, que dá a impressão de o herói experimentar um delírio de olhos abertos. Evoluindo como que em função da embriaguez geral, a alegorização ganha logo o plano dos mitos, a ponto de fazer que o narrador evoque Arabela e termine num viva aos "mitos, que são o pão dos homens". Tudo bem ponderado, leva ao conhecimento de uma individualidade sensível e tímida, porém atenta às perplexidades implícitas nos acontecimentos mais corriqueiros, como o Carnaval, à procura de "uma fórmula para nos conciliarmos com o mundo". Aqui, raia uma luz de esperança que colide frontalmente com o desalento da cosmovisão machadiana. No mais, todavia, dos dois capítulos, percebe-se franca analogia entre o escritor carioca e o mineiro: tema extraído da mornidão diária, a linguagem refinada, vernácula e contida, e a perscrutação microscópica da realidade. Visto que não significa despersonalização, a semelhança de ambos decisivamente favorece a Ciro dos Anjos, — é lícito concluir.

TENDÊNCIAS CONTEMPORÂNEAS

Preliminares

Embora não tenha surgido outra etiqueta para substituir o vocábulo "modernismo" e embora algumas das propostas da geração de 22 continuassem vigorando nas décadas seguintes, o quadro literário mudou após os anos 40. A reação contra os excessos cometidos pelo grupo da Semana de Arte e seguidores, notadamente nos domínios da poesia, não é a menos relevante das mudanças levadas a efeito no pós-guerra de 39. Em 1945, surge a chamada "geração de 45", que defende a primazia da ordem sobre o caos anterior (Ledo Ivo, Domingos Carvalho da Silva, Péricles Eugênio da Silva Ramos, João Cabral de Melo Neto). A literatura intimista e introspectiva, que se defrontara com a ficção regionalista no decênio de 30, agora exibe um dimensão surpreendente, que a obra de Clarice Lispector tão bem documenta. E o romance nordestino, marcado por um realismo ideologicamente orientado, cede vez a um regionalismo de inflexão mítica, que encontrava na saga mineira de Guimarães Rosa a sua expressão mais elevada. O concretismo, enveredando já na década de 60 pela matriz vanguardista de Oswald de Andrade e provocando grande celeuma, prega a superação do verso e a correspondente substituição por estruturas organizadas segundo critérios de espacialidade e simetria geométrica. Nos anos 70 registra-se o aparecimento de uma poesia de caráter experimental, não raro declaradamente rebelde ("poesia marginal"). A ficção deixa-se contagiar, nas décadas de 60 e 70, pelo *nouveau roman* francês e, de modo particular, abraça o gosto do fantástico e do maravilhoso, de certo modo acompanhando o prestígio de que as literaturas latino-americanas então desfrutavam. Nos anos 60 ainda se registra a confirmação da obra ficcional de Dalton Trevisan, Osman Lins, Mário Palmério, J. J. Veiga, Campos de Carvalho, Lygia Fagundes Telles, Adonias Filho, Autran Dourado. Mais adiante outros nomes também se firmariam, enquanto outros surgiriam com obras que cedo chamaram a atenção da crítica ou dos leitores, como Rubem Fonseca, Fernando Sabino, Moacyr Scliar, Murilo Rubião, Ricardo Ramos, Bernardo Élis, Luis Vilela, João Gilberto Noll, Sérgio Sant'Anna, João Ubaldo Ribeiro, Raduan Nassar, Luiz Antônio Assis Brasil, Pedro Nava e tantos outros. Todas essas razões justificam que ganhem relevo as tendências contemporâneas, não fosse suficiente o fato de já se haver passado mais de setenta anos depois que o Modernismo se instalou entre nós, constituindo um período de intensa e sólida atividade literária, como nenhum outro na história da Literatura Brasileira.

MÁRIO QUINTANA

Nasceu em Alegrete, Rio Grande do Sul, a 30 de junho de 1906. Cedo se mudou para Porto Alegre, onde ingressou no Colégio Militar, mas interrompeu o curso para abraçar a atividade jornalística. Ainda se dedicou à tradução, tendo trabalhado na Editora Globo. Estreou com *A Rua dos Cataventos* (1940), a que se seguiriam outros volumes que o impuseram à atenção da crítica e dos leitores: *Canções* (1946), *Sapato Florido* (1948), *O Aprendiz de Feiticeiro* (1950), *Espelho Mágico* (1951), *Poesias* (reunião dos livros anteriores, 1962), *Apontamentos de História Sobrenatural* (1976), *A Vaca e o Hipogrifo* (1977), *Na Volta da Esquina* (1979), *Esconderijo do Tempo* (1980), *Nova Antologia Poética* (1981), *Baú de Espantos* (1986). Faleceu em Porto Alegre, a 5 de maio de 1994.

IX

Para Emílio Kemp

É a mesma a ruazinha sossegada.
Com as velhas rondas e as canções de outrora...
E os meus lindos pregões da madrugada
Passam cantando ruazinha em fora!

Mas parece que a luz está cansada...
E, não sei como, tudo tem, agora,
Essa tonalidade amarelada
Dos cartazes que o tempo descolora...

Sim, desses cartazes ante os quais
Nós às vezes paramos, indecisos...
Mas para quê?... Se não adiantam mais!...

Pobres cartazes por aí afora
Que inda anunciam: — ALEGRIA — RISOS
Depois do Circo já ter ido embora!...

X

Eu faço versos como os saltimbancos
Desconjuntam os ossos doloridos.
A entrada é livre para os conhecidos...
Sentai, Amadas, nos primeiros bancos!

Vão começar as convulsões e arrancos
Sobre os velhos tapetes estendidos...
Olhai o coração que entre gemidos
Giro na ponta dos meus dedos brancos!

"Meu Deus! Mas tu não mudas o programa!"
Protesta a clara voz das Bem-Amadas.
"Que tédio!" o coro dos Amigos clama.

"Mas que vos dar de novo e de imprevisto?"
Digo... e retorço as pobres mãos cansadas:
"Eu sei chorar... Eu sei sofrer... Só isto!"

XI

Para Antônio Nobre, à maneira do mesmo

Contigo fiz, ainda em menininho,
Todo o meu Curso d'Alma... E desce cedo
Aprendi a sofrer devagarinho,
A guardar meu amor como um segredo...

Nas minhas chagas vinhas pôr o dedo
E eu era o Triste, o Doido, o Pobrezinho!
Amava, à noite, as Luas de bruxedo,
Chamava o Pôr de Sol de Meu Padrinho...

Anto querido, esse teu livro "Só"
Encheu de luar a minha infância triste!
E ninguém mais há de ficar tão só:

Sofreste a nossa dor, como Jesus...
E nesta Costa d'África surgiste
Para ajudar-nos a levar a Cruz!...

XXXV

Quando eu morrer e no frescor de lua
Da casa nova me quedar a sós,
Deixai-me em paz na minha quieta rua...
Nada mais quero com nenhum de vós!

Quero é ficar com alguns poemas tortos
Que andei tentando endireitar em vão...
Que lindo a Eternidade, amigos mortos,
Para as torturas lentas da Expressão!...

Eu levarei comigo as madrugadas,
Pôr de sóis, algum luar, asas em bando,
Mais o rir das primeiras namoradas...

E um dia a morte há de fitar com espanto
Os fios de vida que eu urdi, cantando,
Na orla negra do seu negro manto...

Canção da Janela Aberta

Passa nuvem, passa estrela,
Passa a lua na janela...

Sem mais cuidados na terra,
Preguei meus olhos no Céu.

E o meu quarto, pela noite
Imensa e triste, navega...

Deito-me ao fundo do barco,
Sob os silêncios do Céu.

Adeus, Cidade Maldita,
Que lá se vai o teu Poeta.

Adeus para sempre, Amigos...
Vou sepultar-me no Céu!

Epígrafe

As únicas coisas eternas são as nuvens...

LXXIII Da Realidade

O sumo bem só no ideal perdura...
Ah! quanta vez a vida nos revela
Que "a saudade da amada criatura"
É bem melhor do que a presença dela...

Noturno

Não sei por que, sorri de repente
E um gosto de estrela me veio na boca...
Eu penso em ti, em Deus, nas voltas inumeráveis que
[fazem os caminhos...
Em Deus, em ti, de novo...
Tua ternura tão simples...
Eu queria, não sei por que, sair correndo descalço pela
[noite imensa
E o vento da madrugada me encontraria morto junto
[de um arroio,
Com os cabelos e a fronte mergulhados na água límpida...
Mergulhados na água límpida, cantante e fresca de um
[arroio!
Os grilos cantarão na treva...
Fora, na grama fria, devem estar brilhando as gotas
[pequeninas do orvalho.

Há, sobre a mesa, um reflexo triste e vão
Que é o mesmo que vem dos óculos e das carecas.
Há um retrato do Marechal Deodoro proclamando a Re-
                                                    [pública.
E de tudo irradia, grave, uma obscura, uma lenta música...
Ah, meus pobres botões! eu bem quisera traduzir, para
                      [vós, uns dois ou três compassos do Universo!...
Infelizmente não sei tocar violoncelo...
A vida é muito curta, mesmo...
E as estrelas não formam nenhum nome.

Cântico

O vento verga as árvores, o vento clamoroso da aurora...
Tu vens precedida pelos vôos altos,
Pela marcha lenta das nuvens.
Tu vens do mar, comandando as frotas do Descobrimento!

Minh'alma é trêmula da revoada dos Arcanjos.
Eu escancaro amplamente as janelas.
Tu vens montada no claro touro da aurora.
Os clarins de ouro dos teus cabelos cantam na luz!

> (*Poesias*, 2ª ed., Porto Alegre, Globo/INL,
> 1972, pp. 8, 9, 10, 27, 48-49, 60, 133, 161-
> 162.)

Herdeiro do Simbolismo, na sua faceta sentimental, Mário Quintana ocupa lugar específico nos quadros da nossa modernidade. Com Antônio Nobre, mestre de outros poetas deste século, fez o seu "Curso d'Alma" (XI), que o marcaria para o resto da vida. Com o poeta do *Só* aprenderia "a sofrer devagarinho, / A guardar meu amor como um segredo..." (XI) e assim se manteria até o fim da sua longa existência. Dele diria com muita propriedade Augusto Meyer: "Não sei de outro poeta em que o poema seja uma consubstanciação tão perfeita entre viver e cantar, entre sofrer vivendo e sofrer cantando" (*A Forma Secreta*, Rio de Janeiro, Lidador, 1965, p. 190). Ficaria o poeta das coisas simples, do cotidiano banal pleno de ressonâncias, o poeta da "ruazinha sossegada, / Com as velhas rondas e as canções de outrora..." (IX), mesmo quando o progresso alterou a fisionomia de Porto Alegre, de onde se avistavam, diria ele extasiado em certo momento, "os mais belos crepúsculos do mundo!....* É ali mesmo, numa "quieta rua" (XXXV) que pretendia ficar ao morrer, como se regressasse ao nascimento. A simplicidade, porém, é um destino, como homem, e uma vocação, como poeta. Ali, havia que aceitar as coisas como são; aqui, havia que perseguir tenazmente o seu objetivo, apurar a linguagem em busca da perfeição, a ponto de visionar como seria linda "a Eternidade (...), / Para as torturas lentas da Expressão!..." (XXXV). O introspectivismo, a ternura derramada

---

* Soneto XXI, não transcrito acima.

sobre os acontecimentos do dia-a-dia, casa-se a certa herança parnasiana, mas apenas pelo lado da expressão. O soneto, além de outros poemas de forma fixa, será a marca denotadora desse labor expressivo. E quanto aos poemas livres ou de forma liberada, testemunham um poeta que não se esqueceu do seu compromisso com o verso escorreito, que flui com uma simplicidade aparentemente ingênua e uma espontaneidade incomum, como se brotasse da própria respiração. De onde o tom de quem fala diretamente aos ouvidos do leitor, em voz baixa, sussurrante, num intimismo que é a um só tempo confidência e ensinamento, ou quando pouco lenitivo para as agruras existenciais. "Epígrafe" registra-o flagrantemente, como se contivesse, na concisão de um único verso, toda a poética que servia de base ao poeta: "As únicas coisas eternas são as nuvens...". Idealismo ("O sumo bem só no ideal perdura...", de "Da Realidade"), certo desalento ou pessimismo temperado por uma brisa de fino humor ou de musicalidade festiva, as lembranças enternecidas do "rir das primeiras namoradas" (XXXV), o amor ao cotidiano, traços de surrealismo, completam o retrato desse romântico tardio, ou moderno que não virou as costas à tradição nem se fez de surdo às vozes interiores, desse poeta ultra-sensível que se tornaria uma das expressões mais límpidas da poesia lírica brasileira na segunda metade deste século.

ANÍBAL MACHADO

Nasceu em Sabará, Minas Gerais, a 9 de dezembro de 1894. Em Belo Horizonte, formou-se em Direito (1917). Mudando-se para Aiuroca, lá exerceu as funções de promotor, mas retornou à capital do Estado, onde se ligou a Carlos Drummond de Andrade, João Alphonsus e outros colaboradores do *Diário de Minas*. Transferindo-se para o Rio de Janeiro, passou a trabalhar no Registro Civil. Estreou com *Vila Feliz*, contos (1944), mais tarde incorporados em *Histórias Reunidas* (1959), que seriam enfeixadas n*A Morte da Porta-Estandarte e Outras Histórias* (1965). Incluindo um conto disperso, toda a sua magra produção no gênero (treze contos) foi reunida sob o título de *A Morte da Porta-Estandarte e Tati, a Garota e Outras Histórias* (1974). Aníbal Machado ainda incursionaria pelo "ensaio poemático" em *ABC das Catástrofes e Topografia da Insônia* (1951) e pelos *Poemas em Prosa* (1955), mais tarde agrupados em *Caderno de João* (1957). Ainda postumamente viria a público uma narrativa mais longa, há muito tempo anunciada: *João Ternura* (1965). Faleceu no Rio de Janeiro, a 20 de janeiro de 1964.

O Desfile dos Chapéus

a rubem braga

O comparecimento de todos os chapéus de minha vida—os que tive e usei—não posso precisar se começou no sonho e aí terminou, ou se no sonho teve início e prosseguiu no estado de vigília.

Apresentando-se em fila indiana ou em grupos, esse chapéus se deslocavam com movimentos próprios, o que tornava ainda mais bizarra sua aparição.

Os que vinham em grupo voavam baixo num céu de chumbo — céu que se explica na visão onírica pela leitura dos jornais da véspera, carregados mais que nunca de acontecimentos nefastos. E o sonho daquela noite deixara de ser um armistício de repouso.

Eu sabia que das peças de indumentária o chapéu é a que mais transforma a figura do homem, a que mais de perto priva de sua intimidade—conseqüência da vizinhança próxima do cérebro, do qual absorve as irradiações. Enquanto novo, é um protetor, se não elemento decorativo; depois de usado, vira documento moral.

A recordação da lenda tibetana de um chapéu que o vento arrancara a alguém e projetara longe, numa campina, onde o deixaram ficar, aí se transformando num ser vivo e demoníaco—essa recordação de antiga leitura teria também influído como "conteúdo latente" do sonho que se vai referir.

Foi o caso que me senti levado, não sei como, a uma região severa onde entrei com a certeza de que "não era ali".

Cheguei mesmo a repetir alto: — "não é aqui! não é aqui!"

Não era ali, o quê? Pois não poderia ser ali?...

Eu vagava numa paisagem fora de uso, com massas de sombra e árvores despidas. Qualquer coisa de cemitério abandonado, com movimentos e rumores—assobios fininhos, cochichos, começos indistintos de vaia—em desacordo com a sua tranqüila grandeza. Havia mesmo em tudo uma malícia difusa, secreta intenção de fazer mal, zombar da gente...

Ao fundo, colunatas e uma estátua de mármore num espaço desolado como nos primeiros quadros de Chirico.

Ao lado, como sempre, uma piscina—piscina que se coloca freqüentemente no teatro dos meus sonhos, tal um túmulo aberto à minha espera. Várias crianças já mortas e esbranquiçadas retirei dela...

Passeava eu então distraído. A campinas era florida. Não sei bem se campina, corredor de casarão colonial ou praça pública, pois o cenário mudava sempre, posto que sempre a mesma fosse a atmosfera.

Eu procurava informações debaixo da pedras, atrás das colunas, no alto das árvores. Queria saber onde se conspirava contra mim. E como ventasse de maneira esquisita, pareceu-me que qualquer resolução já havia sido tomada, tanto assim que um de meus antepassados vinha chegando, ouvindo-se bem os seus passos. Ao percebê-lo, reclamei que nada mais eu tinha com ele, que a vida agora era outra coisa; que até faria melhor se voltasse para o túmulo donde não devera nunca ter saído. Só passou a minha aflição quando o vi retirar-se resmungando... Devia estar ressentido com as minhas palavras, mas que fazer?

A piscina me olhava sem parar. A luz baixou até mudar de substância e confundir-se com a do silêncio. Tudo estava preparado para alguma coisa.

Foi quando passou o primeiro chapéu, ligeiro como um ratinho. Estranhei-lhe a ligeireza, quando é sabido que os fantasmas caminham devagar e que as coisas do passado reaparecem lentamente como cidades exumadas, e as velhas recordações.

O chapéu seguiu na direção não sei bem se das docas de um porto invisível, ou de alguma igreja em ruínas. Mal desaparecera, lembrei-me de que o seu jeito era familiar, e o reconheci depois de ter passado.

Não foi com certeza o primeiro que ganhei, mas era dos mais antigos. Usei-o até o fim, na fase capital da adolescência, quando a cabeça que cobria abrigava idéias confusas, que me perturbavam. Lembra-me de que não o havia tirado para ninguém. Eu era então ousado e rebelde, e a vida parecia intacta ainda, pronta a me ser oferecida.

Atrás do primeiro, outros chapéus iam aparecendo e desmontando o meu passado.

Com um deles enterrado até às orelhas—aquele de feltro sovado que lá vai rolando atrás do veículo—andei pensando dias e noites numa solução que afinal não tomei, porque o barranco era alto e me faltou coragem. Certa vez, e ainda me ardia a juventude, não resisti à tentação de saber o fundo do mistério. Mas do barranco fatal que ia servir de passagem, recebi a advertência: "agora não, bobo! Nem há espaço para ti; experimenta primeiro a vida... ainda não tens direito à morte".

Seria de fato um absurdo: se nasci foi mesmo para viver. Atirei apenas o palheta. E voltei para a vida.

Deram-me outro chapéu, e é esse que vem se aproximando com movimento de dança, enfunado como vela que impele os barcos.

Debaixo dele é que te pude apreciar melhor, sombra enorme do mundo. Sob as suas abas meus olhos se dilataram de espanto, minando uma água que era resina do íntimo fervor. A cabeça que ele então abrigava acendia-se como lâmpada que via sem ser vista.

(Foi no tempo em que era fácil conversar com as pedras, ouvir as árvores, privar com os rios, os animais, o vento—tempo em que as imagens do mundo se descobriam pela primeira vez. Inauguração do universo!... Eu ainda nem sabia a linguagem dos homens!)

Esse chapéu presidira ao meu casamento com as coisas.

Mas outros estavam surgindo. Passavam perto, davam uma voltinha. Havia um vento de combinação com eles, que soprava sem direção certa, empurrando-os ou recolhendo-os. Cada qual tentava mostrar um trecho de biografia, um momento do que por mim fora pensado e vivido.

Não conseguia mesmo saber se era com espírito cordial que faziam essa exibição retrospectiva, ou se vinham com ar de sarcasmo ridicularizar um passado que afinal nem valeu a pena. Chapéus bem sujinhos e miseráveis, os desse tempo...

O que se passa no homem, debaixo de seu chapéu!...

Desde o começo, o ambiente era mais de vaia do que de apoteose.

Tu, por exemplo, cartola, que vieste fazer aqui? Caíste da lua? Algum dia te botei?... Ah! botei sim, uma vez... Eras apenas um simples aparelho de produzir autoridade. Eu vivia então contra mim. O que te ofereci foi uma cabeça vazia. Então me sentia importante e, inefável imbecil, sorria para a multidão que aplaudia os grandes da arquibancada, dentre os quais eu era tomado como tal. Nem sei como foi aquilo... Como havia excesso de grandes homens naquela tarde, mandaram-nos para o porão e o telhado, de onde ouvimos o hino cívico.

Nessa tarde, uma chusma de chapéus arruaceiros (chapéus ou crianças?) cercava a aparição da cartola. No meio, sobressaía um palheta impossível. O chapelinho magricela não deixava em paz a velha cartola. Depois, quando esta virou casca de inseto, as formigas a foram transportando para um cemitério de cartolas, que os urubus sobrevoavam no fundo da paisagem.

Surgiram em seguida os chapéus que andei tirando para todo mundo. Pareciam aborrecidos da vida. Reuniam-se em torno de um velho guarda-chuva que era só pele e ossos. Esse grupo vinha em romaria ao seu antigo dono. Eu era então o falecido. E estava explicada, assim, a presença ali da piscina-sepultura, sobre a qual boiavam, como folhas secas, boinas, bonés e toucas da primeira idade.

Depois disso (será que já vivi tanto?) chapéus em profusão, todos os chapéus do passado apareceram em vagas sucessivas. O céu coalhara-se deles. Soltavam-se de cabides invisíveis, vinham planando dos horizontes. Nos que passavam perto e devagar eu me reconhecia.

"Olha aquele com que fiquei esperando a resposta; o que me ajudou a chocar a idéia maluca; o que fiz de travesseiro; o com que neguei o cumprimento a certos sujeitos; o com que matei a sede num córrego; o que fez sombra para um pensamento libertário; e este, ainda molhado de chuva, com que esperei a amada no portão; e este outro, que me deu um ar tão bestinha; o que enterrei com raiva na cabeça, o que me ajudou a fugir, de madrugada; o que durante a perseguição me serviu de barraca e esconderijo; o que amarrotei nas mãos trêmulas, ao fazer o pedido; o com que conspirei no fundo do bar; o que voou pela janela do trem; o que joguei como um coração arrancado aos pés da amazona, no circo. E este outro que um dia tirei com alegria, para saudar a vida!"

Ah! chapéus... com as cicatrizes do vento, do suor, das chuvas, das lágrimas!... Aquele, furado, que vem oscilando como um bêbado, cheguei a estendê-lo a um rico, numa tarde de chuva. E, envergonhado, ele se recolheu a si mesmo antes de recolher a esmola.

"Chapéus dos maus e bons momentos, refazendo a história de uma vida revogada—a cabeça que um dia cobristes vira-se agora para o lado onde nascem as coisas, onde a vida recomeça. A gente aprende enfim a transformar a dor em alegria, e incorporando-se a tudo e tudo absorvendo, acaba confundindo-se, anonimamente, na substância da criação.

É tempo, chapéus, de fechar-se o ciclo da estupidez, tempo também de o "eu", cabina infecta, libertar-se das insignificâncias que tiranizam a criatura. Quem quiser salvar-se, destrua antes o seu inimigo privativo, esqueça-se de si mesmo. Chapéus, a vida começa enfim a valer a pena!"

Mal iniciava eu este discurso, certos movimentos me fizeram suspeitar que outra vez os velhos chapéus começavam a zombar de mim. Pelo menos, brincando estavam. Debaixo de cada um se colocava uma imagem de minha figura segundo as metamorfoses da idade.

Diversos manequins risíveis, em farândula, puxavam a minha forma precaria até o presente; — eu, alvoroçado, descendo a ladeira a caminho da cidade subindo-a depois, de cara fechada; eu aflito, ridículo, querendo chorar, pondo de novo o chapéu para outras partidas; saudando os amigos; parado na esquina, como um basbaque; na praça; caminhando para o encontro proibido; querendo entrar nas festas; nos enterros; sonhando nos bancos; esperando a moça; eu, envaidecido a dizer e ouvir bobagens; com o chapéu do conflito; com o chapéu que enchi de frutas; com o chapéu com que fui vaiado... chapéus da adolescência e da maioridade, variações de meu ser moral e histórico, desdobramentos esquecidos de minha figura...

Cada um de nós se inscreve nos objetos que usa. Estou também nos meus chapéus. E os meus, antigos, estão compondo numa só imagem as diversas imagens do homem que ora assiste à passagem deles.

Uma cidade nublada. Entro numa rua sem nome.

— Madame, aqui é o 29? Esqueci o meu chapéu... não se assuste, minha senhora... é um simples chapéu... não é nenhuma bomba. Por favor... está sentindo alguma coisa? A senhora parece desgraçada, tão triste... E tão bonita... Meu Deus!... Não quererá fugir no meu chapéu? Seremos felizes. . . . .
. . . .

— Olha o chapéu, cavalheiro, a procissão está passando. . . . .
. . . .

— Não está ouvindo? É o Hino Nacional. Vem aí o Chefe. Tira o chapéu, seu idiota!

Havia também chapéus no 71 e no 138. De que rua e cidade não sei dizer. E chapéus que foram esquecidos nos cafés, nos bondes, nos bancos de trem de ferro, nos consultórios, nas praias. Chapéus que vinham dos subúrbios e dos campos.

E esses que não tomaram parte no desfile e se deixaram ficar pelas pontes e à beira de viadutos, na mesma posição em que foram abandonados?

Chapéus de suicida, se eu estivesse perto agarraria o desesperado pelo braço: "Homem, não será preciso tanto; escureceu um pouco em ti, mas foi um minuto; é porque a claridade está se abrindo mais adiante; corre para lá, pega o teu chapéu. A vida continua."

Outros eram moídos sob rodas de caminhão, ou fugiam pelo asfalto afora, os donos atrapalhados correndo atrás. O grosso deles, porém, fazia evoluções. Vi-os escorrendo por um *watershoot*,* ondulando num vagão de montanha-russa, correndo pelas estradas:—chapéus da mocidade. Pode ser que me enganasse, mas nesse momento mais pareciam borboletas, só faltavam gritar de alegria. Quereriam dar-me nova lição de vida?

Chapéus da era otimista, podeis chegar! Eu também mudei. Já disse que aprendi com a vida. Estou livre, não me escondo mais, tirei para sempre o chapéu...

Mas eles me evitam. Não precisam mais pousar na cabeça de ninguém. Brincam se atropelando uns aos outros. Livres, também!

Abandonado agora numa planície sem fim.

E os chapéus? pergunto. Sumiram-se. Sumiram-se também as piscinas e colunatas. Fiquei esperando.

Um mar, um mar escondido na neblina desde o princípio, começa a subir lentamente. E à superfície afloram detritos do passado, velhos sapatos, roupas usadas. Coisas sujas, vergonhosas coisas vêm chegando de mais longe na água de gosma e pútridos reflexos.

———————

* *Watershoot* = calha.

A neblina se dissipa. No fundo, coqueiros, índios construindo malocas, garimpeiros explorando rios.

Espaço da memória ancestral, mergulho os olhos em teu vazio.

E eis, no horizonte, todos os chapéus de outrora, em formação completa, despedindo-se de mim... pela última vez "tirando-me o chapéu"...

(*A Morte da Porta-Estandarte e Tati, a Garota e outras Histórias*, 8ª ed., Rio de Janeiro, José Olympio, 1977, pp. 99-105.)

Apesar da reduzida obra que nos legou, Aníbal Machado é autor de alguns contos de superior feitura, como este "O Desfile dos Chapéus". Com exceção de breves anotações, a narrativa gravita em torno de um sonho. Um sonho tão intenso que o narrador, ao recontá-lo, não sabe ao certo onde pára o espetáculo do inconsciente e onde começa a vigília. Como tal, a primeira observação a fazer diz respeito ao caráter freudiano do relato: evidente no seu todo, ainda se concretiza na referência explícita ao "conteúdo latente", que faz supor alguém familiarizado com a terminologia do fundador da Psicanálise. O núcleo do sonho é preenchido, como já denota o título do conto, pelo desfile de chapéus que o narrador teve e usou pela vida afora. Para além de proteger contra as intempéries, o chapéu encerra um sentido simbólico. Conforme seja o seu formato, assim será a sua função ou a autoridade de quem o enverga, desde um simples boné até uma mitra papal ou a coroa de um rei. Nos sonhos, a simbologia do chapéu ganha outras conotações, dependendo do sonhador. Pode significar, como a psicologia profunda de Jung ensina, uma idéia ou uma visão do mundo. Assim, a série de chapéus designa as várias idades do narrador, bem como as idéias ou as convicções que o guiavam na existência. Aliás, tinha ele disso plena consciência (no sonho ou em vigília?): "Cada qual tentava mostrar um trecho de biografia, um momento do que por mim fora pensado e vivido." Chega mesmo a comentar outros chapéus, alguns dos quais "pareciam aborrecidos da vida", ou a iniciar um discurso em que se propunha a evadir-se da prisão do sonho, ou seja, do próprio "eu", como se estivesse tentando libertar-se do saber psicanalítico que estava na base da narrativa onírica. Diz ele, dirigindo-se aos "protagonistas" do sonho: "É tempo, chapéus, de fechar-se o ciclo da estupidez, tempo também de o 'eu', cabina infecta, libertar-se das insignificâncias que tiranizam a criatura." E acrescenta, como se aconselhasse o leitor a renegar o seu egoísmo: "Quem quiser salvar-se, destrua antes o seu inimigo privativo, esqueça-se de si mesmo. Chapéus, a vida começa enfim a valer a pena!" Note-se que o discurso irrompe depois que o sonho ia adiantado, de modo a sugerir que a angústia do sonhador apenas acabaria quando terminasse o desfile dos chapéus. Mas tinha sido preciso sonhar para o saber, o que nos remete para o ponto de partida. Ou seja, para a confirmação de que o sonho, como revelaram os estudos psicanalíticos, trazem à tona os "conteúdos latentes" do inconsciente. Pouco depois, o relato informa-nos que o sonho/devaneio tinha sido provocado por um incidente banal: o sonhador esquecera de retirar o chapéu durante uma procissão (" — Olha o chapéu, cavalheiro, a procissão está passando..."). Não importa o motivo, mas, sim, o sonho e o fato de o narrador suspeitar que os chapéus talvez quisessem dar-lhe "nova lição de vida". Observem-se por fim o brilho e a escorreição da linguagem, próprios de um escritor sempre em busca do texto perfeito. E ainda o clima surrealista, emprestado não apenas pelo sonho em si, mas também pela menção a De Chirico, um pintor surrealista metafísico, identificado numa fase da sua trajetória pelas insólitas paisagens de "colunatas e uma estátua de mármore num espaço desolado".

LYGIA FAGUNDES TELLES

Nasceu em S. Paulo, a 19 de abril de 1923. Formada em Direito pela Universidade de S. Paulo. Funcionária pública estadual. Com várias obras traduzidas no estrangeiro, tem-se dividido entre o conto: *Praia Viva* (1944), *O Cacto Vermelho* (1949), *Histórias do Desencontro* (1958), *Histórias Escolhidas* (1964), *O Jardim Selvagem* (1965), *Antes do Baile Verde* (1970), *Seminário dos Ratos* (1977), *Filhos Pródigos* (1978), *A Disciplina do Amor* (1980), *Mistérios* (1981); e o romance: *Ciranda de Pedra* (1954), *Verão no Aquário* (1963), *As Meninas* (1973), *Horas Nuas* (1989).

As Formigas

Quando minha prima e eu descemos do táxi, já era quase noite. Ficamos imóveis diante do velho sobrado de janelas ovaladas, iguais a dois olhos tristes, um deles vazado por uma pedrada. Descansei a mala no chão e apertei o braço da prima.

— É sinistro.

Ela me impeliu na direção da porta. Tínhamos outra escolha? Nenhuma pensão nas redondezas oferecia um preço melhor a duas pobres estudantes com liberdade de usar o fogareiro no quarto, a dona nos avisara por telefone que podíamos fazer refeições ligeiras com a condição de não provocar incêndio. Subimos a escada velhíssima, cheirando a creolina.

— Pelo menos não vi sinal de barata — disse minha prima.

A dona era uma velha balofa, de peruca mais negra do que a asa da graúna. Vestia um desbotado pijama de seda japonesa e tinha as unhas aduncas recobertas por uma crosta de esmalte vermelho-escuro, descascado nas pontas encardidas. Acendeu um charutinho.

— É você que estuda medicina? — perguntou soprando a fumaça na minha direção.

— Estudo direito. Medicina, é ela.

A mulher nos examinou com indiferença. Devia estar pensando em outra coisa quando soltou uma baforada tão densa que precisei desviar a cara. A saleta era escura, atulhada de móveis velhos, desparelhados. No sofá de palhinha furada no assento, duas almofadas que pareciam ter sido feitas com os restos de um antigo vestido, os bordados salpicados de vidrilho.

— Vou mostrar o quarto, fica no sótão — disse ela em meio de um acesso de tosse. Fez um sinal para que a seguíssemos. — O inquilino antes de vocês também estudava medicina. Largou lá um caixotinho de ossos que ficou de vir buscar. Mas até agora não apareceu.

Minha prima voltou-se:

— Um caixote de ossos?

A mulher não respondeu, concentrada no esforço de subir a estreita escada de caracol que ia dar no quarto. Acendeu a luz. O quarto não podia ser menor, com o teto em declive tão acentuado que nesse trecho teríamos que entrar de gatinhas. Duas camas, dois armários, uma mesa e uma cadeira de palhinha pintada de dourado. No ângulo onde o teto quase se encontrava com o assoalho, estava um caixotinho coberto com um pedaço de plástico. Minha prima largou a mala e, pondo-se de joelhos, puxou o caixotinho pela alça de corda. Levantou o plástico. Parecia fascinada.

— Mas que ossos tão miudinhos! São de criança?

— Ele disse que eram de adulto. De um anão.

— De um anão? É mesmo, a gente vê que já estão formados... Mas que maravilha, é raro à beça esqueleto de anão. E tão limpo, olha aí — admirou-se ela. Trouxe nas pontas dos dedos um pequeno crânio de uma brancura de cal. — Tão perfeito, todos os dentinhos!

— Eu ia jogar tudo no lixo mas se você se interessa, pode ficar com ele. O banheiro é aqui ao lado, só vocês é que vão usar, tenho o meu lá embaixo. Banho quente extra. Telefone também. Café das sete às nove, deixo a mesa posta na cozinha com garrafa térmica, fechem bem a garrafa — recomendou coçando a cabeça. A peruca se deslocou ligeiramente. Soltou uma baforada final: — Não deixem a porta aberta senão meu gato foge.

Ficamos nos olhando e rindo enquanto ouvíamos o barulho dos seus chinelos de salto na escada. E a tosse encatarrada.

Esvaziei a mala, dependurei minha blusa amarrotada num cabide que enfiei num vão da veneziana, prendi na parede, com durex, uma gravura de Grassmann e sentei meu urso de pelúcia em cima do travesseiro. Fiquei vendo minha prima subir na cadeira, desatarraxar a lâmpada fraquíssima que pendia de um fio solitário no meio do teto e no lugar atarraxar um lâmpada de duzentas velas que tirou da sacola. O quarto ficou mais alegre. Em compensação, agora a gente podia ver que a roupa de cama não era tão alva assim, alva era a pequena tíbia que ela tirou de dentro do caixotinho. Examinou-a. Tirou uma vértebra e olhou pelo buraco tão reduzido como o aro de um anel. Guardou-as com a delicadeza com que se amontoa ovos numa caixa.

— Um anão. Raríssimo, entende? E acho que não falta nenhum ossinho, vou trazer as ligaduras, quero ver se no fim da semana começo a montar ele.

Abrimos uma lata de sardinha que comemos com pão, minha prima tinha sempre alguma lata escondida, costumava estudar até de madrugada e depois fazia sua ceia. Quando acabou o pão, abriu um pacote de bolacha Maria.

— De onde vem esse cheiro? — perguntei farejando. Fui até o caixotinho, voltei, cheirei o assoalho. — Você não está sentindo um cheiro meio ardido?

— É de bolor. A casa inteira cheira assim — ela disse. E puxou o caixotinho para debaixo da cama.

No sonho, um anão louro de colete xadrez e cabelo repartido no meio entrou no quarto fumando charuto. Sentou-se na cama da minha prima, cruzou as perninhas e ali ficou muito sério, vendo-a dormir. Eu quis gritar, tem um anão no quarto! mas acordei antes. A luz estava acesa. Ajoelhada no chão, ainda vestida, minha prima olhava fixamente algum ponto do assoalho.

— Que é que você está fazendo aí? — perguntei.

— Essas formigas. Apareceram de repente, já enturmadas. Tão decididas, está vendo?

Levantei-me e dei com as formigas pequenas e ruivas que entravam em trilha compacta pela fresta debaixo da porta, atravessavam o quarto, subiam pela parede do caixotinho de ossos e desembocavam lá dentro, disciplinadas como um exército em marcha exemplar.

— São milhares, nunca vi tanta formiga assim. E não tem trilha de volta, só de ida — estranhei.

— Só de ida.

Contei-lhe meu pesadelo com o anão sentado em sua cama.

— Está debaixo dela — disse minha prima. E puxou para fora o caixotinho. Levantou o plástico. — Preto de formiga. Me dá o vidro de álcool.

— Deve ter sobrado alguma coisa aí nesses ossos e elas descobriram, formiga descobre tudo. Se eu fosse você, levava isso lá pra fora.

— Mas os ossos estão completamente limpos, eu já disse. Não ficou nem fiapo de cartilhagem, limpíssimos. Queria saber o que essas bandidas vêm fuçar aqui.

Respingou fartamente o álcool em todo o caixote. Em seguida, calçou os sapatos e como uma equilibrista andando no fio de arame, foi pisando firme, um pé diante do outro, na trilha de formigas. Foi e voltou duas vezes. Apagou o cigarro. Puxou a cadeira. E ficou olhando dentro do caixotinho.

— Esquisito. Muito esquisito.

— O quê?

— Me lembro que botei o crânio bem em cima de pilha, me lembro que até calcei ele com as omoplatas pra não rolar. E agora ele está aí no chão do caixote com uma omoplata de cada lado. Por acaso você mexeu aqui?

— Deus me livre, tenho nojo de osso. Ainda mais de anão.

Ela cobriu o caixotinho com o plástico, empurrou-o com o pé e levou o fogareiro para a mesa, era a hora do seu chá. No chão, a trilha das formigas mortas era agora uma fita escura que encolheu. Uma formiguinha que escapou da matança passou perto do meu pé, já ia esmagá-la quando vi que levava as mãos à cabeça, como uma pessoa desesperada. Deixei-a sumir numa fresta do assoalho.

Voltei a sonhar aflitivamente mas dessa vez foi o antigo pesadelo em torno dos exames, o professor fazendo uma pergunta atrás da outra e eu muda diante do único ponto que não tinha estudado. Às seis horas o despertador disparou veemente. Travei a campainha. Minha prima dormia com a cabeça coberta. No banheiro, olhei com atenção para as paredes, para o chão de cimento, à procura delas. Não vi nenhuma. Voltei pisando na ponta dos pés e então entreabri as folhas da veneziana. O cheiro suspeito da noite tinha desaparecido. Olhei para o chão: desaparecera também a trilha do exército massacrado. Espiei debaixo da cama e não vi o menor movimento de formigas no caixotinho coberto.

Quando cheguei por volta das sete da noite, minha prima já estava no quarto. Achei-a tão abatida que carreguei no sal da omelete, tinha a pressão baixa. Comemos num silêncio voraz. Então me lembrei:

— E as formigas?

— Até agora, nenhuma.

— Você varreu as mortas?

Ela ficou me olhando.

— Não varri nada, estava exausta. Não foi você que varreu?

— Eu?! Quando acordei, não tinha nem sinal de formiga nesse chão, estava certa que antes de deitar você juntou tudo... Mas então quem?!

Ela apertou os olhos estrábicos, ficava estrábica quando se preocupava.

— Muito esquisito mesmo. Esquisitíssimo.

Fui buscar o tablete de chocolate e perto da porta senti de novo o cheiro, mas seria bolor? Não me parecia um cheiro assim inocente, quis chamar a atenção da minha prima para esse aspecto mas estava tão deprimida que achei melhor ficar quieta. Espargi água-de-colônia flor de maçã por todo o quarto (e se ele cheirasse a pomar?) e fui deitar cedo. Tive o segundo tipo de sonho que competia nas repetições com o sonho da prova oral: nele, eu marcava encontro com dois namorados ao mesmo tempo. E no mesmo lugar. Chegava o primeiro e minha aflição era levá-lo embora dali antes que chegasse o segundo. O segundo, desta vez, era o anão. Quando só restou o oco de silêncio e sombra, a voz da minha prima me fisgou no seu anzol. Abri os olhos com esforço. Ela estava sentada na beira da minha cama, de pijama e completamente estrábica.

— Elas voltaram.

— Quem?

— As formigas. Só atacam de noite, pela madrugada. Estão todas aí de novo.

A trilha da véspera, intensa, compacta seguia o antigo percurso da porta até o caixotinho de ossos por onde subia na mesma formação até desformigar lá dentro. Sem caminho de volta.

— E os ossos?

Ela se enrolou no cobertor, estava tremendo.

— Aí é que está. Aconteceu uma coisa, não entendo mais nada! Acordei pra fazer pipi, devia ser umas três horas. Na volta senti que no quarto tinha *algo* mais, está me entendendo? Olhei pro chão e vi a fila dura de formiga, você lembra? não tinha nenhuma quando chegamos. Fui ver o caixotinho, todas trançando lá dentro, lógico, mas não foi isso o que quase me fez cair pra trás, tem uma coisa mais grave: é que os ossos estão mesmo mudando de posição, eu já desconfiava mas agora estou certa, pouco a pouco eles estão... estão se organizando.

— Como, organizando?

Ela ficou pensativa. Comecei a tremer de frio, peguei uma ponta do seu cobertor. Cobri meu urso com o lençol.

— Você lembra, o crânio entre as omoplatas, não deixei ele assim. Agora é a coluna vertebral que já está quase formada, uma vértebra atrás da outra, cada ossinho tomando seu lugar, alguém do ramo está montando o esqueleto, mais um pouco e... Venha ver!

— Credo, não quero ver nada. Estão colando o anão, é isso?

Ficamos olhando a trilha rapidíssima, tão apertada que nela não caberia sequer um grão de poeira. Pulei-a com o maior cuidado quando fui esquentar o chá. Uma formiguinha desgarrada (a mesma daquela noite?) sacudia a cabeça entre as mãos. Comecei a rir e tanto que se o chão não estivesse ocupado, rolaria por ali de tanto rir. Dormimos juntas na minha cama. Ela dormia ainda quando saí para a primeira aula. No chão, nem sombra de formiga, mortas e vivas, desapareciam com a luz do dia.

Voltei tarde essa noite, um colega tinha se casado e teve festa. Vim animada, com vontade de cantar, passei da conta. Só na escada é que me lembrei: o anão. Minha prima arrastara a mesa para a porta e estudava com o bule fumegando no fogareiro.

— Hoje não vou dormir, quero ficar de vigia — ela avisou.

O assoalho ainda estava limpo. Me abracei ao urso.

— Estou com medo.

Ela foi buscar uma pílula para atenuar minha ressaca, me fez engolir a pílula com um gole de chá e ajudou a me despir.

— Fico vigiando, pode dormir sossegada. Por enquanto não apareceu nenhuma, não está na hora delas, é daqui a pouco que começa. Examinei com a lupa debaixo da porta, sabe que não consigo descobrir de onde brotam?

Tombei na cama, acho que nem respondi. No topo da escada o anão me agarrou pelos pulsos e rodopiou comigo até o quarto, acorda, acorda! Demorei para reconhecer minha prima que me segurava pelos cotovelos. Estava lívida. E vesga.

— Voltaram — ela disse.

Apertei entre as mãos a cabeça dolorida.

— Estão aí?

Ela falava num tom miúdo como se uma formiguinha falasse com sua voz.

— Acabei dormindo em cima da mesa, estava exausta. Quando acordei, a trilha já estava em plena. Então fui ver o caixotinho, aconteceu o que eu esperava...

— Que foi? Fala depressa, o que foi?

Ela firmou o olhar oblíquo no caixotinho debaixo da cama.

— Estão mesmo montando ele. E rapidamente, entende? O esqueleto está quase inteiro, só falta o fêmur. E os ossinhos da mão esquerda, fazem isso num instante. Vamos embora daqui.

— Você está falando sério?

— Vamos embora, já arrumei as malas.

A mesa estava limpa e vazios os armários escancarados.

— Mas sair assim, de madrugada? Podemos sair assim?

— Imediatamente, melhor não esperar que a bruxa acorde. Vamos, levanta.

— E pra onde a gente vai?

— Não interessa, depois a gente vê. Vamos, vista isto, temos que sair antes que o anão fique pronto.

Olhei de longe a trilha: nunca elas me pareceram tão rápidas. Calcei os sapatos, descolei a gravura da parede, enfiei o urso no bolso da japona e fomos arrastando as malas pelas escadas, mais intenso o cheiro que vinha do quarto, deixamos a porta aberta. Foi o gato que miou comprido ou foi um grito?

No céu, as últimas estrelas já empalideciam. Quando encarei a casa, só a janela vazada nos via, o outro olho era penumbra.

(*Seminário dos Ratos*, Rio de Janeiro, José Olympio, 1977, pp. 3-9.)

A ficção de Lygia Fagundes Telles exibe características próprias, que se encontram flagrantemente condensadas neste conto. O rótulo mais adequado para designá-las, ao que tudo parece, é o realismo intimista. De um lado, porque a narrativa desce a pormenores que apenas um olhar voltado atentamente para o mundo exterior pode captar. De outro, porque revela ao mesmo tempo uma interioridade povoada de emoções e sentimentos antagônicos. Não é para menos que a autora pode identificar-se pela "arte do desencontro". Abruptamente, o inesperado se anuncia em meio às notações verossímeis, dando passagem ao insólito: o ex-inquilino da pensão deixara no quarto "um caixotinho de ossos que ficou de vir buscar. Mas até agora não apareceu". Irrompendo com uma naturalidade chocante, o insólito a pouco e pouco vai-se convertendo em fantástico, a começar do fato de que os ossos miudinhos pertenciam a um anão. A gravura de Grassmann, sabidamente fascinado pelos mundos surreais, que a narradora dependura à parede, colabora para gerar o estranho cenário em que vai decorrer a história vivida pelas duas estudantes. No entanto, quem as protagoniza são as formigas, que "apareceram de repente, já enturmadas", e com um destino sem volta: o caixote de ossos. O clima de fantástico se adensa à medida que a narrativa progride: alucinada por momentos, a narradora levanta o pé antes de esmagar uma formiga sobrevivente à matança geral, "quando vi que levava as mãos à cabeça, como uma pessoa desesperada". Para mais acentuar o mistério, durante o dia desapareciam os vestígios da presença dos insetos, mas à noite eles retomavam a sua faina macabra. Os ossos começam a organizar-se. Nova alucinação: "uma formiguinha desgarrada (a mesma daquela noite?) sacudia a cabeça entre as mãos". Afinal, a estudante de Medicina verifica que as formigas, saindo de um lugar secreto, montavam o esqueleto aos poucos. O contraponto desse quadro fantástico é dado pelos sonhos da narradora, que reforçam, pela inflexão freudiana, o halo de sobrenaturalidade do enredo. E o estilo, com ser fluente, desartificioso, serve bem ao propósito de impedir que o leitor desvie a atenção do episódio fora do comum que se desenrola à sua frente.

RUBEM BRAGA

Nasceu em Cachoeiro do Itapemirim, Espírito Santo, a 12 de janeiro de 1913. Estudos primários na cidade natal, secundários em Niterói, universitários no Rio de Janeiro e Belo Horizonte, onde se formou em Direito (1932). Cedo abraçou o jornalismo, que exerceu em S. Paulo, Recife, Porto Alegre e Rio de Janeiro. Nas funções de repórter viajou muito pelo estrangeiro, tendo acompanhado a FEB na Itália, de onde remetia crônicas de guerra que mais tarde foram reunidas no volume *Com a FEB na Itália* (1945). Desempenhou ainda cargos diplomáticos. Publicou os seguintes volumes de crônicas: *O Conde e o Passarinho* (1936), *O Morro do Isolamento* (1944), *Um Pé de Milho* (1948), *O Homem Rouco* (1949), *Cinqüenta Crônicas Escolhidas* (1951), *A Borboleta Amarela* (1956), *A Cidade e a Roça* (1957), *Cem Crônicas Escolhidas* (1958), *Ai de Ti, Copacabana!* (1960), *A Traição das Elegantes* (1967), *200 Crônicas Escolhidas* (1977), *Crônicas do Espírito Santo* (1984), *Recado de Primavera* (1984). Faleceu a 19 de dezembro de 1990.

Uma Lembrança

Foi em sonho que revi a longamente amada; sentada numa velha canoa, na praia, ela me sorria com afeto. Com sincero afeto — pois foi assim que ela me dedicou aquela fotografia com sua letra suave de ginasiana.

Lembro-me do dia em que fui perto de sua casa apanhar o retrato, que me prometera na véspera. Esperei-a junto a uma árvore; chovia uma chuva fina. Lembro-me de que tinha uma saia escura e uma blusa de cor viva, talvez amarela; que estava sem meias. Os leves pêlos de suas pernas lindas queimados pelo sol de todo o dia na praia, estavam arrepiados de frio. Senti isso mais do que vi, e, entretanto, esta é a minha impressão mais forte de sua presença de quatorze anos: as pernas nuas naquele dia de chuva, quando a grande amendoeira deixava cair na areia grossa pingos muitos grandes. Falou muito perto de mim, e perguntei se tomara café; seu hálito cheirava a café. Riu, e disse que sim, com broas. Broas quentinhas, eu queria uma? Saiu correndo, deu a volta à casa, entrou pelo fundos, voltou depois (tinha dois ou três pingos de água na testa) com duas broas ainda quentes na mão. Tirou do seio a fotografia e me entregou.

Dei uma volta pela praia e pelas pedras para ir para casa. Lembro-me do frio vento sul, e do mar muito limpo, da água transparente, em maré baixa. Duas ou três vezes tirei do bolso a fotografia, protegendo-a com as mãos para que não se molhasse, e olhei. Não estava, como neste sonho de agora, sentada em uma canoa, e não me lembro como estava, mas era na praia e havia uma canoa. "Com sincero afeto..." Comi uma broa devagar, com uma espécie de unção.

Foi isso. Ninguém pode imaginar porque sonha as coisas, mas essa broa quente que recebi de sua mão vinte anos atrás me lembra alguma coisa que comi ontem em casa de minha irmã. Almoçamos os dois, conversamos coisas banais da vida da cidade grande em que vivemos. Mas na hora da sobremesa a empregada trouxe melado. Melado da roça, numa garrafa tampada com um pedaço de sabugo de milho — e veio também um prato de aipim quente, de onde saía fumaça. O gosto desse melado com aipim era um gosto de infância. Lembra-me a mão longa de uma jovem empregada preta de minha casa: lembro-me quando era criança, ela me servia talvez aipim, então pela primeira vez eu reparei em sua mão, e como era muito mais clara na palma do que no dorso; tinha os dedos pálidos e finos, como se fosse uma princesa negra.

Foi no tempo da descoberta da beleza das coisas: a paisagem vista de cima do morro, uma pequena caixa de madeira escura, o grande tacho de cobre areado, o canário belga, uma comprida canoa de rio de um só tronco, tão simples, escura, as areias do córrego sob a água clara, pequenas pedras polidas pela água, a noite cheia de estrelas... Uma descoberta múltipla que depois se ligou tudo a essa moça de um moreno suave, minha companheira de praia.

Foi em sonho que revi a longamente amada; entretanto, não era a mesma; seu sorriso, e sua beleza que me entontecia haviam vagamente incorporado, atravessando as camadas do tempo, outras doçuras, um nascimento dos cabelos acima da orelha onde passei meus dedos, a nuca suave, com o mistério e o sossego das moitas antigas, os traços belos e serenos. Gostaria de descansar minha cabeça em seus joelhos, ter nas mãos o músculo meigo das pantorrilhas. E devia ser de tarde, e galinhas cacarejando lá fora, a voz muito longe de uma mulher chamando alguma criança para o café...

Tudo o que envolve a amada nela se mistura e vive, a amada é um tecido de sensações e fantasias e se tanto a tocamos, e prendemos e beijamos é como querendo sentir toda sua substância que, entretanto, ela absorveu e irradiou para outras coisas, o vestido ruivo, o azul e branco, aqueles sapatos leves e antigos de que temos saudade; e quando está junto a nós imóvel sentimos saudade de seu jeito de andar; quando anda, a queremos de pé, diante do espelho, os dois belos braços erguidos para a nuca, ajeitando os cabelos, cantarolando alguma coisa, antes de partir, de nos deixar sem desejo mas com tanta lembrança de ternura ecoando em todo o corpo.

Foi em sonho que revi a longamente amada. Havia praia, uma lembrança de chuva na praia, outras lembranças: água em gotas redondas correndo sobre a folha de taioba ou inhame, pingos d'água na sua pele de um moreno suave, o gosto de sua pele beijada devagar... Ou não será gosto, talvez a sensação que dá em nossa boca tão diferente uma pele de outra, esta mais seca e mais quente, aquela mais úmida e mansa. Mas de repente é apenas essa ginasiana de pernas ágeis que vem nos trazer o retrato com sua dedicatória de sincero afeto; essa que ficou para sempre impossível sem, entretanto, nos magoar, sombra suave entre morros e praia longe.

Janeiro, 1949

(*O Homem Rouco*, Rio de Janeiro, José Olympio, 1949, pp. 110-114.)

Exclusivamente cronista, Rubem Braga alcançou, mercê da continuidade com que se dedicou ao ofício e do talento que insuflou em seus textos, a condição de patriarca do gênero. Mestre de tantos escritores que depois dele se voltaram para a crônica, ganhou lugar certo nos quadros da Literatura Brasileira com uma fôrma naturalmente destinada ao consumo diário e ao esquecimento. Senso de oportunidade na captação do *sui generis* no fluxo cinzento do cotidiano, lirismo, resultante da empatia com os pequenos grandes dramas que marcam a passagem das horas, estilo plástico sem perder a clareza acessível ao comum dos leitores, — eis alguns traços que fazem de suas melhores crônicas peças literárias dignas de sobreviver à fugacidade do jornal ou da revista. Está no caso "Uma Lembrança", que se lê e relê como um poema em prosa ou um conto poético, tal a onda de comoção que permeia o sonho com a amada longínqua. Banal a cena, banal a recordação onírica, mas é da banalidade que o cronista soube tirar assunto, como cronista de garra e como escritor votado às questões do momento, inclusive as políticas, objeto de tantas crônicas. Tudo bem ponderado, a crônica atinge, na pena de Ruben Braga, o nível literário que lhe é permitido pela voragem jornalística, graças a instilar no dia-a-dia um "sentimento do mundo" que não se coagulou em poesia ou prosa ficcional em conseqüência, decerto, do compromisso com o imediato que parece marca registrada do autor de "Uma Lembrança".

JOÃO CABRAL DE MELO NETO

Nasceu em Recife (Pernambuco), a 9 de janeiro de 1920. Após a infância no interior do Estado natal, em Recife cursou o primário e o secundário. Não tem curso superior. Trabalhou numa companhia de seguros, na Associação Comercial de Pernambuco e no Departamento de Estatística do Estado. Em 1942, mudou-se para o Rio de Janeiro, e foi nomeado, por concurso, assistente de seleção do DASP (1943). Pouco depois, engajou-se na carreira diplomática, indo servir em Barcelona (1947) e em outras cidades européias. Promovido a Ministro em 1966, hoje chefia nosso corpo consular naquela cidade espanhola. Tem publicado prosa (*Considerações sobre o poeta dormindo*, 1941; *Juan Miró*, 1950), mas o prestígio de que goza lhe vem da poesia: *Pedra do Sono* (1942), *O Engenheiro* (1945), *Psicologia da Composição* (1947), *O Cão sem Plumas* (1950), *O Rio ou Relação da Viagem que faz o Capibaribe de sua Nascente à Cidade do Recife* (1954), *Poemas Reunidos* (enfeixa os livros anteriores e mais *Os Três Mal-Amados*, 1954), *Duas Águas* (reúne os livros anteriores e mais *Morte e Vida Severina, Paisagens com Figuras* e *Uma Faca só Lâmina*, 1956), *Quaderna* (1960), *Dois Parlamentos* (1961), *Terceira Feira* (inclui os dois livros precedentes e mais *Serial*, 1961), *A Educação pela Pedra* (1966), *Poesias Completas* (1968), *Museu de Tudo* (1975), *A Escola das Facas* (1980), *Auto do Frade* (1984), *Agrestes* (1985), *Crime na Calle Relator* (1987).

A Educação pela Pedra

Uma educação pela pedra: por lições;
para aprender da pedra, freqüentá-la;
captar sua voz inenfática, impessoal
(pela de dicção ela começa as aulas).
A lição de moral, sua resistência fria
ao que flui e a fluir, a ser maleada;
a de poética, sua carnadura concreta;
a de economia, seu adensar-se compacta:
lições de pedra (de fora para dentro,
cartilha muda), para quem soletrá-la.
Outra educação pela pedra: no Sertão
(de dentro para fora, e pré-didática).
No Sertão a pedra não sabe lecionar,
e se lecionasse, não ensinaria nada;
lá não se aprende a pedra: lá a pedra,
uma pedra de nascença, entranha a alma.

O Ovo de Galinha

§   Ao olho mostra a integridade
de uma coisa num bloco, um ovo.
Numa só matéria, unitária,
maciçamente ovo, num todo.

Sem possuir um dentro e um fora,
tal como as pedras, sem miolo:
e só miolo: o dentro e o fora
integralmente no contorno.

No entanto, se ao olho se mostra
unânime em si mesmo, um ovo,
a mão que o sopesa descobre
que nele há algo suspeitoso:

que seu peso não é o das pedras,

inanimado, frio, goro;
que o seu é um peso morno, túmido,
um peso que é vivo e não morto.

§   O ovo revela o acabamento
a toda mão que o acaricia,
daquelas coisas torneadas
num trabalho de toda a vida.

E que se encontra também noutras
que entretanto mão não fabrica:
nos corais, nos seixos rolados
e em tantas coisas esculpidas

cujas formas simples são obra
de mil inacabáveis lixas
usadas por mãos escultoras
escondidas na água, na brisa.

No entretanto, o ovo, e apesar
da pura forma concluída,
não se situa no final:
está no ponto de partida.

§   A presença de qualquer ovo,
até se a mão não lhe faz nada,
possui o dom de provocar
certa reserva em qualquer sala.

O que é difícil de entender
se se pensa na forma clara
que tem um ovo, e na franqueza
de sua parede caiada.

A reserva que um ovo inspira
é de espécie bastante rara:
é a que se sente ante um revólver
e não se sente ante uma bala.

É a que se sente ante essas coisas
que conservando outras guardadas
ameaçam mais com disparar
do que com a coisa que disparam.

§   Na manipulação de um ovo
um ritual sempre se observa:
há um jeito recolhido e meio
religioso em quem o leva.

Se pode pretender que o jeito
de quem qualquer ovo carrega
vem da atenção normal de quem
conduz uma coisa repleta.

O ovo porém está fechado
em sua arquitetura hermética
e quem o carrega, sabendo-o,
prossegue na atitude regra:

procede ainda da maneira
entre medrosa e circunspecta,
quase beata, de quem tem
nas mãos a chama de uma vela.

CANSADO DA VIAGEM O RETIRANTE PENSA INTERROMPÊ-LA POR UNS INSTANTES E PROCURAR TRABALHO ALI ONDE SE ENCONTRA

— Desde que estou retirando
só a morte vejo ativa,
só a morte deparei
e às vezes até festiva;
só morte tem encontrado
quem pensava encontrar vida,
e o pouco que não foi morte
foi de vida severina
(aquela vida que é menos
vivida que defendida,
e é ainda mais severina
para o homem que retira).
Penso agora: mas por que
parar aqui eu não podia
e como o Capibaribe
interromper minha linha?
ao menos até que as águas
de uma próxima invernia
me levem direto ao mar
ao refazer sua rotina?
Na verdade, por uns tempos,
parar aqui eu bem podia
e retomar a viagem
quando vencesse a fadiga.
Ou será que aqui cortando
agora a minha descida
já não poderei seguir
nunca mais em minha vida?

(será que a água destes poços
é toda aqui consumida
pelas roças, pelos bichos,
pelo sol com suas línguas?
será que quando chegar
o rio da nova invernia
um resto da água do antigo
sobrará nos poços ainda?)
Mas isso depois verei:
tempo há para que decida;
primeiro é preciso achar
um trabalho de que viva.
Vejo uma mulher na janela,
ali, que se não é rica,
parece remediada
ou dona de sua vida:
vou saber se de trabalho
poderá me dar notícia.

VII

É mineral o papel
onde escrever
o verso; o verso
que é possível não fazer.

São minerais
as flores e as plantas,
as frutas, os bichos
quando em estado de palavra.

É mineral
a linha do horizonte,
nossos nomes, essas coisas
feitas de palavras.

É mineral, por fim,
qualquer livro:
que é mineral a palavra
escrita, a fria natureza

da palavra escrita.

Canção

Demorada demoradamente
nenhuma voz me falou.
Eu vi o espectro do rei

não sei em que porta ele entrou.
Meus sofrimentos cumpridos
que sono os arrebatou?
Mas por detrás da cortina
que gesto meu se apagou?

(*Poesias Completas*, Rio de Janeiro, Sabiá,
1968, pp. 11, 64-66, 211-212, 331, 380.)

João Cabral de Melo Neto representa, nesta coletânea, a chamada "geração de 45", que ainda congregou poetas como Domingos Carvalho da Silva, Ledo Ivo, Bueno de Rivera, Péricles Eugênio da Silva Ramos, e outros. É do último a afirmativa de que "o que caracteriza formalmente a geração de 45, nos seus poetas mais representativos, é agudo senso de *medida*, a expressão sem excessos ou derramamentos" (*A Literatura no Brasil*, dir. de Afrânio Coutinho, 5 vols., Rio de Janeiro, Ed. Sul Americana / Liv. São José, 1955-1959, vol. III, t. 1, p. 656). Efetivamente, a idéia geral que colhemos da leitura dos poemas transcritos (bem como da obra completa em que se integram), é a de que contemplamos uma espécie de despoetização do poema. Tal despoetização deve ser entendida no sentido de aliviar o poema do pesado fardo da retórica, ou do sentimentalismo, como, aliás, ensina a pedra: "captar sua voz inenfática, impessoal" ("Educação pela Pedra"); e não no sentido de prosificar o poema. É que o componente indispensável à existência da poesia — a emoção —, se mantém vivo; todavia, agora se trata de uma emoção contida, concentrada, de forma tal que a palavra, ganhando espessura, concretude, perde em quantidade para enriquecer-se em qualidade. Tudo se passa como se cada vocábulo ostentasse o máximo de conotação possível. Daí que o fato de a atenção estar voltada exclusivamente para o objeto fora do poeta (a pedra, o ovo), não deva confundir: é ainda a emoção poética que prevalece, a óptica do poeta que predomina, fortalecida por um processo rigoroso de pensamento "científico", arquitetônico, de engenheiro, símile do filosófico. Doutro modo, teríamos exercício descritivo, prosa metrificada, e não poesia. O processo, que lembra, sem qualquer carga negativa, o Barroco em seu aspecto gongórico, contém uma visível desumanização, que o poeta procura contrabalançar adotando atitudes mais participantes, como em "Vida e Morte Severina", de que extraímos um fragmento: a precisão a esquadro e compasso perdura, mas o homem ocupa o lugar da coisa, muito embora se pretenda exatamente mostrar a coisificação injusta do homem. Assim, a visão mineralizante do mundo (poema VII) se compensa humanitariamente. Por outro lado, há que atentar para a seqüência dos poemas: obedecem à ordem inversa do relógio, tal e qual estão arrumados nas *Poesias Completas*. Apesar de "Canção" colocar-se no fim, é obra dos começos. Pois bem, nela pulsa uma nota transcendental e surreal que se diria bebida em Murilo Mendes e Carlos Drummond de Andrade, contemporaneamente a uma vibração interior que explica a posterior presença do humano na concepção objectualista de João Cabral. Seja como for, estamos perante a voz mais sonora de sua geração.

CLARICE LISPECTOR

Nasceu em Tchetchelnik (Ucrânia, URSS), a 10 de dezembro de 1925. Seus pais imigraram para o Brasil quando ela contava dois meses de idade. No Recife, cursa o primário e o secundário. Transferindo-se para o Rio de Janeiro, ingressa na Faculdade de Direito. Forma-se em 1944, ano em que publica o primeiro livro, *Perto do Coração Selvagem*, fartamente aplaudido pela crítica. Casando-se nessa mesma altura com um diplomata, afasta-se do país durante longos períodos (entre 1945 e 1949 e 1952 e 1960), mas não deixa de cultivar a Literatura, numa ascensão crescente de livro para livro. Faleceu no Rio de Janeiro, a 9 de dezembro de 1977, deixando ainda os seguintes romances: *O Lustre* (1946), *A Cidade Sitiada* (1949), *A Maçã no Escuro* (1961), *A Paixão segundo G. H.* (1964), *Uma Aprendizagem ou O Livro dos Prazeres* (1969), *Água Viva* (1973), *A Hora da Estrela* (1977); livros de contos: *Alguns Contos* (1952), *Laços de Família* (1960), *A Legião Estrangeira* (1964), *A Via Crucis do Corpo* (1974); crônicas e literatura infantil.

Uma Galinha

Era uma galinha de domingo. Ainda vivia porque não passava de nove horas da manhã.

Parecia calma. Desde sábado encolhera-se num canto da cozinha. Não olhava para ninguém, ninguém olhava para ela. Mesmo quando a escolheram, apalpando sua intimidade com indiferença, não souberam dizer se era gorda ou magra. Nunca se adivinharia nela um anseio.

Foi pois uma surpresa quando a viram abrir as asas de curto vôo, inchar o peito e, em dois ou três lances, alcançar a murada do terraço. Um instante ainda vacilou — o tempo da cozinheira dar um grito — e em breve estava no terraço do vizinho, de onde, em outro vôo desajeitado, alcançou um telhado. Lá ficou em adorno deslocado, hesitando ora num, ora noutro pé. A família foi chamada com urgência e consternada viu o almoço junto de uma chaminé. O dono da casa, lembrando-se da dupla necessidade de fazer esporadicamente algum esporte e de almoçar, vestiu radiante um calção de banho e resolveu seguir o itinerário da galinha: em pulos cautelosos alcançou o telhado onde esta, hesitante e trêmula, escolhia com urgência outro rumo. A perseguição tornou-se mais intensa. De telhado a telhado foi percorrido mais de um quarteirão da rua. Pouco afeita a uma luta mais selvagem pela vida, a galinha tinha que decidir por si mesma os caminhos a tomar, sem nenhum auxílio de sua raça. O rapaz, porém, era um caçador adormecido. E por mais ínfima que fosse a presa o grito de conquista havia soado.

Sozinha no mundo, sem pai nem mãe, ela corria, arfava, muda, concentrada. Às vezes, na fuga, pairava ofegante num beiral de telhado e enquanto o rapaz galgava outros com dificuldade tinha tempo de se refazer por um momento. E então parecia tão livre.

Estúpida, tímida e livre. Não vitoriosa como seria um galo em fuga. Que é que havia nas suas vísceras que fazia dela um ser? A galinha é um ser. É verdade que não se poderia contar com ela para nada. Nem ela própria contava consigo, como o galo crê na sua crista. Sua única vantagem é que havia tantas galinhas que morrendo uma surgiria no mesmo instante outra tão igual como se fora a mesma.

Afinal, numa das vezes em que parou para gozar sua fuga, o rapaz alcançou-a. Entre gritos e penas, ela foi presa. Em seguida carregada em triunfo por uma asa através das telhas e pousada no chão da cozinha com certa violência. Ainda tonta, sacudiu-se um pouco, em cacarejos roucos e indecisos.

Foi então que aconteceu. De pura afobação a galinha pôs um ovo. Surpreendida, exausta. Talvez fosse prematuro. Mas logo depois, nascida que fora para a maternidade, parecia uma velha mãe habituada. Sentou-se sobre o ovo e assim ficou, respi-rando, abotoando e desabotoando os olhos. Seu coração, tão pequeno num prato, solevava e abaixava as penas, enchendo de tepidez aquilo que nunca passaria de um ovo. Só a menina estava perto e assistiu tudo estarrecida. Mal porém conseguiu desvencilhar-se do acontecimento, despregou-se do chão e saiu aos gritos:

— Mamãe, mamãe, não mate mais a galinha, ela pôs um ovo! ela quer o nosso bem!

Todos correram de novo à cozinha e rodearam mudos a jovem parturiente. Es-quentando seu filho, esta não era nem suave nem arisca, nem alegre nem triste, não era nada, era uma galinha. O que não sugeria nenhum sentimento especial. O pai, a mãe e a filha olhavam já há algum tempo, sem propriamente um pensamento qual-quer. Nunca ninguém acariciou uma cabeça de galinha. O pai afinal decidiu-se com certa brusquidão:

— Se você mandar matar esta galinha nunca mais comerei galinha na minha vida!

— Eu também! jurou a menina com ardor.

A mãe, cansada, deu de ombros.

Inconsciente da vida que lhe fora entregue, a galinha passou a morar com a família. A menina, de volta do colégio, jogava a pasta longe sem interromper a corrida para a cozinha. O pai de vez em quando ainda se lembrava: "E dizer que a obriguei a correr naquele estado!" A galinha tornara-se a rainha da casa. Todos, menos ela, o sabiam. Continuou entre a cozinha e o terraço dos fundos, usando suas duas capacidades: a de apatia e a do sobressalto.

Mas quando todos estavam quietos na casa e pareciam tê-la esquecido, enchia-se de uma pequena coragem, resquícios da grande fuga — e circulava pelo ladrilho, o corpo avançando atrás da cabeça, pausado como num campo, embora a pequena cabeça a traísse: mexendo-se rápida e vibrátil, com o velho susto de sua espécie já mecanizado.

Uma vez ou outra, sempre mais raramente, lembrava de novo a galinha que se recortara contra o ar à beira do telhado, prestes a anunciar. Nesses momentos enchia os pulmões com o ar impuro da cozinha e, se fosse dado às fêmeas cantar, ela não cantaria mas ficaria muito mais contente. Embora nem nesses instantes a expressão de sua vazia cabeça se alterasse. Na fuga, no descanso, quando deu à luz ou bicando milho — era uma cabeça de galinha, a mesma que fora desenhada no começo dos séculos.

Até que um dia mataram-na, comeram-na e passaram-se anos.

(*Laços de Família*, São Paulo, Francisco Alves, 1960, pp. 37-40.)

Estreando-se com um romance (*Perto do Coração Selvagem*, 1944), Clarice Lispector vinha renovar e, de certo modo, definir a tendência introspectivista de nossa ficção dos anos 30. Mas somente em 1960, depois de uma experiência em 1952, resolve publicar um livro de contos (*Laços de Família*), do qual se extraiu "Uma Galinha". Que dizer dele? Primeiro, se é certo que não representa todas as facetas do universo ficcional da escritora, segundo, também é verdade que nos elucidará acerca de algumas de suas principais bases no terreno da arte do conto e da introspecção. Focalizando-se inicialmente o protagonista central, vê-se que apenas na aparência é a galinha. Com efeito, a ave funciona como superfície de reflexão ou refração da psicologia das "pessoas" que a circundam: a narradora desloca o eixo da atenção para o animal, mas seu objetivo consiste em detectar uma reação vivencial em face de uma situação corriqueira. Conhecendo a galinha em sua odisséia patética, penetramos um pouco mais no mistério da própria existência humana. Ainda mais: a "heroína" possui características humanas, inclusive certa "metafísica" ("é um ser", "jovem parturiente"). Por fim, o bípede de asas simbolizaria o homem à mercê de seu semelhante, do tempo e da morte. Nessa tríplice conotação adquirida pelo galináceo reside o toque de grandeza e novidade do conto. Ressaltados tais pontos, compreende-se o tom sério, quase trágico, com que a ficcionista trata da "personagem": por baixo dele percebe-se um humor de apólogo ou de fábula, um ludismo mítico, evidente no transferir à galinha um comportamento humano ("Sozinha no mundo, sem pai nem mãe"). Desse contraste entre o primeiro e o segundo plano do tecido metafórico é que resulta a tensão poética, indício claro de uma narrativa realizada. Em semelhante atmosfera se localiza o epílogo, carregado de uma naturalidade enigmática e lendária ("mataram-na, comeram-na e passaram-se anos"), à volta de três circunstâncias que significariam os três apetites fundamentais da espécie humana: matar, comer e viver. Completo o itinerário, o conto fecha-se, pleno, acabado e modelar.

Texto para Análise

A Solução

Chamava-se Almira e engordara demais. Alice era a sua maior amiga. Pelo menos era o que dizia a todos com aflição, querendo compensar com a própria veemência a falta de amizade que a outra lhe dedicava.

Alice era pensativa e sorria sem ouvi-la, continuando a bater a máquina.

À medida que a amizade de Alice não existia, a amizade de Almira mais crescia. Alice era de rosto oval e aveludado. O nariz de Almira brilhava sempre. Havia no rosto de Almira uma avidez que nunca lhe ocorrera disfarçar: a mesma que tinha por comida, seu contato mais direto com o mundo.

Por que Alice tolerava Almira, ninguém entendia. Ambas eram datilógrafas e colegas, o que não explicava. Ambas lanchavam juntas, o que não explicava. Saíam do escritório à mesma hora e esperavam condução na mesma fila. Almira sempre pajeando Alice. Esta, distante e sonhadora, deixando-se adorar. Alice era pequena e delicada. Almira tinha o rosto muito largo, amarelado e brilhante: com ela o batom não durava nos lábios, ela era das que comem o batom sem querer.

— Gostei tanto do programa da Rádio Ministério da Educação, dizia Almira procurando de algum modo agradar. Mas Alice recebia tudo como se lhe fosse devido, inclusive a ópera do Ministério da Educação.

Só a natureza de Almira era delicada. Com todo aquele corpanzil, podia perder uma noite de sono por ter dito uma palavra menos bem dita. E um pedaço de chocolate podia de repente ficar-lhe amargo na boca ao pensamento de que fora injusta. O que nunca lhe faltava era chocolate na bolsa, e sustos pelo que pudesse ter feito. Não por bondade. Eram talvez nervos frouxos num corpo frouxo.

Na manhã do dia em que aconteceu, Almira saiu para o trabalho correndo, ainda mastigando um pedaço de pão. Quando chegou ao escritório, olhou para a mesa de Alice e não a viu. Uma hora depois esta aparecia de olhos vermelhos. Não quis explicar nem respondeu às perguntas nervosas de Almira. Almira quase chorava sobre a máquina.

Afinal, na hora do almoço, implorou a Alice que aceitasse almoçarem juntas, ela pagaria.

Foi exatamente durante o almoço que se deu o fato.

Almira continuava a querer saber por que Alice viera atrasada e de olhos vermelhos. Abatida, Alice mal respondia. Almira comia com avidez e insistia com os olhos cheios de lágrimas.

— Sua gorda! disse Alice de repente, branca de raiva. Você não pode me deixar em paz?!

Almira engasgou-se com a comida, quis falar, começou a gaguejar. Dos lábios macios de Alice haviam saído palavras que não conseguiam descer com a comida pela garganta de Almira G. de Almeida.

— Você é uma chata e uma intrometida, rebentou de novo Alice. Quer saber o que houve, não é? Pois vou lhe contar, sua chata: é que Zequinha foi embora para Porto Alegre e não vai mais voltar! agora está contente, sua gorda?

Na verdade Almira parecia ter engordado mais nos últimos momentos, e com comida ainda parada na boca.

Foi então que Almira começou a despertar. E, como se fosse uma magra, pegou o garfo e enfiou-o no pescoço de Alice. O restaurante, ao que se disse no jornal, levantou-se como uma só pessoa. Mas a gorda, mesmo depois de feito o gesto, continuou sentada olhando para o chão, sem ao menos olhar o sangue da outra.

Alice foi ao Pronto-Socorro, de onde saiu com curativos e os olhos ainda arregalados de espanto. Almira foi presa em flagrante.

Algumas pessoas observadoras disseram que naquela amizade bem que havia dente-de-coelho. Outras, amigas da família, contaram que a avó de Almira, dona Altamiranda, fora mulher muito esquisita. Ninguém se lembrou de que os elefantes, de acordo com os estudiosos do assunto, são criaturas extremamente sensíveis, mesmo nas grossas patas.

Na prisão Almira comportou-se com docilidade e alegria, talvez melancólica, mas alegria mesmo. Fazia graças para as companheiras. Finalmente tinha companheiras. Ficou encarregada da roupa suja, e dava-se muito bem com as guardiãs, que vez por outra lhe arranjavam uma barra de chocolate. Exatamente como para um elefante no circo.

(A *Legião Estrangeira*, Rio de Janeiro, Editora do Autor, 1964, pp. 80-82.)

AUTRAN DOURADO

Valdomiro Freitas Autran Dourado nasceu em Patos, Minas Gerais, a 18 de janeiro de 1926. Formado em Direito em Belo Horizonte, passou a trabalhar nos *Diários Associados* e a conviver com um grupo de escritores mineiros surgidos na década de 40. Mudando-se para o Rio de Janeiro em 1954, continuou a sua produção literária, iniciada com *Teia* (1947) e prosseguida com *Sombra e Exílio* (1950), reunidos mais tarde sob o título de *Novelas de Aprendizado* (1980). Publicou contos: *Três Histórias na Praia* (1955), *Nove Histórias em Grupo de Três* (1957), que seriam reeditadas com o título de *Solidão Solitude* (1972), *Armas & Corações* (1978); romances: *Tempo de Amar* (1952), *A Barca dos Homens* (1961), *Uma Vida em Segredo* (1964), *Ópera dos Mortos* (1967), *O Risco do Bordado* (1970), *Novelário de Donga Novais* (1976), *Os Sinos da Agonia* (1974), *As Imaginações Pecaminosas* (1981), *A Serviço Del'Rei* (1984); *Ópera dos Fantoches* (1994); ensaio: *Uma Poética de Romance* (1973), *O Meu Mestre Imaginário* (1982).

Ópera dos Mortos

A narrativa transcorre em algum lugar do sul de Minas Gerais, num tempo incerto, quando ainda se andava de carro de bois. Num velho sobrado, imponente e de "porte senhorial", duas gerações de Honórios Cotas se sucederam, até que Rosalina, o último dos seus membros, ficasse sozinha, tendo apenas a companhia da empregada Quiquina. Reclusas, afastadas do povo, pareciam envoltas num halo de mistério. Um dia chega ao povoado um moço de Paracatu, José Feliciano, e é contratado por Rosalina, que agora passa as noites a bebericar. Do tratamento hostil que a solarenga dispensa ao novo empregado até entregar-se a ele, foi tudo uma questão de tempo. O filho desses amores nasce morto. José Feliciano enterra-o e Rosalina enlouquece.

1

O SOBRADO

O senhor querendo saber, primeiro veja:

Ali naquela casa de muitas janelas de bandeiras coloridas vivia Rosalina. Casa de gente de casta, segundo eles antigamente. Ainda conserva a imponência e o porte senhorial, o ar solarengo que o tempo de todo não comeu. As cores das janelas e da porta estão lavadas de velhas, o reboco caído em alguns trechos como grandes placas de ferida mostra mesmo as pedras e os tijolos e as taipas de sua carne e ossos, feitos para durar toda a vida; vidros quebrados nas vidraças, resultado do ataque da meninada nos dias de reinação, quando vinham provocar Rosalina (não de propósito e ruindade, mais sem-que-fazer de menino), escondida detrás das cortinas e reposteiros; nos peitoris das sacadas de ferro rendilhado formando flores estilizadas, setas, volutas, esses e gregas, faltam muitas das pinhas de cristal facetado cor-de-vinho que arrematavam nas cantoneiras a leveza daqueles balcões.

O senhor atente depois para o velho sobrado com a memória, com o coração — imagine, mais do que com os olhos, os olhos são apenas conduto, o olhar é que importa. Estique bem a vista, mire o casarão como num espelho, e procure ver do outro lado, no fundo do lago, mais além do além, no fim do tempo. Recue no tempo, nas calendas, a gente vai imaginando; chegue até ao tempo do coronel Honório — João Capistrano Honório Cota, de nome e conhecimento geral da gente, homem cumpridor, de quem o senhor tanto quer saber, de quem já conhece a fama, de ouvido

— de quem se falará mais adiante, nas terras dele, ou melhor, do pai — Lucas Procópio Honório Cota, homem de que a gente se lembra por ouvir dizer, de passado escondido e muito tenebroso, coisas contadas em horas mortas, esfumado, já lenda-já história, lembranças se azulando, paulista de torna-viagem das Minas, de longes sertões, quando o ouro secou para a desgraça geral, as grupiaras emudeceram: e eles tiveram de voltar, esquecidos das pedras e do ouro, das sonhadas riquezas impossíveis, criadores de gado, potentados, esbanjadores ou unhas-de-fome — conforme a experiência tida ou a natureza, fazendeiros agora, lúbricos, negreiros, incestuosos, demarcadores, ladrilhando com seus filhos e escravos este chão deserto, navegadores de montes e montanhas, políticos e sonegadores, e vieram plantando fazendas, cercando currais, montando pousos e vendas, semeando cidades no grande país das Gerais, buscando as terras boas de plantio, as terras roxas e de outras cores em que o sangue e as lágrimas entram como corantes — nas datas de quem, por doação e todos os mais requisitos de lei, se ergueu a Igreja do Carmo e se fez o Largo.

Um recuo no tempo, pode se tentar. Veja a casa como era e não como é ou foi agora. Ponha tento na construção, pense no barroco e nas suas mudanças, na feição do sobrado, na sua aparência inteira, apartada, suspensa (não, oh tempo, pare as suas engrenagens e areias, deixe a casa como é, foi ou era, só pra gente ver, a gente carece de ver; impossível com a sua mediação destruidora, que cimenta, castradora); esqueça por um momento os sinais, os avisos surdos das ruínas, dos desastres, do destino.

A casa fica no Largo do Carmo, onde se plantou a igreja. A Igreja do Carmo foi a primeira construção de pedra e alvenaria da cidade. Depois é que Lucas Procópio mandou construir a sua casa (na época apenas a parte de baixo), tentando fazer parelha com a igreja. Um igreja em que se procurou no risco e na fachada seguir a experiência que os homens trouxeram das igrejas de Ouro Preto e São João del-Rei: só que mais pobre, sem a riqueza dos frontões de pedra em que o barroco brinca as suas volutas vadias; mesmo assim imponente, toda branca, com seus cunhais e marcos de pedra, a porta almofadada, as duas janelas-de-púlpito ladeando em cima o vão da porta, as cornijas trabalhadas em curvas leves, a torre solitária nascendo na cumeeira do telhado de duas-águas. Da torre pode se ver, em vôo de pássaro, o casario que cresceu para trás da igreja, contrariando o desejo dos fundadores que era ver a Igreja do Carmo soberana, sobranceira, dominando de frente toda a cidade. Da torre pode se ver a lisura vazia do largo de terra batida, onde às vezes se formam redemoinhos coriscantes de poeira, o cruzeiro no meio da praça, as ruas que dali partem, os muros brancos do cemitério, as voçorocas de goelas vermelhas na beira da estrada que deixa a cidade.

. . . .

Que pessoa estranha, dona Rosalina. Ela o deixava desconcertado não apenas pela ambivalência de sua conduta mas pelo mistério mesmo do seu ser. Como é que uma pessoa era assim? Ele não entendia, por mais que verrumasse a cabeça não conseguia entender. Ela lhe dava a impressão de duas numa só: quando ele pensava conhecer uma, via que se enganara, era outra que estava falando. Às vezes mais de uma, tão imprevista nos modos, nos jeitos de parecer. Um ajuntamento confuso de Rosalinas numa só Rosalina.

Ele passava horas ouvindo dona Rosalina, vendo-lhe os mínimos gestos, o mais leve movimento dos lábios e dos olhos. Via-a de todas as posições, seguia-lhe os passos, e ela nunca parecia ser uma, a mesma pessoa. E depois, no quarto, procurava botar em ordem as idéias, compor com os fiapos que pegava no ar uma só figura de dona Rosalina: uma dona Rosalina impossível de ser. Na rua não pensava em dona Rosalina, se esquecia inteiramente dela. Aprendeu que, por mais que perguntassem, não podia falar nunca naquela mulher tão sozinha. Sua boca devia ser por vontade calada, como era por desígnio de Deus a boca de Quiquina. Se às vezes na rua lhe assaltava a lembrança de dona Rosalina, afastava-a ligeiro, porque, distante, a sua figura ganhava em estranheza e cores sombrias. E ele queria o ar puro da rua, a claridade do dia, onde as horas passavam, a vida era o comum da vida da gente, sem nenhum outro mistério e sobressalto senão o mistério mesmo de existir. O sobrado era o túmulo, as voçorocas, as veredas sombrias.

. . . .

Dona Rosalina era vária, não se fixava em nenhuma das muitas donas Rosalinas que ele todo dia ia descobrindo e juntando para um dia quem sabe poder entender. Ele queria entender dona Rosalina para melhor viver no sobrado, não estar sempre em sobressalto, pesando as palavras, cauteloso. Dona Rosalina sumia como por encanto entre os seus dedos, visonha. Dissimulada, os olhos líquidos, quando a gente pensava que a tinha presa, ela escapulia. Que nem um guará que ele quisesse caçar. Aqueles guarás do sertão, ariscos, matreiros, coriscando por entre as moitas, se confundindo com os matos, parecendo estar em todos os lugares e em lugar nenhum. Seu major Lindolfo era sempre ligeiro na pontaria. Quando ele mirava, dava no pinguelo, o estrondo ecoava, via: tinha se enganado, o guará não estava mais ali não, mas noutro matinho lá longe, como se risse, brincando, da certeza, da aflição da gente. Dona Rosalina era que nem um guará, ele tentava pegar o guará naquele casarão. Sempre escondida num lugar qualquer do sobrado, perdida no tempo. Não a pessoa de dona Rosalina, que esta era até muito parada e silente, naquele serviço quieto e vagaroso de fazer flor. Ele não sabia ainda que buscava nela a outra pessoa: a sombra, a alma de dona Rosalina.

Mesmo no parecer da idade ela se mudava, ele nunca podia saber a idade de dona Rosalina. Cada vez que olhava, ela parecia de uma idade diferente. Ia desde a menina que falava na Fazenda da Pedra Menina à velha sisuda, de muito juízo, sábia. Dona Rosalina não era velha, ele via, por mais que ela usasse aquele penteado, aquelas roupas pretas que ninguém usa mais. Dona Rosalina compunha para si uma figura de outros tempos, recortada de uma gravura antiga. Deve de regular pelos trinta anos, foi o que lhe disseram na cidade, quando ainda cuidava em obter dos outros informações sobre dona Rosalina e o sobrado. Trinta anos é que ela nunca parecia ter, sempre mais, sempre menos. Às vezes mentalmente desmanchava o penteado de dona Rosalina e ela lhe parecia uma moça muito bonita, os traços finos e bem desenhados; só a boca era carnuda, vermelha, como se não assentasse bem com o todo severo e seco, com aqueles olhos negros tão limpos, lumeando uma pureza, uma doçura que o amolecia, invadindo-o em ondas quentes e boas. Se ela quisesse, ninguém, nenhuma moça da cidade competia com ela em formosura. Tão linda que ele chegava a sonhar com ela: muito vaporosa, os cabelos soltos, os gestos de quem dança nas nuvens, e lhe dizia palavras que ele nunca conseguia entender. Quando sucediam esses sonhos, temia sempre acordar, lhe dava uma sensação boa de paz, de uma vida completa e feliz.

O tempo parado, sufocante. Os relógios da sala, os ponteiros não se moviam. O tempo não vencia naquela casa. Dona Rosalina fora do tempo, uma estrela sobre o mar, indiferente ao rolar das ondas.

De primeiro, quando ele ainda queria saber, nos dias quando chegou, aqueles relógios deixavam Juca intrigado. O relógio-armário grande, lustroso, os pesos lá embaixo, na corrente comprida. Devia ter uma batida bonita, um rolar de sinos que enchiam o ar de finas e redondas alegrias.

Dona Rosalina, disse ele, por que este relógio parado? A senhora querendo, eu dou um jeito nele ou levo lá pro seu Larisca, que é um relojoeiro muito bom, já vi ele trabalhar. Ela não disse nada, será que não ouviu? Dona Rosalina, disse ele. Não sou surda, disse ela brusca, os olhos duros e sombrios. Este relógio não tem defeito nenhum. Ele não parou por defeito, papai é que quis ele parado. Como aqueles outros dois, na parede. Um fui eu que parei, quando papai morreu...

Mesmo não querendo perguntar, o desejo era mais forte do que ele, disse por que, dona Rosalina, por quê?

Ela fuzilou-o com os olhos, ele teve medo. Não é da sua conta, disse ela. O senhor cuida do seu serviço, do que eu mandar. Não tem nada de querer ficar sabendo o que só a mim interessa. A mim e a papai. Pergunte pros outros, pra esta gentinha da rua. Se o senhor quer ficar aqui, não me pergunte nada, ouviu? Nada!

. . . .

Sou igual a papai, sou ele não. Ele morreu tem muito tempo, nem cheguei a conhecer Lucas Procópio. Sou de alma o coronel João Capistrano Honório Cota, disse alto o nome todo, pronunciando bem as palavras. Será que Quiquina ouviu? Que importa? Nada tinha importância. Ela vive sozinha no mundo, tinha mais ninguém não. Só ela e Quiquina. O cálice vazio na mão, um restinho de vinho no fundo, uma borra. Podia quebrar o cálice entre os dedos, ferir-se, o sangue nas mãos. O pai bebia só em ocasiões muitos raras. Aquele vinho Madeira, o que ele mais gostava. Eu, João Capistrano Honório Cota. Achou graça, começou a rir. Riu alto, que Quiquina ouvisse. Assim chegava na sala, vinha ver como ela estava. Quase bêbada, pensando, dizendo bobagem. E se Quiquina bebesse com ela? Gozado. Quiquina bêbada, a fala de gestos bêbada. Riu mais alto, imaginando Quiquina, muda, bêbada. Riu tanto que os olhos se encheram de lágrimas. Deixou cair a cabeça entre os braços, o rosto colado na mesa, os olhos fechados, o rosto molhado de lágrimas.

Assim ficou algum tempo, sem pensar no que fazia. Os olhos cheios de lágrimas, nem mesmo dava conta de que chorava. O pensamento boiava longe, num azul longe, numa paisagem sonhada, era como se sonhasse. Morava num outro país, era Margarida, o senhor reitor tinha sempre muitas conversas com ela. O outro homem, cavalheiro. Aquele amor tão puro, tão bom, os sentimentos sempre tão delicados. Tinha gente assim no mundo? Só numa aldeia, em Portugal, há muitos e muitos anos. Era onde vivia às vezes, quando fechava o livro e se punha a sonhar. Será que aquilo tudo aconteceu mesmo? Havia? Misturava a sua vida com a vida das personagens do livro, e se via a rir, a amar, a chorar, a chorar de pura alegria. As emoções claras, límpidas, o grande amor. Emanuel nunca que seria assim, mesmo vestindo outras roupas. Será que aquilo tudo se passou daquele jeito? O homem inventou, eles sempre inventam, o mundo não tem criaturas assim.

Lera o livro várias vezes, sabia-o quase de cor. Os três livros que vinha lendo desde mocinha: As Pupilas do Senhor Reitor, as Mulheres de Bronze e aquele terrível, a Vingança do Judeu. Lia-os repetidamente, passava de um a outro, sempre aqueles mesmos livros. A garrafa debaixo da mesa, o cálice cheio, começava a ler. Tudo esfumado, numa neblina. As personagens saíam do livro, passavam a viver cá fora, chegava a ouvir-lhes as vozes, fantasmas de sua solidão. De vez em quando Emanuel entrava no livro, pegava a dizer coisas tão lindas, de que ele nunca seria capaz. Vestia-o com uma casaca, punha-lhe uma gravata como aquela do desenho da capa. Pegava-a pela cintura, punha-a na garupa do seu corcel branco, raptava-a, levava-a pra bem longe, pra um país onde a neve caía branca. Depois o cavalo galopava no ar, cruzavam um campo revestido de flores, ela pedia pra ele parar, queria colher um ramo de flores. Ele dizia que não, tinham de fugir, os homens estavam no seu encalço.

Os olhos de novo frios olhavam os móveis da sala, o relógio-armário parado, o lustre de cristal, as mãos abertas sobre a mesa, as suas mãos vazias. Tinha vontade de chorar, de uns tempos pra cá tinha vontade de chorar. Ela, que antes não chorava. Como viver ali, naquela sala, naquela casa, naquela cidade hostil, quando havia uma vida tão diferente lá fora, no grande mundo de Deus?

As lágrimas secaram, abriu o livro ao acaso. Os olhos encontraram uns versos soltos na brancura amarela da página. As letras dançavam, tinha de firmar bem a vista para distinguir as palavras. As letras embaralhadas, ela tonta, uma névoa envolvia-a toda. As letras pareciam bichinhos inquietos. Conseguiu ler apenas, com dificuldade — Trigueira! Se tu soubesses. Trigueira, não sabia o que era trigueira. Para ela trigueira queria dizer alegre, viçosa. A palavra brincava dentro dela, se repetia como um eco repete várias vezes o nome da gente, o grito da gente. Trigueira, eu sou trigueira, gritou pra Quiquina, pra alguém poder ouvir. Ninguém chegou na porta e ela foi repetindo baixinho trigueira, trigueira, até que seus lábios emudeceram e um grande silêncio cresceu dentro e fora dela. Os olhos fechados, não dormia nem sonhava. Apenas aguardava não sabia bem o que, aguardava que um ruído qualquer quebrasse a pele do lago de silêncio agoniado.

Lá fora a noite estrelada, o céu negro muito alto onde boiava uma fina lua crescente, como um barco estilizado. Uma viração cheirosa buliu as cortinas, enfunando-as levemente como as velas de um barco que começa a se mover ao primeiro vento após a calmaria. Ela não via as velas, começou foi a ouvir um assobio vindo de dentro da noite. Um assobio muito longe, de alguém que vinha chegando.

(*Ópera dos Mortos*, 9ª ed., Rio de Janeiro, Record, 1985, pp. 1-3, 98-99, 100-102, 110-112.)

Fazendo lembrar "A Rose for Emily", de William Faulkner, *Ópera dos Mortos* caracteriza-se, antes de mais nada, por sua atmosfera sombria, onde contracenam as forças da loucura, encarnadas em Rosalina, e as forças do instinto, representadas por José Feliciano. A narrativa é contada na primeira pessoa, como se uma testemunha evocasse para o autor toda a tragédia desenrolada no sobrado. História e Mito se mesclam, reclamando do ouvinte, como sublinha o narrador, o auxílio simultâneo da memória, do coração e da fantasia. O tempo é o das calendas gregas, uma vez que tudo é "já lenda-já história". Misteriosa, ambivalente, a heroína parece, aos olhos de José Feliciano, "um ajuntamento confuso de Rosalinas numa só Rosalina". Voltada para dentro de si a um grau próximo da alienação, envolve o recém-chegado no seu círculo demoníaco, e como que transfere para o sobrado os enigmas do seu destino — "O sobrado era o túmulo, as voçorocas, as veredas sombrias" —, ou dele recebe as emanações que convidam ao recolhimento, à mudez, ao desvario. Em meio a essa trágica simbiose, Rosalina tem a sua figura delineada pelas lembranças e observações de José Feliciano, afinal a única testemunha de suas dissimulações, de suas esquivanças, como também de suas contradições, uma das quais se lhe estampava francamente no rosto: "a boca era carnuda, vermelha, como se não assentasse bem com o todo severo e seco, com aqueles olhos negros tão limpos, lumeando uma pureza, uma doçura que o amolecia, invadindo-o em ondas quentes e boas". Note-se, ainda, a identificação do tempo com a morte, expressa por meio do relógio parado: denota, juntamente com os demais traços, a ficção intimista, a sondagem num mundo de espectros ou nas psicologias de exceção. Como se procurasse subtrair-se à tirania do calendário e ao seu drama íntimo, Rosalina evade-se por meio da bebida e da literatura. E é esta, de tendência romântica, emblematicamente concretizada em *As Pupilas do Senhor Reitor*, de Júlio Dinis, que nos permite situar a história do sobrado nos fins do século XIX. Denso, filiado à melhor porção da linhagem introspectivista dos anos 30, *Ópera dos Mortos* integra, com todo o merecimento, uma coleção das obras mais representativas da literatura deste século, patrocinada pela UNESCO.

MURILO RUBIÃO

Nasceu em Carmo de Minas, Minas Gerais, a 1º de junho de 1916. Formado em Direito, na capital do seu estado natal, dedicou-se ao jornalismo. Fundou em 1966 e dirigiu até 1969 o suplemento literário do *Minas Gerais*. Exerceu vários cargos públicos e serviu como adido à Embaixada do Brasil na Espanha. Faleceu a 16 de setembro de 1991, em Belo Horizonte, Minas Gerais, deixando os seguintes livros de contos: *O Ex-Mágico* (1947), livro de estréia que teve pouca repercussão, *A Estrela Vermelha* (1953), *Os Dragões e Outros Contos* (1965), *O Pirotécnico Zacarias* (1974), *O Convidado* (1974), *A Casa do Girassol Vermelho* (1978).

Bárbara

*"O homem que se extraviar
do caminho da doutrina,
terá por morada a assembléia
dos gigantes."*
— Provérbios, XXI, 16.

Bárbara gostava somente de pedir. Pedia e engordava.

Por mais absurdo que pareça, encontrava-me sempre disposto a lhe satisfazer os caprichos. Em troca de tão constante dedicação, dela recebi frouxa ternura e pedidos que se renovavam continuamente. Não os retive todos na memória, preocupado em acompanhar o crescimento do seu corpo, se avolumando à medida que se ampliava sua ambição. Se ao menos ela desviasse para mim parte do carinho dispensado às coisas que eu lhe dava, ou não engordasse tanto, pouco me teriam importado os sacrifícios que fiz para lhe contentar a mórbida mania.

Quase da mesma idade, fomos companheiros inseparáveis na meninice, namorados, noivos e, um dia, nos casamos. Ou melhor, agora posso confessar que não passamos de simples companheiros.

Enquanto me perdurou a natural inconseqüência da infância, não sofri com as suas esquisitices. Bárbara era menina franzina e não fazia mal que adquirisse formas mais amplas. Assim pensando, muito tombo levei, subindo a árvores, onde os olhos ávidos da minha companheira descobriam frutas sem sabor ou ninhos de passarinho. Apanhei também algumas surras de meninos aos quais era obrigado a agredir unicamente para realizar um desejo de Bárbara. E se retornava com o rosto ferido, maior se lhe tornava o contentamento. Segurava-me a cabeça entre as mãos e sentia-se feliz em acariciar-me a face intumescida, como se as equimoses fossem um presente que eu lhe tivesse dado.

Às vezes relutava em aquiescer às suas exigências, vendo-a engordar incessantemente. Entretanto, não durava muito a minha indecisão. Vencia-me a insistência do seu olhar, que transformava os mais insignificantes pedidos numa ordem formal. (Que ternura lhe vinha aos olhos, que ar convincente o dela ao me fazer tão extravagantes solicitações!)

Houve tempo — sim, houve — em que me fiz duro e ameacei abandoná-la ao primeiro pedido que recebesse.

Até certo ponto, minha advertência produziu o efeito desejado. Bárbara se refugiou num mutismo agressivo e se recusava a comer ou conversar comigo. Fugia à minha presença, escondendo-se no quintal e contaminava o ambiente com uma tristeza que me angustiava. Definhava-lhe o corpo, enquanto lhe crescia assustadoramente o ventre.

Desconfiado de que a ausência de pedidos em minha mulher poderia favorecer o aparecimento de uma nova espécie de fenômeno, apavorei-me. O médico me tranqüilizou. Aquela barriga imensa prenunciava apenas um filho.

Ingênuas esperanças fizeram-me acreditar que o nascimento da criança eliminasse de vez as estranhas manias de Bárbara. E suspeitando que a sua magreza e palidez fossem prenúncio de grave moléstia, tive medo que, adoecendo, lhe morresse o filho no ventre. Antes que tal acontecesse, lhe implorei que pedisse algo.

Pediu o oceano.

Não fiz nenhuma objeção e embarquei no mesmo dia, iniciando longa viagem ao litoral. Mas, frente ao mar, atemorizei-me com o seu tamanho. Tive receio de que a minha esposa viesse a engordar em proporção ao pedido, e lhe trouxe somente uma pequena garrafa contendo água do oceano.

No regresso, quis desculpar meu procedimento, porém ela não me prestou atenção. Sofregamente, tomou-me o vidro das mãos e ficou a olhar, maravilhada, o líquido que ele continha. Não mais o largou. Dormia com a garrafinha entre os braços e, quando acordada, colocava-o contra a luz, provava um pouco da água. Entrementes, engordava.

Momentaneamente despreocupei-me da exagerada gordura de Bárbara. As minhas apreensões voltavam-se agora para o seu ventre a dilatar-se de forma assustadora. A tal extremo se dilatou que, apesar da compacta massa de banha que lhe cobria o corpo, ela ficava escondida por trás de colossal barriga. Receoso de que dali saísse um gigante, imaginava como seria terrível viver ao lado de uma mulher gordíssima e um filho monstruoso, que poderia ainda herdar da mãe a obsessão de pedir as coisas.

Para meu desapontamento, nasceu um ser raquítico e feio, pesando um quilo.

Desde os primeiros instantes, Bárbara o repeliu. Não por ser miúdo e disforme, mas apenas por não o ter encomendado.

A insensibilidade da mãe, indiferente ao pranto e à fome do menino, obrigou-me a criá-lo no colo. Enquanto ele chorava por alimento, ela se negava a entregar-lhe os seios volumosos, e cheios de leite.

Quando Bárbara se cansou da água do mar, pediu-me um baobá, plantado no terreno ao lado do nosso. De madrugada, após certificar-me de que o garoto dormia tranqüilamente, pulei o muro divisório com o quintal do vizinho e arranquei um galho da árvore.

Ao regressar a casa, não esperei que amanhecesse para entregar o presente à minha mulher. Acordei-a, chamando baixinho pelo seu nome. Abriu os olhos, sorridente, adivinhando o motivo por que fora acordada:

— Onde está?

— Aqui. E lhe exibi a mão, que trazia oculta nas costas.

— Idiota! gritou, cuspindo no meu rosto. — Não lhe pedi um galho. — E virou para o canto, sem me dar tempo de explicar que o baobá era demasiado frondoso, medindo cerca de dez metros de altura.

Dias depois, como o dono do imóvel recusasse vender a árvore separadamente, tive que adquirir toda a propriedade por preço exorbitante.

Fechado o negócio, contratei o serviço de alguns homens que, munidos de picaretas e de um guindaste, arrancaram o baobá do solo e o estenderam no chão.

Feliz e saltitante, lembrando uma colegial, Bárbara passava as horas passeando sobre o grosso tronco. Nele também desenhava figuras, escrevia nomes. Encontrei o meu debaixo de um coração, o que muito me comoveu. Este foi, no entanto, o único gesto de carinho que dela recebi. Alheia à gratidão com que eu recebera a sua lembrança, assistiu ao murchar das folhas e, ao ver seco o baobá, desinteressou-se dele.

Estava terrivelmente gorda. Tentei afastá-la da obsessão, levando-a ao cinema, aos campos de futebol. (O menino tinha que ser carregado nos braços, pois anos após o seu nascimento continuava do mesmo tamanho, sem crescer uma polegada.) A primeira idéia que lhe ocorria, nessas ocasiões, era pedir a máquina de projeção ou a bola, com a qual se entretinham os jogadores. Fazia-me interromper, sob o protesto dos assistentes, a sessão ou a partida, a fim de lhe satisfazer a vontade.

Muito tarde verifiquei a inutilidade dos meus esforços para modificar o comportamento de Bárbara. Jamais compreenderia o meu amor e engordaria sempre.

Deixei que agisse como bem entendesse e aguardei resignadamente novos pedidos. Seriam os últimos. Já gastara uma fortuna com as suas excentricidades.

Afetuosamente, chegou-se para mim, um tarde, e me alisou os cabelos. Apanhado de surpresa, não atinei de imediato com o motivo do seu procedimento. Ela mesma se encarregou de mostrar a razão:

— Seria tão feliz, se possuísse um navio!

— Mas ficaremos pobres, querida. Não teremos com que comprar alimentos e o garoto morrerá de fome.

— Não importa o garoto, teremos um navio, que é a coisa mais bonita do mundo.

Irritado, não pude achar graça nas suas palavras. Como poderia saber da beleza de um barco, se nunca tinha visto um e se conhecia o mar somente através de uma garrafa?!

Contive a raiva e novamente embarquei para o litoral. Dentre os transatlânticos ancorados no porto, escolhi o maior. Mandei que o desmontassem e o fiz transportar à nossa cidade.

Voltava desolado. No último carro de uma das numerosas composições que conduziam partes do navio, meu filho olhava-me inquieto, procurando compreender a razão de tantos e inúteis apitos de trem.

Bárbara, avisada por telegrama, esperava-nos na gare da estação. Recebeu-nos alegremente e até dirigiu um gracejo ao pequeno.

Numa área extensa, formada por vários lotes, Bárbara acompanhou os menores detalhes da montagem da nave. Eu permanecia sentado no chão, aborrecido e triste. Ora olhava o menino, que talvez nunca chegasse a caminhar com as suas perninhas, ora o corpo de minha mulher que, de tão gordo, vários homens, dando as mãos, uns aos outros, não conseguiriam abraçá-lo.

Montado o barco, ela se transferiu para lá e não mais desceu à terra. Passava os dias e as noites no convés, inteiramente abstraída de tudo que não se relacionasse com a nau.

O dinheiro escasso, desde a compra do navio, logo se esgotou. Veio a fome, o guri esperneava, rolava na relva, enchia a boca de terra. Já não me tocava tanto o choro de meu filho. Trazia os olhos dirigidos para minha esposa, esperando que emagrecesse à falta de alimentação.

Não emagreceu. Pelo contrário, adquiriu mais algumas dezenas de quilos. A sua excessiva obesidade não lhe permitia entrar nos beliches e os seus passeios se limitavam ao tombadilho, onde se locomovia com dificuldade.

Eu ficava junto ao menino e, se conseguia burlar a vigilância de minha mulher, roubava pedaços de madeira ou ferro do transatlântico e trocava-os por alimento.

Vi Bárbara, uma noite, olhando fixamente o céu. Quando descobri que dirigia os olhos para a lua, larguei o garoto no chão e subi depressa até o lugar em que ela se encontrava. Procurei, com os melhores argumentos, desviar-lhe a atenção. Em seguida, percebendo a inutilidade das minhas palavras, tentei puxá-la pelos braços. Também não adiantou. O seu corpo era pesado demais para que eu conseguisse arrastá-lo.

Desorientado, sem saber como proceder, encostei-me à amurada. Não lhe vira antes tão grave o rosto, tão fixo o olhar. Aquele seria o derradeiro pedido. Esperei que o fizesse. Ninguém mais a conteria.

Mas, ao cabo de alguns minutos, respirei aliviado. Não pediu a lua, porém uma minúscula estrela, quase invisível a seu lado. Fui buscá-la.

(*O Pirotécnico Zacarias*, 8ª ed., S. Paulo, Áti-
ca, 1981, pp. 29-33.)

Tendo atrás de si, como ele próprio confessa numa entrevista, Gogol, Cervantes, Hoffmann, Pirandello, Gerard de Nerval, Poe, Henry James, entre outros, autores que lhe serviram de alicerce à formação de escritor, e Machado de Assis como mestre, Murilo Rubião é um dos precursores do realismo mágico em nossas letras. Ainda se pode acrescentar a semelhança involuntária com Kafka para se completar o quadro em que se situa o conto "Bárbara". Transcorrendo fora do tempo e do espaço, ou em qualquer hora e em qualquer lugar, a atmosfera da narrativa é sombria, luarenta, e nela o insólito nasce da realidade cotidiana, seja nos moldes do fantástico, seja nos domínios do absurdo. Tudo se passa como se um olhar penetrante descortinasse no dia-a-dia o círculo de magia que envolve os acontecimentos, as pessoas e as coisas: Bárbara engorda continuamente, e sem razão visível, pedindo coisas fora de propósito, como o oceano. E não menos absurdo é que o narrador lhe faça as vontades, indo ao litoral para lhe satisfazer o desenfreado apetite. Como se não bastasse, a protagonista, uma espécie de anti-heroína, "ficou a olhar, maravilhada (...), a garrafa contendo. água do oceano". Se absurdo era pedir o impossível, absurdo é agora o modo como Bárbara se defronta com o objeto dos seus desejos, — olhando-o maravilhada. Ocorre, porém, que a seqüência de fantástico e insólito não se interrompe aí: passando um tempo indeterminado (nove meses?), e persistindo o gigantismo da mulher, de seu ventre imenso "nasceu um ser raquítico e feio, pesando um quilo". Nem por isso os pedidos esdrúxulos se estancam, mostrando que a situação de mulher grávida não era a sua causa primordial: agora pede um baobá, um navio. Por fim, o fecho enigmático da narrativa, para culminar um colar de absurdos, constituído de um "simples" pedido: uma estrela. Clima de magia, como se vê, temperado por um realismo ácido, mas verossímil, como se a obesidade fosse um fenômeno ao mesmo tempo corriqueiro e transcendente. A desmesura do corpanzil de Bárbara resultaria não só de uma gula insaciável, como também de uma vontade inconsciente de abranger nos limites do corpo, se não a totalidade das coisas, pelo menos algumas das impossíveis, como o oceano, o navio, o baobá, a estrela, numa ordem que parte do concreto, já de si misterioso, e termina no estratosférico.

GUIMARÃES ROSA

João Guimarães Rosa nasceu em Cordisburgo (Minas Gerais), a 27 de junho de 1908. Formado em Medicina na capital do estado natal (1930), após clinicar por algum tempo ingressou na carreira diplomática (1934), indo servir na Alemanha (1938), Colômbia (1942),

França (1948), além das funções no Itamarati. Em 1946, estreou com *Sagarana*, livro de contos que conheceu aplausos gerais. Elegeu-se para a Academia Brasileira de Letras em 1963, e faleceu no Rio de Janeiro, três dias depois da investidura, a 19 de novembro de 1967. Afora *Sagarana*, publicou: *Corpo de Baile* (1956), *Grande Sertão: Veredas* (1956), *Primeiras Estórias* (1962), *Tutaméia* (1967), *Estas Estórias* (1969), *Ave, Palavra* (1970).

Grande Sertão: Veredas

Em monólogo, Riobaldo conta sua odisséia de jagunço, empenhado tão a fundo na vingança do grande chefe Joca Ramiro, que estabelece pacto com o Diabo. Além do sentimento de fidelidade, impele-o uma entranhada afeição por Diadorim, companheiro de luta, que certo dia descobre ser Diadorina, filha de Joca Ramiro. O trecho que se vai ler, logo à entrada do caudaloso estuário verbal (571 páginas), dá-nos um *close-up* de Riobaldo e sua mundividência:

Compadre meu Quelemém reprovou minhas incertezas. Que, por certo, noutra vida revirada, os meninos também tinham sido os mais malvados, da massa e peça do pai, demônios do mesmo caldeirão de lugar. Senhor o que acha? E o velhinho assassinado? — eu sei que o senhor vai discutir. Pois, também. Em ordem que ele tinha um pecado de crime, no corpo, por pagar. Se a gente — conforme meu compadre Quelemém é quem diz — se a gente torna a encarnar renovado, eu cismo até que inimigo de morte pode vir como filho do inimigo. Mire veja: se me digo, tem um sujeito Pedro Pindó, vizinho daqui mais seis léguas, homem de bem por tudo em tudo, ele e a mulher dele, sempre sidos bons, de bem. Eles têm um filho duns dez anos, chamado Valtêi — nome moderno, é o que o povo daqui agora apreceia, o senhor sabe. Pois essezinho, essezim, desde que algum entendimento alumiou nele, feito mostrou o que é: pedido madrasto, azedo queimador, gostoso de ruim de dentro do fundo das espécies de sua natureza. Em qual que judia, ao devagar, de todo bicho ou criaçãozinha pequena que pega; uma vez, encontrou uma crioula benta-bêbada dormindo, arranjou um caco de garrafa, lanhou em três pontos a popa da perna dela. O que esse menino babeja vendo, é sangrarem galinha ou esfaquear porco. — "Eu gosto de matar..." — uma ocasião ele pequenino me disse. Abriu em mim um susto: porque: passarinho que se debruça — o vôo já está pronto! Pois, o senhor vigie: o pai, Pedro Pindó, modo de corrigir isso, e a mãe, dão nele, de miséria e mastro — botam o menino sem comer, amarram em árvores no terreiro, ele nu nuelo, mesmo em junho frio, lavram o corpinho dele na peia e na taca, depois limpam a pele do sangue, com cuia de salmoura. A gente sabe, espia, fica gasturado. O menino já rebaixou de magreza, os olhos entrando, carinha de ossos, encaveirada, e entisicou, o tempo todo tosse, tossura da que puxa secos peitos. Arre, que agora, visível, o Pindó e a mulher se habituaram de nele bater, de pouquinho em pouquim foram criando nisso um prazer feio de diversão — como regulam as sovas em horas certas confortáveis, até chamam gente para ver o exemplo bom. Acho que esse menino não dura, já está no blimbilim, não chega para a quaresma que vem... Uê-uê, então?! Não sendo como compadre meu Quelemém quer, que explicação é que o senhor dava? Aquele menino tinha sido homem. Devia, em balanço, terríveis perversidades. Alma dele estava no breu. Mostrava. E, agora, pagava. Ah, mas, acontece, quando está chorando e penando, ele sofre igual que se fosse um menino bonzinho... Ave, vi de tudo, neste mundo! Já vi até cavalo com soluço... — o que é a coisa mais custosa que há.

Bem, mas o senhor dirá, deve de: e no começo — para pecados e artes, as pessoas — como por que foi que tanto emendado se começou? Ei, ei, aí todos esbarram. Compadre meu Quelemém, também. Sou só um sertanejo, nessas altas idéias navego mal. Sou muito pobre coitado. Inveja minha pura é de uns conforme o senhor, com toda leitura e suma doutoração. Não é que eu esteja analfabeto. Soletrei, anos e meio, meante cartilha, memória e palmatória. Tive mestre, Mestre Lucas, no Curralinho, decorei gramática, as operações, regra-de-três, até geografia e estudo pátrio. Em folhas grandes de papel, com capricho tracei bonitos mapas. Ah, não é por falar: mas, desde do começo, me achavam sofismado de ladino. E que eu merecia de ir para cursar latim, em Aula Régia — que também diziam. Tempo saudoso! Inda hoje, apreceio um bom livro, despaçado. Na fazenda O Limãozinho, de um meu amigo Vito Soziano, se assina desse almanaque grosso, de logogrifos e charadas e outras dividas matérias, todo ano vem. Em tanto, ponho primazia é na leitura proveitosa, vida de santo, virtudes e exemplo — missionário esperto engambelando os índios, ou São Francisco de Assis, Santo Antônio, São Geraldo... Eu gosto muito de moral. Raciocinar, exortar os outros para o bom caminho, aconselhar a justo. Minha mulher, que o senhor sabe, zela por mim: muito reza. Ela é uma abençoável. Compadre meu Quelemém sempre diz que eu posso aquietar meu temer de consciência, que sendo bem-assistido, terríveis bons-espíritos me protegem. Ipe! Com gosto... Como é de são efeito, ajudo com meu querer acreditar. Mas nem sempre posso. O senhor saiba: eu toda a minha vida pensei por mim, forro, sou nascido diferente. Eu sou é eu mesmo. Diverjo de todo o mundo... Eu quase que nada não sei. Mas desconfio de muita coisa. O senhor concedendo, eu digo: para pensar longe, sou cão mestre — o senhor solte em minha frente uma idéia ligeira, e eu rastreio essa por fundo de todos os matos, amém! Olhe: o que devia de haver, era de se reunirem-se os sábios, políticos, constituições gradas, fecharem o definitivo a noção — proclamar por uma vez, artes assembléias, que não tem diabo nenhum, não existe, não pode. Valor de lei! Só assim, davam tranqüilidade boa à gente. Por que o Governo não cuida?!

Ah, eu sei que não é possível. Não me assente o senhor por beócio. Uma coisa é pôr idéias arranjadas, outra é lidar com país de pessoas, de carne e sangue, de mil-e-tantas misérias... Tanta gente — dá susto se saber — e nenhum se sossega: todos nascendo, crescendo, se casando, querendo colocação de emprego, comida, saúde, riqueza, ser importante, querendo chuva e negócios bons... De sorte que carece de se escolher: ou a gente se tece de viver no safado comum, ou cuida só de religião só. Eu podia ser: padre sacerdote, se não chefe de jagunços; para outras coisas não fui parido. Mas minha velhice já principiou, errei de toda conta. E o reumatismo... Lá como quem diz: nas escorvas. Ahã.

Hem? Hem? O que mais penso, testo e explico: todo-o-mundo é louco. O senhor, eu, nós, as pessoas todas. Por isso é que se carece principalmente de religião: para se desendoidecer, desdoidar. Reza é que sara da loucura. No geral. Isto é que é a salvação-da-alma... Muita religião, seu moço! Eu cá, não perco ocasião de religião.

Aproveito de todas. Bebo água de todo rio... Uma só, para mim é pouca, talvez não me chegue. Rezo cristão, católico, embrenho a certo; e aceito as preces de compadre meu Quelemém, doutrina dele, de Cardéque. Mas, quando posso, vou no Mindubim, onde um Matias é crente, metodista: a gente se acusa de pecador, lê alto a Bíblia, e ora, cantando hinos belos deles. Tudo me quieta, me suspende. Qualquer sombrinha me refresca. Mas é só muito provisório. Eu queria rezar — o tempo todo. Muita gente não me aprova, acham que lei de Deus é privilégios, invariável. Eu eu! Bofe! Detesto! O que sou? — o que faço, que quero, muito curial. E em cara de todos faço, executado. Eu? — não tresmalho!

Olhe: tem uma preta, Maria Leônça, longe daqui não mora, as rezas dela afamam muita virtude de poder. Pois a ela pago, todo mês — encomenda de rezar por mim um terço, todo santo dia, e, nos domingos, um rosário. Vale, se vale. Minha mulher não vê mal nisso. E estou, já mandei recado para uma outra, do Vau-Vau, uma Izina Calanga, para vir aqui, ouvi de que reza também com grandes meremerências, vou efetuar como ela trato igual. Quero punhado dessas, me defendendo em Deus, reunidas de mim em volta... Chagas de Cristo!

Viver é muito perigoso... Querer o bem com demais força, de incerto jeito, pode já estar sendo se querendo o mal, por principiar. Esses homens! Todos puxavam o mundo para si, para o concertar consertado. Mas cada um só vê e entende as coisas dum seu modo. Montante, o mais supro, mais sério — foi Medeiro Vaz. Que um homem antigo... Seu Joãzinho Bem-Bem, o mais bravo de todos, ninguém nunca pôde decifrar como ele por dentro consistia. Joca Ramiro — grande homem príncipe! — era político. Zé-Bebelo quis ser político, mas teve e não teve sorte: raposa que demorou. Sô Candelário se endiabrou, por pensar que estava com doença má. Titão Passos era o pelo preço de amigos: só por via deles, de suas mesmas amizades, foi que tão alto se ajagunçou. Antônio Dó — severo bandido. Mas por metade; grande maior metade que seja. Andalécio, no fundo, um bom homem-de-bem, estouvado raivoso em sua toda justiça. Ricardão, mesmo, queria era ser rico em paz: para isso guerreava. Só o Hermógenes foi que nasceu formado tigre, e assassim. E o "Urutu-Branco"? Ah, não me fale. Ah, esse... tristonho levado, que foi — que era um pobre menino do destino...

Tão bem, conforme. O senhor ouvia, eu lhe dizia: o ruim com o ruim, terminam por as espinheiras se quebrar — Deus espera essa gastança. Moço!: Deus é paciência. O contrário, é o diabo. Se gasteja. O senhor rela faca em faca — e afia — que se raspam. Até as pedras do fundo, uma dá na outra, vão-se arredondilhando lisas, que o riachinho rola. Por enquanto, que eu penso, tudo quanto há, neste mundo, é porque se merece e carece. Antesmente preciso. Deus não se comparece com refe, não arrocha o regulamento. Pra quê? Deixa: bobo com bobo — um dia, algum estala e aprende: esperta. Só que, às vezes, por mais auxiliar, Deus espalha, no meio, um pingado de pimenta...

Haja? Pois, por um exemplo: faz tempo, fui, de trem, lá em Sete-Lagoas, para partes de consultar um médico, de nome me indicado. Fui vestido bem, e em carro de primeira, por via das dúvidas, não me sombrearem por jagunço antigo. Vai e acontece, que, perto mesmo de mim, defronte, tomou assento, voltando deste brabo

Norte, um moço Jazevedão, delegado profissional. Vinha com um capanga dele, um secreta, e eu bem sabia os dois, de que tanto um era ruim, como o outro ruim era. A verdade que diga, primeiro tive o estrito de me desbancar para um longe dali, mudar de meu lugar. Juízo me disse, melhor ficasse. Pois, ficando, olhei. E — lhe falo: nunca vi cara de homem fornecida de bruteza e maldade mais, do que nesse. Como que era urco, trouxo de atarracado, reluzia um cru nos olhos pequenos, e armava um queixo de pedra, sobrancelhonas; não demedia nem testa. Não ria, não se riu nem uma vez; mas, falando ou calado, a gente via sempre dele algum dente, presa pontuda de guará. Arre, e bufava, um poucadinho. Só rosneava curto, baixo, as meias-palavras escrespadas. Vinha reolhando, historiando a papelada — uma a uma as folhas com retratos e com os pretos dos dedos de jagunços, ladrões de cavalos e criminosos de morte. Aquela aplicação de trabalho, numa coisa dessas, gerava a ira na gente. O secreta, xereta, todo perto, sentado junto, atendendo, caprichando de ser cão. Me fez um receio, mas só no bobo do corpo, não no interno das coragens. Uma hora, uma daquelas laudas caiu — e eu me abaixei depressa, sei lá mesmo por que, não quis, não pensei — até hoje crio vergonha disso — apanhei o papel do chão, e entreguei a ele. Daí, digo: eu tive mais raiva, porque fiz aquilo; mas aí já estava feito. O homem nem me olhou, nem disse nenhum agradecimento. Até as solas dos sapatos dele — só vendo — que solas duras grossas, dobradas de enormes, parecendo ferro bronze. Porque eu sabia: esse Jazevedão, quando prendia alguém, a primeira quieta coisa que procedia era que vinha entrando, sem ter que dizer, fingia umas pressas, e ia pisava em cima dos pés descalços dos coitados. E que nessas ocasiões dava gargalhadas, dava... Pois, osga! Entreguei a ele a folha de papel, e fui saindo de lá, por ter mão em mim de não destruir a tiros aquele sujeito. Carnes que muito pesavam... E ele umbigava um princípio de barriga barriguda, que me criou desejos... Com minha brandura, alegre que eu matava. Mas, as barbaridades que esse delegado fez e aconteceu, o senhor nem tem calo em coração para poder me escutar. Conseguiu de muito homem e mulher chorar sangue, por estes simples universozinho nosso aqui. Sertão. O senhor sabe: sertão é onde manda quem é forte, com as astúcias. Deus mesmo, quando vier, que venha armado! E bala é um pedacinhozinho de metal...

(*Grande Sertão: Veredas*, 3ª ed., Rio de Janeiro, José Olympio, 1963, pp. 14-20.)

Espécie de divisor de águas e de realizador das altas ambições do Modernismo, Guimarães Rosa constitui talvez o "caso" mais rumoroso de nossa história literária atual. Por certo, ainda é muito cedo para julgar o que nele resulta das circunstâncias — a estagnação relativa da Literatura Brasileira após a Guerra de 39 —, e o que provém de uma invulgar congeminação estética. Seja como for, creio pertinente admitir que uma obra como *Grande Sertão*: *Veredas* ostenta qualidades capazes de resistir à erosão do tempo e às mudanças do gosto. O romance todo, estruturado como um longo monólogo para um ouvinte que é ao mesmo tempo o ficcionista e o leitor, ergue ante nós o perfil de uma figura de estranha psicologia e vastas dimensões humanas (Riobaldo), e uma dada cosmovisão, num congraçamento perfeito. Por isso, analisar um é analisar outro. O primeiro aspecto que nos chama a atenção diz respeito à linguagem, barroquizante e artificiosa. Como explicar o fenômeno? Em síntese, a naturalidade rebuscada e inventada, que não corresponde à fala de nenhuma região precisa (quando muito, norte de Minas Gerais e sul da Bahia), justifica-se como barreira contra o ridículo que espreita o fundo moral das palavras de Riobaldo: elaborada a linguagem segundo padrões específicos, todo o absurdo passa a ser plenamente aceito (veja-se o parágrafo iniciado por "Hem? Hem?"). Na camada lingüística, ou seja, na conformação do herói evidencia-se a fusão entre o cotidiano e o requintado, o regional e o erudito, o folclore e a cultura livresca: "Inveja minha pura é de uns conforme o senhor, com toda leitura e suma doutoração"; "Inda hoje, apreceio um bom livro, despaçado". Percebe-se, porém, que o livro se inscreve dentro de sua próprio visão do mundo ("O senhor saiba: em toda a minha vida pensei por mim, forro, sou nascido diferente." Etc.), como se a letra impressa apenas prolongasse o espontâneo do seu viver e de seu código ético ("Em tanto, ponho primazia é na leitura proveitosa, vida de santo, virtudes e exemplos"). Este, fruto das mais diversificadas experiências e reflexões, desenvolve-se em aforismos que sublinham uma individualidade singular e uma privilegiada mundividência: "Viver é perigoso" afirma-se como seu bordão, emblema de uma de suas forças-motrizes fundamentais. Sabedoria infinita, tanto mais relativista quanto mais se amplia ("Mas cada um só vê e entende as coisas dum seu modo"), acaba por manifestar as largas medidas de um homem para quem a religião, sobre ser ecumênica ("Aproveito de todas"), serve para "desendoidecer, desdoidar", e para quem "Deus é paciência. O contrário, é o diabo". O fragmento escolhido, tal e qual uma miniatura, termina por uma observação de Riobaldo em que se nota o encontro de uma verdade múltipla, mas provisória, como deve ser todo conhecimento ("Deus mesmo, quando vier, que venha armado!"), que, contrabalançando o elogio de Deus, promove o jagunço a divindade do sertão, "este simples universozinho nosso aqui". Como num gesto de magia, o sertão se transforma no mundo, e o mundo no sertão, de modo que onde quer que esteja o homem é sertão, estar no mundo é estar no sertão: o regional se universaliza, ganha corpo de mito, quando a prosa emaranhada de Riobaldo exibe prodigamente um saber essencial, acessível ao homem de qualquer latitude ou longitude. Ao fazê-lo, o ficcionista lograva o milagre de Literatura narrativa: criar um mundo, com suas leis próprias, à imagem e semelhança do mundo físico no qual este se espelha e se revela.

Texto para Análise

Sucinto que se passou, horas tantas, estalos e estrondos estouros, sotrançando no chicotear das balas-balas, sempre disso. Sempremente. Ao constante que eu estive, copiando o meu destino. Mas, como vou contar ao senhor? Ao que narro, assim refrio, e esvaziado, luiz-e-silva. O senhor não sabe, o senhor não vê. Conto o que fiz? O que adjaz. Que eu manejava na mira. Dava, dava. E que não pronunciei insultos e gritos, mesmo porque minha boca, a modo que naquele preciso tremor, me mal-obedecia. Sapateei, em vez, bati pé de pilão nas tábuas do assoalho tão surdo — o senhor é capaz que escute, como eu escutei? E que o furor da guerra, lá fora, lá embaixo, tomava certa conta de mim, que a quase eu deixava de dar fé da dor-de-cabeça, que forte me doía, que doesse vindo do céu-da-boca, conforme desde, aos poucos, que o fogo tinha começado. E que água não provei bebida, nem cigarro pitei. Esperançando meu destino: desgraça de mim! Eu! Eu...

Como vou contar, e o senhor sentir em meu estado? O senhor sobrenasceu lá? O senhor mordeu aquilo? O senhor conheceu Diadorim, meu senhor?!... Ah, o senhor pensa que morte é choro e sofisma — terra funda e ossos quietos... O senhor havia de conceber alguém aurorear de todo amor e morrer como só para um. O senhor devia de ver homens à mão-tente se matando a crer, com babas raivas! Ou a arte de um: tá-tá, tiro — e o outro vir na fumaça, de à-faca, de repelo: quando o que já defunto era quem mais matava... O senhor... Me dê um silêncio. Eu vou contar.

Tudo estava tão pendurado para o fim... Derradeiro ainda foi, que eu virei para trás, para repreender o cego Borromeu, e que eu estava com dormente dor, nos braços. Sem-ordem daquele cego, estúrdio, agachado lá, cocoral. Só fez que disse, bronco — "Quem me dê um de-comer?" Respondi: ralhei. Ah, há-de-o, singular ficasse, mesmo ali, mascando fumo grosso e cuspindo amarelo e preto... Dei num suor. Vozeiro dele, então, de repente: que principiou a cantar, ele estava cantando um louvado...

Como os braços me testemunhavam um peso... Mesmo estranhei, quando fui notando que o tiroteio da rua tinha pousado termo; achei que fazia um certo minuto que o fogo teria sopitado. Cessaram, sim. Mas gritavam, vuvú vavavá de conversa ruim, uns para os outros, de ronda-roda. Haviam de ter desautorizado toda munição? Olhando, desentendi. Atirar eu pudesse? Acho que quis gritar, e esperei para depoismente, mais tarde. Mesmo o que vi: aquele mexinflol. E que quem saía duma porta, para ir se juntar com o bando de todos — armou, segurando frente de si engatilhada uma garrucha de dois canos, pôs a mira — que era o catrumano Teofrásio, como se fosse braço-d'armas! E vi, chefiando os dele, o Hermógenes! Chapéu na cabeça era um bandejão redondo... Homem que se desata...

Entendi. O senhor me socorre.

Conheci o que estava para ser: que os dele e os meus tinham cruzado grande e doido desafio, conforme para cumprir se arrumavam, uns e outros, nas duas pontas da rua, debaixo de forma; e a frio desembainhavam. O que vendo, vi Diadorim — movimentos dele. Querer mil gritar, e não pude, desmim de mim-mesmo, me tonteava, numas ânsias. E tinha o inferno daquela rua, para encurralar comprido... Tiraram minha voz.

Como vinham de lá e de lá, em contra-ranchos, a tomar armas, as cartucheiras de tiracol. Atirar eu pude? A breca torceu e lesou meus braços, estorvados. Pela espinha abaixo, eu suei em fio vertiginoso. Quem era que me desbraçava e me peava, supilando minhas forças? — *"Tua honra... Minha honra de homem valente!..."* — eu me, em mim, gemi: alma que perdeu o corpo. O fuzil caiu de minhas mãos, que nem pude segurar com o queixo e com os peitos. Eu vi minhas agarras não valerem! Até que trespassei de horror, precipício branco.

Diadorim a vir — do topo da rua, punhal em mão, avançar — correndo amouco...

Ai, eles se vinham, cometer. Os trezentos passos. Como eu estava depravado a vivo, quedando. Eles todos, na fúria, tão animosamente. Menos eu! Arrepele que não prestava para tramandar uma ordem, gritar um conselho. Nem cochichar comigo pude. Boca se encheu de cuspes. Babei... Mas eles vinham, se avinham, num pé-de-vento, no desadoro, bramavam, se investiram... Ao que — fechou o fim e se fizeram. E eu arrevessei, na ânsia por um livramento... Quando quis rezar — e só um pensamento, como raio e raio, que em mim. Que o senhor sabe? Qual: ... *o Diabo na rua, no meio do redemunho*... O senhor soubesse... Diadorim — eu queria ver — segurar com os olhos... Escutei o medo claro nos meus dentes... O Hermógenes: desumano, dronho — nos cabelões da barba... Diadorim foi nele... Negaceou, com uma quebra de corpo, gambetou... E eles sanharam e baralharam, terçaram. De supetão... e só...

E eu estando vendo! Trecheio, aquilo rodou, encarniçados, roldão de tal, dobravam para fora e para dentro, com braços e pernas rodejando, como quem corre, nas entortações. ... *O diabo na rua, no meio do redemunho...* Sangue. Cortavam toucinho debaixo de couro humano, esfaqueavam carnes. Vi camisa de baetilha, e vi as costas de homem remando, no caminho para o chão, como corpo de porco sapecado e rapado... Sofri rezar, e não podia, num cambaleio. Ao ferreio, as facas, vermelhas, no embrulhável. A faca a faca, eles se cortaram até os suspensórios. ...*O diabo na rua, no meio do redemunho...* Assim, ah — mirei e vi — o claro claramente: aí Diadorim cravar e sangrar o Hermógenes... Ah, cravou — no vão — e ressurtiu o alto esguicho de sangue: porfiou para bem matar! Soluço que não pude, mar que eu queria um socorro de rezar uma palavra que fosse, bradada ou em muda; e secou: e só orvalhou em mim, por prestígios do arrebatado no momento, foi poder imaginar a minha Nossa-Senhora assentada no meio da igreja... Gole de consolo... Como lá embaixo era fel de morte, sem perdão nenhum. Que enguli vivo. Gemidos de todo ódio. Os urros... Como, de repente, não vi mais Diadorim! No céu, um pano de nuvens... Diadorim! Naquilo, eu então pude, no corte da dor: me mexi, mordi minha mão, de redoer, com ira de tudo... Subi os abismos... De mais longe, agora davam uns tiros, esses tiros vinham de profundas profundezas. Trespassei.

Eu estou depois das tempestades.

O senhor nonada conhece de mim; sabe o muito ou o pouco? O Urucuia é ázigo... Vida vencida de um, caminhos todos para trás, é história que instrui vida do senhor, algum? O senhor enche uma caderneta... O senhor vê aonde é o sertão? Beira dele, meio dele?... Tudo sai é mesmo de escuros buracos, tirante o que vem do Céu. Eu sei.

Conforme conto. Como retornei, tarde depois, mal sabendo de mim, e querendo emendar nó no tempo, tateando com meus olhos, que ainda restavam fechados. Ouvi os rogos do menino Guirigó e do cego Borromeu, esfregando meu peito e meus braços, reconstituindo, no dizer, que eu tinha estado sem acordo, dado ataque, mas que não tivesse espumado nem babado. Sobrenadei. E, daí, não sei bem, eu estava recebendo socorro de outros — o Jacaré, Pacamã-de-Presas, João Curiol e o Acauã —: que molhavam minhas faces e minha boca, lambi a água. Eu despertei de todo — como no instante em que o trovão não acabou de rolar até ao fundo, e se sabe que caiu o raio...

Diadorim tinha morrido — mil-vezes-mente — para sempre de mim; e eu sabia, e não queria saber, meus olhos marejaram.

(*Ibidem*, pp. 557-560.)

OSMAN LINS

Osman da Costa Lins nasceu em Vitória de Santo Antão (Pernambuco), a 5 de julho de 1924. Após os estudos primários na cidade natal, vai para Recife fazer o curso secundário, e posteriormente o superior, de Ciências Econômicas. Já nessa altura funcionário do Banco do Brasil, publica suas primeiras narrativas no *Diário de Pernambuco*. Em 1955, estréia com *O Visitante*, início de uma carreira literária em ascensão até o fim. Em 1963, transferiu-se para São Paulo, onde faleceu a 8 de julho de 1978. Colaborou assiduamente na imprensa, com ficção, ensaio ou artigos em prol do teatro e do escritor nacional. Ainda publicou os romances *O Fiel e a Pedra* (1961), *Avalovara* (1974), *A Rainha dos Cárceres da Grécia* (1976); os livros de contos *Os Gestos* (1957) e *Nove, Novena* (1966); as peças teatrais *Lisbela e o Prisioneiro* (1964), *Guerra do "Cansa-Cavalo"* (1967), *Capa-Verde e o Natal* (1967), *Santa, Automóvel e Soldado* (1975): o livro de viagens *Marinheiro de Primeira Viagem* (1963); volumes de ensaio: *Um Mundo Estagnado* (1966), *Guerra sem Testemunhas* (1969), *Lima Barreto e o Espaço Romanesco* (1976), *Evangelho na Taba*, 1979; e *Casos Especiais de O. L.* (para televisão, 1978).

O Fiel e a Pedra

Ponto alto, pedra angular da trajetória literária de Osman Lins, *O Fiel e a Pedra* veio a público pela primeira vez no Rio de Janeiro, em 1961, e não obteve a ressonância que seria de esperar de suas incomuns qualidades romanescas. O entrecho, composto de "manchas" ou de episódios como que destravados, mas ligados por uma continuidade dramática profunda, gira em torno de Bernardo Vieira Cedro, sua mulher Teresa, Antônio Chá, Ascânio, Cissone, e outros. O romance narra a reconstituição interior de Bernardo, desde os escombros deixados por um filho que morre, a luta contra toda sorte de adversidade, até o nascimento de outro filho e o anúncio de um tempo novo. O capítulo que se vai ler, surpreende um dos momentos-chave dessa escalada (capítulo XXXIV):

Bernardo não pôde saber o que o despertara, se algum rumor, se o repentino silêncio dos grilos. Não ouviu passos, nenhuma voz. Mas sabia que rondavam a casa. As pancadas do sangue cresceram em seus ouvidos. Ele estendeu a mão, lentamente, para a cadeira ao lado da cama; ao tocar o *parabellum*, já o sangue emudecera.

Seria Nestor? Que viria fazer? Imaginou o desconhecido, o vulto silencioso, aquele vulto sem rosto, que Nestor Benício descobrira só o diabo podia saber onde e que trouxera para amedrontá-lo. Parecia vê-lo, imóvel como sempre, contemplando a casa, como se não acreditasse na resistência das portas.

Apossou-se da arma, encostou-a ao rosto e começou a perceber um murmúrio, não sabendo se a desmedida atenção impedira-o de escutá-lo antes. Murmúrio, rumor de passos. Foi penetrando naquela zona de sons, desvendando-a e dela se apossando, até distinguir breves palavras. Não era o irmão de Miguel, era um grupo de estranhos que ali estava. Moviam-se, falavam, o confuso diálogo fundia-se por vezes num zumbido, uma tosse quebrava-o; erguia-se um riso curto, vinha um bocejo, algo tilintava.

— Ele não abre.

— Esse pessoal da rua é frouxo.

— Bateu o pé, eles já vão longe.

— Tem mulher?

— Parece.

— Ah!

A exclamação era indecifrável, poderia significar lascívia, decepção, medo, como também a certeza de que um homem casado é um ser diminuído, sorvida a sua voragem pela fraqueza da mulher.

Alguém se aproximou decidido e a janela rangeu nas guardas de madeira, sob a pressão daqueles punhos. Ao mesmo tempo, com essa força crescente, logo interrompida, em breve recomeçada e cada vez mais firme com que se bate um prego, começaram a bater numa das portas. Houve um tropel, levantou-se uma voz autoritária e as pancadas cessaram. Sobreveio um silêncio. Bernardo estendeu uma perna, depois a outra, tocou o chão com as pontas dos pés e ficou debruçado à cama, quase de joelhos, atento ao ressonar de Teresa. Ergueu-se, vestiu a roupa e ficou de pé, sem plano, com um desejo informe. Afirmar sua coragem? Na obscuridade, pôde ver que os pés da mulher estavam descobertos e puxou sobre eles o lençol. Voltou, mais abafado, o som de vozes. Ele se curvou:

— Está ouvindo?

Teresa, respondeu, a ponto de chorar:

— Estou.

Mas chorar por quê? E ela estava desperta, ouvindo tudo aquilo sem mover-se. Deixou-a, abriu a porta, viu-se no corredor. Agitaram-se as vozes no alpendre, parecendo mais impacientes e mais rudes. Alguém gritou um insulto que ficou sem resposta, agora eles faziam questão de ser ouvidos. Repetiram o insulto; os murros nas portas recomeçaram.

Teresa levantou-se. Onde estava Bernardo, que tencionava fazer? Acabava de vestir-se: a cabeça girou, ela sentou-se à cama. Crescia o seu temor. Por que, sabendo estarem todos deitados, não batiam os homens à janela, mas preferiam agrupar-se no alpendre, como se quisessem dar a entender que não admitiriam discussão e que a porta, por bem ou mal, haveria de lhes ser aberta? Não se perdoava de haver demonstrado ao esposo o seu temor. Levantou-se outra vez.

Ao punho que martelava a porta, outros vieram juntar-se, com um ritmo mais impaciente. Por que tinham parado justamente ali, onde as portas eram sólidas, cheias de ferrolhos e de trancas, mas havia Bernardo para franqueá-las? Um galo cantou. Algo, no homem, pareceu-lhe, de súbito, mais forte do que tudo e ela perguntou a si mesma quando viria a manhã. Nenhuma claridade suavizava as trevas, aquela salvação que poderia vir do sol estava longe. As pancadas recrudesceram, eram vários os que batiam às portas, o agressivo, crescente e áspero fragor envolvia-a e esmagava-a, ela sentiu a casa violada pela insolência daqueles estranhos e caiu de joelhos ao pé do leito. Um rumor mais forte — violento abrir de porta — sobrepôs-se aos outros, ao mesmo tempo que a voz do marido gritava uma provocação e tudo silenciou.

O cano do *parabellum* voltado para a abertura, mas sem pensar em proteger-se, o corpo exposto, mesmo invisível, ao primeiro tiro louco que dirigissem de fora, Bernardo esperou. Ansiava por ver que espécie de homens, passado aquele primeiro instante de surpresa, cruzaria os portais. Não o perturbavam, no entanto, as possibilidades de matá-los ou de ser morto por eles e nem ao menos se preocupava com isto.

— Aqui é de paz — disse alguém.

Havia nas palavras uma nota de precaução. Cresceu a confiança de Bernardo:

— É de paz querer botar a porta abaixo? Ou vocês estavam pensando que eu me assombro com zoada?

Um homem se adiantou; a silhueta fina deteve-se e ficou imóvel, nítida contra o pedaço de estrada apenas visível sob o clarão das estrelas. Bernardo estava certo de não poder confiar nas boas intenções dele; mas também admirava a sua coragem e, embora o mantivesse na pontaria, não pensava em apertar o gatilho.

— Quero comprar.

Avançou lento, afastou uma das folhas da porta que permanecia meio fechada e entrou. Bernardo sentiu o cheio de suor.

— Isto não é hora de vender.

Ele tirou o chapéu, outras sombras mais cautelosas surgiram, agruparam-se às suas costas.

— Nós estamos de passagem.

— Quando amanhecer o dia, eu vendo.

— Quem tem dente, morde a qualquer hora, patrão. É só querer.

— De manhã. Não já disse? — resistiu Bernardo.

— Vosmecê não abriu a porta? Quem dá convite, dá festa.

A voz era ríspida, mas não dissimulada. Amparados pela insistência do que parecia ser o chefe, dois outros homens cruzaram a porta. Bernardo dirigiu a arma para eles, mas o chefe parecia vê-lo bem ou possuir a faculdade de sentir, no escuro, os movimentos alheios e levantou o braço, num gesto de conciliação ou ameaça:

— Porta que abre só pra um é tampa de caixão de defunto.

Bernardo foi recuando. Sua ira, a força de seu desafio, concentrara-os no ato temerário, que lhe parecera indispensável e simples, de abrir a porta. E agora, que essa determinação fora cumprida, que ostentara um destemor talvez inexistente, considerava perplexo aquela abertura através da qual os homens continuavam entrando, tão incerto a respeito de seus atos, que o *parabellum* lhe pareceu inútil e ele guardou-o na cintura.

Um palor distante começou a revelar a alvura das paredes entre as portas; os passos de Teresa avizinharam-se — e as formas dos homens, uma ruga de camisa, a curva de um ombro, uma fronte menos turva, a linha de um nariz, um punho, tudo, à proporção que ela vinha, foi-se destacando, nascendo das sombras, definindo-se à claridade crescente; uma réstia fina e vertical cortou o grupo, alargou-se num segundo e a luz do candeeiro iluminou a cena.

O grupo todo parecia haver entrado. Seriam dez ou doze e, no primeiro instante, Bernardo só isolou o chefe, que ele via agora ser franzino, mirrado, o que tornava ainda mais surpreendente a rispidez, se não a autoridade que havia em sua voz. Os outros, fortes, moços, mal vestidos e todos olhando para a mulher, eram ainda um grupo indistinto, alguns de faca à mostra, outros de foice e nenhum com arma de fogo, como que a formarem para o chefe um coro rústico, a que a imobilidade e as sombras grossas na parede davam um caráter de unção e um relevo mais profundo.

Teresa hesitou um instante, avançou e pôs o candeeiro no balcão.

— Alguma coisa? — falou.

E no mesmo instante arrependeu-se, a voz denunciava o progredir do seu medo. Bernardo percebeu-o, ao mesmo tempo que sentia no coração o desabrochar daquela flor parasitária, que parecia alimentar-se de sua coragem (pois a consumia) e era como um reflexo ou uma transplantação da que empalidecia a mulher e lhe arroxeava os beiços.

O chefe adiantou-se, as pupilas brilhantes presas na balança, onde um peso de cem gramas, talvez ali esquecido por Chá, desequilibrava os pratos. Os olhos negros, pequenos, rutilantes, levantaram-se suspeitosos, ele estendeu a mão descarnada e retirou o peso. O fiel começou a oscilar.

Bernardo ergueu a porta do balcão, entrou, despediu Teresa categórico. Ela obedeceu depressa, alguns cabras se aproximaram da balança com um ar fixo. A desconfiança do chefe irritara Bernardo. Ele achegou-se, fitou de cima e com ávido rancor a face cortada de rugas, uma face antiga, frágil, experiente, cheia de atrevimento e suspeita. Tirou um dos pratos da balança, que ainda oscilava de leve, e bateu-o com força no balcão:

— Que é que você pensa? Quem lhe deu autoridade pra ver se eu estou roubando?

Os olhos astutos fitavam-no, impassíveis. Houve um rosnar coletivo no grupo, o chefe interrogou-o, a voz mais seca, marcada agora por um acento perverso:

— Vosmecê está dormindo ou já se acordou?

— Dormindo ou acordado eu sou o mesmo homem. Nasci foi pra morrer, mas desfeita eu não engulo, nem de vocês nem de trezentos.

O rosto do chefe ficou mais pálido, os lábios mais finos, o nariz recurvo pareceu adelgaçar-se e Bernardo teve a impressão de que seu queixo estremecera.

— Sabe de uma coisa, patrão? Cuia não cabe num livro. Vosmecê está com valentia demais pr'um homem só.

Os punhos de Bernardo ficaram pesados de ira e ele precisou conter-se para não golpear como o prato a cara inflexível, que continuava a fitá-lo sem mover-se, como que para intimidá-lo ou devassar suas fraquezas mais secretas. Aquela ira subiu dos punhos, cresceu nos ombros, inflou as veias do pescoço, congestionou-lhe o rosto, dolorosa como um soluço que se tenta prender. Houve um silêncio, um momento de estupor em torno daqueles dois homens, que se encaravam com orgulho. Sem sentir, Bernardo se curvou sobre o balcão, e aproximou do chefe o rosto irado, de tal modo que o outro certamente ouviu sua respiração difícil. Sob essa cólera a ponto de romper-se, os olhos miúdos vacilaram. A mão livre de Bernardo moveu-se: tocava ainda o balcão, mas já havia uma corrente, um laço misterioso entre ela e a garganta do outro. O breve silêncio exalava qualquer coisa de particularmente sombrio, uma expectativa terrífica. Teresa sentiu-o, veio do quarto rápida, como se houvessem gritado e balbuciou à porta o nome do marido. No silêncio, o chamado parecera forte, imperioso. A mão deteve-se. Bernardo sentiu um estonteamento, sobreveio um alívio, como se lhe houvessem apertado o pescoço e agora o libertassem. Soprou um vento fresco, a chama estremeceu, alguns homens se adiantaram (o crescer de suas sombras) e insistiram para ser despachados.

— É bom, Bernardo. Eles precisam ir.

— Isso, dona. A gente vai pra longe, não pode perder tempo.

Bernardo encarou-os. Mariposas, vespas, noturnas, voejavam em torno do candeeiro, ouvia-se o murmúrio do vôo fascinado; as sombras inquietas e grandes tremiam nas paredes e na face dos homens, um dos quais mirava-as com olhos de menino, quase a sorrir.

— Vá deitar-se, minha velha.

Viu-a afastar-se e desejou pedir-lhe perdão. Começava a suspeitar de que o medo, embora assumindo formas várias, não o deixara um momento e zombou de si mesmo. Antônio assomou à porta, o bacamarte na mão; sua presença, que pouco antes o haveria perturbado, deixou-o indiferente.

— Que é que há, meu padrinho?

— Nada. Vá cuidar em dormir, amanhã tem muito o que fazer.

Repôs o prato na balança, jogou um peso sobre ele. Antônio Chá continuava olhando-o, mais amarelo, os olhos piscos. Bernardo reconheceu aqueles sinais de temor e apiedou-se dele, do mesmo modo que um homem maduro se compadece de uma inquietação juvenil à qual — e quantas vezes com engano! — se julga invulnerável.

No quarto, enquanto recompunha a sua calma, Teresa escutava os homens agora mais loquazes e os movimentos de Bernardo que os despachava em silêncio. Afagava sua ordem, aquela frase terna e viril com que ele procurava dar a entender que tudo estava bem e que ela não precisava afligir-se:

— Vá deitar-se, minha velha.

A última palavra, temida ou desdenhada em sua juventude, colhia do possessivo uma doçura inefável, o tom afetuoso transmutava-a e Teresa não se sentia envelhecida ao ouvi-la, mas regressada à atmosfera familiar da infância, à autoridade protetora e suave do pai, que a envolvera naqueles anos e na qual ela se abrigava, sob a ilusão do eterno.

Deixou o leito onde se sentara, abriu a janela do quarto à madrugada, respirou o ar frio. Ouviu tilintar de moedas, reclamações. Lembrou-se de que Bernardo ainda estava de pés descalços e levou-lhe as alpercatas.

Todos já se encontravam no alpendre, menos o chefe, cujo perfil se recortava, ousado e frágil, contra a porta aberta. Voltou-se para o casal, pesou-os, moveu a cabeça como que aprovando um juízo.

— Meu nome é Ubaldo.

Soergueu a mão, virou-se com rapidez e foi embora. Bernardo saltou o balcão, calçou as alpercatas, saiu para o alpendre. Teresa seguiu-o. Os homens se afastavam, dissipava-se no ar o seu cheiro de bichos mal lavados.

A noite zoava, luziam as estrelas, o sol estava longe. Em direção oposta à seguida pelo grupo, a mulher julgou perceber um movimento.

— Aquilo que é Antônio? — perguntou.

— Chá! — gritou ele.

A sombra pareceu tentar esconder-se ou fugir. Com uma suspeita, Bernardo desceu os degraus; sabia que um movimento decidido quase equivale a desarmar um homem e avançou rápido. Teresa chamou-o; ele não lhe deu ouvido, seguiu mais depressa, o vulto procurou evitá-lo.

— Correu, eu queimo — avisou ele.

E deteve-se. O homem veio rindo, aos pulos, o rifle na mão — e a suspeita que impelira Bernardo, confirmou-se:

— Vigia miserável! — pensou.

Ao vê-lo de perto, sempre rindo e saltando, sua ira levantou-se. Sem dar importância ao rifle do gazo, agarrou-o pela camisa, à altura dos ombros e quase o ergueu do solo. Seu impulso era de jogar o homem ao chão, bater-lhe, esmagá-lo, esmurrar-lhe a cara muitas vezes, espezinhá-lo depois. Mal podia respirar, já não via o rosto diante de si e trincava os dentes para não urrar.

— Bernardo! Bernardo!

Os gritos pareciam vir de longe e eram como o apelo de justiça. Xenofonte pressentiu que os dedos furiosos relaxavam a pressão e saltou. Antônio Chá também ouvira os grito, abriu a porta do quarto, veio correndo com seu bacamarte.

— Que é que há, patroa?

Ela amparou-se numa coluna do alpendre, foi escorregando em silêncio, a cabeça inclinada, deixou-se cair. Antônio subiu e desceu os degraus, agitado, viu o patrão que voltava e correu para ele. Bernardo vinha devagar, apoiou-se um instante no seu ombro, mas não o olhou.

Ficou de pé diante de Teresa, que não precisou de ver para saber que as mãos do esposo se estendiam para ela. Tomou-as e se levantou. Ele reconheceu no desamparo de seu corpo a confissão daquela gravidez nova.

Entraram abraçados, ele fechou a porta e voltou-se. Fitaram-se, um buscando na face do outro um perdão que dispensava palavras e que ambos julgavam necessário. Por fim, compreendendo que esta mútua procura já era uma forma de perdão, ela apanhou o candeeiro e olhou ainda para o marido. Em suas mãos, a chama palpitava, refletia o pulsar do seu sangue. Ele deu um passo, retirou o peso do prato da balança e tornaram ambos ao quarto, sem falar. O fiel oscilou e ficou na vertical.

(*O Fiel e a Pedra*, 4ª ed., São Paulo, Melhoramentos, 1974, pp. 175-181.)

O capítulo que acabamos de percorrer fixa um dos episódios mais densos e decisivos da evolução de Bernardo, esse Enéias moderno e sertanejo que se reconstrói lanço a lanço: acossado pelo medo vindo com a noite e os visitantes sinistros, pelo amor (a "flor parasitária, que parecia alimentar-se de sua coragem"), e por Teresa, novamente posta no sossego da maternidade e do reencontro de seu esposo, — Bernardo joga uma partida em que todas as suas forças são convocadas para contrabalançar a desigualdade aterradora. Hesita e vence. O homem venceu o homem. Para o cabal entendimento do quadro em que se coloca o herói, é preciso não perder de vista que o romance constitui a modernização deliberada da *Eneida*, de Virgílio, ou seja, sua transposição para o interior de Pernambuco. Na travessia, respeitaram-se certas matrizes clássicas, como a linguagem, tensa, contida e límpida, à altura dramática da cena entre Bernardo e os visitantes, e até a composição do capítulo, que recorda a do teatro grego: a loja do protagonista transforma-se de súbito no proscênio em que o herói defronta seu destino, encarnado nos recém-chegados, em Teresa e nos demais. Como que transportados para a Hélade, presenciamos a batalha do homem contra *anankê*, numa equação a que não falta o próprio coro, formado pelos visitantes ao redor do chefe, "um coro rústico, a que a imobilidade e as sombras grossas na parede davam um caráter de unção e um relevo mais profundo". E o diálogo entre os figurantes coopera de modo luminoso para a ambiência trágica do recontro, terso, conciso, de sentenças curtas, oraculares, como se emitidas não por dois seres humanos mas pelos dois pólos da situação teatral que representam. Nessa identificação entre a cena e o mundo helênico desvela-se a única saída que restava para o estafado regionalismo dos anos 30: o transcendentalismo, a excursão para os reinos do mito, concebido como dimensão do próprio homem e não dos deuses indiferentes que habitariam o Olimpo, ou de qualquer sobrenatural. Ao escolher uma óptica voltada para a detecção do universal no regional, o ficcionista encontrava o filão certo e arquitetava uma das obras mais significativas da Literatura Brasileira na década de 60.

DALTON TREVISAN

Nasceu em Curitiba, a 14 de junho de 1925. Formado em Direito, mas dedica-se ao comércio. Em sua cidade natal, onde tem residido, fundou e dirigiu *Joaquim*, uma das revistas mais importantes do após-guerra, que circulou entre 1946 e 1948. Essencialmente contista, suas narrativas, publicadas no início em folhetos de cordel, foram recolhidas em livro a partir de 1959, com *Novelas Nada Exemplares*, a que se seguiram: *Cemitério de Elefantes* (1964), *Morte na Praça* (1964), *O Vampiro de Curitiba* (1965), *Desastres do Amor* (1968), *A Guerra Conjugal* (1969), *O Rei da Terra* (1972), *O Pássaro de Cinco Asas* (1974), *A Faca no Coração* (1975), *Abismo de Rosas* (1976), *A Trombeta do Anjo Vingador* (1977), *Crimes de Paixão* (1978), *20 Contos Menores* (1979), *Primeiro Livro de Contos* (1979), *Virgem Louca, Loucos Beijos* (1979), *Lincha Tarado* (1980), *Chorinho Brejeiro* (1981), *Essas Malditas Mulheres* (1982), *Meu Querido Assassino* (1983), *Contos Eróticos* (1984), *Pão e Sangue* (1988), *Ah, é?* (1994), *Dinorá* (1994). Ainda publicou o romance *Polaquina* (1985).

Uma Vela para Dario

Dario vinha apressado, guarda-chuva no braço esquerdo e, assim que dobrou a esquina, diminuiu o passo até parar, encostando-se à parede de uma casa. Por ela escorregando, sentou-se na calçada, ainda úmida de chuva e descansou na pedra o cachimbo.

Dois ou três passantes rodearam-no e indagaram se não se sentia bem. Dario abriu a boca, moveu os lábios, não se ouviu resposta. O senhor gordo, de branco, sugeriu que devia sofrer de ataque.

Ele reclinou-se mais um pouco, estendido agora na calçada, e o cachimbo tinha apagado. O rapaz de bigode pediu aos outros que se afastassem e o deixassem respirar. Abriu-lhe o paletó, o colarinho, a gravata e a cinta. Quando lhe retiraram os sapatos, Dario roncou feio e bolhas de espuma surgiram no canto da boca.

Cada pessoa que chegava erguia-se na ponta dos pés, embora não o pudesse ver. Os moradores da rua conversavam de uma porta à outra, as crianças foram despertadas e de pijama acudiram à janela. O senhor gordo repetia que Dario sentara-se na calçada, soprando ainda a fumaça do cachimbo e encostando o guarda-chuva na parede. Mas não se via guarda-chuva ou cachimbo ao seu lado.

A velhinha de cabeça grisalha gritou que ele estava morrendo. Um grupo o arrastou para o táxi da esquina. Já no carro a metade do corpo, protestou o motorista: quem pagaria a corrida? Concordaram chamar a ambulância. Dario conduzido de volta e recostado à parede — não tinha os sapatos nem o alfinete de pérola na gravata.

Alguém informou da farmácia na outra rua. Não carregaram Dario além da esquina; a farmácia no fim do quarteirão e, além do mais, muito pesado. Foi largado na porta de uma peixaria. Enxame de moscas lhe cobriu o rosto, sem que fizesse um gesto para espantá-las.

Ocupado o café próximo pelas pessoas que vieram apreciar o incidente e, agora, comendo e bebendo, gozavam as delícias da noite. Dario ficou torto como o deixaram, no degrau da peixaria, sem o relógio de pulso.

Um terceiro sugeriu que lhe examinassem os papéis, retirados — com vários objetos — de seus bolsos e alinhados sobre a camisa branca. Ficaram sabendo do nome, idade, sinal de nascença. O endereço na carteira era de outra cidade.

Registrou-se correria de mais de duzentos curiosos que, a essa hora, ocupavam toda a rua e as calçadas: era a polícia. O carro negro investiu a multidão. Várias pessoas tropeçaram no corpo de Dario, que foi pisoteado dezessete vezes.

O guarda aproximou-se do cadáver e não pôde identificá-lo — os bolsos vazios. Restava a aliança de ouro na mão esquerda, que ele próprio — quando vivo — só podia destacar umedecida com sabonete. Ficou decidido que o caso era com o rabecão.

A última boca repetiu — *Ele morreu, ele morreu.* A gente começou a se dispersar. Dario levara duas horas para morrer, ninguém acreditou que estivesse no fim. Agora, aos que podiam vê-lo tinha todo o ar de um defunto.

Um senhor piedoso despiu o paletó de Dario para lhe sustentar a cabeça. Cruzou as suas mãos no peito. Não pôde fechar os olhos nem a boca, onde a espuma tinha desaparecido. Apenas um homem morto e a multidão se espalhou, as mesas do café ficaram vazias. Na janela alguns moradores com almofadas para descansar os cotovelos.

Um menino de cor e descalço veio com uma vela, que acendeu ao lado do cadáver. Parecia morto há muitos anos, quase o retrato de um morto desbotado pela chuva.

Fecharam-se uma a uma as janelas e, três horas depois, lá estava Dario à espera do rabecão. A cabeça agora na pedra, sem o paletó, e o dedo sem a aliança. A vela tinha queimado mais da metade e apagou-se às primeiras gotas da chuva, que voltava a cair.

(*Cemitério de Elefantes*, 6ª ed., Rio de Janeiro, Record, 1980, pp. 40-43.)

"Vampiro de Curitiba", Dalton Trevisan situa suas narrativas na cidade em que nasceu, vive e se esconde do público e da publicidade. Espécie de "comédia humana" em tom menor, a série de livros que vem publicando registra o "outro lado" de um burgo ainda provinciano, habitado por seres perdidos na cinzentice do cotidiano, que a retina penetrante do ficcionista recolhe e traz à luz. Não raro, é o fato verídico, o acontecimento rumoroso, presenciado ou não, que se transforma em contos de superior fatura, onde se imprime o selo característico do autor. "Uma Vela para Dario" exemplifica-o à perfeição: o herói, anônimo, indiferenciado — autêntico anti-herói —, se marginaliza ainda mais pelo (mau) sucesso que o acomete na cidade estranha ("O endereço na carteira era de outra cidade."), soçobra num mundo selvagem, impiedoso, expressão trágica do *homo lupus hominis*. Apenas se recorta, como fugidio clarão de um pensamento de justiça social, o gesto de "um menino de cor e descalço", trazendo "uma vela que acendeu ao lado do cadáver". Único gesto de humanidade e doação, descrito por uma criança de cor e miserável, e assim mesmo anulado pela chuva: os mais, como aves de rapina, despojam o morto de toda a individualidade ("Apenas um homem morto e a multidão se espalhou, as mesas do café ficaram vazias."). Ausentes estão, nesse conto, as notas em torno do perene embate dos sexos — "a guerra conjugal" —, que constituem matérias de várias das narrativas do Autor, mas permanece o realismo ácido, um realismo marcado pelo grotesco, de um Bosch que recusasse o fantástico pelo fotográfico, de um Kafka que descortinasse o absurdo no dia-a-dia mais banal: universo tragicômico, das trevas em pleno sol, que a contensão emblemática da fábula torna ainda mais insólito e palpitante, vazado num estilo enxuto, de frases sincopadas, elípticas, que mostram/escondem, como fieiras de contas metafóricas apontando, no seu brilho sutil, um observador arguto e implacável. Compreende-se que um crítico, entusiasta dessa literatura que brota como flor exótica numa cidade que agora desperta do sono provincial, considere Dalton Trevisan "o maior contista brasileiro vivo e um dos maiores que o mundo possui atualmente" (Fausto Cunha).

RUBEM FONSECA

José Rubem Fonseca nasceu a 11 de maio de 1925, em Juiz de Fora, Minas Gerais, mas passou a residir no Rio de Janeiro desde os oito anos de idade. Além de formado em Direito, estudou Administração e Comunicação nas Universidades de New York e Boston. Embora chamasse a atenção da crítica ao estrear com o volume de contos *Os Prisioneiros* (1963), foi ao vencer o concurso de contos do Paraná do ano de 1968 que o seu nome começou a ganhar notoriedade, nacional e internacional. A sua ficção, das mais consistentes das últimas décadas, divide-se entre o conto: *A Coleira do Cão* (1965), *Lúcia McCartney* (1969), *O Homem de Fevereiro ou Março* (1973), *Feliz Ano Novo* (1975), que desencadeou rumoroso processo, em razão da contundência dos temas e da linguagem, *O Cobrador* (1979), *Romance Negro* (1992); e o romance: *O Caso Morel* (1973), *A Grande Arte* (1983), *Bufo & Spallanzani* (1985), *Agosto* (1990).

Passeio Noturno — Parte I

Cheguei em casa carregando a pasta cheia de papéis, relatórios, estudos, pesquisas, propostas, contratos. Minha mulher, jogando paciência na cama, um copo de uísque na mesa de cabeceira, disse, sem tirar os olhos das cartas, você está com um ar cansado. Os sons da casa: minha filha no quarto dela treinando empostação de voz, a música quadrafônica do quarto do meu filho. Você não vai largar essa mala? perguntou minha mulher, tira essa roupa, bebe uisquinho, você precisa aprender a relaxar.

Fui para a biblioteca, o lugar da casa onde gostava de ficar isolado e como sempre não fiz nada. Abri o volume de pesquisas sobre a mesa, não via as letras e números, eu esperava apenas. Você não pára de trabalhar, aposto que os teus sócios não trabalham nem a metade e ganham a mesma coisa, entrou a minha mulher na sala com o copo na mão, já posso mandar servir o jantar?

A copeira servia à francesa, meus filhos tinham crescido, eu e minha mulher estávamos gordos. É aquele vinho que você gosta, ela estalou a língua com prazer. Meu filho me pediu dinheiro quando estávamos no cafezinho, minha filha me pediu dinheiro na hora do licor. Minha mulher nada pediu, nós tínhamos conta bancária conjunta.

Vamos dar uma volta de carro? convidei. Eu sabia que ela não ia, era hora da novela. Não sei que graça você acha em passear de carro todas as noites, também aquele carro custou uma fortuna, tem que ser usado, eu é que cada vez me apego menos aos bens materiais, minha mulher respondeu.

Os carros dos meninos bloqueavam a porta da garagem, impedindo que eu tirasse o meu carro. Tirei os carros dos dois, botei na rua, tirei o meu, botei na rua, coloquei os dois carros novamente na garagem, fechei a porta, essas manobras todas me deixaram levemente irritado, mas ao ver os pára-choques salientes do meu carro, o reforço especial duplo de aço cromado, senti o coração bater apressado de euforia. Enfiei a chave na ignição, era um motor poderoso que gerava a sua força em silêncio, escondido no capô aerodinâmico. Saí, como sempre sem saber para onde ir, tinha que ser uma rua deserta, nesta cidade que tem mais gente do que moscas. Na Avenida Brasil, ali não podia ser, muito movimento. Cheguei numa rua mal iluminada, cheia de árvores escuras, o lugar ideal. Homem ou mulher? realmente não fazia grande diferença, mas não aparecia ninguém em condições, comecei a ficar tenso, isso sempre acontecia, eu até gostava, o alívio era maior. Então vi a mulher, podia ser ela, ainda que mulher fosse menos emocionante, por ser mais fácil. Ela caminhava apressadamente, carregando um embrulho de papel ordinário, coisas de padaria ou de quitanda, estava de saia e blusa, andava depressa, havia árvores na calçada, de vinte em vinte metros, um interessante problema a exigir uma grande dose de perícia. Apaguei as luzes do carro e acelerei. Ela só percebeu que eu ia para cima dela quando ouviu o som da borracha dos pneus batendo no meio-fio. Peguei a mulher acima dos joelhos, bem no meio das duas pernas, um pouco mais sobre a esquerda, um golpe perfeito, ouvi o barulho do impacto partindo os dois ossões, dei uma guinada rápida para a esquerda, passei como um foguete rente a uma das árvores e deslizei com os pneus cantando, de volta para o asfalto. Motor bom, o meu, ia de zero a cem quilômetros em onze segundos. Ainda deu para ver que o corpo todo desengonçado da mulher havia ido parar, colorido de sangue, em cima de um muro, desses baixinhos de casa de subúrbio.

Examinei o carro na garagem. Corri orgulhosamente a mão de leve pelos pára-lamas, os pára-choques sem marca. Poucas pessoas, no mundo inteiro, igualavam a minha habilidade no uso daquelas máquinas.

A família estava vendo televisão. Deu a sua voltinha, agora está mais calmo? perguntou minha mulher, deitada no sofá, olhando fixamente o vídeo. Vou dormir, boa-noite para todos, respondi, amanhã vou ter um dia terrível na companhia.

Eu ia para casa quando um carro encostou no meu, buzinando insistentemente. Uma mulher dirigindo. Abaixei os vidros do carro para entender o que ela dizia. Uma lufada de ar quente entrou com o som da voz dela: Não está mais conhecendo os outros?

Eu nunca tinha visto aquela mulher. Sorri polidamente. Outros carros buzinaram atrás dos nossos. A Avenida Atlântica, às sete horas da noite, é muito movimentada.

A mulher, movendo-se no banco do seu carro, colocou o braço direito para fora e disse, olha um presentinho para você.

Estiquei meu braço e ela colocou um papel na minha mão. Depois arrancou com o carro, dando uma gargalhada.

Guardei o papel no bolso. Chegando em casa, fui ver o que estava escrito. Ângela, 287-3594.

À noite, saí, como sempre faço.

No dia seguinte telefonei. Uma mulher atendeu. Perguntei se Ângela estava. Não estava. Havia ido à aula. Pela voz, via-se que devia ser a empregada. Perguntei se Ângela era estudante. Ela é artista, respondeu a mulher.

Liguei mais tarde. Ângela atendeu.

Sou aquele cara do Jaguar preto, eu disse.

Você sabe que eu não consegui identificar o teu carro?

Apanho você às 9 horas para jantarmos, eu disse.

Espera aí, calma. O que foi que você pensou de mim?

Nada.

Eu laço você na rua e você não pensou nada?

Não. Qual é o teu endereço?

Ela morava na Lagoa, na curva do Cantagalo. Um bom lugar.

Estava na porta me esperando.

Perguntei onde queria jantar. Ângela respondeu que em qualquer restaurante, desde que fosse fino. Ela estava muito diferente. Usava uma maquilagem pesada, que tornava o seu rosto mais experiente, menos humano.

Quando telefonei da primeira vez disseram que você tinha ido à aula. Aula de quê?, eu disse.

Impostação de voz.

Tenho uma filha que também estuda impostação de voz. Você é atriz, não é?

Sou. De cinema.

Eu gosto muito de cinema. Quais foram os filmes que você fez?

Só fiz um, que está agora em fase de montagem. O nome é meio bobo, as virgens desvairadas, não é um filme muito bom, mas estou começando, posso esperar, tenho só vinte anos.

Na semi-escuridão do carro ela parecia ter vinte e cinco.

Parei o carro na Bartolomeu Mitre e fomos andando a pé na direção do restaurante Mário, na rua Ataulfo de Paiva.

Fica muito cheio em frente ao restaurante, eu disse.

O porteiro guarda o carro, você não sabia? ela disse.

Sei até demais. Uma vez ele amassou o meu.

Quando entramos, Ângela lançou um olhar desdenhoso sobre as pessoas que estavam no restaurante. Eu nunca havia ido àquele lugar. Procurei ver algum conhecido. Era cedo e havia poucas pessoas. Numa mesa um homem de meia-idade com um rapaz e uma moça. Apenas três outras mesas estavam ocupadas, com casais entretidos em suas conversas. Ninguém me conhecia.

Ângela pediu um martíni.

Você não bebe? Ângela perguntou.

Às vezes.

Agora diga, falando sério, você não pensou nada mesmo, quando eu te passei o bilhete?

Não. Mas se você quer, eu penso agora, eu disse.

Pensa, Ângela disse.

Existem duas hipóteses. A primeira é que você me viu no carro e se interessou pelo meu perfil. Você é uma mulher agressiva, impulsiva e decidiu me conhecer. Uma coisa instintiva. Apanhou um pedaço de papel arrancado de um caderno e escreveu rapidamente o nome e o telefone. Aliás quase não deu para eu decifrar o nome que você escreveu.

E a segunda hipótese?

Que você é uma puta e sai com uma bolsa cheia de pedaços de papel escritos com o seu nome e o telefone. Cada vez que você encontra um sujeito num carro grande, com cara de rico e idiota, você dá o papelzinho para ele. Para cada vinte papelinhos distribuídos, uns dez telefonam para você.

E qual a hipótese que você escolhe? Ângela disse.

A segunda. Que você é uma puta, eu disse.

Ângela ficou bebendo o martíni como se não tivesse ouvido o que eu havia dito. Bebi minha água mineral. Ela olhou para mim, querendo demonstrar sua superioridade, levantando a sobrancelha — era má atriz, via-se que estava perturbada — e disse: você mesmo reconheceu que era um bilhete escrito às pressas dentro do carro, quase ilegível.

Uma puta inteligente prepararia todos os brilhetinhos em casas, dessa maneira, antes de sair, para enganar os seus fregueses, eu disse.

E se eu jurasse a você que a primeira hipótese é a verdadeira. Você acreditaria?

Não. Ou melhor, não me interessa, eu disse.

Como que não interessa?

Ela estava intrigada e não sabia o que fazer. Queria que eu dissesse algo que a ajudasse a tomar uma decisão.

Simplesmente não interessa. Vamos jantar, eu disse.

Com um gesto chamei o maitre. Escolhemos a comida. Ângela tomou mais dois martínis.

Nunca fui tão humilhada em minha vida. A voz de Ângela soava ligeiramente pastosa.

Eu se fosse você não bebia mais, para poder ficar em condições de fugir de mim, na hora em que for preciso, eu disse.

Eu não quero fugir de você, disse Ângela esvaziando de um gole o que restava na taça. Quero outro.

Aquela situação, eu e ela dentro do restaurante, me aborrecia. Depois ia ser bom. Mas conversar com Ângela não significava mais nada para mim, naquele momento interlocutório.

O que é que você faz?

Controlo a distribuição de tóxicos na zona sul, eu disse.

Isso é verdade?

Você não viu o meu carro?

Você pode ser um industrial.

Escolhe a sua hipótese. Eu escolhi a minha, eu disse.

Industrial.

Errou. Traficante. E não estou gostando desse facho de luz sobre a minha cabeça. Me lembra as vezes em que fui preso.

Não acredito numa só palavra do que você diz.

Foi a minha vez de fazer uma pausa.

Você tem razão. É tudo mentira. Olha bem para o meu rosto. Vê se você consegue descobrir alguma coisa, eu disse.

Ângela tocou de leve no meu queixo, puxando meu rosto para o raio de luz que descia do teto e me olhou intensamente.

Não vejo nada. Teu rosto parece o retrato de alguém fazendo uma pose, um retrato antigo, de um desconhecido, disse Ângela.

Ela também parecia o retrato antigo de um desconhecido.

Olhei o relógio.

Vamos embora?, eu disse.

Entramos no carro.

Às vezes a gente pensa que uma coisa vai dar certo e dá errado, disse Ângela.

O azar de um é a sorte do outro, eu disse.

A lua punha na lagoa uma esteira prateada que acompanhava o carro. Quando eu era menino e viajava de noite a lua sempre me acompanhava, varando as nuvens, por mais que o carro corresse.

Vou deixar você um pouco antes da sua casa, eu disse.

Por quê?

Sou casado. O irmão da minha mulher mora no teu edifício. Não é aquele que fica na curva? Não gostaria que ele me visse. Ele conhece o meu carro. Não há outro igual no Rio.

A gente não vai se ver mais?, Ângela perguntou.

Acho difícil.

Todos os homens se apaixonam por mim.

Acredito.

E você não é lá essas grandes coisas. O teu carro é melhor do que você, disse Ângela.

Um completa o outro, eu disse.

Ela saltou. Foi andando pela calçada, lentamente, fácil demais, e ainda por cima mulher, mas eu tinha que ir logo para casa, já estava ficando tarde.

Apaguei as luzes e acelerei o carro. Tinha que bater e passar por cima. Não podia correr o risco de deixá-la viva. Ela sabia muita coisa a meu respeito, era a única pessoa que havia visto o meu rosto, entre todas as outras. E conhecia também o meu carro, Mas qual era o problema? Ninguém havia escapado.

Bati em Ângela com o lado esquerdo do pára-lama, jogando o seu corpo um pouco adiante, e passei, primeiro com a roda da frente — e senti o som surdo da frágil estrutura do corpo se esmigalhando — e logo atropelei com a roda traseira, um golpe de misericórdia, pois ela já estava liquidada, apenas talvez ainda sentisse um distante resto de dor e perplexidade.

Quando cheguei em casa minha mulher estava vendo televisão, um filme colorido, dublado.

Hoje você demorou mais. Estava muito nervoso?, ela disse.

Estava. Mas já passou. Agora vou dormir. Amanha vou ter um dia terrível na companhia.

(*Feliz Ano Novo*, Rio de Janeiro, Artenova, 1975, pp. 49-56.)

Embora os contos de Rubem Fonseca se distingam entre si pela estrutura, fazendo pensar que não existe uma narrativa igual a outra, o "Passeio Noturno" oferece-nos um bom exemplo das características peculiares do autor. A primeira delas diz respeito ao tom realista, de um realismo feroz, cruel, que não cede ante os gestos mais violentos ou as palavras de baixo calão. Uns e outras, no entanto, perfeitamente adequados ao contexto, uma vez que o clima todo é de uma tensão explosiva, ainda que por vezes silenciosa. Como é o caso deste executivo de alto bordo (industrial? traficante?), que narra as suas escapadas noturnas para relaxar de um dia intenso de trabalho. E narra-as sem dó nem piedade, sem escolher as palavras: "É assim mesmo, e acabou", parece ser a mensagem que a sua frieza assassina nos comunica. O conto passa-se em dois planos: o doméstico, em torno de uma família de classe média alta igual a centenas, e o das ruas, onde o protagonista maneja o seu automóvel de luxo como instrumento de morte. Uma ameaça de a narrativa se tornar surrealista não se cumpre: beira o insólito, mas sem nele despencar. Não há fantástico nenhum; o enredo, apesar de estranho, ancora no cotidiano, divisado sem complacências. Basta, para confirmá-lo, que se abram os jornais: a comédia/tragédia da vida guarda uma gratuidade ácida, os imprevistos sucedem a cada passo. É neste quadrante que se situa a ficção de Rubem Fonseca. A personagem central do conto vive uma situação anômala, fazendo-nos pensar num psicopata que saísse à noite para matar a fim de livrar-se das angústias diárias, como se ingerisse o tranqüilizante ou o uísque nosso de cada dia. Mas enquanto Ângela sorve contínuos martínis até se embriagar, o (anti)herói limita-se à água mineral, para mais acentuar a gélida compulsão que o domina. O relato flui como uma reportagem, uma espécie de história de gângsteres ambientada no Rio de Janeiro da atualidade, vazada numa linguagem concisa, cortante, numa rapidez de perder o fôlego. O tom é o coloquial, manifesto no emprego do discurso indireto livre — como no segundo parágrafo da primeira parte começado por "você" —, ou de soluções como "cheguei em casa" ou "É aquele vinho que você gosta". Estilo de marcas próprias, inconfundíveis, serve a um observador implacável do dia-a-dia, que dele arranca histórias sempre inusitadas. Elevado à categoria de um dos nossos mais bem-dotados ficcionistas contemporâneos, graças à fina qualidade artesanal e conceptiva, Rubem Fonseca desfruta hoje de um merecido renome nacional e internacional.

J. J. VEIGA

José Jacinto Veiga nasceu em Corumbá, Goiás, em 2 de fevereiro de 1915. Transferiu-se para o Rio de Janeiro em 1935, onde se formou em Direito (1943). De 1945 a 1950 trabalhou na BBC de Londres como comentarista. Ao retornar, em 1951, passou a trabalhar na imprensa. Em 1972, ingressou na Fundação Getúlio Vargas para exercer as funções de editor no Instituto de Documentação. Estreou com *Os Cavalinhos de Platiplanto* (1959), livro de contos que, apesar de premiado, alcançou pouca divulgação. A seguir, publicou o romance *A Hora dos Ruminantes* (1966), depois de o reescrever sete vezes. Outros volumes viriam a público nos anos seguintes: *A Máquina Extraviada*, contos (1968), *Sombras de Reis Barbudos*, romance (1972), *Os Pecados da Tribo*, romance (1976), *De Jogos e Festas*, contos (1980), *Aquele Mundo de Vasabarros*, romance (1982), *Torvelinho Dia e Noite*, romance (1985).

A Máquina Extraviada

Você sempre pergunta pelas novidades daqui deste sertão, e finalmente posso lhe contar uma importante. Fique o compadre sabendo que agora temos aqui uma máquina imponente, que está entusiasmando todo o mundo. Desde que ela chegou não me lembro quando, não sou muito bom em lembrar datas, quase não temos falado em outra coisa; e da maneira que o povo aqui se apaixona até pelos assuntos mais infantis, é de admirar que ninguém tenha brigado ainda por causa dela, a não ser os políticos.

A máquina chegou uma tarde, quando as famílias estavam jantando ou acabando de jantar, e foi descarregada na frente da Prefeitura. Com os gritos dos choferes e seus ajudantes (a máquina veio em dois ou três caminhões) muita gente cancelou a sobremesa ou o café e foi ver que algazarra era aquela. Como geralmente acontece nessas ocasiões, os homens estavam mal-humorados e não quiseram dar explicações, esbarravam propositalmente nos curiosos, pisavam-lhes os pés e não pediam desculpa, jogavam pontas de cordas sujas de graxa por cima deles, quem não quisesse se sujar ou se machucar que saísse do caminho.

Descarregadas as várias partes da máquina, foram elas cobertas com encerados e os homens entraram num botequim do largo para comer e beber. Muita gente se amontoou na porta mas ninguém teve coragem de se aproximar dos estranhos porque um deles, percebendo essa intenção nos curiosos, de vez em quando enchia a boca de cerveja e esguichava na direção da porta. Atribuímos essa esquiva ao cansaço e à fome deles e deixamos as tentativas de aproximação para o dia seguinte; mas quando os procuramos de manhã cedo na pensão, soubemos que eles tinham montado mais ou menos a máquina durante a noite e viajado de madrugada.

A máquina ficou ao relento, sem que ninguém soubesse quem a encomendara nem para que servia. É claro que cada qual dava o seu palpite, e cada palpite era tão bom quanto outro.

As crianças, que não são de respeitar mistério, como você sabe, trataram de aproveitar a novidade. Sem pedir licença a ninguém (e a quem iam pedir?), retiraram a lona e foram subindo em bando pela máquina acima, até hoje ainda sobem, brincam de esconder entre os cilindros e colunas, embaraçam-se nos dentes das engrenagens e fazem um berreiro dos diabos até que apareça alguém para soltá-las; não adiantam ralhos, castigos, pancadas; as crianças simplesmente se apaixonaram pela tal máquina.

Contrariando a opinião de certas pessoas que não quiseram se entusiasmar, e garantiram que em poucos dias a novidade passaria e a ferrugem tomaria conta do metal, o interesse do povo ainda não diminuiu. Ninguém passa pelo largo sem ainda parar diante da máquina, e de cada vez há um detalhe novo a notar. Até as velhinhas de igreja, que passam de madrugada e de noitinha, tossindo e rezando, viram o rosto para o lado da máquina e fazem uma curvatura discreta, só faltam se benzer. Homens abrutalhados, como aquele Clodoaldo seu conhecido, que se exibe derrubando boi pelos chifres no pátio do mercado, tratam a máquina com respeito; se um ou outro agarra uma alavanca e sacode com força, ou larga um pontapé numa das colunas, vê-se logo que são bravatas feitas por honra da firma, para manter fama de corajoso.

Ninguém sabe mesmo quem encomendou a máquina. O prefeito jura que não foi ele, e diz que consultou o arquivo e nele não encontrou nenhum documento autorizando a transação. Mesmo assim não quis lavar as mãos, e de certa forma encampou a compra quando designou um funcionário para zelar pela máquina.

Devemos reconhecer — aliás todos reconhecem — que esse funcionário tem dado boa conta do recado. A qualquer hora do dia, e às vezes também de noite, podemos vê-lo trepado lá por cima espanando cada vão, cada engrenagem, desaparecendo aqui para reaparecer ali, assoviando ou cantando, ativo e incansável. Duas vezes por semana ele aplica caol nas partes de metal dourado, esfrega, esfrega, sua, descansa, esfrega de novo — e a máquina fica faiscando como jóia.

Estamos tão habituados com a presença da máquina ali no largo, que se um dia ela desabasse, ou se alguém de outra cidade viesse buscá-la, provando com documentos que tinha direito, eu nem sei o que aconteceria, nem quero pensar. Ela é o nosso orgulho, e não pense que exagero. Ainda não sabemos para que ela serve, mas isso já não tem maior importância. Fique sabendo que temos recebido delegações de outras cidades, do Estado e de fora, que vêm aqui para ver se conseguem comprá-la. Chegam como quem não quer nada, visitam o prefeito, elogiam a cidade, rodeiam, negaceiam, abrem o jogo: por quanto cederíamos a máquina. Felizmente o prefeito é de confiança e é esperto, não cai na conversa macia.

Em todas as datas cívicas a máquina é agora uma parte importante das festividades. Você se lembra que antigamente os feriados eram comemorados no coreto ou no campo de futebol, mas hoje tudo se passa ao pé da máquina. Em tempo de eleição todos os candidatos querem fazer seus comícios à sombra dela, e como isso não é possível, alguém tem de sobrar, nem todos se conformam e sempre surgem conflitos. Mas felizmente a máquina ainda não foi danificada nesses esparramos, e espero que não seja.

A única pessoa que ainda não rendeu homenagem à máquina é o vigário, mas você sabe como ele é ranzinza, e hoje mais ainda, com a idade. Em todo caso, ainda não tentou nada contra ela, e ai dele. Enquanto ficar nas censuras veladas, vamos tolerando; é um direito que ele tem. Sei que ele andou falando em castigo, mas ninguém se impressionou.

Até agora o único acidente de certa gravidade que tivemos foi quando um caixeiro da loja do velho Adudes (aquele velhinho espigado que passa brilhantina no bigode, se lembra?) prendeu a perna numa engrenagem da máquina, isso por culpa dele mesmo. O rapaz andou bebendo em uma serenata, e em vez de ir para casa achou de dormir em cima da máquina. Não se sabe como, ele subiu à plataforma mais alta, de madrugada rolou de lá, caiu em cima de uma engrenagem e com o peso acionou as rodas. Os gritos acordaram a cidade, correu gente para verificar a causa, foi preciso arranjar uns barrotes e labancas para desandar as rodas que estavam mordendo a perna do rapaz. Também dessa vez a máquina nada sofreu, felizmente. Sem a perna e sem o emprego, o imprudente rapaz ajuda na conservação da máquina, cuidando das partes mais baixas.

Já existe aqui um movimento para declarar a máquina monumento municipal — por enquanto. O vigário, como sempre, está contra; quer saber a que seria dedicado o monumento. Você já viu que homem mais azedo?

Dizem que a máquina já tem feito até milagre, mas isso — aqui para nós — eu acho que é exagero de gente supersticiosa, e prefiro não ficar falando no assunto. Eu — e creio que também a grande maioria dos munícipes — não espero dela nada em particular; para mim basta que ela fique onde está, nos alegrando, nos inspirando, nos consolando.

O meu receio é que, quando menos esperarmos, desembarque aqui um moço de fora, desses despachados, que entendem de tudo, olhe a máquina por fora, por dentro, pense um pouco e comece a explicar a finalidade dela, e para mostrar que é habilidoso (eles são sempre muito habilidosos) peça na garagem um jogo de ferramentas, e sem ligar a nossos protestos se meta por baixo da máquina e desande a apertar, martelar, engatar, e a máquina comece a trabalhar. Se isso acontecer, estará quebrado o encanto e não existirá mais máquina.

(*A Máquina Extraviada*, 6ª ed., Rio de Janeiro, Bertrand Brasil, 1991, pp. 75-78.)

Realismo mágico é a marca registrada da ficção de J. J. Veiga. Como nas telas de um Magritte ou um Delvaux, mestres da pintura surrealista, a cinzentice da realidade cotidiana é atravessada por um objeto inusitado, criando-se uma atmosfera de magia. Se, para Guimarães Rosa, o sertão era o lugar em que os episódios dignos de uma epopéia se transfiguravam em mito, para o autor desta narrativa inquietante, o sertão torna-se o cenário para o advento do fantástico. O contraponto entre o meio rural e os padrões urbanos (representados pela máquina extraviada) é suficiente para o gerar: invadido pelo mecanismo estranho à sua natureza, sem que ninguém o encomendasse ou soubesse para que servia, o sertão de repente se povoa de mistério. É que a máquina, banal no ambiente das cidades grandes, revela toda a sua magia ao defrontar-se com o mundo sertanejo. Mal comparando, era como se um disco voador pousasse na praça da matriz dum povoado rural, ou como se um totem de ferro despencasse misteriosamente do alto. Para mais acentuar a sensação de acontecimento fora do comum, sobrenatural mesmo, nota-se que o relato transcorre num tempo indeterminado ("Desde que ela chegou não me lembro quando..."), e o sertão pode ser qualquer um e localizado em qualquer parte. Ao contrário do culto futurista à máquina, que a reverenciava como sinônimo de modernidade, o inesperado objeto desencadeia reações controvertidas: inicialmente, o povo se desinteressou — mas acabou desejando que ela se transformasse em "monumento municipal" —, e os políticos trataram logo de ver se a súbita aparição lhes poderia render votos — mas logo perderam o interesse. Apenas o vigário "ainda não rendeu homenagem à máquina". Lançando mão, sutilmente, dos meios indiretos da alegoria, o narrador descortina um sentido ideológico por trás das manifestações das pessoas do sertão, como se entre o clima de realismo mágico e as questões sociais se processasse uma obscura e imprevista comunicação. O tom é de fábula, mas de fábula moderna, engendrada pela visão do desconhecido, do perigo, do anti-humano: ingênuo, preservando no olhar as fantasias da infância, o narrador encanta-se com o espetáculo da estranha máquina "descarregada na frente da Prefeitura". O estilo, com deixar transparecer a impregnação da língua inglesa, flui num andamento próprio de quem conta um caso, prestando-se bem para exprimir a sensação de maravilha que se perderá se a máquina começar "a trabalhar (...): estará quebrado o encanto e não existirá mais máquina".

MOACYR SCLIAR

Nascido em Porto Alegre, Rio Grande do Sul, a 23 de março de 1937, na cidade natal formou-se em Medicina, no mesmo ano em que fez a sua estréia com *História de um Médico em Formação* (1962). A partir de 1968 uma série de prêmios ajudaria a divulgar-lhe o nome e a obra, tornando-os conhecidos dentro e fora do País. Sem abandonar o exercício da Medicina, vem publicando vários livros de contos (*O Carnaval dos Animais*, 1968; *A Balada do Falso Messias*, 1976; *Histórias da Terra Trêmula*, 1976; *O Anão no Televisor*, 1979; *A Orelha de Van Gogh*, 1989), de romances (*A Guerra no Bom Fim*, 1972; *O Exército de um Homem Só*, 1973; *Os Deuses de Raquel*, 1975; *O Ciclo das Águas*, 1976; *Mês de Cães Danados*, 1977; *Doutor Miragem*, 1978; *Os Voluntários*, 1979; *O Centauro no Jardim*, 1980; *A Festa no Castelo*, 1982; *A Estranha Nação de Rafael Mendes*, 1983; *Cenas da Vida Minúscula*, 1991), crônicas (*Os Mistérios de Porto Alegre*, 1976), novelas (*Max e os Felinos*, 1981; *Cavalos e Obeliscos*, 1981). O conto que se lê a seguir pertence a *O Carnaval dos Animais*.

Uma Casa

Um homem ainda não tinha comprado sua casa quando sofreu um ataque de angina de peito. A dor foi muito forte e ele teve, como é habitual nestes casos, a sensação da morte iminente. Ao médico que o atendeu perguntou quanto tempo lhe restava de vida.

— Quem sabe? — disse o doutor. — Talvez um dia, talvez dez anos.

O homem se impressionou muito, coisa que não acontecia há longo tempo. Sua existência era tranqüila. Estava aposentado; levantava-se, lia o jornal (apenas a secção de curiosidades e passatempos); ia para a Praça da Alfândega, conversava com os amigos, engraxava os sapatos. Almoçava, dormia um pouco, e, à tarde, ouvia rádio.

À noite olhava televisão. Todas estas coisas embalavam suavemente seu espírito, sem mobilizá-lo em excesso. Órfão e solteiro, não tinha maiores cuidados; vivia num quarto de pensão e a senhoria — boa mulher — velava por tudo.

Mas, então, vê o homem sua vida extinguir-se. Lavando-se, observa a água escoar-se pelo ralo da pia: "É assim." Enxuga o rosto, penteia-se com cuidado. "Ao menos uma casa." Qualquer coisa: uma chálé, um apartamento minúsculo, um porão que seja. Mas morrer em casa. No seu lar.

Procura uma imobiliária. O corretor mostra-lhe plantas e fotografias. O homem olha, perplexo. Não sabe escolher. Ignora se precisa de dois quartos ou de três. Há uma casa com ar condicionado, mas será que ele viverá até o verão?

De repente, encontra: "Esta aqui. Fico com ela." A fotografia mostra um velho bangalô de madeira, com beiradas coloniais e pintura desbotada. "Esta nós anunciamos pelo terreno" — explica o corretor. — "A casa, mesmo, está quase caindo." "Não faz mal." O corretor ainda pondera: "Olhe que é longe..." Longe!... O homem sorri. Assina os papéis, pega a chave, toma nota do endereço e sai.

A tarde vem caindo e o homem move-se entre as pessoas, bem contente. Vai mudar-se para a sua casa! Perto da pensão, numa praça, há carroceiros à espera de serviço. O homem conversa com um deles, acerta a mudança.

O carroceiro leva algum tempo para ajeitar a bagagem. É noite fechada quando se põem a caminho. O homem viaja quieto. Não se despediu da dona da pensão. Deu o endereço ao carroceiro e não proferiu mais palavra.

A carroça avança devagar pelas ruas desertas. Embalado pelo movimento, o homem cochila: e tem sonhos, visões, ou lembranças: antigas canções; a mãe chamando-o para tomar café; a sineta do colégio.

— É aqui — diz o carroceiro. O homem olha: é a mesma casa que via na fotografia. Num impulso, agarra a mão do carroceiro, agradece, deseja-lhe felicidades. Tem mesmo vontade de convidá-lo a entrar: venha tomar um chá em minha casa. Mas não há chá. O carroceiro recebe o pagamento e se vai, tossindo.

O homem leva suas coisas para dentro, fecha a porta e dá duas voltas à chave. Acende uma vela. Olha ao redor: o chão juncado de insetos mortos e farrapos de papel, as paredes sujas. Está muito cansado. Estende no chão um cobertor e deita-se, enrolado no sobretudo.

As tábuas estalam, e ele ouve sussurros; são vozes conhecidas: pai, mãe, tia Rafaela, estão todos aqui — até mesmo o avô, com seu risinho irônico.

Não, o homem não se assusta. Seu coração — um pedaço de couro seco, ele imagina — bate no ritmo de sempre. Ele dorme, a vida se apaga, e já é de manhã.

É de manhã, mas o sol não surgiu. O homem se levanta e abre a janela; uma luz fria e cinzenta infiltra-se na sala. Não é luz do sol, nem é luz da lua. E é a esta luz que ele vê a rua que passa diante da casa. Um pedaço de rua, surgindo do nevoeiro e terminando nele. Não há casas; pelo menos ele não as vê. Bem diante do bangalô há um terreno baldio e nele, meio coberto pela vegetação, o esqueleto enferrujado de um velho Packard.

Um animal pula do terreno baldio para a estrada. É um ser exótico, parecido com um rato, mas quase do tamanho de um jumento. "Que bicho será?" — pergunta-se o homem. No ginásio, gostara muito de zoologia. Estudava em detalhe o orni-torrinco e a zebra; os roedores também. Desejara ser zoólogo, mas amigos de bom senso dissuadiram-no de seguir uma profissão que, diziam, até prova em contrário, não existe. Mesmo assim, a visão do curioso espécime é um choque. E nem bem o homem se recupera, quando ouve alguém assobiando.

Da cerração vem saindo um homem. Um homem baixo e moreno, com cara de índio. Caminha devagar, batendo nas pedras com um cajado; e assobiando sempre.

— Bom dia!

O nativo não responde. Pára. Fica olhando e sorrindo. Desconcertado, o homem insiste.

— Mora por aqui?

Sorrindo sempre, o andarilho murmura algumas palavras em idioma bizarro e desaparece.

"É um idioma bizarro" — pensa o homem. Logo, um país distante. Bem que o corretor lhe avisara! Mas isto fora há longo tempo. Desnorteado, o homem resolve subir ao andar de cima para, de lá, situar-se melhor. Corre para a escada, galga os degraus de dois em dois (e não me dá angina!), chega a uma espécie de torreão, cuja janelinha ele abre. A névoa se dissipa e ele pode ver.

E o que é que ele vê? Rios brilhando ao longo de planícies, é o que ele vê; lagos piscosos, florestas imensas, picos nevados, vulcões. Vê o mar, muito longe: e nos portos, caravelas atracadas. Até os marinheiros ele pode ver, subindo nos mastros e soltando as bujarronas.

— Sim, é outro país — conclui o homem. — E tenho de começar tudo de novo.

Seriam dez horas da manhã — se é que as horas ainda existiam — e a temperatura poderia ser considerada agradável.

O homem começa tirando o sobretudo.

(*O Carnaval dos Animais*, 2ª ed., Porto Alegre,
Movimento/IEL, 1976, pp. 49-51.)

O autor deste conto modelar filiou-se também à corrente do realismo mágico ou fantástico que varreu as literaturas latino-americanas e a brasileira nas décadas de 70 e 80. Mas a sua perspectiva da realidade, assim como a sua maneira própria de engendrar narrativas, logo se distinguiriam por alguns ingredientes que podem ser observados nesta estranha história. No plano da superfície, não passa da vida banal de um homem que, sentindo-se à beira da morte depois do diagnóstico médico, se muda para a casa com a qual sonhara desde sempre. No plano profundo, a sua condição de cardíaco fadado a morrer a qualquer hora (mas quem escapa dessa fatalidade, a de poder morrer a qualquer hora?) é, logo às primeiras linhas, eivada de uma tonalidade insólita que somente se desvela em toda a sua extensão quando chegamos às últimas linhas e atentamos bem para o que ali se descreve. Relido o conto a partir dessa iluminação final, que destoa da atmosfera sombria que até então predominava, começa a ganhar relevo o sentido mágico da trajetória do pobre solitário. Sem nome — afinal é simplesmente "um homem" —, aposentado, órfão, solteiro, a sua vida entra a modificar-se completamente quando ouve as palavras aterradoras do médico. Como se, depois delas, ob-tivesse a permissão para entrar no funil do tempo, o homem muda-se para a casa finalmente adquirida. Mas, estranhamente, vai de carroça, ele que gastava as horas vagas à frente da televisão. O que vem a seguir é já o puro mergulho no insólito: que casa seria essa povoada das vozes dos seus parentes? a da infância? E o idioma bizarro usado pelo "homem baixo e moreno, com cara de índio"? E o navio a vela? E os "rios brilhando", os "lagos piscosos, florestas imensas, picos nevados, vulcões"? Que país será esse? Onde é que tudo isso acontece? O absurdo, ou o sobrenatural, que se adensava aos poucos, alcança nesse momento o ápice: a casa sempre desejada, o que será afinal? O solar da morte? E o panorama deslumbrante que dela se avista, seria o céu? Como se montasse uma parábola ou uma alegoria da existência humana, Moacyr Scliar entrevê o cotidiano trespassado de maravilha, uma vez que o dia-a-dia, sendo mistério para quem o contempla de fora (como fazem o narrador e o leitor do conto), leva inexoravelmente à nostalgia de um pouso que parece encontrar-se no ponto de partida. O absurdo não é o imprevisto fora do comum que perturba o nosso monótono viver diário; é, sim, a própria realidade: esta, nela incluído o corre-corre dos seres humanos, é intrinsecamente absurda, misteriosa. Daí o realismo do conto, porquanto nele a realidade se espelha e se deixa ver como é (ou parece ser): absurda. E o verossímil seria, em contrapartida, a irrealidade. Se algum ceticismo pode haver neste conto, é o de um escritor *doublé* de médico, que sabe descortinar na paisagem humana com a qual lhe é dado conviver a porção implícita de fatalismo transcendente, ou seja, de mistério ou de magia. Não surpreende nada, por isso, que seja ele um dos contistas mais destacados que a nossa literatura revelou nos últimos decênios.

JOÃO UBALDO RIBEIRO

Nasceu em Itaparica, Bahia, a 23 de janeiro de 1941. Viveu em Sergipe durante a infância. Estudos realizados em Salvador, onde se formou em Direito. Ainda se diplomou em Administração Pública pela Universidade da Califórnia do Sul. Tem-se dedicado ao jornalismo e à literatura. Estreou com o livro de contos *Reunião* (1961), de parceria com outros escritores baianos. Em 1968, publicou um romance (*Setembro não tem sentido*), que não alcançou maior ressonância. Com *Sargento Getúlio* (1971), no entanto, ganhou imediata consagração, que as obras seguintes confirmariam: *Vencecavalo e o outro Povo*, contos (1974), *Vila Real*, romance (1979), *Livro de Histórias*, contos (1981), *Viva o Povo Brasileiro*, romance (1984), *O Sorriso do Lagarto*, romance (1994). Ainda publicou um volume de ensaio (*Política*, 1983) e uma narrativa juvenil (*Vida e Paixão de Pandonar, o Cruel*, 1983).

Sargento Getúlio

Como nos informa o próprio autor, à entrada do volume, "nesta história, o Sargento Getúlio leva um preso de Paulo Afonso a Barra dos Coqueiros. É uma história de "aretê", isto é, de virtude e exemplo.

Hum. Quer dizer, eu estou aqui. Sou eu. Para eu ser eu direito, tem que ser como o chefe, porque senão eu era outra coisa, mas eu sou eu e não posso ser outra coisa. Estou ficando velho, devo ter mais de trinta. Devo ter mais de quarenta, possa ser, e reparei uns cabelos brancos na barba já tem muito tempo. Não posso ser outra coisa, quer dizer que eu tenho de fazer as coisas que eu faço direito porque senão como é que vai ser? O que é que eu vou ser? Não gosto dessa conversa desses homens vir aqui conversar. Se o chefe vem, bom. Se não vem, não sei. Eu sou sargento da Polícia Militar do Estado de Sergipe. Não sou nada, eu sou é Getúlio. Bem que eu queria ver o chefe agora, porque sozinho me canso, tenho que pensar, não entendo as coisas direito. Sou sargento da Polícia Militar do Estado de Sergipe. O que é isso? Fico espiando aqui essa dobra de cáqui da gola da farda me espetando o queixo. Eu não sou é nada. Gosto de comer, dormir e fazer as coisas. O que eu não entendo eu não gosto, me canso. Chegasse lá, sentava, historiava e esperava a decisão. Era muito melhor. Assim como está, não sei. Não gosto que o mundo mude, me dá uma agonia, fico sem saber o que fazer. É por isso que eu só posso ter de levar esse traste para Aracaju e entregar. Tem que ser. Depois resolvo as outras coisas e tal. Não sei se esse povo é da Bota Amarela, se querem me acertar, me dar um chá da meia-noite aí, se são de confiança. Essa Bota Amarela faz os serviços ligeiro. O homem está na porta, com seu pijama e seu sossego, sentado numa cadeira de vime, chega o pistoleiro: boa-noite, desculpe o incômodo, que horas são? E aí, por baixo do subaco mesmo, por dentro do paletó, olhando para o outro lado, mete duas no homem e vai embora no mesmo pé. Não gosto deles, recebem dinheiro para fazer isso, não acho direito. Todos casos, quando os homens chegar, não conheço ninguém e seguro a mão debaixo da mesa com um negócio apontado por baixo mesmo para a queixada de um. Se embarcar, não embarco só, e não tenho vontade de embarcar agora. Preciso avisar o Amaro. Pode ser uma fuzilaria. Quer ver que o padre me empresta aquela de dois.

. . . .

Não sei direito como é que eu falei assim, mas de repente eu estava me sentindo muito bom e o que é mais que pode me acontecer. O que pode me acontecer é eu morrer, daí para baixo não pode mais nada, e se eu morrer vou com diversos; vai ser uma caravana, e quando os homens desistiram de mais conversar e quando eu me lembrei do recado de Elevaldo e quando eu vi que eles foram e eu tinha de dar uma decisão, aí não sei. Não gosto dessa folia de recado, não é meu jeito. Mas possa ser que é verdade tudo, e então eu estou só no mundo, eu mais Amaro. Agora veja, por Amaro eu respondo não, respondo por mim. Que foi que ele me disse? Me disse, me traga esse homem aqui, pelo menos meio inteiro. Vai somente com quatro dentes faltando, isso ele bota depois uns pustícios, e menos um pouco de banha, que até nem é bom por causo do calor. Agora, se eu tomo o recado e não levo o homem, fico sem graça e possa ser que nem seja verdade. Se eu levo, pelo menos vejo com meus olhos, e morrer assim ou assado é a mesma coisa. Mas o chefe pode não gostar. Não sei. Não gosto.

Levo ou não levo, é isso. Talvez seja melhor sofrer a sorte da gente de qualquer jeito porque deve estar escrito. Ou é melhor brigar com tudo e acabar com tudo. Morrer é como que dormir e dormindo é quando a gente termina as consumições, por isso é que a gente sempre quer dormir. Só que dormir pode dar sonhos e aí fica tudo no mesmo. Por isso é que é melhor morrer, porque não tem sonhos, quando a gente solta a alma e tudo finda. Porque a vida é comprida demais e tem desastres. Quem agüenta a velhice que vai chegando, os espotismos e as ordens falsas, a dor de corno, as demoras em tudo, as coisas que não se entende e a ingratidão quando a gente não merece, se a gente mesmo pode se despachar, até com uma faca? Quem é que agüenta esse peso, nessa vida que só dá suor e briga? Quem agüenta é quem tem medo da morte, porque de lá nenhum viajante voltou e isso é que enfraquece a vontade de morrer. E aí a gente vai suportando as coisas ruins, só para não experimentar outras, que a gente não conhece ainda. E é pensando que a gente fica frouxo e a vontade de brigar se amarela quando se assunta nisso, e o que a gente resolveu fazer, quando a gente se lembra disso se desvia e acaba não se fazendo nada. Padre, ô reverêndio, em suas rezas, lembre dos meus pecados.

Faço o seguinte, eu levo, sim. Nunca fui homem de falhar no meio, eu levo, sim. Eu sei que o senhor seu padre dá preferência que eu largue esse troço aí, mas não largo e pode dizer que foi eu que disse e pode dizer que foi até na violência que eu desobedeci essas ordens, mas eu levo o homem, nem que me deixe os pedaços pelaí, qualquer coisa. Último caso, me arrumo por qualquer caminho, vou e volto, faço um camim-sem-fim, saio daqui, arrodeio por Muribeca, subo para Malhada dos Bois, me bato até Gararu, volto para Amparo de São Francisco, me enfio por Aquidabã e Cumbe, me lasco para Feira Nova e Divina Pastora e Santa Rosa de Lima e Malhador e Rosário do Catete e Maruim e entro em Santo Amaro das Brotas e me despenco pelo rio abaixo e quero ver ninguém me pegar, até que ninguém nunca viu sargento de canoa ou qualquer coisa e me paro na Barra dos Coqueiros e quero ver ninguém me segurar, chego lá e me ajeito e dou um fim nessa situação e nesses lugares todos não tem prefeito nem delegado nem pretor que bote a mão em mim, muitos deles não tem delegado nem prefeito, que não é nem cidades, de formas que eu vou. Olhe, se um santo me dissesse quer morrer velho e frouxo ou quer morrer assim e macho, eu posso lhe garantir que dizia que queria morrer macho, não vejo graça no outro jeito. E de mais que já estou azuretado com isso e quero parar. E demais que não quero viver me escondendo pelaí ou ir ser chofer em São Paulo, nem sei aonde é isso, de maneiras que se eu puder meter a mão naquela água benta e fazer pelossinal e empacotar meus trens, acho que tenho uma febre quartã de aporrinhação, de vez em quando me dá e eu não agüento, pronto. Deus me livre que eu não leve o coisa comigo e não entregue, o que é que eu vou ficar pensando depois, se já tenho pouco para pensar e o pouco que eu tenho vai inchando na minha cabeça e vai tomando conta do oco que tem lá dentro? Eu lhe agradeço a comida e a pousada e as cantigas e as prosas e o trabalho. E lhe agradeço se puder emprestar, que talvez nunca nem volte, essa bichinha a Amaro, que ele gostou se dá bem com ela e faz pena ele deixar, eu sei que o senhor de onde tirou essa tira outras, um padre como o senhor. Pela mesma porta que eu entrei, pela mesma porta eu saio, esteja o senhor bem.

(Sargento Getúlio, 5ª ed., Rio de Janeiro, Nova
Fronteira, 1982, pp. 94-95, 98-101.)

A narrativa de João Ubaldo Ribeiro entronca-se no regionalismo inaugurado por Guimarães Rosa, mas dele se distingue em vários aspectos. Ao contrário dos romances da mesma linhagem escritos na década de 30 (José Lins do Rego e outros), a breve saga do Sargento Getúlio mostra um regionalismo mais terra a terra, ou menos exótico. A ênfase plástica no cenário natural e no folclore cede vez a uma visão quase fotográfica da paisagem nordestina. Daí resulta a sondagem no interior dos protagonistas, que lança mão da primeira pessoa para melhor se tornar verossímil. O sargento é um matuto que vai refletindo em torno da (sua) condição humana à medida que conduz o preso a Aracaju, como se ele próprio se encaminhasse para o seu destino final ou para o desvendamento da sua real identidade. Nenhuma transcendência mítica emoldura o episódio banal que serve de núcleo ao romance: os pensamentos de Getúlio gravitam ao redor da sua natureza intrínseca ("Não sou nada, eu sou é Getúlio. (...) sozinho me canso, tenho que pensar, não entendo as coisas direito"), dos seus gostos ou convicções ("Não gosto que o mundo mude, me dá uma agonia, fico sem saber o que fazer."), ou das dúvidas que o assaltam em levar adiante o compromisso de chegar à Barra dos Coqueiros com o seu prisioneiro. Nem se trata do regionalismo ingênuo à maneira de Afonso Arinos ou Valdomiro Silveira, como indica o nome do herói da narrativa e a sua condição de policial militar: ambíguos um e outra, camuflam o empenho dum regionalismo engajado, ou pelo menos crítico. Sincopada, ágil, a linguagem serve bem ao propósito: parecendo brotar diretamente da fala do protagonista, sem intervenção do narrador, não esconde a sua oralidade. Mas nem se esmera na inovação de palavras ou de nexos sintáticos, nem atribui à personagem central uma linguagem escorreita. Nesse meio-termo reside, sem dúvida, umas das linhas de força deste romance hoje incorporado à porção mais válida da literatura brasileira dos últimos tempos.

ÍNDICE DE NOMES

ÍNDICE DE OBRAS

V

Leia também

A LITERATURA PORTUGUESA ATRAVÉS DOS TEXTOS

Massaud Moisés

Conquanto tivesse sido originariamente planejado como volume complementar de A Literatura Portuguesa — manual de história literária que tem merecido a melhor das acolhidas por parte de alunos e professores de nossas Faculdades de Letras —, este livro do Prof. Massaud Moisés pode ser considerado uma obra autônoma e como tal utilizado no ensino dessa disciplina.

Conforme seu título dá a entender, A LITERATURA PORTUGUESA ATRAVÉS DOS TEXTOS é uma antologia de textos literários representativos dos principais autores e das várias fases históricas da Literatura Portuguesa, desde o Trovadorismo ao Modernismo. Ideado e realizado em moldes fecundamente inovadores, não se contenta esta analogia em ser, como as antologias convencionais, mera reunião de textos escolhidos. Através de todo um aparato de notas históricas e biográficas e de comentários críticos, cuida ela de situar, histórica e estilisticamente, cada texto antologiado, ressaltando-lhe os valores literários de conteúdo e de forma. Dessarte, logra conciliar num só contexto integrado, a crestomatia, a história e a análise literárias, o que lhe confere incomum utilidade como instrumento de trabalho no ensino de Literatura Portuguesa.

A seleção dos textos aqui reunidos foi feita sob o duplo critério da qualidade e da representatividade. O volume está dividido em várias partes, correspondentes às fases históricas principais da Literatura Portuguesa. Cada uma das partes se abre com um comentário geral acerca das características diferenciais da fase a que é consagrada, vindo a seguir notícias biográficas e históricas dos autores e textos antologiados, os quais são seguidos de comentários analíticos.

Ao entregar ao público leitor esta nova edição, revista e aumentada, de A Literatura Portuguesa Através dos Textos, a Editora Cultrix está certa de ter prestado uma contribuição significativa ao aperfeiçoamento dos métodos de ensino da Literatura Portuguesa entre nós.

EDITORA CULTRIX